A HOMERIC DICTIONARY

A HOMERIC DICTIONARY

FOR SCHOOLS AND COLLEGES

Based Upon the German of
GEORG AUTENRIETH

Translated by
ROBERT P. KEEP

Revised by
ISAAC FLAGG

online perseus.Tufts.edu

NORMAN: UNIVERSITY OF OKLAHOMA PRESS

PREFACE

More than eighty years have elapsed since Georg Autenrieth's *A Homeric Dictionary* was first made available in English. It has since become an almost indispensable tool for thousands of students who have undertaken the reading of the *Iliad* and the *Odyssey* of Homer. This long record of usefulness and the continuing high esteem in which it is held by classical scholars provide ample justification for the present edition.

Professor Charles H. Reeves of the University of Oklahoma speaks of it as "far and away the handiest and most helpful of all the aids to the reading of Homeric Greek that have yet appeared." As the translator wrote in his preface to the first American edition, "The editor's own experience leads him to believe that a pupil with this dictionary in his hands will easily read two pages of Homer in the time which, with a large lexicon, would be required for one page. The dictionary also supplies, in good degree, the place of a commentary, and will be found equally full upon all parts of the two poems." I can only add that two decades of teaching Greek to preparatory students have confirmed all of the excellence that others have attributed to Autenrieth's work.

While *A Homeric Dictionary* needs no dedication at this late date, I should like to think that this particular edition of it might be dedicated to the earnest young students of Greek at Thomas Jefferson School, St. Louis, of this year and years past, whose unflagging interest in Homer has been one of the rewarding experiences of my career as a teacher.

ROBIN MCCOY

Thomas Jefferson School
St. Louis, Missouri
January 2, 1958

EXPLANATION OF REFERENCES.

References are made to the several books of the Iliad and the Odyssey respectively, according to the usage of the ancient commentators, by the large and small letters of the Greek alphabet. Thus A 10 signifies Iliad, Bk. I., line 10; and ω 8 signifies Odyssey, Bk. XXIV., line 8; or, in detail:

A.....	Iliad....	I.	....Odyssey....	α	N.....	Iliad....	XIII.	....Odyssey....	ν
B.....	"	....II.	....	" ....β	Ξ....	"	....XIV.	....	" ....ξ
Γ.....	"	....III.	....	" ....γ	O.....	"	....XV.	....	" ....ο
Δ....	"	....IV.	....	" ....δ	Π.....	"	....XVI.	....	" ....π
E.....	"	....V.	....	" ....ε	P.....	"	....XVII.	....	" ....ρ
Z.....	"	....VI.	....	" ....ζ	Σ.....	"	....XVIII....		" ....σ
H	"	....VII....		" ....η	T.....	"	....XIX.	....	" ....τ
Θ	"	....VIII....		" ....ϑ	Υ.....	"	....XX.	....	" ....υ
I.....	"	....IX.	....	" ....ι	Φ	"	....XXI.	....	" ....φ
K	"	....X.	....	" ....κ	X	"	....XXII.	....	" ....χ
Λ.....	"	....XI.	....	" ....λ	Ψ.....	"	....XXIII....		" ....ψ
M	"	....XII....		" ....μ	Ω.....	"	....XXIV.....		" ....ω

The character † designates Homeric ἅπαξ λεγόμενα.

Two references connected by the word *and* designate δὶς λεγόμενα.

Il. or Od. affixed to a definition denotes that the word defined occurs **only** in the Iliad or only in the Odyssey.

The references in general are to be understood as explanatory, and **not** as exhaustive: they are uniformly made to the small Teubner edition of the Iliad and Odyssey, edited by Dindorf.

To aid the eye, the first word of each article, or, if that chance not to occur in Homer, the first Homeric form, is printed in full-faced type.

The characters Ϝ and *j* represent the semi-vowel spirants *v* (*w*) and *y*.

LIST OF ABBREVIATIONS.

acc.	signifies	accusative.
act.	"	active.
adj.	"	adjective.
adv.	"	adverb.
aor.	"	aorist.
cf.	"	c o n f e r, compare.
cogn.	"	cognate.
coll.	"	collective.
coll. forms	"	collateral forms.
comm.	"	{ commonly; common gender.
comp.	"	comparative.
compd.	"	compound.
conj.	"	conjunction.
constr.	"	construction.
dat.	"	dative.
dep.	"	deponent.
d., du.	"	dual.
epith.	"	epithet.
esp.	"	especially.
euphem.	"	euphemistically.
exc.	"	except.
fem.	"	feminine.
follg.	"	following.
foreg.	"	foregoing.
freq.	"	frequent.
fut.	"	future.
gen.	"	genitive.
imp.	"	imperative.
indic.	"	indicative.
inf.	"	infinitive.
instr.	"	instrumental.
intrans.	"	intransitive.
ipf.	"	imperfect.
irreg.	"	irregular.
iter.	"	iterative.
κ. τ. λ.	"	καὶ τὰ λοιπά, etc.
lit.	"	literally.
masc., msc.	"	masculine.
met.	"	metaphorical.

mid.	signifies	middle.
nom.	"	nominative.
neut., ntr.	"	neuter.
opp.	"	opposed to.
opt.	"	optative.
orig.	"	originally.
part.	"	participle.
pass.	"	passive.
pf., perf.	"	perfect.
pers.	"	person, personal.
plupf.	"	pluperfect.
pl.	"	plural.
pr., pres.	"	present.
prob.	"	probably.
q. v.	"	q u o d v i d e, see.
red.	"	reduplicated.
reg.	"	regular.
sc.	"	s c i l i c e t, supply.
signif.	"	signification.
sing., s., sg.	"	singular.
sq., sqq.	"	{ s e q u e n s, sequen- tia.
subj.	"	subject, subjunctive.
subst.	"	substantive.
sup.	"	superlative.
sync.	"	syncopated.
trans.	"	transitive.
verb.	"	verbal adjective.
v.	"	v i d e, see.
vid. sub voc.	"	see under.
v. l.	"	{ varia lectio, differ- ent reading.
w.	"	with.
in tmesi		{ separation of preposi-
tm.	"	{ tion from verb in a
tmesis		{ compound.
in arsi	"	{ in the arsis (the unac- cented syl. of the ft.).
1, 2, 3	"	{ adjectives of one, two, or three terminations.

INDEX OF ILLUSTRATIONS.

1. Ἀμνίον, page 20.
2. ἄμπυξ, 20.
3. ἀμφίβροτος, 22.
4. ἀμφίγυος, 22.
5. ἀμφιέλισσα, 23.
6, 7. ἀμφιφορεύς, 24, 25.
8. ἀναδέσμη, 26.
9. ἄντυξ, of shield, 34.
10. ἄντυξ, of chariot, 34.
11. ἀξίνη, 35.
12. ἄορ, 35.
13. ἀπήνη, 38.
14. ἀράω, 44.
15. ἀσκός, 49.
16, 17. ἀσπίς (two cuts), 50. See also ἄντυξ, ἄορ.
18. ἀστράγαλος, 51.
19. Ἀχιλλεύς, 58.
20. βαθύζωνος, 59.
21. Βρισηίς, 63.
22. βωμός, 64.
23. γουνόομαι, 68.
24. γωρυτός, 68.
25. δαίς, 70.
26. δαιτρός, 70.
27. δάος, 71.
28. δέπας, 73.
δέσμα. See ἀναδέσμη.
29. δικλίς, 77.
30. δίσκος, 78.
31. δρύοχος, 81.
32. ἔδαφος, 84.
33. ἔδρη, 84.
34. ἐντανύω, 107.
35. ἐπιβλής, 107.
36. ἐπισφύριον, 112.
37. ἐπίτονος, 112.
38. ἐρετμόν, 115.
39. Ἐρινύς, 116.
40, 41. ἕρμα (two cuts), 117.
42. ἕστωρ, 119.
43. ἐσχάρη, 119.
44. εὔζωνος, 122.
εὐκνήμις. See ἀμφίβροτος.
45, 46. ζυγόν (two cuts), 128.
47. ζῶμα, 129.
ζῶμα, as part of armor. See ἄορ, figure of Aeneas, and κυνέη.

48. ζώνη, 129.
49, 50. ἠλακάτη, 131.
51. ἡνίοχος, 133.
52. θαιρός, 135.
θρόνος. See ἄμπυξ.
53. θύσθλα, 141.
54. θύω, 141.
55. θώρηξ, 141.
56. ἱμάς, 145.
57. ἱστίον, 148.
58. ἱστοπέδη, 148.
59. ἱστός, 148.
60. κάλος, 152.
61. κάλπις, 152.
62. καλύπτρη, 152.
63. κανών, 153. See also ἄορ, ἀσπίς, λινοθώρηξ.
64. κέραμος, 160.
65. κήρ, 161.
66. κιθαρίζω, 162.
67. κιθαριστύς, 162.
68. κληίς, 164.
69. κλιντήρ, 164.
70. κλισμός, 164.
71. κρήδεμνον, 168.
κρητήρ. See ἀμφιφορεύς.
72. κρίκος, 169. See also ζυγόν, ἕστωρ.
κυνέη. See ἐρετμόν.
73. λαισήιον, 173.
74, 75. λαμπτήρ (two cuts), 174.
76. λέβης, 175.
77. λείβω, 176.
78. λέπαδνον, 176.
79. λινοθώρηξ, 178. See also ἄορ, figure of Ajax.
λίνον. See ἠλακάτη.
80, 81. λόφος (two cuts), 179.
82. μάχαιρα, 182.
83. μέγαρον, 182.
84. μεσόδμη, in ship, 188.
μεσόδμη, in house. See μέγαρον.
μηρύω. See ἀμφιέλισσα.
85. μύλη, 194.
86. ξίφος, 201.
87, 88. οἰήιον (two cuts), 204.
89, 90. ὀιστεύω (two cuts), 206.
91. ὀκτάκνημα, 206.
92. ὀμφαλός, 209.

'Ορέστης. See ἔδρη.
93. ὅρμος, 212.
οὐρίαχος. See ἀμφίγυον.
94. πάρηορος, 222.
95. πεμπώβολα, 227.
96. πέπλος, 227.
97. περόνη, 230.
98. πεσσός, 231.
99, 100. πηδάλιον (two cuts), 231, 232.
101. ποίκιλμα, 235.
πρότονος. See Σειρήν.
102. πυγμάχος, 246.
103. πυρή, 248.
104. πῶμα, 248.
105, 106. ῥῆγος, 249, 250.
107. ῥυμός, 251.
108. Σειρήν, 252.
109. σκῆπτρον, 255.
110. Σμινθεύς, 255.
111. στέμμα, 257.
112. στήλη, 258.
σφάζω. See ἀμνίον.

113. σφενδόνη, 261.
σχεδίη. See ἁρμονίη.
114. Ταλθύβιος, 263.
115. τελαμών, 265.
τετραφάληρος. See αὐλῶπις.
116. τετράφαλος, 267.
117. τρίβω, 272.
118. τρίγληνος, 272.
119. τρίπος, 273.
120. τροπός, 273. See also ἔδαφος and ἐρετμόν.
121. τρύπανον, 274.
122. τρυφάλεια, 274. See also αὐλῶπις. τύπτω. See ἱστίον.
123. ὑφαίνω, 281.
124. φαρέτρη, 282.
125. φόρμιγξ, 286.
126. φορτίς, 286.
127. Φρυγίη, 287.
128. Χίμαιρα, 292.
129. χιτών, 292. See λαισήιον.
130. Ὠκεανός, 295.

PLATES, AT END OF THE VOLUME.

I. Chariot at Rest. (From ancient vase.)

II. Chariot in Motion. (From relief of frieze of the Parthenon.)*

III. Ground-plan of House of Odysseus, as drawn by L. Gerlach.

IV. The Ship of the Homeric Age. (Inserted, by permission of Mr. Merry, from Merry's "Odyssey." Macmillan, 1873.) *

V. Map of the Trojan Plain, with designation of the chief natural features, and of the various sites where it has been sought to locate the city Troja. (From Kiepert's Atlas of Hellas and the Hellenic Colonies. Berlin, 1872.)*

* Plates II., IV., and V. have been added by the translator.

INDEX OF OBJECTS ILLUSTRATED BY EACH CUT.

(The number of the cut comes first, then the page, then the words that the cut illustrates.)

1, 20. ἀμνίον, μάχαιρα, σφάζω.
2, 20. ἄμπυξ, θρόνος, ἴσθμιον, κάλυμ-
    μα, καλύπτρη.
3, 22. ἀμφίβροτος, ἐυκνήμις, ζωστήρ,
    θώρηξ, λόφος, μίτρη.
4, 22. αἰχμή, ἀμφίγυος, δόρυ, οὐρία-
    χος, σαυρωτήρ.
5, 23. ἀμφιέλισσα, μηρύω.
6, 7, 24, and 25. ἀμφιφορεύς, κρητήρ.
8, 26. ἀναδέσμη, δέσμα, κάλυξ.
9, 34. ἄντυξ, σάκος.
10, 34. ἄντυξ, ἅρμα, δίφρος, οἴηξ, τεί-
    νω.
11, 35. ἀξίνη, κυνέη, λόφος.
12, 35. ἄορ, ἀορτήρ, ἀσπίς, ζῶμα, θώ-
    ρηξ, κανών, λινοθώρηξ, λό-
    φος, στεφάνη.
13, 38. ἀπήνη.
14, 44. ἀράομαι.
15, 49. ἀσκός.
16, 17, 50. ἀσπίς, αὐλῶπις, κανών, λό-
    φος, ὀμφαλόεις, σάκος.
18, 51. ἀστράγαλος.
19, 58. ἀστερόεις, Ἀχιλλεύς, ἔγχος, θώ-
    ρηξ.
20, 59. βαθύζωνος, βαθύκολπος.
21, 63. Βρισηίς, λείβω.
22, 64. βωμός.
23, 68. γένειον, γουνοῦμαι.
24, 68. γωρυτός, τόξον.
25, 70. δαίς.
26, 70. δαιτρός, κρητήρ, πρόχοος.
27, 71. δάος.
28, 73. δέπας.
29, 77. δικλίς, ἐπιβλής, ζεύγνυμι, κληΐς,
    ὀχεύς.
30, 78. δίσκος, κατωμάδιος.
31, 81. δρύοχος, τρόπις a, στείρη e.
32, 84. ἁρμονία, ἔδαφος, ἐπηγκενίς c,
    ζυγόν, ἵκριον, κληΐς, νηῦς,
    σκαλμός e.
33, 84. ἔδρη, θώρηξ, Κλυταιμνήστρη,
    λόφος, μίτρη, στρεπτός.
34, 100. ἐντανύω, ἐρύω, τανυστύς, τό-
    ξον.
35, 107. ἐπιβλής, θαιρός, κληΐς.
36, 112. ἐπισφύριον, κνημίς.
37, 112. ἐπίτονος, κληΐς, ὑπέρα.

38, 115. ἄφλαστον, ἐρετμόν, κληΐς, κο-
    ρωνίς, κυνέη, τύπτω.
39, 116. Ἐρινύς.
40, 117. γλαυκῶπις, ἕρμα, ἴσθμιον, κε-
    κρύφαλος, ὅρμος, στεφάνη.
41, 117. ἕρμα, ἴσθμιον, ὅρμος, στεφάνη.
42, 119. ἕστωρ, ζυγόδεσμον, κρίκος, πέ-
    ζη.
43, 119. ἐσχάρη.
44, 122. ἐύζωνος, ἐυπλοκαμίς, ζώνη, καλ-
    λίζωνος, καλλιπλόκαμος, κά-
    λυμμα, καλύπτρη.
45, 128. γνάμπτω, γλωχίς b, ἕστωρ, ζεύ-
    γλη d, ζυγόδεσμον b, ζυγόν,
    κρίκος, οἴηξ, ὀμφαλος a.
46, 128. ζυγόν.
47, 129. ζῶμα.
48, 129. ζώνη.
49, 131. ἠλάκατα, ἠλακάτη, λίνον.
50, 131. ἠλακάτη, λίνον.
51, 133. ἡνίοχος, ὀμφαλος, ὀμφαλόεις.
52, 135. θαιρός, ἐπιβλής.
53, 141. θύσθλα.
54, 141. θύω.
55, 141. θώρηξ, κραταιγύαλος.
56, 145. ἐπιβλής, ἱμάς, κληΐς, κληΐω.
57, 148. ἱστίον, τύπτω.
58, 148. ἱστοπέδη, ἱστός.
59, 148. ἱστός, κερκίς, μίτος, ὑφαίνω.
60, 152. ἱστός, κάλος, κληΐς, οἰήιον.
61, 152. ζώνη, ἴσθμιον, κάλπις, κρήνη.
62, 152. κάλυμμα, καλύπτρη.
63, 153. κανών, πῆχυς, τόξον.
64, 160. κέραμος, πίθος.
65, 161. Κήρ, τάλαντον.
66, 162. κιθαρίζω.
67, 162. κιθαριστύς.
68, 164. κληΐς, κορώνη, κώπη.
69, 164. θρῆνος, κλιωτήρ, τάπης.
70, 164. θρῆνος, κάλυμμα, καλύπτρη,
    κλισμός.
71, 168. κρήδεμνον.
6, 24, and 25. κρητήρ, ἀμφιφορεύς,
    πρόχοος.
72, 169. ζεύγλη, κρίκος.
73, 173, and 295. δίφρος, ἕδρη, ζωστήρ,
    κλισίη, λαισήιον, λόφος, πτε-
    ρόεις, χιτών.

74, 174. λαμπτήρ.
75, 174. λαμπτήρ.
76, 175. λέβης, πρόχοος.
77, 176. λείβω.
78, 176. λέπαδνον g, οἴηξ f.
79, 178. ζωστήρ, θώρηξ, κανών, κυ-
νέη, λαισήιον, λινοθώ-
ρηξ, πτερόεις, στεφάνη.
80, 179. λίνον, ἠλακάτη.
81, 179. λόφος, στεφάνη.
82, 182. λόφος, στεφάνη.
83, 183. μάχαιρα.
84, 188. μέγαρον, ἐσχάρη, μέλα-
θρον, μεσόδμη, ὀπαῖος,
ὀρσοθύρη, ῥώξ.
85, 194. μύλη.
86, 201. ξίφος, στεφάνη, τελαμών,
τερμιόεις.
87, 204. οἰήιον, κληῒς, κορωνίς.
88, 204. οἰήιον, κορωνίς.
89, 206. γλυφίδη, ὀιστεύω, πῆχυς,
τόξον.
90, 206. γλυφίδη, ὀιστεύω, πῆχυς,
τόξον.
91, 206. ἀνθεμόεις, ὀκτάκνημος.
92, 209. ὄμφαλος.
93, 212. ἴσθμιον, ὅρμος.
94, 222. παρήορος.
95, 227. κρατευταί, λείβω, ὀβελός,
πεμπώβολον.
96, 227. πέπλος.
97, 230. κληῒς, περόνη, πόρπη.
98, 231. πεσσός.
99, 231. πηδάλιον.
100, 232. πηδάλιον.
101, 235. ποίκιλμα.
102, 246. πύγμαχος.
103, 248. πυρή.

104, 248. πῶμα, τόξον.
105, 106, 249. θρῆνος, θρόνος, κλισ-
μός, ῥῆγος, τάπης.
107, 251. προσφυής, ῥυμός.
108, 252. πρότονος, Σειρήν.
109, 255. σκῆπτρον, τελαμών.
110, 255. Σμινθεύς.
111, 257. στέμμα.
112, 258. στήλη.
113, 261. σφενδόνη.
114, 263. κῆρυξ, Ταλθύβιος.
115, 265. καταῖτυξ, ὀμφαλόεις, τα-
λαύρινος, τελαμών.
116, 267. αὐλῶπις, κόρυς, λόφος,
στεφάνη, τετράφαλος.
117, 272. τρίβω.
118, 272. τρίγληνος.
119, 273. τρίπος.
120, 273. ἐρετμόν, τροπός.
121, 274. ἱμάς, τρύπανον.
122, 274. λόφος, τρυφάλεια, φάλος.
123, 281. μίτος, ὑφαίνω.
124, 282. τόξον, φαρέτρη.
125, 286. φόρμιγξ.
126, 286. φόρτις.
127, 287. πῆχυς, τόξον, Φρύξ.
128, 292. Χίμαιρα.
129, 292. χιτών.
130, 295. πτύξ, Ὠκεανός.
Plate I. ἅρμα, παρηορία, παρήορος,
ῥυτήρ.
"   II. ἅρμα.
"   III. αἴθουσα, Ἑρκεῖος g, θάλα-
μος, θόλος k, θυρέτρα o,
κίων f, πρόδομος DD,
πρόθυρον t, ὀρσοθύρη h.
"   IV. νηῦς, πούς.
"   V. Σιμόεις.

THE CHIEF PECULIARITIES

OF THE

HOMERIC DIALECT.

IN GENERAL.

A. VOWELS.

1. η is regularly found when, in Attic, ā only would be admissible, e. g. ἀγορή, ὁμοίη, πειρήσομαι.
2. Similarly, ει is sometimes found for ε, ου for ο, e. g. ξεῖνος, χρύσειος, πουλύς, μοῦνος.
3. More rarely οι is found for ο, αι for α, η for ε, e. g. πνοιή, αἰετός, τιθήμενος.
4. By what is called metathesis quantitatis, āο becomes εω (for ἄω). Similarly, we have ἕως and εἷος, ἀπερείσιος and ἀπειρέσιος κ. τ. λ.

B. CONTRACTION OF VOWELS.

1. Contraction, when it occurs, follows the ordinary rules, except that εο and εου form ευ, e. g. θάρσευς, βάλλευ.
2. But the contraction often does not take place, e. g. ἀέκων; and a few unusual contractions occur, e. g. ἱρός (ἱερός), βώσας (βοήσας), ἐυρρεῖος instead of ἐυρρέους from ἐυρρέ-εος.
3. Two vowels which do not form a diphthong are often blended in pronunciation (synizesis), e. g. Ἀτρειδέω, δὴ αὖ, ἐπεὶ οὐ, ἢ οὐ.

C. HIATUS.

Hiatus is allowed:

1. After the vowels ι and υ.
2. When the two words are separated by cæsura or a mark of punctuation.
3. When the final (preceding) vowel is long and in thesis.
4. When the final (preceding) vowel, though naturally long, stands in arsis and has been shortened before the following short vowel.
5. When the final vowel of the preceding word has been lost by elision, e. g.:

    1. παιδὶ ὅπασσεν, $-\smile\smile\;|\;-\smile$.
    2. Ὀλύμπιε, οὔ νύ τ' Ὀδυσσεύς, $\smile\;|\;-\smile\smile\;|\;-\smile\smile\;|\;--$.
    3. ἀντιθέῳ Ὀδυσῆι, $-\smile\smile\;|\;-\smile\smile\;|\;-\smile$.
    4. πλάγχθη ἐπεί, $-\smile\smile\;|\;-$.
    5. ἄλγε' ἔδωκεν, $-\smile\smile\;|\;-\smile$.

Remark.—Many apparent cases of hiatus result from the loss of a digamma or other consonant, e. g. τὸν δ' ἠμείβετ' ἔπειτα Ϝάναξ ἀνδρῶν Ἀγαμέμνων.

D. ELISION.

Elision is much more frequent than in prose. α, ε, ι, ο are elided in declension and conjugation; αι in the endings μαι, σαι, ται, σθαι; οι in μοι; ι in ὅτι.

E. APOCOPE.

Before a consonant, the final short vowel of ἄρα, and of the preps. ἀνά, παρά, κατά, may be cut off (apocope).

Remark.—The accent in this case recedes to the first syllable, and the consonant (now final) is assimilated to the following consonant, e. g. κὰδ δύναμιν, κάλλιπε, ἀμ πεδίον.

F. CONSONANT-CHANGES.

1. Single consonants, esp. λ, μ, ν, ρ, and σ, at the beginning of a word, after a vowel, are frequently doubled, e. g. ἔλλαβον, τόσσος. So also a short final vowel before a follg. liquid is often lengthened by doubling (in pronunciation, though not in writing) the liquid, e. g. ἐνὶ μεγάροισι.
2. Metathesis of vowel and liquid is common, e. g. κραδίη and καρδίη, θάρσος and θράσος.

DECLENSION.

G. SPECIAL CASE-ENDINGS.

1. The termination φι(ν) serves for the ending of the gen. and dat. sing. and pl., e. g. ἐξ εὐνῆ-φι, βίη-φι, ὀστεόφι θίς, σὺν ἵπποισιν καὶ ὄχεσφι.
2. The three local suffixes θι, θεν, δε answer the questions where ? whence ? whither ? e. g. οἴκοθι, οὐρανόθεν, ὅνδε δόμονδε.

H. FIRST DECLENSION.

1. For ᾱ we find always η, e. g. θύρη, νεηνίης, except θεά.
2. The nom. sing. of some masculines in -ης is shortened to -ᾰ, e. g. ἱππότα, νεφεληγερέτα.
3. The gen. sing. of masculines ends in -ᾱο or -εω, e. g. Ἀτρείδαο and Ἀτρείδεω.
4. The gen. pl. of masculines ends in -άων or -έων (rarely contracted, as in Attic, into -ῶν), e. g. θεάων, ναυτέων, παρειῶν.
5. The dat. pl. ends in -ῃσι or -ῃς, rarely in -αις, e. g. πύλῃσι, σχίζῃς, but θεαῖς.

I. SECOND DECLENSION.

1. The gen. sing. has retained the old ending in -ιο, which, added to the stem, gives the termination -οιο. Rarely occurs the termination -οο—more commonly the Attic ending -ου.
2. The gen. and dat. dual end in -οιιν.
3. The dat. pl. ends in -οισι or -οις.

K. THIRD DECLENSION.

1. The gen. and dat. dual end in -οιιν, e. g. ποδοῖιν.
2. Dat. pl. -σι, -σσι, usually joined to a consonant stem by a connecting vowel ε, e. g. πόδ-ε-σσιν and ποσσί, βελέεσσι, βέλεσσι, βέλεσι.
3. Stems ending in -σ are generally uncontracted in declension, but -εος often contracts into -ευς.
4. Words in -ις generally retain the ι in all their cases, e. g. μάντις, μάντιος.
   Remark.—For the various forms of πόλις, vid. sub voc. in Lex.
5. Stems in -εν generally lengthen ε to η in compensation for the omitted υ (Ϝ), e. g. βασιλῆος, βασιλῆι. But proper names may retain the ε, e. g. Τυδέα.

L. ADJECTIVES.

1. The feminine of adjs. of the 1st and 2d declensions is always formed in η, e. g. ὁμοίη, αἰσχρή, exc. δῖα.
2. The Attic rule, that compd. adjs. have only two terminations, is not strictly observed, and, vice versâ. some adjs. which in Attic have three terminations have only two in Homer.
3. Adjs. in -υς are often of only two terminations, and often change the fem. -εια to -εα or -εη. For the various declensional forms of πολύς, vid. sub voc. in Lex.
4. The comp. and superl. endings -ίων and -ιστος are much more extensively used in the Homeric than in the Attic dialect.

M. PRONOUNS.

1. For special forms of pers. prons., vid. sub vocc. ἐγώ, νῶι, ἡμεῖς. σύ, σφῶι, ὑμεῖς. οὗ, σφωέ, σφέων.
2. ὁ, ἡ, τό, in Homer, is dem. pron. In nom. pl. the forms τοί and ταί occur by the side of οἱ and αἱ. The forms beginning with τ have often relative signif., vid. sub voc. in Lex. τοίσδεσσι and τοίσδεσι are forms of ὅδε. κεῖνος is another form for ἐκεῖνος.
3. For peculiar forms of rel. pron., as well as for demonstr. meaning of some of these forms, vid. sub voc. ὅς.
4. For peculiar forms of interrog., indef., and indef. rel. prons., vid. sub vocc. τίς, τις, and ὅστις.

CONJUGATION.

N. AUGMENT AND REDUPLICATION.

1. The augment may be omitted; in this case the accent is thrown back as far as possible toward the beginning of the word. Monosyllabic forms with a long vowel take the circumflex, e. g. λῦσε (ἔλυσε), βῆ (ἔβη).
2. The 2d aor. act. and midd. is often formed in Homer by a reduplication. The only examples of a similar formation in Attic are ἤγαγον, ἤνεγκον (ην-ενεκ-ο-ν), and εἶπον (ἐϜεϜεπον). Among the examples of reduplicated aorists may be mentioned : ἐπέφραδον (φράζω), ἐκέκλετο and κέκλετο (κέλομαι), πεφιδέσθαι (φείδομαι), πεπίθομεν (πείθω), πεπύθοιτο (πυνθάνομαι), ἀμπεπαλών (ἀναπάλλω). Examples of a very peculiar reduplication are ἐνίπ-απ-ον (ἐνίπτω) and ἐρύκ-ακ-ον (ἐρύκω). Here the last consonant of the stem is repeated after a connecting α.
3. There are a few examples of a reduplicated fut. of similar formation with the reduplicated aor., e. g. πεφιδήσομαι, πεπιθήσω.

O. ENDINGS.

1. The older endings of the sing. number μι, σθα, σι, are common in Homer ἐθέλωμι (subj.), ἐθέλησι (also written ἐθέλῃσι).
2. The ending of the 3d pers. dual in the historical tenses is -τον as well as -την in the act., -σθον as well as -σθην in the midd., voice. In 1st pers. pl., μεσθα is used for μεθα, and μεσθον for 1st pers. dual.
3. The 2d sing. midd. and pass. often loses σ and remains uncontracted, e. g. ἔχηαι, βάλλεο, ἔπλεο (also ἔπλευ), ὠδύσαο. In perf. midd., βέβληαι occurs for βέβλησαι.

4. For the 3d pl. endings **-νται** and **-ντο, -αται** and **-ατο** are often substituted, e. g. δεδαίαται, γενοίατο. Before these endings (-αται and -ατο) smooth or middle labial or palatal mutes are changed to rough, e. g. τετράφαται (τρέπω).

5. The inf. act. frequently ends in **-μεναι**, also shortened to **-μεν**, e. g. ἀκουέμεναι, τεθνάμεν(αι). The 2d aor. inf. appears also in the form **-έειν**, e. g. θανέειν. There are one or two examples of a pres. inf. in -ήμεναι and -ῆναι from verbs in **-άω** and **-εω**, e. g. φορῆναι (= φορεῖν).

6. The endings **-σκον** and **-σκόμην** express repetition of the action, and are called iterative endings. They have the inflection of the ipf. of verbs in -ω, and are rarely augmented. They are attached to the ipf. and 2d aor. of verbs in **-ω** by the variable vowel **ε**, rarely **α**, e. g. ἔχ-ε-σκον, ῥίπτ-α-σκον, φύγ-ε-σκε. When joined to the 1st aor., these endings follow directly after the variable vowel of the aor., e. g. ἐλάσα-σκε, μνησά-σκετο. Verbs in -μι append the iterative endings directly to the theme: ἔφα-σκον, στά-σκον, κέ-σκετο (κεῖ-μαι), ἔσ-κον (= εσ-σκον from εἰμί).

P. MOOD-VOWELS OF SUBJUNCTIVE.

The long mood-vowels of the subj. are frequently shortened to **ε** and **ο**, e. g. ἴομεν for ἴωμεν, θωρήξομεν for θωρήξωμεν, εὔξεαι for εὔξηαι (= εὔξῃ). This shortening is especially common in 1st aor. subj., which might, in that case, easily be confounded with fut. indic.

Q. CONTRACT-VERBS.

1. Verbs in **-αω** appear in open, contracted, and expanded (assimilated) forms. The expansion consists in prefixing to the long contracted vowel a likesounding, short, accented vowel, e. g. ὁρόω, ὁράᾳ, ἐλόωσι, ἐλάαν.

   Remark.—Sometimes, for the sake of the requirements of metre, a long vowel is prefixed ; or the short vowel is affixed, instead of prefixed, to the long, contracted vowel, e. g. ἡβώωσα, ἡβώοντες.

2. Verbs in **-εω** are generally uncontracted, but sometimes form **ει** from **εε** and **ευ**, **η** from **εε**, **ευ** from **εο** or **εου**. In uncontracted forms **ε**, the final vowel of the theme, is sometimes lengthened to **ει**.

3. Verbs in **-όω** are generally contracted ; in open forms **ο**, the final vowel of the theme, is generally lengthened into **ω**. Resolved forms are : ἀρόωσι for ἀροῦσι, δηιόωεν for δηιοῖεν.

R. PECULIAR FORMATION OF PRESENT (EXPANDED) THEME.

1. Many presents in **-ζω** are formed from themes ending in **γ**, e. g. πολεμίζω (fut. πολεμίξομεν), μαστίζω (aor. μάστιξεν). The stem of πλάζω ends in **-γγ**, e. g. aor. pass. πλάγχθην.

2. Several presents in **-σσω** are formed from lingual stems, e. g. κορύσσω (perf. pass. ptc. κεκορυθμένος), λίσσομαι (aor. ἐλλισάμην).

3. νίζω shows a theme νιβ, e. g. νίψασθαι.

4. Several other vowel themes, additional to καίω and κλαίω, form the present stem by the addition of **ι**, e. g. μαίομαι (perf. μέμαμεν).

S. FORMATION OF FUTURE AND FIRST AND SECOND AORIST ACTIVE AND MIDDLE.

1. Such pure verbs as do not lengthen the final theme-vowel, in the formation of their tenses, before a single consonant, often double **σ** in the fut. and 1st aor. act. and midd., e. g. αἰδέσσομαι, νείκεσσε, ἐτάνυσσε. Sometimes themes in **-δ** show a similar doubling of **σ**, e. g. κομίσσατο.

2. The fut. of liquid verbs is generally uncontracted, e. g. μενέω, ἀγγελέω. A few liquid stems take the tense-sign σ, e. g. ἐκέλσαμεν (κέλλω), κένσαι (κεντέω), ὧρσε (ὄρ-νυμι).

3. A few verbs form the 1st aor. act. and midd. without σ, e. g. ἔχευα and χεῦα (χέω = χεύω), ἔσσευα (σεύω), ἠλεύατο, ἀλέασθαι (ἀλεύομαι), ἔκηα, subj. κήομεν, inf. κῆαι (καίω).

4. ο and ε sometimes take the place of α as variable vowels of the 1st aor., e. g. ἶξον, ἶξες (ἱκνέομαι), δύσετο (δύω). Similarly, the imvs. βήσεο (βαίνω), ὄρσεο and ὄρσευ (ὄρ-νυμι), ἄξετε (ἄγω), οἶσε (φέρω), and the infins. ἀξέμεναι, σαώσεμεν, κελευσέμεναι, occur ; and a single example of an aor. ptc. with variable vowel ο is seen in δυσόμενος (α 24).

5. A 2d aor. act. and midd. is often formed, similarly to the aor. of verbs in -μι, without a variable vowel. Of this formation there are many instances, e. g. ἔκτα, ἔκτἄν, ἔκτᾰτο (stem κτᾰ = κτεν), σύτο (σεύω), ἔχυτο (χέω), λῦτο (λύω), opts. φθίμην, φθῖτο—inf. φθίσθαι—ptc. φθί- μενος (φθί-ν-ω), ἔβλητο, βλῆσθαι (βάλλω), ᾶλτο (ἄλλομαι), δέκτο (δέ- χομαι), ἔμικτο and μίκτο (μίγνυμι). The imvs. κέκλυθι and κέκλυτε are similarly formed from a reduplicated stem.

T. FORMATION OF PERFECT AND PLUPERFECT.

1. In the forms ἔμμορα (μείρομαι) and ἔσσυμαι (σεύω) we see the same dou- bling of the initial consonant of the stem after the augment (redupli- cation), as if the stem began with ρ. The reduplication has been lost in δέχαται (= δεδεγμένοι εἰσί), and is irregular in δείδεγμαι (δέ- χομαι) and δείδοικα or δείδια.

2. The 1st perf. is formed from vowel-themes alone. The 2d perf. is very common, but always without aspiration, e. g. κέκοπα (κόπτω). There occur frequently forms from vowel-themes which have lost the tense-sign κ, esp. perf. ptcs., e. g. πεφύασι (= πεφύκασι), βεβαρη- ότες (βαρέω), κεκμηῶτα (κάμνω), τεθνηῶτος and τεθνηότος (θνήσκω).

3. In the plupf. the older endings -εἄ, -εἄς, -εε(ν) contracted ει(ν) or η appear, e. g. ἐτεθήπεα, ᾔδεα κ. τ. λ. (cf. ᾔδεα = ᾔδεσαμ, with Lat. videram ; ᾔδεας = ᾔδεσας, with Lat. videras ; ᾔδεσαν = ᾔδεσαντ, with Lat. viderant).

U. AORIST PASSIVE.

1. The 3d pl. indic. often ends in -εν instead of -ησαν, e. g. ἔμιχθεν, φόβηθεν, τράφεν.

2. The subj. remains uncontracted, the ε of the pass. sign is often length- ened to ει or η, and the follg. mood sign shortened to ε or ο, e. g. δαείω (stem δα), δαμείης or δαμήῃς (δάμνημι).

   Remark.—A very peculiar form is τραπείομεν, by metathesis, for ταρπείομεν (=ταρπῶμεν, 2d aor. pass. from τέρπω) (Ξ 314).

V. VERBS IN -μι.

1. Forms of the pres. indic. of verbs in -μι occur as if from verbs in -εω and -οω.

2. As the ending of the 3d pl. of the ipf. and 2d aor. act., ν often takes the place of σαν, e. g. ἵεν (ἵεσαν), ἔσταν and στάν (ἔστησαν), ἔβαν and βάν (ἔβησαν), ἔφαν and φάν (ἔφασαν), ἔφυν (ἔφυσαν).

3. In the 2d aor. sub. act., to meet the requirements of the verse, the mood sign is sometimes shortened and the stem-vowel lengthened. Thus arise such forms as θείω, θείης, and θήῃς; στήῃς, γνώω, δώῃσι, and δώῃ. Sometimes the α of the stem is weakened to ε, and this again protracted to ει. Thus arise the forms στέωμεν and στείομεν (=στῶμεν), βείομεν (=βῶμεν).

4. For peculiar Homeric forms from the verbs ἵστημι, τίθημι, ἵημι, δίδωμι, εἶμι, εἰμί, οἶδα, ἧμαι, and κεῖμαι, vid. sub vocc. in Lex.

A.

A-: in composition—(1) 'privative,' see ἀν-. — (2) 'copulative,' originally σα, contains an idea of union, as in ἅπᾱς (πᾱς), ἀολλής (Fείλλω). — (3) 'prothetic,' a simple euphonic prefix, as in ἄποινα (ποινή), ἀστήρ (Eng. 'star').

ἆ: interjection expressive of pity or horror, freq. w. voc. of δειλός, e. g. ἆ δειλώ, *Ah!* wretched pair! P 443, Λ 816, ξ 361.

ἀ-άατος (ἀFάω): of doubtful meaning. —(1) *inviolable* (if α privative), νυν μοι ὄμοσσον ἀάατον Στυγὸς ὕδωρ, Ξ 271; cf. Στυγὸς ὕδωρ, ὅς τε μέγιστος | ὅρκος δεινότατός τε πέλει μακάρεσσι θεοῖσιν, Ο 37 f.—(2) *baleful* (if α copulative), or *mad*, of the suitors' contest with the bow, φ 81 (echoed by Odysseus, χ 5). —Signif. (2) may be assumed in Ξ instead of (1), representing the Styx as baleful to him who swears falsely in its name.

ἀ-ᾱγής, ἐς (Fάγνῡμι): *unbreakable*, λ 575.†

ἄ-απτος: *unapproachable, invincible.*

ἀά-σχετος: lengthened form of ἄσχετος.

ἀάω (ἀFάω), aor. ἄᾱσε, ἆσε, 2 sing. ἄσας, mid. ἀᾱται, aor. ἀᾱσάμην, -ατο, ἄσατο, pass. aor. ἀάσθην, -ης, -η, part. -είς: I. act., *bring to grief*, Θ 237; esp. of the mind, *delude, befool, befuddle*, ὃ δ' ἐπεὶ φρένας ἄασεν οἴνῳ, φ 297; pass., Τ 136, φ 301; μέγα, Π 685; πολλόν, Τ 118. — II. mid., *commit folly, be infatuated, deceive oneself*, Τ 95; causative, '*beguile*,' (῞Ατη), ἥ πάντας ἀᾱται, Τ 91, 129.

ἀβακέω, aor. ἀβάκησαν: word of
1

doubtful meaning, *be unaware, suspect nothing*, δ 249.†

῎Αβαντες: a tribe in Euboea, Β 536.

᾽Αβαρβαρέη: a Trojan fountain-nymph, Ζ 22.

῎Αβᾱς: son of the dream-reader Eurydamas, slain by Diomed, Ε 148.

῎Αβιοι: a fabulous tribe of the North, δικαιότατοι ἀνθρώπων, Ν 6.

῎Αβληρος: a Trojan, Ζ 32.

ἀ-βλής, ῆτος (βάλλω): *unsped*, i. e. 'new,' 'fresh,' of an arrow, Δ 117.†

ἄ-βλητος (βάλλω): *not hit*, Δ 540.†

ἀ-βληχρός (α prothetic, μαλακός): *soft, feeble, gentle*, χείρ, τείχεα, θάνατος, Ε 337, Θ 178, λ 135.

ἄ-βρομος (βρέμω): *loud-roaring, clamorous*, Ν 41.†

ἀβροτάζω (ἀβροτεῖν, ἀμβροτεῖν, ἀμαρτεῖν): aor. subj. ἀβροτάξομεν, *miss*, w. gen., Κ 65.†

ἄ-βροτος (=ἄμβροτος): *divine*, νὺξ ἀβρότη, Ξ 78.†

᾽Αβῡδος: *Abydus*, a town on the southern shore of the Hellespont, Β 836.—᾽**Αβῡδόθεν**: *from Abydus*, Δ 500.—᾽**Αβῡδόθι**: *in Abydus*, Π 584.

ἀγα-: an old adv., later ἄγαν, employed only as a prefix, *greatly, strongly, highly.*

ἀγάασθαι, ἀγάασθε: see ἄγαμαι.

ἀγαγεῖν, ἄγαγον: see ἄγω.

ἀγάζομαι: see ἄγαμαι.

ἀγαθός: *good.*—Hence (1) of persons, 'valiant,' 'brave,' ἠ κακὸς ἠ ἀγαθός, Ρ 632; 'skilful,' ἰητῆρ' ἀγαθώ, Β 732, freq. w. acc. of specification or an adv., βοήν, πύξ. — Often 'noble' (cf. o p t i m a t e s), opp. χέρηες, ο 324. — (2) of things, 'excellent,' 'useful,' etc.; ἀγαθόν τε κακόν τε, 'blessing and curse,' δ 237; ἀγαθοῖσι γεοαίρειν, 'honor with choice portions,' ξ 441; ἀγαθὰ φρονεῖν, 'wish one well,' α 43; 'be pure-minded,' Ζ 162; εἰς ἀγαθόν or ἀγαθὰ εἰπεῖν, 'speak with friendly intent;' εἰς ἀγ. πείθεσθαι, 'follow good counsel.'

Ἀγάθων: son of Priam, Ω 249.

ἀγαίομαι=(ἄγαμαι): 'view with indignation,' ἀγαιομένου κακὰ ἔργα, υ 16†; cf. β 67.

ἀγα-κλεής, gen. ἀγακλῆος (κλέος): highly renowned.

Ἀγακλέης: a Myrmidon, Π 571.

ἀγα-κλειτός: highly renowned, famous, epith. of men, of a Nereid, Σ 45, and of hecatombs.

ἀγα-κλυτός=ἀγακλεής, ἀγακλειτός.

ἀγάλλομαι: take delight or pride in (τινί); ἀγαλλόμενα πτερύγεσσιν, 'on exultant wings,' Β 462; met. of ships, 'revelling in the fair breeze' (Διὸς οὔρῳ), ε 176.

ἄγαλμα (ἀγάλλομαι): anything in which one takes delight or pride, a 'treasure,' Δ 144; applied to votive offerings, γ 274; a sacrificial victim, γ 438; horses, δ 602; personal adornments, σ 300.

ἄγαμαι (ἄγη), fut. ἀγάσσεσθαι, aor. ἠγασάμην, ἠγασσάμην (also unaugmented), and from parallel form ἀγάομαι, ἀγάασθε, ἀγάασθαι, ipf. ἠγάασθε. The form ἄγαμαι only in signif. 1:— (1) admire, wonder at, be amazed, θαυμάζειν οὔτ' ἀγάασθαι, π 203.—(2) in bad sense, be indignant at, w. acc. β 67, w. dat. θ 565; be vexed, Ψ 639; with κότῳ, Ξ 111; hence envy, begrudge, with inf. ε 129, esp. of envy of the gods, δ 181.

Ἀγαμεμνονέη: fem. poss. adj. from Ἀγαμέμνων, ἄλοχος, γ 264.

Ἀγαμεμνονίδης: son of Agamemnon, Orestes, α 30.

Ἀγαμέμνων: Agamemnon, son of Atreus and grandson of Tantalus; his wife, Clytaemnestra, Α 113 f.; his children, Orestes, Chrysothemis, Laodice, and Iphianassa, cf. Β 104, Ι 287. King of Mycēnae, likewise ruler over 'many islands and all Argos,' Β 108. His wealth in ships, Β 576, 610–614. Epithets, δῖος, κρείων, εὐρυκρείων, ἄναξ ἀνδρῶν, ποιμὴν λαῶν. His stature, Γ 166, 178, Β 477–483; ἀριστεία, 'ex-

ploits,' Λ 91–661; honor accorded to him, Ψ 887; sceptre, Β 104; his return from Troy, γ 143 ff., 156, 193 ff., 234 f.; his death at the hands of Aegisthus and Clytaemnestra, his wife, γ 248 ff., δ 91, 512–537, 584, λ 387–463, ω 20–97.

Ἀγαμήδη (cf. Μήδεια): Agamēde, daughter of Augēas, granddaughter of the Sun-god, Λ 740.

ἄ-γαμος: unmarried, Γ 40†.

ἀγά-ννιφος ([σ]νίφω): snowy, 'snow-capped,' epith. of Mt. Olympus. (Il.)

ἀγανός (cf. γάννυμαι): pleasant, gentle, kindly; ἔπεα, δῶρα, βασιλεύς (opp. χαλεπός), β 230; εὐχωλαι, Ι 499, ν 357; οἷς ἀγανοῖς βελέεσσι, 'with his (her) gentle shafts,' describing a (natural) sudden, painless death dealt by Apollo upon men, by Artemis upon women, γ 280.

ἀγανο-φροσύνη: gentle-mindedness, kindliness, λ 203; cf. β 230.

ἀγανό-φρων: gentle-minded, Υ 467†.

ἀγάομαι: see ἄγαμαι.

ἀγαπάζω (= ἀγαπάω) and -ομαι: receive lovingly (τινά), π 17, η 33; 'espouse the cause of,' Ω 464.

ἀγαπάω: welcome affectionately, ψ 214; 'be content,' φ 289.

ἀγαπ-ήνωρ: loving manliness, manly.

Ἀγαπήνωρ: Ἀγκαίοιο πάϊς, Β 609, king of the Arcadians, a vassal of Agamemnon, to whom he brought the equipment of sixty ships.

ἀγαπητός (ἀγαπάω): beloved, always with παῖς, son, which is implied in β 365.

ἀγά-ρροος ([σ]ρέω): strong-flowing, Ἑλλήσποντος, Β 845.

Ἀγασθένης (σθένος): son of Augēas, king in Elis, Β 624.

ἀγά-στονος (στένω): moaning, epith. of Amphitrite (i. e. the Sea), μ 97†.

Ἀγάστροφος: a Trojan, Λ 338.

Ἀγαύη: a Nereid, Σ 42.

ἀγανός (ἄγαμαι): wondrous; hence, illustrious, high-born, epith. of honor applied to rulers and nations; freq. to the suitors; to the noble πομπῆες, ν 71; to Tithōnus, ε 1; and thrice to Persephone.

ἀγγελίη: tidings, message, report; ἀγγ. πατρός, 'news of my father,' α 408, cf. β 30; 'command,' ε 150, η 263; ἀγγ. ἐλθόντα, 'on a mission,'

Λ 140; in Γ 206 gen. of cause or purpose, according to some authorities, but see ἀγγελίης.

ἀγγελίης : messenger ; assumed as nom. masc. by Aristarchus in Γ 206, Ν 252, Ο 640, Δ 384, Λ 140.

ἀγγέλλω, fut. ἀγγελέω, aor. ἤγγειλα, inf. Ο 159 : report, announce (τί, also τινά) ; w. inf. 'bid,' π 350, Θ 517.

ἄγγελος: messenger; common phrase, ἦλθέ τινι, Λ 715 ; Ὄσσα Διὸς ἄγγελος, Β 94 ; also of birds, ο 526.

ἄγγος, εος: pail or bowl, for milk, wine, etc., and for provisions, β 289.

ἄγε, ἄγετε, imp. of ἄγω, used as interjection: quick ! come ! Freq. ἀλλ' ἄγε, ἄγε δή, and foll. by subj. or imp. ἄγε often w. pl., e. g. παῖδες ἐμοί, ἄγε κτλ., Τ 475. See also εἰ δ' ἄγε.

ἀγείρω, aor. ἤγειρα, pass. pf. ἀγήγερμαι, aor. ἠγέρθην, 3 pl. ἄγερθεν, mid. 2 aor. ἀγερόμην, inf. ἀγερέσθαι (accented ἀγέρεσθαι by ancient grammarians), part. ἀγρόμενος: collect, call together, assemble ; pass. and aor. mid. gather together ; ἐς φρένα θυμὸς ἀγέρθη, 'consciousness ' ('presence of mind,' Δ 152), 'was restored.'

ἀγελαῖος (ἀγέλη) : of the herd, herding, βοῦς, βόες.

Ἀγέλαος (ἄγω, λαός): (1) a Trojan, son of Phradmon, Θ 257.—(2) a Greek, Λ 302. — (3) a suitor, son of Damastor, Ἀγέλεως, χ 131, 247.

ἀγελείη (ἄγω, λεία): booty-bringing, 'the forayer,' epith. of Athena ; cf. ληΐτις.

ἀγέλη (ἄγω): herd of cattle, but drove of horses, Τ 281 ; ἀγέληφι, 'with the herd,' Π 487.

ἀγεληδόν: in herds, Π 160†.

ἀγέμεν = ἄγειν.

ἄγεν = ἐάγησαν, from ἄγνυμι.

ἀ-γέραστος (γέρας): without a gift.

ἀγέρωχος: (if from ἐρωή) impetuous, mighty in combat ; anciently interpreted as if from γέρας, 'gifted.'

ἄγη : astonishment ; ἄγη μ' ἔχει = ἄγαμαι, Φ 221.

ἀγηγέραθ' (ατο) : see ἀγείρω.

ἀγ-ηνορίη : v i r t u s, manliness, valor; said in reproach, Χ 457, and still more so, I 700, 'pride.'

ἀγ-ήνωρ (ἄγα, ἀνήρ): very manly, valorous; hence, 'bold,' 'proud,' in both good and bad sense; freq. w. θυμός.

Ἀγήνωρ: son of the Trojan Antenor and Theano, Λ 59.

ἀ-γήραος, ἀ-γήρως (γῆρας): ageless, unfading, always with ἀθάνατος.

ἀγητός (ἄγαμαι): wondrous, magnificent ; with εἶδος as acc. of specification, but in agreement w. εἶδος, Χ 370.

ἀγῑνέω (ἄγω), inf. -έμεναι, ipf. ἠγίνεον and ἠγίνευν, Σ 493 ; iter. ἀγίνεσκον, lead, conduct, bring ; of a bride, Σ 492 ; 'haul' wood, Ω 784.

ἀγκάζομαι (ἀγκάς): take in the arms; νεκρὸν ἀπὸ χθονὸς ἀγκάζοντο, 'lifted from the ground,' Ρ 722†.

Ἀγκαῖος: (1) son of Lycurgus, chief of the Arcadians, Β 609.—(2) a wrestler from Pleuron, vanquished by Nestor, Ψ 635.

ἀγκαλίς, only ἐν ἀγκαλίδεσσι : in the arms.

ἀγκάς, adv. : into or in the arms, with ἔχε, ἐλάζετο, etc.

ἄγκιστρον: fish-hook. (Od.)

ἀγ-κλίνας : see ἀνακλίνω.

ἀγκοίνη : bent arm ; ἐν ἀγκοίνῃσιν ἰαύειν, 'to rest in one's embrace.'

ἄγκος, only pl. ἄγκεα : winding vales, gorges.

ἀγ-κρεμάσασα : see ἀνακρεμάννυμι.

ἀγκυλο-μήτης, εω (μῆτις): crooked in counsel, epith. of Κρόνος.

ἀγκύλος : bending, curved, epith. of bow and of chariot.

ἀγκυλό-τοξος (τόξον): armed with the bent bow.

ἀγκυλο-χείλης (χεῖλος): with crooked beak.

ἀγκών: elbow ; τείχεος, 'corner ' of the wall, Π 702.

ἀγλαΐζομαι (ἀγλαός): glory in, fut. inf. ἀγλαϊεῖσθαι, Κ 331†.

ἀγλαΐη : splendor, brilliancy ; of Penelope's 'dazzling beauty,' σ 180 ; 'display,' 'fine show,' ρ 244, 310.

Ἀγλαΐη : wife of Charops, and mother of Nireus, ὃς κάλλιστος ἀνὴρ ὑπὸ Ἴλιον ἦλθεν, Β 672.

ἀγλαό-καρπος : with shining fruit ; of orchard trees, η 115.

ἀγλαός (root γαλ-): splendid, shining, bright ; epith. of pellucid water, golden gifts, etc.; met. 'illustrious,' 'famous,' υἱός, δ 188 ; 'stately,' Τ 385 ; in reproach κέραι ἀγλαέ, 'brilliant with the bow,' Λ 385.

ἀ-γνοέω, sync. aor. iter. ἀγνώσασκε

(for ἀγνοήσασκε), ψ 95; from ἀγνοιέω, only aor. ind. ἠγνοίησεν, subj. ἀγνοιῇσι, ω 218, part. ἀγνοιήσᾱσα, v 15: *fail to recognize.*

ἀγνός: *holy, pure.*

ἄγνῡμι (Ϝάγνῡμι), fut. ἄξω, aor. ἔαξα, ἦξα, inf. ἆξαι, pass. pr. part. ἀγνυμενάων, aor. ἐάγην (ἐάγην, Λ 559), Ϝάγη, Ϝάγεν (= ἐάγησαν): *break, shiver, shatter;* rather of crushing and destroying than of rending asunder (ῥήγνῡμι); of the ships pelted and smashed by the Laestrȳgons, κ 123.

ἀ-γνώς: *unknown,* ε 79†.

ἀγνώσασκε: see ἀγνοέω.

ἄ-γνωστος: *unrecognized, unrecognizable.* (Od.)

ἀγ-ξηράνῃ: see ἀναξηραίνω.

ἄ-γονος: *unborn,* Γ 40†. ,

ἀγοράομαι (ἀγορή), pres. ἀγοράασθε, Β 337, ipf. ἠγοράασθε, ἠγορόωντο, aor. only 3 sing. ἀγορήσατο: *hold assembly,* Δ 1, *harangue.*

ἀγορεύω (ἀγορή), fut. ἀγορεύσω, aor. ind. only ἀγόρευσεν, Θ 29, inf. and imp. more common: *harangue,* strictly with reference to form and manner of speaking; then generally, *speak, say, declare;* freq. with acc. ἔπεα πτερόεντα, ἀγορᾶς ἀγόρευον, 'were engaged in haranguing,' Β 788, ἣν ἀγορεύω, 'of which I speak,' β 318; often in connection with words denoting the manner of speaking, παραβλήδην, 'insinuatingly,' Δ 6, ὀνειδίζων ἀγορεύοις, 'talk insultingly of,' σ 380.

ἀγορή (ἀγείρω): (1) *assembly* of the people or army, distinguished from the βουλή or council of the chiefs. ἀγορὴν ποιεῖσθαι, τίθεσθαι, καθίζειν, ἀγορήνδε καλεῖν (through the heralds), ἐς δ᾽ ἀγορὴν ἀγέροντο, etc.—(2) *public speech, discussion.*—(3) *place of meeting, market,* pl. θ 16. As designation of time, ἐπὶ δόρπον ἀνὴρ ἀγορῆθεν ἀνέστη, μ 439.

ἀγορῆθεν: *from the assembly.*

ἀγορήνδε: *to the assembly.*

ἀγορητής: *haranguer, speaker.*

ἀγορητύς: *gift of speaking, eloquence,* θ 168†.

ἀγός (ἄγω): *leader, chief.*

ἀγοστός: *hand* bent for seizing; ἐν κονίῃσι πεσὼν ἕλε γαῖαν ἀγοστῷ, 'clutched the ground,' said of the warrior's dying agony, Λ 425; cf. κόνιος δεδραγμένος (δράσσομαι).

ἄγραυλος (ἀγρός, αὐλή): *lying in the field* (passing the night out-doors), βοῦς, πόριες, ποιμένες.

ἄγρει, and **ἀγρεῖτε,** v 149, imp. from ἀγρέω (= αἱρέω), used as interjection like ἄγε: *quick! up! forward!* Used alone or with μάν, δή, νῦν, followed by imp., or inf. used as imp.

ἄγρη: *hunt, chase.* (Od.)

ἄγριος, 2 or 3 (ἀγρός): *wild,* as opp. to tame; met., *ferocious, savage.*

Ἄγριος: son of Portheus in Calydon, Ξ 117.

ἀγριό-φωνος: *rude-voiced,* of the Sintians of Lemnos, θ 294†.

ἀγρόθεν, rure: *from the field, country.* (Od.)

ἀγροιώτης: *rustic, peasant;* as adj., Ο 272.

ἀγρόμενος: see ἀγείρω.

ἀγρόνδε: *to the field, country,* i. e. from town.

ἀγρο-νόμος (νέμω): *inhabiting the fields, rural,* νύμφαι, ζ 106†.

ἀγρός: *field, country,* opp. to town, ἐπ᾽ ἀγροῦ νόσφι πόληος, π 383; ἐξ ἀγροῖο πολίνδε, ρ 182.

ἀγρότερος (poet. parallel form to ἄγριος): *wild;* of Artemis as huntress, 'ranging the wild,' Φ 471.

ἀγρότης: *rustic,* π 218.

ἀγρώσσω (ἄγρα): *catch,* intensive; of the sea-gull 'ever catching' fish, ε 53†.

ἄγρωστις: *field-grass, grass;* identified by some with 'dog's tooth,' by others with 'panic.'

ἀγυιά (ἄγω): *road, way, street;* σκιόωντο δὲ πᾶσαι ἀγυιαί, 'shadowy grew all the ways,' of the approach of night.

ἄγυρις (ἀγείρω): *chance gathering, company, host,* ἀνδρῶν, νεκύων, νηῶν (when drawn up on shore), Ω 141.

ἀγυρτάζω (ἀγύρτης, ἀγείρω): *collect* as beggar, τ 284†.

ἀγχέ-μαχος (ἄγχι, μάχομαι): *fighting hand to hand* (cominus).

ἄγχι: *near, hard by,* τινός. The dat., if used, generally modifies the verb of the sentence, but probably with ἄγχι in Υ 283. Of time, ἄγχι μάλ᾽, 'in the near future,' τ 301.

ἀγχί-αλος (ἅλς): *near the sea.*

Ἀγχίαλος: (1) a Greek, slain by Hector, Ε 609.—(2) father of Mentes,

and ruler of the Taphians, α 180.—
(3) a noble Phaeacian, θ 112.

ἀγχι-βαθής (βάθος): *deep near the
shore*, ε 413†.

ἀγχί-θεος: *near to the gods* (i. e. by
relationship, descent), of the Phaea-
cians, ε 35; see η 56 ff.

ἀγχι-μαχητής = ἀγχέμαχος.

ἀγχί-μολος (μολεῖν): *coming near*,
mostly adv. acc. with ἐλθεῖν, ἔρχεσθαι,
foll. by dat.; ἐξ ἀγχιμόλοιο, Ω 352,
cf. ἐγγύθεν. Implying time, ἀγχίμο-
λον δὲ μετ' αὐτόν, 'close after him,'
ρ 336.

ἀγχί-νοος (νοῦς): *near*-, i. e. *ready-
minded*, ν 332, cf. 'presence of mind.'

Ἀγχίσης: (1) son of Capys, father
of Aeneas, E 268.—(2) father of Eche-
pōlus, from Sicyon, Ψ 296.

Ἀγχισιάδης: *son of Anchises*, (1)
Aeneas, P 754.—(2) Echepolus.

ἄγχιστα: see ἄγχιστος.

ἀγχιστῖνος: *close together, one upon
another*.

ἄγχιστος (sup. of ἄγχι): *nearest,
most nearly, closely*, only adv. neut.
sing. and pl.; met. w. ἔοικα and ἐίσκω.

ἀγχόθι = ἄγχι.

ἀγχοῦ = ἄγχι.

ἄγχω: *choke, strangle*, ipf. 'was
choking,' Γ 371†.

ἄγω, fut. ἄξω, aor. ἦξα (imp. ἄξετε,
inf. ἀξέμεν, ἀξέμεναι), mid. ἠξάμην
(ἄξεσθε, ἄξοντο), more common 2 aor.
act. ἤγαγον, subj. ἀγάγωμι, mid. ἠγα-
γόμην (also unaugmented): I. act.,
lead, conduct, bring, ρ 218 ('brings
like to like,' ὡς is prep.), 219; βοῦν,
ἵππους ὑπὸ ζυγόν, ὑφ' ἅρματα, 'put
to harness'; *bring* or *carry with one*,
esp. of booty and prisoners, *lead cap-
tive, carry off*, thus joined w. φέρω,
E 484; hence 'transport,' 'convey,'
with persons or things as subj., ναῦ-
ται, νῆες; 'remove,' νεκρόν, κόπρον;
'guide,' 'control,' Λ 721, Φ 262; esp.
an army, ships, etc., B 580, 631, 557.
Met. 'bring to pass,' 'occasion,' Ω
547, 'spread abroad,' κλέος, ε 311.
The part. ἄγων is often added to a
verb by way of amplification, α 130,
B 558.—II. Mid., *take with* or *to one
what one regards as his own*, Γ 72,
ζ 58, prizes, captives, etc.; esp. γυ-
ναῖκα, 'lead home,' 'take to wife,' said
of the bridegroom, **and also** of those

who give in marriage, or who accom-
pany the bride, ζ 28.

ἀγών (ἄγω): (1) *assembly*, esp. to
witness games, ἵζανεν (Ἀχιλλεύς), Ψ
258, λῦτο, Ω 1, then *contest, games*, θ
259.—(2) *assemblage* or *place of assem-
blage*, of the ships, νεῶν ἐν ἀγῶνι (the
Greek camp), Π 500; θεῖος, 'of the
gods,' Σ 376, but H 298 of the 'tem-
ple-hall,' containing the statues of the
gods.—(3) *place* or *scene of combat,
arena*, including the space occupied
by the spectators, Ψ 531.

ἀ-δαημονίη: *want of knowledge*, ω
244†.

ἀ-δαήμων: *unacquainted with*, τινός.

ἀ-δάκρυτος: *tearless*.

Ἄδαμας: a Trojan, son of Asius, N
759, 771.

ἀ-δάμαστος (δαμάζω): *not to be pre-
vailed over*, i. e. 'inexorable,' Ἀίδης, I
158†.

ἀδδεές: see ἀδειής.

ἀδδηκώς, ἀδδήσειε: see ἀδέω.

ἄδδην: see ἄδην.

ἀ-δειής (δέος): *fearless*; κύον ἀδδεές,
'shameless hussy.'

ἀδελφεός, ἀδελφειός: *brother*.

ἀδευκής: *odious, unpleasant*; θάνα-
τος, πότμος, φῆμις.

ἀ-δέψητος (δέψω): *untanned*.

ἀδέω, only aor. opt. ἀδδήσειε, perf.
part. ἀδδηκότες, also written ἄδη- and
ἄδη-: *be satiated, feel loathing at*; κα-
μάτῳ, ὕπνῳ, 'be overwhelmed with.'

ἄδην, ἄδην, ἄδδην: *to satiety, to ex-
cess*; ἄδην ἐλάαν κακότητος, πολέμοιο,
'until he gets enough' of trouble, etc.

ἀ-δήριτος (δῆρις): *uncontested*, P
42†.

ἀδινός: probably *thick*, esp. of things
densely crowded and in motion.
Hence 'throbbing' (κῆρ), 'swarming'
(μέλισσαι), 'buzzing' (μυῖαι), 'flurried'
(μῆλα), 'sobbing' (γόος), 'voiceful'
(Σειρῆνες). Adv. with corresponding
signification ἀδινόν, ἀδινά, ἀδινώτερον,
'more dolefully,' ἀδινῶς ἀνενείκατο,
'fetched a deep sigh,' T 314.

ἀδινῶς: see ἀδινός.

ἀ-δμής (δάμνημι): *untamed, un-
broken*; παρθένος, 'unwedded;' cf.
δάμαρ. (Od.)

ἄ-δμητος: *unbroken*, not yet brought
under the yoke.

Ἄδμητος: husband of Alcestis, and

father of Eumēlus, B 713 f., Ψ 289, 391, 532.

ἄδον: see ἀνδάνω.

ἄδος, ἄδος (see ἀδέω): *satiety, disgust.*

Ἀδρήστεια: a town on the Propontis, in what was afterward Mysia, B 828.

Ἀδρήστη: a handmaid of Helen, δ 123.

Ἀδρηστίνη: *daughter of Adrastus,* Αἰγιάλεια, Ε 412†.

Ἄδρηστος (διδράσκω, the 'unescapable'): (1) from Argos, fugitive to Sicyon, succeeds Polybus there as king; becomes also king in Argos, harbors Tydeus, and gives him his daughter in marriage, cf. Ξ 121; his swift steed Areion, Ψ 347.—(2) son of Merops, from Percōte, founder of Adrasteia, leader of Trojan allies from thence, B 380, Λ 328.—(3) a Trojan, slain by Menelāus, Z 37, 45, 63.—(4) a Trojan slain by Patroclus, Π 694.

ἀδροτής (ἀδρός): *maturity, vigor;* ἀδροτῆτα, questionable reading in Il., see ἀνδροτῆς.

ἄ-δυτον (δύνω, 'not to be entered'): *shrine,* 'holy of holies.'

ἀεθλεύω, ἀθλεύω (ἄϜεθλον): *institute,* or *contend in,* a *gymnastic contest;* ἐπί τινι, 'in honor of' some one; for ἀθλέω, *toil,* Ω 734.

ἀέθλιον = ἄεθλον. Also pl. *implements of combat,* 'weapons,' φ 4, 62, 117.

ἄεθλον, ἆθλον (ἀϜεθ.): (1) *prize.*—(2) *prize-contest.*

ἄεθλος, ἆθλος: (1) *prize-contest,* distinguished from war, ἢ ἐν ἀέθλῳ | ἠὲ καὶ ἐν πολέμῳ, Π 590.—(2) *combat* (in war), Γ 126; then 'toil,' 'hardship,' esp. of the 'labors' of Heracles, imposed by Eurystheus (Εὐρυσθῆος ἄεθλοι, Θ 363).

ἀεθλο-φόρος, ἀθλοφόρος: *prize-winning;* only of horses.

ἀεί, αἰεί, αἰέν: *always, ever;* joined with ἀσκελέως, ἀσφαλές, διαμπερές, ἐμμενές, μάλα, νωλεμές, συνεχές. Also αἰεὶ ἤματα πάντα.

ἀείδω (ἀϜείδω), fut. ἀείσομαι, aor. ind. ἄεισε, imp. ἄεισον, inf. ἀεῖσαι: *sing*—I. trans., παιήονα, κλέα ἀνδρῶν, 'lays of heroes;' also w. acc. of the theme of minstrelsy, μῆνιν, A 1; Ἀχαιῶν νόστον, α 326; with ὥς, θ 514;

acc. and inf., θ 516.—II. intrans., μάλ' ἀεῖσαι, 'merrily', λίγα, καλόν (adv.); met. of the bow-string, φ 411.

ἀ-εικείη (ἀϜεικής): *disfigurement,* Ω 19; ἀεικείας φαίνειν, 'exhibit unseemly behavior,' ν 308.

ἀ-εικέλιος, 2 and 3, = ἀεικής: '*ill-favored,* ζ 242; adv., ἀεικελίως: *disgracefully.*

ἀ-εικής (ἀϜεικ., ϜεϜοικα): *unseemly, disgraceful; νόος οὐδὲν ἀεικής,* 'a likely understanding,' οὔ τοι ἀεικές, etc.; μισθὸς ἀεικής, 'wretched' pay; πήρη, 'sorry' wallet, ἀεικέα ἕσσαι, 'thou art vilely clad.'

ἀ-εικίζω (ἀϜεικής), ipf. ἀείκιζεν, aor. subj. ἀεικίσσωσι, mid. ἀεικισσαίμεθα, ἀεικίσσασθαι, pass. ἀεικισθήμεναι: *disfigure, maltreat, insult.*

ἀείρω, αἴρω (ἀϜείρω), aor. ἤειρα and ἄειρα, mid. I. ἀειράμην, pass. ἀέρθην (ἀερθείς, ἀρθείς), plupf. ἄωρτο, cf. ἄρ-νυμαι: *raise up, lift;* freq. w. ὑψόσε; of 'swinging' the lash (μάστῖγα), of the 'carrying' capacity of ships (ἄχθος ἄειραν, γ 312), 'made him light,' Τ 386; mid. and pass., *rise up, lift oneself,* of dust in the air, of the balance, Θ 74, of birds 'soaring,' and of horses flinging up their heels. The part. ἀείρας is added to verbs by way of amplification, α 141. Of 'bringing and offering,' Ζ 264, esp. mid. (out of one's store), 293, ο 106.

ἀεῖσαι: see ἀείδω.

ἀ-εκαζόμενος (ἀϜέκων): *unwillingly, reluctantly;* w. πολλά, 'much against one's will.'

ἀ-εκήλιος (ἀϜεκ.): *unwelcome,* 'woful,' ἔργα, Σ 77†.

ἀ-έκητι (Ϝέκητι): *against the will of;* freq. w. θεῶν.

ἀ-έκων, ἄκων, -ουσα (Ϝεκών): *unwilling, reluctant;* 'unintentionally,' Π 264, βίῃ ἀέκοντα, 'by force against my will,' Ο 186; σὲ βίῃ ἀέκοντος ἀπηύρα, δ 646; cf. Α 430.

ἄελλα (ἄϜημι): *gust of wind, blast, squall;* of a whirlwind, Π 374.

ἀ-ελλής, ἐς (εἴλω): *dense; κονίσαλος,* Γ 13.

ἀελλό-πος (ἄελλα, πούς): *storm-footed;* of Iris, the swift messenger, cf. ποδήνεμος. (Il.)

ἀ-ελπής (Ϝέλπομαι): *unhoped for,* 'beyond hope,' ε 408†.

ἀ-ελπτέω: *be hopeless;* ἀϝελπτέοντες σόον εἶναι, 'despairing of his safety,' i. e. 'recovering him safe beyond their hopes,' H 310†.

ἀε-νάων, αἰε-νάων (ἀεί, ναω): *ever-flowing,* 'never-failing,' 'perennial,' ὕδατα, ν 109†.

ἀέξω (ἀϝέξω, 'w a x'), only pres. and ipf.: *make to grow, increase, let grow up,* υἱόν, ν 360; mid. and pass., *grow, grow up;* μέγα πένθος, 'cherish'; ἔργον, 'prosper,' ξ 66; ἀέξετο ἱερὸν ἦμαρ, 'was waxing,' i. e. advancing toward the meridian, Θ 66, ι 56.

ἀ-εργίη (ϝέργον): *sloth,* ω 251†. The ῑ is a necessity of the rhythm.

ἀ-εργός: *slothful, idle, lazy.*

ἀερθείς, ἀερθέν: see ἀείρω.

ἀερσί-πος (ἀϝείρω, πούς): *high-stepping;* epith. of horses, cf. Ψ 501.

ἄεσα (ἄϝεσα), ἀέσαμεν, ἄσαμεν, ἄεσαν, inf. ἀέσαι, only aor.: *pass the night, rest,* not necessarily in sleep; νύκτα, νύκτας. (Od.)

ἀεσι-φροσύνη: *thoughtlessness,* dat. pl. 'thoughtlessly,' ο 470†.

ἀεσί-φρων (cf. φ 301 f.): *light-headed, thoughtless, silly.*

ἀζάλεος (ἄζη): *dry, withered, sere.*

'Ἀξείδης: son of Azeus, Ἄκτωρ, Β 513.

ἄζη, dat. from ἄζα (ἄζομαι): *dry dirt,* 'rust,' χ 184†.

ἀ-ζηχής, ές: *unceasing, incessant;* adverbial ἀζηχές.

ἄζομαι (act. ἄζω, Hesiod): *dry, grow dry,* 'season,' Δ 487†.

ἄζομαι, only pres. and ipf.: *dread, stand in awe of;* w. inf. Ζ 267, ι 478; w. μή, 'lest,' Ξ 261.

ἀηδών (ἀϝείδω, the 'songstress,' κατ' ἐξοχήν): *nightingale.* In the Homeric legend the daughter of Pandareus, wife of Zethus of Thebes, mother of Itylus, whom she slew by mistake, τ 518† ff. See Ἴτυλος.

ἀ-ηθέσσω (ἀηθής, ἦθος): *be unaccustomed to;* w. gen., Κ 493†.

ἄημι (ἄϝημι), 3 du. ἄητον, inf. ἀῆναι, ἀήμεναι, part. ἀέντες, ipf. ἄη, ἄει, pass. ἀήμενος: *blow,* of wind; (λέων) ὑόμενος καὶ ἀήμενος, 'buffeted by wind' and rain, ζ 131; met. δίχα . . . θυμὸς ἄητο, 'wavered,' Φ 386.

ἀήρ, ἠέρος: *the lower, denser atmosphere,* distinguished from αἰθήρ, 'sky';

hence 'vapor,' 'mist,' 'cloud,' esp. as means of rendering invisible, Γ 381.

ἀήσυλος = αἴσυλος, E 876†.

ἀήτης (ἄϝημι): *wind,* ι 139; mostly pl. w. ἀνέμοιο, Ζεφύροιο, ἀνέμων, *blast, breeze.*

ἄητο: see ἄημι.

ἄητος: word of doubtful meaning, *stormy, impetuous* (if from ἄημι); ἄητον θάρσος, Φ 395†.

ἀ-θάνατος (the ᾱ is a necessity of the dactylic rhythm): *deathless, immortal;* also as subst., opp. βροτοί, θνητοί, ἄνδρες; said of 'imperishable' possessions of the gods, δ 79, Β 447; ἀθάνατον κακόν (Charybdis), μ 118.

ἄ-θαπτος (θάπτω): *unburied.*

ἀ-θεεί (θεός), adv.: *without god;* οὐκ ἀθεεί ὅδ' ἀνήρ . . . ἥκει (i. e. 'he is a godsend to us'), said in mockery, σ 353†.

ἀ-θεμίστιος (θέμις): *lawless, unrighteous, wicked;* ἀθεμίστια εἰδέναι, foster 'godless thoughts.'

ἀ-θέμιστος = ἀθεμίστιος, ι 106, cf. 112; opp. ἐναίσιμος, ρ 363.

ἀθερίζω, ipf. ἀθέριζον: *disregard, despise;* always w. neg.; opp. μεγαλίζομαι, ψ 174.

ἀ-θέσφατος (θεός, φημί, 'not to be said even by a god'): *unspeakable, indescribable, immense, prodigious* (of quality or quantity); γαῖα, θάλασσα, ὄμβρος, νύξ, and even οἶνος, σῖτος.

Ἀθῆναι, Ἀθήνη (η 80): *Athens,* Β 546, 549, γ 278, 307.

Ἀθηναίη, Ἀθήνη: the goddess *Athena,* ἀγελείη, Ἀλαλκομενηίς, γλαυκῶπις, ἐρυσίπτολις, εὐπλόκαμος, ἠύκομος, λαοσσόος, λῆίτις, πολύβουλος; cf. Ἀτρυτώνη, Τριτογένεια, esp. Παλλάς. Fosters the arts, ζ 232, ψ 160, esp. domestic and feminine accomplishments, Ι 390, β 116; as a goddess of war, she protects cities (Ἀλαλκομενηίς), and is the especial patron of Odysseus.

Ἀθηναῖος: *Athenian,* Β 551, etc.

Ἀθήνη: see Ἀθῆναι, Ἀθηναίη.

ἀθηρη-λοιγός (ἀθήρ, λοιγός): *chaff-destroyer,* designation of a winnowing-shovel in Teiresias' prophecy to Odysseus, λ 128, ψ 275.

ἀθλεύω (= ἀθλέω): see ἀεθλεύω.

ἀθλέω (ἄθλος), only aor. part. ἀθλήσας: *wrestle, toil, labor.*

ἀθλητήρ: *fighter,* δ 164†, cf. δ 159 f.

ἄθλος : see ἄεθλος.

ἀθλοφόρος : see ἀεθλοφόρος.

'Αθόως, όω : Athos, ΞΞ 229†, the mt. terminating the promontory of Acte in Chalcidice, now Monte Santo.

ἀθρέω, only aor. ἀθρήσειε, ἀθρῆσαι : gaze, look, in the effort to see something, then descry ; abs. and w. εἰς, K 11 ; also w. acc., M 391.

ἀθρόος, ἀθρόος, only pl. : (all) together, in crowds ; freq. ἀθρόα πάντα.

ἄ-θῡμος : spiritless, despondent, κ 463†.

ἀθύρμα (ἀθύρω): plaything, toy, trinket.

ἀθύρω : play, sport ; ἀθύρων, O 364†.

"Αθως : see 'Αθόως.

αἰ, αἴ : if, if only, whether; conjunction, used in conditional clauses, and in the expression of a wish; always with κέ, κέν (never ἄν), or γάρ, and never separated from these particles by another particle (εἰ δέ κε, never αἰ δέ κε).—I. conditional, regularly foll. by subj., rarely by opt. (Η 387, ν 389). Here belongs the so-called 'interrogative' use, as πειρήσομαι αἴ κε τύχωμι, Ε 279.—II. optative, to express a wish, 'would that,' αἲ γάρ, or αἲ γὰρ δή w. opt., generally referring to fut. time, but sometimes of an unfulfilled wish in pres. time (Η 132); foll. by inf., η 311, ω 376.

αἶα : earth, land; πᾶσαν ἐπ' αἶαν, 'the world over.'

Αἰαῖος, only fem. Αἰαίη : Aeaean.— (1) νῆσος, the home of Circe (see μ 3 f., 9), a fabulous isle, located by the Romans at Circeii, near Terracina.— (2) the goddess Circe herself, sister of Aeëtes (see κ 137).

Αἰακίδης : descendant of Aeacus; (1) his son, Peleus, Π 15.—(2) his grandson, Achilles, Β 860.

Αἰακός : son of Zeus and Aegina, grandfather of Achilles, Φ 189.

Αἴᾱς : Ajax.—(1) Τελαμώνιος, Τελαμωνιάδης, μέγας, 'the greater,' son of Telamon from Salamis, half-brother of Teucer; second only to Achilles in prowess, λ 550 f.—(2) 'Οϊλιάδης, 'Οϊλῆος ταχὺς Αἴᾱς, μείων, 'the lesser,' Oileus' son, leader of Locrians, his death, δ 499.—The two heroes are often coupled in dual or pl., e. g. Αἴαντε δύω, θεράποντες 'Άρηος, ' the Ajaxes.'

Αἰγαί (cf. αἰγιαλός): a town in Achaea, seat of worship of Poseidon, Θ 203.

Αἰγαίων (cf. αἰγίς): epithet of Briareus, A 404†.

αἰγανέη : a light hunting-spear, javelin, ι 156 ; thrown for amusement, Β 774, δ 626 ; also used in war, Π 589 ff.

Αἰγείδης : son of Aegeus, Theseus, A 265†.

αἴγειος, αἴγεος (αἴξ): of a goat; 'of goat's milk,' or ' goatskin,' τυρός, ἀσκός, κυνέη.

αἴγειρος : black poplar ; as tree in the lower world, κ 510.

αἴγεος = αἴγειος, ἀσκός, ι 196†.

Αἰγιάλεια : daughter of Adrastus, wife of Diomed, Ε 412†.

αἰγιαλός : beach, strand.

Αἰγιαλός ('Coast-land'): (1) a district in N. Peloponnesus, afterward Achaea, Β 575†.—(2) a town in Paphlagonia, Β 855†.

αἰγί-βοτος (βόσκω): fed upon by goats ; as subst., goat-pasture, ν 246.

αἰγίλιψ : precipitous; πέτρη, I 15, Π 4.

Αἰγίλιψ : a district, or island, under the rule of Odysseus, Β 633†.

Αἴγῑνα : an island in the Saronic gulf, still bearing its ancient name, Β 562†.

Αἴγιον (cf. Αἰγιαλός): a town in Achaea, afterward the capital of the Achaean league, Β 574†.

αἰγί-οχος (ἔχω): aegis-holding, epith. of Zeus.

αἰγίς (originally emblematic of the 'storm-cloud,' cf. ἐπαιγίζω): the aegis, a terrific shield borne by Zeus, or at his command by Apollo or by Athena, to excite tempests and spread dismay among men ; the handiwork of Hephaestus ; adorned with a hundred golden tassels, and surmounted by the Gorgon's head and other figures of horror, E 738, B 448.

Αἴγισθος : son of Thyestes, and cousin of Agamemnon. As paramour of Clytaemnestra, he murders Agamemnon, and after ruling seven years over Mycenae, is himself killed by Orestes, γ 196, δ 512 ff., λ 409.

αἴγλη : radiance, gleam ; of daylight, ζ 45 ; of sun and moon ; of weapons, Β 458.

αἰγλήεις: *radiant, resplendent,* epith. of Olympus.

αἰγυπιός: *vulture;* with ὀρνῖς, H 59.

Αἰγύπτιος (in cases ending w. a long syllable, read w. synizesis, as Αἰγυπτjους): (1) *Egyptian;* as subst., δ 83. — (2) *Aegyptius,* an old man of Ithaca, β 15.

Αἴγυπτος: (1) *Egypt,* δ 355. — (2) Homeric name of the river Nile, δ 477 ; w. ποταμός, ξ 258. — Αἴγυπτόνδε, δ 483, ξ 246.

αἰδεῖο: see αἰδέομαι.

αἰδέομαι, αἴδομαι (αἰδώς), pr. imp. αἰδεῖο, ipf. αἴδετο, fut. αἰδέσ(σ)ομαι, aor. mid. ᾐδεσάμην and αἰδεσσάμην, pass. ᾐδέσθην, αἰδέσθην, 3 pl. αἴδεσθεν : *feel shame, regard,* or *mercy* (from moral or humane scruples, toward oneself or others, even toward inferiors) ; τινὰ, *respect, have regard for, stand abashed before,* A 23, γ 96 ; w. inf., *scruple, be ashamed,* from modesty, or from motives of propriety, good-taste, etc., ξ 146, σ 184 ; αἰδομένων, 'self-respecting' (opp. φευγόντων), E 531.

ἀΐδηλος : *destructive, destroying ;* 'pestilent,' E 880, χ 165.—adv. ἀϊδήλως, Φ 220.

Ἀΐδης, Ἀϊδωνεύς (root Ϝιδ, god of the *unseen* world), gen. Ἀΐδᾱο, Ἀΐδεω, Ἄϊδος, dat. Ἄϊδι, Ἀΐδῃ, Ἀϊδωνῆι, acc. Ἀΐδην : *Hades;* ἐνέροισιν ἀνάσσων, Ζεὺς καταχθόνιος, κρατερὸς πυλάρτης, πελώριος, κλυτόπωλος, ἰφθῑμος, στυγερός. Freq. Ἄϊδος δόμον εἴσω, ἐν δόμοις, etc. ; often only Ἀϊδόσδε, εἰς or ἐν Ἄϊδος (sc. δόμον, δόμῳ).

αἰδοῖος (αἰδώς): (1) *modest, bashful,* ρ 578.—(2) *honored, respected,* of those who by their relationship, position, or circumstances have a claim to deference or merciful treatment, as the gods, kings, suppliants, mendicants, and the 'housekeeper' (ταμίη). — As subst. neut. pl. αἰδοῖα, 'the parts of shame,' 'privy parts,' N 568†.—Adv., αἰδοίως ἀπέπεμπον, 'with due honor,' 'fitting escort,' τ 243.

αἴδομαι : see αἰδέομαι.

Ἀϊδος, Ἀϊδόσδε : see Ἀΐδης.

ἀϊδρείη : *ignorance;* ἀϊδρείῃσι νόοιο, i. e. 'unwittingly,' λ 262.

ἄ-ιδρις (Ϝίδρις): *ignorant, unacquainted with* (τινός), *witless,* Γ 219.

αἰδώς, οὖς: *shame* (restraint), *regard, respect, mercy* (see αἰδέομαι); 'scruple,' αἰδῶ καὶ νέμεσιν, N 122 (cf. O 561), αἰδὼς | καὶ δέος, O 657 ; 'diffidence,' γ 14 ; in reproach, αἰδώς! 'for shame,' Π 422, E 787; w. acc. and inf., 'it's over bold,' γ 22 ; equiv. to αἰδοῖον, 'that hide thy nakedness,' B 262.

αἰεί, αἰέν : see ἀεί.

αἰει-γενέτης : *immortal, eternal.*

αἰει-νάων : see ἀε-νάων.

αἰετός : *eagle;* the 'bird of Jove,' and 'most perfect' bird of omen, Ω 310 f., Θ 247.

ἀΐζηλος : *unseen;* τὸν μὲν (δράκοντα) ἀΐζηλον θῆκεν θεός, 'put out of sight,' B 318† (v. l. ἀρίζηλον).

αἰζηός, αἰζήιος : *vigorous ;* with ἀνήρ, and as subst. (μ 440); esp. pl., θαλεροί, ἀρηΐθοοι αἰζηοί, 'lusty,' 'doughty youths.'

Αἰήτης : son of Helius and Perse, brother of Circe, holder of the golden fleece won by the Argonauts, μ 70.

ἄητος : epith. of Hephaestus, πέλωρ ἄητον, 'terrible ;' 'puffing' (if from ἄημι), Σ 410†. By some thought to be the same word as ἄητος.

αἰθαλόεις, εσσα, εν (αἴθω): *smoky, sooty ;* μέλαθρον, μέγαρον, B 415, χ 239 ; κόνις, 'grimy' dust (opp. πολιός), ω 316, Σ 23.

αἴθε : particle of wishing, 'Would that,' 'Oh, that,' more common in Homer than εἴθε. Foll. by opt., or by ὤφελον and inf.

Αἴθη : name of a mare, 'Sorrel' ('Fire-bug'), Ψ 295.

αἰθήρ : the upper air, or *sky, aether;* αἰθέρι ναίων, of Zeus, dweller in the heavens ; more exactly conceived as having οὐρανός beyond it, B 458; separated from the lower ἀήρ by the clouds, as Hera in O 20 swings ἐν αἰθέρι καὶ νεφέλῃσιν.

Αἴθῑκες : a tribe dwelling near Mt. Pindus, B 744†.

Αἰθίοπες (αἴθω, the 'swarthy '), acc. ῆας: *Aethiopians,* a pious folk, loved and visited by the gods, dwelling on the borders of Oceanus, in two divisions, east and west, α 22 ff.

αἰθόμενος : *burning, blazing.*

αἴθουσα: *portico, corridor.* We distinguish two αἴθουσαι, an outer and an inner, see plate III. at end of volume.—(1) the outer (αἰθ. αὐλῆς, φ 390, ν 176, χ 449), on either side of the vestibule, entering the court.—(2) the inner (αἰθ. δώματος), leading from the court into the house; this one served as a sleeping-place for guests (γ 399, δ 297), and was roofed.

αἴθοψ (αἴθω): *gleaming, sparkling;* χαλκός, οἶνος ; 'red,' of smoke mingled with flame, κ 152.

αἴθρη (cf. αἰθήρ): *clear sky, serenity.*

Αἴθρη: mother of Theseus, follows Helen as captive to Troy, Γ 144.

αἰθρη-γενέτης, αἰθρηγενής: *aether-born,* Boreas.

αἴθρος: *cold, frost.*

αἴθυια: *water-hen.*

αἴθων: *shining, tawny;* of metal (Δ 485), and of horses, cattle, eagle, and lion.

Αἴθων: (1) a name assumed by Odysseus, τ 183. — (2) name of a horse, Θ 185 ; see Αἴθη.

αἴκ᾽: see αἴ (κε).

ἀική (ἀίσσω): *darting;* τόξων ἀικάς, 'whizzing bow-shots,' Ο 709†.

ἀικῶς (= ἀεικῶς): *ignominiously,* Χ 336†.

αἷμα: *blood, bloodshed, carnage;* of relationship, race (γενεὴ καὶ αἷμα), Ζ 211, Τ 105.

αἱμασιή: *thorn-bush;* αἱμασιὰς λέγειν, 'gather hedge-brush,' σ 359 and ω 224.

αἱματόεις, εσσα, εν: *bloody, bleeding;* met. ἤματα, πόλεμος.

Αἱμονίδης: *son of Aemon,* Laerces, Ρ 467†.

Αἱμονίδης: *son of Haemon,* Maeon, from Thebes, Δ 394†.

αἱμο-φόρυκτος (φορύσσω): *reeking with blood;* κρέα, υ 348†.

αἱμύλιος: *wheedling, winning,* α 56†.

αἵμων: *skilled in,* w. gen., Ε 496†.

Αἵμων: a comrade of Nestor, Δ 296†.

αἰν-αρέτης (αἰνός, ἀρετή), only voc. αἰναρέτη: *woful-valorous,* of Achilles' misdirection of his might from the battle-field to the nursing of his wrath, Π 31†.

Αἰνείας, gen. Αἰνείαο, Αἰνείω: *Aeneas,* son of Anchises and Aphrodite, ruler of the Dardanians, by his descent from Tros, a relative of Priam (see Υ 230–240), with whom he was at feud, Β

820, Ν 460 ; held in the highest honor by the Trojans, Ε 467, Λ 58 ; destined to rule over the Trojan race, Υ 307.

αἰνέω (αἶνος), fut. αἰνήσω, aor. ᾔνησα: *praise, commend, approve.*

αἰνίζομαι = αἰνέω, Ν 374 and θ 487.

Αἴνιος: a Paeonian, slain by Achilles, Φ 210†.

Αἰνόθεν: *from Aenus* (in Thrace), Δ 520†.

αἰνόθεν (αἰνός, = ἐκ τοῦ αἰνοῦ): adv. used for emphatic repetition, αἰνόθεν αἰνῶς (*direst of the dire*), Η 97† ; cf. οἰόθεν οἶος, 39.

αἰνό-μορος (μόρος): *dire-fated.*

αἰνο-παθής (πάσχω): *dire-suffering,* 'poor sufferer,' σ 201†.

αἶνος: *praise, eulogy.*

αἰνός: *dread, dreadful, dire;* either with full force and seriousness of meaning, or colloquially and hyperbolically ; αἰνότατε Κρονίδη, 'horrid,' Α 552 (cf. Θ 423), αἰνῶς ἔοικας κείνῳ, 'terribly' like him, α 208. — Adv., αἰνότατον, αἰνά, αἰνῶς. τί νύ σ᾽ ἔτρεφον αἰνὰ τεκοῦσα (since I bore thee ' to sorrow '), Α 414, cf. 418, αἰνῶι κακὰ εἵματα ('shocking' bad clothes), ρ 24.

αἴνυμαι, only pres., and ipf. αἴνυτο: *take;* met. πόθος αἴνυται, 'I am seized with ' longing, ξ 144.

αἰνῶς: see αἰνός.

αἴξ, αἰγός, dat. pl. αἴγεσιν : *goat.*

ἀίξασκον: see ἀίσσω.

Αἰολίδης: *son of Aeolus,* see Κρηθεύς, Σίσυφος.

Αἰολίη, νῆσος: the *Aeolian isle,* residence of Aeolus, lord of winds, κ 1 ff.

αἰόλλω (αἴολος): *turn quickly;* ἔνθα καὶ ἔνθα, υ 27†.

αἰολο-θώρηξ: *with glancing cuirass.*

αἰολο-μίτρης (μίτρη): *with glancing belt of mail,* Ε 707.

αἰολό-πωλος: *with glancing (swift) steeds,* Γ 185†, cf. Τ 404.

αἴολος: *quick-moving, lively;* of wasps (μέσον, 'at the waist'), gad-fly ('darting'), serpent ('squirming'), worms ('wriggling'); then *glancing, shimmering,* of lively (changeable) colors, esp. metallic, Ε 295, Η 222.

Αἴολος, gen. Αἰόλοο, κ 36, 60: (1) son of Hippotas, and lord of winds, κ 2. —(2) father of Sisyphus, Ζ 154.

Αἴπεια: a town on the Messenian gulf, I 152, 294.

αἰπεινός, αἰπήεις (εσσα), **αἰπός**: see αἰπύς.

αἰπόλιον: herd of goats, herd.

αἰπόλος (αἴξ, πέλομαι): goat - herd, herder.

Αἰπύ: a town subject to Nestor, B 592†.

αἰπύς, εῖα, ύ: steep, towering; of mountains, towns (here esp. the form αἰπεινός), streams with steep banks (αἰπὰ ῥέεθρα, Θ 369, Φ 9, cf. 10), a noose 'hung high,' λ 278; met. πόνος, 'arduous;' ὄλεθρος, 'utter,' etc.; αἰπύ οἱ ἐσσεῖται, he will find it 'steep,' N 317.

Αἰπύτιος: of Aepytus, progenitor of a royal line in Arcadia, B 604†.

αἱρέω, fut. -ήσω, aor. εἷλον, ἕλον (ϝέλον), iter. ἕλεσκον, mid. αἱρεύμενοι, αἱρήσομαι, εἱλόμην, ἑλόμην : I. act., take, 'grasp,' 'seize' (freq. w. part. gen.), ' capture,' ' overtake ' in running; of receiving prizes (Ψ 779), embracing (λ 205), putting on ('donning') garments (ρ 58), 'taking up' a story at some point (θ 500); γαῖαν ὀδὰξ ἑλεῖν, 'bite the dust;' freq. of hitting in combat, and esp. euphemistic, ἕλεν, he 'slew'; met. of feelings, χόλος αἱρεῖ με, ἵμερος, δέος, etc., so ὕπνος.—II. mid., take as one's own, to or for oneself, choose; of taking food, robbing or stripping another, taking an oath from one (τινός, δ 746, τινί, X 119); also met., ἄλκιμον ἦτορ, φιλότητα ἑλέσθαι, Π 282.

Ἄ-ῑρος (ϝῖρος): Ἶρος Ἄϊρος, 'Irus ᴜn-Irused,' σ 73†, cf. 6 f.

αἴρω: see ἀείρω.

Ἄις: see Ἀίδης.

αἶσα: allotted share, or portion, lot, term of life, destiny; prov. ἐν καρὸς αἴσῃ (cf. Att. ἐν οὐδενὸς μέρει); κατ' αἶσαν, 'as much as was my due,' οὐδ' ὑπὲρ αἶσαν, Z 333 ; ὑπὲρ Διὸς αἶσαν, P 321 ; ὁμῇ πεπρωμένος αἴσῃ, O 209.

Αἴσηπος: (1) son of Abarbarea and Bucolion, Z 21†.—(2) name of a river emptying into the Propontis, near Cyzicus.

ἀίσθω (ἀϝίω, 2), only pres. and ipf. ἄισθε: breathe out; θῡμόν, of giving up the ghost, Π 468 and Υ 403.

αἴσιμος (αἶσα): destined, due, suitable, right; αἴσιμον ἦεν, αἴσιμον ἦμαρ, day ' of destiny,' αἴσιμα εἰδέναι, ' righteous thoughts;' pers., φρένας αἴσιμη ἦσθα, ψ 14.

αἴσιος (αἶσα): auspicious, opportune, Ω 376†.

ἀίσσω (ᾱ except ὑπαίξει, Φ 126), aor. ἤιξα (ἀίξω, ἀῖξαι, ἀῖξᾱς), ἀίξασκον, mid. aor. ἀίξασθαι, pass. ἠίχθην, ἀίχθήτην: speed, dart, spring; of persons, animals, birds flying, and of inanimate things (arrows, a beam of light, 'fluttering' mane of horses) ; of the shades of the dead 'flitting' to and fro; freq. the part. w. another verb of motion, βῆ ἀίξᾱσα, ἀίξαντε πετέσθην, O 150, and conversely, ἤιξε πέτεσθαι, 'darted away' in flight, Φ 247; often of hostile movements, ἀντίος ἀίξᾱς, φασγάνῳ, 'with his sword,' etc.; met., of the mind, νόος ἀνέρος, O 80 (cf. πτέρον ἠὲ νόημα, η 36).

ἄ-ιστος (ϝιδεῖν): unseen; οἴχετ' ἄιστος, ἄπυστος, α 242; καί κέ μ' ἄιστον ἔμβαλε πόντῳ, 'to be seen no more.'

ἀιστόω (ἀϝιστος): put out of sight, annihilate; ἀιστώθησαν, vanished, κ 259.

αἰσυητήρ: see αἰσυμνητήρ.

Αἰσυήτης: (1) father of Antenor, B 793.—(2) father of Alcathous, N 427.

αἰσυλό-εργος: evil - doing, v. l. for ὀβριμόεργος, E 403†.

αἴσυλος: evil, neut. pl. with ῥέζειν, μυθήσασθαι.

Αἰσύμηθεν: from Aesyme, in Thrace, Θ 304†.

αἰσυμνητής: princely, dat. Ω 347†, v. l. αἰσυήτηρι.

αἰσυμνήτηρ: umpire, θ 258†.

Αἴσυμνος: a Greek, slain by Hector, Λ 303†.

αἶσχος, εος: (1) ugliness.—(2) disgrace, reproach, outrage; αἶσχος, λώβη τε (σ 225), αἴσχεα καὶ ὀνείδεα (Γ 342), αἴσχε' ἀκούω (Z 524), αἴσχεα πόλλ' ὁρόων (α 229).

αἰσχρός, comp. neut. αἴσχιον, sup. αἴσχιστος: (1) ugly, B 216.—(2) disgraceful, insulting, outrageous.—Adv. αἰσχρῶς.

αἰσχύνω (αἶσχος), aor. ᾔσχῡνε, perf. pass. ᾐσχῡμμένος : I. act., disfigure, then disgrace, insult; ἀρετήν, 'tarnish' the fame of my prowess, Ψ 571.—II.

mid., *be ashamed* of, or to do or say anything disgraceful.

Αἴσων: son of Cretheus and Tyro, father of Jason, and king in Iolcus, λ 259.

αἰτέω, fut. -ήσω, aor. part. -ήσασα: *ask, demand, beg, sue for;* abs., of a mendicant, σ 49; freq. τινά τι, w. inf. Z 176, acc. and inf. (ᾐτέομεν δὲ θεὸν φῆναι τέρας), γ 173.

αἰτιάασθαι: see αἰτιάομαι.

αἰτιάομαι (αἴτιος), resolved forms constantly, inf. αἰτιάασθαι, opt. αἰτιόφο, φτο, ipf. ᾐτιάασθε, ᾐτιόωντο: *accuse;* οἷον δή νυ θεοὺς βροτοὶ αἰτιόωνται, 'how mortals do bring charges against the gods!' α 32.

αἰτίζω (stronger than αἰτέω): *beg, importune.* (Od.)

αἴτιος (αἰτιᾶ): *to blame, guilty;* οὔ τί μοι αἴτιοί εἰσιν, 'I have no fault to find with them,' Α 153, so β 87.

αἰτιόωνται, αἰτιόφω: see αἰτιάομαι.

Αἰτώλιος, Αἰτωλός: *Aetolian.*

αἰχμάζω: *wield the lance;* αἰχμὰς αἰχμάσσουσι, Δ 324†.

αἰχμή: *point* of lance, *lance, spear.*

αἰχμητής, αἰχμητα (Ε 197): *spearman, warrior;* freq. implying bravery, with ἀνδρῶν, Γ 49.

αἶψα: *forthwith, at once, directly;* αἶψα δ᾽ ἔπειτα, αἶψα μάλα, αἶψα καὶ ὀτραλέως. αἶψά τε, *speedily,* in general statements, τ 221.

αἰψηρός (αἶψα): *quick(ly),* used with the sense of the adv.; λῦσεν δ᾽ ἀγορὴν αἰψηρήν, Τ 276, β 257; αἰψηρὸς δὲ κόρος, 'soon' comes, δ 103.

1. ἀίω (ἀϜίω), only pres. and ipf. ἄιον: (1) *hear;* abs., and w. gen. or acc.—(2) *mark, perceive,* never inconsistently with the sense of *hearing,* πληγῆς ἀίοντες, the horses hear the lash as well as feel the stroke, Λ 532.— οὐκ ἀίεις (=ἀκούεις;); or, sometimes, 'markest thou not?' 'remarkest,' Ο 248, α 298.

2. ἀίω (cf. ἄϜημι): *breathe out;* φίλον ἄιον ἦτορ, 'was (near) breathing my last,' Ο 252†.

αἰών, ῶνος (cf. a e v u m), m., fem. X 58: *lifetime, life.*

ἀκάκητα: *deliverer;* epith. of Hermes, Π 185 and ω 10.

ἀκαλα-ρρείτης (ἀκαλός): *gently-flowing;* epith. of Oceanus, Η 422 and τ 434.

ἀ-κάμᾱς, αντος (κάμνω): *untiring.*

Ἀκάμᾱς: (1) son of Antenor and Theano, a leader of Dardanians, Ξ 478.—(2) son of Eussōrus, a leader of Thracians, Z 8.

ἀ-κάματος = ἀκάμᾱς, epith. of fire.

ἄκανθα (root ακ): *thistle,* pl. ε 328†.

Ἄκαστος: king of Dulichium, ξ 336†.

ἀκαχείατο, ἀκαχεῖν, ἀκαχήσω, ἀκαχήμενος: see ἀκαχίζω.

ἀκαχίζω (root αχ), aor. ἤκαχε, ἀκαχεῖν, and ἀκάχησε, mid. ἀκαχίζομαι, pf. ἀκάχημαι, 3 pl. ἀκηχέδαται, part. also ἀκηχεμένη, αι, inf. ἀκαχῆσθαι, plup. 3 pl. ἀκαχείατο, aor. ἀκάχοντο, -οιτο: *distress, grieve,* π 432, Ψ 223; mid.; *be distressed, grieve;* with causal gen. or dat., θανόντι, 'were he dead,' α 236; ἀκαχημένοι ἦτορ, 'with aching hearts'; θῡμῷ, Z 486. Cf. ἄχος, ἀχέω, ἀχεύω, ἄχνυμαι.

ἀκαχμένος (root ακ): *sharpened, pointed;* ἔγχος ἀκαχμένον ὀξέι χαλκῷ 'tipped with sharp point of bronze,' πελεκὺς ἀμφοτέρωθεν ἀκ., 'double-edged' axe, ε 235.

ἀκάχοιτο: see ἀκαχίζω.

ἀκέομαι, ἀκείομαι, ἀκειόμενος, aor. ἠκεσάμην (imp. ἄκεσσαι): *heal;* νῆας, 'repair,' ξ 383; met. of thirst ('slake'), troubles ('make good'), Ν 115, κ 69.

ἀ-κερσε-κόμης (κείρω, κόμη): *with unshorn hair;* Φοῖβος, Υ 39†.

ἄκεσμα (ἀκέομαι): *means of healing,* 'alleviating,' ὀδυνάων, Ο 394†.

Ἀκεσσάμενος: a king of Thrace, father of Periboea, Φ 142†.

ἀκεστός (ἀκέομαι): *curable;* ἀκεσταί τοι φρένες ἐσθλῶν, 'can be mended,' Ν 115†.

ἀκέων (cf. ἀκήν), mostly as adv. and indecl., but ἀκέουσα, ἀκέοντα, ἀκέοντε: *in silence, still, quiet(ly).*

ἀ-κήδεστος (κηδέω): *uncared-for,* i. e. of the dead, 'unburied,' Z 60; adv. ἀκηδέστως, *pitilessly.*

ἀ-κηδέω (ἀκηδής): aor. ἀκήδεσεν: *be neglectful, neglect.*

ἀ-κηδής, ές (κῆδος): *uncaring, unfeeling,* Φ 123, ρ 319; *free from care,* Ω 526; *pass. neglected,* esp. 'unburied.'

ἀ-κήλητος (κηλέω): *not to be charmed,* 'proof against enchantment,' νόος, κ 329†.

ἀκήν: adv. *silent*, with ἴσαν, ἔσαν, ἀκὴν ἐγένοντο σιωπῇ, 'were hushed' in silence, π 393.

ἀ-κηράσιος = ἀκήρατος, ι 205†.

ἀ-κήρατος: *untouched, pure.*

1. ἀ-κήριος (κήρ): *unharmed.*

2. ἀ-κήριος (κῆρ): (1) *dead.* — (2) *spiritless, cowardly;* δέος, E 812.

ἀκηχέδαται, ἀκηχέαται, ἀκηχεμένη: see ἀκαχίζω.

ἀκιδνός, only comp. ἀκιδνότερος: *insignificant;* οὐδὲν ἀκιδνότερον γαῖα τρέφει ἀνθρώποιο, nothing 'more frail,' σ 130. (Od.) [(Od.)

ἄ-κῑκυς (κῖκυς): *strengthless, feeble.*

ἀ-κίχητος (κιχάνω): *unattainable;* ἀκίχητα διώκων, P 75†.

ἄ-κλαυτος(κλαίω): *unwept, tearless.*

ἀ-κλεής, ές, ἀκλήής, ἀκλειής (κλέος), acc. sing. ἀκλεᾶ or ἀκλέα, nom. pl. ἀκληεῖς: *inglorious*, adv. ἀκλεὲς αὔτως, 'all so ingloriously,' Η 100. — Adv. ἀκλειῶς.

ἄ-κληρος (κλῆρος): *portionless*, λ 490†.

ἀκμή (root ακ): *edge*, in the prov. ἐπὶ ξυροῦ ἵσταται ἀκμῆς, Κ 173†.

ἀκμηνός (ἀκμή): *full-grown*, Ψ 191†.

ἄκμηνος: *without taste (of food or drink);* only in T.

ἀ-κμής, ῆτος (κάμνω): *unwearied*, only pl. (Il.)

ἀκμό-θετον (ἄκμων, τίθημι): *anvil-block.*

ἄκμων, ονος: *anvil.*

ἄκνηστις: *backbone,* κ 161†.

ἀ-κοίτης (κοίτη): *husband, consort, spouse.*

ἄ-κοιτις, acc. pl. ἀκοίτῑς: *wife, consort.*

ἄκολος: *morsel*, pl. ρ 222†.

ἀ-κομιστίη (κομίζω), ῑ from the necessity of the rhythm: *want of care,* φ 284†.

ἀκοντίζω (ἄκων), aor. ἀκόντισ(σ)α: *hurl the javelin, hurl;* δοῦρα, δουρί.

ἀκοντιστής: *javelin-thrower, javelin-hurling*, as adj. Π 328.

ἀκοντιστύς: *contest of the dart,* Ψ 622.

ἀ-κόρητος (κορέννῡμι): *insatiate,* w. gen.

ἄκος (ἀκέομαι): *cure, remedy.*

ἄ-κοσμος: *disorderly,* Β 213†.

ἀκοστάω (ἀκοστή): *eat barley;* only aor. part., στατὸς ἵππος, ἀκοστήσας ἐπὶ

φάτνῃ, 'well fed at the grain-crib,' Ζ 506 and Ο 263.

ἀκουάζομαι: *listen* with delight, ἀοιδοῦ, 'to the bard;' δαιτὸς ἀκουάζεσθον ἐμεῖο, 'hear from me the glad call to the feast,' Δ 343.

ἀκουή: *hearing;* μετὰ πατρὸς ἀκουήν, 'to hear tidings' of father; ἕκαθεν δέ τε γίγνετ' ἀκουή, 'can be heard' afar, Π 634.

ἄ-κουρος (κοῦρος): *without male heir,* η 64†.

ἀκούω, ipf. ἤκουον, mostly ἄκουον, (mid. ἀκούετο, Δ 331), fut. ἀκούσομαι, aor. ἤκουσα, mostly ἄκουσα: *hear;* hence 'listen,' 'give ear to,' 'obey'; abs., or w. acc. of thing, gen. of person, (dat. of advantage, Π 516), sometimes gen. of thing; foll. by participle, gen., Ω 490, α 289, rarely acc. Η 129; inf., Ζ 386; Ἀτρείδην ἀκούετε, ὡς ἦλθε (i. e. ὡς Ἀτρείδης ἦλθε), γ 193.

ἀ-κράαντος (κραιαίνω): *unfulfilled, unaccomplished.*

ἀκρ-αής, έος (ἄκρος, ἄημι): *sharp-blowing*, of favorable winds. (Od.)

ἄκρη (ἄκρος): *summit, promontory, cape;* κατ' ἄκρης, 'from on high'; μέγα κῦμα, ε 313 (ingens a vertice pontus); then 'from top to bottom,' 'utterly' (ὤλετο, ἐλέειν, Ο 557).

ἄκρηθεν: see κατάκρηθεν.

ἄ-κρητος (κεραννῡμι): *unmixed, pure.*

ἀκρίς, ίδος: *locust*, pl., Φ 12†.

ἄκρις, ιος (ἄκρος): *mountain-top,* only pl., 'heights.' (Od.)

Ἀκρισιώνη: *daughter of Acrisius,* Danaë, Ξ 319†.

ἀ-κριτό-μῡθος: *indiscriminate in speech;* Thersites, 'endless babbler,' Β 246 (cf. 213, 796); of dreams, 'mazy,' τ 560.

ἄ-κριτος (κρίνω): *unseparated, undecided, confused, endless;* τύμβος (*undistinguished*, i. e. common to many dead), νείκεα, ἄχεα, μῦθοι.—Adv. ἀκρι-τον, 'unceasingly.'

ἀκριτό-φυλλος (φύλλον): *dense with leaves* or *foliage,* Β 868†.

ἀκρο-κελαινιάω (κελαινός): only part., *with darkling surface,* Φ 249†.

ἀκρό-κομος (κόμη): *with hair done up at the crown of the head,* Δ 533†.

ἄκρον, subst.: *point, promontory, summit.*—Adv., see ἄκρος.

Ἀκρόνεως (ναῦς): name of a Phaeacian, θ 111.

ἀκρό-πολις: *citadel*, only in Od. In Il., separated, ἄκρη πόλις.

ἀκρο-πόλος (πέλομαι), only dat. pl.: *lofty*.

ἀκρο-πόρος (πείρω): *with piercing point*, acc. pl., γ 463†.

ἄκρος (root ακ), sup. ἀκρότατος: *uttermost, topmost, highest, at the top, end, edge*, or *surface of* (summus); πόλις ἄκρη, ἄκρη πόλις, 'upper city' (=ἀκρόπολις); κατ᾿ ἄκρης, see ἄκρη.—Adv. ἄκρον, 'along the top,' Υ 229.

Ἀκταίη: a Nereid, Σ 41†.

1. **ἀκτή**: *meal, corn;* always with ἀλφίτου, or Δημήτερος.

2. **ἀκτή**: *shore*, esp. rocky and jutting parts, ἀπορρῶγες, προβλῆτες.

ἀ-κτήμων (κτῆμα): *without possession*, with gen.

ἀκτίς, ῖνος, only dat. pl., ἀκτῖσιν, ἀκτίνεσσι: *ray, beam* of the sun.

Ἀκτορίδης: *descendant of Actor*, Echecles, Π 189†.

Ἀκτορίς: an attendant of Penelope, ψ 228†.

Ἀκτορίων: *son of Actor;* there were twins, Ἀκτορίωνε, called also Μολίονε after their mother Molione, Λ 750.

Ἄκτωρ: (1) son of Azeus, Β 513.— (2) father of Menoetius, Λ 785, Π 14. —(3) son of Phorbas, brother of Augeas, and father of the Ἀκτορίωνε.— (4) father of Echecles.

ἄκυλος: *edible acorn, sweet acorn*, κ 242†.

ἀκωκή (root ακ): *point* of a weapon.

ἄκων, οντος (root ακ): *javelin, dart.*

ἄκων: see ἀέκων.

ἅλα-δε: *seaward, into the sea;* with εἰς, κ 351.

ἀλάλημαι: see ἀλάομαι.

ἀλαλητός (cf. ἀλαλάζω, and for the reduplication also ὀλολύζω, ἐλελεῦ, etc.): *loud, resounding yell, yelling, war-cry*, of a tumultuous throng; usually a triumphant outcry, but raised by the panic-stricken victims of Achilles, Φ 10; in the assembly, by a majority opposed to fighting, ω 463.

ἀλαλκε, -εῖν, -ών: see ἀλέξω.

Ἀλαλκομενηΐς (ἀλαλκεῖν): the *Defender*, an epithet of Athena, with which is connected the name of Ἀλαλκομεναί, a city in Boeotia, Δ 8, Ε 908.

ἀλαλύκτημαι (cf. ἀλύω, ἀλύσκω): perf. w. pres. signification, *am bewildered*, Κ 94†.

ἀλάομαι, imp. ἀλόω, ipf. ἠλώμην, ἀλώμην, aor. ἀλήθην, pf. ἀλάλημαι, ἀλαλήμενος: *wander, rove, roam*, of adventurers, freebooters, mendicants, and homeless or lost persons. The perf. is only more intensive in meaning than the present, β 370, etc.

ἀλαός: *blind*.

ἀλαο-σκοπίη: only in the phrase, οὐδ᾿ ἀλαοσκοπίην εἶχε, he kept no *blind* (i. e. *heedless*) *watch*.

ἀλαόω: *make blind*, w. gen. ὀφθαλμοῦ. (Od.)

ἀλαπαδνός, comp. νότερος: *easily exhausted, unwarlike;* σθένος οὐκ ἀλαπαδνόν, *exhaustless* strength, and freq. w. neg.

ἀλαπάζω, ipf. ἀλάπαζε, fut. -ξω, aor. ἀλάπαξα: *empty, drain*, esp. with πόλιν, *sack;* then of ships, men, etc., 'destroy,' 'slay.'

ἀλαστέω (ἄλαστος), only ipf. ἠλάστεον, aor. part. ἀλαστήσᾱς: *be unforgetting, be wroth*, Μ 163 and Ο 21.

Ἀλαστορίδης: *son of Alastor*, Tros, Υ 463.

ἄ-λαστος, ον (λαθέσθαι): *never to be forgotten*, 'ceaseless,' ἄλος, πένθος, ἄλαστον ὀδύρομαι, ἄλαστε, 'eternal foe,' Χ 261.

Ἀλάστωρ: (1) a Lycian, Ε 677.— (2) a leader of the Pylians, Δ 295.— (3) father of Tros.

ἀλαωτύς (ἀλαός): *blinding*, ι 503†.

ἀλγέω (ἄλγος), aor. subj. ἀλγήσετε, part. ἀλγήσᾱς: *feel pain, suffer;* met., μ 27.

ἄλγιον, ἀλγίστη: see ἀλεγεινός.

ἄλγος: *pain;* freq. met., and esp. pl., *hardship, troubles, woe;* of hunters, οἵ τε καθ᾿ ὕλην | ἄλγεα πάσχουσιν, ι 121; often of Odysseus, πάθεν ἄλγεα θῡμῷ, etc. ; πόλλ᾿ ἄλγεα δυσμενέεσσιν, 'vexation,' ζ 184.

ἀλδαίνω (root αλ, αλο): *make to grow;* only aor. μέλε᾿ ἤλδανε ποιμένι λᾱῶν, 'filled out' his limbs. (Od.)

ἀλδήσκω (root αλ): *grow full;* ληίου ἀλδήσκοντος, Ψ 599†.

ἀλέασθαι: see ἀλέομαι.

ἀλεγεινός (ἄλγος), comp. neut. ἄλγιον, sup. ἄλγιστος: *painful, hard, toilsome;* πυγμαχίη, κύματα, μαχλο-

σύνη, 'fraught with trouble,' Ω 30;
freq. w. inf., ἡμίονος ἀλγίστη δαμάσα-
σθαι, Ψ 655.—Adv. ἄλγιον, used in ex-
clamations, τῷ δ' ἄλγιον, 'so much
the worse' for him!

'Αλεγηνορίδης: son of Alegenor,
Promachus, Ξ 503†.

ἀλεγίζω (ἀλέγω), only pr. and ipf.
without augment: care for, heed, τινός.
Always with neg.; abs. οὐκ ἀλεγίζει |
οὐδ' ὅθεται, Ο 106.

ἀλεγύνω (ἀλέγω): care for, attend
to, only w. δαῖτα, δαῖτας. Said com-
prehensively, for 'partaking of,' 'en-
joying' the meal. (Od).

ἀλέγω, only pres.: care, care for, be
concerned, τινός (acc. Π 388); ἀλέγουσι
κιοῦσαι, 'are troubled' as they go, I
504; usually w. neg., abs. κύνες οὐκ
ἀλέγουσαι, careless (good-for-nothing)
hussies, τ 154. In ζ 268 equiv. to
ἀλεγύνω.

ἀλεείνω: parallel form of ἀλέομαι,
only pres. and ipf.

1. ἀλέη (ἀλέομαι): shunning, escap-
ing, escape, Χ 301†.

2. ἀλέη: warm sunshine, ρ 23†.

ἄλειας, ατος (ἀλέω): flour, wheaten
flour, υ 108†.

ἀλείς: see εἴλω.

'Αλείσιον: a town in Elis, Β 617, Λ
757.

ἄλεισον: tankard, usually costly;
χρύσεον, ἄμφωτον, χ 9.

ἀλείτης: sinner, evil - doer, Γ 28, υ
121.

ἄλειφαρ, ατος (ἀλείφω): ointment,
fat or oil; for anointing the dead be-
fore cremation, and in γ 408 for pol-
ishing marble, 'glistening with oil.'

ἀλείφω (λίπα), aor. ἤλειψα and ἀλ.,
mid. ἀλειψάμην: anoint, usually λίπ'
ἐλαίῳ, but of smearing with wax, μ 200.

'Αλεκτρυών: father of Leïtus, Ρ
602†.

'Αλέκτωρ: father-in-law of Mega-
penthes, δ 10†.

ἄλεν, ἀλήν: see εἴλω.

ἀλεξάμενος, -ασθαι: see ἀλέξω.

'Αλέξ - ανδρος: Alexander, Greek
name of Paris, and perhaps a trans-
lation of that word. See Πάρις.

ἀλεξ-άνεμος: protecting against the
wind, ξ 529†.

ἀλεξητής, ῆρος: averter; μάχης,
'stemmer of battle,' Υ 396†.

ἀλεξί-κακος: averting ill, Κ 20†.

ἀλέξω (root αλκ), inf. ἀλεξέμεν (αι),
fut. ἀλεξήσω, red. aor. ἄλαλκε, subj.
ἀλάλκῃσι, inf. ἀλαλκεῖν, -έμεναι, -έμεν,
aor. opt. ἀλεξήσειε, and subj. mid. ἀλε-
ξώμεσθα: ward off, avert, τί, τινί, and
τινί τι, hence defend one against some-
thing; mid., ward off from, defend
oneself.

ἀλέομαι, ἀλεύομαι (ἀλέϝομαι), aor.
ἠλεύατο, ἀλεύατο, -ντο, opt. ἀλέαιτο,
imp. ἄλευαι, ἀλέασθε, inf. ἀλέασθαι,
part. ἀλευάμενος (subj. ἀλέϝηται, ἀλε-
ϝώμεθα, aor. or pres.): shun, avoid, flee
from, flee; abs., and freq. τί, rarely
τινά (θεούς, 'shun their wrath,' ι 274);
also w. inf.

ἄλεται: see ἄλλομαι.

ἀλετρεύω: grind, η 104†.

ἀλετρίς (ἀλέω): one who grinds,
γυνή, woman 'at the mill,' υ 105†.

ἀλεύεται: see ἀλέομαι.

ἀλέω, only aor. ἄλεσσαν: grind, υ
109†.

ἀλεωρή (ἀλέομαι): shunning, escape,
means of shunning or defending
against, τινός.

ἄλη (ἀλάομαι): wandering, roving,
roaming.

ἀ-ληθείη (ἀληθής): truth.

ἀληθείς: see ἀλάομαι.

ἀ-ληθής (λήθω): true; of a person,
'honest,' Μ 433, neut. sing. γ 247,
elsewhere only neut. pl.

'Αλήιον, πεδίον: the Aleïan plain,
scene of Bellerophon's wandering, in
Cilicia according to the later legend,
Ζ 201†. The name seems to involve
a play upon ἀλᾶτο (in the same v.), cf.
'Αλύβᾱς.

ἄ-λήιος (λήιον): without corn-land,
i. e. without property, cf. ἄκληρος.

ἄ-ληκτος, ἄλληκτος (λήγω): unceas-
ing; adv. -τον, unceasingly.

ἀλήμεναι, ἀλῆναι: see εἴλω.

ἀλήμων, ονος (ἀλάομαι): roving,
wandering, wanderer.

ἄληται: see ἀλάομαι.

ἀλητεύω (ἀλήτης): roam about.
(Od.)

ἀλήτης (ἀλάομαι): vagabond, beggar.
(Od.)

'Αλθαίᾱ: wife of Oeneus in Calydon,
mother of Meleager, Ι 555†.

ἄλθομαι: be healed; ἄλθετο χείρ, was
healing, Ε 417†.

ἁλι-ᾱής, έος (ἅλς, ἄημι): *blowing on the sea*, of favorable, off-shore winds, δ 361†.

Ἁλίαρτος: a town in Boeotia, B 503†.

ἀ-λίαστος (λιάζομαι): *unswerving*, hence *obstinate, persistent;* πόλεμος, πόνος, γόος. (Il.)

ἀλίγκιος: *like, resembling.*

ἁλιεύς, ῆος (ἅλς): *seaman, fisherman;* as adj., π 349.

Ἁλιζῶνες: a tribe of Trojan allies from Pontus.

Ἁλίη: a Nereid, Σ 40†.

Ἁλι-θέρσης: an Ithacan, the son of Mestor, and a friend of Odysseus, β 157, ρ 78. (Od.)

ἁλι-μῠρήεις, εντος (ἅλς, μύρω): *mingling with the sea*, of rivers.

1. ἅλιος (ἅλς): *of the sea;* γέρων, Nereus (A 556), Proteus (δ 365), θεαί, and as subst. ἅλιαι, the Nereids, ω 47.

2. ἅλιος: *fruitless, ineffectual, vain, in vain;* adv. ἅλιον.

Ἅλιος: (1) a Lycian, E 678.—(2) a son of Alcinous, θ 119, 370.

ἁλιο-τρεφής, έος (τρέφω): *sea-nurtured*, epith. of seals, δ 442†.

ἁλιόω (ἅλιος 2), only aor. ἁλίωσε, -ῶσαι: *render fruitless, baffle*, with βέλος, 'hurl in vain,' Π 737.

ἁλί-πλοος (πλέω): *sailing in the sea*, 'submerged,' acc. pl., M 26†.

ἁλι-πόρφυρος: *sea-purple, purple as the sea.* (Od.)

ἅλις (Ϝάλις, cf. ἐϜάλην, εἴλω): *crowded together;* of persons, 'in throngs'; bees, 'in swarms'; corpses, 'in heaps.' Then *in plenty, abundantly, enough;* ἅλις δέ οἱ, he has carried it 'far enough' already, I 376; ἦ οὐχ ἅλις ὅτι (ὡς), is it not *enough* (and more than enough), etc.?

ἁλίσκομαι (Ϝαλ.), pres. not in Homer, aor. ἥλω, subj. ἁλώω, opt. ἁλῴην, ἁλοίην, inf. ἁλῶναι, part. ἁλούς (ἁλόντε, E 487): *be taken, captured*, of men, towns; met. θανάτῳ ἁλῶναι, and without θανάτῳ of being 'killed,' 'slain' (cf. αἱρέω).

ἁλιταίνω, aor. ἥλιτον (I 375), ἁλιτόμην, pf. part. ἁλιτήμενος: *sin against*, τινά, or τί (Ω 586); θεοῖς ἀλιτήμενος, a *transgressor* in the eyes of the gods, δ 807.

ἀλιτήμων, ονος (ἀλιταίνω): *sinning against, offending.*

ἀλιτρός (ἀλιταίνω): *sinner, offender;* δαίμοσιν, 'in the eyes of heaven;' colloquially, 'rogue,' ε 182.

Ἀλκά-θοος: son-in-law of Anchises.

Ἀλκ-άνδρη: wife of Polybus, in Egyptian Thebes, δ 126†.

Ἀλκ-ανδρος (cf. Ἀλέξανδρος): a Lycian, E 678.

ἄλκαρ (root αλκ): *protection, defence*, E 644 and Λ 823.

ἀλκή, ῆς (root αλκ), dat. ἀλκί, ἀλκῇ: *defence, defensive strength, valor, might;* common phrases, θούριδος ἀλκῆς, ἀλκὶ πεποιθώς, ἐπιειμένος ἀλκήν. Joined with βίη, μένος, σθένος, ἠνορέη. Personified, E 740.

Ἄλκηστις (root αλκ, she averted death from her husband by dying for him, but this legend is not mentioned by Homer): *Alcestis*, daughter of Pelias, wife of Admetus of Pherae, and mother of Eumelus, B 715.

ἀλκί: see ἀλκή.

Ἄλκι-μέδων: son of Laerces, a leader of the Myrmidons, and charioteer of Achilles after the death of Patroclus.

Ἀλκιμίδης: *son of Alcimus*, Mentor, χ 235†.

ἄλκιμος (ἀλκή): *efficient in defence, valiant*, opp. δειλός, N 278; freq. ἄλκιμον ἦτορ, also applied as epith. of weapons.

Ἄλκιμος: (1) father of Mentor.— (2) a Myrmidon, friend of Achilles.

Ἀλκί-νοος: king of the Phaeacians in Scheria, a grandson of Poseidon, η 61 ff.

Ἀλκ-ίππη: a slave of Helen at Sparta, δ 124†.

Ἀλκ-μαίων: son of Amphiaräus and Eriphÿle, ο 248†.

Ἀλκ-μάων: a Greek, the son of Thestor, M 394†.

Ἀλκ-μήνη: wife of Amphitryon in Thebes, mother of Heracles by Zeus, and of Iphicles by Amphitryon.

ἀλκτήρ, ῆρος: *defender against, averter.*

Ἀλκυόνη: a name given to Cleopatra, daughter of Idas and Marpessa, and wife of Meleager, I 562.

ἀλκυών, όνος: *halcyon*, a sea-bird with plaintive note, I 563†.

ἀλλά (ἄλλος, cf. c e t e r u m): but, nay but, but yet, yet; combined ἀλλ' ἄρα, ἀλλὰ γάρ, ἀλλ' ἦ (τοι), ἀλλά τε, ἀλλὰ καὶ ὧς, ἀλλ' οὐδ' ὧς, etc.; very freq. after a negation (when ἄλλος or ἕτερος precedes, like 'than,' Φ 275), but also used like δέ correl. to μέν, and after concessive statements, yet, A 281; often in appeal, nay, A 32, and w. imp. or hortative subj., ἀλλ' ἴομεν, esp. ἀλλ' ἄγε, ἄγετε.

ἄλλεγεν, ἀλλέξαι: see ἀναλέγω.

ἄλλη: elsewhere, another way; of place (ἄλλον ἄλλῃ, θ 516), direction (ἄλλυδις ἄλλῃ), or manner (βούλεσθαι, Ο 51); ὅ μοι γέρας ἔρχεται ἄλλῃ, goes 'into other hands' (than mine), A 120.

ἄλληκτος: see ἄληκτος.

ἀλλ-ήλων (ἄλλος, ἄλλος), gen. du. ἀλλήλοιιν, Κ 65: each other, one another, mutually.

ἀλλό-γνωτος: known to others, i. e. foreign, β 366†.

ἀλλοδαπός: strange, foreign; also subst., stranger.

ἀλλο-ειδής, or ἀλλο-ϊδής, only neut. pl. ἀλλοϜϜειδέ' or ἀλλοϜιδέα: different-looking, strange-looking, ν 194† (cf. π 181).

ἄλλο - θεν: from elsewhere; 'from abroad,' γ 318; ἄλλοθεν ἄλλος, 'one from one side, another from another.'

ἄλλο-θι: elsewhere, 'abroad;' γαίης, part. gen., 'in the world,' β 131, but with πάτρης, gen. of separation, 'far from,' ρ 318.

ἀλλό - θροος: speaking a strange tongue. (Od.)

ἀλλοϊδής: see ἀλλοειδής.

ἀλλοῖος: of another sort, different; implying inferiority, τ 265.

ἄλλομαι, aor. 2 and 3 pers. sing. ἄλσο, ἆλτο, subj. ἄληται, ἄλεται, part. ἄλμενος: leap, spring; met. of an arrow 'leaping' from the string, Δ 125.

ἀλλο-πρόσ-αλλος: changing from one to another, epith. of Ares, 'fickle god,' E 831 and 889.

ἄλλος: other, another, (οἱ) ἄλλοι, the rest; freq. in antithetical and reciprocal clauses, ἄλλος μὲν . . ἄλλος δέ, ἄλλοθεν ἄλλος, etc.; very often idiomatic and untranslatable, ἔκτοθεν ἄλλων | μνηστήρων, 'from the others, the suitors,' i. e. from the throng of suitors, α 132. Phrases: ἄλλο τόσον, as much

'more'; ἰδὼν ἐς πλησίον ἄλλον, with a look towards his next 'neighbor'; ἔξοχον ἄλλων, ἄλλο δέ τοι ἐρέω (marking a transition), similarly ἀλλ' (ἄλλο) ἐνόησε (a 'new' idea). In v 213, ἄλλοι implies 'strangers,' i. e. other than the rightful owners; so 'untrue' (other than the true) is implied, δ 348.

ἄλλο-σε: to another place, elsewhere, ψ 184 and 204.

ἄλλο-τε: at another time; hence 'formerly,' or 'in the future' (T 200); often in reciprocal and antithetic phrases, ἄλλοτε ἄλλῳ, ἄλλοτ' ἐπ' ἄλλον, ἄλλοτε μὲν . . ἄλλοτε δὲ (αὖτε), now . . then, now . . now.

ἀλλότριος: of or belonging to another, strange; γαῖα, ἀλλότρια, 'others' goods'; ἀλλότριος φῶς, 'foe - man'; γναθμοῖσι γελόων ἀλλοτρίοισιν, were laughing 'with jaws as of other men' (distorted faces), description of supernatural effects, υ 347, cf. 351 ff.

ἄ-λλοφος: see ἄλοφος.

ἀλλο-φρονέω: be abstracted, unconscious (Ψ 698), only pres. part.

ἄλλυδις: to another place, always with ἄλλος, or with ἄλλῃ, 'now in one way, now in another,' 'now this way, now that.'

ἀλ-λύεσκεν, ἀλλύουσα: see ἀναλύω.

ἄλλως: otherwise; freq. implying 'in vain' ('idly'), 'besides,' 'for some other reason' (ρ 577), 'as it is' (φ 87), 'better' (E 218, θ 176).

ἅλμα (ἄλλομαι): leaping, as a contest, game, θ 103 and 128.

ἅλμη (ἅλς): sea-water, brine. (Od.)

ἁλμυρός: only ἁλμυρὸν ὕδωρ, salt water. (Od.)

ἀ-λογέω (ἄλογος): be disregardful, fut., Ο 162 and 178.

ἁλό-θεν: from the sea; ἐξ ἁλόθεν, 'from out the sea,' Φ 335†.

ἀλοιάω (ἀλωή): thresh by treading, only ipf., γαῖαν χερσὶν ἀλοίᾳ, she smote the ground, Ι 568†.

ἀλοιφή (ἀλείφω): ointment, grease, fat; rubbed into a bow of horn to render it pliant, φ 179.

Ἀλόπη: a town in the domain of Achilles, B 682†.

Ἄλος: a town in the domain of Achilles, B 682†.

ἀλο-σύδνη: child of the sea; Thetis, Υ 207; Amphitrite, δ 404.

ἄ-λοφος, ἄλλοφος (λόφος), ᾱ before
λ : *without plume ;* κυνέη, K 258†. (See
cut under λόφος.)

ἄ-λοχος (λέχος): *wife ;* epithets,
μνηστή, αἰδοίη, κυδρή, κεδνή, πολύδω-
ρος.

ἀλόω, ἀλόωνται: see ἀλάομαι.

ἅλς (cf. s a l): (1) m., *salt, grain of
salt,* prov. οὐδ' ἅλα δοίης, ρ 455; pl.
ἅλες, *salt* (as we say 'salts' in medi-
cine), λ 123, ψ 270.—(2) fem., *the sea.*

ἄλσο: see ἅλλομαι.

ἄλσος, εος: *grove* (l u c u s), usually
with an altar, and sacred to a divinity,
ρ 506, ζ 321.

Ἄλτης: king of the Leleges, father
of Laothoe, Φ 85.

ἆλτο: see ἅλλομαι.

Ἀλύβᾱς, αντος: feigned name of
a place, with a play upon ἀλάομαι
('Wanderley '), ω 304†.

Ἀλύβη: a country near Troy, pro-
ductive of silver, B 857†.

ἀλυσκάζω (stronger than ἀλύσκω),
only pres. and ipf. : *skulk, seek to es-
cape ;* abs., and with acc. of thing
avoided.

ἀλυσκάνω=ἀλυσκάζω, ipf., χ 330†.

ἀλύσκω (ἀλεύομαι), fut. ἀλύξω, aor.
ἤλυξα and ἄλυξα : *shun, avoid, escape ;*
abs., and with τί, less freq. τινά,ἤλυξα
ἑταίρους, 'evaded their observation,'
μ 335.

ἀλύσσω (ἀλύω) : *be frenzied,* of dogs
after tasting blood, X 70†.

ἄ-λυτος : *not to be loosed, indissolu-
ble.*

ἀλύω (cf. ἀλάομαι): *wander in mind,
be beside oneself, distraught,* with pain,
grief (Ω 12), or sometimes with joy
(σ 333); ἀλύων, 'frantic with pain,'
ι 398.

ἀλφάνω, only aor. ἤλφον, opt. ἄλφοι,
3 pl. ἄλφοιν, υ 383 : *yield, bring ;* μύ-
ριον ὦνον, 'an immense price,' ο 453,
cf. Φ 79.

Ἀλφειός: (1) a river in Arcadia and
Elis (flowing past Olympia), B 592.—
(2) the river-god *Alpheüs,* γ 489.

ἀλφεσί-βοιος (ἀλφάνω, βοῦς): *earn-
ing cattle,* epith. of maidens, whose
parents, when the daughter is married,
receive presents of cattle from the
bridegroom, Σ 593†. See ἕδνα.

ἀλφηστής (ἀλφάνω): *wage-earning,
toiling ;* ἄνδρες ἀλφησταί.

ἄλφιτον : *barley,* in sing. only gen.
ἀλφίτου ἀκτή, *barley-meal ;* pl. ἄλφιτα,
barley-groats or *meal.*

Ἀλωεύς, ῆος (ἀλωή): father of Otus
and Ephialtes, husband of Iphimedīa,
E 386.

ἀλωή: *threshing - floor* (a r e a), Υ
496 ; also *orchard* or *vineyard,* Σ 561.
See γουνός.

ἀλώῃ, ἀλώῃ, ἀλώμενος : see ἁλίσκο-
μαι.

ἀλώμενος : see ἀλάομαι

ἁλώω: see ἁλίσκομαι.

ἅμ, ἀμ : see ἀνά.

ἅμα: (1) adv., *at once, at the same
time ;* ἅμα πάντες, ἀμ' ἄμφω, H 255 ;
freq. with τὲ . . καί (B 281), or with
following δέ, ἅμα μῦθος ἔην, τετέλεστο
δὲ ἔργον, 'no sooner said than done,'
Τ 242.—(2) prep. w. dat., *at the same
time with, along with,* ἅμ' ἠελίῳ κατα-
δύντι, ἅμ' ἕπεσθαι, 'attend,' 'accom-
pany,' ἅμα πνοίῃς ἀνέμοιο, 'swift as
the winds,' α 98, Π 149.

Ἀμαζόνες : the *Amazons,* a warlike
community of women, dwelling on the
river Thermōdon in Pontus. They in-
vaded Lycia, also Priam's realm in
Phrygia, Γ 189, Z 186.

Ἀμάθεια : a Nereid, Σ 48†.

ἄμαθος (ψάμαθος): *sand,* E 587†.

ἀμαθύνω (ἄμαθος): *reduce to dust ;*
πόλιν δέ τε πῦρ ἀμαθύνει, I 593†.

ἀμαιμάκετος : doubtful word, *uncon-
querable, monstrous ;* epith. of the Chi-
maera, Z 179 and Π 329 ; of a floating
mast, 'huge,' ξ 311.

ἀμαλδύνω, aor. inf. ἀμαλδῦναι, part.
-ύνᾱς, pass. pr. subj. ἀμαλδύνηται :
crush, efface, τεῖχος. (Π.)

ἀμαλλο-δετήρ, ῆρος (ἄμαλλα, δέω):
binder of sheaves. Only in Σ.

ἀμαλός : *tender,* epith. of young ani-
mals.

ἄμαξα, ἅμαξα (ἅμα, ἄξων): *four-
wheeled draught wagon,* distinguished
from the war - chariot (ἅρμα), which
had two wheels, ι 251 ; also the con-
stellation of the Great Bear (*the Wain*),
Σ 487, ε 273.

ἀμαξιτός (ἄμαξα): *wagon - road,*
strictly adj., sc. ὁδός, X 146†.

ἀμάρη : *canal, ditch for irrigation,*
Φ 259†.

ἁμαρτάνω, fut. ἁμαρτήσομαι, aor.
ἥμαρτον and ἤμβροτον : (1) *miss, fail*

to hit, τινός, and abs., ἤμβροτες, οὐδ' ἔτυχες, E 287; met., 'mistake,' 'fail of,' 'lose' (just as τυχεῖν = 'get'), η 292, ι 512, φ 155; οὔ τι φίλων ἡμάρτανε δώρων, 'failed not to bring,' Ω 68. — (2) *err, do wrong*, ὅτε κέν τις ὑπερβήῃ καὶ ἁμάρτῃ, Ι 501; αὐτὸς ἐγὼ τόδε ἤμβροτον, 'was guilty of this oversight,' χ 154.

ἁμαρτέω: see ὁμαρτέω.

ἁμαρτῇ, ἀμαρτῇ (ἅμα, root αρ): *at once, together*.

ἁμαρτο-επής, ἐς (Fέπος): *erring in word, rash-speaking*, N 824†. Cf. ἀφαμαρτοεπής.

Ἀμαρυγκείδης: *son of Amarynceus*, Diōres, B 622, Δ 517.

Ἀμαρυγκεύς, έος: *ruler of the Epeians at Buprasion in Messenia*, Ψ 630†.

ἁμα-τροχάω: see τροχάω.

ἁμα-τροχίη (τρέχω): *running together, collision* of chariots, pl., Ψ 422†.

ἀμαυρός: *shadowy, darkling;* εἴδωλον ἀμαυρόν, δ 824 and 835.

ἀ-μαχητί: *without contest*, Φ 437†.

ἀμάω (cf. 'mow,' which orig. means to lay in heaps), ipf. ἤμων, aor. part. ἀμήσαντες, mid. ἀμησάμενος: *mow, reap*, Σ 551; ἀπ' (adv.) οὔατα ἀμήσαντες, 'lopping off,' φ 300; mid. ἀμησάμενος, 'collecting,' 'scooping up' his curds, ι 247.

ἀμβαίνω, ἀμβάλλω: see ἀναβ-.

ἄμ-βατος (ἀναβαίνω): *to be ascended, scaled*.

ἀμ-βλήδην (ἀναβάλλω): adv., *with deep - fetched breath* (= ἀμβολάδην), *deeply*, γοόωσα, Χ 476†. According to others, *as prelude* (ἀναβάλλομαι), *at first*.

ἀμ-βολάδην (ἀναβάλλω): adv., *bubbling up*, Φ 364†.

ἀμβροσίη (ἀμβρόσιος), adj. used as subst.: *ambrosia;* the food of the gods and of their steeds; also used as ointment, for embalming, for perfume.

ἀμβρόσιος (ἄμβροτος): *ambrosial, divine;* epith. of anything belonging to, pertaining to, or conceived as bestowed by the gods; χαῖται, Α 529; εἶδαρ (for their steeds), Η 369, νύξ, ὕπνος.

ἄ-μβροτος (βροτός): *immortal, divine;* θεός, Υ 358, and like ἀμβρόσιος (αἷμα, τεύχεα, νύξ, λ 330).

ἀ-μέγαρτος (μεγαίρω): *unenviable,*

dreadful; voc. as term of reproach, *miserable*, ρ 219.

ἀμείβω, fut. ἀμείψω, -ομαι, aor. ἠμείψατο, ἀμείψατο: I. act., *change, exchange;* τινός τι πρός τινα (something with one for something else), Ζ 235; ὀλίγον γόνυ γουνὸς ἀμείβων, 'only a little changing knee for knee' (in retreating slowly step by step), Λ 547; part. as subst., ἀμείβοντες, 'rafters' of a house, Ψ 712. — II. mid., *change with each other, answer, pass;* of responsive ('amoebean') singing, Α 604; 'alternating' in the dance, θ 379; θρώσκων ἀμείβεται, 'springs alternately,' Ο 684; 'passing from house to house,' α 375; 'requiting' one with gifts, ω 285. In the sense of *answer*, very freq. the part. ἀμειβόμενος, 'in reply,' ἀμειβόμενος προσέειπεν, ἠμείβετο μύθῳ.

ἀ-μείλικτος (μειλίσσω): *unsoftened, harsh, stern, relentless*. (Il.)

ἀμείλιχος = ἀμείλικτος.

ἀμείνων, ον, irreg. comp. of ἀγαθός: *better*. For implied meanings, see ἀγαθός.

ἀμέλγω, only pr. and ipf.: *milk;* pass., ἀμελγόμεναι γάλα λευκόν, 'yielding,' Δ 434.

ἀ-μελέω, (μέλω), only aor. ἀμέλησα: *neglect, forget;* τινός, always with negation.

ἄμεναι: see ἄω.

ἀ-μενηνός (μένος): *powerless, feeble*, E 887; of the shades of the dead, νεκύων ἀμενηνὰ κάρηνα, of dreams, 'unsubstantial,' τ 562.

ἀ-μενηνόω (ἀμενηνός): *make powerless, ineffective*, only aor., N 562†.

1. **ἀ-μέρδω** (μέρος), aor. ἤμερσα, ἄμερσα, inf. ἀμέρσαι, pass. pres. ἀμέρδεαι, aor. subj. ἀμερθῇς: *deprive of one's share, deprive*, θ 64; pass., *be deprived of, forfeit*, τινός, X 58, φ 290.

2. **ἀ-μέρδω** (μάρμαρος), only pres. and ipf.: *dazzle, blind* by excess of light, N 340; similarly, *make lustreless, tarnish*, ἔντεα κάπνος ἀμέρδει, τ 18.

ἀ-μέτρητος (μετρέω): *immeasurable*, τ 512 and ψ 249.

ἀ-μετρο-επής (Fέπος): *of unmeasured speech*, B 212†.

ἀμητήρ, ῆρος (ἀμάω): *reaper*, pl., Λ 67†.

ἄμητος (ἀμάω): *reaping, harvest*, metaph., T 223†.

ἀ-μηχανίη (ἀμήχανος): *helplessness, despair*, ι 295†.

ἀ-μήχανος (μηχανή, μῆχος): (1) act., *helpless, despairing*, τ 363.—(2) pass., of that with which one can do nothing, *impossible*, Ξ 262; ὄνειροι, 'inscrutable', τ 560; ἀμήχανα ἔργα, 'irreparable mischief,' Θ 130; of persons, 'impracticable,' 'unmanageable,' Κ 167; ἀμήχανός ἐσσι πιθέσθαι, 'it is hopeless to expect you to comply,' Ν 726.

Ἀμισώδαρος: a king in Caria, father of Atymnius and Maris, Π 328†.

ἀ-μιτρο-χίτωνες (μίτρη, χιτών): *without belt beneath their coat of mail* (χιτών), epith. of the Lycians, Π 419†.

ἀμιχθαλόεις, εσσα: *smoky, hazy;* epith. of Lemnos, which is a volcanic island, Ω 753†.

ἄμμε, ἄμμες, ἄμμι: see ἡμεῖς.

ἀμ-μῖξας: see ἀναμίγνυμι.

ἀ-μμορίη (μόρος): μοῖράν τ' ἀμμορίην τε, all that is 'fated and unfated,' υ 76†. Cf. ἄμμορος (2).

ἄ-μμορος (μόρος, μοῖρα): (1) *without share* or *portion*, with gen., λοετρῶν Ὠκεάνοιο, said of the constellation of the Great Bear, which in Greek latitudes never sinks below the horizon, ε 275, Σ 489.—(2) *luckless, unhappy*, Ζ 408, Ω 773.

ἀμνίον: *basin* for receiving the blood of sacrificial victims, γ 444†. (See cut.)

Ἀμνῖσός: the port of Cnosus in Crete, τ 188†.

ἀ-μογητί (μογέω): *without trouble*, Λ 637†.

ἀμόθεν (ἀμός, obsolete word = εἷς, for τὶς): *from somewhere;* ἀμόθεν γε,

θεά, εἰπέ, 'beginning at any point whatever,' relate, α 10†.

ἀμοιβάς, άδος (ἀμείβω): adj., *for a change*, χλαίνη, ξ 521†.

ἀμοιβή (ἀμείβω): *recompense, requital, gift in return.* (Od.)

ἀμοιβηδίς: *by turns*, Σ 506 and σ 310.

ἀμοιβός (ἀμείβω): *one who changes place with another*, ἦλθον ἀμοιβοί (as *substitutes*), Ν 793†.

ἀμολγός: doubtful word, always (ἐν) νυκτὸς ἀμολγῷ, in the *darkness* of night, 'at dead of night,' as an indication of time.

Ἀμοπάων: a Trojan, son of Polypaemon, slain by Teucer, Θ 276†.

ἀμός, ἁμός = ἡμέτερος.

ἄμοτον: *eagerly, vehemently;* esp. with μέμαα, κλαίω, κεχολωμένος, ταννύοντο.

ἀμπ-: see ἀναπ-.

ἀμπελόεις, εσσα, εν (ἄμπελος): *full of vines, vine-clad;* of districts and towns. (Il.)

ἄμπελος, fem.: *grape-vine, vine.* (Od.)

ἀμ-πεπαλών: see ἀναπάλλω.

ἀμ-περές: always διὰ δ' ἀμπερές, see διαμπερές.

ἀμπ-έχω (ἀμφί, ἔχω): *surround, cover*, ἄλμη ἄμπεχεν ὤμους, ζ 225†.

ἀμ-πήδησε: see ἀναπηδάω.

ἀμ-πνεῦσαι, ἄμ-πνυε, ἀμ-πνύνθη, ἄμ-πνυτο: see ἀναπνέω.

ἄμπυξ, υκος (ἀμπέχω): *head-band*, worn by women, χ 469. (See cut.)

ἀμυδίς (ἅμα): Aeolic adv., *at once.*
—(1) of place, *together, in a mass*, κα-
θίζειν, κικλήσκειν, etc., πάντ' ἀμυδίς,
μ 413, Μ 385.—(2) of time, *at once,
immediately,* Ψ 217, ξ 305 ; *at the same
time,* ε 467.

Ἀμυδών: a city of the Paeonians,
on the river Axius, in Macedonia, Β
849 and Π 288.

Ἀμυθάων: son of Cretheus and
Tyro, father of Bias and Melampus, λ
259†.

Ἀμύκλαι: a city in Laconia, near
the Eurotas, 20 stadia S.E. of Sparta,
and the residence of Tyndareus, Β
584†.

ἀ-μύμων, ονος (μῶμος): *blameless,
excellent,* both of persons and things,
ὅς δ' ἂν ἀμύμων αὐτὸς ἔῃ καὶ ἀμύμονα
εἰδῇ, τ 332 (opp. ἀπηνής, 329); often
to mark personal appearance or no-
bility of birth, and sometimes without
regard to moral excellence, ἀμύμονος
Αἰγίσθοιο, α 29 ; θεοῦ ἐς ἀμύμονα νῆ-
σον ('faultless' isle, because it be-
longed to the god), μ 261.

ἀμύντωρ, ορος (ἀμύνω): *defender,
protector.*

Ἀμύντωρ: son of Ormenus, father
of Phoenix, I 448, Κ 266.

ἀμύνω, inf. ἀμυνέμεν, -έμεναι, aor.
ἤμυνε, ἄμυνε, opt. ἀμύναι, inf. ἀμῦναι,
imp. ἄμυνον, mid. ipf. ἀμύνετο, ἠμύ-
νοντο, aor. opt. ἀμυναίμην : I. act.,
ward off, defend ; abs., -υνί, Ε 486 ;
freq. τινί τι (dat. of interest, though
we say 'from'), less often τινός τι,
Δ 11 ; also merely τί, and τινός, ἀπό
or περί τινος, of the person or thing
defended, Ν 109, β 59, Ρ 182.—II.
mid., *ward off* from oneself, *defend*
oneself or what is one's own, with
the same constructions as the act. ;
εἷς οἰωνὸς ἄριστος, ἀμύνεσθαι περὶ
πάτρης, 'to fight in defence of our
country,' Μ 243.

ἀμύσσω, ipf. ἄμυσσεν, fut. ἀμύξεις :
scratch, tear, στήθεα χερσίν, Τ 284 ;
met., θυμὸν ἀμύξεις, 'shalt rend' thy
soul, Α 243.

ἀμφ - αγαπάζω, ipf. ἀμφαγάπαζον,
mid. -όμενος: *embrace lovingly, greet
warmly,* of entertaining guests, Π 192,
ξ 381.

ἀμφ-αγείρομαι: *gather around,* only
aor. 2, θεαὶ δέ μιν ἀμφαγέροντο, Σ 37†.

ἀμ-φαδίην (ἀμφάδιος): adv., *openly,
publicly.*

ἀμ-φάδιος (ἀναφαίνω): *open, public,*
'regular,' γάμος, ζ 288.

ἀμ-φαδόν and ἀμ-φαδά (ἀναφαίνω):
adv., *openly, publicly ;* opp. κρυφηδόν,
ξ 330; βαλέειν, 'in regular battle,'
Η 243 (opp. λάθρῃ); ἀμφαδὰ ἔργα
γένοιτο, 'be revealed,' 'come to light,'
τ 391.

ἀμφ - αραβέω: only aor., τεύχεά τ'
ἀμφαράβησε, *clattered about him,* Φ
408†.

ἀμ-φασίη (φάναι): *speechlessness,* w.
obj. gen. ἐπέων, Ρ 695, δ 704.

ἀμφ-αφάω, part. ἀμφαφόων, -όωσα,
mid. inf. -άασθαι, ipf. -όωντο : *feel
about, handle,* esp. to test or examine
something ; τρὶς δὲ περίστειξας κοῖλον
λόχον ἀμφαφόωσα (Helen walks around
the Trojan horse and 'feels over' it,
while the Greeks are concealed with-
in), δ 277; of examining a necklace,
χερσίν τ' ἀμφαφόωντο, ο 462.

ἀμφ-εποτᾶτο : see ἀμφιποτάομαι.

ἀμφ-έπω : see ἀμφιέπω.

ἀμφ-έρχομαι: *come about,* 'sound'
or 'rise about,' of sound or savor
'stealing over' one, 'meeting the
senses,' only aor. ἀμφήλυθε, ζ 122, μ
369. (Od.)

ἀμφ-έχανε : see ἀμφιχαίνω.

ἀμφ-έχυτ': see ἀμφιχέω.

ἀμφ-ήκης, ἄμφηκες (root ακ): *two-
edged,* of a sword, π 80.

ἀμφ-ήλυθε : see ἀμφέρχομαι.

ἀμφ-ηρεφής, ἐς (ἐρέφω): *covered at
both ends, close-covered, closed,* Α 45†.

ἀμφ-ήριστος (ἐρίζω): *contested on
both sides,* doubtful, victory (or victor),
Ψ 382†.

ἀμφί (cf. ἀμφίς, ἄμφω): *on both
sides ;* the distinction between ἀμφί
and περί ('around') is of course not
always observed ; the two words are
used together, ὄχθαι δ' ἀμφὶ περὶ μέ-
γαλ' ἴαχον, 'round about,' Φ 10, but
on the other hand are sometimes in-
terchangeable, ἀμφὶ δὲ κυανέην κάπε-
τον, περὶ δ' ἕρκος Ἔλασσεν | κασσιτέρου,
Σ 564 ; cf. Ψ 561 f.—I. adv.: *on both
sides* (or *ends, or above and below,* Ζ
115), *about, around ;* here belongs the
so-called use 'in tmesi,' and in many
instances where the word seems to
govern a subst., it is really adverbial,

and the case of the subst. must be explained independently, ἀμφ' ὀβελοῖσιν ἔπειραν (ὀβ. dat. instr.), ἀμφὶ δὲ χαῖται | ὤμοις ἀΐσσονται (ὤμ. local dat.). In case of an apparent ambiguity of construction the presumption is in favor of adverbial interpretation in Homer.— II. prep., (1) w. gen., *about, concerning;* ἀμφί τινος μάχεσθαι (Π 825), ἀείδειν (θ 267).—(2) w. dat., (a) local, Β 388, Γ 328; ἤριπε δ' ἀμφ' αὐτῷ, 'over,' Δ 493; τὴν κτεῖνε ἀμφ' ἐμοί, 'near,' λ 423, Ι 470; ἀμφὶ πυρί, 'on,' etc.—(b) causal, 'for,' ἀμφί τινι ἄλγεα πάσχειν, μάχεσθαι, δικάζεσθαι, εἴρεσθαι (τ 95), 'as regards' (Η 408). —(3) w. acc., local, mostly to denote motion or extension in space, ἀμφ' ἅλα ἕλσαι Ἀχαιούς, Α 409; ἀμφὶ ἄστυ ἔρδειν ἱρά, 'around in,' Λ 706; οἱ ἀμφὶ Πρίαμον, 'Priam and his followers.'

'Αμφί-αλος: a Phaeacian, θ 114.

ἀμφί-αλος: *sea-girt.* (Od.)

'Αμφι-άραος: a seer and warrior of Argos, son of Oecles, great grandson of the seer Melampus. Through the treachery of his wife Eriphyle, who was bribed by Polynices with the gift of a golden necklace, he was forced to meet his death by joining the expedition of the Seven against Thebes, ο 244.

ἀμφ-ιάχω: only part. with termination of perf., ἀμφιαχυῖαν, as she flew *screaming about,* Β 316†.

ἀμφι-βαίνω, perf. ἀμφιβέβηκας, -κε, subj. ἀμφιβεβήκῃ, plup. ἀμφιβεβήκει: *go* (perf. *stand*) *about* or *over, surround,* with acc. or dat.; ἥλιος μέσον οὐρανὸν ἀμφιβεβήκει ('had reached mid-heaven in its round,' i. e. stood at the zenith), Θ 68; Τρώων νέφος ἀμφιβέβηκε | νηυσίν, Π 66; ἄχος φρένας ἀμφιβέβηκεν, 'has overwhelmed,' θ 541; met., *protect* (the figure from an animal standing over its young), ἀργυρότοξ', ὃς Χρύσην ἀμφιβέβηκας, Α 37, ι 198.

ἀμφι-βάλλω, aor. 2 part. ἀμφιβα-

λών, mid. fut. ἀμφιβαλεῦμαι, aor. inf. ἀμφιβαλέσθαι : I. act., *throw about, embrace;* τῷ δ' ἐγὼ ἀμφιβαλὼν θάλαμον δέμον (i. e. the chamber was built around the tree), ψ 192; ἀμφιβαλόντε ἀλλήλους, Ψ 97; κρέας, ὥς οἱ χεῖρες ἐχάνδανον ἀμφιβαλόντι (as much as his hands could hold 'in their clasp'), ρ 344; met., κράτερον μένος ἀμφιβαλόντες (cf. ἐπιέννυμι), Ρ 742. — II. mid., *throw about oneself,* δὸς δὲ ῥάκος ἀμφιβαλέσθαι, ζ 178, χ 103.

ἀμφί-βασις: *protection,* sc. νεκροῦ, Ε 623†.

ἀμφί-βροτος: *man-protecting* (reaching from head to foot, cf. Ζ 117), ἀσπίς. (Il.) (See cut.)

'Αμφι-γένεια: a town subject to Nestor, Β 593†.

ἀμφι-γυήεις (γυῖον): *strong in both arms* (ambidexter), epith. of Hephaestus, usually as subst., Α 607, θ 300.

ἀμφί-γυος (γυῖον): *with limb at both ends, double-pointed,* ἔγχος. Cf. οὐρίαχος. (See cuts below.)

ἀμφι-δαίω: *kindle about,* only perf. intr. (and fig.), πόλεμος ἄστυ ἀμφιδέδηε, *blazes round,* Ζ 329†.

'Αμφι-δάμᾱς, αντος: (1) from Cythera, Κ 268.—(2) from Opus, Ψ 87.

ἀμφί-δασυς, σεια (δασύς): *shaggy all around, thick-fringed,* epith. of the Aegis, Ο 309†.

ἀμφι-δῑνέω : *twirl about ;* only perf. pass., χεῦμα κασσιτέροιο ἀμφιδεδίνηται, a casting of tin 'is run around,' Ψ 562; of the scabbard 'enclosing' a sword, θ 405.

ἀμφι-δρυφής (δρύπτω): *with both cheeks torn* (from grief), B 700†.

ἀμφί-δρυφος (δρύπτω): *torn on both sides,* 'both torn' (from grief), παρειαί, Λ 393†.

ἀμφί-δυμος: *double,* only pl., λιμένες (on both sides of the island), δ 847†.

ἀμφι-έλισσα (Ϝελίσσω): *curved at both ends, curving,* epith. of ships. (See cut.)

5

ἀμφι-έννῡμι (Ϝέννῡμι), fut. ἀμφιέσω, aor. ἀμφίεσ(σ)α, mid. aor. ἀμφιέσαντο, imp. ἀμφιέσασθε, pres. and ipf. not in Homer: *put on* clothing; act., on another, ε 167; with two accusatives, o 369; mid., on oneself, *don,* ψ 131.

ἀμφι-έπω, ἀμφ-έπω (ἕπω), only part. ἀμφιέπων and ipf.: *move round, envelop,* γάστρην τρίποδος πῦρ ἄμφεπε, Σ 348; of persons, *be busy about,* in preparing meat, attending to sacrifices, etc., ὥς οἵ γ᾽ ἀμφίεπον τάφον Ἕκτορος, Ω 804; freq. the part. in connection with another verb, ἀμφιέποντες, *busily.*

ἀμφ-ιζάνω: *settle upon,* only ipf., Σ 25†.

ἀμφι-θαλής, ἐς (θάλλω): *flourishing on both sides,* epith. of a child whose father and mother are still living, X 496†.

Ἀμφι-θέη: wife of Autolycus, grandmother of Odysseus, τ 416†.

ἀμφί-θετος (τίθημι): *to be placed both ways, reversible,* φιάλη, probably with double base and bowl, Ψ 270, 616. Cf. ἀμφικύπελλον.

ἀμφι-θέω: *run about,* with acc., κ 413†.

Ἀμφι-θόη: a Nereid, Σ 42†.

ἀμφι-καλύπτω, fut. ἀμφικαλύψω, aor. ἀμφεκάλυψα, subj. ἀμφικαλύψῃ: *cover round, hide ;* often τινί τι, the acc. of the thing used to cover with, καί οἱ σάκος ἀμφεκάλυψεν, Θ 331, θ 569; met., of sleep, death, feelings, ἔρως φρένας ἀμφεκάλυψε, 'engrossed my heart,' Γ 442.

ἀμφι-καρής, ἐς (κάρα): *double-headed ;* ἀμφικαρῆ σφέλα (for the feet of two persons), v. l. for ἀμφὶ κάρη, ρ 231.

ἀμφι-κεάζω: *split* or *hew around;* τὸ μέλαν δρυὸς ἀμφικεάσσας, ξ 12†.

Ἄμφι-κλος: a Trojan, slain by Achilles, Π 313†.

ἀμφί-κομος (κόμη): *surrounded by foliage, leafy,* P 677†.

ἀμφι-κύπελλον, δέπας: *double-cupped* goblet, whose base is bowl-shaped and adapted to drink from. Cf. ἀμφίθετος. (The above is the explanation of Aristotle, *Hist. An.* xix., 40; but no specimens of the form described have been found amongst antique remains or representations.)

ἀμφι-λαχαίνω: *dig about;* φυτόν, ω 242†.

Ἀμφί-λοχος: a seer of Argos, son of Amphiaräus and Eriphyle, o 248†.

ἀμφι-λύκη (root λυκ, lux): *with doubtful light ;* νύξ, i. e., neither day nor night, t w i-light of dawn, H 433†.

ἀμφι-μαίομαι, only aor. imp. ἀμφιμάσασθε: *seek about* with the hands, hence *wipe off* all over, σπόγγοισι, υ 152†.

ἀμφι-μάχομαι: *fight around* or *for ;* πόλιν, I 412; νέκυος, τείχεος (as for a prize), O 391. (Il.)

Ἀμφί-μαχος: (1) son of Cteatus, a leader of the Eleans, N 203.—(2) son of Nomion, a leader of the Carians, B 870.

Ἀμφι-μέδων: a suitor of Penelope, son of Melaneus, slain by Telemachus, χ 242.

ἀμφι-μέλᾱς, αινα: *black round about,* only φρένες ἀμφιμέλαιναι, 'darkened heart,' said with reference to the effect of passion (anger, grief, warlike impulse), A 103, P 83, 573.

ἀμφι-μῡκάομαι: *bellow round;* only perf., δάπεδον δ᾽ ἅπαν ἀμφιμέμῡκεν, 'moans round about,' i. e., echoes with the sound of the loom and the voice within, κ 227.

ἀμφι-νέμομαι, only pres. and ipf.: *dwell around,* or *dwell around in,* B 521, τ 132.

'Αμφι-νόμη: a Nereid, Σ 44.

'Αμφί-νομος: a suitor of Penelope, son of Nīsus, from Dūlichium, slain by Telemachus, χ 89.

ἀμφι-ξέω: *hew around about,* only aor., ψ 196†.

Ἄμφῖος: (1) a Trojan chief, son of Merops, B 830.—(2) son of Selagus, from Paesus, an ally of the Trojans, E 612.

ἀμφι-πέλομαι: *be about* one, ἀκουόντεσσι νεωτάτη ἀμφιπέληται, the newest song to 'meet their ears,' α 352†. Cf. ἀμφιέρχομαι.

ἀμφι-πένομαι, only pres. and ipf.: *work about, attend (to), tend ;* of persons, esp. the sick or wounded, sometimes of things, T 278 ; ironically, τὸν ἴχθνες ἀμφεπένοντο, 'were at work around him,' Φ 203, Ψ 184.

ἀμφιπερί: see ἀμφί.

ἀμφι-περι-στέφω: see περιστέφω.

ἀμφι-περι-στρωφάω: see περιστρωφάω.

ἀμφι-πίπτω: *fall about,* only aor. part., γυνή πόσιν ἀμφιπεσοῦσα, 'falling upon (and embracing) the body' of her lifeless husband, θ 523†.

ἀμφι-πολεύω (ἀμφίπολος): *wait on, take care of,* ὄρχατον, ω 244 ; βίον, σ 254 ; ironically, ν 78.

ἀμφί-πολος (πέλομαι): *female attendant, handmaid ;* ἀμφίπολος ταμίη, ἀμφίπολοι γυναῖκες, but regularly subst. ; the ncble dame of the heroic period is constantly attended by one or more of her maids when she appears in public, α 331 ; distinguished from δμωαί, χ 483 f.

ἀμφι-πονέομαι, fut. ἀμφιπονήσομαι: *labor about, attend to,* τί, τινά, Ψ 159, 681, υ 307. Cf. ἀμφιπένομαι.

ἀμφι-ποτάομαι: *flutter about,* only ipf., ἀμφεποτᾶτο τέκνα, B 315†.

ἀμφί-ρυτος (ῥέω): *sea-girt.* (Od.)

ἀμφίς (cf. ἀμφί, ἄμφω): I. adv., *on both sides, apart, in two ways ;* 'with both hands' at once (Φ 162), γαῖαν καὶ οὐρανὸν ἀμφὶς ἔχουσιν (α 54), 'separately (χ 57), ἀμφὶς φράζεσθαι, 'be at

variance,' B 13.—II. prep., mostly following its case, (1) w. gen., *all round, apart from, away from,* B 384 ; ἀμφὶς ὁδοῦ, Ψ 393.—(2) w. acc., *about, around,* ἀμφὶς ἕκαστον (ἀμφὶ Γέκαστον), Λ 634, ζ 266, Ξ 274.

ἀμφ-ίστημι, aor. 2 ἀμφέστην, 3 pl. ἀμφέσταν (for -έστησαν), pass. ipf. ἀμφίστατο, -σταντο : *place around,* pass. and intr., *stand around,* Σ 233, Ω 712 ; ἄστυ, 'beleaguer,' Λ 733.

ἀμφι-στρατάομαι: *besiege,* only ipf., ἀμφεστρατόωντο, Λ 713†.

ἀμφι-στρεφής (στρέφω): *turning all ways,* Λ 40†.

ἀμφι-τίθημι, mid. aor. 2 ἀμφέθετο, pass. aor. part. ἀμφιτεθεῖσα : *put around ; κυνέη,* encircling the head, Κ 271 ; ξίφος, 'gird on,' φ 431.

'Αμφι-τρίτη (cf. Τρίτων): *Amphitrīte,* goddess of the sea, personifying the element, κυανῶπις, ἀγάστονος, μ 60, 97 ; μετὰ κύμασιν 'Αμφιτρίτης, γ 91.

ἀμφι-τρομέω: *tremble for,* w. gen., δ 820†.

'Αμφι-τρύων: king of Tiryns, husband of Alcmēna and reputed father of Heracles, E 392, γ 266.

ἀμφί-φαλος (φάλος): *double-ridged, double-crested,* of a helmet with divided crest. (ll.)

ἀμφι-φοβέω: *put to flight around* one, only aor. pass., Π 290†.

ἀμφι-φορεύς, ῆος (φέρω); for ἀμφορεύς : *two-handled vase* or *jar* for wine ; also used as *urn* for ashes of the dead, ω 74. (See cuts 6 and 7.)

6

ἀμφι-χαίνω: *yawn about*, only aor. 2, ἐμὲ κῆρ ἀμφέχανε, has 'engulfed' me, Ψ 79†.

ἀμφι-χέομαι (χέω), ipf. ἀμφεχεόμην, aor. 2 ἀμφεχύμην, ἀμφέχυτο, pass. aor. ἀμφεχύθην: *pour* or *be diffused* or *shed around, embrace;* πάρος κόνιν ἀμφιχυθῆναι, before the dust (stirred by the feet of Ajax immediately in advance) could 'pour (rise) round' him (Odysseus), Ψ 763; ἀμφιχυθεὶς πατέρα, π 214, ἀμφεχέοντο ('thronged around') καὶ ἠσπάζοντ' Ὀδυσῆα, χ 498; metaph., of sounds (Β 41), feelings (δ 716), sleep (Ξ 253).

ἀμφιχυθείς, -ῆναι: see ἀμφιχέομαι.

ἀμφί-χυτος (χέω): *poured* (spread) *around, demolished*, of an earthen wall, Υ 145†.

'Αμφίων: (1) son of Iasius, and king of Orchomenus in Boeotia, λ 283.—(2) son of Zeus and Antiope, husband of Niobe, and brother of Zethus, with whom he built the walls of Thebes, λ 262.—(3) a leader of the Epeians, Ν 692.

ἀμφότερος (ἄμφω): *both;* sing. only neut. as adv., foll. by τέ . . καί, etc., ἀμφότερον βασιλεύς τ' ἀγαθὸς κράτερός τ' αἰχμητής, 'at once both,' etc., Γ 179, Ν 166, ο 78; as subst., ἀμφοτέρῃσι (sc. χερσί), Ε 416, κ 264.

'Αμφότερος: a Lycian, slain by Patroclus, Π 415†.

ἀμφοτέρω-θεν: *from* or *on both sides, at both ends.*

ἀμφοτέρω-σε: *in both directions.*

ἀμφ-ουδίς: adv. with the sense of ἀμφ' οὔδει, *on the ground* (specifying πρὸς γῆν), ρ 237†.

ἀμ-φράσσαιτο: see ἀναφράζομαι.

ἄμφω: *both*, whether of individuals or of parties, Α 363, Β 124; 'the two

pieces' (defined by what follows), μ 424.

ἄμφ-ωτος (οὖς): *two-eared, two-handled*, χ 10†.

ἀ-μώμητος (μῶμος): *irreproachable*, Μ 109†.

1. ἄν: modal adv., indicating a condition; essentially equivalent to κέν, and of less frequent occurrence. The use of ἄν is less exactly defined in Homer than in Attic Greek; besides the regular usages in Attic, Homer employs ἄν with the subj. in independent sentences, and κέ (rarely ἄν) with the fut. indicative. In final clauses the use of ἄν or κέ prevails, and it is not uncommon even with the opt. in conditions. On the other hand the potential opt. occurs without ἄν (κέ) oftener than in Attic. The following examples will illustrate the most important of these peculiarities of usage:—(1) ἄν w. subj. in independent sentence, οὐκ ἄν τοι χραίσμῃ κίθαρις, 'perchance the harp may avail thee not,' Γ 54, cf. Α 205.— (2) ἄν w. fut. ind., αὐτὸν δ' ἂν πύματόν με κύνες . . ἐρύουσι,ἐπεὶ κέ τις κτλ., 'me like enough last of all will dogs drag about, after I am slain," etc., Χ 66.—(3) ἄν w. opt. in final clause, σὺ δέ με προΐεις . . ὄφρ' ἂν ἐλοίμην δῶρα, ω 334. — (4) ἄν w. opt. in condition, στεῦτο γὰρ εὐχόμενος νικήσεμεν, εἴπερ ἂν αὐταὶ | Μοῦσαι ἀείδοιεν, Β 597.

2. ἀν-: negative prefix, the original form of the so-called α 'privative', a still fuller form being ἀνα-, preserved in ἀνάϝεδνος. Cf. Lat. in-, Eng. 'un-.'

3. ἄν, ἂν: by apocope for ἀνά, before ν (Κ 298), before τ (Ε 167), before στόμα (ε 456); and in ἂν δέ (sc. ὤρνυτο), Γ 268, Ψ 709, 755, 812, θ 110, 115, 118.

ἀνά, by apocope ἄν (ἀν), before labials ἄμ (ἀμ): *up*, opp. κατά.—I. adv., ἄνα (with anastrophe), hortative, *up! quick!* Σ 178, σ 13; *up* there, *thereon*, μέλανες δ' ἀνὰ βότρυες ἦσαν, Σ 562; *back*, ἀνά τ' ἔδραμ' ὀπίσσω, Ε 599, ἀνὰ δ' ἴσχεο, 'hold up,' 'refrain,' Η 110. The use with verbs 'in tmesi' is of course adverbial; likewise when a subst. occurs in a case that defines the adv. (thus showing the transition to a true preposition), ἂν δ' ἄρα Τηλέμαχος νηὸς βαῖνε (νηός local or part. gen.), β 416.—II. prep., (1) w. gen., only ἀνὰ νηὸς ἔβην, ι 177, see the remark on β 416 above.—(2) w. dat., up on, upon, A 15, O 152, ἀνά τ' ἀλλήλησιν ἔχονται, hold on (close up) 'to' one another, ω 8.—(3) w. acc., up to, up through, K 466, χ 132, X 452; of motion, ἀνά generally denotes vague direction (up and down, 'up through,' 'throughout'), ἐννῆμαρ μὲν ἀνὰ στρατὸν ᾤχετο κῆλα θεοῖο, A 53, whereas κατά rather indicates motion toward a definite point or end (A 483, 484); with the idea of motion less prominent, N 117, 270; of time, ἀνὰ νύκτα, Ξ 80; βασιλῆας ἀνὰ στόμ' ἔχων, 'bandying their names up and down,' B 250; ἀνὰ θυμὸν φρονεῖν, ὁρμαίνειν, θαμβεῖν, ὀίεσθαι, B 36, β 156, δ 638; ἀν' ἰθύν, 'straight forward,' Φ 303; following the governed word, νειὸν ἀν(ά), 'up and down' the field, ν 32.

1. ἄνα: see ἀνά, I.

2. ἄνα: see ἄναξ.

ἀνα-βαίνω, ἀμβαίνω, aor. ἀνέβην, mid. aor. ἀνεβήσετο, aor. 1 part. ἀναβησάμενοι: go up, ascend (to), οὐρανόν, ὑπερώιον, etc.; φάτις ἀνθρώπους ἀναβαίνει, 'goes abroad among' men, ζ 29; esp. go on board ship, embark, A 312 and often, ἐς Τροίην ἀναβημέναι, 'embark for Troy,' α 210; trans., aor. 1 mid., νὼ ἀναβησάμενοι, 'taking us on board their ship,' ο 475.

ἀνα-βάλλω, ἀμβάλλω: throw up.— I. act., postpone, ἄεθλον, τ 584.—II. mid., (1) 'strike up' a prelude, w. inf., φορμίζων ἀνεβάλλετο καλὸν ἀείδειν, α 155, cf. ρ 262.—(2) postpone for oneself, ἔργον, B 436.

ἀνα-βέβρυχεν: defective perf., bubbles up, P 54† (v. l. ἀναβέβροχεν).

'Ανα-βησί-νεως: a Phaeacian, θ 113†.

ἀνά-βλησις (ἀναβάλλω): postponement. (Il.)

ἀνα-βραχεῖν, only aor. 3 sing. ἀνέβραχε: of armor (clanged), T 13; of a door ('groaned'), ἤυτε ταῦρος, φ 48. Cf. βραχεῖν.

ἀνα-βρόχω, only aor. opt. ἀναβρόξειε, and aor. 2 pass. part. ἀναβροχέν: gulp back (again), of Charybdis, her whirlpool, μ 240, λ 586.

ἀνα-γιγνώσκω, only aor. 2 ἀνέγνων: know for certain, know again, recognize, α 216, δ 250, τ 250, N 734; πῶς κέν με ἀναγνοίη τὸν ἐόντα, 'how can she know me for that one?' (i. e. for her son), λ 144.

ἀναγκαίη (=ἀνάγκη): necessity, constraint; dat., perforce, Δ 300; ἀναγκαίηφι δαμέντες, Υ 143.

ἀναγκαῖος, η, ον (ἀνάγκη): constraining; μῦθος, command 'of force,' ρ 399, χρειώ, 'dire' need, Θ 57; esp. with reference to slavery, ἦμαρ ἀναγκαῖον (= δούλιον ἦμαρ), Π 836, δμῶες ἀναγκαῖοι, 'bond' servants, ω 210; πολεμισταί, warriors 'perforce,' ω 499.

ἀνάγκη: necessity, constraint; freq. ἀνάγκη (ἐστίν, ἦν) foll. by inf., E 633, Ω 667, κρατερή δ' ἐπικείσετ' ἀνάγκη, 'stern necessity,' Z 458; often ἀνάγκῃ, καὶ ἀνάγκῃ, 'even against his will,' ὑπ' ἀνάγκης, 'by compulsion.'

ἀνα-γνάμπτω, only aor. act. ἀνέγναμψαν and pass. ἀνεγνάμφθη: bend back; of undoing a prisoner's fastenings, ξ 348.

ἀν-ήγω, fut. ἀνάξω, aor. 3 ἀνήγαγον: lead or bring up or back (O 29); from the coast to the interior, δ 534, etc.; of 'carrying away' in general, esp. over the sea, γυναῖκ' εὐειδέ' ἀνῆγες | ἐξ ἀπίης γαίης, Γ 48, or of 'carrying home,' γ 272; mid., put to sea (opp. κατάγεσθαι), A 478, τ 202.

ἀνα-δέδρομε: see ἀνατρέχω.

ἀνα-δέρκομαι: look up, only aor., ἀνέδρακεν ὀφθαλμοῖσιν, 'opened his eyes,' Ξ 436†.

ἀνα-δέσμη (ἀναδέω): head-band, πλεκτή, X 469† (See cut.)

ἀνα-δέχομαι, aor. 1 ἀνεδεξάμην, sync. aor. 2 ἀνεδέγμην: receive, E 619; metaph., undergo, ὀιζύν, ρ 563.

ἀνα-δύομαι, ἀνδύομαι (δύω), aor. 2 ἀνέδυν, opt. ἀναδύη (vulg. -δύῃ), inf. ἀναδῦναι, mid. aor. ἀνεδύσετο: (1) emerge; ἁλός, 'from the sea,' A 359, λίμνης, ε 337; with acc., κῦμα θαλάσσης, 'arose to the wave,' surface, A 496.—(2) draw back; abs., ι 377, ἐς ὅμιλον, H 217; trans., πόλεμον, 'back out of,' N 225.

ἀνά-εδνος (Ϝέδνα, see ἀν-, 2): without bridal gifts. Cf. ἔδνα. (Il.)

ἀν-αείρω (=ἀναίρω), aor. 1 ἀνάειρε, inf. ἀναεῖραι: lift up, θ 298; said of wrestlers who try to 'pick each other up,' Ψ 724, 725, 729; of 'carrying off' a prize received, Ψ 614, 778.

ἀνα-θηλέω (θάλλω): bloom again, fut., A 236†.

ἀνά-θημα (ἀνατίθημι): only ἀναθήματα δαιτός, delights, glories of the feast (song and dance). (Od.)

ἀνα-θρώσκω: bound up, of a stone rolling down hill, only part., N 140†.

ἀν-αιδείη (ἀναιδής): shamelessness, impudence.

ἀν-αιδής, ές (αἰδώς): shameless, pitiless; applied to inanimate things (personified), κυδοιμός, 'ruthless,' E 593; πέτρη, N 139; λᾶας, λ 598.

ἀν-αίμων, ονος (αἷμα): bloodless, E 342†.

ἀν-αιμωτί (αἷμα): without bloodshed.

ἀναίνομαι, ipf. ἀναίνετο, aor. ἀνήνατο, ἠνήνατο, subj. ἀνήνηται, inf. ἀνήνασθαι: deny, refuse; in both senses w. inf., Σ 500, 450; governs both persons and things, σὲ δ᾽ ἀναίνεται ἠδὲ σὰ δῶρα, I 679; opp. ὑποδέχεσθαι, H 93.

ἀν-αιρέω, aor. 2 part. ἀνελών, mid. fut. ἀναιρήσομαι, aor. 2 ἀνειλόμην, ἀνελόμην: take up; mid., for oneself, or what is one's own, N 296; 'into one's service,' ἢ ἄρ κ᾽ ἐθέλοις θητευέμεν, εἴ σ᾽ ἀνελοίμην, σ 357; in bad sense, κούφας ἀνέλοντο θύελλαι, 'snatched away,' υ 66.

ἀν-αΐσσω, aor. ἀνήιξα: dart up, spring up; πηγαί, X 148; w. acc. of end of motion, ἅρμα, Ω 440. Cf. ἀίσσω.

ἀν-αίτιος (αἰτία): guiltless, innocent.

ἀνα-καίω: kindle, only ipf. (Od.)

ἀνα-κηκίω: gush up or forth, of blood and sweat. (Il.)

ἀνα-κλίνω, aor. ἀνέκλῑνα, part. ἀνακλῑνᾶς and ἀγκλῑνᾶς, pass. aor. part. ἀνακλινθείς, -θεῖσα, -θέντες: make to lean back or upon; τινὰ πρός τι (σ 103), τόξον ποτὶ γαίῃ, 'bracing against the ground,' Δ 113; of doors, open (opp. ἐπιθεῖναι), Θ 395, χ 156, λ 525; pass., lean or sink back, ἀνακλινθεὶς πέσεν ὕπτιος, ι 371; εὖδεν ἀνακλινθεῖσα, δ 794; in rowing, ν 78.

ἀν-ακοντίζω: shoot up or forth, of blood, E 113†.

ἀνα-κόπτω: strike back, 'shoot back,' of door-bolts, φ 47†.

ἀνα-κράζω, aor. ἀνέκραγον: screech out (said purposely with exaggeration) ξ 467†.

ἀνα-κρεμάννῡμι, aor. part. ἀγκρεμά-σᾱσα: hang up, α 440†.

ἀνακτόριος (ἀνάκτωρ): belonging to the master, ὕες, ο 397†.

ἀνα-κυμβαλιάζω (κύμβαλον, 'cymbal'): fell rattling over, ipf., Π 379†.

ἀνα-λέγω, ipf. ἄλλεγον, aor. inf. ἀλλέξαι· gather up, ὀστέα. (Il.)

ἀν-αλκείη (ἀλκή): want of valor; only ἀναλκείῃσι δαμέντες, overcome by their cowardice. (Il.)

ἄν-αλκις, ιδος, acc. -ιδα (-ιν, γ 375): invalorous, cowardly.

ἄν-αλτος (root αλ, a l e r e): insatiable. (Od.)

ἀνα-λύω, ἀλλύω, part. ἀλλύουσα, ipf. iter. ἀλλύεσκεν, aor. ἀνέλῡσαν, mid. fut. ἀναλύσεται: untie, unravel. (Od.)

ἀνα-μαιμάω (cf. μέμαα): rage through, πῦρ, Υ 490†.

ἀνα-μάσσω: wipe off; μέγα ἔργον, ὃ σῇ κεφαλῇ ἀναμάξεις (fig. from the custom of murderers wiping off the bloody weapon upon the head of the slain, as if to divert their guilt upon the victim himself; hence, here = 'shalt atone for with thine own life' (cf. χ 218), τ 92†.

ἀνα-μένω, aor. ἀνέμεινα: await, τ 342†.

ἀνα-μετρέω, aor. opt. ἀναμετρήσαι-μι: remeasure (the way to), Χάρυβδιν, μ 428†.

ἀνα-μίγνῡμι, ἀναμίσγω, aor. part. ἀμμίξᾱς: mix up with, mix together, κ 235, Ω 529.

ἀνα-μιμνήσκω, aor. ἀνέμνησας: remind, τινά τι, γ 211†.

ἀνα-μίμνω (= ἀναμένω): await; abs., stand fast, Π 363. (Il.)

ἀνα-μορμύρω, ipf. iter. ἀναμορμύ-ρεσκε: seethe up, of Charybdis, μ 238†.

ἀνα-νέομαι, ἀννέομαι: come up again, rise, ἀννεῖται ἠέλιος, κ 192†.

ἀνα-νεύω, aor. ἀνένευσα: nod backwards (a backward inclination of the head was a sign of negation, cf. ι 468, hence), deny, refuse; καρήατι, X 205; with inf., Π 252.

ἄν-αντα (ἄντα): up-hill, Ψ 116.

ἄναξ (Ϝάναξ), ακτος, voc. ἄνα (only in addressing a god, otherwise), ἄναξ, dat. pl. ἀνάκτεσι: lord (king), master; of gods, Ζεῦ ἄνα (Γ 351), ὕπνε ἄναξ πάντων τε θεῶν πάντων τ' ἀνθρώπων (Ξ 233), θεῶν ἀέκητι ἀνάκτων (μ 290); of men (esp. Agamemnon), ἄναξ ἀνδρῶν, and in general of any man as lord and master of his possessions. ἐγὼν οἴκοιο ἄναξ ἔσομ' ἡμετέροιο | καὶ δμώων, α 397; ἦ σύ γ' ἄνακτος | ὀφθαλμὸν ποθέεις, 'miss your master's eye,' said by the blinded Polyphemus to his ram, ι 452.

ἀνα-ξηραίνω, aor. subj. ἀγξηράνῃ: dry up, Φ 347†.

ἀν-οίγεσκον: see ἀνοίγνῡμι.

ἀνα-πάλλω, aor. 2 part. ἀμπεπαλών, aor mid. ἀνέπαλτο: I. act., brandish (drawing) back; ἀμπεπαλὼν ('having poised and drawn back') προΐει δολιχόσκιον ἔγχος, Γ 355, etc. — II. mid. and pass., be flung up, leap up, Ψ 692, 694, Θ 85, Υ 424.

ἀνα-παύω, aor. ἀνέπαυσε: cause to leave off, τινά τινος, Ρ 550†

ἀνα-πείρω, aor. part. ἀμπείραντες: pierce with spits, spit, Β 426†.

ἀνα-πεπταμένᾱς: see ἀναπετάννῡμι.

ἀνα-πετάννῡμι, only perf. part. ἀναπεπταμένᾱς: spread back, open, of doors (opp. ἐπικεκλιμένᾱς), Μ 122.

ἀνα-πηδάω, aor. ἀμπήδησε: jump up, Λ 379†.

ἀνα-πίμπλημι, fut. ἀναπλήσω, aor. ἀνέπλησα: fill up; only met., πότμον βιότοιο, 'fulfil,' Δ 170; κακὸν οἶτον, Θ 34; κακὰ πολλά, 'endure to the end,' Ο 132, ε 207, 302.

ἀνα-πλέω, fut. inf. ἀναπλεύσεσθαι: sail up; στεινωπόν, μ 234; ἐς Τροίην (over the high seas), Λ 22.

ἀνά-πνευσις (ἀναπνέω): recovering of breath, respite; πολέμοιο, 'from fighting.' (Il.)

ἀνα-πνέω, aor. ἀνέπνευσα, inf. ἀμπνῦσαι, aor. 2 imp. ἄμπνυε, pass. aor. ἀμπνύνθη, mid. aor. 2 ἄμπνῦτο: breathe again, take breath, revive; abs., Λ 327, 800, Ξ 436; w. gen., 'have a respite from,' κακότητος, Λ 382; πόνοιο, Ο 235.

ἀν-άποινος (ἄποινα): without ransom, Α 99†.

ἀνα-πρήθω: let stream up, only δάκρυ ἀναπρήσας, 'with bursting tear,' Ι 433, β 81. Cf. πρήθω.

ἀν-άπτω, aor. ἀνῆψα, pass. perf. imp. ἀνήφθω: fasten up, attach, freq. of cables, μ 162; ἐκ δ' αὐτοῦ πείρατ' ἀνήφθω, 'let the rope-ends be tied to the mast itself,' μ 51; met., μῶμον, β 86.

ἀνά-πυστος (ἀναπεύθομαι): notorious, λ 274†.

ἀνα-ροιβδέω: see ἀναρροιβδέω.

ἀν-αρπάζω, aor. ἀνήρπαξα and ἀνήρπασα, part. ἀναρπάξᾱς: snatch up, snatch away, esp. of sudden gusts of wind, δ 515.

ἀνα-ρρήγνῡμι (Ϝρήγνῡμι), only aor. ἀνέρρηξα: rend or burst open, Σ 582, Υ 63; of demolishing a wall, Η 461.

ἀνα-ρριπτέω (Ϝρίπτω), ἀνα-ρρίπτω, ipf. ἀνέρριπτουν, aor. ἀνέρριψα: fling up, ἅλα πηδῷ, of vigorous rowing; without πηδῷ, κ 130. (Od.)

ἀνα-ρροιβδέω, aor. ἀνερροίβδησε: swallow up (again), of Charybdis. (Od.)

ἀν-άρσιος (ἀραρίσκω): unfitting, hence unfriendly, hostile; δυσμενέες καὶ ἀνάρσιοι, Ω 365.

ἄν-αρχος: without leader.

ἀνα-σεύω: only aor. 2 mid. ἀνέσσυτο, rushed up, Λ 458†.

ἀνα-σπάω, aor. mid. ἀνεσπάσατο: pull back, ἔγχος ἐκ χροός, Ν 574†.

ἄνασσα, ης (Ϝάναξ): queen, but only of goddesses, for Odysseus when he addresses Nausicaa as ἄνασσα, doubts whether she is divine or mortal, ζ 149.

ἀνάσσω (Ϝάναξ), ipf. ἄνασσε, ἤνασσε, fut. ἀνάξω, mid. aor. inf. ἀνάξασθαι: be king, lord, or master of, rule over, reign, said of both gods and men; τινός or τινί (dat. of interest), and freq. w. μετά, sometimes ἐν; abs., of Nestor, τρὶς γὰρ δή μιν φᾱσὶν ἀνάξασθαι γένε' ἀνδρῶν (γένεα, acc. of time), γ 245; pass., ἀνάσσονται δ' ἐμοὶ αὐτῷ, 'by me,' δ 177.

ἀνα-σταδόν (ἵστημι): adv., standing up. (Il.)

ἀνα-στεναχίζω = ἀναστενάχω, ipf. Κ 9.

ἀνα-στενάχω, mid. ipf. ἀνεστενάχοντο: fetch sighs, groan; τινά (bewail), Ψ 211. (Il.)

ἀνα-στοναχίζω: v. l. for ἀναστεναχίζω.

ἀνα-στρέφω, aor. opt. ἀνστρέψειαν: overturn, Ψ 436; mid., wander through (versari), γαῖαν, ν 326.

ἀνα-στρωφάω (frequentative of ἀναστρέφω): turn over and over, φ 394†.

ἀνασχέμεν, ἀνάσχεο, ἀνασχέσθαι, ἀνασχόμενος, ἀνασχών: see ἀνέχω.

ἀνα-τέλλω, aor. ἀνέτειλε: cause to spring up, E 777†.

ἀνα-τίθημι, fut. ἀναθήσει: put upon, met., ἐλεγχείην, 'heap upon,' Χ 100†.

ἀνα-τλῆναι, inf. of aor. 2 ἀνέτλην, part. ἀνατλάς: bear up, endure; φάρμακον, 'withstand,' κ 327. (Od.)

ἀνα-τρέπω: only aor. 2 mid. ἀνετράπετο, fell over backward. (Il.)

ἀνα-τρέχω, only aor. 2 ἀνέδραμον and perf. ἀναδέδρομε: run up, run back; σμώδιγγες, 'start up,' Ψ 717.

ἄν-αυδος (αὐδή): speechless. (Od.)

ἀνα-φαίνω, aor. inf. ἀναφῆναι: I. act., make to shine or appear, show, exhibit; ἀμοιβηδὶς δ' ἀνέφαινον, i. e. they made the torch-wood blaze up to give light, σ 310; Ὀδυσῆα μετὰ Τρώεσσ' ἀναφῆναι, 'reveal his presence,' δ 254.—II. mid., appear.

ἀνα-φανδά and ἀναφανδόν: openly, publicly, 'regularly.'

ἀνα-φέρω, only aor. act. ἀνένεικα, mid. ἀνενείκατο: bring up; mid., fetch a deep sigh, Τ 314.

ἀνα-φράζομαι, aor. opt. ἀμφράσσαιτο: remark again, recognize, τ 391†.

ἀνα-χάζομαι, aor. part. ἀναχασσάμενος: draw back, withdraw; esp. in battle, 'fall back,' Ε 600; with ἄψ, ὀπίσω, τυτθόν, πολλόν.

ἀνα-χωρέω, imp. ἀναχωρείτω, fut., aor.: go back, retreat, Δ 305; with ἄψ, Γ 35, etc.

ἀνα-ψύχω (ψῦχος), aor. pass. ἀνέψυχθεν (for -ησαν): cool off, refresh, δ 568, Κ 575.

ἀνδάνω (Ϝανδάνω, (σ)Ϝηδύς), ipf. ἑήνδανε, ἥνδανε, perf. part. ἑάδότα, aor. εὔαδε (ἔϜαδε) and ἅδε: be acceptable, please, τινί, often w. θυμῷ added; impers., or with a thing as subj., δίχα δὲ σφισιν ἥνδανε βουλή, γ 150, τοῖσι δὲ πᾶσιν ἑάδότα μῦθον ἔειπεν, σ 422.

ἄν-διχα: in twain, asunder. (Il.)

ἀνδρ-άγρια (ἀνήρ, ἄγρη): spoils taken from men, spoils of arms, Ξ 509†.

Ἄνδρ-αιμονίδης: son of Andraemon, Thoas, Η 168†.

Ἀνδρ-αίμων: king of the Aetolians in Calydon, Β 638, ξ 499.

ἀνδρακάς: man by man (viritim), ν 14†. (v. l. ἄνδρα κάθ'.)

ἀνδρά-ποδον, dat. pl. ἀνδραπόδεσσι: slave, Η 475†.

ἀνδρ-αχθής, ἐς (ἄχθος): man-burdening (heavy for a man to carry), ἀνδραχθέσι χερμαδίοισιν, κ 121†.

ἀνδρεϊ-φόντης (root φεν): man-slaying, Ἐνυάλιος. (Il.)

ἄνδρεσσι: see ἀνήρ.

ἀνδρό-κμητος (κάμνω): wrought by men's hands, Λ 371†.

ἀνδρο-κτασίη (κτείνω): slaughter of men in battle; manslaughter, Ψ 86.

Ἀνδρο-μάχη: Andromache, wife of Hector, daughter of Eëtion, king in Cilician Thebes, Ζ 371, 395, Χ 460.

ἀνδρόμεος, ον (ἀνήρ): of a man or men, human; αἷμα, χρώς, also ὅμιλος, Λ 538; ψωμοί, morsels 'of human flesh,' ι 374.

ἀνδροτής, ῆτος: manliness, manly beauty; λιποῦσ' ἀνδροτῆτα καὶ ἥβην, Π 857, Χ 363; ἀνδροτῆτά τε καὶ μένος ἠΰ, Ω 6, where the first syllable is shortened. See ἀδροτής.

ἀνδρο-φάγος (φαγεῖν): man-eating, of the Cyclops, κ 200†.

ἀνδρο-φόνος (root φεν): man-slaying; φάρμακον, 'deadly,' α 261.

ἀνδύεται: see ἀναδύομαι.

ἀν-εγείρω, aor. ἀνέγειρα, inf. ἀνεγεῖραι: wake up; met., ἀνέγειρα δ' ἑταίρους | μειλιχίοις ἐπέεσσι, 'roused' them from their despair, κ 172.

ἀνέγνω: see ἀναγιγνώσκω.

ἀνεδέγμεθα: see ἀναδέχομαι.

ἀνέδραμον: see ἀνατρέχω.

ἀνέεδνος: see ἀνάεδνος.

ἀν-εέργω (Ϝέργω) ipf. ἀνέεργον: hold back, check. (Il.)

ἄν-ειμι (εἶμι), part. ἀνιών, ipf. ἀνήιον: go up or back, return, (of the sun) rise; παρὰ νηὸς ἀνήιον ἐς περιωπὴν (i. e. from the shore inland), κ 146; ἐκ Τροίης ἀνιόντα, κ 332; ἄμ' ἠελίῳ ἀνιόντι, Σ 136.

ἀν-είμων, ονος (εἷμα): destitute of (bed) clothing, γ 348†.

ἀν-είρομαι (ἔρομαι), ipf. ἀνείρετο: inquire, ask; τινά or τί, or with double acc., ὅ μ' ἀνείρεαι ἠδὲ μεταλλᾷς, 'what you ask me about,' Γ 177, a 231.

ἀνειρώτων : see ἀνερωτάω.

ἀν-εῖσα, defective aor., only opt. ἀνέσαιμι, part. ἀνέσαντες : set upon, N 657; 'bring back' to their nuptial couch, Ξ 209. (Il.)

ἀν-εκτός, όν (ἀνέχω): endurable, υ 83; usually with οὐκέτι, so the adv., οὐκέτ' ἀνεκτῶς, 'in a fashion no longer to be endured,' ι 350.

ἀνελθών : see ἀνέρχομαι.

ἀν-έλκω, only pres. and ipf. : draw up or back; τάλαντα, scales, Μ 434; mid., ἔγχος, his spear out of the body, χ 97.

ἀνελών : see ἀναιρέω.

ἄνεμος : wind; often in gen. w. synonymous words, ἀνέμοιο θύελλα, ἀήτης, ἀυτμή, πνοιαί, and ἴς ἀνέμοιο, Ο 383; Βορέῃ ἀνέμῳ, ξ 253. The other winds named by Homer are Eurus, Notus, and Zephyrus.

ἀνεμο-σκεπής, ἐς (σκέπας): sheltering from the wind, Π 224†.

ἀνεμο-τρεφής, ἐς (τρέφω): wind-fed; κῦμα, 'swollen,' Ο 625; ἔγχος, made of a tree 'toughened by the wind,' Λ 256.

ἀνεμώλιος (ἄνεμος): windy, hence empty, useless, idle, (in) vain; σὺ δὲ ταῦτ' ἀνεμώλια βάζεις, Δ 355.

Ἀνεμώρεια : a town in Phocis, Β 521.

ἀνενείκατο : see ἀναφέρω.

ἀνέπαλτο : see ἀναπάλλω.

ἀν-ερείπομαι (ἐρείπω), aor. ἀνηρείψαντο: snatch up, sweep away; esp. of the Harpies, a 241; of the rape of Ganymede, τὸν καὶ ἀνηρείψαντο θεοὶ Διὶ οἰνοχοεύειν, Υ 234.

ἀν-έρχομαι, aor. 2 ἀνήλυθε, part. ἀνελθών: come (or go) up or back, return; σκοπιὴν ἐς παιπαλόεσσαν ἀνελθών, κ 97; ἂψ ἀναερχομένῳ, Δ 392; of a tree, φοίνικος νέον ἔρνος ἀνερχόμενον, 'shooting up,' ζ 163, 167. Cf. ἄνειμι.

ἀν-ερωτάω : only ipf. ἀνειρώτων (-ηρ-), questioned repeatedly, δ 251†.

ἀνέσαιμι, ἀνέσαντες : see ἀνεῖσα.

ἄνεσαν, ἀνέσει : see ἀνίημι.

ἀνέσσυτο : see ἀνασεύω.

ἀν-έστιος (ἑστίᾱ): hearthless, homeless, Ι 63†.

ἄνευ (ἀν-): prep., w. gen., without;

ἄνευ θεοῦ, 'without divine aid,' β 372, Ο 213; ἄνευ δηίων, 'clear of,' Ν 556.

ἄνευθε(ν) : adv., away, away from, without; abs., Χ 300 (opp. ἐγγύθι); ἄνευθε τιθέναι τι, Χ 368; as prep. w. gen., ἄνευθε θεοῦ, Ε 185, Π 89 (cf. ἄνευ); οἷος ἄνευθ' ἄλλων, Χ 39.

ἀ-νέφελος (νεφέλη), ᾱ before ν: cloudless, ζ 45†.

ἀν-έχω, aor. 2 ἀνέσχον (inf. ἀνασχέμεν) and ἀνάσχεθον (inf. ἀνασχεθέειν), mid. fut. ἀνέξομαι (inf. ἀνσχήσεσθαι), aor. ἀνεσχόμην, imp. ἀνάσχεο, ἄνσχεο: I. act., hold up or back (Ψ 426), as the hands in prayer (χεῖρας ἀνασχών), or in boxing, σ 89; met., εὐδικίας ἀνέχῃσι, 'upholds,' τ 111; intr., rise (from under water), ε 320; 'press up through,' αἰχμή, Ρ 310.—II. mid., hold up oneself or something belonging to one, keep up; χεῖρας ἀνασχόμενοι γέλῳ ἔκθανον, σ 100, and freq. ἀνασχόμενος, of 'drawing up' to strike, Γ 362, ξ 425; of a wounded man, οὐδέ σ' ὀίω | δηρὸν ἔτ' ἀνσχήσεσθαι, Ε 285; met., endure, bear, tolerate; abs., τέτλαθι καὶ ἀνάσχεο, Α 586; w. acc., τί or τινά, and w. part. belonging to either subj. or obj., εἰς ἐνιαυτὸν ἐγὼ παρὰ σοί γ' ἀνεχοίμην | ἥμενος, ὅ 595.

ἀνεψιός, gen. ἀνεψιόο (sic), Ο 554: sister's son, nephew, Ο 422; sometimes of other relations, 'cousin,' Κ 519.

ἄνεω, nom. pl. : speechless, silent, ἐγένοντο, ἦσαν, etc.; adv., ἄνεω, ἦ δ' ἄνεω δὴν ἧστο, ψ 93.

ἀνήγαγον : see ἀνάγω.

ἀνήῃ : see ἀνίημι.

ἀνήιον : see ἄνειμι.

ἀν-ήκεστος (ἀκέομαι): incurable; χόλος, unappeasable, Ο 217.

ἀν-ηκουστέω (ἀνήκουστος, ἀκούω): be disobedient, w. genitive. Cf. νηκουστέω. (Il.)

ἀν-ήμελκτος (ἀμέλγω): unmilked, ι 439†.

ἀν-ήνοθεν (cf. ἄνθος), defective perf. 2 with aor. meaning: gushed up, Λ 266†. See ἐνήνοθε.

ἀν-ήνυστος (ἀνύω): unaccomplished; ἀνηνύστῳ ἐπὶ ἔργῳ, 'do-nothing' business as it is, π 111†.

ἀν-ήνωρ, ορος (ἀνήρ): unmanly, κ 301 and 341.

ἀνήρ, gen ἀνδρός and ἀνέρος, dat. ἀνδρί and ἀνέρι, acc. ἄνδρα, voc. ἄνερ, pl. nom. ἄνδρες, ἀνέρες, dat. ἀνδράσι, ἄνδρεσσι, acc. ἄνδρας, ἀνέρας, dual. ἄνδρε, ἀνέρε: man (vir); as distinguished from γυνή, ο 163; as husband, λ 327; emphatically, ἀνέρες ἔστε καὶ ἄλκιμον ἦτορ ἔλεσθε, Ε 529; frequently joined with a more specific noun, ἰητρὸς ἀνήρ, Σίντιες ἄνδρες. The distinction between ἀνήρ and ἄνθρωπος (homo) is disregarded at will, βροτοὶ ἄνδρες, πατὴρ ἀνδρῶν τε θεῶν τε, etc.

ἀν-ήροτος (ἀρόω): unploughed. (Od.)

ἀνήφθω: see ἀνάπτω.

ἄνθ᾽ = ἄντα, Θ 233.

Ἄνθεια: a town in Messēne, I 151, 293.

Ἀνθεμίδης: son of Anthemion, Simoeisius, Δ 488†.

Ἀνθεμίων: father of Simoeisius, of Troy, Δ 473†.

ἀνθεμόεις, εντος (ἄνθος): flowery; λέβης, κρητήρ, 'adorned with flowerwork,' γ 440, ω 275. Cf. cut No. 98.

ἀνθερεών, ῶνος: chin; to take by the chin in token of supplication, A 501.

ἀνθέριξ, ικος: (beard of) ear of grain, pl., Υ 227†.

ἀνθέω, aor. inf. ἀνθῆσαι: bloom, λ 320†.

Ἀνθηδών: a town in Boeotia, on the Eurīpus, B 508†.

ἄνθινος, ον (ἄνθος): of flowers; εἶδαρ ἄνθινον, flowery food, of the fruit of the Lotus-tree, ι 84†.

ἀνθ-ίστημι: only aor. 2 ἀντέστη and ipf. mid. ἀνθίσταντο, resisted. (Il.)

ἄνθος, εος: blossom, flower; fig., ἥβης ἄνθος, Ν 484.

ἀνθρακιή (ἄνθραξ): heap of glowing coals, I 213†.

ἄνθρωπος: man (homo); mostly pl., as opp. to gods, ἀθανάτων τε θεῶν χαμαὶ ἐρχομένων τ᾽ ἀνθρώπων, Ε 442; mankind, πάντας ἐπ᾽ ἀνθρώπους, 'the world over,' Ω 535; joined with a more specific word, ἄνθρωπος ὁδίτης, Π 263, ν 123.

ἀνιάζω (ἀνίη), ipf. ἀνίαζον: torment, annoy, weary, Ψ 721, τ 323; usually intrans., be tormented, wearied; θυμῷ ἀνιάζων, agonized at heart, of the mortally wounded Eurymachus, χ 87; similarly Φ 270, δ 460; often weakened colloquially, ἤδη μοι ἀνιάζουσιν ἑταῖροι, 'are worrying' by this time, δ 598; ironically, Σ 300.

ἀνιάω (ἀνίη), fut. ἀνιήσω, pass. aor. part. ἀνιηθείς: = ἀνιάζω, act., τινά, β 115; abs., 'be a torment,' 'nuisance,' τ 66, ν 178; pass., ἀνιηθείς, tired out, 'tired to death' by the long story, γ 117, Β 291, α 133, ο 335.

ἀν-ῑδρωτί (ἱδρώς): without sweat, Ο 228†.

ἀνίη, ης: torment, vexation; ἄνευθε πόνου καὶ ἀνίης, η 192; of Scylla (abstr. for concr.), bane, μ 233; and so of persons, δαιτὸς ἀνίη, ρ 446 (cf. 377); ἀνίη καὶ πολὺς ὕπνος, an 'infliction,' 'weariness to the flesh,' ο 394, cf. ν 52. Cf. ἀνιάζω. (Od.)

ἀνιηθείς: see ἀνιάω.

ἀν-ίημι (ἵημι), 2 sing. ἀνιεῖς, opt. ἀνιείης, part. ἀνιεῖσα, ipf. ἀνίει, fut. ἀνήσω (3 sing. ἀνέσει, σ 265), aor. ἀνῆκα, ἀνέηκα, 3 pl. ἄνεσαν, subj. ἀνήῃ, opt. ἀνείην, part. ἀνέντες, mid. pres. part. ἀνιέμενος: let go up, let up.—I. act., ἀήτας Ὠκεανὸς ἀνίησιν, δ 568; ὕδωρ ἀνίησι, Charybdis, μ 105; let go, opp. ἁλῶναι, σ 265; so of 'loosing' bonds, 'opening' doors, ὕπνος, 'forsake,' ω 440; ὀδύνη, 'release,' Ο 24; then of 'giving free rein' to one, Ε 880; hence, incite, τινὰ ἐπί τινι, Ε 882; abs., Ρ 705; νῦν αὖτέ με θυμὸς ἀνῆκεν, 'impels,' 'prompts,' followed by inf., Χ 252, and often.—II. mid., κόλπον ἀνιεμένη, letting up, i. e. 'laying bare her' bosom, Χ 80; similarly αἶγας ἀνιεμένους, ripping up, 'flaying' for themselves, β 300.

ἀνῑηρός (ἀνίη): vexatious, wearisome, ρ 220, 377; comp., αὐτῷ ἀνιηρέστερον ἔσται, the sorer will it be for him, β 190; cf. ἄλγιον.

ἀνιπτό-πος, ποδος (ἄνιπτος, πούς): with unwashed feet, pl., Π 235†.

ἄ-νιπτος (νίπτω): unwashed, Ζ 266†.

ἀν-ίστημι, ipf. ἀνίστη, fut. ἀναστήσουσι, ἀναστήσ-, aor. 1 ἀνέστησε, opt. ἀναστήσειε, imp. ἄνστησον, part. ἀναστήσας, ἀναστήσασα, aor. 2 ἀνέστη, dual ἀναστήτην, 3 pl. ἀνέσταν, inf. ἀναστήμεναι, part. ἀνστάς, mid. pres. ἀνίσταμαι, ἀνίσταμενο, ipf. ἀνίστατο, fut. ἀναστήσονται, inf. ἀναστήσεσθαι: I. trans. (pres., ipf., fut., aor. 1, act.), make to stand or get up, η 163, 170; γέροντα δὲ χειρὸς ἀνίστη, took him by the hand and 'made him arise,' Ω 515, ξ 319; violently, Α 191; so of 'rousing.' Κ

32; raising the dead, Ω 756; instituting a migration, ζ 7, etc.—II. intrans. (aor. 2 and perf. act., and mid. forms), *stand up, get up;* ἐξ ἑδέων, ἐξ εὐνῆς, etc.; especially of rising to speak in the assembly, τοῖσι δ' ἀνέστη, 'to address them,' τοῖσι δ' ἀνιστάμενος μετέφη, Α 58; ἀνά repeated as adverb, ἂν δ' Ὀδυσεὺς πολύμητις ἀνίστατο, Ψ 709.

ἀν-ίσχω (parallel form of ἀνέχω, q. v.): only pres. part., χεῖρας θεοῖσιν, Θ 347, Ο 369.

ἀν-ιχνεύω (ἴχνος): *track back,* Χ 192.

ἀννεῖται: see ἀνανέομαι.

ἀ-νοήμων: *unintelligent, unreflecting.* (Od.)

ἀν-οίγω, ἀνα-οίγω, ipf. ἀνέῳγε, ἀνῷγε, iter. ἀναοίγεσκον, aor. ἀνέῳξε: *open;* θύρας, κληῖδα, 'shove back;' ἀπὸ χηλοῦ πῶμα, 'raise,' Π 221.

ἀν-όλεθρος: *untouched by destruction,* pl., Ν 761†.

ἄνομαι: see ἄνω.

ἄ-νοος: *silly, foolish;* κραδίη, Φ 441.

ἀνόπαια: doubtful word (and reading), perhaps name of a species of bird, α 320†. See ὀπαῖα.

ἀν-ορούω, only aor. ἀνόρουσεν, -σαν, part. -σᾶς: *spring up;* ἐκ θρόνων, ὕπνου, ἐς δίφρον, Ρ 130; ἤλιος, 'climbed swiftly up the sky,' γ 1.

ἀ-νόστιμος (νόστος): *not returning;* ἀνόστιμον ἔθηκαν, 'cut off his return,' δ 182†.

ἄ-νοστος: *without return* (cf. ἀνόστιμος), ω 528†.

ἄ-νουσος (νοῦσος): *without sickness,* ξ 255†.

ἀν-ούτατος: *unwounded,* Δ 540†. See οὐτάω.

ἀν-ουτητί: *without inflicting a wound,* Χ 371†. See οὐτάω.

ἀνστᾶς, ἀνστᾶσα, ἄνστησον, ἀνστήτην, ἀνστήσεσθαι: see ἀνίστημι.

ἀνστρέψειαν: see ἀναστρέφω.

ἀνσχεθέειν, ἄνσχεο, ἀνσχήσεσθαι: see ἀνέχω.

ἀν-σχετός (ἀνασχ-, ἀνέχω): *endurable,* with neg., β 63†.

ἄντα, ἄντ' (cf. ἀντί): adv. and prep., *opposite, over against;* ἄντα τιτύσκεσθαι, aim 'straight forward;' ἄντα ἰδὼν ἠλεύατο χάλκεον ἔγχος, Ν 184; ἄντα μάχεσθαι, 'with the enemy;' στῆ δ' ἄντα σχομένη, halted and 'faced'

him, ζ 141; θεοῖσιν ἄντα ἐῴκει, 'in visage,' Ω 630 (cf. ἄντην); as prep., w. gen., Ἥλιδος ἄντα, *over against,* Β 626; ἄντα παρειάων σχομένη λιπαρὰ κρήδεμνα, 'before' her cheeks, α 334; ἄντα σέθεν, δ 160; and freq. in hostile sense, θεοὶ ἄντα θεῶν ἴσαν, Υ 75; Διὸς ἄντα πτολεμίζειν, Θ 428, etc.

ἀντ-άξιος, ον: *equivalent in value, worth;* w. gen., ἰητρὸς γὰρ ἀνὴρ πολλῶν ἀντάξιος ἄλλων, Λ 514. (Il.)

ἀντάω (cf. ἀντί, ἄντα), ipf. ἤντεον, fut. ἀντήσω, aor. ἤντησα, subj. ἀντήσομεν: *meet, encounter;* of persons, w. dat., Ζ 399, Η 423; of things, w. gen., μάχης, δαίτης, 'come straight to,' γ 44; ὅπως ἤντησας ὀπωπῆς, 'got sight of him face to face,' δ 327.

Ἄντεια: wife of Proetus, Stheneboea in the tragic poets, Ζ 160†.

ἀντ-άγω: only aor. 2 mid. imp. ἀντίσχεσθε, *hold before yourselves, interpose;* τραπέζας ἰῶν, tables against the arrows, χ 74†.

ἄντην (ἄντα): *opposite, in front, in* or *to the face; ἄντην ἵστασθε* (opp. φεύγειν), Λ 590; ἄντην βαλλομένων, Μ 152; 'in view,' ζ 221; with ἐναλίγκιος, εἰκέλη, the effect of ἄντην is largely that of emphasis, β 5, χ 240; so with ὁμοιωθήμεναι, Α 187; 'openly,' ἀγαπαζέμεν ἄντην, Ω 464.

Ἀντηνορίδης: *son of Antēnor,* Helicāon, Γ 123; pl., *sons of Antēnor,* Λ 59.

Ἀντ-ήνωρ: *Antēnor,* son of Aesyētes, husband of Theāno, Γ 262, Ε 69 f.

ἄντηστις (ἀντάω): *meeting;* only κατ' ἄντηστιν, *at the junction* of the men's and the women's apartments, *opposite the entrance of the house,* υ 387†. (See table III. at end of volume.)

ἀντί (cf. ἄντα), never suffers elision in Homer (ἄντ' = ἄντα, ἀντί = ἀντία): prep. w. gen., *against* (as an equivalent, not local), *instead of, in return for;* ἀντί νυ πολλῶν | λαῶν ἐστὶν ἀνὴρ ὅν τε Ζεὺς κῆρι φιλήσῃ, Ι 116, Ψ 650, Ω 254.

ἀντί, ἀντία: see ἀντίος.

ἀντι-άνειρα (ἀνήρ): only fem., nom. pl., *matching men,* of the Amazons. (Il.)

ἀντιάω, ἀντιόω (ἀντί), fut. ἀντιάσω (as if from ἀντιάζω), ἀντιόω, aor. ἀν-

τιάσειας, etc., part. ἀντιάσᾱς, mid. ipf.
ἀντιάασθε: meet, encounter, take part
in, usually w. gen. ; of persons, H 231,
etc. ; of things, μάχης, ἑκατόμβης, γά-
μου (mid., Ω 62), etc. ; w. dat., Z 127,
Φ 431, σ 147 ; w. acc. (limit of motion)
only in ἐμὸν λέχος ἀντιόωσαν, 'visit-
ing,' euphemistic of the captive who
shares the couch of her lord, A 31.

ἀντί-βιος (βίη): hostile, only ἀντι-
βίοις ἐπέεσσι, A 304, σ 415 ; adv., ἀντί-
βιον, with verbs of combating, Γ 20,
435, Λ 386 ; also ἀντιβίην, A 278, E
220. (Both adverbs only in Il.)

ἀντι-βολέω (βάλλω), fut. ἀντιβολή-
σω, aor. ἀντεβόλησε (ἀντιβ.): come in
the way of, encounter, take part in (cf.
ἀντιάω) ; μάχης, τάφου, etc. ; subject
a thing, γάμος ἀντιβολήσει ἐμέθεν, σ
272 ; w. dat., of persons, η 19, κ 277,
Π 847 ; seldom of things, φόνῳ, λ 416 ;
τάφῳ, ω 87.

ἀντί-θεος, 3 : godlike, epith. of dis-
tinction as regards rank, might, stat-
ure, beauty ; applied to kings, E 663 ;
to the companions of Odysseus, δ 571 ;
to the suitors, ξ 18, and (by Zeus) even
to Polyphēmus, α 30 ; rarely of wom-
en, ἀντιθέην ἄλοχον (Penelope), λ 117.

ἀντί-θυρος (θύρη): over against the
door, only κατ' ἀντίθυρον κλισίης, in a
position opposite the entrance of the
hut, π 159†.

'Αντί-κλεια: Anticlēa, daughter of
Autolycus, wife of Laertes and mother
of Odysseus, λ 85, ο 358.

"Αντι-κλος: name of a Greek war-
rior in the wooden horse, δ 286.

ἀντι-κρύ, ἀντικρύς: opposite, straight-
forward, straight through ; ἀντικρὺ
μάχεσθαι, E 130, 819 ; w. gen., διστὸν
ἴαλλεν | "Εκτορος ἀντικρύ, Θ 301 ; ἀπο-
φάναι, 'outright,' Η 362 ; ἀντικρὺ δ'
ἀπάραξε, 'completely' off, Π 116, Ψ
866 ; often joined w. foll. prep., παραί,
διά, κατά, ἀνά.

'Αντί - λοχος: Antilochus, son of
Nestor, Δ 457, N 554, Π 320, N 93, O
569, E 565, γ 452, δ 187.

'Αντί-μαχος: a Trojan, Δ 123, 132,
138, M 188.

'Αντί-νοος: Antinous, son of Eu-
peithes, α 383 ; prominent among the
suitors of Penelope, and the most in-
solent of them, β 84, π 418, χ 22, ω
424.

ἀντίον: see ἀντίος.

'Αντι - όπη : daughter of Asōpus,
mother of Amphīon and Zethus, λ
260.

ἀντίος, 3 (ἀντί): opposite; freq. w.
verbs of motion, and usually followed
by gen., sometimes by dat., in both
friendly and unfriendly sense; οὐκ
ἀθρῆσαι δύνατ' ἀντίη, 'over towards'
him, τ 478; ἀντίος ἦλθε θέων, came
running to 'meet' him, Z 54, A 535,
B 185; dat., Η 20; against, εἰ μή τις
Δαναῶν νῦν "Εκτορος ἀντίος εἶσιν, Η
28; so ἵστασθαι, ἀίσσειν, ἔγχε' ἀείραι,
etc., dat., O 584, Υ 422.—Adv., ἀντίον,
ἀντία, in same senses, and reg. w. gen.;
ὅστις σέθεν ἀντίον εἴπῃ, against, A
230; ἵν' ἀντίον αὐτὸς ἐνίσπῃ, 'in my
presence,' ρ 529; δίφρον ἀντί' 'Αλε-
ξάνδροιο θεὰ κατέθηκε, Γ 425.

ἀντιόω: see ἀντιάω.

ἀντι-πέραιος (πέρην): only. neut.
pl. as subst., places opposite, B 635†.

ἀντίσχεσθε: see ἀντέχω.

ἀντι-τορέω, only aor. : bore through
in front ; δορὺ χροὸς ἀντετόρησεν, E
337 ; w. acc., δόμον ἀντιτορήσᾱς,
'breaking into,' K 267.

ἄν - τιτος (ἀνά, τίω): in requital,
ἔργα, works 'of retribution,' 'venge-
ance,' ρ 51.

'Αντι-φάτης: (1) a Trojan, M 191.
—(2) a Greek, son of Melampus, ο 242.
—(3) king of the Laestrȳgons (acc.
-ῆα), κ 114.

ἀντι-φερίζω: match oneself against,
vie with, τινί, Φ 357, 488. (Il.)

ἀντι - φέρομαι: oppose oneself to,
measure oneself with, τινί (τί, acc. of
specification), Φ 482. (Il.)

'Αντί - φονος: a son of Priam, Ω
250†.

"Αντι-φος: (1) a son of Priam, Δ
489.—(2) son of Aegyptius, β 19.—
(3) a friend of Odysseus, ρ 68.—(4)
son of Talaemenes, an ally of the Tro-
jans, B 864.—(5) a Heraclid, son of
Thessalus, a leader of Greek islanders,
B 678.

ἄντλος, ου: bilge - water, hold of a
ship. (Od.)

ἀντολή (ἀνατέλλω): rising, only pl.,
ἀντολαὶ ἠελίοιο, μ 4†.

ἄντομαι (parallel form of ἀντάω),
only pres. and ipf. : meet, encounter ;
τινί, O 698, X 203 ; ὅθι διπλόος ἤντετο

θώρηξ, 'met double,' i. e. where the
cuirass formed a double layer by
meeting with the ζῶμα and overlap-
ping it, ⌐ 133, Υ 415.

ἄντρον: *cave, grot.* (Od.)

Ἀντρών: a town in Thessaly, B 697†.

ἄντυξ, υγος: *rim.* — (1) the metal
rim of a shield, Z 118; serving to
bind together the layers of leather or
metal, of which the shield was com-
posed (see the cut).—(2) the rim of a

9

chariot, surrounding (περίδρομος) the
body (δίφρος) of the car, sometimes
double, E 728; it served also as a
place of attachment for the reins.
(See the cut.)

ἄνυμι: see ἀνύω.

ἄνυσις (ἀνύω): *accomplishment;*
ἄνυσις δ' οὐκ ἔσσεται αὐτῶν, 'success'
shall not be theirs, B 347, δ 544.

ἀνύω, ἄνῡμι (ἄνω), aor. ἤνυσε, opt.

1. ῥυμός. 2. οἴηξ. 3. δίφρος. 4. ἄξων. 5.
ἴτυς. 6. πλήμνη. 7. κνήμη. 8. ἐπίσσωτρα.
9. ζεύγλη. 10. ζυγόν.

ἀνύσειε, pass. ipf. ἤνυτο, mid. fut. inf.
ἀνύσσεσθαι: *bring to an end, accom-
plish;* θοῶς δέ οἱ ἤνυτο ἔργον, ε 243,
abs. Δ 56, mid. π 373; ἐπεὶ δή σε φλὸξ
ἤνυσεν, had 'consumed,' ω 71; of
'traversing' space (as we say, a ship
'makes' so many knots), ὅσσον τε πα-
νημερίη γλαφυρὴ νηῦς | ἤνυσεν, δ 357,
ο 294.

ἄνω, ipf. ἤνον: *complete;* ὁδόν, γ
496; pass. νὺξ ἄνεται, 'draws to a
close,' Κ 251; ὅππως ἔργον ἄνοιτο
(note the quantity), Σ 473.

ἄνω (ἀνά): *upwards,* λ 596; Λέσβος
ἄνω (i. e. towards Troy, 'north'?) . .
καὶ Φρυγίη καθύπερθε, Ω 544.

ἄνωγα, perf. w. pres. meaning, imp.
ἄνωχθι, -ώχθω and -ωγείτω, -ωχθε and
-ώχετε, inf. -ωγέμεν, plup. ἠνώγεα, ἠνώ-
γει and -ειν, ἀνώγει (also forms that
may be referred to ἀνώγω as pres. and
ipf.), ἀνώγει, -ετον, subj. ἀνώγῃ, opt.
ἀνώγοιμι, ipf. ἤνωγον, ἄνωγον, fut.
ἀνώξω, aor. ἤνωξα: *bid, command;*
foll. by acc. and inf., ἄνωχθι δέ μιν
γαμέεσθαι, β 113; very seldom w. dat.
of person, δέμνι' ἄνωγεν ὑποστορέσαι
δμωῇσιν, υ 139; freq. joined with ἐπο-

τρύνω, κέλομαι, and esp. w. θῡμός, (two accusatives) τά με θῡμὸς ἀνώγει, Τ 102.

ἀνῷγεν: see ἀνοίγω.

ἀνώγω: see ἄνωγα.

ἀν-ωθέω, only aor. part. ἀνώσαντες: *shove off* from land, ο 553†.

ἀν-ωιστί (ὀίω): *unexpectedly*, δ 92†.

ἀν-ώιστος (ὀίω): *unexpected*, Φ 39†.

ἀν-ώνυμος (ὄνομα): *nameless*, θ 552†.

ἄνωχθε, -θι, -θω: see ἄνωγα.

ἄξαντος, -ασθε, -εμεν, -έμεναι, -ετε: see ἄγω.

ἀξίνη: *battle-axe* of the Trojans, Ο 711. (See cut.)

11

ἄξιος, 3 (ἄγω): *of equal weight, value, worth*, with gen.; οὐδ' ἑνὸς ἄξιοί εἰμεν Ἕκτορος, Θ 234; λέβης βοὸς ἄξιος, Ψ 885; ἄξια ἄποινα, 'suitable,' i. e. precious, Ζ 46; ἄξιον, a 'good' price, ν 383.

Ἀξιός: a river in Macedonia, Φ 141, Β 849.

ἄ-ξυλος (ξύλον): *dense, ὕλη*, Λ 155†.

Ἄξυλος: son of Teuthras, from Arisbe, in Thrace, Ζ 12†.

ἄξων, ονος: *axle*, Ε 838, Π 378. (Il.)

ἀοιδή, ῆς (ἀείδω): *song, minstrelsy;* τῷ θεὸς περὶ δῶκεν ἀοιδήν, the 'gift of song', θ 44 ; ἀοιδῆς ὕμνον, 'strains of minstrelsy,' θ 429 ; concrete, ' that song,' α 351, etc. The various shades of application are not always distinct, nor is anything gained by attempting to distinguish them.

ἀοιδιάω, -άει, part. -άουσα: *sing*, κ 227 and ε 61.

ἀοίδιμος: *subject of song*, pl. (with bad sense from the context), Ζ 358†.

ἀοιδός, οῦ (ἀείδω): *singer, bard;* enumerated among the δημιοεργοί, ρ 383 ff ; αὐτοδίδακτος (implying inspiration), χ 347 ; in Il. only Ω 720. For

the high estimation in which the ἀοιδός was held, see θ 479 ff.

ἀ-ολλής, ές (εἴλω): *in throngs, (all) together;* ἀολλέες ἠγερέθοντο, Ψ 233; ἀολλέες ἦλθον ἄπᾱσαι, χ 446 ; πάντα φέρωμεν ἀολλέα, θ 394.

ἀολλίζω, aor. ἀόλλισαν, part. ἀολλίσσᾱσα, pass. ἀολλίσθησαν, -θήμεναι: *bring together, assemble*, Ζ 270, 287, Ο 588. (Il.)

ἄορ, ἄορος (ἀείρω), neut., but acc. pl. ἄορας, ρ 222 : *sword*, 'hanger,' suspended by the ἀορτήρ, the same as ξίφος, θ 403, 406, κ 294, 321. (See cut.)

12

ἀορτήρ, ῆρος (ἀείρω): *baldric, belt*, usually for the ἄορ, and the same as τελαμών (see cut), λ 609 ; 'strap' for a wallet, ν 438; what the 'suspenders' were in Λ 31 is not perfectly clear.

ἀοσσητήρ, ῆρος: *defender, helper.*

ἄ-ουτος: *unwounded*, Σ 536†. See οὐτάω.

ἀπ-αγγέλλω, ipf. iter. ἀπαγγέλλεσκε, and aor.: *bring tidings, report;* τινί τι, Ι 626.

ἀπ-άγχω: *throttle*, part., τ 230†.

ἀπ-άγω, fut. ἀπάξω, aor. 2 ἀπήγαγον: *lead* or *bring away;* οἴκαδε (τινά), αὖτις πατρίδα γαῖαν, Ο 706, etc.

ἀπ-αείρομαι: only part., ἀπαειρόμενον πόλιος, *bearing away* from the city, Φ 563†.

ἀπ-αίνυμαι, ἀποαίνυμαι, only pres. and ipf.: *take away;* τινός τι, ρ 322, Ν 262.

Ἀπαισός: a town of Mysia, Β 828†. See Παισός.

ἀπ-αΐσσω: only aor. part., ἀπαΐξᾱς, *springing from;* κρημνοῦ, Φ 234†.

ἀπ-αιτίζω: *reclaim*, β 78†.

ἀπάλαλκε, ἀπαλάλκοι: see ἀπαλέξω.

ἀ-πάλαμνος (παλάμη): without device, E 597†.

ἀπ - αλέξω, fut. inf. -ξήσειν, aor. 1 opt. -ξήσαιμι, aor. 2 ἀπάλαλκε, opt. ἀπαλάλκοι: ward off, avert, keep from; μνηστῆρας δ' ἀπάλαλκε, prayer of Penelope to Athena, δ 766; τινά τινος, Ω 371, X 348; with gen. of the thing, τινὰ κακότητος, she was not going to keep (save) one of them from destruction, ρ 364.

ἀπ-άλθομαι: only fut. 3 du., ἕλκε' ἀπαλθήσεσθον, shall they be fully healed of their wounds, Θ 405, 419.

ἀπ-αλοιάω, aor. ἀπηλοίησεν: crush utterly ; ὀστέα, Δ 522†.

ἀπαλός, 3 : tender ; δειρή, αὐχήν, παρειαί, of women, Σ 123 ; χεῖρες, joined w. ἄτριπτοι, φ 151 ; πόδες, of Ate, T 93 (cf. 94) ; ἦτορ, 'life,' Λ 115 ; adv., ἁπαλὸν γελάσαι, the effect of wine, ' snicker,' ξ 465.

ἁπαλο-τρεφής, ές: tender-fed, 'fattened ;' σίαλος, Φ 363†.

ἀπ-αμάω, only aor. opt. ἀπαμήσειε : cut off ; λαιμόν, as children say, ' cut his neck off,' Σ 34† (v. l. ἀποτμήξειε).

ἀπαμβροτεῖν: see ἀφαμαρτάνω.

ἀπ-αμείβομαι: answer, reply ; esp., ἀπαμειβόμενος προσέφη (προσεφώνεε), and ἀπαμείβετο φώνησέν τε. In different connection, θ 158.

ἀπ-αμύνω, aor. ἀπήμῡνα, mid. ipf. ἀπαμύνετο, aor. opt. ἀπαμῡναίμεσθα, inf. ἀπαμύνασθαι: ward off (τινί τι), mid., from oneself, (τινά) defend oneself against; Αἰτωλοῖσιν ἀπήμῡνεν κακὸν ἦμαρ, I 597 ; πόλις ἣ (whereby) κ' ἀπαμῡναίμεσθα, Ο 738 ; χερσὶ πέποιθα | ἄνδρ' ἀπαμύνεσθαι, π 72.

ἀπ-αναίνομαι, only aor. ἀπηνήναντο, inf. ἀπανήνασθαι: deny, disown, decline, Η 185 and κ 297.

ἀπ - άνευθε(ν): away, apart from (τινός); ἀπάνευθε κιών, Α 35 ; ἔζετ' ἔπειτ' ἀπάνευθε νεῶν, Α 48 ; βασιλῆα μάχης ἀπάνευθε φέροντες, Λ 283 ; ' forth from,' Τ 374.

ἀπάντη, ἀπάντη: on every side.

ἀπ-ανύω: only aor. ἀπήνυσαν οἴκαδ' ὀπίσσω, accomplished the journey home again, η 326†.

ἅπαξ: once ; ' once for all,' μ 350. (Od.)

ἀπ-αράσσω, only aor. ἀπήραξε, ἀπάραξε: smite off. (Il.)

ἀπ-αρέσκομαι (ἀρέσκω), only aor. inf. ἀπαρέσσασθαι: conciliate, Τ 183†.

ἀπ-άρχομαι: begin a sacrifice, by cutting off hair from the forehead of the victim, γ 446, ξ 422. Cf. κατάρχεσθαι.

ἅ-πᾱς, -πᾱσα, -παν (stronger than πᾶς) : all, pl. all (together), c u n c t i; ἀργύρεος ἅπᾱς, 'solid silver,' δ 616 ; τυχὼν φιλότητος ἁπάσης, 'nothing but kindness,' ο 158; καὶ εἰς ἐνιαυτὸν ἅπαντα, in ' a year and a day,' ξ 196.

ἄ-παστος (πατέομαι): without (taste of) food ; ἐδητύος ἠδὲ ποτῆτος, δ 788, ζ 250.

ἀπατάω (ἀπάτη), fut. -ησω, aor. ἀπάτησα : deceive.

ἀπ-άτερθε(ν) (ἄτερ): apart, away from ; ὁμίλου, Ε 445.

ἀπάτη, ης: deceit ; pl., Ο 31.

ἀπατήλιος: deceitful; only neut. pl., ἀπατήλια βάζειν, εἰδέναι, ξ 127, 288.

ἀπατηλός = ἀπατήλιος, Α 526†.

ἀπ - ἀτῑμάω, aor. ἀπητίμησε : treat with indignity, offend deeply, N 113†.

ἀπ - αυράω, ipf. (usually w. aor. meaning) ἀπηύρων, -ᾱς, -ᾱ, fut. ἀπουρήσουσι (v. l. ἀπουρίσσουσι), X 489, aor. part. ἀπούρᾱς: wrest from, rob, deprive ; τινά τι, ἄμφω θῡμὸν ἀπηύρᾱ, Z 17 ; ἐλεύθερον ἦμαρ ἀπούρᾱς, Π 831; sometimes w. dat. of disadvantage, Ἕκτορι θῡμὸν ἀπούρᾱς, Φ 296.

ἀπαφίσκω, aor. 2 ἤπαφε, mid. opt. ἀπάφοιτο: delude, beguile, λ 217 and ψ 216.

ἀπέειπε: see ἀπεῖπον.

ἀπέεργε: see ἀποέργω.

ἀπειλέω, fut. -ήσω, ipf. du. ἀπειλήτην : threaten, menace ; τινί, regularly foll. by fut. inf. ; γέρας αὐτὸς ἀφαιρήσεσθαι ἀπειλεῖς, Α 161 ; freq. w. cognate acc., ἀπειλάς, Π 201 ; μῦθον, Α 388 ; less specifically, ' boast,' Θ 150 (foll. by εἶναι), ἢ 383 ; ' vow,' ' promise,' Ψ 863, 872.

ἀπειλή, ῆς, only pl.: threats, boasting. Cf. ἀπειλέω.

ἀπειλητήρ, ῆρος : boaster, pl., Η 96†.

1. ἄπ-ειμι, fut. ἀπεσσεῖται, ἀπέσσεται, pres. subj. ἀπέησι, ipf. ἀπέην, ἀπέσαν: be (distant) from (τινός), be absent, wanting ; τόσσον ἀπῆν ὅσον τε γέγωνε βοήσας, ε 400; σοὶ δ' ὁδὸς οὐκέτι δηρὸν ἀπέσσεται, ' you shall not

have to wait much longer for the journey,' β 285.

2. ἄπ-ειμι, imp. ἄπιθι, part. ἀπιών: go away, very often the part.; ἐγὼ μὲν ἄπειμι, 'am going,' fut., ρ 593.

ἀπ - εῖπον, ἀπέειπε (ἀπέϜ.), subj. ἀποείπω, opt. ἀποείποι, inf. ἀποειπεῖν, ἀπειπέμεν, part. ἀποειπών: (1) speak out; μάλα γὰρ κρατερῶς ἀπέειπεν, Ι 431; ἵν' ὑμῖν μῦθον ἀπηλεγέως ἀποείπω, α 373; ἀγγελίην, 'deliver,' Η 416. —(2) say no, renounce; ὑπόσχεο καὶ κατάνευσον, | ἢ ἀπόειπε, Α 515; μῆνιν ἀποειπών, Τ 35; πᾶσι μνηστήρεσσιν ἀπειπέμεν, 'warn them to desist,' α 91. See εῖπον.

Ἀπειραίη : of Apeira, γρηΰς.—Ἀπείρηθεν: from Apeira.

ἀ-πειρέσιος and ἀπερείσιος, 3 (πέρας, πείρατα): unlimited, boundless, infinite; γαῖαν ἀπειρεσίην, Υ 58; ἄνθρωποι πολλοί, ἀπειρέσιοι, τ 174; ἀπερείσι' ἄποινα, Α 13.

ἀ-πείρητος (πειράομαι): untried, unskilful.

ἀ-πείριτος = ἀπειρέσιος, κ 195†.

ἀ-πείρων, ονος (πέρας): boundless, endless; δῆμος, 'countless,' Ω 776; ὕπνος, η 286; δεσμοί, θ 340.

ἀπ - εκ - λανθάνομαι, only aor. imp. ἀπεκλελάθεσθε: forget altogether, ω 394†.

ἀ - πέλεθρος: immeasurable; ἶς, Ε 245, ι 538; neut. as adv., 'enormously far,' Λ 354.

ἀπ-εμέω: only aor. ἀπέμεσσεν, spat out, Ξ 437†.

ἀπεμνήσαντο: see ἀπομιμνήσκω.

ἀπένεικας: see ἀποφέρω.

ἀπέπλω: see ἀποπλώω.

ἀπερείσιος: see ἀπειρέσιος.

ἀπ - ερύκω, fut. ἀπερύξω: hold off, keep off or away, ι 119.

ἀπ-έρχομαι, aor. ἀπῆλθε, perf. ἀπελήλυθα: come (or go) away, depart; τινός, β 136, Ω 766.

ἀπ - ερωεύς (ἀπερωέω): thwarter; μενέων, Θ 361†.

ἀπ-ερωέω, aor. opt. ἀπερωήσειας: slink away; πολέμου, from fighting, Π 723†.

ἄπεσαν: see ἄπειμι.

ἀπέσσυτο: see ἀποσεύω.

ἀ-πευθής, έος (πεύθομαι): pass., unascertained; καὶ ὄλεθρον ἀπευθέα θῆκε Κρονίων, 'put even his destruction

beyond ken,' γ 88 (cf. 86, 87); act., without ascertaining, 'uninformed,' γ 184.

ἀπ-εχθαίρω, aor. 1 subj. ἀπεχθήρω: hate utterly; τινά, Γ 415; causative, ὅς τέ μοι ὕπνον ἀπεχθαίρει καὶ ἐδωδὴν | μνωομένῳ, makes hateful to me—when I think of his loss, δ 105.

ἀπ-εχθάνομαι, aor. 2 ἀπήχθετο, inf. ἀπεχθέσθαι: make oneself, be, or become hated, β 202, Γ 454; 'mutual' enmity is implied in π 114.

ἀπ-έχω, fut. ἀφέξω, ἀποσχήσω, aor. 2 ἀπέσχον, mid. fut. ἀφέξομαι, aor. 2 ἀπεσχόμην, inf. ἀποσχέσθαι: hold from, keep from; act., τινός τι or τινά, ἑκὰς νήσων ἀπέχειν εὐεργέα νῆα, ο 33; ἠὼς ἥ μ' Ὀδυσῆος οἴκου ἀποσχήσει, that 'shall part' me from Odysseus' house, τ 572; also w. dat. of interest, Ω 19, υ 263; mid., τινός, 'hold aloof from,' Μ 248; 'abstain,' ι 211; 'spare,' μ 321, τ 489.

ἀπ-ηλεγέως (ἀλέγω): without scruple; μῦθον ἀποειπεῖν, α 373 and Ι 309.

ἀ-πήμαντος (πημαίνω): unharmed, τ 282†.

ἀπήμβροτον: see ἀφαμαρτάνω.

ἀ-πήμων, ονος (πῆμα): without harm; pass., ἀπήμων ἦλθε, ἀπήμονα πέμπειν τινά, 'safe and sound,' δ 487, ν 39; act., of anything that tends to safety, νόστος ἀπήμων, 'happy' return, δ 519; πομποί, 'kindly,' θ 566; οὖρος, ὕπνος, etc. The distinction of act. and pass. is rather apparent than real.

ἀπήνη, ης: wagon, for freight, and four - wheeled, Ω 324; with tent - like cover, ζ 70; usually drawn by mules. (See cut on following page.)

ἀπ-ηνήναντο: see ἀπαναίνομαι.

ἀπ-ηνής, ές (opp. ἐν-ηής): unfeeling, harsh, Α 340, τ 329; θυμός, Ο 94; νόος, Π 35; μῦθος, Ο 202.

ἀπήραξεν: see ἀπαράσσω.

ἀπήύρων: see ἀπαυράω.

ἀπ-ήωρος (ἀείρω): hanging (high) away; ὄζοι, μ 435†, cf. 436.

ἀ-πιθω, only fut. and aor. ἀπίθησε: disobey; τινί, always with negative.

ἀπινύσσω (πινυτός): lack understanding, ε 342; be unconscious; κῆρ, acc. of specification, Ο 10.

ἄπιος (ἀπό): distant; τηλόθεν ἐξ ἀπίης γαίης, Α 270, π 18.

13

Ἀπισάων: (1) a Greek, son of
Hippasus, P 348.—(2) a Trojan, son of
Phausius, Λ 582.

ἀ-πιστέω (ἄπιστος): *disbelieve*, only
ipf., οὔ ποτ' ἀπίστεον, 'I never de-
spaired,' ν 339†.

ἄ-πιστος (πιστός): *faithless*, Γ 106;
unbelieving, ξ 150.

ἀπ-ίσχω = ἀπέχω, λ 95†.

ἁπλοΐς, ίδος (ἁπλόος): *single; χλαῖ-
να*, to be wrapped only once about the
person (opp. δίπλαξ, q. v.), Ω 230 and
ω 276.

ἄ-πνευστος (πνέω): *breathless*, ε
456†.

ἀπό: *from* (a b).—I. adv. (here be-
long all examples of the so-called use
'in tmesi'), *off, away; ἡμῖν ἀπὸ λοιγὸν
ἀμῦναι*, Α 67; ἀπὸ δὲ χλαῖναν βάλε,
Β 183, etc.; a subst. in the gen. (of
separation) is often added to render
more specific the relation of the adv.,
ἀπ' ἰχῶ χειρὸς ὀμόργνυ, Ε 416; πολ-
λόν γὰρ ἀπὸ πλυνοί εἰσι πόληος, ζ 40;
thus preparing the way for the strict
prepositional usage. — II. prep. w.
gen., *from, away from*, denoting ori-
gin, starting - point, separation (dis-
tance); οὐ γὰρ ἀπὸ δρυός ἐσσι παλαι-
φάτου, οὐδ' ἀπὸ πέτρης, 'sprung from'
tree or rock, τ 163; ἀφ' ἵππων ἆλτο
χαμᾶζε, 'from his car,' Π 733; so
freq. ἀφ' ἵππων, ἀπὸ νεῶν μάχεσθαι,
where we say 'on'; οὐκ ἀπὸ σκοποῦ
οὐδ' ἀπὸ δόξης | μυθεῖται βασίλεια,

'wide of,' i. e. she hits the mark and
meets our views, λ 344; μένων ἀπὸ ἧς
ἀλόχοιο, 'away from' his wife, Β 292;
so ἀπ' οὔατος, ἀπ' ὀφθαλμῶν; adver-
bial phrase, ἀπὸ σπουδῆς, 'in earnest,'
Μ 237. The 'temporal' meaning
commonly ascribed to ἀπό in Θ 54 is
only implied, not expressed by the
preposition.

ἀποαίνυμαι: see ἀπαίνυμαι.

ἀποαιρέομαι: see ἀφαιρέομαι.

ἀπο - βαίνω, fut. ἀποβήσομαι, aor.
ἀπέβην, ἀπεβήσετο: *go away; ἐξ ἵπ-
πων* (ἵππων, P 480), 'dismount';
νηός, 'disembark,' ν 281.

ἀπό-βλητος: *to be spurned, despised*,
w. neg., Β 361 and Γ 65.

ἀπο-βλύζω: *spirt out; οἴνου*, Ι 491†.

ἀπο-βρίζω, only aor. part. ἀποβρί-
ξαντες: *sleep soundly*, ι 151 and μ 7.

ἀπο-γυιόω (γυῖον), aor. subj. ἀπο-
γυιώσῃς: *unnerve*, Ζ 265†.

ἀπο - γυμνόω (γυμνός), aor. pass.
part. ἀπογυμνωθέντα: *denude, strip*,
κ 301†.

ἀπο - δαίομαι (δαίω), fut. inf. ἀπο-
δάσσεσθαι, aor. ἀποδάσσασθαι: *give a
share of, share with; τινί τι*, and τινί
τινος, P 231, Χ 118, Ω 595.

ἀπο-δειροτομέω (δειρή, τέμνω), fut.
-ήσω, aor. ἀπεδειροτόμησα: *cut the
throat of, slaughter; ἐς βόθρον*, i. e.
over the trench, so that the blood
might run into it, λ 35.

ἀπο-δέχομαι, aor. ἀπεδέξατο: *ac-
cept*, Α 95†.

ἀπο-διδράσκω, aor. 2 part. ἀποδράς:
escape by stealth; ἐκ νηός and νηός, π
65 and ρ 516.

ἀπο-δίδωμι, fut. ἀποδώσομεν, aor.
ἀπέδωκε, subj. ἀποδῶσι, opt. ἀποδοῖτε,
inf. ἀποδοῦναι: *give* or *deliver up, re-
store; κτήματα*, Γ 285; *νέκυν ἐπὶ
νῆας*, Η 84; θρέπτρα τοκεῦσιν, 'repay
the debt' of nurture, Δ 478.

ἀποδίομαι: see ἐξαποδίομαι.

ἀπο-δοχμόω (δοχμός), aor. part.
ἀποδοχμώσας: *bend to one side*, ι 372†.

ἀποδρᾶς: see ἀποδιδράσκω.

ἀπο-δρύφω, aor. ἀπέδρυψε, subj.
ἀποδρύψωσι, aor. pass. 3 pl. ἀπέδρυ-
φθεν: *tear off, strip off; πρὸς πέτρῃσιν
ἀπὸ χειρῶν ῥινοὶ ἀπέδρυφθεν*, ε 435;
ἵνα μή μιν ἀποδρύφοι ἑλκυστάζων,
'tear him,' i. e. abrade the skin, Ψ
187, Ω 21.

ἀπο-δύνω = ἀποδύομαι, *put off*, ipf., χ 364†.

ἀπο-δύω, fut. ἀποδύσω, aor. 1 ἀπεδῦσε, aor. 2 part. ἀποδύς: act. (pres., fut., aor. 1), *strip off* (from another), τεύχεα, Δ 532, Σ 83 ; mid. (aor. 2), *put off* (doff), εἵματα, ε 343 ; ἀποδύσάμενος, ε 349 ; better reading ἀπολῦσάμενος.

ἀποδῶσι : see ἀποδίδωμι.

ἀπο-είκω (ἀποϜ.) : *yield, retire from*, Γ 406†.

ἀποεῖπον : see ἀπεῖπον.

ἀπο-εργάθω (ἀποϜ.), ipf. ἀποέργαθε (ἀπεέρ.) : *keep away from, remove from*, Φ 599, φ 221.

ἀπο-έργω (Ϝέργω), ipf. ἀπέεργε : *keep away from, separate*, Θ 325 ; 'drive away,' Ω 238.

ἀπό-ερσε (ἀπόϜ.), defective aor., subj. ἀποέρσῃ, opt. ἀποέρσειε : *sweep away, wash away*; μή μιν ἀποϜϜέρσειε μέγας ποταμός, Φ 329, 283, Ζ 348.

ἀπο-θαυμάζω, aor. ἀπεθαύμασε : *marvel at*, ζ 49†.

ἀπό-θεστος (θέσσασθαι) : *scouted, despised*, ρ 296†.

ἀπο-θνήσκω, perf. part. ἀποτεθνηώς, plup. ἀποτέθνασαν : *die*; perf., *be dead*.

ἀπο-θρώσκω, only pres. part. : *leap from*; νηός, Β 702, Π 748 ; καπνός, 'up,' α 58.

ἀπο-θύμιος (θῡμός) : *displeasing*, neut. pl., Ξ 261†.

ἀπ-οικίζω, aor. ἀπῴκισε : *transfer, from an old home to a new one*, μ 135†.

ἄ-ποινα, ων (ποινή) : *ransom, recompense, satisfaction*; τινός, 'for one,' Α 111, etc.

ἀποίσω : see ἀποφέρω.

ἀπ-οίχομαι : *be away, gone* (*from*), δ 109, very often the part. ; 'abandon,' πολέμου, ἀνδρός, Λ 408, Τ 342.

ἀπο-καίνυμαι, only ipf. : *excel*, θ 127 and 219.

ἀπο-κείρω, only aor. 1 mid. ἀπεκείρατο : *shear away*, Ψ 141†.

ἀπο-κηδέω, only aor. part. du. ἀποκηδήσαντε : *proving remiss*, 'through your negligence,' Ψ 413†.

ἀπο-κῑνέω, aor. subj. ἀποκῑνήσωσι, iter. ἀποκῑνήσασκε : *move from*, Λ 636 ; τινὰ θυράων. 'dislodge,' χ 107.

ἀπο-κλίνω, only aor. part. ἀποκλίναντα : *turn off*, 'giving a different turn' to the interpretation, τ 556†.

ἀπο-κόπτω, fut. inf. ἀποκοψέμεν, aor. ἀπέκοψα : *chop off, cut off*; παρήορον, 'cut loose' the out-running horse (cf. Θ 87), Π 474.

ἀπο-κοσμέω (κόσμος), ipf. ἀπεκόσμεον : *clear off* something that has been set on in order; ἔντεα δαιτός, η 232†.

ἀπο-κρεμάννῡμι, aor. ἀπεκρέμασε : *let droop*; αὐχένα, Ψ 879†.

ἀπο-κρίνω, only aor. pass. ἀποκρινθέντε : *separated*, 'separating' *from* the ranks of their comrades, Ε 12†.

ἀπο-κρύπτω, aor. ἀπέκρυψα, inf. ἀποκρύψαι : *hide away, conceal*, Λ 718, Σ 465, ρ 286.

ἀποκτάμεν, ἀποκτάμεναι : see ἀποκτείνω.

ἀπο-κτείνω, aor. 1 ἀπέκτεινε, usually aor. 2 ἀπέκτανε, -έκταμεν, -έκτανον, subj. ἀποκτάνῃ, inf. ἀποκτάμεν, -τάμεναι, aor. 2 mid. (with pass. signif.) ἀπέκτατο, ἀποκτάμενος : *kill, slay*; of slaughtering animals, μ 301 ; ἀπέκτατο, *was slain*, Ο 437, Ρ 472 ; ἀποκτάμενος, *slain*, Δ 494, Ν 660, Ψ 775.

ἀπο-λάμπω, ipf. act. and mid. : *give forth a gleam, be resplendent*; τρυφάλεια, Τ 381 ; πέπλος, Ζ 295 ; impers., ὣς αἰχμῆς ἀπέλαμπε, 'such was the gleam from the spear,' Χ 319 ; fig., χάρις ἀπελάμπετο, σ 298.

ἀπο-λείβω : only pres. mid. ἀπολείβεται, *trickles off*, η 107†.

ἀπο-λείπω : *leave remaining*; οὐδ' ἀπέλειπεν, i. e. οὐδὲν ἀπολείπων, ι 292 ; *leave, quit*, δόμον, Μ 169 ; intrans., *be lacking, fail*, καρπός, η 117.

ἀπο-λέπω, fut. inf. ἀπολεψέμεν : *peel off*, 'lop off,' οὔατα, Φ 455† (v. l. ἀποκοψέμεν).

ἀπολέσκετο : see ἀπόλλῡμι.

ἀπο-λήγω, fut. ἀπο(λ)λήξεις, aor. subj. ἀπο(λ)λήξῃς, -ωσι, opt. ἀπο(λ)λήξειαν : *cease from, desist*; τινός, Η 263, ν 151, μ 224 ; with part., Ρ 565, τ 166 ; abs., ὣς ἀνδρῶν γενεὴ ἡ μὲν φύει ἡ δ' ἀπολήγει, 'passes away,' Ζ 146, Ν 230.

ἀπο-λιχμάω, fut. mid. ἀπολιχμήσονται : *lick off*; αἷμα, Φ 123†.

ἀπολλήξεις : see ἀπολήγω.

ἀπ-όλλῡμι, fut. ἀπολέσσω, aor. ἀπώλεσα, mid. ἀπόλλυμαι, ἀπολλύμενος, fut. inf. ἀπολεῖσθαι, aor. 2 ἀπωλόμην, ἀπόλοντο, iter. ἀπολέσκετο, opt. 3 pl. ἀπολοίατο, perf. 2 ἀπόλωλεν : I. act.,

lose, destroy; πατέρ' ἐσθλὸν ἀπώλεσα,
β 46; οὐ γὰρ Ὀδυσσεὺς οἶος ἀπώλεσε
νόστιμον ἦμας, α 354; κεῖνος ἀπώλε-
σεν Ἴλιον ἱρήν, E 648; ἐκπάγλως ἀπό-
λεσσαν (φῆρας), A 268. — II. mid., *be
lost, perish;* freq. as imprecation, ἀπό-
λοιτο, Σ 107, α 47.

Ἀπόλλων, Ἀπόλλωνος: *Apollo,* son
of Zeus and Leto, and brother of Arte-
mis, like her bringing sudden, painless
death (see ἀγανός); god of the sun
and of light, Φοῖβος, λυκηγενής, of
prophecy (his oracle in Pytho, θ 79),
A 72, θ 488; but not in Homer spe-
cifically god of music and leader of the
Muses, though he delights the divine
assembly with the strains of his lyre,
A 603; defender of the Trojans and
their capital, and of other towns in the
Trojan domain, Cilla, Chryse, A 37, Δ
507; epithets, ἀκερσεκόμης, ἀφήτωρ,
διΐφιλος, ἑκατηβόλος, ἕκατος, ἑκηβόλος,
ἑκάεργος, ἰήιος, λᾱοσσόος, παιήων, χρῡ-
σάορος, Σμινθεύς, Φοῖβος.

ἀπο-λούομαι (λούω), fut. ἀπολούσο-
μαι: *wash from* (off oneself), ζ 219†.

ἀπο-λῡμαίνομαι (λῡμαίνω), *purify
oneself* of pollution, by bathing as sym-
bolical procedure, A 313 f.

ἀπο-λῡμαντήρ, ῆρος: *defiler;* δαι-
τῶν, 'dinner - spoiler;' according to
others, 'plate-licker;' ρ 220 and 377.

ἀπο-λύω, aor. ἀπέλῡσα, subj. ἀπο-
λύσομεν, mid. fut. ἀπολῡσόμεθα, aor.
part. ἀπολῡσάμενος: I. act., *loose from,
release* for ransom (Il.): ἵμαντα θοῶς
ἀπέλῡσε κορώνης, φ 46; οὐδ' ἀπέλῡσε
θύγατρα καὶ οὐκ ἀπεδέξατ' ἄποινα, A
95.—II. mid., *loose from oneself, get re-
leased* for oneself, ransom; ἀπολῡσά-
μενος (κρήδεμνον), ε 349; (παῖδας)
χαλκοῦ τε χρῡσοῦ τ' ἀπολῡσόμεθα, X
50.

ἀπο-μηνίω, fut. ἀπομηνίσει, aor. part.
ἀπομηνίσᾱς: *be wrathful apart,* 'sulk
in anger,' B 772, H 230, T 62, π 378.

ἀπο-μιμνήσκομαι, aor. ἀπεμνήσαν-
το: *remember* something in return (cf.
ἀποδοῦναι), Ω 428†.

ἀπ-όμνῡμι and ἀπομνύω, ipf. ἀπώ-
μνῡ and ἀπώμνυεν, aor. ἀπώμοσα:
swear not to do; according to others,
swear formally (solemnly), κ 345, μ
303, σ 58; ὅρκον, β 377, κ 381. (Od.)

ἀπο-μόργνῡμι, ipf. ἀπομόργνῡ, mid.
aor. ἀπομόρξατο, part. ἀπομορξαμένω:

wipe off or *away,* mid., from oneself;
σπόγγῳ δ' ἀμφὶ πρόσωπα καὶ ἄμφω
χεῖρ ἀπομόργνῡ, Σ 414; ἀπομόρξατο
χερσὶ παρειάς, 'rubbed,' σ 200.

ἀπο-μῡθέομαι: only ipf., πόλλ' ἀπε-
μῡθεόμην, said much *to dissuade* thee,
I 109†.

ἀπόναιο, ἀποναίατο: see ἀπονίνημι.

ἀπο-ναίω, only aor. subj. ἀπονάσσω-
σι, and aor. mid. ἀπενάσσετο: *remove,*
of residence; κούρην ἂψ ἀπονάσσω-
σιν, 'send back,' II 86; mid., Ὑπερη-
σίηνδ' ἀπενάσσετο, *removed,* 'with-
drew,' ο 254, B 629.

ἀπο-νέομαι, subj. ἀπονέωνται, inf.
ἀπονέεσθαι, ipf. ἀπονέοντο (the ᾱ is a
necessity of the rhythm, and the place
of these forms is at the end of the
verse): *return, go home;* in ο 308 the
word applies to the real Odysseus
rather than to his assumed character.

ἀπόνηθ', ἀπονήμενος: see ἀπονίνη-
μι.

ἀπο-νίζω (ἀπονίπτω), aor. imp. ἀπο-
νίψατε, part. ἀπονίψαντες, mid. pres.
ἀπονίπτεσθαι, aor. ἀπονιψάμενοι: *wash
off, wash clean,* mid., oneself or from
oneself; ἀπονίψαντες μέλανα βροτον
ἐξ ὠτειλέων, ω 189; ἀλλά μιν, ἀμφίπο-
λοι, ἀπονίψατε, τ 317; χρῶτ' ἀπονι-
ψαμένη, σ 172; ἱδρῶ πολλὸν ἀπενί-
ζοντο θαλάσσῃ, K 572.

ἀπ-ονίνημι, mid. fut. ἀπονήσεται,
aor. 2 ἀπόνητο, opt. ἀπόναιο, -αίατο,
part. ἀπονήμενος: mid., *derive benefit
from, get the good of* anything: (τινός),
Ἀχιλλεὺς | οἷος τῆς ἀρετῆς ἀπονήσε-
ται, Λ 763; οὐδ' ἀπόνητο, 'but had no
joy' thereof, λ 324, π 120, ρ 293.

ἀπονίπτεσθαι, ἀπονίψατε: see ἀπο-
νίζω.

ἀπο-νοστέω, only fut. inf. ἀπονοστή-
σειν: *return home, return,* always with
ἂψ, A 60, ω 471.

ἀπο-νόσφι(ν), also written as two
words, ἀπὸ or ἄπο νόσφι: *apart, aside;*
βῆναι, εἶναι, κατίσχεσθαι, B 233; τρα-
πέσθαι, ε 350; as prep., with gen.,
apart from, far from; usually follow-
ing the governed word, ἐμεῦ ἀπονό-
σφιν, A 541; φίλων ἀπονόσφιν ἑταί-
ρων, μ 33.

ἀπ-οξύνω (ὀξύς), aor. 1 inf. ἀποξῦ-
ναι: *sharpen off, make taper;* ἐρετμά,
ζ 269, ι 326 (v. l. ἀποξῦσαι).

ἀπο-ξύω (= ἀποξέω), aor. inf. ἀπο-

ξῦσαι (v. l. ἀποξῦναι), ι 326, part. ἀπο-
ξύσᾱς : scrape off, smooth off ; fig., γή-
ρας, I 446†.

ἀπο-παπταίνω, fut. ἀποπαπτανέου-
σι : peer away for a chance to flee,
'look to flight,' Ξ 101.†

ἀπο-παύω, fut. ἀποπαύσει, aor. ἀπέ-
παυσας, mid. pres. ἀποπαύεαι, imp.
ἀποπαύε(ο), fut. ἀποπαύσομαι : act.,
cause to cease from, check, hinder from ;
mid., cease from, desist ; (τοὺς) ἐπεὶ
πολέμου ἀπέπαυσαν, Λ 323 ; τοῦτον
ἀλητεύειν ἀπέπαυσας, σ 114 ; μήνι'
Ἀχαιοῖσιν, πολέμου δ' ἀποπαύεο πάμ-
παν, A 422.

ἀπο-πέμπω, inf. -έμεν, fut. ἀποπέμ-
ψω, aor. ἀπέπεμψα, subj. ἀποπέμψω,
imp. ἀπόπεμψον : send away or off, dis-
miss, send away with escort ; ὥς τοι
δῶρ' ἀποπέμψω, ρ 76 ; ἀπειλήσᾱς δ'
ἀπέπεμπεν, Φ 452 ; ξείνους αἰδοίους
ἀποπεμπέμεν ἠδὲ δέχεσθαι, τ 316.

ἀποπέσῃσι : see ἀποπίπτω.

ἀπο-πέτομαι, only aor. part. ἀπο-
πτάμενος, -ένη : fly away, B 71, λ 222.

ἀπο πίπτω, only ipf. and aor. subj.
ἀποπέσῃσι : fall (down) from, Ξ 351,
ω 7.

ἀπο-πλάζω, only aor. pass. ἀπεπλάγ-
χθην, part. ἀποπλαγχθείς : pass., be
driven from one's course, drift (away
from) ; Τροίηθεν, ι 259 ; κατάλεξον
ὅππῃ ἀπεπλάγχθης, θ 573 ; τῆλε δ'
ἀπεπλάγχθη σάκεος δόρυ, 'rebounded,'
X 291, N 592 ; cf. 578.

ἀπο-πλείω (πλέω) : sail away.

ἀπο-πλήσσω, aor. part. ἀποπλήξᾱς :
strike off, κ 440.

ἀπο-πλύνω, ipf. iter. ἀποπλύνεσκε :
wash off, 'wash up ;' λάιγγας ποτὶ χέρ-
σον, ζ 95†.

ἀπο-πλώω (πλέω), aor. 2 ἀπέπλω :
sail away from ; γαίης, ξ 339†.

ἀπο - πνείω (πνέω) : breathe forth,
exhale.

ἀπο - πρό : away from, far from ;
τινός.

ἀπο - προ - αιρέω, aor. 2 part. ἀπο-
προελών : take away from ; τινός, ρ
457†.

ἀποπροέηκε : see ἀποπροίημι.

ἀποπροελών : see ἀποπροαιρέω.

ἀπόπρο-θεν : from afar, far away,
aloof, ρ 408.

ἀπόπρο-θι : far away, afar.

ἀπο-προ-ίημι, aor. ἀποπροέηκε : let

go forth from, let fly, send away ; τινὰ
πόλινδε, ξ 26 ; ἰόν, χ 82 ; ξίφος χαμᾶζε,
'let fall,' χ 327.

ἀπο-προ-τέμνω, aor. 2 part. ἀποπρο-
ταμών : cut off from ; τινός, θ 475†.

ἀποπτάμενος : see ἀποπέτομαι.

ἀπο-πτύω : spit out, Ψ 781 ; of a bil-
low, ἀποπτύει δ' ἁλὸς ἄχνην, 'belches
forth,' Δ 426.

ἀ-πόρθητος (πορθέω) : unsacked, un-
destroyed ; πόλις, M 11†.

ἀπ-όρνυμι (ὄρνῡμι) : set out from ;
Λυκίηθεν, E 105†.

ἀπ - ορούω, aor. ἀπόρουσε : spring
away (from), 'down' from, E 20.

ἀπο-ρραίω (ῥαίω), fut. ἀπορραίσει,
aor. inf. ἀπορραῖσαι : wrest away from ;
τινά τι. (Od.)

ἀπο-ρρήγνῡμι (Ϝρήγνῡμι), aor. part.
ἀπορρήξᾱς : break off, burst off.

ἀπο-ρρῑγέω (Ϝρῑγέω), perf. with pres.
signif. ἀπερρίγᾱσι : shrink from with
shuddering, be afraid, β 52†.

ἀπο-ρρίπτω (Ϝρίπτω), aor. inf. ἀπορ-
ρῖψαι, part. ἀπορρίψαντα : fling away ;
fig., μῆνιν, I 517, Π 282.

ἀπο - ρρώξ, ῶγος (Ϝρήγνῡμι) : adj.,
abrupt, steep ; ἀκταί, ν 98 ; as subst.,
fragment ; Στυγὸς ὕδατος, 'branch,' B
755, κ 514 ; said of wine, ἀμβροσίης
καὶ νέκταρός ἐστιν ἀπορρώξ, 'morsel,'
'drop,' 'sample,' ι 359.

ἀπο-σεύομαι (σεύω), only aor. ἀπέσ-
συτο, -εσσύμεθα, part. ἀπεσσύμενος :
rush away, hurry away, ι 396 ; δώμα-
τος, Z 390.

ἀπο - σκίδνημι (= ἀποσκεδάννῡμι),
aor. ἀπεσκέδασε, mid. pres. inf. ἀποσκί-
δνασθαι : scatter, disperse, dismiss, λ
385, T 309 ; mid., disperse, Ψ 4.

ἀπο-σκυδμαίνω : be utterly indig-
nant at ; τινί, imp., Ω 65†.

ἀπο-σπένδω, only part. : pour out a
libation. (Od.)

ἀπο-σταδόν and ἀπο-σταδά (ἵστη-
μι) : adv., standing at a distance, O 556
and ζ 143, 146.

ἀπο - στείχω, aor. 2 ἀπέστιχε, imp.
ἀπόστιχε : go away, depart, A 522, λ
132, μ 143.

ἀπο - στίλβω : only part., ἀποστίλ-
βοντες ἀλείφατος, glistening with oil,
γ 408†.

ἀπο-στρέφω, fut. ἀποστρέψεις, part.
-οντας, aor. iter. ἀποστρέψασκε, subj.
ἀποστρέψῃσιν, opt. -ειεν, part. ἀπο-

στρέψᾱς: turn or twist back or about, reversing a former direction; (λᾶαν) ἀποστρέψασκε κραταιίς, the stone of Sisyphus, λ 597; πόδας καὶ χεῖρας, i. e. so as to tie them behind the back, χ 173; 'recall,' 'order a retreat,' K 355.

ἀπο - στυφελίζω, only aor. ἀπεστυφέλιξε, -αν: smite back, knock back (from); τινός, Σ 158. (Il.)

ἀπο - σφάλλω, only aor. subj. ἀποσφήλωσι, and opt. ἀποσφήλειε: cause to stray from a straight course, γ 320; met., μὴ (Μενέλαος) μέγα σφας ἀποσφήλειε πόνοιο, 'disappoint' them of, 'make vain' their toil, E 567.

ἀποσχέσθαι: see ἀπέχω.

ἀπο-τάμνω (=ἀποτέμνω): cut away, Θ 87; mid., κρέα, cut off for oneself (to eat), X 347.

ἀπο-τηλοῦ: far away, ι 117.

ἀπο-τίθημι, aor. 1 ἀπέθηκα, mid. aor. 2 ἀπεθέμην, subj. ἀποθείομαι, inf. ἀποθέσθαι: put away, mid., from oneself, lay off; δέπας ἀπέθηκ' ἐνὶ χηλῷ, Π 254; τεύχεα κάλ' ἀποθέσθαι, Γ 89, Σ 409; met., κρατέρην ἀποθέσθαι ἐνιπήν, E 492.

ἀπο-τίνυμαι (τίνω): exact satisfaction from some one for something; τινά τινος, cause one to pay you back for something, take vengeance for, β 73; πολέων ἀπετίνυντο ποινήν, i. e. avenged many, Π 398.

ἀπο-τίνω, fut. ἀποτίσεις, inf. -σέμεν, aor. ἀπέτισε, -αν, mid. fut. ἀποτίσομαι, aor. ἀπετίσατο, subj. ἀποτίσεαι: I. act., pay back, pay for, atone for; τιμὴν Ἀργείοις ἀποτινέμεν, Γ 286; εὐεργεσίας ἀποτίνειν, χ 235; τριπλῇ τετραπλῇ τ' ἀποτίσομεν, 'will make good,' A 128. — II. mid. (Od.), exact payment (see under ἀποτίννυμαι) or satisfaction, avenge oneself upon, punish (τί or τινά); κείνων γε βίας ἀποτίσεαι ἐλθών, λ 118; ἀπετίσατο ποινὴν | ἰφθίμων ἑτάρων, 'for' them, ω 312.

ἀπο-τμήγω (= ἀποτέμνω), aor. opt. ἀποτμήξειε, part. ἀποτμήξᾱς: cut off, sever; κλιτῦς ἀποτμήγουσι χαράδραι, 'score,' Π 390; fig., cut off, intercept, K 364, Λ 468.

ἄ-ποτμος (πότμος): luckless, ill-starred, Ω 388; sup. ἀποτμότατος, α 219.

ἀπο - τρέπω, fut. ἀποτρέψεις, -ουσι, aor. 2 ἀπέτραπε, mid. aor. 2 ἀπετράπετο: turn away or back, divert from (τινά τινος); mid., turn away, αὐτὸς δ' ἀπονόσφι τραπέσθαι, 'avert thy face,' ε 350; αὖτις ἀπετράπετο, 'turned back,' K 200.

ἀπο - τρίβω: only fut., σφέλᾱ ἀποτρίψουσι πλευρά (v. l. πλευραί, the converse of the same idea), 'shall rub off,' 'polish off;' cf. 'rub down with an oaken towel,' ρ 232†.

ἀπό-τροπος (τρέπω): live retired, ξ 372†.

ἀπο-τρωπάω (parallel form of ἀποτρέπω), subj. -ῶμεν, -ῶσι, mid. ipf. ἀπετρωπῶντο: turn away from (τινός); (κύνες) δακέειν μὲν (as far as biting was concerned) ἀπετρωπῶντο λεόντων, Σ 585.

ἀπούρᾱς, ἀπουρήσουσι: see ἀπαυράω.

ἀπ-ουρίζω (οὖρος): only fut., ἀπουρίσσουσιν ἀρούρᾱς, shall remove the boundary stones of (i. e. appropriate) his fields, X 489†.

ἀπο-φέρω, fut. ἀποίσετον, inf. ἀποίσειν, aor. 1 ἀπένεικας: bear away, bring away or back, carry home; μῦθον, K 337; Κόωνδ' ἀπένεικας, by sea, Ξ 255.

ἀπό-φημι: say out; ἀντικρύ, H 362; ἀγγελίην ἀπόφασθε, I 422.

ἀπέφθιθεν: see ἀποφθίνω.

ἀπο-φθινύθω: waste away, perish, E 643: trans., let perish, 'sacrifice,' θῦμόν, Π 540.

ἀπο - φθίνω, aor. mid. ἀπεφθίμην, ἀποφθίμην, ἀπέφθιτο, opt. ἀποφθίμην, imp. ἀποφθίσθω, part. ἀποφθίμενος, aor. pass. ἀπεφθίθην, 3 pl. ἀπέφθιθεν: mid. and pass., perish, die, Σ 499; λευγαλέῳ θανάτῳ, ο 358; λυγρὸν ὄλεθρον, ο 268.

ἀπο-φώλιος: good-for-nothing, empty; οὐκ ἀποφώλιος ἦα | οὐδὲ φυγοπτόλεμος, ξ 212; νόον δ' ἀποφώλιός ἐσσι, θ 177; οὐκ ἀποφώλια εἰδώς, 'no fool,' ε 182; ἀποφώλιοι εὐναί, 'unfruitful,' λ 249.

ἀπο-χάζομαι: withdraw from; βόθρου, λ 95†.

ἀπο - ψύχω, aor. pass. part. ἀποψῡχθείς: leave off breathing; dry off, cool off; εἵλεν ἀποψύχοντα, 'fainting' (opp. ἐπεὶ ἄμπνυτο), ω 348; ἱδρῶ ἀπεψύ-

ἀποτείσεμεν φ 399

χοντο χιτώνων, | στάντε ποτὶ **πνοιήν,**
Λ 621, Χ 2; pass., ἱδρῶ ἀποψῦχθείς, Φ
561.

ἀππέμψει: see ἀποπέμπω.

ἄ - πρηκτος (*πρήσσω*): *without
achieving*, Ξ 221; *unachieved, fruit-
less, endless*, Β 121, 376; and, in gener-
al, of that with which nothing can be
successfully done, *hopeless, incurable*
(cf. *ἀμήχανος*) ; ὀδύναι, Β 79 ; of
Scylla, ἄπρηκτον ἀνίην, μ 223.

ἀ-πριάτην (*πρίαμαι*): adv., *without
purchase* (ransom), Α 99 ; *for nothing,*
ξ 317.

ἀ-προτί-μαστος (*μάσσω*): *untouched,*
Τ 263†.

ἄ-πτερος (*πτερόν*): only τῇ δ' ἄπτε-
ρος ἔπλετο μῦθος, *wingless* to her was
what he said, i. e. it did not escape
her, she caught the idea, ρ 57, τ 29,
φ 386, χ 398.

ἀ-πτήν, ῆνος (*πέτομαι*): *unfledged,*
Ι 323†.

ἀ-πτο-επής, ἐς (*πτόα, πτοιέω*): *fear-
less* (audacious) *of speech,* Θ 209†.

ἀ-πτόλεμος: *unwarlike.* (Il.)

ἅπτω, aor. part. ἁψᾶς, mid. ipf. ἥπ-
τετο, fut. ἅψεται, aor. ἥψατο (ἅψατο),
inf. ἅψασθαι, part. ἀψάμενος, aor. pass.
(according to some), ἑάφθη (q. v.): I.
act., *attach, fasten,* φ 408, of putting a
string to a lyre.—II. mid., *fasten for*
oneself, *cling to, take hold of* (*τινός*);
ἀψαμένη βρόχον αἰπὺν ἀφ' ὑψηλοῖο
μελάθρου, in order to hang herself, λ
278 ; ὡς δ' ὅτε τίς τε κύων συὸς ἀγρίου
ἠὲ λέοντος | ἅψηται κατόπισθε, 'fas-
tens on ' to him from the rear, Θ 339 ;
ἅψασθαι γούνων, κεφαλῆς, νηῶν, etc. ;
βρώμης δ' οὐχ ἅπτεαι οὐδὲ ποτῆτος,
' touch,' κ 379.

ἀ-πύργωτος (*πύργος*): *unwalled,
unfortified,* λ 264†.

ἄ-πυρος (*πῦρ*): *untouched by fire,*
kettle or tripod, Ι 122 and Ψ 267
(λευκὸν ἔτ' αὔτως, 268).

ἀ-πύρωτος = ἄπυρος (i. e. *brand
new*), φιάλη, Ψ 270.

ἄ-πυστος (*πυνθάνομαι*): pass., *un-
heard of ;* ὥχετ' ἄιστος ἄπυστος, α
242 ; act., *without hearing of ; μύθων,*
δ 675.

ἀπ-ωθέω, fut. ἀπώσω, inf. ἀπωσέμεν,
aor. ἀπέωσε, ἀπῶσε, subj. ἀπώσομεν,
mid. fut. ἀπώσεται, aor. ἀπώσατο,
-ασθαι, -άμενον, οι, ους: *push* or *thrust*

away (*τινά τινος,* or ἐκ *τινός*), mid.,
from oneself ; ἀπῶσεν ὀχῆας, ' pushed
back,' Ω 446 ; Βορέης ἀπέωσε, 'forced
back,' ι 81 (cf. mid., ν 276); θυράων
ἀπώσασθαι λίθον, in order to get out,
ι 305 ; μνηστῆρας ἐκ μεγάροιο, α 270.

ἄρα, ἄρ (before consonants), ῥα, ῥ'
(enclitic), always post-positive: parti-
cle denoting inference or a natural
sequence of ideas, *then, so then, so,
naturally, as it appears,* but for the
most part untranslatable by word or
phrase ; freq. in neg. sentences, οὐδ'
ἄρα, οὔτ' ἄρα, and joined to rel. and
causal words, ὅς τ' ἄρα, ὅς ῥά τε, οὔνεκ'
ἄρα, ὅτι ῥα, also following εἶτα, γάρ,
ἀλλά, αὐτάρ, etc.; further, in ques-
tions, and in the apodosis of sentences
after *μέν* and other particles. The
following examples will illustrate some
of the chief usages : οὐδ' ἄρα πως
ἦν | ἐν πάντεσσ' ἔργοισι δαήμονα φῶτα
γενέσθαι, 'as it seems,' Ψ 670 ; ἐκ δ'
ἔθορε κλῆρος κυνέης, ὃν ἄρ' ἤθελον
αὐτοί, 'just the one ' they wished, Η
182 ; κήδετο γὰρ Δαναῶν, ὅτι ῥα θνή-
σκοντας ὁρᾶτο, 'even because' she
saw, Α 56 ; τίς τ' ἄρ σφωε θεῶν ἔριδι
ξυνέηκε μάχεσθαι, 'who then ' ? Α 8 ;
αὐτὰρ ἄρα Ζεὺς δῶκε διακτόρῳ Ἀργεϊ-
φόντῃ, 'and then next,' Β 103 ; αὐτὰρ
ἐπεὶ πόσιος καὶ ἐδητύος ἐξ ἔρον ἔντο, |
τοῖς ἄρα μύθων ἦρχε Γερήνιος ἱππότα
Νέστωρ, 'then,' not temporal, Β 433 ;
ὡς ἄρα φωνήσας κατ' ἄρ' ἕζετο (twice
in one sentence, ἄρα in the phrase
κατ' ἄρ' ἕζετο marks the sitting down
as the regular sequel of making a
speech), π 213.

ἀραβέω: only in the phrase ἀρά-
βησε δὲ τεύχε' ἐπ' αὐτῷ, *clattered* as he
fell, ω 525, and often in the Iliad.

ἄραβος: *chattering* of teeth (through
fear), Κ 375†.

Ἀραιθυρέη: a town in Argolis, Β
571†.

ἀραιός: *slender, frail,* Ε 425, Σ 411 ;
εἴσοδος, 'narrow,' κ 90.

ἀράομαι: see ἀράω.

ἀραρίσκω (root αρ), aor. ἦρσα (ἄρσα),
aor. 2 ἤραρον (ἄραρον), perf. 2 ἄρηρα,
part. ἀρηρώς, ἀραρυῖα, ἀρηρός, plup.
ἀρήρειν, ἠρήρειν, aor. pass. 3 pl. ἄρθεν,
mid. aor. 2 part. ἄρμενος: I. trans.
(ipf., aor. 1 and 2 act.), *fit on* or *to-
gether, join, fit with ;* rafters in build-

ing a house, Ψ 712; of constructing a wall, Π 212; joining two horns to make a bow, Δ 110; νῆ' ἄρσᾶς ἐρετῇσιν, 'fitting out' with oarsmen, α 280; pass., μᾶλλον δὲ στίχες ἄρθεν, 'closed up,' Π 211; met. (γέρας), ἄρσαντες κατὰ θῡμόν, Α 136; ἤραρε θῡμὸν ἐδωδῇ, ε 95.—II. intrans. (mid., perf. and plup.), fit close, suit, be fitted with; of ranks of warriors, πυργηδὸν ἀρηρότες, Ο 618; jars standing in a row against the wall, β 342; θύραι πυκινῶς ἀραρυῖαι, Ι 475; πόλις πύργοις ἀραρυῖα, 'provided with,' Ο 737; τροχὸς ἄρμενος ἐν παλάμῃσιν, potter's wheel, 'adapted' to the hands, Σ 600; met., οὐ φρεσὶν ᾗσιν ἀρηρώς, κ 553, (μῦθος) πᾶσιν ἐνὶ φρεσὶν ἤραρεν (aor. 2 here intr.), δ 777.

ἄραρον: see ἀραρίσκω.

ἀράσσω, fut. ἀράξω, aor. ἄραξα, aor. pass. ἀράχθην: pound, batter, break; γόμφοισιν σχεδίην, 'hammered fast'; freq. with adverbs, ἀπό, Ν 577; ἐκ, μ 422; σύν, 'smash,' Μ 384.

ἀράχνιον (ἀράχνη): spider's web, pl., θ 280 and π 35.

ἀράω (ἀρή), act. oniy pres. inf. ἀρήμεναι, χ 322; mid. fut. ἀρήσομαι, aor. ἠρησάμην: pray to the deity, and in the sense of wish; Διί, δαίμοσι, πάντεσσι θεοῖσι (see cut for attitude); πολλά, 'fervently'; εὐχομένη δ' ἠρᾶτο, 'lifted up her voice in prayer,' Ζ 304; with inf., χ 322, etc.; στυγερᾱς ἀρήσετ' ἐρινῦς, 'invoke,' 'call down,' β 135; in the sense of wish, Ν 286, α 366, and often.

ἀργαλέος: hard to endure or deal with, difficult; ἕλκος, ἔργον, ἄνεμος, δεσμοί, ὁδός, etc.; ἀργαλέος γὰρ Ὀλύμπιος ἀντὶ φέρεσθαι, Α 589; ἀργαλέον δέ μοι ἐστὶ . . πᾶσι μάχεσθαι, Υ 356; comp., ἀργαλεώτερος, Ο 121, δ 698.

Ἀργεάδης: son of Argeus, Polymēlus, a Lycian, Π 417†.

Ἀργεῖος: of Argos, Argive; Ἥρη Ἀργείη, as tutelary deity of Argos), Δ 8, Ε 908; Ἀργείη Ἑλένη, Β 161, etc.;

pl., Ἀργεῖοι, the Argives, freq. collective designation of the Greeks before Troy; Ἀργείων Δαναῶν, θ 578, is peculiar.

Ἀργεϊφόντης: Argeïphontes, freq. epith. of Hermes, of uncertain signification; the traditional interpretation, 'slayer of Argus' (root φεν) is more poetical than the modern one, 'shiner,' 'shining one' (ἀργεσ-), because it refers to a definite legend, instead of a vague mythical idea.

ἀργεννός (root ἀργ): white shining; ὄιες, ὀθόναι, Γ 198, 141.

ἀργεστής, ᾱο (root ἀργ): rapid; epith. of the south wind, Λ 306 and Χ 334.

ἀργής, ῆτος (root ἀργ), dat. ἀργῆτι and ἀργέτι, acc. ἀργῆτα and ἀργέτα: dazzling white, glistening; epith. of lightning, linen, fat, Θ 133, Γ 419, Λ 818.

ἀργι-κέραυνος: god of the dazzling bolt, epith. of Zeus. (Il.)

ἀργινόεις, acc. -εντα: white-gleaming, epith. of towns in Crete, because of chalk cliffs in the vicinity, Β 647, 656.

ἀργι-όδους, οντος: white-toothed; epith. of dogs and swine.

ἀργί-πος, ποδος: swift-footed, Ω 211†.

Ἄργισσα: a town in Thessaly, Β 738†.

ἄργμα (ἄρχεσθαι): only pl., ἄργματα, consecrated pieces of flesh, burned at the beginning of the sacrifice, ξ 446†.

1. Ἄργος: Argus, the dog of Odysseus, ρ 292†.

2. Ἄργος, εος: Argos, a name with some variety of application.—(1) the city of Argos in Argolis, the domain of Diomed, Β 559, Ζ 224, Ξ 119, γ 180, ο 224, φ 108; epithets, Ἀχαιικόν, ἱππόβοτον, πολύπυρον.—(2) in wider sense, the realm of Agamemnon, who dwelt in Mycēnae, Α 30, Β 108, 115, Δ 171, Ι 22, Ν 379, Ο 30, γ 263.—(3) the entire Peloponnēsus, Ζ 152, γ 251, δ 174; and with Hellas (καθ' Ἑλλάδα καὶ μέσον Ἄργος) for the whole of Greece, α 344, δ 726, 816.—(4) Πελασγικόν, the domain of Achilles, the valley and plain of the river Penēus, Β 681, Ζ 456, Ω 437, ω 37. In some

passages the name is used too vaguely to determine its exact application.

ἀργός (root ἀργ): (1) *white* shining; goose, o 161; of oxen, 'sleek,' Ψ 30.— (2) *swift;* epith. of dogs, with and without πόδας, A 50, β 11.

Ἄργοσδε: *to Argos.*

ἀργύρεος (ἄργυρος): (*of*) *silver, silver-mounted;* κρητήρ, Ψ 741; τελαμών, Λ 38.

ἀργυρο-δίνης (δίνη): *silver-eddying;* epith. of rivers. (Il.)

ἀργυρό-ηλος (ἧλος): *ornamented with silver nails* or *knobs, silver-studded;* ξίφος, θρόνος, φάσγανον, Β 45, η 162, Ξ 405.

ἀργυρό-πεζα: *silvery-footed;* epith. of Thetis, a Nereid fresh from the sea-waves. (Il., and ω 92.)

ἄργυρος (root ἀργ): *silver.*

ἀργυρό-τοξος (τόξον): *god of the silver bow;* epith. of Apollo; as subst., A 37.

ἀργύφεος (root ἀργ): *white* shining, glittering; φᾶρος, ε 230; σπέος, of the Nereids (cf. ἀργυρόπεζα), Σ 50.

ἄργυφος = ἀργύφεος, epith. of sheep, Ω 621, κ 85.

Ἀργώ: the *Argo,* ship of the Argonauts, μ 70†.

ἀρδμός (ἄρδω): *watering, watering-place* for animals, ν 247.

Ἀρέθουσα: name of a fount in the island of Ithaca, ν 408†.

ἀρειή (ἀρή): *cursing, threatening.* (Il.)

ἄρειος: see ἀρήιος.

ἀρείων, ἄρειον (root ἀρ, cf. ἄριστος, ἀρετή): comp. (answering to ἀγαθός), *better, superior,* etc. ; πλέονες καὶ ἀρείους, 'mightier,' ι 48; πρότερος καὶ ἀρείων, Ψ 588; κρείσσον καὶ ἀρείων, ζ 182; (παῖδες) οἱ πλέονες κακίους, παῦροι δέ τε πατρὸς ἀρείους, β 277; adv., τάχα δὲ φράσεται καὶ ἄρειον, ψ 114.

Ἀρείων: *Arīon,* name of the horse of Adrastus at the siege of Thebes, Ψ 346.

ἄ-ρεκτος (ῥέζω): *undone, unaccomplished,* T 150†.

ἀρέσαι, ἀρέσασθαι: see ἀρέσκω.

ἀρέσκω, act. only aor. inf. ἀρέσαι, mid. fut. ἀρέσσομαι, aor. imp. ἀρε(σ)σάσθω, part. ἀρεσσάμενος: act., *make amends,* I 120, T 138; mid, *make good*

(τι) *for oneself* or *for each other, appease, reconcile* (τινά); ταῦτα δ' ὄπισθεν ἀρεσσόμεθ', εἰ τι κακὸν νῦν | εἴρηται, Δ 363 ; ἔπειτά σε δαιτὶ ἐνὶ κλισίῃς ἀρεσάσθω, with a feast of reconciliation, T 179.

ἀρέσθαι: see ἄρνυμαι.

ἀρετάω (ἀρετή): *come to good, thrive,* θ 329 and τ 114.

Ἀρετάων: a Trojan, slain by Teucer, Z 31†.

ἀρετή (root ἀρ, cf. ἀρείων, ἄριστος): subst. (answering to the adj. ἀγαθός), *excellence* (of whatever sort), *merit; ἐκ πατρὸς πολὺ χείρονος υἱὸς ἀμείνων | παντοίας ἀρετάς, ἠμὲν πόδας ἠδὲ μάχεσθαι,* all kinds of 'prowess,' O 642, cf. X 268; intellectual, ἐμῇ ἀρετῇ (βουλῇ τε νόῳ τε) | ἐκφύγομεν, μ 212; of a woman, ἐμὴν ἀρετὴν (εἶδός τε δέμας τε) | ὤλεσαν ἀθάνατοι, my 'attractions' (said by Penelope), σ 251 ; τῆς ἀρετῆς (β 206) includes more. The signif. *well-being, prosperity* (Υ 242, ν 45) answers to εὖ rather than to ἀγαθός.

ἀρετής, ῆτος: ἀρετῆτα, a conjectural reading, see ἀνδροτής.

ἀρή, ῆς: *prayer;* and in bad sense, *curse, imprecation,* hence *calamity, destruction;* in good sense, δ 767, O 378, etc. ; bad, I 566, ρ 496 ; ἀρὴν καὶ λοιγὸν ἀμῦναι, Ω 489 ; ἀρὴν ἀπὸ οἴκου ἀμῦναι, β 59.

ἄρηαι: see ἄρνυμαι.

ἀρήγω, fut. ἀρήξω: *aid, support, succor* (τινί); (ἐμοὶ) ἔπεσιν καὶ χερσὶν ἀρήξειν, A 77. (Il.)

ἀρηγών, όνος (ἀρήγω): *helper,* fem., E 511 and Δ 7.

ἀρηΐ-θοος (Ἄρης, θοός): *swift in battle.* (Il.)

Ἀρηΐ-θοος: (1) father of Menesthius, the 'club-swinger,' from Boeotia, H 10, 137.—(2) a Thracian, charioteer of Rhigmus, Υ 487.

ἀρηϊ-κτάμενος (Ἄρης, κτείνω): *slain by Ares* or *in battle,* X 72†.

Ἀρηΐ-λυκος (Ares-wolf): (1) father of Prothoënor, Ξ 451.—(2) a Trojan, slain by Patroclus, Π 308.

ἀρήιος, ἄρειος (Ἄρης): *martial, warlike;* of men. Μενέλαος, Αἴας, υἷες Ἀχαιῶν, etc. ; also of weapons and armor (τεύχεα, ἔντεα); τεῖχος ἄρειον, 'martial' wall, Δ 407, O 736.

ἀρηΐ-φατος (root φεν): *slain by Ares* or *in battle*.

ἀρηΐ-φιλος: *dear to Ares;* epith. of Menelāus, Achilles, the Greeks, etc. (Il.)

ἀρημέναι: see ἀράω.

ἀρημένος: *overcome, overwhelmed, burdened;* ὕπνῳ καὶ καμάτῳ, ζ 2; γήραϊ λυγρῷ, Σ 435; δύῃ ἀρημένον, σ 53.

ἀρήν: see ἀρνός.

ἀρηρομένος: see ἀρόω.

Ἀρήνη: a town subject to Nestor, Β 591, Λ 723.

Ἄρης, gen. Ἄρεος and Ἄρηος, dat. Ἄρει and Ἄρηι, acc. Ἄρην and Ἄρηα, voc. Ἄρες (Ἄρες, Ε 31, 455): *Ares* (Mars), son of Zeus and Hera, the god of war and the tumult of battle, Ε 890 ff; insatiate in bloodshed, headlong and planless in warfare, thus forming a contrast to Athena, with whom he is at variance, Ε 853 ff., Φ 400 ff.; a brother of Ἔρις, father of Δεῖμος and Φόβος; his favorite abode is among rude, warring peoples, Ν 301 ff., θ 361; his mien and stature imposing and magnificent, Ε 860, cf. 385, θ 267 ff.; fights now for the Trojans and now for the Greeks (ἀλλοπρόσαλλος); other epithets, ἆτος πολέμοιο, βροτολοιγός, δεινός, ἀνδρειφόντης, Ἐννάλιος, θοός, θοῦρος, μιαίφονος, ὄβριμος, ταλαυρῑνὸς πολεμιστής, χάλκεος, etc. The name of Ares is used by personification (though not written with a capital letter in some edd.) for his element, *battle, combat;* ξυνάγειν Ἄρηα, κρίνεσθαι Ἄρηι, ἐγείρειν ὀξὺν Ἄρηα, Β 381, 385, 440.

ἄρησθε: see ἄρνυμαι.

Ἀρήτη (ἀράομαι, cf. η 54, 64 f.): *Arete,* wife of Alcinous, king of the Phaeacians, and mother of Nausicaa.

ἀρητήρ, ῆρος (ἀράομαι): *one who prays, priest.*

Ἀρητιάδης: *son of Arētus,* Nisus, π 395.

ἄρητος: doubtful word, *wished-for* (if from ἀράομαι), ἄρητον δὲ τοκεῦσι γόον καὶ πένθος ἔθηκας, 'hast awakened the desire of lamentation' (cf. ἵμερος γόοιο), Ρ 37, Ω 741; according to others, for ἄρρητος (ῥηθῆναι), 'unspeakable.'

Ἄρητος: (1) a son of Nestor, γ 414.—(2) a son of Priam, Ρ 535.

ἄρθεν: see ἀραρίσκω.

ἀρθμέω (ἀρθμός, root ἀρ), aor. part. du. ἀρθμήσαντε: *form a bond, be bound together in friendship,* Η 302†.

ἄρθμιος (ἀρθμός, root ἀρ): *bound in friendship, allied,* π 427†.

ἀρι- (root ἀρ): inseparable intensive prefix, *very.*

Ἀρι-άδνη: *Ariadne,* daughter of Minos, king of Crete, who gave Theseus the clue to the Labyrinth, λ 321, Σ 592.

ἀρί-γνωτος (γιγνώσκω): *recognizable;* ῥεῖα δ' ἀρίγνωτος, 'right easy to recognize,' δ 207, etc.; ὦ ἀρίγνωτε συβῶτα, thou 'unmistakable,' ρ 375.

ἀρι-δείκετος (δείκνῡμι, digito monstrari): *distinguished, illustrious,* λ 540; usually w. part. gen., πάντων ἀριδείκετε λᾱῶν, 'among,' θ 382.

ἀρί-ζηλος (δῆλος): *conspicuous, clear,* Σ 519, 219, Β 318.—Adv., ἀριζήλως, μ 453†.

ἀριθμέω (ἀριθμός): *count, reckon up,* Β 124; δίχα πάντας ἠρίθμεον, 'counted off' in two companies, κ 304.

ἀριθμός: *number.*

Ἄριμα, pl.: name of a region in Cilicia, Β 783.

ἀρι-πρεπής, ές (πρέπω): *conspicuous, distinguished;* Τρώεσσιν, 'among the Trojans,' Ζ 477.

Ἀρίσβᾱς: a Greek, father of Leocritus, Ρ 345†.

Ἀρίσβη: a town in the Troad; Ἀρίσβηθεν, *from Arisbe,* Β 838.

ἀριστερός: *left* (opp. δεξιός), hence *sinister, ill-boding* (ὄρνῑς, υ 242); ἐπ' ἀριστερά, 'on the left,' Μ 240; ἐπ' ἀριστερόφιν, Ν 309.

ἀριστεύς, ῆος (ἄριστος): *best man, chief,* Γ 44; ἀνδρὸς ἀριστῆος, Ο 489; usually pl., ἀριστῆες, Β 404, etc.

ἀριστεύω (ἀριστεύς), ipf. iter. ἀριστεύεσκον: *be the best* or *bravest;* usually w. inf. (μάχεσθαι); also w. gen., Ζ 460.

ἄριστον: *breakfast;* in Homer taken not long after sunrise; only ἐντύνοντο ἄριστον, Ω 124, π 2.

ἄριστος (root ἀρ, cf. ἀρείων, ἀρετή) ὤριστος = ὁ ἄριστος: *best, most excellent* (see the various implied meanings under ἀγαθός); Ζεύς, θεῶν ὕπατος καὶ ἄριστος, Τ 258; freq. w. adv. prefixed, μέγ(α), ὄχ(α), ἔξοχ(α), Α 69, Μ 103;

often foll. by explanatory inf., dat., or acc. (μάχεσθαι, βουλῇ, εἶδος); ἦ σοί ἄριστα πεποίηται, 'finely indeed hast thou been treated,' Z 56.

ἀρι - σφαλής (σφάλλω): slippery; οὐδός, ρ 196†.

ἀρι - φραδής, ἐς (φράζομαι): very plain, easy to note or recognize; σῆμα, ὀστέα, Ψ 240; adv., ἀριφραδέως. v. l. in ψ 225.

Ἀρκαδίη: Arcadia, a district in the Peloponnēsus, B 603.

Ἀρκάς, άδος: Arcadian, inhabitant of Arcadia, B 611.

Ἀρκεισιάδης: son of Arceisius, Laertes, δ 755, ω 270, 517.

Ἀρκείσιος: son of Zeus, and father of Laertes, π 118.

Ἀρκεσί - λαος: son of Lyeus, and leader of the Boeotians, B 495, o 329.

ἀρκέω (root ἀρκ, ἀλκ), fut. ἀρκέσω, aor. ἤρκεσα: keep off (τινί τι), hence protect, help (τινί); ἀλλά οἱ οὔ τις τῶν γε τότ' ἤρκεσε λυγρὸν ὄλεθρον, Z 16; οὐδ' ὑμῖν ποταμός περ ἀρκέσει, Φ 131, π 261.

ἄρκιος (root ἀρκ), helping, to be depended upon, certain; οὔ οἱ ἔπειτα | ἄρκιον ἐσσεῖται φυγέειν κύνας ἠδ' οἰωνούς, 'nothing shall avail him' to escape, B 393; νῦν ἄρκιον ἢ ἀπολέσθαι | ἠὲ σαωθῆναι, a 'sure' thing, i. e. no other alternative presents itself, O 502; so, μισθὸς ἄρκιος, K 304, σ 358, unless the word has here attained to its later meaning of sufficient. Cf. ἀρκέω.

ἄρκτος: bear, λ 611; fem., the constellation of the Great Bear, Σ 487, ε 273.

ἅρμα, ατος: chariot, esp. the war-chariot; very often in pl., and with ἵπποι, E 199, 237, Δ 366; epithets, ἄγκυλον, εὔξοον, εὔτροχον, θοόν, καμπύλον, δαιδάλεα, κολλητά, ποικίλα χαλκῷ. For the separate parts of the chariot, see ἄντυξ, ἄξων, ῥυμός, ἕστωρ, ἴτυς, ἐπίσσωτρα, πλῆμναι, κνήμη, δίφρος, ζυγόν. (See cut No. 10, and tables I. and II.)

Ἅρμα: a town in Boeotia, B 499†.

ἁρματο - πηγός (πήγνυμι): ἀνήρ, chariot-builder, Δ 485†.

ἅρμα - τροχιή (τροχός): wheel - rut, Ψ 505†.

ἅρμενος: see ἀραρίσκω.

ἁρμόζω (ἁρμός, root ἀρ), aor. ἥρμοσα,

mid. pres. imp. ἁρμόζεο: fit together, join, mid., for oneself, ε 247, 162; intrans., fit; ἥρμοσε δ' αὐτῷ (sc. θώρηξ), Γ 333.

Ἁρμονίδης: a ship-builder of Troy, E 60†.

ἁρμονίη (ἁρμόζω): only pl., bands, slabs, one side flat, the other curved, serving (ε 248, 361) to bind together the raft of Odysseus; fig., bond, compact, X 255.

Ἀρναῖος: the original name of Irus, σ 5†.

ἀρνειός: ram; with ὄις, κ 527, 572.

ἀρνέομαι, aor. inf. ἀρνήσασθαι: deny, refuse, say no, decline; δόμεναί τε καὶ ἀρνήσασθαι, φ 345.

ἀρνευτήρ, ῆρος: diver, M 385, Π 742, μ 413.

Ἄρνη: a town in Boeotia, B 507, H 9.

ἀρνός, gen. (root αρν.), no nom. sing., acc. ἄρνα, dual. ἄρνε, pl. ἄρνες, ἀρνῶν, ἄρνεσσι, ἄρνας: lamb, sheep.

ἄρνυμαι, aor. 1 ἠράμην, 2 sing. ἤραο, aor. 2 ἀρόμην, subj. ἄρωμαι, 2 sing. ἄρηαι, opt. ἀροίμην (ἀρέσθαι and ἄρασθαι are sometimes referred to ἀείρω, αἴρω, q. v.): carry off (usually for oneself), earn, win; freq. the pres. and ipf. of attempted action, οὐχ ἱερήιον οὐδὲ βοείην | ἀρνύσθην, were not 'trying to win,' X 160; ἀρνύμενος ἥν τε ψυχὴν καί νόστον ἑταίρων, 'striving to achieve,' save,' a 5, cf. Z 446; aor. common w. κλέος, κῦδος, εὖχος, νίκην, ἄεθλια, etc.; also of burdens and troubles, ὅσσ' Ὀδυσεὺς ἐμόγησε καὶ ἤρατο, 'took upon himself,' δ 107, Ξ 130, Υ 247.

ἀροίμην: see ἄρνυμαι.

ἄροσις (ἀρόω): ploughing, arable land.

ἀροτήρ, ῆρος: ploughman.

ἄροτος: ploughing, cultivation, pl., ι 122.†

ἄροτρον: plough.

ἄρουρα (ἀρόω): cultivated land (pl., fields), ground, the earth; τέμει δέ τε τέλσον ἀρούρης (sc. ἄροτρον), N 707; ὅτε φρίσσουσιν ἄρουραι, Ψ 599; πλησίον ἀλλήλων, ὀλίγη δ' ἦν ἀμφὶς ἄρουρα, Γ 115; ζείδωρος ἄρουρα, δ 229, τ 593 (personified, B 548).

ἀρόω, perf. pass. part. ἀρηρομένη: plough, ι 108, Σ 548.

ἁρπάζω, fut. ἁρπάξω, aor. ἥρπαξα, ἥρπασα: seize, snatch; esp. of robbery, abduction, and attacks of wild animals, ὅτε σε πρῶτον Λακεδαίμονος ἐξ ἐρατείνης | ἔπλεον ἁρπάξας, the 'rape' of Helen, Γ 444; ὡς ὅδε (αἰετός) χῆν' ἥρπαξε, ο 174; κῦμα μέγ' ἁρπάξαν, ε 416.

ἁρπακτήρ, ῆρος: robber, Ω 262†.

ἁρπαλέος: eagerly grasped; κέρδεα, θ 164; adv., ἁρπαλέως, greedily, ξ 110. (Od.)

Ἁρπαλίων: son of Pylaemenes, Ν 644.

ἄρπη: a bird of prey, perhaps falcon, T 350†.

ἅρπυια: harpy, 'snatcher;' the horses of Achilles had Zephyrus as sire and the harpy Podargē as dam, Π 150; usually pl., ἅρπυιαι: supernatural powers, by whom those who had mysteriously disappeared were said to have been snatched away (perhaps a personification of storm-winds), α 241.

ἄ-ρρηκτος (Ϝρήγνῡμι): unbreakable, indissoluble, indestructible; πέδαι, δεσμοί, τεῖχος, πόλις, νεφέλη, Υ 150; φωνή, 'tireless,' Β 490.

ἄ-ρρητος (root Ϝερ, ῥηθῆναι): unspoken, unspeakable.

ἄρσην, ενος: male.

Ἀρσί-νοος: father of Hecamēde, of the island of Tenedos, Λ 626†.

ἀρσίπος: see ἀερσίπος.

Ἀρτακίη: name of a fountain in the country of the Laestrȳgons, κ 108†.

ἀρτεμής, ές: safe and sound, Ε 515, ν 43.

Ἄρτεμις: Artemis (Diana), daughter of Zeus and Leto, and sister of Apollo; virgin goddess of the chase, and the supposed author of sudden painless deaths of women (see ἀγανός); women of fine figure are compared to Artemis, δ 122, ρ 17, 37, τ 56, cf. ζ 151 ff.; her favorite haunts are wild mountainous regions, Erymanthus in Arcadia, Taÿgetus in Laconia, ζ 102; epithets, ἁγνή, ἰοχέαιρα, χρυσηλάκατος, χρῡσήνιος, χρῡσόθρονος, ἀγροτέρη, κελαδεινή.

ἀρτι-επής, ές (Ϝέπος): ready of speech, Χ 281†.

ἄρτιος (root ἀρ): suitable; only pl., ἄρτια βάζειν, 'sensibly,' Ξ 92, θ 240;

ὅτι οἱ φρεσὶν ἄρτια ᾔδῃ, was a 'congenial spirit,' Ε 326, τ 248.

ἀρτί-πος: sound-footed, nimble-footed, Ι 505, θ 310.

ἀρτί-φρων (φρήν): accommodating, ω 261†.

ἄρτος: bread. (Od.)

ἀρτύνω, ἀρτύω (root ἀρ), ipf. ἤρτυον, fut. ἀρτυνέω, aor. part. ἀρτῦνον, fut. ἀρτῠνᾶς, mid. aor. ἠρτῡνάμην, pass. aor. ἀρτύνθην: put in place, make ready, prepare; πυργηδὸν σφέας αὐτοὺς ἀρτύναντες, ('forming close ranks,' cf. Ο 618), Μ 43; ἀρτύνθη, 'was made ready,' 'began,' Λ 216; esp. of craft, δόλον, ψεύδεα, ὄλεθρόν τινι ἀρτύειν; mid., ἠρτύναντο δ' ἐρετμὰ τροποῖς ἐν δερματίνοισιν, 'their' oars, δ 782; πυκινὴν ἠρτύνετο βουλήν, 'was framing,' Β 55.

Ἀρύβᾱς: a Phoenician of Sidon, ο 426†.

ἀρχέ-κακος: beginning mischief, Ε 63†.

Ἀρχέ-λοχος: a Trojan, son of Antēnor, Ξ 464.

Ἀρχε-πτόλεμος: son of Iphitus, charioteer of Hector, Θ 128.

ἀρχεύω: be commander, command, w. dative. (Il.)

ἀρχή (ἄρχω): beginning; εἵνεκ' ἐμῆς ἔριδος καὶ Ἀλεξάνδρου ἕνεκ' ἀρχῆς, and 'its beginning by Alexander,' said by Menelaus, making Paris the aggressor, Γ 100; ἐξ ἀρχῆς, 'of old.'

ἀρχός: leader, commander.

ἄρχω, reg. in act. and mid., but without perf., and without pass.: I. act., lead off, begin (for others to follow), lead, command; τοῖς ἄρα μύθων ἦρχε, 'was the first' to speak; ἦρχ' ἀγορεύειν, ἦρχε δ' ὁδοῖο, 'lead the way,' ε 237; πάντες ἅμα, Ζεὺς δ' ἦρχε, 'headed by Zeus,' Α 495; in the sense of 'commanding,' foll. by dat., ἦρχε δ' ἄρα σφιν | Ἕκτωρ, Π 552, etc.; with part., ἐγὼ δ' ἦρχον χαλεπαίνων, 'was the first to offend,' 'began the quarrel,' Β 378, Γ 447, different from the inf.— II. mid., begin something that one is himself to continue; ἤρχετο μύθων, began 'his' or 'her' speaking; ἤρχετο μήτιν ὑφαίνειν, etc.; ἔκ τινος ἄρχεσθαι, make a beginning 'with' something, or 'at' some point, sometimes gen. without a prep., σέο δ' ἄρξομαι, Ι 97, φ 142; of ritual observance (beginning a sacrifice), πάντων ἀρχόμενος μελέων, ξ 428 (cf. ἀπάρχομαι).

ἀρωγή (ἀρήγω): help, aid in battle; τί μοι ἔριδος καὶ ἀρωγῆς, 'why should I concern myself with giving succor?' Φ 360.

ἀρωγός (ἀρήγω): helper, advocate, σ 232, Σ 502.

ἄσαι: see (1) ἀάω, (2) ἄω.

ἄσαιμι: see ἄω.

'Ασαῖος: a Greek, slain by Hector, Λ 301†.

ἄσαμεν: see ἄεσα.

ἀσάμινθος: bath-tub.

ἄσασθαι: see ἄω.

ἄσατο: see ἀάω.

ἄ-σβεστος (σβέννῡμι): inextinguishable; φλόξ, Π 123; mostly metaph., γέλως, μένος, βοή, κλέος.

ἄσεσθαι: see ἄω.

ἀ-σήμαντος (σημαίνω): without a guide (shepherd); μῆλα, Κ 485† (cf. Ο 325).

ἄσθμα, ατος: hard breathing, panting. (Il.)

ἀσθμαίνω: pant, gasp. (Il.)

²Ασιάδης: son of Asius.

'Ασίνη: a town in Argolis, Β 560†.

ἀ-σινής, ές (σίνομαι): unmolested, λ 110 and μ 137.

1. ᾽Ασιος: adj., Asian; λειμών, a district in Lydia, from which the name Asia was afterwards extended to the whole continent, Β 461.

2. Ασιος: (1) a Phrygian, son of Tymas, and brother of Hecuba, Π 717. —(2) son of Hystacus, from Arisbe, an ally of the Trojans, Μ 95.

ἄσις: slime, Φ 321†.

ἄ-σῑτος: without food, δ 788†.

'Ασκάλαφος: a son of Ares, one of the Argonauts, Β 512.

'Ασκανίη: (1) a district in Phrygia, Β 863.—(2) in Bithynia or Mysia, Ν 793.

'Ασκάνιος: (1) leader of the Phrygians, Β 862.—(2) son of Hippotion, Ν 792.

ἀ-σκελής, ές (σκέλλω): withered, wasted, κ 463; adv., ἀσκελές, obstinately, persistently, α 68, δ 543; ἀσκελέως, unceasingly, with αἰεί, Τ 68.

ἀσκέω, ipf. 3 sing. ἤσκειν (for ἤσκεεν), aor. ἤσκησα, perf. pass. ἤσκημαι: work out with skill, aor., wrought,

Σ 592; χιτῶνα πτύσσειν καὶ ἀσκεῖν, 'smooth out,' α 439; the part., ἀσκήσᾱς, is often used for amplification, 'elaborately,' γ 438, Ξ 240.

ἀ-σκηθής, ές: unscathed; ἀσκηθέες καὶ ἄνουσοι, ξ 255.

ἀσκητός (ἀσκέω): finely or curiously wrought, ψ 189; νῆμα, 'fine-spun,' δ 134.

'Ασκληπιάδης: son of Asclepius, Machāon, Δ 204, Λ 614, Ξ 2.

'Ασκληπιός: Asclepius (Aesculapius), a famous physician, prince of Thessalia, father of Podaleirius and Machāon, Β 731, Δ 194, Λ 518.

ἄ-σκοπος (σκοπέω): inconsiderate, Ω 157.

ἀσκός: leather bottle, usually a goat skin (see cut, after a Pompeian painting), Γ 247; βοός, a skin to confine winds, κ 19.

15

ἄσμενος (root σϜαδ, ἀνδάνω): glad; ἐμοὶ δέ κεν ἀσμένῳ εἴη, 'twould ' please me' well, Ξ 108.

ἀσπάζομαι, only ipf. ἠσπάζοντο: greet warmly, by drawing to one's embrace, make welcome; χερσίν, γ 35; χερσὶν ἐπέεσσί τε, τ 415; δεξιῷ ἐπέεσσί τε, Κ 542.

ἀσπαίρω: move convulsively, quiver; mostly of dying persons and animals; πόδεσσι, χ 473, τ 231.

ἄ-σπαρτος (σπείρω): unsown, ι 109 and 123.

ἀσπάσιος (ἀσπάζομαι): (1) welcome; τῷ δ' ἀσπάσιος γένετ' ἐλθών, Κ 35, ι 466; so νύξ, γῆ, βίοτος, ε 394 (cf. 397).—(2) glad, joyful, Φ 607, ψ 238. —Adv. ἀσπασίως, ν 33, Η 118.

ἀσπαστός: welcome; ἀσπαστόν, 'a grateful thing,' ε 398.

ἄ-σπερμος (σπέρμα): without offspring, Υ 303†.

16

ἀ-σπερχές (σπέρχω): *vehemently;* 'busily,' Σ 556.

ἄ-σπετος (root σεπ, ἔσπετε): *unspeakable, inexpressible,* with regard to size, numbers, or quality; hence, *immense, endless;* ὕλη, αἰθήρ, δῶρα, etc.; ἁλμυρὸν ὕδωρ | ἄσπετον, 'vast as it is,' ε 101; in ἄσπετον οὖδας the epith. *is* regularly due to the pathos of the situation, Τ 61, ν 395, etc.; κλαγγὴ συῶν, 'prodigious squealing,' ξ 412; adv., τρεῖτ' ἄσπετον, Ρ 332.

The large shield was held over the left shoulder, sustained by the τελαμών and by the πόρπαξ, or ring on the inside.— (2) the smaller, circular shield, πάντοσ' ἐίση (see cut), with only two handles, or with one central handle for the arm and several for the hand (see cut No. 12). It was of about half the size and weight of the larger ἀσπίς, cf. the description of Sarpēdon's shield, Μ 294 ff. The shield consisted generally of from 4 to 7 layers of ox-hide (ῥινοί, Ν 804); these were covered by a plate of metal, and the whole was firmly united by rivets, which projected on the outer, convex side. The head of the central rivet, larger than the rest, was the ὀμφαλός or *boss,* and was usually fashioned into the form of a head. Instead of the plate above mentioned, concentric metal rings (δινωτής, εὔκυκλος) were sometimes substituted. The rim was called ἄντυξ, and the convex surface of the shield bore some device

17

ἀσπιδιώτης: *shield-bearing,* Β 554 and Π 167.

ἀσπίς, ίδος: *shield.*—(1) the larger, oval shield, termed ἀμφιβρότη, ποδηνεκής. It is more than 2 ft. broad, 4½ ft. high, and weighed about 40 lbs. (For **Agamemnon's** shield, see Λ 32–40).

analogous to an heraldic coat of arms, Ε 182, Λ 36, cf. Ε 739. The shield of Achilles (Σ 478–608), in describing which the poet naturally did not choose to confine himself to realities, does not correspond exactly to either of the two ἀσπίδες described above.

ἀσπιστής = ἀσπιδιώτης, only pl., warriors. (Il.)

Ἀσπληδών: a town in Boeotia, B 511†.

ἀ-σπουδί (σπουδή): without exertion; always in the phrase μὴ μὰν ἀσπουδί γε, at least not 'without a struggle,' Θ 512, Ο 476, Χ 304.

ἄσσα = τινά.

ἄσσα = ἄ τινα.

Ἀσσάρακος: son of Tros, and grandfather of Anchīses, Υ 232 f.

ἆσσον (comp. of ἄγχι), double comp. ἀσσοτέρω: nearer, w. gen.; usually with ἰέναι, Α 335.

ἄσταχυς, υος: ear of grain, pl., Β 148†.

ἀ-στεμφέως: firmly, fast; ἔχειν, δ 419, 459.

ἀ-στεμφής, ές: firm, unyielding, Β 344; as adv., still, Γ 219.

Ἀστέριον: a town in Thessaly, Β 735†.

Ἀστερίς (Star Island): a (probably fabulous) islet S. of Ithaca, δ 846†.

ἀστερόεις (ἀστήρ): starry; οὐρανός, Δ 44, etc.; then, 'spangled,' 'star-like,' θώρηξ, Π 134; δόμος, Σ 370.

Ἀστεροπαῖος: son of Pelagon, leader of the Paeonians, Μ 102, Φ 179.

ἀστεροπή: lightning. (Il.)

ἀστεροπητής: god of the lightning, epith. of Zeus. (Il.)

ἀστήρ, έρος, dat. pl. ἀστράσι: star; ἀστὴρ ὀπωρίνός, the dog-star, Sirius, Ε 5; of a 'shooting-star,' Δ 75.

ἀστός (ἄστυ): citizen, pl., Λ 242 and ν 192.

ἀστράγαλος: neck-vertebra, κ 560; pl., game of dice (cf. our 'jack-stones'), Ψ 88. (See cut, after an ancient painting in Resina.)

ἀστράπτω, aor. part. ἀστράψᾱς: lighten, hurl lightning. (Il.)

ἄστρον (ἀστήρ): constellation, only pl., 'stars.'

ἄστυ, εος (Ϝάστυ): city (esp. as a fortified dwelling-place); εἰς ὅ κεν ἄστυ κιχείομεν Ἰλίου ἱρῆς, Φ 128; πολλῶν δ' ἀνθρώπων ἴδεν ἄστεα, α 3; ὅππως κε πόλιν καὶ ἄστυ σαώσεις, i. e. his country and its capital, Ρ 144, cf. ζ 177 f.—ἄστυνδε, to the city.

Ἀστύαλος: a Trojan, Ζ 29†.

Ἀστυ-άναξ (Master of the City): Astyanax, a name given by the Trojans to Scamandrius, the son of Hector, in honor of his father, Ζ 402 f.

ἄστυ-βοώτης (βοάω): calling throughout the city, Ω 701†.

Ἀστύ-νοος: (1) a Trojan leader, Ε 144†.—(2) a Trojan, son of Protiāon, Ο 455†.

Ἀστυ-όχεια: mother of Tlepolemus, Β 658†.

Ἀστυ-όχη: mother of Ascalaphus and Ialmenus, Β 513†.

Ἀστύ-πυλος: a Paeonian, Φ 209†.

ἀσυφηλός: doubtful word, rude, Ι 647 (as adv.) and Ω 767.

ἀ-σφαλέως (ἀσφαλής): without swerving, steadily; ἀγορεύειν, 'without faltering,' θ 171.

ἀ-σφαλής (σφάλλω): only neut. as adv. (= ἀσφαλέως), ἀσφαλὲς αἰεί, 'forever without end,' ζ 42.

Ἀσφαλίων: a servant of Menelāus, δ 216†.

ἀσφάραγος: windpipe, Χ 328†.

ἀσφοδελός: λειμών, the asphodel meadow, in the nether world, λ 539. (The asphodel is a liliaceous plant, with pale bluish flowers; it was planted about graves in Greece by the ancients as now.) (Od.)

ἀσχαλάω, ἀσχάλλω: be impatient, vexed, fret; with causal gen. (τ 159, 534), also with part., α 304, β 193; γέροντα μάγις ἔχον ἀσχαλόωντό, 'beside himself' with grief, Χ 412.

ἄ-σχετος (σχεῖν) and ἄάσχετος: irresistible; πένθος, 'overpowering,' Π 549, Ω 708.

Ἀσωπός: a river in Boeotia, Δ 383.

ἀ-τάλαντος (τάλαντον): like in weight, equal.

ἀταλά-φρων (ἀταλός, φρήν): merryhearted, Ζ 400†.

ἀτάλλω: skip, gambol; κήτεα, Ν 27† (cf. Psalm 104, 26).

ἀταλός (ἀτάλλω): *frisking, merry;* ἀταλὰ φρονέοντες, 'light-hearted,' Σ 567, cf. λ 39.

ἀτάρ (ἀτάρ, ε 108, τ 273): *but yet, but, however;* freq. corresponding to μέν in the previous clause, A 166, Z 86, 125; to ἦ μήν, I 58; but often without preceding particle, and sometimes with no greater adversative force than δέ, e. g. μάψ, ἀτὰρ οὐ κατὰ κόσμον, i. e. οὐδὲ κατὰ κ., Β 214, γ 138; in apod., like δέ, M 144. ἀτάρ is always the first word in the clause, but a voc. is not counted, "Εκτορ, ἀτὰρ σύ μοί ἐσσι πατὴρ καὶ πότνια μήτηρ, 'but *thou,* Hector.' With this arrangement there is nothing peculiar in the force of the particle; it refers here, as always, to what precedes (expressed or implied) even when the voc. introduces the whole passage, "Εκτορ, ἀτάρ που ἔφης, 'doubtless thou didst *think,*' etc., X 331, cf. δ 236. (Weakened form of αὐτάρ.)

ἀ-ταρβής, ές (τάρβος): *fearless,* N 299†.

ἀ-τάρβητος (ταρβέω): *undaunted,* Γ 63†.

ἀταρπιτός (ἀταρπός): *path,* Σ 565 and ρ 234.

ἀταρπός: *by-path, path,* P 743 and ξ 1.

ἀταρτηρός: doubtful word, *harsh, abusive, mischievous,* A 223, β 243.

ἀτασθαλίη (ἀτάσθαλος): pl., criminal *folly, infatuation, wickedness,* α 7.

ἀτασθάλλω: *act wickedly, wantonly,* σ 57 and τ 88.

ἀτάσθαλος (cf. ἄτη): *wicked, wanton,* X 418; mostly of actions, χ 314; esp. in pl., ἀτάσθαλα ῥέζειν, μηχανᾱσθαι, γ 207.

ἄτε, ἅ τε: never as adv. in Homer, see ὅς τε.

ἀ-τειρής, ές (τείρω): *not to be worn out, unwearied, unyielding;* χαλκός, and of persons, μένος, κραδίη, Γ 60.

ἀ-τέλεστος (τελέω): *unended, unaccomplished, fruitless;* adv., *without end,* π 111.

ἀ-τελεύτητος (τελευτάω): *unfinished, unaccomplished, unfulfilled.*

ἀ-τελής, ές (τέλος): *unaccomplished, unconsummated,* ρ 546†.

ἀτέμβω: *stint, disappoint,* υ 294, φ 312; θῡμόν, β 90; pass., *be deprived,*

---

disappointed of, go without; τινός, Λ 705, Ψ 445.

ἄτερ: *without, apart from,* w. gen.

ἀ-τέραμνος (τείρω): *hard, inexorable,* ψ 167†.

ἀ-τερπής, ές (τέρπω): *joyless.*

ἄ-τερπος = ἀτερπής, Z 285†.

ἀτέω: only part., ἀτέοντα, *foolhardy,* Υ 332†.

ἄτη (ἀάω): *ruinous mischief, ruin,* usually in consequence of blind and criminal *folly, infatuation;* ἦ με μάλ' εἰς ἄτην κοιμήσατε νηλέι ὕπνῳ (addressed to the gods by Odysseus; while he slept his comrades had laid hands on the cattle of Helius), μ 372, cf. B 111, Θ 237; τὸν δ' ἄτη φρένας εἷλε, 'blindness' (cf. what follows, στῆ δὲ ταφών : Patroclus stands dazed by the shock received from Apollo), Π 805 ; εἵνεκ' ἐμεῖο κυνὸς καὶ Ἀλεξάνδρου ἕνεκ' ἄτης (said by Helen), Z 356 ; pl., ἐμὰς ἄτᾱς κατέλεξας, I 115, K 391, T 270. The notions of folly and the consequences of folly are naturally confused in this word, cf. Ω 480, and some of the passages cited above.— Personified, Ἄτη, Ate, the goddess of infatuation, πρέσβα Διὸς θυγάνηρ Ἄτη, ἣ πάντας ἀᾶται, T 91 (see what follows as far as v. 130, also I 500 ff.).

ἀ-τίζω (τίω): part., *unheeding,* Υ 166†.

ἀ-τῑμάζω (τῑμή), ipf. iter. ἀτῑμάζεσκον, aor. ἠτίμασα: *treat with disrespect, dishonor, maltreat;* Ἀτρείδης ἠτίμασεν ἀρητῆρα (the best reading, vulg. ἠτίμησ'), A 11.

ἀ-τῑμάω = ἀτῑμάζω.

ἀ-τίμητος: *unhonored, slighted,* I 648 and Π 59.

ἀ-τῑμίη: *contumely,* only pl., ἀτῑμίῃσιν (the quantity a necessity of the rhythm), ν 142†.

ἄ-τῑμος, comp. -ότερος, sup. -ότατος =ἀτίμητος, also *without compensation;* as adv., π 431, see τῑμή.

ἀτιτάλλω, aor. ἀτίτηλα: *rear, cherish;* of children, Ω 60, etc. ; of animals, 'feed,' 'keep,' Z 271, ο 174.

ἄ-τῑτος (τίω): *unpaid, unavenged.*

Ἄ-τλᾱς (τλῆναι): *Atlas,* the father of Calypso, a god who knows the depths of the sea and holds the pillars that keep heaven and earth asunder, α 52, η 245.

ἄ-τλητος (τλῆναι): *unendurable*, I 3 and T 367.

ᾶτος (for ἄ-ᾱτος, ᾱω): *insatiable*.

ἀτραπιτός = ἀταρπιτός, *path*, ν 195†.

'Ατρείδης, ᾱο or εω: *son of Atreus, Atrides*, meaning Agamemnon when not otherwise specified; dual. 'Ατρείδᾱ, pl. 'Ατρεῖδαι, *the sons of Atreus, the Atrīdæ*, Agamemnon and Menelāus.

'Ατρείων, ωνος='Ατρείδης.

ἀτρεκέως: *unerringly, truly*.

ἀτρεκής, ές: only neut., as adv., *exactly, true, real*.

ἄτρεμα(ς) (τρέμω): adv., *motionless, quiet, still*.

'Ατρεύς, έος: *Atreus*, son of Pelops and Hippodamīa, father of Agamemnon and Menelāus; his sceptre, B 105.

ἄ-τριπτος (τρίβω): *unworn by toil, unhardened, soft*, φ 151†.

ἄ-τρομος (τρέμω): *intrepid, fearless*. (Il.)

ἀτρύγετος: *barren;* epith. of the sea, and once of the sky, P 425. This is the ancient and traditional interpretation of the word, but according to some moderns it means *restless*.

'Ατρῡτώνη: *Atrytōne*, a name of Athēna, perhaps meaning the 'unwearied,' 'invincible;' always Διὸς τέκος 'Ατρυτώνη, B 157.

ἄττα: a term of endearment used in addressing elders, 'father,' 'uncle.'

ἀτύζομαι, only part. pres. and aor. ἀτυχθείς: *bewildered, dazed, distraught*, the effect of fear, grief, etc.; ἤμεθ' ἀτυζόμεναι, 'shocked,' while the suitors were being killed, ψ 42; ἀτυζομένην ἀπολέσθαι, in a 'dead fit,' Andromache, X 474; w. acc., πατρὸς ὄψιν ἀτυχθείς, 'terrified at,' Z 468; ἀτυζόμενοι φοβέοντο, Z 41; hence with motion implied in the word itself, (ἵππω) ἀτυζομένω πεδίοιο, 'scouring wildly' o'er the plain, π. gen. of place, Z 38, etc.

'Ατυμνιάδης: *son of Atymnius*, Mydon, E 581†.

'Ατύμνιος: (1) father of Mydon, a Paphlagonian, E 581.—(2) son of Amisodarus, of Caria, Π 317, 328.

αὖ: *again, on the contrary, on the other hand;* temporal, A 540, v 88, etc.; oftener denoting sequence or contrast, δ' αὖ, δεύτερον αὖ, νῦν αὖ, etc.; some-

times correl. to μέν, Λ 109, δ 211, and scarcely stronger than δέ, Β 493, Λ 367.

αὐαίνω (αὔω): only aor. pass. part. αὐανθέν, *when it was dry*, ι 321†.

αὐγάζομαι (αὐγή): *discern*, Ψ 458†.

Αὐγειαί: (1) a town in Laconia, B 583†.—(2) in Locris, B 532†.

Αὐγείᾱς: *Augeas*, a king in Elis, known from the cleansing of his stables by Heracles; father of Agasthenes, Phyleus, and Agamēde, Λ 701, 739.

αὐγή, ῆς: *beam, gleam, glow;* esp. of the sun, ὑπ' αὐγᾱς 'Ηελίοιο, β 181.

Αὐγηιάδης: *son of Augeas*, Agasthenes, B 624†.

αὐδάω, impf. αὔδᾱ, ipf. 3 sing. ηὔδᾱ, aor. iter. αὐδήσασκε, part. αὐδήσᾱς: *speak* loud and clear, cf. αὐδή, Στέντορι εἰσαμένη μεγαλήτορι, χαλκεοφώνῳ, | ὃς τόσον αὐδήσασχ' ὅσον ἄλλοι πεντήκοντα, E 786; τοῦ δὲ Ποσειδάων μεγάλ' ἔκλυεν αὐδήσαντος, 'heard his loud boastful utterance,' δ 505; ὁμοκλήσᾱς ἔπος ηὔδᾱ, Z 54; often w. acc. in the phrase ἀντίον ηὔδᾱ, 'addressed.'

αὐδή, ῆς: *voice*, properly the human voice with reference to its pleasing effects; τοῦ καὶ ἀπὸ γλώσσης μέλιτος γλυκίων ῥέεν αὐδή, of Nestor as orator, A 249; θεοῖς ἐναλίγκιος αὐδήν, Phemius, the minstrel, α 371; said of a bird, ἢ δ' (the bowstring) ὑπὸ κᾱλὸν ἄεισε, χελιδόνι εἰκέλη αὐδήν, φ 411.

αὐδήεις, εσσα: *possessed of voice, voiceful;* esp. with regard to the power of song, Circe, κ 136, Calypso, μ 449, Ino, ε 334; Λευκοθέη, ἢ πρὶν μὲν ἔην βροτὸς αὐδήεσσα, i. e. a 'tuneful' mortal, not a 'mortal speaking with human voice;' of Xanthus, the horse of Achilles, αὐδήεντα δ' ἔθηκε θεά, 'endowed him with voice' (i. e. human as contrasted with equine utterance).

αὐερύω (ἀνά, Ϝερύω), aor. αὐέρυσα: *draw up or back;* of drawing a bow, Θ 325; loosening props, M 261; and esp. of bending back the heads of victims, for the knife, A 459.

αὐθ': (1) =αὖτε, before an aspirated vowel.—(2) =αὖθι before a vowel.

αὖθι: (*right*) *there*, (*right*) *here*, A 492, H 100; often foll. by a prep. with subst., specifying the place, αὖθι παρ' ἄμμι, I 427; αὖθι μενῶ μετὰ τοῖσι, K 62; αὖθ' ἐπὶ τάφῳ, Λ 48; ἐν Λακεδαί-

μονι αὖθι, Γ 244 ; of time, *on the spot,*
i. e. 'at once,' σ 339, E 296.

αὐιαχός (Ϝιαχή): *shouting loudly to-
gether,* pl., N 41†.

αὔλειος: *belonging to the αὐλή, of
the court.* (Od.)

αὐλή, ῆς: *court - enclosure, court,
court-yard, farm-yard;* the αὐλή of a
mansion had gate-way, portico, stables,
slave-quarters, altar, and rotunda (θό-
λος); see table III. An αὐλή is at-
tributed to the cabin of Eumaeus, the
swine-herd, ξ 5, to the tent of Achilles,
Ω 452, and even to the cave of Poly-
phēmus, ι 239.

αὔλη (αὐλός): *music of flutes;* αὔλῃ
a conjectural reading for αὐλῇ, κ 10.

αὐλίζομαι (αὐλή): only part., αὐλι-
ζομενάων, *being penned in,* of cattle
and swine. (Od.)

αὔλις, ιδος: *place of rest;* 'encamp-
ment,' I 232 ; 'roosting-place,' χ 470.

Αὐλίς: *Aulis,* a town in Boeotia,
on the Euripus, the rendezvous of the
Greeks before sailing for Troy, B 303.

αὐλός: *flute,* a wind-instrument more
like the clarinet than the modern trans-
verse flute, Σ 495, K 13 ; then any
tube, channel, as the 'socket' in which
the point of a lance was fitted, P 297 ;
'holes' or 'eyes,' receiving the tongue
of a buckle, τ 227 ; of a 'jet' of blood,
χ 18.

αὐλῶπις, ιδος (αὐλός): *with upright
tube,* to receive the plume of a helmet,
E 182. (Il.) (See cuts 16, 17.)

αὖος: *dry;* neut. as adv., of sound,
hoarse, grating, M 160, N 441.

ἄ-υπνος: *sleepless.*

αὔρη (ἄϜημι): *breeze,* ε 469†.

αὔριον: *to-morrow;* ἐς αὔριον, αὔ-
ριον ἐς, H 318.

ἀνσταλέος (αὖος): *dry, unanointed,
unkempt,* s q u a l i d u s, τ 327†.

αὐτ-άγρετες (αὐτός, ἀγρέω): *self-
taken, attainable,* 'if men could have
every wish,' π 148†.

αὐτάρ (αὖτε, ἄρα): *but, however,*
marking a contrast or transition like
δέ, and weightier than δέ only in being
disyllabic and not post-positive (cf.
ἤτοι); answering to ἤτοι or μέν in a
previous clause, ω 155, A 68, etc. ; often
at the beginning of a sentence without
distinct correlation, esp. αὐταρ ἐπεί,
Γ 1.

αὖτε (αὖ τε): *again, on the other
hand, however, but;* εἴ ποτε δὴ αὖτε, A
340 ; ὁππότ' ἂν αὖτε, θ 444, and esp.
in questions of impatient tone, τίπτ'
αὖτ' εἰλήλουθας, A 202 ; τέων αὖτε
βροτῶν ἐς γαῖαν ἱκάνω, 'whose coun-
try am I come to *now ?*' ζ 119 ; very
often denoting contrast or transition,
like δέ, νῦν αὖτε, ἔνθ' αὖτε, δ' αὖτε,
and correlating to μέν, Γ 241 ; also in
apod., Δ 321.

αὐτέω (αὐτή), only ipf. αὔτει, αὔτευν:
call aloud; with μακρόν, μέγα, Υ 50, Φ
582 ; with acc., Λ 258 ; of inanimate
things, *sound, resound;* κόρυθες, M 160.
Cf. αὔω 2.

ἀϋτή: *loud, far-reaching call, cry;*
ὥς τε με κουράων ἀμφήλυθε θῆλυς ἀϋτή
(the outcry of the maidens, when the
ball with which they were playing fell
into the river, had awakened Odysseus),
ζ 122 ; esp. the *battle-cry,* and so, sug-
gestively, for battle itself, δεινῆς ἀκό-
ρητοι ἀϋτῆς, N 621 ; μεμαυῖ' ἔριδος καὶ
ἀϋτῆς, E 732 ; ὀψείοντες ἀϋτῆς καὶ πο-
λέμοιο, Ξ 37.

αὐτ-ῆμαρ: *on the same day.*

αὐτίκα (αὐτός): *forthwith, straight-
way.*

αὖτις (αὖ), Attic αὖθις: *again, back
again, anew;* often πάλιν αὖτις, ἂψ
αὖτις, δεύτερον αὖτις, and standing
alone, αὖτις ἰών, going 'back,' Θ 271,
etc. ; ταῦτα μεταφρασόμεσθα καὶ αὖτις,
by and by, A 140 ; also merely transi-
tional, τοῖς δ' αὖτις μετέειπε, ο 439, σ
60.

ἀυτμή: *breath, blast, fumes;* of
breathing, I 609, K 89 ; wind, λ 400,
407 (from the bellows, Σ 471) ; fire, Φ
366, ι 389 (smoky, π 290) ; savors, fra-
grances, M 369, Ξ 174, μ 369.

ἀυτμήν, ἐνος: *breath, blast;* of men
and winds, Ψ 765, γ 289.

αὐτο - δίδακτος (διδάσκω): *self-
taught,* epith. of the inspired bard, χ
347†.

αὐτό - διον (αὐτός): *on the spot,
straightway,* θ 449†.

αὐτό-ετες (Ϝέτος): *in the same year,*
γ 322†.

αὐτόθ' = αὐτόθι.

αὐτόθεν: *from (right) there* or *here,
from where he* or *she was;* (μετέειπεν)
αὐτόθεν ἐξ ἕδρης, οὐδ' ἐν μέσσοισιν ἀνα-
στάς, T 77, φ 420.

αὐτόθι: (*right*) *there*, (*right*) *here*, *on the spot;* often with more definite limitation following, αὐτόθι μίμνει | ἀγρῷ, λ 187, so ἐν w. dat., ι 29, Ι 617.

αὐτο - κασιγνήτη : *own sister*, κ 137†.

αὐτο-κασίγνητος : *own brother.* (Il.)

Αὐτό - λυκος : *Autolycus,* father of Anticlēa, and grandfather of Odysseus ; he dwelt on Parnassus and was gifted with the sly arts that were inherited by his grandson, τ 394–466, Κ 267.

αὐτό-ματος (root μα, μέμαα): *self-moving, moving of oneself.* (Il.)

Αὐτο-μέδων : son of Diōres, charioteer of Achilles, Ρ 536, Π 145.

Αὐτο - νόη : a handmaid of Penelope, σ 182†.

Αὐτό-νοος : (1) a Greek, Λ 301†.— (2) a Trojan, Π 694†.

αὐτο-νυχί: *this very night,* Θ 197.

αὐτός, ή, ό : *same, self.* — (1) pronoun of identity, ἦρχε δὲ τῷ αὐτὴν ὁδὸν ἥν περ οἱ ἄλλοι (the *same* way, like τὴν αὐτήν in Attic), θ 107, Μ 225. (The article when joined to αὐτός in Homer is demonstrative, e. g. τὼ δ' αὐτὼ μάρτυροι ἔστων, 'these' two men themselves, not 'the same' two, Α 338, π 334 ; once occurs crasis, ωὐτός ἀνήρ, 'that' same man, Ε 396).—(2) pronoun of emphasis and antithesis, as one person is contrasted with another, or with some possession or part of himself, the extent to which this antithetic idea is carried forming a highly characteristic feature of the Homeric style ; πολλὰς δ' ἰφθίμους ψῡχὰς Ἄιδι προΐαψεν | ἡρώων, αὐτοὺς δὲ ἑλώρια τεῦχε κύνεσσιν, hurled their souls to Hades, but made *them,* i. e. their bodies, a prey to dogs, Α 4 ; εἰσενόησα βίην Ἡρᾱκληείην | εἴδωλον · αὐτὸς δὲ μετ' ἀθανάτοισι θεοῖσιν | τέρπεται, κτλ., Heracles himself in heaven, his ghost in hell, λ 602 ; δησάντων σε ὀρθὸν ἐν ἱστοπέδῃ, ἐκ δ' αὐτοῦ πείρατ' ἀνήφθω, let them tie you standing up on the mast-block, with the rope ends fastened to (the mast) *itself,* μ 51 ; Πριάμοιο δόμον ξεστῇς αἰθούσῃσι τετυγμένον, αὐτὰρ ἐν αὐτῷ, i. e. in the *house itself,* as distinguished from its corridor, Ζ 243, and so continually. (The occurrence of αὐτός in

the oblique cases as simple unemphatic personal pronoun is denied altogether to Homer by some scholars, and in most of the seeming instances an emphasis or contrast may be detected, as clearly e. g. Γ 365 ; still the approach to the later use is sometimes uncomfortably close, e. g. Β 347).— Here belong such expressions as ὑπὸ λόφον αὐτόν, 'directly' under the plume, Ν 615, κ 158 ; δύω ἵππους αὐτοῖσιν ὄχεσφιν, 'chariot and all,' Θ 290 ; αὐτός περ ἐών, 'by himself,' i. e. *alone,* Θ 99, ξ 8, 450.—Here, too, belong the *reflexive* uses, δ 247, etc. ; αὐτῶν γὰρ ἀπωλόμεθ' ἀφραδίῃσιν, by our own folly, κ 27 ; τὴν αὐτοῦ φιλέει, loves his *own,* Ι 342, β 125 ; similarly, αὐτῶν γὰρ σφετέρῃσιν ἀτασθαλίῃσιν ὄλοντο, α 7 ; τὰ σ(ὰ) αὐτῆς ἔργα κόμιζε, Ζ 490, 'their own,' 'thine own.'

αὐτο-σταδίη (ἵστημι): *hand to hand fight,* Ν 325†.

αὐτο-σχεδά = αὐτοσχεδόν.

αὐτο-σχεδίη (σχεδόν): *close combat;* adv., αὐτοσχεδίην, 'at close quarters.'

αὐτο-σχεδόν: *hand to hand,* μάχεσθαι, etc.

αὐτοῦ = αὐτόθι. Usually with following specification, αὐτοῦ ἐνὶ Τροίῃ, Β 237 ; ἀλλά που αὐτοῦ | ἀγρῶν, somewhere *there* 'in the country,' i. e in the island of Ithaca, though not in town, δ 639 ; with temporal effect, Ο 349, Ψ 425, δ 703, σ 212.

αὐτόφι(ν) = αὐτῷ, Γ 255 ; = αὐτῶν, Λ 44 ; = αὐτοῖς, Ν 42 ; always with a preposition.

Αὐτό-φονος : father of Polyphontes, of Thebes, Δ 395†.

αὐτο-χόωνος (χόανος, *melting-pit*): *just as it was cast,* of a massive quoit in its rough state, Ψ 826†.

αὔτως (αὐτός): *in the same way, just as it is, merely, in vain;* a word admitting great variety of paraphrase, but in signification always answering to some force of αὐτός. γυμνὸν ἐόντα | αὔτως ὥς τε γυναῖκα, all unarmed, 'exactly' like a woman, Χ 125 ; ἄπυρον λέβητα, λευκὸν ἔτ' αὔτως, still 'quite' bright, Ψ 268 ; ὀκνείω δ' ἵππων ἐπιβαίνεμεν, ἀλλὰ καὶ αὔτως ἀντίον εἶμ' αὐτῶν, 'just as I am,' Ε 256 ; ἢ δὲ καὶ αὔτως μ' αἰὲν νεικεῖ, even 'as it is,' i. e. without special provocation, A 520; ἀλλ' αὔτως ἄχθος ἀρούρης, a 'mere' burden to the ground, ν 379; αὔτως γάρ ῥ' ἐπέεσσ' ἐριδαίνομεν, 'just as we do,' i. e. to no purpose, B 342.

αὐχένιος (αὐχήν): of the neck; τένοντες, γ 450†.

αὐχήν, ένος: neck, of men and animals.

αὐχμέω (αὐχμός): be dry, unanointed, squalid, ω 250†.

1. αὔω, αὔω: kindle; ἵνα μή ποθεν ἄλλοθεν αὔοι, that he might not have to 'get a light' elsewhere, ε 490†.

2. αὔω, ipf. αὖον, aor. ἤϋσα, ἄϋσα, inf. ἀῦσαι, part. ἀῦσἄς: call aloud, with exertion of the voice, halloo; often with μακρόν, 'afar,' Γ 81, etc.; ἔνθα στᾶσ' ἤϋσε θεᾶ μέγα τε δεινόν τε | ὄρθια, Λ 10; with acc., Λ 461, N 477, ι 65; of inanimate things, resound, ring, N 409. Cf. ἀϋτή.

ἀφ-αιρέω, ἀπο-αιρέω, aor. ἀφεῖλον, mid. pres. imp. ἀποαίρεο, fut. inf. ἀφαιρήσεσθαι, aor., 2 sing., ἀφείλεο, pl. ἀφέλεσθε: take away (τινός τι), mid., for oneself, esp. forcibly or wrongfully (τινά τι or τινί τι); ὡς ἔμ' ἀφαιρεῖται Χρυσηίδα Φοῖβος Ἀπόλλων, A 182; αὐτὰρ ὃ τοῖσιν ἀφείλετο νόστιμον ἦμαρ, α 9.

ἄ-φαλος: without crest; κυνέη, K 258†.

ἀφ-αμαρτάνω, only aor. 2 ἀφάμαρτε and ἀπήμβροτε: miss (fail to hit), lose; καὶ βάλεν, οὐδ' ἀφάμαρτε, Λ 350; ἐμοὶ δέ κε κέρδιον εἴη | σεῦ ἀφαμαρτούσῃ χθόνα δύμεναι, 'bereft' of thee, Z 411.

ἀφ-αμαρτο-επής: missing the point in speech, 'rambling speaker,' Γ 215†.

ἀφ-ανδάνω: displease; μῦθος ἀφανδάνει, π 387†.

ἄ-φαντος (φαίνω): unseen, 'leaving no trace,' (Il.)

ἄφαρ: instantly, at once, β 169, P 417; ᾧδ' ἄφαρ, K 537; ἄφαρ αὐτίκα, Ψ 593.

Ἀφαρεύς: a Greek, son of Calētor, N 541.

ἀφ-αρπάζω: seize away from, aor. inf., N 189†.

ἀφάρτερος (comp. of ἄφαρ): swifter, Ψ 311†.

ἀφαυρός, -ότερος, -ότατος: insignificant, weakly, H 235, υ 110.

ἀφάω (ἅπτω): only part., ἀφόωντα, busy with handling; τόξα, Z 322†.

Ἀφείδᾱς: an assumed, fictitious name, ω 305†.

ἀφείη: see ἀφίημι.

ἄφενος, neut.: large possessions, riches.

ἀφέξω, ἀφέξομαι: see ἀπέχω.

ἄφ-ημαι: only part., ἀφήμενος, sitting apart, O 106†.

ἀφήτωρ, ορος (ἀφίημι): the archer, viz. Apollo, I 404†.

ἄ-φθιτος (φθίω): unwasting, imperishable.

ἀφ-ίημι, imp. 2 pl. ἀφίετε, part. fem. ἀφῑεῖσαι, ipf. 3 sing. ἀφίει, fut. ἀφήσω, aor. ἀφῆκα, ἀφῆκα, 3 du. ἀφέτην, subj. ἀφέῃ, opt. ἀφείη, part. ἀφείς, mid. ipf. ἀφίετο: let go from.—I. act., of sending away persons, A 25, B 263; hurling missiles, lightning, Θ 133; lowering a mast, ἱστὸν προτόνοισι, A 434; grapes shedding the flower, ἄνθος ἀφιεῖσαι, η 126; met., of 'dismissing' thirst, Λ 642; 'relaxing' force, N 444. —II. mid., δειρῆς δ' οὔ πω πάμπαν ἀφίετο πήχεε λευκώ, 'let go her' arms from his neck, ψ 240.

ἀφ-ικάνω: be come to, arrived at (from somewhere); δεῦρο, πρός τι, always with perf. signif., exc. ι 450, and in Od. always w. acc. of end of motion.

ἀφ-ικνέομαι, fut. ἀφίξομαι, aor. ἀφῑκόμην, perf. inf. ἀφῖχθαι: come to, arrive at, reach (one point from another); usually w. acc., sometimes w. prepositions; τούτων (δίσκων) νῦν ἀφίκεσθε, 'come up to' that now, δ 255; met., ὅτε μ' ἄλγος ἀφίκετο, Σ 395.

ἀφ-ίστημι, aor. 2 ἀπέστην, perf. ἀφέστατε, ἀφεστᾶσι, opt. ἀφεσταίη, part. ἀφεστᾱώς, plup. ἀφεστήκει, ἀφεστασαν, mid. aor. 1 subj. ἀποστήσωνται: of act. only intrans. forms occur, stand off or away (τινός); παλίνορσος, Γ 33; νόσφιν, λ 544; mid., aor. 1, causative, get weighed out for oneself, 'demand pay for,' χρεῖος, N 745.

ἄφλαστον: a p l u s t r e, an ornamental knob on the stern of a ship, O 717†.

ἀφλοισμός: foam, froth, O 607†.

ἀφενειός (ἄφενος), -ότεροι, -ότατος: wealthy, rich in (τινός).

ἀφ-οπλίζω: only mid. ipf. ἀφωπλίζοντο, *divested themselves of their armor;* ἔντεα, Ψ 26†.

ἀφ - ορμάομαι, only aor. pass. opt. and part. ἀφορμηθεῖεν, -θέντες: *start from, depart,* Β 794, β 375.

ἀφόωντα: see ἀφάω.

ἀ-φραδέω: *be foolish.*

ἀ-φραδής, ἐς (φράζομαι): *inconsiderate, foolish, senseless,* β 282, λ 476.— Adv., ἀφραδέως.

ἀ-φραδίη (φράζομαι): *ignorance, folly;* dat. sing., Β 368, elsewhere only dat. plural.

ἀ-φραίνω (φρήν): *be senseless, mad, foolish.*

ἀφρέω (ἀφρός): *foam;* only ipf. ἄφρεον δὲ στήθεα (sc. ἵπποι), 'their breasts were covered with foam,' Λ 282†.

ἀ-φρήτωρ (φρήτρη): *without clan or clansmen;* ἀφρήτωρ, ἀθέμιστος, ἀνέστιος, 'friendless, lawless, homeless,' Ι 63†.

'Αφροδίτη: *Aphrodīte* (Venus), goddess of love, daughter of Zeus and Dīōne, Ε 370, and in the Odyssey wife of Hephaestus, θ 267 ff.; her magic girdle described, Ξ 214 ff.; attended by the Graces, σ 192. She favors the Trojans in the war of which she was herself the cause, and in protecting her son Aenēas receives a wound from Diomed, Ε 331.—The name of Aphrodīte is used once by personification for her works, *love,* χ 444. Cf. "Αρης.

ἀ-φρονέω: *be foolish,* part., Ο 104†.

ἀφρός: *foam.* (Il.)

ἀ-φροσύνη: *folly;* pl., *foolish behavior.*

ἄ-φρων (φρήν): *thoughtless, foolish.*

ἄ-φυλλος (φύλλον): *leafless,* Β 425†.

ἀφύξειν: see ἀφύσσω.

ἀφυσγετός: *mud,* Λ 495†.

ἀφύσσω, fut. ἀφύξω, aor. ἤφυσα, part. ἀφύσσας, mid. aor. ἠφυσάμην, ἀφυσσάμην, part. ἀφυσσάμενος: *draw* (water or wine), mid., for oneself, often by *dipping* from a larger receptacle into a smaller (ἀπὸ or ἔκ τινος, or τινός); οἰνοχόει γλυκὺ νέκταρ, ἀπὸ κρητῆρος ἀφύσσων, for the other gods, Α 598; ἀφυσσάμενοι μέλαν ὕδωρ, for their own use, on ship-board, δ 359; διὰ (adv.) δ' ἔντερα χαλκὸς ἤφυσε, pierced and 'opened,' (cf. 'dip into' him), Ν 508, Π 315, Ξ 517; met., ἄφε-

νος καὶ πλοῦτον ἀφύξειν, 'draw off,' i. e. accumulate riches for another man, Α 171.

'Αχαιαί: *Achaean women.* (Od.)

'Αχαιάς, άδος: *Achaean woman.*

'Αχαιικός: *Achaean.*

'Αχαιΐς, ίδος: *Achaean* (γαῖα), and without γαῖα, Αchaea, i. e. Northern Greece; pl., as subst., *Achaean women;* contemptuously, 'Αχαιίδες, οὐκέτ' 'Αχαιοί, Β 235, Η 96.

'Αχαιοί: the *Achaeans,* the chief tribe of Greeks in Thessaly, Messēne, Argos, and Ithaca; mostly as a collective appellation of the Greeks before Troy, Α 2, etc.; epithets, ἀρηΐφιλοι, δῖοι, ἑλίκωπες, ἐυκνήμιδες, κάρη κομόωντες, μεγάθυμοι, μένεα πνείοντες, χαλκοχίτωνες.

ἀ-χαρις, comp. ἀχαρίστερος: *unpleasant, unwelcome,* υ 392†.

ἀ-χάριστος = ἄχαρις, neut. pl., θ 236†.

'Αχελώιος = 'Αχελῷος: *Achelōus,* river-god; (1) in Greece, Φ 194. — (2) in Phrygia, Ω 616†.

ἄχερδος: *wild pear - tree, prickly pear,* ξ 10†.

ἀχερωΐς: *white poplar,* Ν 389. (Il.)

'Αχέρων, οντος: *Acheron,* river of the nether world, into which flow Pyriphlegethon and Cocȳtus, κ 513†.

ἀχεύω (ἄχος): only part., *grieving,* usually w. causal gen., ξ 40; τοῦγ' εἵνεκα θῡμὸν ἀχεύων, 'troubling his soul,' acc. of specification, φ 318.

ἀχέω = ἀχεύω, only part., ἀχέων, ἀχέουσα.

ἄχθομαι (ἄχθος), ipf. ἤχθετο (see also ἔχθομαι): (1) *be laden;* νηῦς ἤχθετο τοῖσι νέεσθαι, ο 457†.—(2) *be distressed, afflicted;* ὀδύνῃσι, Ε 354; κῆρ, 'at heart,' and w. obj. (cognate) acc., ἄχθομαι ἕλκος, *distressed* 'by,' Ε 361, cf. Ν 352.

ἄχθος, εος (root ἀχ): *burthen, weight,* Υ 247, γ 312; prov., ἄχθος ἀρούρης, a useless 'burden to the ground,' Σ 104, υ 379.

'Αχιλεύς, 'Αχιλλεύς, ῆος, dat. -ῆι and -εῖ: *Achilles,* son of Peleus and Thetis, king of the Myrmidons, and the hero of the Iliad, as announced in Α 1. For his relations to Phoenix and Cheiron the centaur, see Ι; his destiny, Ι 410 ff.; expedition against Troy, Β 681; forays, Ι 328, Α 392, Β 690; death

of Patroclus, Π 827; μηνίδος ἀπόρρη-
σις, Τ 56; Ἕκτορος ἀναίρεσις, Χ; Ἕκ-
τορος λύτρα, Ω. The death of Achil-
les is mentioned in the Odyssey, ε 310,
ω 37 ff. Epithets, δαΐφρων, δυΐφιλος,
θεοείκελος, θεοῖς ἐπιείκελος, πελώριος,
ποδάρκης, ποδώκης, πτολίπορθος, ῥηξή-
νωρ, πόδας ταχύς, and ὠκύς. (See cut
from Panathenaic Amphora.)

19

ἀχλύς, ύος: mist, darkness, η 41, Ε
127, v 357; often met., of death, swoon-
ing, Ε 696, Π 344.

ἀχλύω: only aor., ἤχλῡσε, grew dark,
μ 406. (Od.)

ἄχνη: foam of the sea, Λ 307; chaff,
pl., Ε 499.

ἄχνυμαι (root ἀχ), ipf. ἄχνυτο: be
distressed, grieve; τινός, 'for' some
one; often w. acc. of specification (κῆρ);
also κῆρ ἄχνυται, ἄχνυται θυμὸς ἐνὶ
στήθεσσιν ἐμοῖσιν, Ξ 38, ξ 170. Cf.
ἀκαχίζω.

ἄ-χολος: without wrath; νηπενθές
τ' ἄχολόν τε, 'cure for grief and gall,'
δ 221†.

ἄχομαι = ἄχνυμαι, σ 256 and τ
129.

ἄχος, εος (root ἀχ): anguish, distress,
for oneself or for another (τινός), pl.
ἄχεα, woes; ἀλλά μοι αἰνὸν ἄχος σέθεν
ἔσσεται, ὦ Μενέλᾱε, | αἴ κε θάνῃς, Δ
169; so ἄχος γένετό τινι, ἀμφεχύθη,
εἷλεν, ἔλαβέ τινα, θῡμὸν ἵκᾱνεν, etc.;
ἔχω ἄχε' ἄκριτα θῡμῷ, Γ 412, Ζ 413, τ
167.

ἀ-χρεῖος: useless, aimless; only neut.
as adv., of the foolish look of the pun-
ished Thersites, Β 269, the forced
laugh of Penelope, σ 163.

ἀ - χρημοσύνη: indigence, want, ρ
502†.

ἄχρι(ς): quite, quite close, Δ 522, Π
324, Ρ 599; until, σ 370.

ἀχυρμιή (ἄχυρον): place where chaff
falls, chaff-heap, pl., Ε 502†.

ἄψ: back, backward, back again,
again; freq. with verbs of motion, ἂψ
ἰέναι, ἀπιέναι, ἀπονοστεῖν, στρέφειν,
etc.; so ἂψ διδόναι, ἀφελέσθαι, ἂψ ἀρέ-
σαι, Ι 120; ἂψ πάλιν, ἂψ αὖτις, Σ 280,
Θ 335.

Ἀψευδής: a Nereid, Σ 46†.

ἀψίς, ῖδος: mesh, pl., Ε 487†.

ἀψό-ρροος (ῥέω): back-flowing; of
the stream of Oceanus that returns
into itself, Σ 399†.

ἄψ-ορρος (ὄρνῡμι): returning, back
again, back; with verbs of motion,
ἄψορροι ἐκίομεν, Φ 456; mostly neut.
sing. as adv., ἄψορρον βῆναι, καταβῆ-
ναι, προσέφην, ι 501.

ἄψος, εος (ἅπτω): joint, limb; λύθεν
δέ οἱ ἅψεα πάντα, her 'members' were
relaxed in sleep, δ 794 and σ 189.

ἄω, inf. ἄμεναι, fut. inf. ἄσειν, aor.
opt. ἄσαιμι, subj. ἄσῃ, inf. ἆσαι, mid.
fut. ἄσεσθε, aor. inf. ἄσασθαι: trans.,
satiate; τινά τινος, Ε 289; τινί, Λ 817;
intrans., and mid., sate oneself, Ψ 157,
Ω 717; met., (δοῦρα) λιλαιόμενα χροὸς
ἆσαι, eager to 'glut' themselves with
flesh, Λ 574, Φ 70.

ἄωρος (ἀείρω), cf. μετέωρος: dan-
gling; of the feet of Scylla, μ 89†.

ἄωρτο: see ἀείρω.

ἀωτέω: sleep soundly, w. ὕπνον, 'sunk
in slumber,' Κ 159 and κ 548.

ἄωτος or ἄωτον (ἄημι): floss, fleece;
of wool, α 443, ι 434; and of the 'nap'
of linen, Ι 661.

B.

βάδην (βαίνω): *step by step*, N 516†.

βάζω, perf. pass. βέβακται: *talk*, *speak*, mostly with reference to one's way of thinking, and consequently of expressing himself; ἄρτια, πεπνυμένα, εὖ βάζειν, and often in bad sense, ἀνεμώλια, μεταμώνια, ἀπατήλια βάζειν, πάϊς ὡς νήπια βάζεις, *pratest*, δ 32; οὔτε ποτ᾽ εἰν ἀγορῇ δίχ᾽ ἐβάζομεν οὔτ᾽ ἐνὶ βουλῇ, 'expressed divided sentiments,' γ 127; ἔπος δ᾽ εἴπερ τι βέβακται | δεινόν, 'if a harsh word has been spoken,' θ 408.

βαθυ-δινήεις, εντος (δίνη): *deep-eddying*.

βαθυ-δίνης = βαθυδινήεις, epith. of rivers; Ὠκεανός, κ 511.

βαθύ-ζωνος (ζώνη): *deep-girdled*, i.e. with girdle low down over the hips, epith. of women. (See cut.)

20

Βαθυ-κλῆς: a Myrmidon, son of Chalcon, Π 594†.

βαθύ-κολπος: *deep-bosomed*, i.e. with deep folds in the garment, above the girdle over which the folds fell; epith. of Trojan women. (Il.) (See cut.)

βαθύ-λειμος (λειμών): *with deep* (grassy) *meadows*, epith. of towns. (Il.)

βαθυ-λήϊος (λήϊον): *with deep* (high-waving) *grain*, Σ 550†.

βαθύνω: *deepen, hollow out*, Ψ 421†.

βαθυ-ρρείτης, άο (ῥέω): *deep-flowing, deep-streaming*; Ὠκεανός, Φ 195†.

βαθύ-ρροος = βαθυρρείτης.

βαθύς, εῖα, ύ, gen. βαθείης and βαθέης, acc. βαθεῖαν and βαθέην, sup. βάθιστος: *deep*; αὐλή, deep as regards its high environments, Ε 142, ι 239; similarly ἠιών, or, as others interpret, 'deep-bayed,' Β 92; naturally w. Τάρταρος, λήϊον, ὕλη. ἀήρ, λαῖλαψ, etc.; met., τὸν δ᾽ ἄχος ὀξὺ κατὰ φρένα τύψε βαθεῖαν, 'in the depths' of his heart, alta mente, Τ 125.

βαθύ-σχοινος: *deep* (grown) *with reeds*, Δ 383†.

βαίνω, fut. βήσομαι, aor. 1 ἔβησα, aor. 2 ἔβην or βῆν, βῆ, du. ἐβήτην, βήτην, βάτην, pl. ἔβησαν, βῆσαν, ἔβαν, βάν, subj. βῶ, βείω, βήῃς, βήῃ, inf. βήμεναι, perf. βέβηκα, 3 pl. βεβάασι, inf. βεβάμεν, part. βεβαώς, -ῶτα, fem. βεβῶσα, plup. 3 sing. βεβήκειν, 3 pl. βέβασαν, mid. aor. (ἐ)βήσετο: *walk, step, go*, perf., *tread, stand* (have a footing); strictly of moving the legs apart, hence to denote the attitude of standing over to protect one, ἀμφὶ δ᾽ ἄρ᾽ αὐτῷ βαῖνε λέων ὥς, Ε 299; hence, too, the phrase βῆ δ᾽ ἰέναι, βῆ δὲ θέειν, 'started for to go,' a graphic periphrasis for ἤει, etc.; often in the sense of departing, ἢ δ᾽ Οὔλυμπόνδε βεβήκει, 'was gone,' Α 221; ἐννέα βεβάασιν ἐνιαυτοί, 'have passed,' Β 134; πῇ δὴ συνθεσίαι τε καὶ ὅρκια βήσεται ἡμῖν, 'what is to become of?' Β 339; so, ἔβαν φέρουσαι, βῆ φεύγων, etc.; βήσετο δίφρον, 'mounted,' apparently trans., really w. acc. of limit of motion, Γ 262; causative, aor. 1 act., φῶτας ἐείκοσι βῆσεν ἀφ᾽ ἵππων, *made to go*, 'brought' down from their cars, Π 180; βῆσαι ἵππους ἐπὶ Βουπρασίου, 'bring' horses to B., Λ 756.

βάλανος, ἡ: *acorn*.

Βαλίος: name of one of the horses of Achilles, Τ 400.

βάλλω, fut. βαλῶ, βαλέω, aor. ἔβαλον, βάλον, subj. βάλησθα, opt. βάλοι-

σθα, plup. 3 sing. βεβλήκειν, pass. perf.
3 pl. βεβλήαται, plup. βεβλήατο (also,
but only w. metaph. signif., βεβόλητο,
βεβολήατο, βεβολημένος), mid. aor.
with pass. signif., βλῆτο, subj. βλήε-
ται, opt. 2 sing. βλεῖο, part. βλήμενος:
throw, cast, mid., something pertaining
to oneself; hence often in the sense
of shoot, hit; καὶ βάλεν οὐδ' ἀφάμαρτε,
N 160; ἕλκος, τό μιν βάλε Πάνδαρος
ἰῷ (μίν is the primary obj.), E 795;
metaph., φιλότητα μετ' ἀμφοτέροισι βά-
λωμεν, 'strike,' 'conclude,' Δ 16; σὺ δ'
ἐνὶ φρεσὶ βάλλεο σῇσιν, 'bear in mind'
(note the mid.), A 297, etc. The va-
rious applications, literal and meta-
phorical, are numerous but perfectly
intelligible.—Intrans., ποταμὸς εἰς ἅλα
βάλλων, Λ 722; ἵπποι περὶ τέρμα βα-
λοῦσαι, Ψ 462; mid. aor., with pass.
signif., βλήμενος ἢ ἰῷ ἢ ἔγχεϊ, Θ 514;
pass., of the mind only, ἄχεϊ μεγάλῳ
βεβολημένος ἦτορ, 'stricken,' I 9, 3,
κ 347.

βαμβαίνω: totter with fear, or, as oth-
ers interpret, stammer, part., K 375†.

βάν: see βαίνω.

βάπτω: dip, ι 392†.

βαρβαρό - φωνος: rude (outlandish)
of speech, B 867.

βάρδιστος: see βραδύς.

βαρέω: see βαρύνω.

βαρύθω: be heavy, by reason of a
wound; ὦμος, Π 519†.

βαρύνω, ipf. or aor. 1 (ἐ)βάρυνε,
pass. aor. part. βαρυνθείς, perf. 2 βε-
βαρηώς: weigh down, oppress by weight;
εἵματα γὰρ ῥ' ἐβάρυνε, while swim-
ming, ε 321; κάρη πήληκι βαρυνθέν,
Θ 388; mid., οἴνῳ βεβαρηότες, 'drunk-
en,' γ 139, τ 122.

βαρύς, εῖα, ύ: heavy, oftener figura-
tive than literal; σχέθε χεῖρα βαρεῖαν,
stayed his 'heavy hand,' suggesting
power, A 219; βαρείας χεῖρας ἐποίσει,
'violent' hands, A 89; of 'grievous'
pains, E 417; 'dread' fates, Φ 548;
'low,' 'gruff' voice, ι 257, etc.; adv.,
βαρύ and βαρέα στενάχειν, sigh 'deep-
ly.'

βαρυστενάχων: see βαρύς, fin.

βασίλεια: queen; the queen's daugh-
ter, the princess, is termed βασίλεια in
ζ 115; βασίλεια γυναικῶν, 'queen
among women' (cf. δῖα γυναικῶν), λ
258.

βασιλεύς, ῆος: king, exercising the
functions of commander - in - chief,
priest, and judge; pl., βασιλῆες, kings,
nobles, chiefs, termed σκηπτοῦχοι, διο-
γενεῖς, διοτρεφεῖς.—Used adjectively
w. ἀνήρ, Γ 170; ἄναξ, v 194; hence
comp. βασιλεύτερος, sup. βασιλεύτατος,
more, most kingly, princely.

βασιλεύω: be king or queen, Z 425.

βασιλήιος: royal; γένος, Π 401†.

βασιληίς, ίδος: royal; τιμή, Z
193†.

βάσκω (βαίνω): only imp., in the
phrase βάσκ' ἴθι, haste and fly! ad-
dressed to the Dream-god, to Iris, and
to Hermes, B 8, Ω 144, 336.

βαστάζω: raise (move by lifting),
λ 594, (weigh in the hands), φ 405.

βάτην: see βαίνω.

Βατίεια (βάτος, 'Thorn-hill'): name
of a height on the plain of Troy, be-
fore the city, B 813†.

βάτος, ἡ: pl., thorn - bushes, thorns,
ω 230†.

βεβάασι, βέβαμεν, βεβαώς: see
βαίνω.

βεβαρηότα: see βαρύνω.

βεβίηκε: see βιάζω.

βεβλήαται, βεβολήατο, βεβολημέ-
νος: see βάλλω.

βεβρώθω (parallel form of βιβρώ-
σκω): eat, devour, only opt., Δ 35†.

βεβρωκώς, βεβρώσεται: see βιβρώ-
σκω.

βέη, βείομαι: see βέομαι.

βείω: see βαίνω.

βέλεμνον = βέλος, only plural.

Βελλεροφόντης: Bellerophon, a Co-
rinthian and Lycian hero, son of Glau-
cus and grandson of Sisyphus; his
story, Z 153–197.

βέλος, εος (βάλλω): missile, shot;
anything thrown, whether a shaft (ar-
row or dart), a stone, or the footstool
hurled at Odysseus in ρ 464; of the
effects of a shot, Θ 513; βέλος ὀξύ,
sharp 'pang,' Λ 269; ἐκ βελέων, out
of 'range.'

βέλτερος: better, only neut. sing.,
βέλτερον (ἐστί), foll. by inf., βέλτερον
εἰ, ζ 282.

βένθος, εος (βαθύς): depth, also pl.,
depths; θαλάσσης πάσης βένθεα οἶδεν,
α 53; βένθεα ὕλης, ρ 316; ἁλὸς βέν-
θοσδε, 'into deep water,' δ 780.

βέομαι, βείομαι, 2 sing. βέῃ, pres. w.

fut. signif. : *shall* (*will*) *live*, O 194, Π
852, X 22, 431, Ω 131.

βέρεθρον: *abyss, chasm*, Θ 14, μ 94.

βῆ: see βαίνω.

βηλός (βαίνω): *threshold.* (Il.)

βῆμεν, βήμεναι: see βαίνω.

βήσαμεν, βῆσε, βήσετο: see βαίνω.

Βῆσσα: a town in Locris, B 532†.

βῆσσα (βαθύς): *glen, ravine; οὔρεος
ἐν βήσσῃς*, Γ 34, etc.

βητ-άρμων, ονος (βαίνω, root ἀρ):
dancer, pl., θ 250 and 383.

βιάζω and **βιάω** (βίη), pres. 2 pl.
βιάζετε, perf. βεβίηκα, mid. and pass.
pres. βιάζεται, βιόωνται, opt. βιῷατο,
ipf. βιάζετο, βιόωντο, mid. fut. βιήσο-
μαι, aor. (ἐ)βιήσατο, part. βιησάμενος :
force, constrain, mid., *overpower, treat
with violence;* met., ἄχος βεβίηκεν
Ἀχαιούς, 'overwhelmed,' K 145 ; pass.
βιάζεσθαι βελέεσσιν, Λ 576 ; ὄνος παρ'
ἄρουραν ἰὼν ἐβιήσατο παῖδας, 'forces
his way in spite of the boys,' Λ 558 ;
νῶϊ ἐβιήσατο μισθόν, 'forcibly with-
held from us ' (two accusatives as w.
a verb of depriving), Φ 451 ; ψεύδεσσι
βιησάμενος, 'overreaching,' Ψ 576.

βίαιος : *violent; ἔργα*, 'deeds of
violence,' β 236.—Adv., **βιαίως**. (Od.)

Βίᾱς: (1) father of Laogonus and
Dardanus, Υ 460.—(2) a leader of the
Athenians, N 691. — (3) a Pylian, Δ
296.

βιάω: see βιάζω.

βιβάω, βιβάσθω, βίβημι (parallel
forms of βαίνω), pres. part. βιβάσθων
and βιβάς, acc. βιβάντα and βιβῶντα,
fem. βιβῶσα: *stride* along, *stalk;* usu-
ally μακρὰ βιβάς, 'with long strides,'
ὕψι βιβάντα, N 371.

βιβρώσκω, perf. part. βεβρωκώς,
pass. fut. βεβρώσεται: *eat, devour ;
χρήματα βεβρώσεται*, β 203.

βίη, ης, dat. βίηφι: *force, violence*,
in the latter sense usually pl., sing. ψ
31 ; βίη καὶ κάρτος, δ 415 ; οὐκ ἲς οὐδὲ
βίη, σ 4 ; ἀρετῇ τε βίῃ τε, Ψ 578 ;
rarely of the mind, οὐκ ἔστι βίη φρεσί,
Γ 45 ; often in periphrases w. gen. of
proper name, or w. adj., βίη Ἡρᾱ-
κλείη, Αἰνείαο βίη, the might of He-
racles, i. e. the mighty Heracles, etc. ;
βίῃ, by force, *in spite of, βίῃ ἀέκοντος*,
δ 646, Α 430.

Βι-ήνωρ: a Trojan, Λ 92†.

βίος: *life.* (Od)

βιός, οῖο : *bow.*

βίοτος (βίος): *life, livelihood, sub-
stance, goods ; πότμος βιότοιο*, Δ 170 ;
βίοτον καὶ νόστον, α 287 ; ἀλλότριον
βίοτον νήποινον ἔδουσιν, α 160 ; βίο-
τος καὶ κτήματα, β 123.

βιόω, aor. 2 inf. βιῶναι, imp. 3 sing.
βιώτω, mid. aor. ἐβιωσάμην : *live ;*
mid., causative, σὺ γάρ μ' ἐβιώσαο,
'didst save my life,' θ 468.

βιῷατο, βιόωνται, βιόωντο : see
βιάζω.

βλάβομαι: see βλάπτω.

βλάπτω, βλάβω, aor. ἔβλαψα, βλά-
ψα, pass. pres. βλάβεται, perf. part.
βεβλαμμένος, aor. 1, 3 pl., ἐβλάφθη-
σαν, part. βλαφθείς, aor. 2 ἐβλάβην, 3
pl. ἔβλαβεν, βλάβεν: *impede, arrest;
τόν γε θεοὶ βλάπτουσι κελεύθου*, α 195 ;
(ἵππω) ὄζῳ ἐνὶ βλαφθέντε, 'caught' in,
Z 39, O 647 ; βλάψε δέ οἱ φίλα γούνα-
τα, H 271 ; so pass., βλάβεται γούνα-
τα, 'totter,' ν 34 ; βεβλαμμένον ἦτορ,
' arrested in life's flow,' i. e. 'wounded
in the heart,' Π 660 ; metaph., *harm
the mind, infatuate; τὸν δέ τις ἀθα-
νάτων βλάψε φρένας*, ξ 178 ; with-
out φρένας, (Ἄτη) βλάπτουσ' ἀνθρώ-
πους, I 507 ; pass., βλαφθείς, I 512.

βλεῖο: see βάλλω.

βλεμεαίνω: *exult haughtily in, rave
with;* regularly with σθένεϊ, also (θῡ-
μός) περὶ σθένεϊ βλεμεαίνει, the heart
'beats high' in its strength, P 22.

βλέφαρον: *eyelid*, only dual and pl.

βλήεται, βλήμενος: see βάλλω.

βλῆτρον: *rivet* (or *ring, band*), O
678†.

βληχή: *bleating*, μ 266†.

βλοσυρός: doubtful word,*ferocious*,
H 212 ; perh. 'bushy,' O 608.

βλοσυρ-ῶπις (ὤψ): *with ferocious
looks*, epith. of the Gorgon, Λ 36†.

βλωθρός: *tall*, of trees.

βλώσκω (for μλώσκω, root μολ), aor.
2 ἔμολον, subj. μόλῃ, part. μολών,
-οῦσα ; perf. μέμβλωκα : *go, come.*

βο-άγριον: *shield of ox-hide*, pl., M
22 and π 296.

Βοάγριος: a river in Locris, B 533.

βοάω (βοή), βοάᾳ, βοόωσιν, inf.
βοᾶν, part. βοόων, aor. (ἐ)βόησα, part.
βοήσᾱς, βοώσαντι : *shout ; μέγα, μακρά
('afar'), σμερδνόν, σμερδαλέον, ὀξύ*,
etc. ; of things, κῦμα, ἠιόνες, 'resound,'
'roar,' Ξ 394. P 265.

βόειος, βόεος (βοῦς): of an ox or of oxen; δέρμα, νεῦρα, and ('of ox-hide,' 'leather') ἱμάντες, κνημῖδες, ω 228.—As subst., βοείη, βοέη, ox-hide, hide.

βοεύς, ῆος (βοῦς): thong of ox-hide, on sails, β 426, ο 291.

βοή, ῆς: shout, shouting, outcry; freq. of the battle-cry, βοὴν ἀγαθός, i. e. good at fighting; also of a call to the rescue, alarm, κ 118, ξ 226, χ 77; and of a cry of pain, Z 465, ω 48, ι 401; βοὴν ἔχον (φόρμιγγες), 'kept sounding,' Σ 495.

Βοηθοΐδης: son of Boethoüs, Eteóneus. (Od.)

βοη-θόος (βοή, θέω): running to the shout, battle-swift; ἅρμα, P 481, and of men. (Il.)

βο-ηλασίη (βοῦς, ἐλαύνω): cattle-lifting, Λ 672†.

βοητύς, ύος (βοάω): clamor, α 369†.

βόθρος: hole in the ground; for planting trees, for sacrificial blood, λ 25; of a natural trough for washing clothes, ζ 92.

Βοίβη: a town in Thessaly, B 712†.
—Hence Βοιβηΐς λίμνη, B 711†.

Βοιώτιος: Boeotian; subst. Βοιωτοί, Boeotians.

βολή (βάλλω): throw, throwing, pelting, only pl.; ὀφθαλμῶν βολαί, 'glances,' δ 150. (Od.)

βόλομαι: see βούλομαι.

βομβέω: of sounds that ring in the ears, hum; of a quoit whizzing through the air, θ 190; of oars dragging and 'rustling' in the water, μ 204.

βοόων: see βοάω.

βορέης, ᾱο, βορέω: north wind; epithets, αἰθρηγενέτης, αἰθρηγενής, ἀκραής, κραιπνός. — Personified, Boreas; Βορέης (‒ ‒) καὶ Ζέφυρος, I 5, Ψ 195.

βόσις (βόσκω): food; ἰχθύσιν, T 268†.

βόσκω, fut. βοσκήσω, mid. ipf. (ἐ)βόσκετο, iter. βοσκέσκοντο: I. act., feed, pasture; of the herdsman, βοῦς βόσκ' ἐν Περκώτῃ, O 548, and of the element that nourishes, (νῆσος) βόσκει αἶγας, ι 124; Ἀμφιτρίτη κήτεα, μ 97; γαῖα ἀνθρώπους, λ 365, etc.—II. mid., feed, graze, δ 338, φ 49.

βοτάνη (βόσκω): fodder, grass, N 493 and κ 411.

βοτήρ, ῆρος: shepherd, pl., ο 504†.

βοτόν: only pl., βοτά, flocks, Σ 521†.

βοτρῡδόν (βότρυς): in clusters; of swarming bees, B 89†.

βότρυς, υος: cluster of grapes, pl., Σ 562†.

βού-βοτος: kine-pasture, ν 246†.

βού-βρωστις (βοῦς, βιβρώσκω): ravenous hunger, Ω 532†.

βουβῶν, ῶνος: groin, Δ 492†.

βου-γάϊος: braggart, bully; a term of reproach, N 824, σ 79.

Βούδειον: a town in Phthia, Π 572†.

βουκολέω (βουκόλος), ipf. iter. βουκολέεσκες: act., pasture, tend cattle; mid., graze, ἵπποι ἕλος κάτα βουκολέοντο, Υ 221.

Βουκολίδης: son of Bucolus, Sphēlus, O 338†.

Βουκολίων: a son of Laomedon, Z 22†.

βου-κόλος (βοῦς, root κελ): cattle-driver, herdsman; with ἄνδρες, N 571; ἀγροιῶται, λ 293.

βουλευτής: counsellor; γέροντες, elders of the council (βουλή), Z 114†.

βουλεύω (βουλή), fut. inf. βουλευσέμεν, aor. (ἐ)βούλευσα: hold counsel, deliberate, advise, devise; abs., B 347; βουλήν, βουλάς βουλεύειν, I 75, K 147; βουλεύειν τινι, I 99; ὁδὸν φρεσὶ βουλεύειν, α 444; κακόν τινι, ε 179; foll. by inf., I thought to, ι 299; by ὅπως, ι 420; mid., devise, determine upon, ἀπάτην, B 114, I 21.

βουλή: (1) counsel, plan, decree; βουλὴ δὲ κακὴ νίκησεν ἑταίρων, κ 46; Διὸς δ' ἐτελείετο βουλή, the 'will' of Zeus, A 5; οὔ τοι ἄνευ θεοῦ ἥδε γε βουλή, β 372, also in plural. — (2) the council of nobles or elders, γερόντων, B 53, 194, 202, γ 127, distinguished from the ἀγορά, or assembly.

βουλη-φόρος: counsel-bearing, counselling; ἀγοραί, ι 112; ἀνήρ, A 144; ἄναξ, M 414; also subst., counsellor, E 180, H 126.

βούλομαι, βόλομαι (βόλεται, βόλεσθε, ἐβόλοντο): will, wish, prefer; Τρώεσσι δὲ βούλετο νίκην, H 21, etc.; often with foll. ἤ, βούλομ' ἐγὼ λαὸν σῶν ἔμμεναι ἢ ἀπολέσθαι, A 117.

βου-λῡτός (βοῦς, λύω): time of unyoking oxen from the plough; ἤέλιος μετενίσσετο βουλῡτόνδε, began to verge towards eventide, Π 779, ι 58.

βου-πλήξ, ῆγος (πλήσσω): ox-goad,
Ζ 135†.

Βουπράσιον: an ancient town of
Elis, Β 615.

βοῦς, βοός, acc. βοῦν (βῶν), pl. dat.
βουσί and βόεσσι, acc. βόας and βοῦς:
cow or ox, pl., kine, cattle; βοῦς ἄρσην,
Η 713, τ 420; ταῦρος βοῦς, Ρ 389;
usual epithets, ἀγελαίη, ἄγραυλος, εἰλί-
ποδες, ἕλικες, ἐριμύκοι, ὀρθόκραιραι.—
Also, as fem. subst., ox-hide, shield of
ox-hide, acc. βῶν, Η 238, 474, Μ 137.

βου-φονέω: slaughter cattle, Η 466†.

βο-ῶπις, ιδος (βοῦς, ὤψ): ox-eyed;
epith. of women (cf. 'eyes of a gazelle,'
'ox - eyed daisy'), Η 10, Σ 40; often
βοῶπις πότνια Ἥρη.

Βοώτης (= βούτης, Herdsman):
Boötes, the constellation Arctūrus, ε
272†.

βραδύς, εῖα, ύ, sup. βάρδιστος: slow.

βραδυτής, ῆτος: slowness, Τ 411†.

βραχίων, ονος: arm; πρυμνός, up-
per arm, shoulder.

(βράχω), aor. ἔβραχε, βράχε: clash,
crack, bray, (a word whose applications
are difficult to reconcile); of armor,
an axle, Ε 838; the earth (cf. 'crack
of doom'), Φ 387; a river, Φ 9; a
door, Φ 49; the wounded Ares, Ε 859,
863 a horse, Π 468.

βρέμω, mid. βρέμεται: roar.

βρέφος: unborn young (of a mule
foal), Ψ 266†.

βρεχμός: forehead, Ε 586†.

Βριάρεως: Briareus, a hundred-
armed water-giant, Α 403.†

βριαρός (root βρι): heavy. (Il.)

βρίζω: be drowsy, nod; part. fig.,
'napping,' Δ 223†.

βρι-ήπυος (ἠπύω): loud - shouting,
Ν 521†.

βρῑθοσύνη (βρίθω): weight, Ε 839
and Μ 460.

βρῑθύς, εῖα, ύ: heavy, ponderous.

βρίθω (root βρι), ipf. βρῖθον, aor.
ἔβρῑσα, perf. βέβρῑθα: be heavy, weighed
down; σταφυλῇσι μέγα βρίθουσα ἀλωή,
Σ 561, and once mid., μήκων καρπῷ
βρῑθομένη, Θ 307; with gen., ταρσοὶ
τύρων βρῖθον, ι 219; τράπεζαι σίτου
βεβρίθασι, etc.; met., ἔρις βεβρίθυῖα
(= βρίθεῖα), Φ 385.—Also fall heavily
upon, charge, Μ 346, etc.; preponder-
ate, be superior (by giving the most
presents), ζ 159.

Βρῑσεύς: Briseus, king and priest
in Lyrnessus, the father of Brisēis, Α
392, Ι 132, 274.

Βρῑσηίς, ίδος: Brisēis, daughter of
Briseus, a captive beloved by Achilles,
Α 184, Τ 282. (See cut, after a Pana-
thenaic Amphora.)

21

βρομέω: buzz, Π 642†.

βρόμος (βρέμω): roar, crackling, Ξ
396†.

βροντάω, aor. (ἐ)βρόντησε: thunder,
only with Ζεύς as subject.

βροντή, ῆς: thunder.

βρότεος (βροτός): human; φωνή, τ
545†.

βροτόεις (βροτός): bloody, gory. (Il.)

βροτο - λοιγός: man - destroying;
epith. of warriors and of Ares.

βροτός (for μροτός, root μερ, μορ):
mortal; βροτὸς ἀνήρ, βροτοὶ ἄνδρες,
and as subst., mortal man; epithets,
θνητοί, γ 3; δειλοί, ὀιζυροί, μέροπες,
ἐπιχθόνιος.

βρότος: blood (from a wound), gore.

βροτόω: only perf. pass. part. βεβρο-
τωμένα, made gory, λ 41†.

βρόχος: noose, λ 278 and χ 472.

Βρύσειαί: a town in Laconia, Β
583†.

βρῡχάομαι, perf. w. pass. signif., βέ-
βρῡχα, part. βεβρῡχώς, plup. 3 sing.
ἐβεβρύχειν: bellow, moan · of waves,
and of mortally wounded men, Π 486,
ε 412.

βρύω: teem, swell, P 56†.

βρώμη, ης (βιβρώσκω): food. (Od.)

22

βρῶσις, ιος: eating, food.

βρωτύς, ύος: food.

βύβλινος (βύβλος): made of papy-
rus; ὅπλον νεός, φ 391†.

βύκτης (βύζω): whistling, howling,
of winds, κ 20†.

βυσσο-δομεύω (βυσσός, δέμω): build
in the depths, brood, always in bad
sense; κακὰ φρεσί, ρ 66. (Od.)

βυσσός (= βύθος): the deep, depths,
Ω 80†.

βύω: only perf. pass. part. βεβυ-
σμένον, stuffed full, δ 134†.

βῶλος: clod, σ 374†.

βωμός (βαίνω): step, pedestal, η
100, stand, platform, rack, Θ 441, and
esp. altar. (See cut.)

Βῶρος: (1) a Maeonian, father of
Phaestus, E 44†.—(2) son of Perię-
res, husband of Polydōra, the daugh-
ter of Peleus, Π 177.

βῶν: see βοῦς.

βώσαντι: see βοάω.

βωστρέω: call loudly upon, μ 124†.

βωτι-άνειρα: nourishing heroes, A
155†.

βώτωρ, ορος (βόσκω): shepherd;
pl., and w. ἄνδρες, M 302, ρ 200.

Γ.

γαῖα, γῆ: earth, land; distinguished
from the heavens, (κίονες) αἳ γαῖάν τε
καὶ οὐρανὸν ἀμφὶς ἔχουσιν, α 54; geo-
graphically, Ἀχαιΐδα γαῖαν, esp. native
land, πατρίδα γαῖαν, pl., οὐδέ τις ἄλλη |
φαίνετο γαιάων ἀλλ' οὐρανὸς ἠδὲ θά-
λασσα, ξ 302; as substance, χυτὴ γαῖα,
for a grave, Z 464; κωφὴ γαῖα, 'silent
dust,' Ω 54; prov., ὑμεῖς πάντες ὕδωρ
καὶ γαῖα γένοισθε, H 99. The form γῆ
is of less common occurrence, ν 233, ψ
233, Φ 63. — Personified, Γαῖα, Ο 36;
Γῆ, Γ 104, T 259.

Γαιήιος, υἱός: son of Earth, η 324†
(cf. λ 576).

γαιή-οχος (ἔχω): earth-holding;
epith. of Poseidon.

γαίω: only part., κύδεϊ γαίων, exult-
ing in his glory. (Il.)

γάλα, γάλακτος: milk.

γαλα-θηνός (θῆσθαι): milk-suck-
ing, sucking; νεβροί, δ 336 and ρ
127.

Γαλάτεια (cf. γαλήνη): Galatēa, a
Nereid, Σ 45†.

γαλήνη, ης: calm surface of the
sea; ἄνεμος μὲν ἐπαύσατο, ἡ δὲ γαλή-
νη | ἔπλετο νηνεμίη, κοίμησε δὲ κύματα
δαίμων, μ 168.

γαλόως, dat. sing. and nom. pl. γα-
λόῳ: husband's sister. Il.

γαμβρός (γαμέω, 'relative by mar-
riage): son-in-law, Z 249; brother-in-
law, N 464 and E 474.

γαμέω, fut. γαμέω, aor. ἔγημε, γῆμε,
mid. γαμέεσθαι, fut. γαμέσσεται, aor.
opt. γήμαιτο, inf. γήμασθ(αι): marry:
act. of the man, mid. of the woman

γάμος 65 γενειάω

(n u b e r e); once mid. of the parents,
'get a wife for their son,' I 394.
γάμος : *marriage, wedding, marriage-feast.*
γαμφηλή, ῆς: only pl. and of animals, *jaws*. (Il.)
γαμψ-ῶνυξ, υχος (ὄνυξ): *with crooked claws, talons, αἰγυπιοί.*
γανάω : *shine, be bright.*
γάνυμαι (γάνος), fut. *γανύσσομαι* : *be glad.*
Γανυμήδης : *Ganymede,* son of Tros, and cup-bearer of Zeus, E 266, Υ 232.
γάρ (γέ, ἄρα): *for, namely;* but often not to be translated, as in strong asseverations (esp. ἦ γάρ), A 293, 342, 355, and in questions, ὦ Κίρκη, πῶς γάρ με κέλεαι σοὶ ἤπιον εἶναι, 'how canst thou bid me?' κ 337; similarly after interjections, and in wishes, αἲ γάρ, εἰ or εἴθε γάρ. The causal (*for*) and explanatory (*namely*) uses need no illustration. ἀλλὰ . . . γάρ, *but yet, but really,* Η 242, κ 202; freq. in combination (γάρ) δή, οὖν, ῥά, τέ, τοί.
Γάργαρον : name of the south peak of mount Ida in the Troad. (Il.)
γαστήρ, έρος (also gen. γαστρός, dat. -τρί): *belly; the womb,* Ζ 58; met. for hunger, ζ 133, etc.; *paunch, haggis,* σ 44.
γάστρη : *belly* of a caldron.
γαυλός : *milk-pail,* ι 223†.
γέ : enclitic particle, used to give prominence to a word or a statement; sometimes to be translated, *at least, at any rate,* but for the most part untranslatable, and only to be represented in English orally by the tone, in writing by italics; εἰ ζ ω ό ν γ' Αἴγισθον ἐνὶ μεγάροισιν ἔτετμεν | Ἀτρείδης, 'had Meneläus found Aegisthus at home *alive!'* γ 256; εἴπερ γάρ τε χ ό λ ο ν γε καὶ αὐτῆμαρ καταπέψῃ | ἀλλά τε καὶ μετόπισθεν ἔχει κότον, 'though he swallow his *wrath* . . . yet he retains a grudge, etc.,' Α 81; hence γέ may convert a slight word into a strong one, lending, as it does, another syllable, and preserving the acute tone, ὅ becomes ὅ γε, σὲ becomes σέ γε, etc.; even by preventing elision it is a means of force, you may call it a 'stop-gap,' yet it is not otiose. With other particles, ἄρα γε, εἴ γε, πρίν γε, πάρος γε, ἐπεί γε, etc.; freq. in neg. sentences,

where it may sometimes be translated by an interjected *no,* as in affirmative sentences occasionally by *yes.* For repetition of γέ, cf. E 287 f.
γέγαα, γεγάασι, γεγαώς : see γίγνομαι.
γέγηθα : see γηθέω.
γέγωνα, γεγωνέω, γεγώνω : the perf. w. pres. signif., inf. γεγωνέμεν, part. γεγωνώς, plup. (or ipf.) ἐγεγώνει, pres. inf. γεγωνεῖν, ipf. ἐγέγωνε, (ἐ)γεγώνευν : *make oneself heard* by a call ; οὔ πώς οἱ ἔην βώσαντι γεγωνεῖν, Μ 337; ὅσσον τε γέγωνε βοήσᾱς (sc. τὶς), ε 400; *call, cry out to,* γέγωνέ τε πᾶν κατὰ ἄστυ, Ω 703; Κίκονες Κικόνεσσι γεγώνευν, ι 47.
γείνομαι (root γα), aor. ἐγεινάμην : pres. and ipf., *be born;* aor. causative, *bear, beget,* of both father and mother; ἐπὴν δὴ γείνεαι αὐτός, after thou hast thyself *created* them, υ 202.
γείτων, ονος: *neighbor.* (Od.)
γελαστός (γελάω): *ridiculous;* ἔργα, doings that bring ridicule upon the speaker, θ 307†.
γελάω, γελόω, part. γελόωντες, γελώοντες, ipf. 3 pl. γελώων, aor. (ἐ)γέλα(σ)σεν, 3 pl. γέλα(σ)σαν, part. γελά(σ)σᾱς : *laugh,* ἡδύ, 'heartily;' ἀπαλόν, ἀχρεῖον, δακρυόεν, χείλεσιν, only 'with the lips,' i. e. not from the heart, Ο 101 ; fig., γέλασσε δὲ πᾶσα περὶ χθὼν | χαλκοῦ ὑπὸ στεροπῆς, Τ 362; ἐμὸν δ' ἐγέλασσε φίλον κῆρ, 'laughed within me,' ι 413.
γελοιάω : γελοίων, γελοίωντες, restored readings γελώων, γελώοντες, see γελάω.
γελοίιος (γέλως): *laughable,* Β 215†.
γέλος : see γέλως.
γελόω, γελόωντες, γελώοντες : see γελάω.
γέλως, γέλος, dat. γέλῳ, acc. γέλω and γέλον : *laughter;* γέλῳ ἔκθανον, 'laughed themselves to death,' σ 100.
γενεή, ῆς: *birth, lineage, race;* γενεῇ ὑπέρτερος, 'rank,' Λ 786; ὁπλότερος, 'age,' Β 707; 'breed' of horses, Ε 265 ; 'generation,' Ζ 149, pl. Α 250.
γενέθλη, ης (parallel form of γενεή): *race, stock;* ἀργύρου, 'home,' Β 857.
γενειάς, άδος (γένειον): pl., *beard,* π 176†.
γενειάω : only aor. part. γενειήσαντα, just *getting a beard,* σ 176 and 269.

8

γένειον : chin ; γένειον λαβεῖν, ἄψα-σθαι, done in supplicating a person, A 501. (See cut under γουνόομαι.)

γένεσις : generation, origin ; Ὠκεα-νόν, θεῶν γένεσιν, Ξ 201, 246, 302.

γενετή, ῆς : birth ; ἐκ γενετῆς, 'from the hour of birth,' σ 6.

γενναῖος (γέννα) : according to one's birth, native to one ; οὐ γάρ μοι γεν-ναῖον, 'not my way,' E 253†.

γένος (εος (root γα) : family, race, extraction ; ἡμιθέων, ἀνδρῶν, βοῶν γέ-νος, and of the individual, 'scion,' ἀνὴρ . . . σὸν γένος, T 124, etc. ; γένει ὕστερος, 'birth,' 'age,' Γ 215 ; γένεα, 'generations,' γ 245.

γέντο, defective aor. 3 sing: grasped. (Il.)

γένυς, νος, acc. pl. γένῦς : under jaw, jaw, of men and animals.

γεραιός : old, aged, venerable ; only subst. in Homer, δῖε γεραιέ, Ω 618 ; Φοῖνιξ ἄττα, γεραιὲ διοτρεφές, I 607 ; παλαιγενές, P 561 ; γεραιαί, Z 87.— Comp., γεραίτερος.

γεραίρω : honor (with a γέρας), show honor to, H 321, ξ 437.

Γεραιστός : name of the promontory at the S. extremity of Euboea, now Ge-resto, γ 177†.

γέρανος, ἡ : crane. (Il.)

γέραρος, comp. γεραρώτερος : state-ly, Γ 170 and 211.

γέρας, αος, pl. γέρα : gift of honor, honor, prerogative ; nobles and esp. the king received γέρα from the common-alty, γέρας θ' ὅ τι δῆμος ἔδωκεν, η 150 ; of the kingly office itself, Υ 182, λ 175 ; of offerings to the gods, and bur-ial honors of the dead, τὸ γὰρ γέρας ἐστὶ θανόντων.

Γερήνιος : Gerenian, epith. of Nes-tor, from Gerenia in Laconia or Mes-senia ; Γερήνιος ἱππότα Νέστωρ, also Νέστωρ . . . Γερήνιος, οὖρος Ἀχαιῶν, γ 411, etc.

γερούσιος : pertaining to the council of the elders, senatorial ; οἶνος, ν 8 ; ὅρκος, X 119.

γέρων, οντος, voc. γέρον : old man (s e n e x), and specially, mostly in pl., elders, members of the council (βουλὴ γερόντων), cf. Lat. s e n a t o r.— As adj., πατὴρ γέρων, A 358, neut. γέρον σάκος, χ 184.

γεύομαι (γεύω), fut. γεύσομαι, aor.

inf. γεύσασθαι : taste, with gen., met., γευσόμεθ' ἀλλήλων ἐγχείῃσιν, Υ 258 ; χειρῶν, 'fists,' υ 181.

γέφῡρα, only pl. : dams, dikes ; τὸν δ' οὔτ' ἄρ τε γέφυραι ἐεργμέναι ἴσχα-νόωσι, E 88 ; met., πτολέμοιο γεφύραι, 'bridges of war,' the lanes between files and columns on the battle-field.

γεφῡρόω, aor. γεφύρωσε : dam up a river, Φ 245 ; κέλευθον, 'make a cause-way,' O 357.

γῆ, Γῆ : see γαῖα.

γηθέω, aor. γήθησα, perf. γέγηθα : rejoice, be glad ; freq. w. part., γήθησεν ἰδών, etc.; sometimes w. acc., τάδε, ι 77 ; acc. of part., εἰ νῶϊ . . . Ἕκτωρ γη-θήσει προφανέντε, Θ 378.

γηθοσύνη (γηθέω) : joy, gladness, dat., N 29 and Φ 390.

γηθόσυνος : glad.

γηρᾶς : see γηράσκω.

γῆρας, αος, dat. γήραϊ and γήραι : old age.

γηράσκω, aor. 2 ἐγήρᾱ, part. γηράς : grow old ; of fruit, 'ripen,' η 120.

γῆρυς : speech, Δ 437†.

Γίγαντες : the Giants, a wild race related to the gods, η 59, 206, and κ 120.

γίγνομαι (root γα), aor. iter. γενέ-σκετο, perf. γέγονε, 3 pl. γεγάᾱσι, inf. γεγάμεν, part. acc. sing. γεγαῶτα, pl. -ῶτας, plup. γεγόνει : become, (of men) be born ; the word admits of great variety in paraphrase, but never de-parts from its meaning of come into being ; ἄνθεα γίγνεται, 'grow' ; κλαγ-γὴ γένετο, 'arose,' 'was heard' ; ποθὴ Δαναοῖσι γένετο, 'filled,' 'they felt' ; νῶϊ νόστον ἔδωκε νηυσὶ γενέσθαι, i. e. the accomplishment of it, δ 173 ; οὐκ ἂν ἔμοιγε | ἐλπομένῳ τὰ γένοιτο, I may hope, but this will not ' happen,' γ 228 ; πάντα γιγνόμενος, Proteus, 'turning into' every shape, δ 417 ; ἐπὶ νηυσὶ γενέσθαι, 'get' upon the ships, and thus often implying motion, e. g. πρὸ ὁδοῦ γένοντο, 'progressed,' Δ 382 ; never of course the same as εἶναι, but the perf. is sometimes a strong equiv-alent of the verb of existence, τοῖς οἳ νῦν γεγάᾱσι, who 'live' now, ω 84, ν 160, etc.

γιγνώσκω, fut. γνώσομαι, γνώσεαι, aor. ἔγνων, subj. γνώω, -ομεν, -ωσι, inf. γνώμεναι : come to know, (learn to)

know, the verb of *insight*; γιγνώσκων
ὅ τ᾽ ἄναλκις ἔην θεός, 'perceiving,' E
331; ἀμφὶ ἓ γιγνώσκων ἑτάρους, 'rec-
ognizing,' O 241; ὁμηλικίην ἐκέκαστο |
ὄρνῑθας γνῶναι, in 'understanding'
birds, β 159.

γλάγος, τό (γάλα): *milk*, B 471 and
Π 643.

γλακτο-φάγος (φαγεῖν): *living on
milk*, N 6†.

Γλαύκη: a Nereid, Σ 39†.

γλαυκιάω: only part., *with gleam-
ing* or *glaring eyes*, of a lion, Υ 172†.

γλαυκός: *gleaming* (but with refer-
ence to the effect of color, grayish-
blue); θάλασσα (cf. 'old ocean's gray
and melancholy waste'), Π 34†.

Γλαῦκος: *Glaucus*.—(1) the son of
Sisyphus, and father of Bellerophon, Z
154 ff.—(2) grandson of Bellerophon,
and a leader of the Lycians, H 13, Z
119.

γλαυκ - ῶπις, ιδος: *gleaming - eyed*
(and with reference to the color, gray-
ish-blue); epith. of the warlike god-
dess Athēna.

Γλαφύραι: a town in Thessaly, B
712†.

γλαφυρός: *hollow;* often of ships;
of the φόρμιγξ, θ 257; a grotto, Σ 402,
β 20; a harbor, μ 305.

γλήνη: *pupil* of the eye, ι 390; as
term of reproach, κακὴ γλήνη, 'doll,'
'girl,' *coward*, Θ 164.

γλῆνος, εος: pl., *jewelry*, Ω 192†.

Γλῑσᾶς, αντος: a town in Boeotia,
B 504†.

γλουτός: *rump, buttock*, E 66, Θ
340. (Il.)

γλυκερός (comp. γλυκερώτερος) =
γλυκύς.

γλυκύθῡμος: *sweet-tempered*, Υ 467†.

γλυκύς, εῖα, ύ, comp. γλυκίων :
sweet; νέκταρ, Α 598; metaph., ὕπνος,
ἵμερος, αἰών.

γλυφίς, ίδος (γλύφω): *notch* of an
arrow; besides the notch for the
string there were others to secure a
firm hold with the fingers in drawing
the bow, Δ 122, φ 419.

γλῶσσα, ης: *tongue, language*, B
804, Δ 438.

γλωχίς, ῖνος (γλῶσσα): any *tongue-
like point;* of the end of a yoke-strap,
Ω 274†. (See cut under ζυγόν, letter
b, No. 45.)

γναθμός: *jaw, cheek;* for υ 347, see
ἀλλότριος.

γναμπτός (γνάμπτω): *bent, bend-
ing;* of the limbs of living beings,
supple, ν 398; met., νόημα, 'placable,'
Ω 41.

γνάμπτω, aor. γνάμψα: *bend*.

γνήσιος (γίγνομαι): *genuine, legiti-
mate*.

γνύξ (γόνυ): adv., *with bent knee,
upon the knee*.

γνῶ, γνώμεναι, γνώομεν: see γιγνώ-
σκω.

γνώριμος: *known* to one, an 'ac-
quaintance,' π 9†.

γνωτός: *known;* also, *related* by
blood, Γ 174; *brother*, P 35, etc.

γοάω (γόος), inf. γοήμεναι, part.
γοόων, γοόωντες (γοῶντες), ipf. γόον,
γόων, iter. γοάασκεν, fut. γοήσεται:
wail, esp. in lamentation for the dead;
w. acc., *bewail*, τινά, Z 500, etc.; πότ-
μον, Π 857.

γόμφος: *wooden nail, peg*, pl., ε
248†.

γονή: *offspring*, Ω 539 and δ 755.

Γονόεσσα: a town in Achaea, near
Pellēne, B 573†.

γόνος, ὁ: *birth, origin;* then *off-
spring* (son), *young*, δ 12, Z 191, μ
130.

γόνυ, gen. γούνατος and γουνός, pl.
γούνατα and γοῦνα, gen. γούνων, dat.
γούνασι and γούνεσσι: *knee;* γόνυ
κάμπτειν, phrase for sitting down to
rest, ἐπὶ γούνεσσι καθίσσᾱς, taking
upon the 'lap,' I 488, E 370; freq. as
typical of physical strength, εἰσόκε μοι
φίλα γούνατ᾽ ὀρώρῃ, so long as my
'knees can spring,' so long as my
strength shall last; but oftenest of
suddenly failing strength, swooning,
death, πολλῶν ἀνδρῶν ὑπὸ γούνατ᾽ ἔλῡ-
σεν (Helen caused the death of many
men); λύτο γούνατα, δ 703, 'knees
were relaxed,' of Penelope. From the
custom of embracing the knees in sup-
plication come the phrases γοῦνα or
γούνων λαβεῖν, ἅψασθαι, ὑπὲρ γούνων
or γούνων λίσσεσθαι, 'by' the knees,
'by your life'; hence θεῶν ἐν γούνασι
κεῖται, 'rests with' the gods, 'in the
gift' of the gods, α 267.

γόον: see γοάω.

γόος: *wailing, lamentation;* γόον δ᾽
ὤετο θῡμός, 'his soul was engrossed

with woe,' he was ready to burst into wailing, κ 248.

γοόω: see γοάω.

Γόργειος: *of the Gorgon; κεφαλή,* 'the Gorgon's head,' E 741, λ 634.

Γοργυθίων: son of Priam and Castianeira, Θ 302†.

Γοργώ, οὖς: the *Gorgon,* a monster that inspired terror by her looks, βλοσυρῶπις, δεινὸν δερκομένη, Λ 36.

Γόρτῡς or **Γόρτῡν, ῡνος**: *Gortyna,* a city in Crete, γ 294 and B 646.

γοῦν: sometimes written for γ' οὖν.

γουνάζομαι (γόνυ), fut. γουνάσομαι: *supplicate, beseech, implore,* strictly to kneel (clasping the knees of the person addressed, see under γόνυ), γούνων γουνάζεσθαι, X 345, cf. 338 (ὑπὲρ γούνων).

γούνατα, γούνασι, γούνεσσι: see γόνυ.

Γουνεύς: leader of two tribes of Pelasgians, B 748†.

γουνόομαι (γόνυ)=γουνάζομαι, q. v.; foll. by fut. inf. from the sense of 'vowing' implied, κ 521. (See cut, from ancient gem, representing Dolon and Ulysses.)

23

γουνός: probably (if from γόνυ) *curve, slope;* of hilly places, γουνὸν Ἀθηναίων, λ 323 (cf. Hdt. iv. 99); ἀλωῆς, α 193, Σ 57.

γραῖα: *old woman,* α 438†.

Γραῖα: a town in Boeotia, B 498†.

γραπτύς, ύος, acc. pl. γραπτῦς: *scratch,* ω 229†.

γράφω, aor. γράψε: *scratch, graze;* ὀστέον, reached by the point of the lance, P 599 ; σήματα ἐν πίνακι, symbols graven on a tablet, Z 169.

Γρήνῖκος· the river *Granīcus,* which rises in Mount Ida, M 21†.

γρηῦς, γρηῦς, dat. γρηί, voc. γρηῦ and γρῆυ: *old woman.*

γύαλον: *convexity,* of cuirass ; γυάλοισιν ἀρηρότα, fitted together of *convex plates,* O 530. See θώρηξ. (Il.)

Γυγαίη: λίμνη, the *Gygaean* lake, in Lydia, near Sardis, Υ 391. Also the nymph of this lake, B 865.

γυῖον: only pl., *joints, ποδῶν γυῖα,* N 512 ; then, *limbs, members,* γυῖα λέλυνται (see γόνυ), κάματος ὑπήλυθε γυῖα, γυῖα ἐλαφρὰ θεῖναι, E 122 ; ἐκ δέος εἵλετο γυίων, ζ 140.

γυιόω, fut. γυιώσω: *lame,* Θ 402 and 416.

γυμνός: *naked; τόξον,* taken from its case, λ 607 ; ὀιστός, from the quiver, as we say 'naked sword,' φ 417 ; then, usually, *unarmed,* Φ 50, X 124.

γυμνόω, mid. pres. γυμνοῦσθαι, pass. aor. (ἐ)γυμνώθην : *strip, denude ;* in Hom. only mid. and pass., ζ 222 ; ῥακέων ἐγυμνώθη, 'threw off,' we should say, χ 1. Usually of being 'disarmed,' γυμνωθέντα βραχίονα, i. e. unprotected by the shield, M 389 ; τεῖχος ἐγυμνώθη, M 399.

γυναικεῖος (γυνή): *of women; βουλαί,* λ 437†.

γυναι - μανής (μαίνομαι): *womanmad;* Paris, Γ 39. (Il.)

γύναιος = γυναικεῖος, δῶρα, λ 521 and ο 247.

γυνή, γυναικός: *woman ; γυνὴ ταμίη, δέσποινα, γρηῦς, ἀλετρίς, δμωαὶ γυναῖκες,* etc. ; *wife,* Z 160, etc.

Γῦραί: πέτραι, the *Gyraean* rocks,

24

near Naxos, where the lesser Ajax was shipwrecked, δ 500.—Hence, adj., **Γῠραῖος**, Γύραιη πέτρη, δ 507.

γῡρός: ἐν ὤμοισιν, *round*-shouldered, τ 246†.

Γυρτιάδης: *son of Gyrtius*, Hyrtius, Ξ 512†.

Γυρτώνη: a town in Pelasgiōtis, on the river Penēus, B 438†.

γύψ, du. γῦπε, pl. nom. γῦπες, dat. γύπεσσι: *vulture*.

γωρῡτός: *bow - case*, φ 54†. (See cuts, No. 24, from Greek and Assyrian representations.)

δα-: an inseparable prefix, with intensive meaning, cf. δά-σκιος.

ΔΑ (the root of διδάσκω), aor. 2 act. δέδαε, aor. 2 pass. ἐδάην, subj. δαείω, δαῶμεν, inf. δαῆναι, δαήμεναι, fut. δαήσομαι, perf. δεδάηκα, part. δεδαώς, δεδαηκότες, mid. aor. inf. δεδάασθαι: (1) *teach*, only aor. 2 act. δέδαε (τινά τι), ζ 233, θ 448, χ 160, w. inf., υ 72.—(2) *learn, be instructed*, the other forms; w. gen., πολέμοιο δαήμεναι, 'become skilled in,' Φ 487; ἐμεῦ δαήσεαι, 'from me,' τ 325; w. acc. οὐ δεδαηκότες ἀλκήν, β 61; δεδάασθαι γυναῖκας, 'find out,' π 316.

δαήμων, ονος (root δα): *skilled in*; w. gen., also ἔν τινι.

δαῆναι, δαήσεαι, δαῶμεν: see ΔΑ.

δᾱήρ, έρος, voc. δᾶερ: *husband's brother*; δᾶέρων πολὺ φίλτατε πάντων, Ω 762; the same scansion also v. 769. (Il.)

δάηται: see δαίω 1.

δαί: used colloquially in questions; τίς δαὶ ὅμιλος ὅδ' ἔπλετο, '*pray*, what throng is this?' α 225 (vulg. δέ), ω 299, Κ 408 (vulg. δ' αἱ).

δαΐ: see δαΐς.

δαιδάλεος (root δαλ): *cunningly or skilfully wrought* or *decorated*.

δαιδάλλω (root δαλ): *elaborate skilfully, decorate*.

δαίδαλον (root δαλ): *cunning work, piece of artistic workmanship;* usually pl.

Δαίδαλος (root δαλ): a typical name, *Daedalus*, a famous artist of Crete, Σ 592†.

δαΐζω (δαίω 2), fut. δαΐξω, pass. perf. part. δεδαϊγμένος: *cleave, cut asunder;*

of carving, ξ 434, but usually of wounding, hence *cut down, slay*, Φ 147; pass. δεδαϊγμένον ὀξέι χαλκῷ, Σ 236, etc.; metaph., two expressions are to be distinguished, ἐδαΐζετο θῡμός, 'rent' with cares, sorrows, Ι 9, ν 320, and ὥρμαινε δαϊζόμενος κατὰ θῡμὸν | διχθάδια, a 'divided' mind, Ξ 20.

δαϊ-κτάμενος: *killed in battle*, Φ 146 and 301.

δαιμόνιος, in Hom. only voc., δαιμόνιε, δαιμονίη, δαιμόνιοι: *under the influence of a δαίμων, possessed;* used in both good and bad sense, and to be translated according to the situation described in the several passages where it occurs, Α 561, Β 190, 200, Γ 399, Δ 31, Ζ 407, Ω 194, δ 774, κ 472, σ 15. ψ 174.

δαίμων, ονος: *divinity, divine power;* sometimes equivalent to θεός, but esp. of the gods in their dealings with men, Γ 420; σὺν δαίμονι, 'with the help of God,' κακὸς δαίμων, δαίμονος αἶσα κακή, etc.; hence freq. 'fate,' 'destiny,' πάρος τοι δαίμονα δώσω, thy 'death,' Θ 166.

δαίνῡ(ο): see δαίνῡμι.

δαίνῡμι (δαίω 2), imp. 2 sing. δαίνῡ, part. δαινύντα, ipf. δαίνῡ, fut. inf. δαίσειν, mid. pres. opt. δαινῦτο, -ύατο, aor. part. δαισάμενος: I. act., *divide, distribute* food, to each his portion, said of the host; δαίνῡ δαῖτα γέρουσιν, Ι 70; hence, 'give a feast, τάφον, γάμον, funeral, marriage-feast, γ 309, Τ 299.—II. mid., *partake of* or *celebrate* a feast, *feast* (*upon*); abs., Ο 99, Ω 63; w. acc., δαῖτα, εἰλαπίνην, κρέα καὶ μέθυ, ι 162.

1. δαΐς, ίδος (δαίω 1): *torch*,
only pl. (The torch consist-
ed of a number of pine splin-
ters bound together. See
cut.)   25

2. δαΐς : *combat*, only dat.,
ἐν δαΐ λυγρῇ, λευγαλέῃ, N
286, Ξ 387.

δαίς, δαιτός (δαίνυμι):
feast, banquet, meal; once
(in a simile) of a wild ani-
mal, Ω 43.

δαίτη = δαίς : δαίτηθεν,
from the feast, κ 216.

δαιτρεύω (δαιτρός): *dis-
tribute;* esp. of carving meat; of
booty, Λ 688.

δαιτρόν : *portion,* Δ 262†.

δαιτρός : *carver.* (See cut.)

26

δαιτροσύνη : *art of carving and dis-
tributing,* π 253†.

δαιτύμων, ονος (δαιτύς : *banqueter,*
pl. (Od.)

δαιτύς, ύος = δαίς, X 496.†

Δαίτωρ : a Trojan, Θ 275†.

δαΐ - φρων, ονος: (if from δαίω 1)
fiery-hearted; in Il., of warriors ; in
Od., in other relations, θ 373, ο 356.

1. δαίω, perf. δέδηα, plup. δεδήειν,
mid. aor. subj. δάηται: I. trans. (act.
exc. perf.), *kindle, set in a blaze;* δαῖέ
οἱ ἐκ κορυθός τε καὶ ἀσπίδος ἀκάματον
πῦρ, the goddess 'made fire blaze'
from her helmet, etc., E 5, 7, so pass.,
Φ 376. — II. intrans. (mid. and perf.),
blaze, Φ 375, Σ 227, etc.; met. ὄσσε,
πόλεμος, ἔρις, μάχη ἐνοπή τε, M 35 ;
Ὄσσα, B 93 ; οἱμωγή, υ 353.

2. δαίω, only pres. and ipf. mid. and
pass., and perf. δεδαίαται: *divide,* mid.
distribute, ο 140 and ρ 332; ἀλλά μοι
ἀμφ' Ὀδυσῆι δαΐφρονι δαίεται ἦτορ, my
heart is 'rent' (cf. δαΐζω), α 48.

δάκνω, only aor. 2 δάκε, inf. δακέειν :
bite, Σ 585; met., φρένας, 'stung,' E
493. (Il.)

δάκρυ, pl. δάκρυα, dat. δάκρυσι :
tear.

δακρυόεις, εσσα, εν : *weeping, tear-
ful;* δακρυόεν γελάσασα, 'through her
tears,' Z 484 ; applied to πόλεμος,
μάχη, E 737.

δάκρυον = δάκρυ. δακρυόφιν, seven
times.

δακρυ-πλώω: *swim* with tears; of
effect of intoxication on the eyes, τ
122†. (Also written as two words.)

δακρυχέων, ουσα: now written as
two words, see χέω.

δακρύω, aor. ἐδάκρῡσα, pass. perf.
δεδάκρῡμαι: *weep,* aor. *burst into tears;*
perf. pass., *be in tears,* Π 7.

δᾱλός (δαίω 1): *fire-brand.*

δαμάζω: see δάμνημι.

δάμαρ, δάμαρτος (δάμνημι): *wife,* al-
ways w. gen. of the husband. Cf.
opp. παρθένος ἄδμης.

δάμνημι, δαμνάω, ipf. (ἐ)δάμνᾱ,
fut. δαμᾷ, δαμάᾳ, δαμόωσι, aor. ἐδά-
μα(σ)σα, pass. δάμναμαι, 2 sing.
δαμνᾷ, pass. aor. 1 ἐδμήθην, imp.
δμηθήτω, part. δμηθείς, also ἐδα-
μάσθην, δαμνάσθην, aor. 2 ἐδάμην,
δάμη, 3 pl. δάμεν, subj. δαμείω,
δαμήῃς, -ήῃ, -ήετε, opt. δαμείη, 3
pl. -εῖεν, inf. -ῆναι, -ήμεναι, part.
-είς, perf. δεδμήμεσθα, part. δεδμη-
μένος, plup. δεδμήμην, δέδμητο, δέ-
δμηντο, δεδμήατο, mid. aor. (ἐ)δαμασ-
σάμην, subj. δαμάσσεται, etc.: *tame,
subdue,* mid., for oneself ; of taming,
'breaking' animals, P 77, δ 637 (cf.
ἱπποδάμος); subjecting as a wife, Σ
432, Γ 301 (cf. δάμαρ); and, generally,
of 'reducing to subjection,' 'overcom-
ing,' in war or otherwise, 'laying low'
in battle ; of things as well as of per-
sons, τὸν δ' οὐ βέλος ὠκὺ δάμασσεν, E
106, 391; met., ἔρος θῡμόν, Ξ 316, etc.;
pass. freq. in all the above relations.

Δάμασος : a Trojan, M 183.

Δαμαστορίδης : *son of Damastor.*
— (1) Tlepolemus, Π 416. — (2) Age-
lāus, a suitor of Penelope, υ 321.

**δαμείω, δάμεν, δαμήῃ, δαμήμεναι,
δαμόωσι**: see δάμνημι.

Δανάη : *Danaë,* daughter of Acri-
sius, and mother of Perseus, Ξ 319.

Δαναοί : the *Danaäns,* freq. collec-
tive designation of the Greeks before
Troy.

δᾱνός (δαίω 1): *dry,* ο 322†.

δάος, τό (δαίω 1): fire-brand, torch. (See cut.)

δά - πεδον (πέδον): ground, pavement, floor beaten down hard, esp. in houses, δ 627, floor.

δάπτω, fut. δάψω, aor. ἔδαψα: tear, rend, devour; strictly of wild animals; fig. of the spear, and of fire, Ψ 183. (Il.)

Δαρδανίδης: son or descendant of Dardanus; Priam, Ilus.

Δαρδανίη: Dardania, the city founded by Dardanus, Υ 216†.

Δαρδάνιαι, πύλαι, the Dardanian gate of Troy, E 789, X 194, 413.

Δαρδάνιοι, Δάρδανοι, Δαρδανίωνες, fem. Δαρδανίδες: Dardanians. inhabitants of Dardania; often named in connection with the Trojans, as representatives of the allies, B 819, 839, Γ 456.

Δάρδανος: (1) son of Zeus, the founder of Dardania, and progenitor of the Trojans, Υ 215, 219, 304.—(2) son of Bias, Υ 460†.

δαρδάπτω (= δάπτω): devour, Λ 479; fig., ξ 92, π 315.

Δάρης: a priest of Hephaestus, E 9 and 27.

δαρθάνω, aor. ἔδραθε: sleep, υ 143†.

δασάσκετο, δάσασθαι: see δατέομαι.

δά-σκιος (σκιά): thick-shaded, O 273 and ε 470.

δασμός (δατέομαι): division, of booty, A 166†.

δάσονται, δάσσατο: see δατέομαι.

δασπλῆτις: doubtful word, hard-smiting; epith. of the Erinnys, o 234†.

δασύ-μαλλος: thick-fleeced, ι 425†.

δασύς, εῖα, ύ: thick, shaggy, ξ 49 and 51.

δατέομαι (δαίω 2), ipf. 3 pl. δατεῦντο, fut. δάσονται, aor. δασσάμεθα, ἐδάσαντο, iter. δασάσκετο, perf. pass. 3 sing. δέδασται: divide with each other, divide (up); πατρώια, μοίρας, ληίδα, κρέα, etc.; of simply 'cutting asunder,' a 112, τὸν μὲν Ἀχαιῶν ἵπποι ἐπισσώτροις δατέοντο, Υ 394; χθόνα ποσσὶ δατεῦντο (ἡμίονοι), Ψ 121; met., Τρῶες καὶ Ἀχαιοὶ | ἐν μέσῳ ἀμφότεροι μένος Ἄρηος δατέονται, Σ 264.

Δαυλίς: a town in Phocis, B 520†.

δάφνη: laurel, bay, ι 183†.

δα-φοινός and δα-φοινεός: (blood) red, Σ 538; of serpent, jackal, lion, B 308, K 23, Λ 474.

δέ: but, and; strictly neither adversative nor copulative, but used to offset statements or parts of statements; such offsetting or coördination ('parataxis') by means of δέ, when it appears in place of the to us more familiar subordination of ideas ('hypotaxis'), gives rise to the translation 'while,' 'though,' 'for,' etc. Hence δέ appears even in the apodosis of conditional or temporal sentences, οἳ δ' ἐπεὶ οὖν ἤγερθεν . . τοῖσι δ' ἀνιστάμενος μετέφη, when they were all assembled, 'then' arose Achilles, A 57, 137. The other extreme, of an apparently adversative force, is best seen in negative sentences where δέ is (rarely) used for ἀλλά, ι 145. With other particles, καί ('also') δέ, (δέ) τε, ἄρα, αὖ, δή. δέ is placed as second (or third) word in its clause, but a vocative is not counted, γ 247.

-δε: inseparable enclitic suffix, appended to accusatives, denoting direction towards; e. g. οἶκόνδε, doubled in ὅνδε δόμονδε, with ellipsis of δόμον in Ἀιδόσδε.

δέατ(ο): defective ipf., appeared, seemed, ζ 242†. Cf. δοάσσατο.

δέγμενος: see δέχομαι.

δέδαα, δέδαηκα: see ΔΑ.

δεδαίαται, δέδασται: see δατέομαι.

δεδαϊγμένος: see δαΐζω.

δέδηε, δεδήει: see δαίω 1.

δεδίασι: see δείδω.

δεδίσκομαι and δειδίσκομαι (δεικνύμι): bid welcome or farewell (by gesture), pledge ; δέπαϊ, δεξιτερῇ χειρί. (Od.)

δεδμήατο, δεδμημένος: see δάμνημι.

δεδοκημένος: see δοκάω.

δέδορκε: see δέρκομαι.

δεδραγμένος: see δράσσομαι.

δέελος = δῆλος, K 466†.

δεῖ (δέω): τί δὲ δεῖ πολεμιζέμεναι Τρώεσσιν | Ἀργείους; 'Why should the Greeks be warring with the Trojans?' I 337. Elsewhere χρή in Homer.

δείδεκτο, δειδέχαται: see δείκνυμι.

δειδήμων, ονος (δείδω): timid, pusillanimous, Γ 56†.

δείδια, δείδιθι: see δείδω.

δειδισκόμενος: see δεδίσκομαι.

δειδίσσομαι (δείδω), fut. inf. δειδίξε-
σθαι, aor. inf. δειδίξασθαι: trans., ter-
rify, scare; intrans., be terrified (in a
panic), only B 190. (Il.)

δείδοικα: see δείδω.

δείδω (root δϜι), fut. δείσομαι, aor.
ἔδεισα (ἔδϜεισα, hence often ‒‒◡), perf.
δέδοικα and δείδια, δείδιμεν, imp. δείδι-
θι, plup. ἐδείδιμεν, and (as if ipf.) δείδιε:
stand in awe of, dread, fear, trans. or
intrans.; Δία ξένιον δείσας, ξ 389; ὅ
πού τις νῶι τίει καὶ δείδεε θῦμῷ, π 306;
often in the ordinary sense of fearing,
ὡς ἔφατ᾽, ἔδϜεισεν δ᾽ ὁ γέρων, A 33.

δειελιάω (δείελος): only aor. part.,
δειελιήσας, having made an evening
meal, ρ 599†.

δείελος (δείλη): pertaining to the
late afternoon; δείελον ἦμαρ (=δείλη),
ρ 606: subst., δείελος ὀψὲ δύων, Φ 232
(=δείελον ἦμαρ).

δεικανάομαι (δείκνῡμι)=δειδίσκομαι.
δεπάεσσιν, ἔπεσσι, Ο 86, ω 410.

δείκνῡμι, fut. δείξω, aor. ἔδειξα, δεῖξα,
mid. perf. δείδεγμαι, plup. δείδεκτο, 3
pl. δειδέχατο: show, point out, act. and
mid.; σῆμα, τέρας, 'give' a sign, γ
174; mid. also=δειδίσκομαι, q. v.; κυ-
πέλλοις, δεπάεσσι, μύθοις, Ι 671, η 72.

δείλη: late afternoon or early even-
ing; ἔσσεται ἢ ἠὼς ἢ δείλη ἢ μέσον
ἦμαρ, Φ 111†.

δείλομαι: verge towards setting; only
ipf., δείλετο τ᾽ ἠέλιος, 'was westering,'
Η 289†.

δειλός (root δϜι): (1) cowardly, Α
293, Ν 278.—(2) wretched (wretch),
miserable; esp. in phrase δειλοῖσι βρο-
τοῖσιν, and ἆ δειλέ, δειλώ, δειλοί.

δεῖμα (δείδω): fear, Ε 682†.

δείματο, δείμομεν: see δέμω.

Δεῖμος (δείδω): Terror, a personifi-
cation, Δ 440. (Il.)

δεινός (root δϜι): dreadful, terrible;
often adv., δεινὸν ἀῦσαι, δεινὰ ἰδών,
etc.; in good sense, δεινός τ᾽ αἰδοῖός
τε, i. e. commanding reverence, θ 22;
cf. Γ 172, where the scansion is to be
noted, ἔκπρε δϜεινός τε.

δείους, gen.: see δέος.

δειπνέω (δεῖπνον), plup. δεδειπνή-
κει(ν): take a meal.

δειπν‑ηστος (δειπνέω): meal-time
(afternoon), ρ 170†.

δειπνίζω, aor. part. δειπνίσσας: en-
tertain at table, δ 435 and λ 411.

δεῖπνον (cf. δάπτω): the principal
meal of the day (usually early in the
afternoon, cf. ἄριστον, δόρπον), meal-
time, repast; of food for horses, Β
383.

δείρᾱς: see δέρω.

δειρή, ῆς: neck, throat.

δειρο-τομέω (τέμνω): cut the throat,
behead.

Δεισ-ήνωρ: a Lycian, Ρ 217†.

δέκα: ten.

δεκάκις: ten times.

δεκάς, αδος: a company of ten, de-
cade.

δέκατος: tenth; ἐς δεκάτους ἐνιαυ-
τούς, for ἐς δέκα ἐνιαυτούς or δέκατον
ἐνιαυτόν, Θ 404.

δεκά-χῑλοι: ten thousand.

δέκτης (δέχομαι): beggar, mendicant,
δ 248†.

δέκτο: see δέχομαι.

δελφίς, ῖνος: dolphin, Φ 22 and μ
96.

δέμω (δέμω): frame, build of body;
joined with εἶδος, φυή, and freq. with
adjectives as acc. of specification, μι-
κρός, ἄριστος, etc.—As adv., like (in-
star), μάραντο δέμας πυρὸς αἰθομέ-
νοιο, Λ 596.

δέμνιον: pl., bedstead, bed.

δέμω, aor. ἔδειμα, subj. δείμομεν,
pass. perf. part. δεδμημένος, plup.
(ἐ)δέδμητο, mid. aor. (ἐ)δείματο: build,
construct, mid. for oneself.

δενδίλλω: only part., directing side-
looks, 'with significant looks,' 'winks,'
Ι 180†.

δένδρεον: tree; δενδρέῳ, δενδρέων,
Γ 152, τ 520.

δενδρήεις, εσσα, εν: full of trees,
woody.

Δεξαμένη ('Cistern'): a Nereid, Σ
44†.

Δεξιάδης: son of Dexius, Iphinous,
Η 15.

δεξιή (fem. of δεξιός): right hand,
then pledge of faith.

δεξιός: right-hand side, hence pro-
pitious (cf. ἀριστερός), ὄρνῑς, ο 160;
ἐπὶ δεξιά, δεξιόφιν, 'on the right,' Ν
308.

δεξιτερός = δεξιός. δεξιτερῆφι, Ω
284, ο 148. Subst., δεξιτερή = δεξιή.

δέξο: see δέχομαι.

δεόντων: see δέω 2; better reading
διδέντων, see δίδημι.

δέος, gen. δείους (root δϜι): *fear, dread.*

δέπας (cf. δάπτω), dat. δέπαϊ and δέπαι, pl. δέπᾱ, gen. δεπάων, dat. δεπάεσσι and δέπασσι : *drinking cup, beaker;* a remarkable one described, Λ 632 ff. (See cut.)

δέρκομαι, ipf. iter. δερκέσκετο, aor. 2 ἔδρακον, perf. w. pres. signif. δέδορκα : *look, see,* strictly of the darting glance of the eye; πῦρ ὀφθαλμοῖσι δεδορκώς, τ 446 ; δεινὸν δερκομένη, 'with dreadful glance,' of the Gorgon, Λ 37 ; typically of life, ἐμεῦ ζῶντος καὶ ἐπὶ χθονὶ δερκομένοιο, while I live and 'see the light of day,' Α 88, π 439 ; with obj. accusative, Ν 86, Ξ 141.

δέρμα, ατος (δέρω): *skin, hide, leather;* seldom of the living man, Π 341, ν 431.

δερμάτινος : *leathern.*

δέρον : see δέρω.

δέρτρον : *membrane* enclosing the bowels ; δέρτρον ἔσω δύνοντες, 'penetrating the vitals,' λ 579†.

δέρω, ipf. ἔδερον, δέρον, aor. ἔδειρα : *flay.*

δέσμα, ατος (δέω 2): only pl., *bonds;* of a woman's *head-band*, Χ 468. (See cut No. 8).

δεσμός (δέω 2): any (*means of*) *binding, fastening, fetter, imprisonment,* pl., *bonds;* ἄνευ δεσμοῖο μένουσιν | νῆες, i. e. without mooring, ν 100 ; of a latch-string, φ 241, etc.

δέσποινα (fem. of δεσπότης): *mistress;* with γυνή and ἄλοχος, 'lady,' γ 403, η 347.

δετή (δέω 2): pl., *faggots;* καιόμεναι, Λ 554 and Ρ 663.

δευήσεσθαι : see δεύω.

Δευκαλίδης : *son of Deucalus* (*Deucalion*), Idomeneus, Μ 117.

Δευκαλίων : *Deucalion.*—(1) son of Minos, king of Crete, Ν 451 ff., τ 180 ff.—(2) a Trojan, Υ 478.

δεῦρο, δεύρω : *hither;* often w. imp., or subj. of exhortation, and sometimes in hortatory sense without a verb, ἀλλ' ἄγε δεῦρο, εἰ δ' ἄγε δεῦρο, etc. ; also without definite reference to motion, δεῦρ' ἄγε πειρηθήτω, 'come on,' let him try, θ 205, 145.

δεύτατος (sup. of δεύτερος): *last.*

3*

δεῦτε : adv. of exhortation, *come on;* δεῦτε, φίλοι, Ν 481 ; δεῦτ' ἴομεν πόλεμόνδε, Ξ 128. Cf. δεῦρο, fin.

δεύτερος : *second, next ; τὰ δεύτερα,* 'the second prize,' Ψ 538.—Adv., **δεύτερον,** *secondly, again.*

1. **δεύω**, ipf. ἔδευε, δεῦε, iter. δεύεσκον, pass. pr. δεύεται, ipf. δεύετο, -οντο : *wet, moisten;* as mid., (λάρος) πτερὰ δεύεται ἅλμῃ, ε 53.

2. **δεύω** (δέϜω), of act. only aor. 1 ἐδεύησε, mid. δεύομαι, opt. 3 pl. δευοίατο, ipf. ἐδευόμην, fut. δευήσομαι: act. (aor. 1), *lack;* ἐδεύησεν δ' οἴηιον ἄκρον ἱκέσθαι, 'came short' of reaching the end of the rudder, ι 540 ; mid., *be lacking* or *wanting in, be without* or *away from, inferior to* (τινός); οὐδέ τι θυμὸς ἐδεύετο δαιτὸς ἐΐσης, Α 468, etc. ; also abs., δευόμενος, Α 134 ; μάχης ἄρα πολλὸν ἐδεύεο, Ρ 142, Ν 310 ; πάντα δεύεαι 'Αργείων, Ψ 484.

δέχαται, δέχθαι : see δέχομαι.

δέχομαι, 3 pl. δέχαται, fut. δέξομαι, aor. (ἐ)δεξάμην, perf. δέδεγμαι, imp. δέδεξο, fut. perf. δεδέξομαι, aor. 2 ἐδέγμην, ἔδεκτο, δέκτο, imp. δέξο, inf. δέχθαι, part. δέγμενος : *receive, accept, await ;* of taking anything from a person's hands (τινός τι or τινί τι), δέξατό οἱ σκῆπτρον, Β 186 ; so of accepting sacrifices, receiving guests hospitably, 'entertain,' ξείνους αἰδοίους ἀποπεμπέμεν ἠδὲ δέχεσθαι, ν 316 ; in hostile sense, of receiving a charge of the enemy (here esp. δέχαται, δέδεγμαι, ἐδέγμην, δέγμενος, δεδέξομαι), τόνδε δεδέξομαι δουρί, Ε 238 ; in the sense of 'awaiting' (here esp. aor. 2) freq. foll. by εἰσόκε, ὁπότε, etc. ; δέγμενος Αἰακίδην, ὁπότε λήξειεν ἀείδων, 'waiting till Achilles should leave off singing,' Ι 191.—Intrans., ὥς μοι δέχεται κακὸν ἐκ κακοῦ αἰεί, 'succeeds,' Τ 290.

δέψω, aor. part. δεψήσᾱς: *knead* (to soften), μ 48†.

1. **δέω** (δέϜω): only aor., δῆσεν, *stood in need of*, Σ 100†. (δεῖ, see separately.)

2. **δέω**, imp. 3 pl. δεόντων (better reading διδέντων), ipf. δέον, fut. inf. δήσειν, aor. ἔδησα, δῆσα, mid. ipf. δέοντο, aor. ἐδήσατο, iter. δησάσκετο, plup. δέδετο, δέδεντο: *bind, fasten;* mid., for oneself, ὅπλα ἀνὰ νῆα, 'making fast their' tackle, β 430 ; metaph., ἡμέτε-

ρον δὲ μένος καὶ χεῖρας ἔδησεν, Ξ 73;
ὅς τίς μ' ἀθανάτων πεδάᾳ καὶ ἔδησε κε-
λεύθου (gen. of separation), δ 380, θ
352.

δή: now, just, indeed, really, etc. ; a
particle marking degree of time, qual-
ity, or emphasis, mostly untranslatable
by a single word; postpositive except
in the initial phrases δὴ τότε, δὴ γάρ,
δὴ πάμπαν, Τ 342; καὶ δή μοι γέρας
αὐτὸς ἀφαιρήσεσθαι ἀπειλεῖς, and 'here
now,' Α 161 ; ὀκτὼ δὴ προέηκα ὀιστούς,
'full eight already,' Θ 297 (so often w.
numerals); appended to adverbs of
time, ὅτε δή, ὀψὲ δή, to adjectives (esp.
superlatives, κάρτιστοι δή, 'the very
mightiest'), to relative and interroga-
tive pronouns, and to other particles,
ὡς δή, ironical ; εἰ δή, if 'really' ; ἀλλὰ
δή, (γὰρ) δή (s c i l i c e t e n i m) ; esp.
in wishes or commands, μὴ δή, 'only';
ἴθι δή, ἄγε δή, etc. δή often coalesces
with a following long vowel or diph-
thong ('synizesis '), δὴ αὖτε, δὴ οὕτως
|not to be written δ').

δηθά, δηθ': long, a long time.
δηθύνω (δηθά): linger, tarry.
Δηι-κόων: a Trojan, Ε 533 ff.
δήιος (δαίω 1): burning, blazing ;
πῦρ, Β 415; met., destroying, hostile,
pl., enemies, Β 544; δήιον ἄνδρα, Ζ
481. To be read with synizesis in
several forms, δηίοιο, δηίῳ, etc.
Δηιοπίτης: a son of Priam, Λ 420†.
δηιοτής, ῆτος (δήιος): conflict, com-
bat.
Δηί-οχος: a Greek, Ο 341†.
δηιόω, δηόω (δήιος), opt. 3 pl. δηιό-
ῳεν, pass. ipf. 3 pl. δηιόωντο: slay, cut
down, destroy ; with acc., and often
also dat. instr., ἔγχεϊ, χαλκῷ, etc. ;
ἔγχεϊ δηιόων περὶ Πατρόκλοιο θανόν-
τος, 'battling,' Σ 195.
Δηί-πυλος: companion at arms of
Sthenelus, Ε 325†.
Δηί-πυρος: a Greek, Ν 576.
Δηί-φοβος: Deïphobus, son of Pri-
am and Hecuba, a prominent warrior
of the Trojans, Μ 94, δ 276.
δηλέομαι, fut. δηλήσομαι, aor. (ἐ)δη-
λήσαντο: harm, slay, lay waste ; τινὰ
χαλκῷ, χ 368; καρπόν, Α 156; abs.,
Ξ 102 ; met., μή τις ὑπερβασίῃ Διὸς
ὅρκια δηλήσηται, Γ 107.
δήλημα: destruction ; of winds, δη-
λήματα νηῶν, 'destroyers,' μ 286.

δηλήμων, ονος: harming, destruc-
tive; subst., destroyer, σ 85.
Δῆλος: Delos, the island sacred as
the birthplace of Apollo and Artemis,
ζ 162†.
δῆλος: clear, evident; δῆλον, υ 333†.
Δημήτηρ, Δημήτερος and **Δήμητρος**:
Demēter (Ceres), Ξ 326, ε 125, Β
696.
δημιο-εργός (Ϝέργον): worker for
the community, craftsman; of the seer,
physician, joiner, bard, ρ 383 ff.
δήμιος, 2 (δῆμος): pertaining to the
community, of the people, public ; πρῆ-
ξις δ' ἥδ' ἰδίη, οὐ δήμιος, γ 82; δήμια
πίνουσιν, 'the public wine' (cf. γερού-
σιος οἶνος, Δ 259), Ρ 250.
δημο - βόρος (βιβρώσκω): people-
devouring, epithet of reproach, Α
231†.
δημο-γέρων: elder of the people ; of
Trojan worthies, Γ 149 and Λ 372.
Δημό-δοκος: Demodocus, the blind
bard of the Phaeacians, θ 44. (Od.)
δημόθεν: from among the people, τ
197†.
Δημο-κόων: a son of Priam, Δ 499†.
Δημο-λέων: a son of Antēnor, Υ
395†.
δημο-πτόλεμος: a suitor of Penel-
ope, χ 266.
δῆμος: land, then community, peo-
ple ; Λυκίης ἐν πίονι δήμῳ, Π 437;
Φαιήκων ἀνδρῶν δῆμόν τε πόλιν τε, ζ
3 ; fig. δῆμον ὀνείρων, ω 12 ; βασιλῆά
τε πάντα τε δῆμον, θ 157 ; δήμου ἄν-
δρα, Β 198 (opp. βασιλῆα καὶ ἔξοχον
ἄνδρα, ν. 188); δῆμον ἐόντα (= δήμου
ἄνδρα). Μ 213.
δημός: fat ; of men, Θ 380, Λ 818.
Δημ-οῦχος: a Trojan, son of Philē-
tor, Υ 457.
δήν (δϜήν, cf. d i u): long, a long
time ; οὔτι μάλα δϜήν, | Ν 573 ; οὐδ'
ἄρ' ἔτι δϜήν, | β 36. Note the scan-
sion.
δηναιός (δϜήν): long-lived, Ε 407†.
δῆνος: only pl., δήνεα, counsels, arts.
δηόω: see δηιόω.
δηριάομαι, δηρίομαι (δῆρις), inf.
δηριάασθαι, imp. δηριαάσθων, ipf. δη-
ριόωντο, aor. δηρίσαντο, aor. pass. dep.
δηρινθήτην : contend ; mostly with
arms, τὼ περὶ Κεβριόναο λέονθ' ὣς δη-
ρινθήτην, Π 756; less often with words,
ἐκπάγλοις ἐπέεσσιν, θ 76, 78, Μ 421.

δῆρις: *contention, strife.*

δηρός (δϜήν): *long; χρόνον,* Ξ 206, 305; usually adv., **δηρόν,** *ἐπὶ δϜηρόν,* I 415.

δησάσκετο: see *δέω* 2.

δῆσε: see *δέω* 1 and *δέω* 2.

δήω, pres. w. fut. signif., only *δήεις, δήομεν, δήετε*: *shall* or *will find, reach.*

Δία: see *Ζεύς.*

διά (cf. *δύο*): *between, through,* originally denoting severance. — I. adv. (here belong the examples of 'tmesis' so-called), *διὰ δ' ἔπτατο πικρὸς ὀιστός,* Ε 99; *διά τ' ἔτρεσαν ἄλλυδις ἄλλος* (defined by *ἄλλυδις ἄλλος*), Ρ 729; *διὰ κτῆσιν δατέοντο,* 'between' themselves, Ε 158; *κλέος διὰ ξεῖνοι φορέουσιν,* 'abroad,' *τ* 333; freq. with an explanatory gen. in the same clause, thus preparing the way for the strict prepositional use, *διὰ δ' ἧκε σιδήρου, φ* 328; *διὰ δ' αὐτοῦ πεῖρεν ὀδόντων,* Π 405; with another adv., *διὰ δ' ἀμπερές,* 'through and through,' Λ 377, etc.— II. prep., (1) w. gen., *(αἴγλη) δι' αἰθέρος οὐρανὸν ἷκεν,* Β 458; *διὰ νῆσον ἰών,* 'along through,' *μ* 335; *ὃ δ' ἔπρεπε καὶ διὰ πάντων,* 'among,' 'amid,' Μ 104.—(2) w. acc., local (temporal) and causal; *διὰ δώματα ποιπνύοντα,* Α 600; fig., *μῦθον, ὃν οὔ κεν ἀνήρ γε διὰ στόμα πάμπαν ἄγοιτο,* Ξ 91; *μή πως καὶ διὰ νύκτα καρηκομόωντες Ἀχαιοὶ | φεύγειν ὁρμήσωνται,* 'during' the night, Θ 511; *δι' ἀτασθαλίας ἔπαθον κακόν,* 'by reason of,' *ψ* 67; *καὶ νήεσσ' ἡγήσατ' Ἀχαιῶν ²Ἴλιον εἴσω | ἣν διὰ μαντοσύνην,* 'through,' 'by means of,' Α 72.—The first syllable of *διά* is lengthened at the beginning of some verses, Γ 357, Δ 135, Η 251, Λ 435.

δια-βαίνω, inf. *διαβαινέμεν,* aor. 2 *διέβην,* inf. *διαβήμεναι,* part. *διαβάς*: *step apart* (of the position of the legs, see *βαίνω*); *εὖ διαβάς,* 'planting himself firmly,' Μ 458; *go through, cross, τάφρον,* Μ 50; *εἰς Ἤλιδα, ὃ* 635.

δια-γιγνώσκω, aor. 2 inf. *διαγνῶναι: recognize distinctly, distinguish.* (Il.)

δια-γλάφω, aor. part. *διαγλάψασα: scoop out, ὃ* 438†.

δι-άγω, aor. 2 *διήγαγον: carry across* or *over, υ* 187†.

δια-δέρκομαι, aor. opt. *διαδράκοι: look through at,* Ξ 344†.

δια-δηλέομαι, aor. *διεδηλήσαντο: tear in pieces, ξ* 37†.

δι-άει: see *διάημι.*

δια-είδομαι (διαϜ.), fut. *διαείσεται: appear through, be discernable,* Ν 277; causative, *ἢν ἀρετὴν διαείσεται,* 'will give his prowess to be seen,' Θ 535.

διαειπέμεν: see *διείπον.*

δι-άημι, ipf. *διάει* (*διάη*): *blow through, ε* 478 and *τ* 440.

δια-θειόω (θέειον): *fumigate with sulphur, χ* 494†.

δια-θρύπτω, aor. pass. part. *διατρυφέν: break in pieces, shiver,* Γ 363†.

διαίνω, aor. *ἐδίηνε: wet, moisten.* (Il.)

δια-κείρω, aor. inf. *διακέρσαι: cut short, frustrate,* Θ 8†.

δια-κλάω, aor. part. *διακλάσσᾱς: break in twain,* Ε 216†.

δια-κοσμέω, aor. mid. *διεκοσμήσαντο,* aor. pass. opt. *διακοσμηθεῖεν: dispose, marshal, put in order,* mid., *μέγαρον, χ* 457.

δια-κριδόν (κρίνω): *decidedly; ἄριστος,* Μ 103 and Ο 108.

δια-κρίνω, fut. *διακρινέει,* aor. *διέκρῑνε,* opt. *διακρίνειε,* pass. aor. *διεκρίθην,* 3 pl. *διέκριθεν,* opt. *διακρινθεῖτε,* inf. *διακρινθήμεναι,* part. *-θέντε, -θέντας,* perf. part. *διακεκριμένος,* mid. fut. inf. *διακρινέεσθαι: part, separate, distinguish; (αἰπόλια) ἐπεί κε νομῷ μιγέωσιν,* Β 475; of parting combatants, *μαχησόμεθ' εἰσόκε δαίμων | ἄμμε διακρίνῃ,* Η 292; 'distinguish,' *θ* 195; freq. in passive.

διάκτορος: *runner, guide;* epith. of Hermes as messenger of the gods and conductor of men and of the shades of the dead, Ω 339, *ω* 1. (Formerly connected with *διάγω,* now generally with *διώκω.* The traditional derivation is not less probable because more obvious.)

δια-λέγομαι: only aor. mid., *τίη μοι ταῦτα φίλος διελέξατο θῡμός,* thus 'hold converse' with me, Λ 407, Ρ 97, Χ 122.

δι-αμάω, aor. *διάμησε: cut through,* Γ 359 and Η 253.

διαμελεϊστί: see *μελεϊστί.*

δια-μετρέω: *measure off,* Γ 315†.

δια-μετρητός: *measured off, laid off,* Γ 344†.

δια-μοιράομαι (μοῖρα): *portion out, ξ* 434†.

δι - αμ - περές (πείρω) : *piercing through, through and through;* 'in unbroken succession,' Η 171, χ 190, ξ 11; of time, *forever, constantly,* with αἰεί, ἤματα πάντα, Ο 70, δ 209. (Sometimes διὰ δ' ἀμπερές, Λ 377, Ρ 309, φ 422.)

δι-άν-διχα (δίχα): *between two ways, in two ways;* μερμηρίζειν, 'between two resolves,' foll. by ἤ, ἤ, Ν 455; σοὶ δὲ διάνδιχα δῶκε, 'a divided gift' (i. e. only one of two gifts), I 37.

δι - ανύω, aor. διήνυσεν: *finish,* ρ 517.

δια-πέρθω, aor. 1 διέπερσα, aor. 2 διέπραθον: *utterly sack or destroy;* aor. mid. διεπράθετο, w. pass. signif., O 384.

δια - πέτομαι, aor. διέπτατο: *fly through, fly away out,* α 320.

δια - πλήσσω, aor. inf. διαπλῆξαι: *strike asunder, cleave, split.*

δια-πορθέω = διαπέρθω, Β 691†.

διαπραθέειν : see διαπέρθω.

δια-πρήσσω : *pass through or over, accomplish, finish;* with part., I 326, ξ 197.

δια-πρό : *right through, through and through,* with and without gen.

δια - πρύσιον : adv., reaching *far and wide,* P 748; *piercingly,* ἤϋσεν, Θ 227.

δια - πτοιέω : *startle and scatter,* σ 340†.

δι-αρπάζω : *seize and tear to pieces,* Π 355†.

δια-ρραίω, fut. διαρραίσω, aor. inf. διαρραῖσαι: *utterly shatter, overthrow, destroy;* fut. mid. w. pass. signif., Ω 355.

δια-ρρίπτω (Ϝρίπτω): *shoot through,* τ 575†.

δια-σεύομαι : only aor. 3 sing. διέσσυτο, *rushed through, hastened through;* with acc. and w. gen.

δια-σκίδνημι, 3 pl. διασκίδνᾱσι, aor. διεσκέδασε, opt. διασκεδάσειε : *scatter, disperse;* νῆα, 'scatter in fragments,' 'shatter,' η 275; fig., ἀγλαΐᾱς, 'scatter to the winds,' put an end to, ρ 244.

δια-σκοπιάομαι : *spy out,* Κ 388 and Ρ 252.

δια - σχίζω, aor. act. διέσχισε, aor. pass. διεσχίσθη : *cleave asunder, sever,* ι 71 and Π 316.

δια-τμήγω, aor. inf. διατμῆξαι, aor. 2 διέτμαγον, aor. 2 pass. διετμάγην, 3

pl. διέτμαγεν: *cut apart, cleave, separate;* διατμήξᾱς, sc. Τρῶας, Φ 3; fig., νηχόμενος μέγα λαῖτμα διέτμαγον, η 276, ε 409; freq. pass. as dep., τώ γ' ὡς βουλεύσαντε διέτμαγεν, 'parted,' Α 531.

δια - τρέχω, aor. 2 διέδραμον: *run through or over,* γ 177 and ε 100.

δια-τρέω, aor. διέτρεσαν: *flee in different directions, scatter in flight.* (Il.)

δια-τρίβω, aor. part. διατρίψᾱς: *rub apart,* ῥίζαν χερσί, Λ 846; met., *waste time, delay, put off;* διατρίβειν 'Αχαιοὺς γάμον (acc. of specification), β 204; ὁδοῖο (gen. of separation, sc. ἑταίρους), β 404.

δια-τρύγιος (τρύγη): *bearing* (strictly, 'to be gathered') *in succession,* ω 342†.

διατρυφέν : see διαθρύπτω.

δια - φαίνομαι : *be visible through,* τινός, Θ 491, Κ 199; *glow throughout,* ι 379.

δια-φθείρω, fut. διαφθέρσει, perf. διέφθορας : *utterly destroy;* perf., intrans., 'thou art doomed,' Ο 128.

δια-φράζω, only aor. 2 διεπέφρασε : *indicate distinctly, tell fully, give directions,* ζ 47.

δι-αφύσσω, aor. διήφυσε : *draw off entirely, consume; tear away* (by ripping), πολλὸν δὲ διήφυσε σαρκὸς ὀδόντι (σῦς), τ 450. Cf. ἀφύσσω.

δια-χέω : only aor. 3 pl. διέχευαν, *quartered* (cut in large pieces, opp. μίστυλλον).

διδάσκω (root δα), aor. (ἐ)δίδαξα, pass. perf. inf. δεδιδάχθαι : *teach,* pass., *learn;* διδασκόμενος πολέμοιο, 'a beginner, tiro in fighting,' Π 811.

δίδημι (parallel form of δέω 2), ipf. 3 sing. δίδη, imp. διδέντων (v. l. δεόντων) : *bind,* Α 105 and μ 54.

διδυμάων, ονος : only dual and pl., *twin - brothers, twins;* with παῖδε, Π 672.

δίδυμος (δύο): *twofold;* pl. subst., *twins,* Ψ 641.

δίδωμι, διδόω, besides reg. forms also διδοῖς, διδοῖσθα, inf. διδόμεν, διδοῦναι, imp. δίδωθι, δίδου, ipf. (ἐ)δίδουν, 3 pl. δίδοσαν, δίδον, fut. διδώσομεν, inf. διδώσειν, δωσέμεναι, aor. 3 pl. δόσαν, subj. δώῃ, δώομεν, δώωσιν, inf. δόμεν(αι), aor. iter. δόσκον: *give, grant,* pres. and ipf. *offer,* ἔδνα διδόντες, ν

378; freq. w. epexegetical inf., (κυνέην) δῶκε ξεινήιον εἶναι, K 269 ; of 'giving over' in bad sense, κυσίν, ἀχέεσσι, etc.; giving in marriage, δ 7.

δίε: see δίω.

διέδραμον: see διατρέχω.

δι-εῖπον, διαεῖπον (Ϝεῖπον), inf. δι-αειπέμεν, imp. δίειπε: tell or talk over fully, K 425 and δ 215.

δι-είρομαι: inquire of or question fully, τί, and τινά τι.

δι-έκ: out through, τινός.

δι-ελαύνω, only aor. διήλασε: drive through, thrust through, τινός τι.

διελθέμεν: see διέρχομαι.

δίεμαι (cf. δίω), 3 pl. δίενται, inf. δίεσθαι: be scared away, flee ; σταθμοῖο δίεσθαι, 'from the fold,' M 304 ; πεδίοιο δίενται, 'speed over the plain,' Ψ 475.

δι-έξ-ειμι (εἶμι): go out through, Z 393†.

δι- -εξ - ερέομαι: inquire thoroughly about, K 432†.

διεπέφραδε: see διαφράζω.

διέπραθον: see διαπέρθω.

διέπτατο: see διαπέτομαι.

δι-έπω, ipf. δίεπε, διείπομεν: follow up, move through, attend to ; κοιρανέων δίεπε στρατόν, B 207 ; σκηπανίῳ δίεπ' ἀνέρας, i. e. in order to disperse them, Ω 247.

δι-έργω, only ipf. διέϝεργον: hold apart, M 424†.

δι-ερέσσω: only aor. διήρεσα, paddled hard, χερσί, μ 444 and ξ 351.

διερός: doubtful word, living, ζ 201, quick, ι 43.

δι- -έρχομαι, fut. inf. διελεύσεσθαι, aor. διῆλθον: pass through, with acc. and with gen.

δι-έσσυτο: see διασεύομαι.

διέτμαγεν: see διατμήγω.

δι-έχω, only aor. 2 διέσχε, intrans. : reach through, penetrate through.

δίζημαι, fut. διζησόμεθα: go to seek, seek, seek to win, w. acc. ; abs., ἕκαστος μνάσθω ἐέδνοισιν διζήμενος, π 391.

δί-ζυξ, υγος (ζεύγνυμι): pl., yoked two abreast, E 195 and K 473.

δίζω (δίς): only ipf. δίζε, was in doubt, debated, Π 713†.

Δίη: a small island near Cnossus in Crete, λ 325.

διηκόσιοι: two hundred.

δι-ηνεκής, ές (ἤνεγκα): continuous,

unbroken, long.—Adv., **διηνεκέως,** from beginning to end, at length, minutely.

διήρεσα: see διερέσσω.

δίηται: see δίω.

δι-ικνέομαι, fut. δίιξομαι, aor. 2 sing. δίικεο: go through, in narration, I 61 and T 186.

διϊ-πετής, έος (Διός, πίπτω): fallen from Zeus, i. e. from heaven, epith. of rivers.

δι-ίστημι, only intr., aor. 2 διαστήτην, διέστησαν, part. διαστάντες, perf. διέσταμεν, mid. ipf. διίστατο : stand apart, separate ; met., διαστήτην ἐρίσαντε, A 6.

διΐ-φιλος: dear to Zeus ; epith. of heroes, once of heralds, Θ 517, and once of Apollo, A 86.

δικάζω (δίκη), aor. δίκασαν, imp. δικάσσατε: act., of the judge, pronounce judgment, decide ; mid., of the parties, seek justice, contend, λ 545, μ 440.

δίκαιος (δίκη), -ότερος, -ότατος : right, righteous, just.—Adv., **δικαίως.**

δικασ - πόλος (πέλω): dispenser of justice, judge ; with ἀνήρ, λ 186.

δίκη: usage, custom, hence right, justice ; αὕτη δίκη ἐστὶ βροτῶν, the 'inevitable way,' λ 218 ; μνηστήρων οὐχ ἥδε δίκη τὸ πάροιθε τέτυκτο, σ 275; ἤ γὰρ δίκη, ὁππότε πάτρης | ἧς ἀπέησιν ἀνήρ, τ 168 ; δίκην ἠμείψατο, 'in the way of justice,' 'with an appeal to justice,' Ψ 542 ; pl., judgments, decisions, λ 570.

δι-κλίς, ίδος (κλίνω): double-folding, of doors and gates, M 455. (See cut, representing ancient Egyptian doors.)

29

δίκτυον: net, for fishing, χ 386†.

δινεύω and **δινέω** (δίνη), ipf. ἐδίνευον, (ἐ)δίνεον, iter. δινεύεσκε, aor. part. δινήσας, pass. ipf. ἐδινεόμεσθα, aor. δινηθήτην, -θῆναι, -θείς : turn round and round, whirl; of a quoit, ἧκε δὲ δῑνήσᾱς, sent it 'whirling,' i. e. making it whirl, Ψ 840; of 'twirling' the heated stake thrust into the eye of the Cyclops, ἐν ὀφθαλμῷ δῑνέομεν, ι 388; intrans. and pass., of dancers and tumblers, Σ 494, δ 19; birds circling in the air, Ψ 875; eyes rolling, Τ 680; and persons roaming about, ι 153.

δίνη: eddy, of a river, Φ.

δῑνήεις, εντος: eddying.

δῑνωτός (δῑνόω): turned, rounded; freely applied to ornamental work, Ν 407, τ 56.

διο-γενής, έος: descended from Zeus, Zeus-born, epith. of kings.

Διόθεν: from Zeus, by command of Zeus.

δι-οϊστεύω, fut. inf. διοϊστεύσειν, aor. διοίστευσα: shoot an arrow through, τινός, τ 578, etc.; of shooting across an interval, i. e. from one cliff to another, μ 102.

Διο-κλῆς: son of Orsilochus of Pherae, γ 488.

δι-όλλῡμι: only perf. 2, οὐδ' ἔτι κᾱ-λῶς | οἶκος ἐμὸς διόλωλε, 'it is no longer fair the way my house has gone to ruin, β 64.

Διο-μήδη: a slave of Achilles, daughter of Phorbas of Lesbos, Ι 665†.

Διο-μήδης: Diomed, the son of Tydeus, and one of the most brilliant of the Homeric heroes. Book E receives its title from his exploits (Διομήδους ἀριστείᾱ), but they are prominent elsewhere also. Diomed and Glaucus, Ζ 119–236. He returned in safety to Argos, γ 180 ff.

Δίον: a town in Euboea, Β 538†.

Διόνῡσος: see Διώνῡσος.

δι-οπτεύω: only fut. part., διοπτεύ-σων, to spy about, Κ 451†.

δι-οπτήρ, ῆρος: scout, Κ 562†.

δῖος, δῖα, δῖον (δῑϜος, Διός): divine, an epithet applied with great freedom and with consequent weakening of force; only fem. as applied to gods, δῖα θεά, Κ 290; δῖ' Ἀφροδίτη, so δῖα θεάων, also δῖα γυναικῶν, 'divine of women'; applied to Charybdis, μ 104; to the swineherd Eumaeus ('noble'), π 56; to one of Hector's horses, Θ 185; also to inanimate things, the sea, earth, lands, rivers.

Δῖος: a son of Priam, Ω 251.

διο-τρεφής, έος (τρέφω): nourished by Zeus, Zeus-nurtured; epith. of kings (cf. διογενής), and of other illustrious persons; αἴζηοι, Β 660; of the river Scamander, Φ 223; and of the Phaeacians as related to the gods, ε 378.

δί-πλαξ, ακος (πλέκω): doubled, laid double, δημός, Ψ 243; as subst., sc. χλαῖνα, double mantle, Γ 126.

δι-πλόος: double.

δί-πτυξ, υχος (πτύσσω): folded double (in two layers), κνίση, Α 461, etc.

δί-πτυχος = δίπτυξ, λώπη, see δί-πλαξ.

δίς (δϜίς, δύο): twice, ι 491†.

δισ-θανής, έος: twice-dying, μ 22†.

δισκέω: hurl the discus, θ 188†.

δίσκος (δικεῖν): discus, quoit, of metal or stone.—Hence δίσκουρα (οὖ-ρον), n. pl., a quoit's cast, Ψ 431, 523.—(For the attitude in throwing the quoit, see cut, after Myron's famous statue of the Discobolus.)

30

διφάω: dive after; τήθεα, Π 747†.

δίφρος: (1) chariot-box, chariot; usually war-chariot, but for travelling, γ 324. (See cut No. 10).—(2) stool, low seat without back or arms.

δίχα: in two (parts), twofold; met., 'in doubt,' 'at variance,' δίχα μερμη-ρίζειν, θῡμὸν ἔχειν, βάζειν, etc.

διχθά = δίχα.

διχθάδιος: twofold, double.

δίψα: thirst. (Il.)

διψάω: only part., διψάων, thirst-ing, λ 584†.

δίω, ipf. δίε, δίον, mid. subj. δίηται, δίωνται, opt. δίοιτο: act., intrans., flee,

Χ 251; *fear, be afraid;* mid., causative, *scare* or *drive away;* of the hound, οὔ τι φύγεσκε κνώδαλον ὅττι δίοιτο, that he 'started,' 'chased,' ρ 317; ἐπεί κ' ἀπὸ ναῦφι μάχην ἐνοπήν τε δίηται, 'repel,' Π 246.

δι-ωθέω: only aor. διῶσε, *forced away, tore away,* Φ 244†.

διώκω: trans., *pursue, chase, drive,* intr., *speed, gallop;* ἅρμα καὶ ἵππους | Οὐλυμπόνδε δίωκε, Θ 439; pass., νηῦς ῥίμφα διωκομένη, 'sped,' ν 162; mid. trans., Φ 602, σ 8; act. intr. often.

Διώνη: the mother of Aphrodīte, Ε 370.

Διώνῡσος: *Dionȳsus (Bacchus),* the god of wine, Ζ 132 ff., Ξ 325, λ 325, ω 74.

Διώρης: (1) son of Amarynceus, a leader of the Epeians, Β 622. — (2) father of Automedon, Ρ 429.

δμηθείς, δμηθήτω: see δάμνημι.

δμῆσις (δάμνημι): *taming,* Ρ 476†.

δμήτειρα (δάμνημι): *subduer;* νύξ, Ξ 259†.

Δμήτωρ ('Tamer'): a name feigned by Odysseus, Ρ 443.

δμωή (δάμνημι): *female slave;* often by capture in war, ζ 307; freq. δμωαὶ γυναῖκες.

δμώς, ωός (δάμνημι): *slave;* often by capture in war, δ 644, π 140; δμῶες ἄνδρες, μ 230.

δνοπαλίζω: doubtful word, ἀνὴρ δ' ἄνδρ' ἐδνοπάλιζεν, *hustled,* Δ 472; ἠῶθέν γε τὰ σὰ ῥάκεα δνοπαλίξεις, *you will bundle on* your rags, ξ 512.

δνοφερός (δνόφος): *dark, dusky.*

δοάσσατο, defective aor., subj. δοάσσεται: *seem, appear.* Cf. δέατο.

δοιή: only ἐν δοιῇ, *in perplexity,* Ι 230.

δοιοί, δοιαί, δοιά: *twofold, two.*

δοιώ: *a pair, two.*

δοκάω, δοκεύω, aor. part. δοκεύσας, mid. perf. δεδοκημένος: *observe sharply, watch;* τινά, Ψ 325, ε 274; abs., ἐστήκει δεδοκημένος, 'on the watch,' Ο 730.

δοκέω, aor. δόκησε : *think, fancy,* usually *seem;* δοκέω νικησέμεν "Εκτορα δῖον, Η 192; δοκέει δέ μοι ὧδε καὶ αὐτῷ | λώιον ἔσσεσθαι, Ζ 338.

δοκός, ἡ (δέχομαι): *beam,* esp. of a roof, χ 176.

δόλιος (δόλος): *deceitful, deceiving.* (Od.)

Δόλιος: a slave of Penelope.

δολίχ-αυλος (αὐλός): *with long socket;* αἰγανέη, ι 156†.

δολιχ-εγχής, έος (ἔγχος): *armed with long spears,* Φ 155†.

δολιχ-ήρετμος (ἐρετμός): *long-oared,* making use *of long oars;* epith. of ships, and of the Phaeacian men. (Od.)

δολιχός: *long,* both of space and time, δόρυ, ὁδός, νοῦσος, νύξ, ψ 243; adv., δολιχόν, Κ 52.

δολιχό-σκιος (σκιή): *long-shadowy,* casting a long shadow, epith. of the lance.

δολόεις, εσσα, εν (δόλος): *artful;* fig., δέσματα, θ 281.

δολο-μήτης and δολόμητις, voc. δολομῆτα: *crafty, wily.*

Δόλοπες: see Δόλοψ.

Δολοπίων: a Trojan, priest of Scamander, father of Hypsēnor, Ε 77†.

δόλος: *bait, trick, deceit;* ἰχθύσι, μ 252; of the wooden horse, θ 276; δόλῳ, 'by craft,' 'stratagem,' opp. ἀμφαδόν, α 296; βίηφι, ι 406; pl., *wiles,* ι 19, 422, Γ 202; δόλον (δόλους) ὑφαίνειν, τεύχειν, ἀρτύειν, τολοπεύειν.

δολο-φρονέων, -έουσα: *devising a trick, artful-minded.*

δολο-φροσύνη: *wile,* Τ 97 (pl.) and 112.

Δόλοψ, οπος: (1) pl., the *Dolopians,* Ι 484. — (2) a. A Trojan, the son of Lampus, Ο 525. b. A Greek, the son of Clvtius, Λ 302.

Δόλων (δόλος): *Dolon,* the spy, son of Eumēdes, Κ 314 ff., hence the name of the book, Δολώνεια. (See cut, No. 23.)

δόμονδε: adv., *into the house,* χ 479; *homeward, home,* Ω 717; ὅνδε δόμονδε, *to his house, to his home.*

δόμος (δέμω): *house, home,* denoting a dwelling as a whole; usually sing. of temples, and when applied to the abodes of animals, but often pl. of dwellings of men; ('Αθηναίης) ἱεροῖο δόμοιο, Ζ 89, Η 81; "Αιδος δόμος, also 'Αίδαο δόμοι, (μήλων) πυκινὸν δόμον, Μ 301; οὐδ' ἀπολείπουσιν κοῖλον δόμον (σφῆκες), Μ 169.

δονακεύς (δόναξ): *thicket of reeds,* Σ 576†.

δόναξ, ακος: *reed; shaft* of an arrow, Λ 584.

δονέω, aor. ἐδόνησα: *move to and fro, agitate, shake;* of the wind driving the clouds before it, νέφεα σκιόεντα δονήσᾱς, M 157.

δόξα (δοκέω): *expectation, view;* οὐδ' ἀπὸ δόξης, K 324 and λ 344. See ἀπό, ad fin.

δορός (δέρω): *leather bag,* β 354 and 380.

δορπέω, fut. -ήσομεν, ipf. 3 du. δορπείτην: *sup.*

δόρπον: *evening meal* or *meal-time, supper;* pl., δόρπα, Θ 503.

δόρυ, gen. δούρατος and δουρός, dat. δούρατι and δουρί, du. δοῦρε, pl. δούρατα and δοῦρα, dat. δούρασι and δούρεσσι: (1) *wood, beam,* and of a living *tree,* ζ 167; of timber, esp. for ships, δοῦρα τέμνειν, τάμνεσθαι, ε 162, 243, Γ 61; ἐλάτης, Ω 450; δόρυ νήιον, νήια δοῦρα, δοῦρα νηῶν, P 744, ι 498, B 135, ε 370.—(2) *shaft* of a spear, *spear;* of ash, μείλινον, E 666.

Δόρυ-κλος: a natural son of Priam, Λ 489†.

δόσις (δίδωμι): *gift, boon.*

δόσκον: see δίδωμι.

δοτήρ, ῆρος: *giver,* pl., T 44 and θ 325.

δούλειος (δοῦλος): *slave-like, servile,* ω 252†.

δούλη: *female slave.*

δούλιος: only δούλιον ἦμαρ, the day *of servitude.*

Δουλίχιον (δολιχός, 'Long-land'): *Dulichium,* an island in the Ionian Sea, S. E. of Ithaca, B 625, α 246.— **Δουλίχιόνδε**, *to Dulichium,* B 629.— **Δουλιχιεύς**, *an inhabitant of Dulichium,* σ 424.

δουλιχό-δειρος (δολιχός, δειρή): *long-necked,* B 460 and O 692.

δουλοσύνη (δοῦλος): *slavery,* χ 423†.

δουπέω (δοῦπος), old form γδουπέω: ἐπὶ (adv.) δ' ἐγδούπησαν Ἀθηναίη τε καὶ Ἥρη, *thundered,* Λ 45 (cf. ἐρίγδουπος); often δούπησεν δὲ πεσών, *fell* with a *thud,* and without πεσών, δουπῆσαι, N 426; δεδουπότος Οἰδιπόδᾱο ἐς τάφον, Ψ 679. See δοῦπος.

δοῦπος (cf. κτύπος): any dull, heavy sound, as the *thunder* at the gates of a besieged town, ἀμφὶ πύλᾱς ὅμαδος καὶ δοῦπος ὀρώρει | πύργων βαλλομένων, Ι 573; of the *din* of battle, com-

pared to the echo of woodmen's axes, Π 635; the *roar* of the sea, ε 401; or of a mountain torrent, Δ 455. Cf. δουπέω.

δουράτεος (δόρυ): *wooden;* ἵππος, θ 493, 512.

δουρ-ηνεκής (δόρυ, ἤνεγκον): *a spear's throw,* neut. as adv., K 357†.

δουρι-κλειτός and **δουρι-κλυτός**: *renowned in the use of the spear.*

δουρι-κτητός (κτάομαι): *acquired by the spear, captured in battle,* Ι 343†.

δοῦρα, δούρατος: see δόρυ.

δουρο-δόκη (δέχομαι): *spear-receiver, case* or *stand for spears,* perhaps a ring on a column in the vestibule, α 128†.

δόχμιος and **δοχμός**: *oblique, sideways;* δόχμια as adv., Ψ 116; δοχμώ ἀίσσοντε, M 148.

δράγμα (δράσσομαι): *handful of* grain cut by the sickle, Λ 69 and Σ 552.

δραγμεύω (δράγμα): *gather handfuls* of grain, as they fall from the sickle, Σ 555†.

δραίνω (δράω): *wish to act* or *do* anything, K 96†.

Δρακίος: a leader of the Epeians, N 692.

δράκων, οντος (δέρκομαι): *snake, serpent.*

δράσσομαι, perf. part. δεδραγμένος: *grasp* with the hand, N 393 and Π 486.

δρατός (δέρω): *flayed,* Ψ 169.

δράω, opt. δρώοιμι: *work, do work* as servant (δρηστήρ), ο 317†.

δρεπάνη and **δρέπανον**: *sickle,* Σ 551 and σ 368.

δρέπω, aor. mid. part. δρεψάμενοι: *pluck, cull,* μ 357†.

Δρῆσος: a Trojan, Z 20†.

δρηστήρ, ῆρος (δράω): *workman, servant.*—Fem., **δρήστειρα**, *workwoman, female servant.* (Od.)

δρηστοσύνη (δρηστήρ): *work, service,* ο 321†.

δρῑμύς, εῖα, ύ: *pungent, stinging, sharp;* ἀνὰ ῥῖνας δέ οἱ ἤδη | δρῑμὺ μένος προύτυψε, of the 'peppery' sensation in the nose caused by emotion, ω 319; χόλος, Σ 322; μάχη, O 696.

δρίος (cf. δρῦς) = δρῡμός, ξ 353†.

δρόμος (δραμεῖν): *running, race, race-course.*

Δρύᾱς: (1) king of the Lapithae, A 263†. — (2) father of Lycurgus, Z 130†.

δρύινος (δρῦς): oaken, φ 43†.

δρῡμός, pl. δρυμά (δρῦς): oak-thicket, coppice.

δρύ-οχος (δρῦς, ἔχω): pl., ribs of a ship or boat, τ 574†. (See cut.) Later the same word designates the keelson, as holding fast the ribs, the lower ends of which are inserted into it. (See cut, where f e designates the stem; b g, keelson; i h, mast; o, o, o, ribs.)

31

Δρύοψ: a son of Priam, Υ 455.

δρύπτω, aor. δρύψε, aor. mid. part. δρυψαμένω, aor. pass. δρύφθη: lacerate, tear; mid., reciprocal, παρειάς, 'each other's cheeks,' β 153.

δρῦς, υός (δόρυ): tree, oak; prov., οὔ πως νῦν ἔστιν ἀπὸ δρυὸς οὐδ' ἀπὸ πέτρης ὀαρίζειν, Χ 126; οὐκ ἀπὸ δρυὸς οὐδ' ἀπὸ πέτρης ἐσσί, τ 163. From tree or rock, in both proverbs.

δρυ-τόμος (τέμνω): woodcutter, woodman; with ἀνήρ, Λ 86.

δρώοιμι, δρώωσι: see δράω.

δῦ: see δύω.

δυάω (δύη): plunge in misery, υ 195†.

δύη: misery, misfortune. (Od.)

Δύμᾱς: (1) a Phrygian, the father of Hecuba, Π 718. — (2) a Phaeacian, ζ 22†.

δύμεναι: see δύω.

δύναμαι, δυνάμεσθα, fut. δυνήσομαι, aor. (ἐ)δυνήσατο, pass. δυνάσθη: be able, have power, avail; θεοὶ δέ τε πάντα δύνανται, κ 306; ἀνδρὸς μέγα δῡναμένοιο, 'very powerful,' λ 414, α 276.

Δῡναμένη: a Nereid, Σ 43†.

δύναμις: power, strength.

δύνω and δύω, fut. δύσω, ipf. δῦνε, iter. δύσκε, aor. 1 ἔδῡσα, aor. 2 ἔδυν, δῦ,

subj. δύω, opt. δύη, inf. δῦναι, δύμεναι, part. δύντα, perf. δέδῡκε, mid. δύομαι, fut. δύσομαι, aor. ἐδύσατο, δύσετο, opt. δύσαιατο: go into or among, enter, and (apparently trans.) put on, don, χιτῶνα, τεύχεα, θώρηκα, and with prepositions; with reference to place the verb is either abs. (ἥλιος δ' ἄρ' ἐδῡ, δύσετο δ' ἠέλιος, set), or foll. by acc. of limit of motion, or by prepositions (εἰς, εἴσω, ἐν); freq. πόλεμον, μάχην, ὅμῑλον, so χθόνα δύμεναι, δύτε θαλάσσης εὐρέα κόλπον, Σ 140; δόμον Ἄιδος εἴσω, Γ 322; and of persons, δύσεο δὲ μνηστῆρας, ρ 276, etc.; met., of feelings, κάματος γυῖα δέδῡκεν, Ε 811; Μελέαγρον ἔδῡ χόλος, Ι 553; ἐν (adv.) δέ οἱ ἦτορ δῦν ἄχος, Τ 367; fut. act. and aor. 1 act. are trans., ἀπὸ (adv.) μὲν φίλα εἵματα δύσω (σέ), Β 261; ἐκ μέν με εἵματ' ἔδῡσαν, 'stripped' me of, ξ 341.

δύο, δύω, indeclinable in Homer: two; proverb, σύν τε δύ' ἐρχομένω καί τε πρὸ ὃ τοῦ ἐνόησεν, 'two together going, hasteneth the knowing' (lit. one notes before the other), Κ 224.

δυοκαίδεκα: twelve.

δυόωσι: see δυάω.

δυσ-: inseparable prefix, opp. εὔ, cf. un-rest, mis-chance.

δυσ-ᾱής, έος (ἄημι): ill-blowing; of contrary or tempestuous winds.

δυσ-άμ-μορος: most miserable. (Il.)

δυσ-αριστο-τόκεια (τίκτω): unhappy mother of an heroic son, Σ 54†.

δύσεο, δύσετο: see δύνω.

δύσ-ζηλος: very jealous or suspicious, η 307†.

δυσ-ηλεγής, έος: (if from ἄλγος), painful, grievous, epith. of war and of death, Υ 154 and χ 325.

δυσ-ηχής, έος (ἠχέω): ill-sounding (horrisonus), epith. of war and of death in war. (Il.)

δυσ-θαλπής, έος (θάλπος): ill-warming, chilly, Ρ 549.

δυσ-κέλαδος: ill-sounding; φόβος, attended by the cries of pursuers and pursued, Π 357†.

δυσ-κηδής, έος (κῆδος): troublous; νύξ, ε 466†.

δυσ-κλέης (κλέος), acc. δυσκλέα: inglorious, Β 115 and Ι 22.

δύσκον: see δύνω.

δυσ-μενέων (μένος): *bearing ill-will*. (Od.)

δυσ-μενής, έος: *hostile*, subst., *enemy*.

δυσ-μήτηρ: only voc., *my mother*, yet *no mother*, ψ 97†.

δύσ-μορος: *ill-fated*.

Δύσ-παρις: *hateful Paris*, voc., Γ 39 and N 769.

δυσ-πέμφελος: word of doubtful meaning, *boisterous, angry* sea, Π 748†.

δυσ-πονής, έος (πόνος): *toilsome*, ε 493†.

δύστηνος: *unhappy, miserable*.

δυσ-χείμερος (χεῖμα): *wintry;* of Dodōna, B 750 and Π 234.

δυσ-ώνυμος (ὄνομα): *of evil name* or *omen, ill-named*.

δυσ-ωρέω (ὥρᾱ): *keep wearisome watch*, K 183†.

δύω, δύων: see δύνω.

δύω: *two*, see δύο.

δυώδεκ(α) = δυοκαίδεκα, K 488, B 637; δυωδέκατος = δωδέκατος, A 493.

δυωδεκά-βοιος: *worth twelve oxen*, Ψ 703†.

δυω-και-εικοσί-μετρος: *holding twenty-two measures*, Ψ 264†.

δυω-και-εικοσί-πηχυς, υ: *twenty-two cubits long*, O 678†.

δῶ = δῶμα.

δώδεκα: *twelve;* with πάντες, πᾶσαι, 'twelve in all'; δωδέκατος, *twelfth*.

Δωδωναῖος: *of Dodōna*, epith. of Zeus, Π 233.

Δωδώνη: *Dodōna*, in Epīrus, site of an ancient oracle of Zeus, ξ 327, B 750.

δώῃ(σι): see δίδωμι.

δῶμα, ατος (δέμω, 'building'): (1) *house, palace, mansion*, often pl., δώματα, *house* as consisting of rooms.—(2) *room*, esp. the largest apartment or men's dining-hall (μέγαρον), χ 494; so perhaps in pl., A 600.

δωρέομαι: *give, bestow*, K 557†.

δωρητός: *open to gifts, reconcilable*, I 526†.

Δωριεύς, pl. Δωριέες: *Dorians*, τ 177†.

Δώριον: a town subject to Nestor, B 594†.

Δωρίς: a Nereid, Σ 45†.

δῶρον (δίδωμι): *gift, present*.

δωτήρ, ῆρος: pl., *givers*, θ 325†.

δωτίνη = δῶρον.

Δωτώ: a Nereid, Σ 43†.

δώτωρ, ορος = δωτήρ, θ 335†.

δώωσι: see δίδωμι.

E.

ἔ': a false reading for ἔα = ἦν, ξ 222.

ἔ, enclitic, ἑέ: see οὗ.

ἔα: see εἰμί.

ἔᾱ: see ἐάω.

ἐάγην: see ἄγνῡμι.

ἐᾱδότα: see ἁνδάνω.

ἐάλην: see εἴλω.

ἐανός (Ϝέννῡμι): *enveloping, clinging*, hence *soft* or *fine;* epith. of clothing and woven fabrics; also of tin, 'pliant,' Σ 613.

ἑανός, εἱανός (Ϝέννῡμι): *robe, garment* of goddesses and women of distinction.

ἔαξε: see ἄγνῡμι.

ἔαρ (Ϝέαρ, ver): *Spring; ἔαρος νέον ἱσταμένοιο*, τ 519.

ἔᾱσιν: see εἰμί.

ἔαται, ἔατο: see ἧμαι.

ἐάφθη: defective aor. pass., a doubtful word, used twice, ἐπὶ δ' ἄσπις ἐάφθη καὶ κορύς, N 543 (similarly Ξ 419), *followed*.

ἐάω, ἐιάω, ἐῶ, εἰῶ, ἐάᾳς, etc., ipf. εἴων, εἴᾱς, εἴᾱ, ἔᾱ, iter. εἴασκον, ἔασκες, fut. ἐάσω, aor. εἴασα, ἔασας, etc.: *let, permit, let alone, let be, οὐκ ἐᾶν, prevent, forbid;* εἴπερ γὰρ φθονέω τε καὶ οὐκ εἰῶ διαπέρσαι (note οὐκ εἰῶ in the condition), Δ 55, B 132, 832; παύε', ἔᾱ δὲ χόλον, 'give up' thy wrath, I 260; ἵππους ἔᾱσε, 'left standing,' Δ 226; τὸν μὲν ἔπειτ' εἴᾱσε, him he 'let lie,' Θ 317: with inf. of the omitted act., κλέψαι μὲν ἐάσομεν, 'we will dismiss' the

plan of stealth, Ω 71. — Some forms
are often to be read with synizesis, ἐᾷ,
ἔᾷ, ἐῶμεν, ἐάσουσιν.

ἐάων: see ἐΰς.

ἑβδόματος and ἕβδομος: *seventh ;*
ἑβδομάτῃ, on the seventh day, κ 81, ξ
252.

ἔβλητο: see βάλλω.

ἐγγεγάᾱσι: see ἐγγίγνομαι.

ἐγ-γείνομαι: *engender,* T 26†.

ἐγ-γίγνομαι: only perf. ἐγγεγάᾱσιν,
are in, live in or *there.*

ἐγ-γυαλίζω (γύαλον), fut. -ξω, aor.
ἐγγυάλιξε: *put into the hand, hand
over, confer, τῑμήν, κῦδος,* etc. ; *κέρδος,*
'suggest,' 'help us to,' ψ 140.

ἐγγυάομαι: δειλαὶ δειλῶν ἐγγύαι ἐγ-
γυάασθαι, 'worthless *to receive* are the
pledges of the worthless,' θ 351† ;
ἐγγυάω, 'give pledge.'

ἐγγύη: *surety, pledge,* see ἐγγυάο-
μαι.

ἐγγύθεν (ἐγγύς): *from near, near ;*
of time, T 409 ; of relationship, η 205.

ἔγγυθι = ἐγγύς.

ἐγγύς: *near,* of time or space, with
gen. or without.

ἐνδοΰ'ησαν: see δουπέω.

ἐγείρω, aor. ἤγειρα, ἔγειρε, mid. part.
ἐγειρόμενος, aor. ἔγρετο, imp. ἔγρεο, inf.
(w. accent of pres.) ἔγρεσθαι, part. ἐγ-
ρόμενος, perf. 3 pl. ἐγρηγόρθᾱσι, inf.
(w. irreg. accent) ἐγρήγορθαι, pass. aor.
3 pl. ἔγερθεν : I. act., *awaken, wake,
arouse; τινὰ ἐξ ὕπνου, ὑπνώοντας,* E
413, ε 48 ; Ἄρηα, πόλεμον, πόνον, μέ-
νος, νεῖκος, Ο 232, 594, P 554. — II.
mid., *awake,* perf. *be awake;* ἔγρετο εὕ-
δων, ν 187 ; ἔγρεο, 'wake up !'; ἐγρή-
γορθε ἕκαστος, 'keep awake,' every
man ! H 371.

ἔγκατα, dat. ἔγκασι: *entrails.*

ἐγ-κατα-πήγνῡμι, aor. ἐγκατέπηξα:
thrust firmly in, ξίφος κουλεῷ, λ 98†.

ἐγ-κατα-τίθημι, aor. ἐγκάτθετο, imp.
ἐγκάτθεο: *deposit in, place in,* ἱμάντα
κόλπῳ, Ξ 219; met., ἄτην θῡμῷ, 'con-
ceive' infatuation, ψ 223 ; τελαμῶνα
ᾗ ἐγκάτθετο τέχνῃ, 'conceived in (by)
his art,' or perhaps better 'included
in (among the specimens of) his art,'
λ 614.

ἔγ-κειμαι, fut. ἐγκείσεαι: *lie in, εἵ-
μασι,* X 513†.

ἐγκεράσᾱσα: see ἐγκίρνημι.

ἐγ-κέφαλος (κεφαλή): *brain.*

ἐγ-κίρνημι, aor. part. ἐγκεράσᾱσα:
mix in, οἶνον, Θ 189†.

ἐγκλάω: see ἐνικλάω.

ἐγ-κλίνω: only perf. pass. (met.),
πόνος ὕμμι ἐγκέκλιται, *rests upon* you,
Z 78†.

ἐγ-κονέω: *be busy,* only pres. part.,
στόρεσαν λέχος ἐγκονέουσαι, 'in haste,'
Ω 648, η 340, ψ 291.

ἐγ-κοσμέω: *put in order within,* νηὶ
τεύχεα, ο 218†.

ἐγ-κρύπτω, aor. ἐνέκρυψε: *hide in,
bury in,* δαλὸν σποδιῇ, ε 488†.

ἐγ-κύρω, aor. ἐνέκυρσε: *meet, fall in
with,* N 145†.

ἔγρεο, -ετο, -εσθαι, ἐγρήγορθαι: see
ἐγείρω.

ἐγρηγορόων, as if from ἐγρηγοράω:
remaining *awake,* K 182.

ἐγρήσσω (ἐγείρω): *watch, keep watch.*

ἐγχείη (ἔγχος): *lance.*

ἐγχείῃ: see ἐγχέω.

ἔγχελυς, υος: *eel.*

ἐγχεσί-μωρος: word of doubtful
meaning, *mighty with the spear.*

ἐγχέσ-παλος (πάλλω): *spear-bran-
dishing.*

ἐγ-χέω, aor. subj. ἐγχείῃ, aor. mid.
ἐνεχεύατο: *pour in,* mid. for oneself,
ι 10, τ 387.

ἔγχος, εος: *spear, lance;* used for
both hurling and thrusting, and re-
garded as the most honorable weapon ;
the shaft, δόρυ, was of ash, about 7 ft.
long ; the upper end, καυλός, was fitted
with a bronze socket, αὐλός, into which
the point, ἀκωκή, αἰχμή, was inserted,
Π 802, being held fast by the πόρκης ;
the lower end, οὐρίαχος, was furnished
with a ferule or spike, σαυρωτήρ, for
sticking into the earth. The warrior
usually carried two spears—for hurl-
ing, at a distance of about 12 paces,
and for thrusting from above. Hec-
tor's spear was 16 ft. long, Z 319. (See
also σῦριγξ, and cut 19.)

ἐγχρίμπτω, ἐνιχρίμπτω, aor. part.
ἐγχρίμψᾱς, mid. ipf. ἐγχρίμπτοντο, pass.
aor. imp. ἐγχριμφθήτω, part. ἐγχριμφ-
θείς, ἐνιχριμφθέντα : *press close to, draw
near ;* of running close to the turning-
post in a race, Ψ 334, 338 ; grazing
the bone by a lance-point, E 662 ;
crowding close in combat, P 413 ; ap-
proaching very near, N 146.

ἐγώ, ἐγών, besides the usual forms,

also gen. ἐμεῖο, ἐμεῦ, ἐμέο, μευ, ἐμέθεν: I, me.

ἐδάην: see ΔΑ.

ἐδανός (Ϝεδανός, ἡδύς): sweet, Ξ 172†.

ἐδάσατο, -σσατο: see δατέομαι.

ἔδαφος: floor, of a ship, ε 249†.

(See cut 32.) a, μεσόδμη, mast - box; b, beams running parallel to c, ἐπηγκενίδες, gunwale; d, κληῖδες, row-lock, thole-pin; e, σκαλμοί, part of the gunwale on which the oar rests, bed of the oar; f, ζυγά, thwarts (should cross the vessel); g, θρῆνυς, braces for the feet; h, ἴκρια, ribs; i, τρόπις, keel; k, ἁρμονίαι, slabs, sustaining the floor; l, ἔδαφος, floor; m, keelson, was probably not distinguished from i, keel. (See also plate No. IV., at end of vol.)

ἔδδεισε, ἐδείδιμεν: see δείδω.

ἐδέδμητο: see δέμω.

ἔδεκτο: see δέχομαι.

ἐδητύς, ύος (ἔδω): food.

ἔδμεναι: see ἔδω.

ἔδνον (Ϝέδνον), only pl. ἔδνα, **ἔεδνα**: (1) bridal gifts, presented by the suitor to the father of the bride, as if to purchase her. —(2) dowry of the bride, given to her by her father, α 277.

ἐδνοπάλιζεν: see ὀνοπαλίζω.

ἑδνόω, ἐεδνόω (ἔεδνον): aor. mid. opt. ἐεδνώσαιτο: portion off, θύγατρα, said of the father, β 53.

ἐδνωτής, ἐεδνωτής: giver of dowry, the father of the bride.

ἔδομαι: see ἔδω, ἐσθίω.

ἔδος, εος (root 'ἐδ): (1) sitting; οὐχ ἔδος ἐστί, 'it's no time for sitting,' Λ 648. — (2) sitting - place, seat, abode; ἀθανάτων ἔδος, of Olympus, Ε 360; so 'site,' 'situation,' Ἰθάκης ἔδος (a periphrasis for the name of the place merely), ν 344.

ἔδραθον: see δαρθάνω.

ἔδραμον: see τρέχω.

ἕδρη (root 'ἐδ): seat, stool (see cut 33; also 75), Τ 77; pl. ἕδραι, rows of seats, e. g. stone benches in the ἀγορά, θ 16; and elsewhere, e. g. γ 7; τίειν ἕδρῃ, honor 'with a seat,' i. e. show to a place of honor.

ἑδριάομαι (ἕδρη), ipf. ἑδριόωντο: sit down, take seats in council, Κ 198, η 98.

ἐδῦν: see δύνω.

ἔδω, inf. ἔδμεναι, ipf. ἔδον, iter. ἔδεσκε, fut. ἔδομαι, perf. part. ἐδηδώς, pass. perf. ἐδήδοται: eat; of both men and animals; metaph., 'consume,' 'devour,' 'gnaw;' οἶκον, κτήματα, α 375; ἄλλοι δ' ἡμέτερον κάματον νήποινον ἔδουσιν, 'the fruits of our toil,' ξ 417; θυμὸν ἔδων, βρώμης δ' οὐχ ἅπτεαι, κ 379, ι 75.

ΟΡΕΣΤΕΥ

ἐδωδή (ἔδω): food, meat, fodder.

ἐέ: see οὗ.

ἔεδνα, ἐεδνόω, ἐεδνωτής: see ἔδνον, ἐδνόω, ἐδνωτής.

ἐεικοσά-βοιος (ἐϜεικ.): *worth twenty cattle*, α 431 and χ 57.

ἐείκοσι(ν): see εἴκοσιν.

ἐεικόσ - ορος (ἐϜεικ.): *twenty-oared*, ι 322†.

ἐεικοστός = εἰκοστός.

ἐείλεον: see εἴλω.

ἐεισάμενος, ἐείσαο, -ατο: see (1) εἴδω. (2) εἴμι.

ἐεισάσθην: see εἴμι.

ἐέλδομαι, ἐέλδωρ: see ἔλδομαι, ἔλδωρ.

ἐέλμεθα, ἐελμένος, ἐέλσαι: see εἴλω.

ἐέλπομαι: see ἔλπομαι.

ἐεργάθω · see ἐργάθω.

ἔεργε, ἐεργμένος: see ἔργω.

ἐέργνῦμι · see κατέργνῦμι.

ἐερμένος: see εἴρω.

ἐέρση, ἐερσήεις: see ἔρση, ἐρσήεις.

ἔερτο: see εἴρω.

ἐέρχατο: see ἔργω.

ἐέσσατο, ἔεστο: see ἔννῦμι.

ἐέσσατο: see εἴσα.

ἔζομαι (root ἑδ), 2 sing. ἕζεαι, imp. ἕζεο, ἕζευ, ipf. ἑζόμην: *sit down, take a seat;* in dodging a spear, Χ 275; fig., of the sinking of the scale, κῆρες ἐπὶ χθονὶ ἐζέσθην, Θ 74.

ἔη: see εἰμί.

ἔηκε: see ἵημι.

ἔην: see εἰμί.

ἐήνδανε: see ἀνδάνω.

ἐῆος: see ἐΰς.

ἔης: see ὅς.

ἐῆς: see ἑός.

ἔησθε, ἔησι: see εἰμί.

ἔθ' = ἔτι.

ἔθειρα, only pl. ἔθειραι: *horse-hair*, of the mane and tail of horses, and of the plume of a helmet.

ἐθείρω: *till*, ἀλωήν, Φ 347†.

ἐθελοντήρ, ηρος: *volunteer*, β 292†.

ἐθέλω, subj. ἐθέλωμι, ipf. ἔθελον, ἠθέλετον, iter. ἐθέλεσκες, fut. ἐθελήσω, aor. ἐθέλησα: *will, wish, choose*, with neg., *be unwilling, refuse;* οὐδ' ἔθελε προρέειν (ὕδωρ), Φ 366, Α 112; so οὐκ ἐθέλων, πολλὰ μάλ' οὐκ ἐθέλοντος, 'sorely against his will;' in prohibitions w. μή (noli), μήτε σύ, Πηλείδη ἔθελ' ἐριζέμεναι βασιλῆι, Α 277; foll. by ὄφρα, Α 133.

ἔθεν = οὗ.

ἐθηεύμεθα: see θηέομαι.

ἔθνος (Ϝέθνος): *company, band, host;* of men, ἑτάρων, λᾱῶν, νεκρῶν, also of

'swarms,' 'flocks,' of bees, flies, birds, etc.

ἔθορον: see θρώσκω.

ἔθρεψα: see τρέφω.

ἔθω (σϜέθω), part. ἔθων, perf. 2 εἴωθα, ἔωθε: *be accustomed, wont;* κακὰ πόλλ' ἔρδεσκεν ἔθων, 'was in the habit of continually working mischief,' Ι 540; οὓς παῖδες ἐριδμαίνωσιν ἔθοντες, 'as is their wont,' Π 260; ὑφ' ἡνιόχῳ εἰωθότι, 'their accustomed driver,' Ε 231.

εἰ: *if, if only, whether;* conjunction used in the expression of a wish or a condition, and in indirect questions.—I. As particle of wishing, εἰ or εἰ γάρ, *would that, O that,* is foll. by the optative.—II. Interrogatively, *whether,* foll. by such construction as the meaning requires, e. g., κατάλεξον | εἰ καὶ Λᾱέρτῃ αὐτὴν ὁδὸν ἄγγελος ἔλθω, 'am to go,' π 138.—III. In conditional clauses εἰ (εἰ μή), and with the subj. often (sometimes w. the opt.) εἴ κεν, rarely w. ἄν, εἰ δ' ἂν ἐμοὶ τῑμὴν Πρίαμος Πριάμοιό τε παῖδες | τίνειν οὐκ ἐθέλωσιν, Γ 288. Conditions of which the conclusion is vague are sometimes regarded as interrogative, e. g. ἀναπεπταμένᾱς ἔχον ἀνέρες, εἴ τιν' ἑταίρων | ἐκ πολέμου φεύγοντα σαώσειαν, they held the gates open, *in case* they might be able to save some fugitive, Μ 122; thus often εἴ που or εἴ πως, 'in the hope that,' 'on the chance that,' etc. — With other particles, εἰ καί, *if also* (or denoting concession, *though*), καὶ εἰ (οὐδ' εἰ, μηδ' εἰ), *even if,* denoting opposition; εἴ τε .. εἴ τε (sive .. sive), ὡς εἰ, ὡς εἴ τε, εἰ δή, εἴ περ, εἴ γε (q. v.); in εἰ δ' ἄγε (q. v.), εἰ is probably an interjection.

εἰαμένη (cf. ἧμαι): *low-lying pasture* or *water-meadow;* ἐν εἰαμένῃ ἕλεος μεγάλοιο, Δ 483 and Ο 631, once mentioned as the home of a poplar-tree, and once as a pasture for kine.

εἰανός: see ἑανός.

εἰαρινός (Ϝέαρ): *of Spring, vernal,* ὥρη, ἄνθεα, νοτίαι.

εἴᾱσα, εἴασκον: see ἐάω.

εἴαται, εἴατο: see ἧμαι.

εἴατο: see εἴμι.

εἴβω (cf. λείβω), ipf. εἶβον: *shed, let fall,* always with δάκρυον.

εἰ γάρ: see εἰ, I.

εἴ γε: *if, since* (s i q u i d e m); usually separated as εἰ ἐτεόν γε, but εἴ γε μέν, ε 206; cf. E 258.

εἰ δ᾽ ἄγε (ἄγετε): *come! come on!* εἰ is probably an interjection, cf. εἶα.

εἰδάλιμος (εἶδος): *beautiful in form,* ω 279†.

εἶδαρ, ατος (ἔδω): *food, fodder, viands,* E 369, α 140.

Εἰδοθέη: *Eidothea,* a sea - goddess, the daughter of Proteus, δ 366.

εἴδομαι, εἶδον: see εἴδω, I.

εἶδος, εος (Ϝιδ), dat. εἴδεϊ: *appearance, looks,* esp. of the human countenance, and mostly with a suggestion of beauty; freq. as acc. of specification with adjectives, and often coupled w. μέγεθος, φυή, δέμας. Of a dog, ταχὺς θέειν ἐπὶ εἴδεϊ τῷδε, a fast runner 'with all that good looks,' ρ 308.

εἴδω (root Ϝιδ): an assumed pres., answering to the tenses enumerated below, meaning (I) *see, seem,* and (II) *know.*— I. (1) *see, look,* aor. 2 εἶδον, ἴδον, subj. ἴδω, ἴδωμι, opt. ἴδοιμι, imp. ἴδε, inf. ἰδεῖν, ἰδέειν, part. ἰδών, mid. aor. 2 ἰδόμην, ἴδοντο, εἴδοντο, subj. ἴδωμαι, opt. ἴδοιτο, imp. ἴδεσθε, inf. ἰδέσθαι. — (2) *seem, appear, be like,* pres. εἴδεται, part. εἰδόμενος, aor. 1 2 sing. ἐείσαο, 3 sing. ἐείσατο, εἴσατο, opt. εἴσαιτο, part. εἰσάμενος, ἐεισάμενος. The meanings need no special illustration; a difference between act. and mid. of signif. *see* is not to be sought. Metaph., ὄφρα Ϝίδωμαι ἐνὶ φρεσὶν ἠδὲ δαείω, Φ 71. Denoting resemblance, εἴσατο δὲ φθογγὴν υἷι Πριάμοιο Πολίτῃ, Β 791, etc.—II. *know,* perf. οἶδα, οἶσθα (οἶδας), ἴδμεν, ἴστε, ἴσᾶσ(ι), subj. εἰδῶ, εἰδέω, εἴδομεν, εἴδετε, εἰδῶσι, opt. εἰδείην, imp. ἴσθ(ι), ἴστω, inf. ἴδμεναι, ἴδμεν, part. εἰδώς, εἰδυῖα, ἰδυῖα, plup. ᾔδε(α), ᾔειδης and ᾔδησθα, ᾔδη and ᾔδεε(ν) and ᾔείδη, 3 pl. ἴσαν, fut. εἴσομαι, εἰδήσω, inf. εἰδήσειν, εἰδησέμεν: The meaning *know* comes as the result of *have seen* (cf. n o s c o, n o v i); with acc. οἶδα may mean 'be skilled in,' and w. inf. 'know how,' see esp. H 237–241; special phrase, χάριν εἰδέναι, 'be grateful,' 'thankful'; another special signif., peculiar to Homer, is when the word denotes *disposition* or *character, turn of mind; φίλα εἰδότες ἀλλήλοισι,* γ 277; ἤπια εἰδέναι, so

αἴσιμα, ἄρτια, ἀθεμίστια Ϝειδώς, 'a lawless spirit,' ι 189.

εἴδωλον (εἶδος): *shape, phantom,* E 449, δ 796; esp. pl., of the *shades* in the nether world, βροτῶν εἴδωλα καμόντων, λ 476.

εἶθαρ: *immediately.*

εἴθε: *would that! Oh, that!* See αἴθε.

εἰ καί: see εἰ, ad fin.

εἴ κεν: see εἰ, also ἄν and κέν.

εἶκε: see (1) εἴκω, (2) ἔοικα.

εἴκελος (Ϝεικ, ἔοικα): *like, τινί.* Cf. ἴκελος.

εἰκοσάκις: *twenty times.*

εἴκοσιν(ν), ἐείκοσι (Ϝεικ., v i g i n t i): *twenty.*

εἰκοσιν-ήριτος: *twenty-fold,* X 349†.

εἰκοστός, ἐεικοστός: *twentieth.*

εἴκτο, εἴκτον, ἐίκτην, εἰκυῖα: see ἔοικα.

εἴκω (Ϝείκω), imp. εἶκε, part. εἴκων, aor. εἶξα, iter. εἴξασκε: *yield, give way, withdraw* (from anything, τινός, before one, τινί), *be inferior* (to one, τινί, in some respect, τὶ, sometimes τινί); εἰσορόων χρόα καλόν, ὅπῃ Ϝείξειε μάλιστα, where it, i. e. the body of Hector, would best 'yield' to a blow, X 321; εἴ πέρ τίς σε βίῃ καὶ κάρτεϊ Ϝείκων | οὔ σε τίει, 'yielding' to violent impulses, ν 143; μηδ᾽ εἴκετε χάρμης | Ἀργείοις, 'fall not back from battle before the Greeks,' Δ 509; ἀνδρῶν δυσμενέων ὅ τέ μοι Ϝείξειε πόδεσσιν, whoever 'was inferior' to me in running, ξ 221; aor. 1 trans., εἶξαι ἡνία ἵππῳ, 'give him free rein,' Ψ 337.

εἰλαπινάζω (εἰλαπίνη): *feast, be at the banquet.*

εἰλαπιναστής: *banqueter, guest,* P 577†.

εἰλαπίνη: *festal banquet.*

εἶλαρ (Ϝειλ., εἴλω): means of *defence, protection; κύματος,* 'against the wave,' ε 257.

εἰλάτινος: *of pine* or *fir* wood.

Εἰλείθυια: *Eilithyia,* daughter of Hera, τ 188; usually pl., Εἰλείθυιαι, the *goddesses of child-birth.*

Εἰλέσιον: a town in Boeotia, Β 499†.

εἰλέω: see εἴλω.

εἰλήλουθα, εἰλήλουθμεν: see ἔρχομαι.

εἰλί-πος (εἴλω, πούς), only pl. acc.

εἰλίποδας, dat. εἰλιπόδεσσι: *close-footed* or *trailing-footed;* epith. of kine, with reference to their peculiar rolling gait.

εἱλίσσω : see ἑλίσσω.

εἷλον, εἱλόμην : see αἱρέω.

εἱλύαται : see εἱλύω.

εἴλῡμα (Fειλύω): *wrapper,* ζ 179†.

εἰλῡφάζω (Fειλ.): *whirl about;* φλό-γα, Υ 492†.

εἰλυφάω = εἰλῡφάζω, Λ 156†.

εἰλύω (Fειλύω), fut. εἰλύσω, pass. perf. εἴλῡμαι, 3 pl. εἰλύαται, part. εἰλῡ-μένος, plup. εἴλῡτο: *wrap, envelop, cover.*

εἴλω, εἰλέω (Fειλέω), subj. εἰλέωσι, part. εἰλεῦντα, ipf. εἴλει, εἴλεον, ἐείλεον, aor. 3 pl. ἔλσαν, inf. ἔλσαι, ἐέλσαι, part. ἔλσᾱς, pass. pres. part. εἰλόμενοι, ipf. εἰλεῦντο, aor. ἐάλη, 3 pl. ἄλεν, inf. ἀλῆ-ναι, ἀλήμεναι, part. ἀλείς, perf. ἐέλμε-θα, part. ἐελμένος : I. act. and pass., *crowd together, hem in, shut up* or *off;* (Orion the hunter) θῆρας ὁμοῦ εἰλεῦν-τα, λ 573; (δμωᾱς) εἴλεον ἐν στείνει, ὅθεν οὔ πως ἦεν ἀλύξαι, χ 460; κατὰ πρύμνᾱς τε καὶ ἀμφ' ἅλα ἔλσαι Ἀχαι-ούς, Α 409; ὅν περ ἄελλαι | χειμέριαι εἰλέωσιν, 'hold storm-bound,' Β 294; (νῆα) κεραυνῷ | Ζεὺς ἔλσᾱς ἐκέασσε, 'with a crushing blow,' ε 132; ("Αρης) Διὸς βουλῇσιν ἐελμένος, 'held close,' Ν 523.—II. mid., *crowd* or *collect to-gether, crouch, gather oneself* for a spring; ἔστασαν ἀμφὶ βίην Διομήδεος εἰλόμενοι, Ε 782; οἱ δὴ τοι εἰς ἄστυ ἄλεν, Χ 12; χειμέριον ἀλὲν ὕδωρ, 'ac-cumulated,' Ψ 420; τῇ (ἀσπίδι) ὕπο πᾶς ἐάλη, 'crouched,' Ν 408; ἐνὶ δίφ-ρῳ ᾗστο ἀλείς, 'cowering close,' Π 403; Ἀχιλῆα ἀλεὶς μένεν, i. e. all ready to charge upon him, Φ 571, ω 538.

εἷμα (Fέννῡμι): *garment,* of any sort; pl., εἵματα, *clothing;* freq. as pred. noun, παρ' δ' ἄρα οἱ φᾶρός τε χιτῶνά τε Fείματ' ἔθηκαν, 'as cloth-ing,' i. e. 'to wear,' ζ 214.

εἷμαι : see ἕννῡμι.

εἵμαρται, εἵμαρτο : see μείρομαι.

εἰμέν : see εἰμί.

εἱμένος : see ἕννῡμι.

εἰ μή : *if not, unless, except,* μ 326.

εἰμί, 2 sing. ἐσσί, εἷς (never εἶ), 1 pl. εἰμέν, 3 pl. ἔᾱσι, subj. ἔω, εἴω, 3 ἔῃσι, ᾖσι, 3 pl. ἔωσι, ὦσι, opt. 2 ἔοις, 3 ἔοι, inf. ἔ(μ)μεν(αι), part. ἐών, ἐοῦσα, ἐόν,

ipf. ἔα, ἦα, ἔον (ἔην), 2 ἔησθα, ἦσθα, 3 ἔην, ἤην, ἦεν, du. ἤστην, pl. ἔσαν, iter. ἔσκον, fut. ἔ(σ)σομαι, ἔ(σ)σεαι, ἔ(σ)σε-ται, ἐ(σ)σόμεθα: as copula, meaning *to be,* forms of the pres. ind. are enclitic, with the exception of ἔᾱσι. But they are not enclitic in the meaning *exist, be possible;* so at the beginning of a sentence, and ἔστι after οὐκ, καί, εἰ, and ὡς. Ζεῦ πάτερ, ἦ ῥα ἔτ' ἔστε θεοί, 'ye do then still *exist,*' ω 352; εἴ τί που ἔστι, πίθοιό μοι, 'if it be anywise *pos-sible,*' δ 193. εἶναι is used in Hom. as elsewhere to form periphrastic tenses, τετληότες εἰμέν (=τετλήκαμεν), Ε 873; βλήμενος ἦν, Δ 211; and it is the usual verb to denote *possession,* εἰσίν μοι παῖδες, Κ 170; ὄφρα οἱ εἴη πίνειν, 'have (a chance) to drink,' ε 248; phrases, ἔνδον ἐόντων, 'of her store'; ὅπως ἔσται τάδε ἔργα, 'what turn af-fairs will take'; εἴη κεν καὶ τοῦτο, 'this might well come to pass'; ἐμοὶ δέ κεν ἀσμένῳ εἴη, 'it would please me well'; καὶ ἐσσομένοισι πυθέσθαι, 'for future generations,' 'for posterity to hear'; εἰ ποτ' ἔην γε, 'if indeed he ever *was*'—as if his existence had been but a dream after all.—Ellipsis of ἐστί is freq., of other forms rare, sc. ἔῃ, Ξ 376.

εἶμι, 2 sing. εἶσθα, subj. ἴησθα, ἴῃς, ἴῃσι, ἴομεν, ἴωσι, opt. ἴοι, ἰείη, inf. ἴ(μ)-μεν(αι), ipf. ἤιον, ἤια, ἤιες, ἴες, ἤιεν, ἤε, ἴε, ᾔομεν, ἤισαν, ἴσαν, ἤιον, fut. εἴσο-μαι, aor. mid. (ἐ)είσατο: *go,* the pres. w. fut. signif., but sometimes w. pres. signif., esp. in comparisons, e. g. Β 87. The mid. form peculiar to Homer has no peculiar meaning, "Εκτωρ ἄντ' Αἴαντος ἐείσατο, *went* to meet Ajax, Ο 415.

εἰν = ἐν.

εἰνά-ετες (ἐννέα, Fέτος): adv., *nine years.*

εἰνάκις : *nine times,* ξ 230†.

εἰν-άλιος (ἅλς): *in* or *of the sea, sea-.* (Od.)

εἰνά-νυχες (ἐννέα, νύξ): adv., *nine nights long,* Ι 470†.

εἰνάτερες (Fειν.): *brothers' wives.* (Il.)

εἴνατος (ἐννέα): *ninth.*

εἵνεκα = ἕνεκα.

εἰνί = ἐν.

εἰν-όδιος (ὁδός): *in the way,* Π 260†.

εἰνοσίγαιος = ἐννοσίγαιος.

εἰνοσί-φυλλος (ἔνοσις, φύλλον):
leaf-shaking, with quivering foliage,
epith. of wooded mountains.

ἔξασκε: see εἴκω.

εἶο: see οὖ.

εἰοικυῖαι: see ἔοικα.

εἶος = ἕως.

εἶπα, εἰπέμεν(αι): see εἶπον.

εἴπερ, εἴ περ: if really, if; mostly
in a concessive sense.

εἶπον (root Fεπ, cf. voco), ἔειπον,
iter. εἴπεσκεν, subj. εἴπωμι, εἴπῃσθα,
aor. 1 εἶπα, 2 pl. εἴπατε: speak, say;
strictly of an utterance with regard to
its tenor and ethical expression rather
than to the subject-matter (cf. ἔπος);
hence the word may signify 'com-
mand' with foll. inf., εἰπεῖν τε γυναι-
ξὶν | κλῖσαι μεγάροιο θύρας, φ 235;
with nearer indication of the feeling,
εὐχόμενος δ' ἄρα εἶπεν,η 330; ὀχθήσας
δ' ἄρα εἶπε, Σ 5; εἶπε δ' ἄρα κλαίουσα,
Τ 286; freq. w. obj., ἔπος, μῦθον, ἀγ-
γελίην, etc.; so w. acc. of person
named, οὐδ' ἦν Ἀγαμέμνονα εἴπῃς,
'pronounce the name of,' 'name,'
Α 90; ἔσται μὰν ὅτ' ἂν αὖτε φίλην
γλαυκώπιδα εἴπῃ, i. e. when I shall
hear him call me by this name, Θ 373,
τ 334.

εἴ που, εἴ πως: see εἰ.

εἰράων: see εἴρη.

εἴργω: see ἔργω.

εἴρερος (root σερ, cf. servus):
bondage, θ 529.

εἰρεσίη (ἐρέσσω): rowing. (Od.)

Εἰρέτρια: Eretria, in Euboea, Β
537†

εἴρη: meeting-place (equiv. to ἀγο-
ρά), pl., Σ 531†.

εἴρηαι: see εἴρομαι.

εἰρήνη (εἴρηται): peace; ἐπ' εἰρήνης,
'in time of peace.'

εἴρηται: see (1) εἴρω 1.—(2) εἴρομαι.

εἴριον: see ἔριον.

εἰρο-κόμος (κομέω): wool-carder, Γ
387†.

εἴρομαι, εἴρεαι, subj. εἴρωμαι, -ηαι,
-ηται, -ώμεθα, imp. εἴρεο, εἰρέσθω, inf.
εἴρεσθαι, part. εἰρόμενος, ipf. εἴρετο,
-οντο, fut. εἰρήσομαι: ask, inquire,
often τινά τι, also ἀμφί τινι, περί τι-
νος, etc.; and w. acc. of thing inquired
about or for, φυλακάς δ' ἅς εἴρεαι, Κ
416, Ζ 239, λ 542.

εἰρο-πόκος (πέκω): woolly-fleeced,
woolly, ι 443 and Ε 137.

εἶρος: wool, fleece, δ 135 and ι 426.

εἰρύαται: see ἐρύομαι.

1. εἴρω (root Fερ, cf. verbum), pres.
rare (ν 7), fut. ἐρέω, -έει, -έουσι, part.
ἐρέων, ἐρέουσα, pass. perf.εἴρηται, part.
εἰρημένος, plup. εἴρητο, fut. εἰρήσε-
ται, aor. part. dat. sing. ῥηθέντι: say,
speak, declare; strictly with regard
merely to the words said; announce,
herald, (Ἥώς) Ζηνὶ φόως ἐρέουσα, Β
49; (Ἑωσφόρος) φόως ἐρέων ἐπὶ γαῖαν,
Ψ 226.

2. εἴρω (root σερ, cf. sero), only
pass. perf. part. ἐερμένος, plup. ἔερτο:
string, as beads; μετὰ (adv.) δ' ἠλέκ-
τροισιν ἔερτο, at intervals 'was strung'
with beads of amber, σ 460; ὅρμος
ἠλέκτροισιν ἐερμένος, σ 296; γέφυραι
ἐερμέναι, 'joined' in succession, Ε 89.

εἰρωτάω (εἴρομαι), ipf. εἰρώτα: ask,
τινά τι. (Od.)

εἰς, ἐς (εἰς before a consonant only
in εἰσβαίνω): into. — I. adv. (the so-
called 'tmesis'), ἐς δ' ἦλθον, ἐς δ' ἐρέ-
τας ἀγείρομεν, Α 142; an acc. in the
same clause may specify the relation
of the adv., thus preparing the way
for a true prepositional use, τὼ δ' εἰς
ἀμφοτέρω Διομήδεος ἅρματα (acc. of
end of motion) βήτην, Θ 115, β 152.
—II. prep. w. acc., into, to, for; ἐς ἀλ-
λήλους δὲ ἴδοντο, 'towards' each oth-
er, into each other's faces, Ω 484; of
purpose, εἰπεῖν εἰς ἀγαθόν, 'for' a
good end, I 102; εἰς ἄτην, 'to' my
ruin, μ 372; of time, εἰς ἐνιαυτόν, i. e.
up to the end of a year, δ 595; so εἰς
ὅ κε, until; distributively, αἰεὶ εἰς ὥρας,
'season after season' (cf. in dies), ι
135. Apparently w. gen., by an el-
lipsis, εἰς Ἀΐδαο (sc. δόμον), ἐς Πριά-
μοιο, and by analogy, εἰς Αἰγύπτοιο
(sc. ὕδωρ), εἰς ἡμετέρου, β 55, etc.

εἶς: see εἰμί.

εἷς, μία, ἕν: one; τούς μοι μία γεί-
νατο μήτηρ, 'one and the same' moth-
er as my own, Τ 293; adv. phrase, ἐς
μίαν βουλεύειν, be 'at one' again in
counsel, Β 379.

εἷσα (root ἑδ-), defective aor., imp.
εἶσον, inf. ἕσσαι, part. ἕσας, ἕσᾶσα, mid.
ἕσσατο: cause to sit, sit down, settle;
ἐς θρόνον εἷσεν ἄγων, i. e. gave her a
seat, α 130; λόχον, 'lay' an ambus-

cade, δ 531; δῆμον Σχερίῃ, 'settled' them in Scheria, ζ 8; ἐπὶ βουσὶν εἰσέ με, 'established' me in charge of), υ 210; mid., ἐπὶ νηὸς ἐέσσατό με, 'took me on board' of his ship, ξ 295.

εἰσ‑αγείρομαι, ipf. ἐσαγείρετο, aor. ‑ατο: gather together in or for ; of a crew, ξ 248; met., νέον δ᾽ ἐσαγείρετο θῡμόν, 'was collecting' his powers, coming to life, O 240.

εἰσ‑άγω, ἐσάγω, ipf. ‑ῆγον, aor. 2 ‑άγαγον (‑ήγαγε): lead or bring in ; w. acc. of the place whither, δώματα, δόμον, Κρήτην, εἰσήγαγ᾽ ἑταίρους, γ 191.

εἰσ‑αθρέω, aor. opt. ἐσαθρήσειεν: descry, Γ 450†.

εἰσ‑ακούω, aor. ἐσάκουσε: give ear, Θ 97.

εἰσ‑άλλομαι, aor. 1 ἐσήλατο, aor. 2 ἐσᾶλτο: leap into or at. (Il.)

εἰσάμενος : see εἴδω, I.

εἰσ‑ανα‑βαίνω, opt. ‑νοι, ipf. ‑ανέβαι‑ νον, aor. 2 ‑ανέβησαν, inf. ‑βῆναι, part. ‑βᾶσα: go up or back to, ascend to, mount.

εἰσ‑αν‑άγω : lead away into bondage, τινὰ εἴρερον, θ 529†.

εἰσ‑αν‑εῖδον : look up into, Π 232 and Ω 307.

εἰσ‑άν‑ειμι (εἶμι): only part., climbing the sky, ἠέλιος οὐρανόν, Η 423†.

εἰσ‑άντα, ἐσάντα : in the face, straight at, straight forward.

εἴσατο : see (1) εἴδω, I.—(2) εἶμι.

εἰσ‑αφ‑ικάνω = εἰσαφικνέομαι.

εἰσ‑αφ‑ικνέομαι, aor. opt. ‑ίκοιτο, subj. ‑ίκηαι, ‑ίκηται, inf. ‑κέσθαι : arrive at, reach.

εἰσ‑βαίνω, ἐσβαίνω, aor. 2 opt. ἐσ‑ βαίη, part. ἐσβάντες : enter, esp. go on board ship, embark.

εἰσ‑δέρκομαι, aor. ἐσέδρακον : look at, discern.

εἰσ‑δύομαι, fut. ἐσδύσεαι : enter into, to take part in, ἀκοντιστύν, Ψ 622†.

εἰσεῖδον : see εἰσοράω.

εἴσ‑ειμι (εἶμι): go into, enter ; μετ᾽ ἀνέρας, 'among the men,' Σ 184; w. acc., οὐδ᾽ Ἀχιλῆος | ὀφθαλμοὺς εἴσειμι, 'into his sight,' Ω 463.

εἰσ‑ελαύνω, εἰσελάω, part. ‑άων, aor. 3 pl. εἰσέλασαν, part. εἰσελάσαντες : drive in ; of a ship, run or row in.

εἰσ‑ερύω, aor. part. εἰσερύσαντες : drag into, νῆα σπέος, μ 317†.

εἰσ‑έρχομαι, fut. ἐσελεύσομαι, aor. 2 εἰσῆλθον, ἐσήλυθον : come or go into,

enter ; metaph., μένος ἄνδρας εἰσέρχε‑ ται, πείνη δῆμον, ο 407.

ἴση (Fῖσος), only fem. forms: equal; epith. of δαίς, 'equally divided' feast, Α 468; νῆες ἴσαι, 'balanced,' 'symmetrical,' Α 306; ἀσπὶς πάντοσ᾽ ἴση, i. e. circular, Γ 347 ; ἵπποι, exactly matched in size, Β 765 ; φρένες ἔνδον ἴσαι, a 'well-balanced' mind, λ 337.

εἴσθα: see εἶμι.

εἰσ‑θρώσκω, aor. 2 ἔσθορε : spring in. (Il.)

εἰσίέμεναι : see εἴσίημι.

εἰσ‑ίζομαι, subj. ἐσίζηται : place oneself in an ambuscade, N 285†.

εἰσ‑ίημι : only mid. pres. part. εἰσίέ‑ μεναι, seeking to enter, χ 470†.

εἰσ‑ίθμη (εἶμι): way in, entrance, ζ 264†.

εἰσ‑κατα‑βαίνω, part. ἐσκαταβαί‑ νων : go down into, ὄρχατον, ω 222†.

εἴσκω, ἴσκω (FεF‑, cf. Fίκελος), ἴσκουσι, part. ἴσκοντες, ipf. ἤισκον, εἴ‑ σκον, ἴσκον : make like, deem or find like, compare to, judge as to likeness or similarity; ἄλλῳ δ᾽ αὐτὸν φωτὶ κα‑ τακρύπτων ἤισκεν, 'made himself look like' another man, δ 247; ἐμὲ σοὶ Fί‑ σκοντες, i. e. taking me for thee, Π 41 ; τὸ μὲν ἄμμες εἴσκομεν ὅσσον θ᾽ ἱστὸν νηός, 'we judged it to be as large,' ι 321 ; ἴσκομεν ἄξιον εἶναι | τρεῖς ἑνὸς ἀντὶ πεφάσθαι, 'deem it a fair equivalent,' N 446, Φ 332.

εἰσ‑μαίομαι : only aor. (metaph.), θανὼν μάλα με ἐσμάσσατο θῡμόν, 'searched into,' i. e. carried grief to my heart, P 564 and Υ 425.

εἰσ‑νοέω, aor. εἰσενόησα : perceive.

εἴσ‑οδος : entrance, κ 90†.

εἰσ‑οιχνέω (οἴχομαι), 3 pl. ‑εῦσι, part. ‑εῦσαν : enter. (Od.)

εἰσόκε(ν), εἰς ὅ κεν : until, as long as.

εἴσομαι : see (1) εἶμι.—(2) εἴδω, Π.

εἰσ‑οράω, εἰσορόωσι, aor. εἰσεῖδον, ἔσι‑ δον, iter. ἐσίδεσκεν, fut. ἐσόψομαι : look upon, behold, act. and mid. ; the part. is often added to verbs by way of amplification, σέβας μ᾽ ἔχει εἰσορόωντα, ζ 161 ; so the inf. epexegetically, ὀξύτα‑ τον πέλεται φάος εἰσοράασθαι, Ξ 345.

ἔισος : see ἴση.

εἰσόψομαι : see εἰσοράω.

εἰσ‑πέτομαι, aor. εἰσέπτατο : fly into, Φ 494†.

εἰσ-φέρω, ipf. ἔσφερον; carry in; mid., (ποταμὸς) πεύκας ἐσφέρεται, 'sweeps into its current,' Λ 495.

εἰσ-φορέω, ipf. ἐσφόρεον: parallel form of εἰσφέρω.

εἰσ-χέω: only aor. mid. (metaph.), ἐσέχυντο κατὰ πύλᾶς, they poured in at the gates, M 470 and Φ 610.

εἴσω and ἔσω (εἰς): towards within, into; often following an acc. of end of motion, Ἴλιον εἴσω, οὐρανὸν εἴσω, etc.; w. gen., η 135, θ 290.

εἰσ-ωπός (ὤψ): face to face with, directly in front of, νεῶν, O 653†.

εἶται: see ἔννῡμι.

εἴ τε: see εἰ.

εἶτε = εἴητε, see εἰμί.

εἰῶ = ἐάω.

εἴωθα: see ἔθω.

εἴων: see ἐάω.

εἴως = ἕως.

ἐκ, before vowels ἐξ: out.—I. adv. (here belong the examples of 'tmesis' so-called), ἐκ δ' εὐνὰς ἔβαλον, Α 436; ἐκ δ' ἔσσυτο λᾱός, Θ 58; a gen. in the same clause may specify the relation of the adverb, thus forming a transition to the true prepositional use, ἐκ δ' ἄγαγε κλισίης (gen. of place whence) Βρῑσηΐδα, Α 346. — II. prep. w. gen., out of, (forth) from; of distance or separation, ἐκ βελέων, 'out of range,' Λ 163; ἐκ καπνοῦ, 'out of,' 'away from' the smoke, π 288; often where motion is rather implied than expressed, as with verbs of beginning, attaching or hanging, ἐκ δὲ τοῦ ἀρχόμενος, 'beginning with that,' ψ 199; ἐκ πασσαλόφι κρέμασεν φόρμιγγα, θ 67; τῆς δ' ἐξ ἀργύρεος τελαμὼν ἦν, 'attached to it,' Λ 38; ἐξ ἑτέρων ἕτερ' ἐστίν, 'one set of buildings adjoining another,' ρ 266; hence temporal, ἐκ τοῦδε, ἐξ οὗ, since; often causal, ἐξ ἀρέων μητρὸς κεχολωμένος, 'in consequence of,' Ι 566; sometimes nearly equiv. to ὑπό, i. e. source for agency, πάσχειν τι ἔκ τινος, ἐφίληθεν ἐκ Διός, Β 669; phrases, ἐκ θῡμοῦ φιλεῖν, ἐξ ἔριδος μάχεσθαι, etc. — ἐκ is accented ('anastrophe') when it follows its case, καύματος ἔξ, E 865, Ξ 472, ρ 518.

Ἑκάβη: Hecuba, the wife of Priam, daughter of Dymas, a Phrygian king, Z 293, Π 718. (Il.)

ἑκά-εργος (ϝεκάς, ϝέργον): far-

working, far-worker, epith. of Apollo, the 'far-darter.' Some moderns are disposed to set aside the traditional interpretation in favor of new ones, in regard to which, however, they do not agree among themselves.

ἐκάην: see καίω.

ἕκαθεν (ϝεκάς): from far away, afar, far.

Ἑκαμήδη: daughter of Arsinous, and slave of Nestor, Λ 624.

ἑκάς (ϝεκάς): adv., far, remote; freq. w. gen., far from.—Comp., ἑκαστέρω, sup. ἑκαστάτω.

ἑκάστοθι: in each place, 'in each division,' γ 8†.

ἕκαστος (ϝεκ.): each, each one; in sing. regularly w. pl. vb., and in app. to pl. subjects, οἳ μὲν κακκείοντες ἔβαν οἰκόνδε ϝέκαστος, 'each to his home,' Α 606; pl., less common and strictly referring to each of several parties or sets of persons, Γ 1; sometimes, however, equiv. to the sing., ξ 436.

ἑκάτερθε(ν) (ϝεκ.): from or on both sides.

ἑκατη-βελέτης, ᾱο = ἑκατηβόλος, Α 75†.

ἑκατη-βόλος (ϝέκατος, βάλλω): far-darting, epithet of Apollo; subst., the 'far-darter,' O 231.

ἑκατόγ-χειρος: hundred - handed, Α 402†.

ἑκατό-ζυγος: with a hundred benches, νηῦς, an hyperbole, Υ 247†.

ἑκατόμ-βη (βοῦς): hecatomb; properly, 'sacrifice of a hundred oxen,' but the number is a round one, as the hecatombs mentioned always contain less than 100 head; hence for 'sacrifice' generally, Β 321, etc.

ἑκατόμ-βοιος: worth a hundred oxen; 'the value of a hundred oxen,' ἑκατόμβοιον, Φ 79. (Il.)

ἑκατόμ-πεδος, ἑκατόμποδος (πούς): a hundred feet each way, Ψ 164†.

ἑκατόμ-πολις: hundred - citied, in round numbers (cf. τ 174), epith. of Crete, Β 649†.

ἑκατόμ-πυλος: hundred-gated, epith. of Egyptian Thebes, Ι 383†.

ἑκατόν: hundred; freq. as a round number, alone and in compounds.

ἕκατος (ϝεκάς): far-working, subst., the far-worker; epith. of Apollo; cf. ἑκάεργος, ἑκατηβόλος. (Il.)

ἐκ-βαίνω, aor. 1 part. ἐκβήσαντες, ior. 2 imp. ἔκβητε: go out, esp. go αshore, disembark; aor. 1 trans., 'putting you ashore,' ω 301.

ἐκ-βάλλω, ipf. ἔκβαλλε, aor. 2 ἔκβαλον: throw or cast out or forth, let fall; χειρὸς ἔγχος, the spear from the hand, Ξ 419; so of striking something from the hand of another, etc.; of felling trees, ε 244; metaph., ἔπος, Σ 324, δ 503.

ἔκ-βασις: landing-place, ε 410†.

ἐκ-βλώσκω, aor. 2 ἔκμολεν: go forth, Λ 604†.

ἐκγεγάμεν, ἐκγεγάτην, ἐκγεγαώς: see ἐκγίγνομαι.

ἐκ-γελάω, aor. part. ἐκγελάσᾱς: laugh out; ἡδύ, 'heartily,' π 345.

ἐκ-γίγνομαι, aor. ἐξεγένοντο, perf. du. ἐκγεγάτην, inf. ἐκγεγάμεν, part. ἐκγεγαῶτι: spring from, perf. be descended from, τινός.

ἔκ-γονος: offspring, child.

ἐκ-δέρκομαι: look forth from, Ψ 477†.

ἐκ-δέρω, aor. part. ἐκδείρᾱς: flay, κ 19†.

ἐκ-δέχομαι: receive from, τινί τι, Ν 710†.

ἐκ-δέω, ipf. ἔκδεον, aor. inf. ἐκδῆσαι, part. ἐκδήσᾱς: bind or tie to; w. gen., Ψ 121.

ἔκ-δηλος: conspicuous, Ε 2†.

ἐκ-δια-βαίνω, aor. 2 part. ἐκδιαβάντες: pass quite over, Κ 198†.

ἐκ-δίδωμι, aor. 2 imp. ἔκδοτε: deliver over, Γ 459†.

ἐκ-δύνω, ἐκδύω, ipf. ἔκδῡνε, aor. opt. ἐκδῦμεν, part. ἐκδῡ́ς, mid. ipf. ἐξεδύοντο: get out from, put off, doff; ἐκδὺς μεγάροιο, χ 334; ἐκδῦνε χιτῶνα, α 437; τεύχεα τ' ἐξεδύοντο, Γ 114; metaph., ὄλεθρον, 'escape,' Π 99.

ἐκεῖθι: there, ρ 10†.

ἐκεῖνος, η, ο, and κεῖνος: that one (ille), he, she; κεῖνος μέν τοι ὅδ' αὐτὸς ἐγώ, πάτερ, ὃν σὺ μεταλλᾷς, 'I myself here am he,' ω 321; freq. deictic, κεῖνος ὅ γε, yonder he is, Γ 391, Ε 604.—Adv. κείνῃ, there, ν 111.

ἐκέκαστο: see καίνυμαι.

ἐκέκλετο: see κέλομαι.

ἐκέκλιτο: see κλίνω.

ἔκηα: see καίω.

ἐκη-βολίη (Ἑκάς, βάλλω): shooting far, pl., attribute of a hunter, Ε 54†.

ἐκη-βόλος = ἑκατηβόλος, epithet of Apollo.

ἔκηλος (Ϝεκ.) and εὔκηλος: of good cheer, free from care, at ease; often negatively, 'undisturbed,' 'unmolested,' Ζ 70, Ρ 340; iron., ἔκηλος ἐρρέτω, 'let him go to perdition at his leisure,' Ι 376.

ἔκητι (Ϝέκητι): by the will or grace (of a god). (Od.)

ἐκ-θνήσκω: only aor. ἔκθανον γέλῳ, died a-laughing, σ 100†.

ἐκ-θρώσκω, aor. ἐξέθορε, ἔκθορε: spring or leap forth.

ἐκ-καθαίρω: clean out, Β 153†.

ἐκ-και-δεκά-δωρος: sixteen palms (δῶρα) long, of the horns of a wild goat, Δ 109†.

ἐκ-καλέω, aor. part. -έσᾱς, -αντες: call out or forth, mid., to oneself.

ἐκ-κατα-πάλλω: only aor. mid. ἐκκατέπαλτο, darted down from; οὐρανοῦ, Τ 351†.

ἐκ-κατ-εῖδον, part. ἐκκατιδών: look down from; Περγάμου, Δ 508 and Η 21.

ἐκ-κλέπτω, aor. ἐξέκλεψεν: steal away, Ε 390†.

ἐκ-κυλίω: only aor. pass. ἐξεκυλίσθη, rolled (headlong) down from; ἐκ δίφρου, Ζ 42 and Ψ 394.

ἐκ-λανθάνω, aor. 2 ἐκλέλαθον, mid. aor. ἐκλάθετο, ἐξελάθοντο, subj. ἐκλελάθωνται, opt. -οιτο, inf. -έσθαι: act., causative, make to forget utterly; τινά τι, Β 600; mid., forget utterly; τινός, also w. inf., κ 557.

ἐκλέεο: see κλείω 1.

ἔκ-λησις (λήθω): forgetting and forgiving, ω 485†.

ἐκ-λύω, mid. fut. ἐκλύσομαι, pass. aor. ἐξελύθη, Ε 293 (v. l. ἐξεσύθη): loose from, mid., set free from, w. gen., κ 286.

ἐκ-μείρομαι: only perf., θεῶν ἐξέμμορε τῑμῆς, has won a high share in the honor of the gods, ε 335† (v. l. θεῶν ἔξ).

ἔκμολεν: see ἐκβλώσκω.

ἐκ-μυζάω, aor. part. ἐκμυζήσᾱς: suck out, Δ 218†.

ἐκ-νοστέω, aor. part. ἐκνοστήσᾱς: return from, μάχης (v. l. μάχης ἔκ).

ἔκ-παγλος, sup. ἐκπαγλότατος: terrible, both of persons and of things; adv., ἔκπαγλον, ἔκπαγλα, ἐκπάγλως, *terribly*, but often colloquially weakened, 'exceedingly,' ἔκπαγλα φιλεῖν, Γ 415 (cf. αἰνά, αἰνῶς).

ἐκ - παιφάσσω (φάος): only inf. (metaph.), *shine forth*, of brilliant performance, or perhaps of lightning swiftness, E 803†.

ἐκ-πάλλω: only aor. mid., ἔκπαλτο, *spirted out*, Υ 483†.

ἐκ-πατάσσω: *strike out;* only pass. perf. part. (metaph.), φρένας ἐκπεπαταγμένος, 'bereft of sense,' σ 327† (cf. ἐκπλήσσω).

ἐκ-πέμπω, aor. ἔκπεμψα: *send out* or *away*, mid., from oneself; *conduct forth*, Ω 681.

ἐκπέποται: see ἐκπίνω.

ἐκ-περάω, ἐκπεράᾳ, -όωσι, aor. ἐξεπέρησε: *pass through*, of arrow or spear; *traverse*, of the sea.

ἐκ-πέρθω, fut. ἐκπέρσω, aor. 1 subj. ἐκπέρσωσι, aor. 2 ἐξεπράθομεν: *utterly destroy, pillage from;* πολίων, A 125.

ἐκπεσέειν: see ἐκπίπτω.

ἐκπεφυνῖαι: see ἐκφύω.

ἐκ - πίνω, aor. 2 ἔκπιον, perf. pass. ἐκπέποται: *drink up, drink dry.* (Od.)

ἐκ-πίπτω, aor. 2 ἔκπεσον, inf. -σέειν: *fall out, fall down* (*from*).

ἐκ-πλήσσω, pass. aor. 2 3 pl. ἔκπληγεν: *strike out*, regularly metaph., *dismay, terrify*, with and without φρένας, Σ 225.

ἐκ-ποτέομαι (πέτομαι): *flutter down from* the sky (Διός), of snow-flakes, Τ 357†.

ἐκ-πρεπής, έος (πρέπω): *conspicuous, distinguished*, B 483†.

ἐκ-προ-καλέω: only aor. mid. part., ἐκπροκαλεσσαμένη, *having called him forth to herself*, β 400†.

ἐκ-προ-λείπω: only aor. 2 part. ἐκπρολιπόντες, *going forth and leaving*, the wooden horse, θ 515†.

ἐκ - πτύω: only aor. ἐξέπτυσε, *spat forth*, salt water, ε 322†.

ἐκ - πυνθάνομαι: only aor. 2 inf., *search out*, K 308 and 320.

ἐκρέμω: see κρέμαμαι.

ἐκ - ῥήγνῡμι, aor. ἐξέρρηξα: *break* or *burst away*, foll. by part. gen., Ψ 421; of 'snapping' a bowstring, Ο 469.

ἐκ-σαόω, aor. ἐξεσάωσεν: *save* (*from*), τινά (τινος).

ἐκ - σεύω, aor. mid. ἐξέσσυτο, pass.

ἐξεσύθη: mid., *rush* or *hasten forth;* w. gen., Η 1, ι 373; fig., βλεφάρων ἐξέσσυτο ὕπνος, μ 366.

ἐκ - σπάω, aor. ἐξέσπασε, mid. part. ἐκσπασσαμένω: *pull out*, mid., something that is one's own, Η 255.

ἐκ-στρέφω, aor. ἐξέστρεψε: *twist* or *wrench out of;* ἔρνος βόθρου, P 58†.

ἔκτα, ἔκταθεν: see κτείνω.

ἐκτάδιος, 3 (τείνω): *broad;* 'with ample folds,' χλαῖνα, K 134†.

ἐκ - τάμνω, subj. ἐκτάμνῃσι, aor. ἐξέταμον, ἔκταμε: *cut out, hew out, fell* trees, ι 320; of the havoc wrought by wild boars, M 149.

ἔκταν: see κτείνω.

ἐκ-τανύω, aor. ἐξετάνυσσα, pass. ἐξετανύσθην: *stretch out*, 'lay low,' P 58; mid., *fall prone*, H 271.

ἐκ-τελέω, ἐκτελείω, aor. ἐξετέλεσσα, pass. ipf. ἐξετελεῦντο, perf. ἐκτετέλεσται: *bring to an end, finish, fulfil, consummate, achieve;* ὅ μοι οὔ τι θεοὶ γόνον ἐξετέλειον | ἐξ ἐμοῦ, 'granted me no offspring of my own,' I 493.

ἐκ-τίθημι, aor. 2 part. ἐκθείς: *put* or *set out*, ψ 179†.

ἔκτοθεν: *outside*, w. gen., 'separate from,' α 133; in ι 239 the MSS. have ἔντοθεν. (Od.)

ἔκτοθι: *outside*, 'far from,' νηῶν, Ο 391, Χ 439.

Ἑκτόρεος: *of Hector*, B 416.

Ἑκτορίδης: *son of Hector*, Astyanax, Z 401.

ἐκτός (ἐκ): *outside*, Δ 151; w. gen., *outside of*, Ψ 424, and w. ἀπό, 'apart from,' K 151.

ἕκτος: *sixth*.

ἔκτοσε: *out of*, w. gen., ξ 277†.

ἔκτοσθε(ν): *outside*, H 341; w. gen., *outside of*.

ἔκτυπε: see κτυπέω.

Ἕκτωρ, ορος: *Hector*, son of Priam and Hecuba, X 80, 405, 430, Ω 747; husband of Andromache, Z 390, Ω 723; and father of Astyanax. Hector was the mainstay of Troy in the war, οἷος γὰρ ἐρύετο Ἴλιον Ἕκτωρ, Z 403. He was slain by Achilles in revenge for the killing of Patroclus, Σ 115, X 326, 331, 361.

ἑκυρή (Fεκ.): *mother-in-law*.

ἑκυρός (Fεκ.): *father-in-law*.

ἐκ-φαίνω, fut. ἐκφανεῖ, pass. aor. ἐξεφαάνθη, 3 pl. -φάανθεν, aor. 2 ἐξεφάνη:

act., *bring to light*, T 104; mid. and
pass., *shine out, sparkle*, T 17; *appear,
come to light*, μ 441.

ἐκ-φέρω, ipf. ἐξέφερον, ἔκφερε, fut. 3
pl. ἐξοίσουσι: *bear* or *carry out* or *off;*
of bearing away a prize, Ψ 785; stolen
property, ο 470; bringing payment to
maturity, Φ 450; and esp. of carrying
forth the dead for burial, Ω 786; in-
trans., *take the lead*, in racing, Ψ 376,
759.

ἐκ-φεύγω, aor. 2 ἐξέφυγον, ἔκφυγε:
flee or *fly from, escape from, escape;*
w. gen., ἁλός, ἔνθεν, ψ 236, μ 212, or
transitively w. acc., ὁρμήν, κῆρας, γά-
μον, I 355, δ 512, τ 157; freq. of the
weapon flying from the hand of him
who hurls it, E 18, etc.

ἔκ - φημι, only pres. inf. mid. ἔκφα-
σθαι: *speak out, utter* (ἔπος), ν 308
and κ 246.

ἐκ-φθέγγομαι: only aor. ἐκφθέγξατο,
called out from, Φ 213.

ἐκ-φθίνω: only pass. plup. ἐξέφθιτο,
had been consumed out of the ships, ι
163 and μ 329.

ἐκ-φορέω (φέρω): *carry forth from;*
νέκυας οἴκων, χ 451; mid., *move forth
from, νηῶν*, T 360.

ἔκφυγε: see ἐκφεύγω.

ἐκ-φύω: only perf. part. (intrans.)
ἐκπεφυυῖαι, *growing out of*, κεφαλαὶ
αὐχένος, Λ 40†.

ἐκ-χέω, mid. aor. 1 ἐκχεύατο, aor. 2
ἐξέχυτο and ἔκχυτο, part. ἐκχύμενος,
pass. plup. ἐξεκέχυντο: *pour out;* mid.,
something that is one's own, ὀιστούς, χ
3; or intrans., *stream* or *pour forth,
ὕδατος ἐκχυμένοιο*, Φ 300; met., of
meshes 'hanging down,' θ 279; men
or animals 'pouring forth' in num-
bers, θ 515.

ἑκών, ἑκοῦσα (Fεκ.): *willingly, in-
tentionally, of one's own will;* ἑκὼν
ἀέκοντί γε θυμῷ, i. e. not by compul-
sion, and yet reluctantly, Δ 43; ἑκὼν
δ᾽ οὐκ ἄν τις ἕλοιτο (δῶρα θεῶν), i. e.
they cannot be got otherwise than
from the gift of the gods, Γ 66.

ἐλάαν: see ἐλαύνω.

ἐλαίη: *olive - tree;* ἱερή, sacred to
Athena, ν 372.

ἐλάϊνεος, ἐλάϊνος: *of olive-wood.*

ἔλαιον: *olive - oil;* εὐῶδες, β 339;
ῥοδόεν, Ψ 186. See λίπα.

ἔλα(σ)σα, ἐλάσασκε: see ἐλαύνω.

Ἔλασος: a Trojan, Π 696.

ἐλάσσων (ἐλαχύς), irreg. comp. of
μῑκρός: only neut. ἔλασσον, *less*, K
357†.

ἐλαστρέω (parallel form of ἐλαύνω):
drive; ζεύγεα, Σ 543†.

ἐλάτη: *pine* or *fir;* pl., 'oars of
pine,' H 5, μ 172.

ἐλατήρ, ῆρος (ἐλάω): *driver, chari-
oteer*. (Il.)

Ἔλατος: (1) an ally of the Tro-
jans, Z 33.—(2) a suitor of Penelope,
χ 267.

Ἐλατρεύς ('Rower'): a Phaeacian,
θ 111, 129.

ἐλαύνω, ἐλάω, inf. ἐλάᾱν, ipf. ἔλων,
fut. ἐλόωσι, aor. ἤλασσε, ἔλασσε, iter.
ἐλάσασκε, pass. plup. ἠλήλατο, ἐλήλα-
το, 3 pl. ἐληλάδατο or ἐληλέ(δ)ατε:
drive, impel, strike, mid., for oneself, δ
637, K 537, etc.; freq. of 'rowing' a
vessel, with and without νῆα, ν 22,
pass. ν 155; so of driving horses,
without obj. expressed, E 264; μάστῑ-
ξεν δ᾽ ἐλάᾱν, γ 484; hence apparently
often intrans., πόντον ἐλαύνοντες, H
6, N 27, η 319; of 'driving away'
cattle, horses, etc., A 154; in the sense
strike the verb occurs often, esp. of
'forging,' M 296; of 'drawing,' or
'laying out' a fence or wall, or a
swath in reaping, ἕρκος, τεῖχος, τά-
φρον, H 450, I 349, Σ 564; σταυρούς,
ξ 11; χάλκεοι τοῖχοι ἐληλέδατο, 'were
extended,' η 86; ὄγμον, A 68; met-
aph., of 'persecuting,' ε 290; being
'racked' with pain, Π 518; 'raising'
a din, A 575.

ἐλαφη-βόλος: (ἀνήρ) *deer-hunter*, Σ
319†.

ἔλαφος, ὁ and ἡ: *stag* or *hind*, Γ
24; a symbol of cowardice, A 225.

ἐλαφρός, -ότερος, -ότατος: *light*
(moving), *nimble;* of the swift wind,
T 416; *light* (of weight), M 450;
met., πόλεμος, X 287. — Adv., ἐλα-
φρῶς, *lightly, easily*, ε 240.

ἔλαχε: see λαγχάνω.

ἐλαχύς, ἐλάχεια (cf. ἐλάσσων):
small, ι 116, κ 509, v. l. λάχεια.

ἐλάω: see ἐλαύνω.

ἔλδομαι (Fελδ.), ἐέλδομαι: *desire,
long for;* τινός, Ξ 276, ε 210, etc.;
also τί, α 409, and w. inf., N 638, υ
35; in pass. signif., Π 494.

ἔλδωρ, ἐέλδωρ (ἐFελδ.): *desire, wish.*

ἕλε: see αἱρέω.

ἐλεαίρω (ἔλεος), ipf. ἐλέαιρεν, iter.
ἐλεαίρεσκον: pity, feel compassion; οὐκ
ἐλεαίρεις ἄνδρας . . μισγέμεναι κακότη-
τι, 'thou dost unpityingly involve men
in trouble,' ν 202.

ἐλεγχείη = ἔλεγχος. 'Devote to
shame,' 'cover with shame,' Χ 100, ξ 38.

ἐλεγχής, έος: despicable ; ἐλέγχι-
στος, most infamous, Β 285.

ἔλεγχος: shame, reproach, disgrace;
pl., φ 333; pl. as term of reproach
(abstr. for concrete), κάκ' ἐλέγχεα, mis-
creants, cowards, Β 235, Ω 260.

ἐλέγχω: dishonor, bring disgrace
upon, φ 424; τῶν μὴ σύ γε μῦθον
ἐλέγξῃς | μηδὲ πόδας, 'put not to
shame their words and mission,' i. e.
by making them vain, Ι 522.

ἐλέειν: see αἱρέω.

ἐλεεινός, -ότερος, -ότατος: pitiable,
piteous ; neut., and esp. pl., as adv.,
pitifully, θ 531, Χ 37, Β 314.

ἐλεέω, fut. ἐλεήσει, aor. ἐλέησε: pity,
have compassion or pity upon ; τινά,
also τί, Ζ 94; w. part., Ο 44, Ρ 346, ε
336.

ἐλεήμων: compassionate, ε 191†.

ἐλεητύς, ύος = ἔλεος, ξ 82 and ρ
451.

ἔλεκτο: see λέγω.

ἐλελίζω, aor. ἐλέλιξε, mid. aor. part.
ἐλελιξάμενος, pass. plup. ἐλέλικτο, aor.
ἐλελίχθη, 3 pl. ἐλέλιχθεν: set quivering
or quaking, whirl round and round,
mid. intrans.; μέγαν δ' ἐλέλιξεν "Ολυμ-
πον, 'made Olympus tremble,' Α 530,
Θ 199; ἐλελίχθη γυῖα, 'quaked,' Χ
448; of a spear brandished in the
hand, σειόμενον ἐλέλικτο, Ν 558; of a
serpent 'coiled,' Λ 39; Odysseus' ship
is made to 'spin' by the lightning, his
raft by a great wave, μ 416, ε 314;
esp. of facing about and 'rallying' in
the fray, οἳ δ' ἐλελίχθησαν καὶ ἐναντίοι
ἔσταν Ἀχαιῶν, Ζ 106, Ρ 278.

Ἑλένη: Helen, the wife of Mene-
lāus, daughter of Zeus and Leda, Γ
199, 426, and sister of Castor and
Pollux, Γ 238. Often w. the epithet
Ἀργείη, Β 161, δ 184; Γ 91, 121, Ω
761, δ 12, 219, 279. Helen returned
to her home in Sparta after the war,
and in the Odyssey is seen living hap-
pily with Menelāus, δ, ο.

Ἕλενος: Helenus. — (1) a son of

Priam, the best seer of the Trojans, Ζ
76, Ν 576, Ω 249.—(2) a Greek, son
of Oenopion, Ε 707.

ἐλεό-θρεπτος: growing in marshes,
Β 776†.

ἔλεος : pity, compassion, Ω 44†.

ἐλεός: meat-board, dresser, Ι 215
and ξ 432.

Ἕλεσκον: see αἱρέω.

ἑλετός (ἑλεῖν): to be caught; ἀνδρὸς
ψυχὴ πάλιν ἐλθεῖν οὔτε λεϊστὴ οὔθ'
ἑλετή, 'the breath of life comes not
back by plundering or capture,' Ι
409†.

ἑλεῦ = ἑλοῦ, see αἱρέω.

ἐλεύθερος: free ; ἐλεύθερον ἦμαρ,
'the day of freedom' (= ἐλευθερία), Ζ
455, cf. δούλιον ἦμαρ; κρητήρ, 'bowl
of freedom,' celebrating its recovery,
Ζ 528.

ἐλεφαίρομαι: delude, deceive, Ψ 388;
with a play upon ἐλέφας, τ 565.

ἐλέφας, αντος: ivory, Δ 141, Ε 583,
δ 73, θ 404; a symbol of whiteness, σ
196, ψ 200.

Ἐλεφήνωρ: son of Chalcōdon, lead-
er of the Abantes, Β 540, Δ 467.

Ἑλεών: a town in Boeotia, Β 500.

ἐληλάδατο, ἐλήλαται, ἐλήλατο, ἐλη-
λέατο, ἐληλέδατο: see ἐλαύνω.

ἐληλουθώς, ἐλθέμεν(αι): see ἔρχο-
μαι.

Ἑλικάων: a son of Antēnor, hus-
band of Laodice, Γ 123.

Ἑλίκη: a town in Achaea, contain-
ing a shrine of Poseidon, Β 575, Θ
203.

Ἑλικώνιος: Heliconian ; ἄναξ, i. e.
Poseidon, Υ 404.

ἑλικ-ῶπις, ιδος, and ἑλίκ-ωψ, ωπος
(Ϝέλιξ, ὤψ): quick-eyed, or, according
to others, with arched eye-brows, Α 98,
389.

ἕλιξ (Ϝελίσσω): bent around, as
epith. of kine, crumple-horned; joined
with εἰλίποδας, Ι 466, a 92, and with
εὐρυμέτωποι, λ 289, μ 355. — Subst.,
ἕλικες γναμπταί, armlets bent into a
spiral. (See cut No. 2.)

ἑλίσσω (Ϝελ.), inf. ἑλισσέμεν, aor.
part. ἑλίξας, mid. ipf. εἱλίσσετο, ἐλίσ-
σετο, aor. part. ἑλιξάμενος, pass. ἑλιχ-
θέντων: curl, wind, turn, mid. intrans.,
causative, 'making it roll,' Ν 204; of
a serpent 'coiling' himself, ἑλισσόμε-
νος περὶ χειῇ, Χ 95; savor of a sacri-

fice curling upwards, ἑλισσομένη περὶ καπνῷ, Λ 317; of turning the goal in a race, Ψ 309; then of persons going around, turning to and fro, facing about and 'rallying,' Φ 11, Ψ 320, Μ 74.

ἑλκεσί-πεπλος: with trailing robe, epith. of Trojan women. (Il.)

ἑλκε-χίτων, ωνος: with trailing tunic, Ν 685†.

ἑλκέω (ἕλκω), ipf. ἕλκεον, fut. ἑλκήσουσι, aor. ἥλκησε, aor. pass. part. ἑλκηθείσᾱς: drag, drag away (as captive), Χ 62; of dogs pulling and tearing, Ρ 558, Χ 336; of maltreating or outraging, λ 580.

ἑλκηθμός (ἑλκέω): dragging away into captivity, Ζ 465†.

ἕλκος, εος: wound, sore, Τ 49; ὕδρου, 'from the serpent,' Β 723.

ἑλκυστάζω: parallel form of ἑλκέω, Ψ 187 and Ω 21.

ἕλκω, inf. ἑλκέμεν(αι): draw, drag, mid., something of one's own; of drawing a bow, Δ 122, φ 419; 'raising' the balance, and 'hoisting' sails, Χ 212, ο 291; 'tugged at it,' Μ 398; pass., 'trailing,' Ε 665; 'wrenched,' Ψ 715; mid., of drawing one's sword, tearing one's hair, etc., Κ 15, Ρ 136, τ 506.

ἔλλαβε: see λαμβάνω.

Ἑλλάς, άδος: Hellas, understood by the ancients to be a Thessalian city and district in Phthiōtis, under the sway of Achilles, Β 684; now more correctly described as the tract between the Asōpus and the Enīpeus; coupled with Phthia, Ι 395; the realm of Peleus, λ 496; καθ' Ἑλλάδα καὶ μέσον Ἄργος (all Greece), see Ἄργος, epithets, καλλιγύναικα, εὐρυχόροιο, Β 683, Ι 447, 478.

ἑλλεδανός (εἴλω): straw band for bundles of grain, Σ 553†.

Ἕλληνες: the inhabitants of Hellas, Β 684; see Μυρμιδόνες and Πανέλληνες.

Ἑλλήσ-ποντος ('Sea of Helle'): the Hellespont, with adjacent bodies of water, ω 82.

ἑλλισάμην, ἑλλίσσετο: see λίσσομαι.

ἑλλιτάνευε: see λιτανεύω.

ἑλλός, ἐλλός: young deer, τ 228†.

ἕλοιμι, ἕλον, ἑλόμην: see αἱρέω.

ἕλος, εος (Ϝέλος): meadow-land, marsh, Δ 483, ξ 474.

Ἕλος (Ϝέλος, cf. Veliae): (1) in Laconia, a maritime city, named from its marshes, Β 584.—(2) a town of the Pylians, Β 594.

ἑλόωσι: see ἐλαύνω.

Ἐλπήνωρ ('Hopeful'): Elpēnor, a companion of Odysseus, κ 552, λ 51, 57.

ἐλπίς, ίδος (Ϝελπίς): hope; ἔτι γὰρ καὶ ἐλπίδος αἶσα, 'share' of hope, the 'boon' of hope, 'room' for hope, τ 84.

ἔλπω (Ϝέλπω), usually mid. ἔλπομαι, ἐέλπεται, ipf. ἔλπετο, perf. ἔολπα (Ϝέϝολπα), plup. ἐώλπει: act., make to hope, give hopes, β 91, ν 380; mid., hope, expect, also 'think,' Ι 40, Ν 309, Τ 328, ι 419, φ 314; even in bad sense, implying fear or apprehension, Ο 110; w. acc. νίκην, Ν 609, Ο 539; τοῦτο, φ 317; foll. by inf., fut. in the meaning hope, in other meanings by tenses referring to the past, Η 199, etc., freq. θυμῷ, κατὰ θυμόν, ἐνὶ φρεσί, also θυμὸς ἔλπεται, Ο 701.

ἐλπωρή = ἐλπίς. (Od.)

ἔλσαι, ἔλσᾱς: see εἴλω.

ἐλύω (Ϝελύω), aor. pass. ἐλύσθη, part. ἐλυσθείς: wind, roll up; pass., of a chariot-pole dragging in curves, 'wiggling,' along the ground, Ψ 393; of Priam bent prostrate at the feet of Achilles, Ω 510; Odysseus curled up under the belly of the ram, ι 433.

ἕλχ' = ἕλκε, see ἕλκω.

ἕλων: see ἐλαύνω.

ἕλωρ (Ϝελεῖν): prey, spoil, of wild beasts, birds, enemies; pl., Πατρόκλοιο ἕλωρα ἀποτίνειν, pay the penalty 'for taking and slaying' (ἑλεῖν) Patroclus, Σ 93.

ἑλώριον = ἕλωρ, pl., Α 4†.

ἐμβαδόν: on foot (over the sea), Ο 505†.

ἐμ-βαίνω, ipf. ἔμβαινον, aor. 2 ἔμβη, -ητον, subj. ἐμβήῃ, perf. part. ἐμβεβαῶτα, -υῖα, plup. ἐμβέβασαν: set foot in, step into or upon, mount, go on board; ἔμβη νηὶ Πύλονδε, 'embarked for Pylos,' δ 656; μή τις θεῶν ἐμβήῃ, 'come in the way,' Π 94; Antilochus to his horses, ἔμβητον καὶ σφῶι, 'go in!' Ψ 403; perf., stand upon (see βαίνω), ἵπποισιν καὶ ἅρμασιν ἐμβεβαῶτα, Ε 199; of the leaden sinker 'mounted' upon the horn guard of a fish-hook, Ω 81.

ἐμ-βάλλω, ipf. ἐνέβαλλε, aor. 2 ἔμ-

βαλον, inf. ἐμβαλέειν: throw or cast
in; πῦρ νηί, Ο 598; τινὰ πόντῳ, Ξ
258; τὶ χερσίν, 'put' or 'give into'
the hands, Ξ 218, β 37, etc.; βροτοῦ
ἀνέρος ἔμβαλον εὐνῇ, 'brought thee
to the couch of a mortal,' Σ 85; met-
aph., νεῖκός τισι, Δ 444; ἵμερον θυμῷ,
'infuse,' 'inspire with,' Γ 139; in-
trans., κώπῃς, 'lay to' the oars, ι 489;
mid., μῆτιν ἐμβάλλεο θυμῷ, 'lay to
heart,' Ψ 313; φύξιν, 'take thought
of,' Κ 447.

ἐμ-βασιλεύω: be king in, rule there-
in, Β 572 and ο 413.

ἐμβέβασαν, ἐμβεβαώς, ἐμβήῃ, ἔμβη:
see ἐμβαίνω.

ἐμ-βρέμομαι: only pres. 3 sing., the
wind roars in the sail, Ο 627†.

ἔμβρυον: new-born lamb. (ι).

ἐμέθεν, ἐμεῖο, ἐμέο, ἐμεῦ: see ἐγώ.

ἐμέμηκον: see μηκάομαι.

ἔμεν(αι): see εἰμί.

ἔμεν(αι): see ἵημι.

ἐμέω: spew or spit out, Ο 11†.

ἔμικτο: see μίγνῡμι.

ἔμμαθε: see μανθάνω.

ἐμ-μαπέως: instantly, Ε 836 and ξ
485.

ἐμ-μεμαώς, υἶα, du. -ῶτε, pl. -ῶτες
(μέμαα): eager, vehement.

ἔμμεν(αι): see εἰμί.

ἐμ-μενὲς (μένω): always ἐμμενὲς
αἰεί, continually ever.

ἔμμορε: see μείρομαι.

ἔμ-μορος (μείρομαι): sharing in,
τῑμῆς, pl., θ 480†.

ἐμός, ή, όν, no voc.: my, mine; rare-
ly with art., Λ 608, δ 71; οὑμός (= ὁ
ἐμός), Θ 360; strengthened by gen. of
αὐτός, ἐμὸν αὐτοῦ χρεῖος, 'my own,' β
45; equiv. to obj. gen., ἐμῇ ἀγγελίῃ,
'about me,' Τ 336.

ἐμ-πάζομαι, ipf. ἐμπάζετο: care for,
w. gen. (acc., π 422); usually with
negative.

ἔμ-παιος: conversant with, τινός, υ
379 (ἔμπᾱον) and φ 400.

ἐμ-πάσσω: sprinkle in; only ipf.
(fig.) ἐνέπασσε, 'was weaving in,' Γ
126 and Χ 441.

ἔμ-πεδος (πέδον): firmly standing
or footed, ψ 203, Ν 512; firm, immov-
able, unshaken, Μ 9, 12; so of the
mind, βίη, μένος, φρένες, 'unimpaired,'
κ 493; ἔμπεδος οὐδ' ἀεσίφρων (Πρία-
μος), Υ 183; 'sure,' 'certain,' τ 250,

θ 30; of time, 'lasting,' 'constant,' Θ
521, θ 453; and metaph., ἦτορ, φρένες,
Ζ 352, σ 215.—Neut. ἔμπεδον as adv.,
with the same meanings, στηρίξαι
firmly, μ 434; μένειν, without leaving
the spot, Ε 527; θέειν, 'constantly,' Ν
141, ν 86.

ἐμπεσεῖν: see ἐμπίπτω.

ἔμπης: wholly, nevertheless; the for-
mer meaning is denied by some schol-
ars, and there are but very few pas-
sages to which the latter meaning is
not applicable, e. g. σ 354, τ 37; in its
common signif. of still, yet, neverthe-
less, ἔμπης may be placed after the
concessive part. (precisely like ὅμως
in Att.), and freq. at the end of the
verse, though grammatically and in
sense belonging to the leading verb;
Τρωοὶ μὲν εὐκτὰ γένηται (ἐπικρατέουσι
περ) ἔμπης, Ξ 98, Ι 518, etc. καὶ ἔμ-
πης, ε 205; ἀλλ' ἔμπης, Θ 33; δ' ἔμ-
πης correl. to μέν, Α 562.

ἐμ-πίπλημι, imp. ἐμπίπληθι, fut.
inf. ἐμπλησέμεν, aor. ἐνέπλησε, imp.
ἔμπλησον, subj. ἐνιπλήσῃς, part. ἐμ-
πλήσᾱς, mid. aor. ἐμπλήσατο, inf. ἐνι-
πλήσασθαι, part. ἐμπλησάμενος, aor. 2
(w. pass. signif.), ἔμπλητο, -ντο: fill
full (τί τινος), mid., fill or sate oneself;
fig., θῡμὸν ὀδυνάων, τ 117; υἷος ἐνι-
πλησθῆναι ὀφθαλμοῖσιν, 'have the
satisfaction of looking on my son,' λ
452; aor. 2 mid. as pass., ἔμπληντο
βροτῶν ἀγοραί, θ 16.

ἐμ-πίπτω, aor. ἔμπεσε: fall into or
upon; πῦρ ἔμπεσε νηυσίν, Π 113; ἐν
ὕλῃ, Λ 155; freq. in hostile sense,
ἔμπεσ' ἐπικρατέως, 'charge,' Π 81;
metaph., χόλος, δέος ἔμπεσε θῡμῷ, Ι
436, Ξ 207; ἔπος μοι ἔμπεσε θῡμῷ,
'came to my mind,' μ 266.

ἔμ-πλειος and ἐνί-πλειος: filled
with, full. (Od.)

ἐμ-πλήγδην (ἐμπλήσσω): at ran-
dom, υ 132†.

ἔμ-πλην (πέλας): hard by, w. gen.,
Β 526†.

ἐμπλήσατο, ἔμπλητο, -ντο: see ἐμ-
πίπλημι.

ἐμπλήσσω: see ἐνιπλήσσω.

ἐμ-πνέω, ἐμπνείω, aor. ἐνέπνευσε,
ἔμπνευσε: breathe upon, Ρ 502; met.,
inspire, μένος, θάρσος, etc.; of an in-
spiring 'suggestion,' τ 138 (ἔμπνῡτο,
ἐμπνύνθη, v. l. ἄμπ., see ἀναπνέω.)

ἐμ-ποιέω: only ipf. ἐνεποίεον, *fitted into*, H 438.

ἐμ-πολάω: only mid. ipf., ἐμπολό-ωντο, *gained for themselves by trading*, ο 456†.

ἔμ-πορος: *passenger*, on board another's ship, β 319 and ω 300.

ἐμ-πρήθω, ἐνιπρήθω, ipf. ἐνέπρηθον, ἐνιπρήσω, fut. inf. ἐμπρήσειν, aor. ἐνέπρησε, ἔμπρησε, subj. ἐνιπρήσωσι: (1) of wind, *blow into, fill* the sail, β 427. —(2) of fire, *kindle;* νῆας, ἄστυ, νεκρούς, Θ 182; usually with πυρί, also πυρός (part. gen.), I 242, Π 82.

ἐμ-πυρι-βήτης (πῦρ, βαίνω): *standing over the fire;* τρίπος, Ψ 702†.

ἐμ-φορέω: only mid. ipf., ἐμφορέοντο, *were borne about* in the waves, μ 419 and ξ 309.

ἔμ-φῦλος: *of the same tribe*, ο 273†.

ἐμ-φύω, aor. ἐνέφῦσε, perf. 3 pl. ἐμπεφύᾱσι, part. fem. ἐμπεφυυῖα: trans. (aor. 1 act.), *implant*, metaph., θεός μοι ἐν φρεσὶν οἴμᾱς, χ 348; intrans., *grow in* or *upon*, τρίχες κρᾱνίῳ, Θ 84; fig., ἐμπεφυυῖα, 'clinging closely,' Λ 513.

ἐν, ἐνί, εἰν, εἰνί: in.—I. adv., *in, therein, among* them, E 740, etc.; esp. the form ἔνι, for ἔνεστι, ἔνεισι, πολέες δ' ἔνι μῦθοι, Υ 248. Here belong all examples of 'tmesis' so-called, ἐν δ' ἔπεσε, 'fell on' the throng, Ο 624. The adv. may be defined in its relation by a dative in the same clause, thus showing an approach to the true prepositional use, ἐν δέ τε θῡμὸς στήθεσιν ἀτρομός ἐστιν, Π 162.—II. prep. w. dat., *in, on, among;* not only of place and persons, ἐν Δαναοῖσι, ἐν ἀθανάτοισι, ἐνὶ στρατῷ, ἐν πᾶσιν, β 194; but also of conditions, physical and mental, ἐν φιλότητι, ἐν πένθεϊ, ἐν δοιῇ, I 230. Of time, ὥρῃ ἐν εἰαρινῇ, Π 643, σ 367; instead of a causal or an instrumental expression, ἐν ὀφθαλμοῖς ὁρᾶν, Α 587, Γ 306, κ 385; κατακτείνεσθαι ἀνδρῶν ἐν παλάμῃσιν, E 558, Ω 738, etc.; often with verbs of motion, the state of rest after motion taking the place of movement into, ἐν γούνασι πίπτειν, E 370; ἐν χεροὶ τιθέναι, etc.; elliptical, ἐνὶ Κίρκης, sc. οἴκῳ, κ 282, esp. εἰν Ἀΐδαο. When ἐνί follows its case, it is written ἔνι ('anastrophe'), I 53.

ἐναίρω (ἔναρα), inf. ἐναιρέμεν, mid.

aor. ἐνήρατο: act. and mid., *slay* in battle; once of killing game, κατ' οὔρεα θῆρας ἐναίρειν, Φ 485; fig., μηκέτι χρόα κᾱλὸν ἐναίρεο, 'disfigure,' τ 263.

ἐν-αίσιμος: *fateful, favorable* (opp. παραίσιος), B 353, β 182, 159; then *proper, seemly, just* (ἐν αἴσῃ, κατ' αἶσαν, κατὰ μοῖραν), ἀνήρ, Z 521; φρένες, σ 220; δῶμα, Ω 425; neut. sing. as adv., ἐναίσιμον ἐλθεῖν, 'opportunely,' Z 519; predicative, β 122, η 299.

ἐν-αλίγκιος: *like*, τινί τι, to some one in some respect, a 371; ἄντην, in countenance.

ἐνάλιος: see εἰνάλιος.

ἐν-αμέλγω: only ipf., ἐνάμελγεν, *milked therein*, ι 223†.

ἔν-αντα: *over against;* τινός, Υ 67†.

ἐν-αντί-βιον: *with hostile front against*, ξ 270, ρ 439, Υ 130.

ἐν-αντίος, 3: *opposite*, of motion and position, in friendly sense or hostile, *against*, Z 247, ψ 89, κ 89, E 497; of the 'manifest' appearance of a deity, ζ 329; adv., ἐναντίον, ἐναντίον ὧδε κάλεσσον, summon him hither 'into my presence,' τ 544; freq. ἐναντίον ἐλθεῖν τινός, go 'to meet,' or 'against.'

ἔναξε: see νάσσω.

ἔναρα, τα: *spoils* (armor taken from the slain foe), *booty*, Ο 347, I 188.

ἐν-αργής, ές: *visible, manifest*, δ 841, η 201; χαλεποὶ δὲ θεοὶ φαίνεσθαι ἐναργεῖς, it is hazardous when the gods appear 'in their true forms,' Υ 131.

ἐν-αρηρώς (root ἀρ), ός: *well fitted in*, ε 236†.

ἐναρίζω (ἔναρα), ipf. ἐνάριζε, aor. ἐνάριξα: *strip of armor, despoil;* τινά τι, P 187, X 323, M 195, Ο 343; then, usually, *slay* in battle, *kill*, E 155, Π 731, Α 191. (Il.)

ἐν-αρίθμιος: *filling up the number*, μ 65; *of account* (ἐν ἀριθμῷ), B 202.

ἔνατος, εἴνατος: *ninth*.

ἔν-αυλος (αὐλός): *channel, river-bed* (of the streams in the Trojan plain, dry in summer), *water-course*, Π 71, Φ 283, 312.

ἐν-δείκνῡμι: only fut. mid., ἐνδείξομαι, *I will declare it*, T 83.

ἔν-δεκα: *eleven*, round number in Φ 45.

ἑνδεκά-πηχυς, υ: *eleven cubits long*, Z 319 and Θ 494.

ἐνδέκατος: *eleventh; ἐνδεκάτῃ, on
the eleventh day,* often as round num-
ber after mentioning ten days, Ω 666,
β 374, δ 588.

ἐν-δέξιος: *on the right, favorable,* I
236; adv. ἐνδέξια, *from left to right,*
regarded as the lucky direction in
pouring wine, drawing lots, etc., A 597,
H 184, ρ 365; cf. ἐπιδέξια.

ἐν-δέω, aor. ἐνέδησε: *bind* or *tie in*
or *on,* O 469, ε 260; fig., 'involve,'
'entangle,' B 111, I 18.

ἐν-δίημι: only ipf., αὔτως ἐνδίεσαν
κύνας, merely *tried to set on the dogs,*
Σ 584†.

ἔνδῑνα, pl.: *entrails,* Ψ 806†.

ἔν-διος (cf. Διός): *at midday,* δ 450
and Λ 726.

ἔνδοθεν: *from within, within ;* w.
gen., Z 247.

ἔνδοθι: *within,* Z 498; w. gen., Σ
287; opp. θύρηφιν, χ 220; often = ἐν
φρεσί, with θυμός, μῆτις, νόος.

ἔνδον: *within,* esp. *in the house, tent,*
etc., Σ 394; *at home,* π 355, 462, φ
207, ψ 2; Διὸς ἔνδον, *in the house of
Zeus,* Υ 13, Ψ 200.

ἐν-δουπέω, aor. ἐνδούπησα: *fall
with a heavy sound,* 'plump down,' μ
443 and ο 479.

ἐνδυκέως: *duly, attentively, kindly ;*
τρέφειν, Ψ 90; φείδεσθαι, Ω 158; ὁμαρ-
τεῖν, Ω 438; oftener in Od., with φι-
λεῖν, πέμπειν, λούειν, κομεῖν, etc.; ἐν-
δυκέως κρέα τ' ἤσθιε πῖνέ τε οἶνον,
'with a relish,' ξ 109.

ἐν-δύνω and ἐνδύω, ipf. ἐνέδῡνε, aor.
2 part. ἐνδῦσα: *put on, don,* B 42, E
736, Θ 387.

ἐνέηκα: see ἐνίημι.

ἐνεῖκαι: see φέρω.

ἔν-ειμι (εἰμί), ἔνεστι, ἔνειμεν, ἔνεισι,
opt. ἐνείη, ipf. ἐνῆεν, ἐνήην, ἔνεσαν: *be
in* or *on;* w. dat., κ 45, or adv., Ω 240;
ἔν τινι, Ζ 244; ὀλίγος δ' ἔτι θυμὸς
ἐνῆεν, 'there was little life remaining
in me,' Α 593; εἰ χάλκεόν μοι ἦτορ
ἐνείη, 'had I a heart of bronze within
me,' B 490.

ἕνεκα, ἕνεκεν, εἵνεκα: *on account of,
for the sake of, because of,* w. gen.;
placed before or after its case.

ἐνέκυρσε: see ἐγκυρέω.

ἐνενήκοντα: *ninety.*

ἐνένιπον, ἐνένιπτε: see ἐνίπτω.

ἐνέπω and ἐννέπω (root σεπ), imp.

ἔννεπε, opt. ἐνέποιμι, part. ἐνέπω,
-οντα, -οντε, -τες, fem. -ουσα, ipf. ἔννε-
πε, aor. ἔνισπον, ἔνισπες, ἔνισπε, opt.
-οις, -οι, subj. -ω, -ῃ, imp. ἔνισπε and
ἐνίσπες, inf. -εῖν, fut. ἐνίψω and ἐνι-
σπήσω: *relate,* reg. w. acc. of the thing
which forms the theme of the narra-
tion, μῦθον, ὄνειρον, ἄνδρα, α 1; μύθοι-
σιν τέρποντο πρὸς ἀλλήλους ἐνέποντες
(sc. μύθους), Λ 643, ψ 301.

ἐν-ερείδω, aor. ἐνέρεισαν: *thrust into;*
τινί τι, ι 383†.

ἔνερθε(ν), νέρθε(ν): *from below,* Υ
57 (opp. ὑψόθεν); *below,* Ξ 274; w.
gen., Θ 16; *after its case,* Λ 234, 252.

ἔνεροι: *those below the earth* (i n f e-
r i), both gods and the shades of the
dead, O 188, Υ 61.

ἐνέρτερος, comp. of ἔνεροι: *deeper
down, lower,* E 898; ἐνέρτεροι θεοί (=
οἱ ἔνερθε θεοί), the *nether gods,* O 225.

ἔνεσαν: see ἔνειμι.

ἐνεστήρικτο: see ἐνστηρίζω.

ἐν-ετή (ἐνίημι): *clasp,* a species of
περόνη, Ξ 180†.

Ἐνετοί: a tribe of the Paphlago-
nians, B 852†.

ἐν-εύδω: *sleep in* or *on.* (Od.)

ἐν-εύναιον: *sleeping-place, bed,* ξ 51;
pl., *bedclothes,* π 35.

ἐν-ηείη (ἐνηής): *gentleness, amiabil-
ity,* P 670†.

ἐν-ηής, έος: *gentle, amiable,* Ψ 252,
Θ 200.

ἔν-ημαι, ipf. ἐνήμεθα: *sit within,* δ
272†.

ἐνήρατο: see ἐναίρω.

ἐν-ήνοθε (cf. ἄνθος), defective perf.
w. pres. signif.: *swells there, steams
there, rises there,* ρ 270†.

ἔνθα: I. demonstr., *there, thither,
then;* of place, usually denoting rest,
A 536, γ 365; less often direction,
ἔνθ' ἐλθών, N 23; ἔνθα καὶ ἔνθα, 'here
and there,' 'to and fro,' 'in length
and breadth,' B 476, 462, β 213, H
156, κ 517; ἢ ἔνθ' ἢ ἔνθα κίοντα, 'go-
ing or coming,' κ 574; often temporal,
thereupon, ἔνθα ἔπειτα, κ 297; ἔνθ' αὖ,
E 1; introducing apodosis, B 308.—
II. relative, *where,* A 610; ἔνθ' ἄρα, χ
335; ἔνθα περ, ν 284; ἔνθα τε, ν 107,
B 594.

ἐνθάδε: *hither, thither,* Δ 179, π 8;
here, there, B 296, β 51; ἐνθάδ' αὖθι,
here on the spot, Ψ 674, ε 208.

ἔνθεν : I. demonstr., *thence, then, thereupon*, both local and temporal, K 179, N 741; ἔνθεν . . ἑτέρωθι δέ, 'on this side . . on the other,' μ 235, 59, 211; ἔνθεν ἐμοὶ γένος, ὅθεν σοί, Δ 58. —II. relative, *whence*, Ω 597; (οἶνον) ἔνθεν ἔπῑνον, 'whereof,' δ 220, τ 62; correl. to ἔνθα, ε 195.

ἔνθενδε : *from here, from there, thence*.

ἐν-θρώσκω, aor. ἔνθορε : *spring in* or *upon*, w. dat., Ο 623, Ω 79; λὰξ ἔνθορεν ἰσχίῳ, 'with a kick at his hip,' ρ 233.

ἐν-θύμιος : *taken to heart*, 'subject of anxiety,' ν 421†.

ἐνί, ἔνι : see ἐν.

ἐνιαύσιος : *yearling*, π 454†.

ἐνιαυτός : *year*. Perhaps originally a less specific term than ἔτος, ἔτος ἦλθε περιπλομένων ἐνιαυτῶν, 'as time and seasons rolled round,' α 16; Διὸς ἐνιαυτοί, Β 134 (cf. ξ 93).

ἐν-ιαύω : only ipf., ἐνίαυε, *used to sleep there* or *among*, ι 187 and ο 557.

ἐν-ίημι, ἐνίησι, imp. ἐνίετε, fut. ἐνήσω, aor. ἐνῆκα, ἐνέηκε, part. fem. ἐνεῖσα : *let go in* or *into*, *let in;* of sending men into battle to fight, Ξ 131; throwing fire upon, setting fire to, ships, Μ 441; launching a ship in the sea, β 295; often w. dat., νηυσὶν, πόντῳ, rarely ἔν τινι; metaph., of inspiring feelings, θάρσος τινὶ ἐν στήθεσσιν, Ρ 570; filling one with any sentiment, τινὶ ἀναλκίδα θῡμόν, Π 656; κότον, Π 449; μένος, ν 387; plunging in troubles, πόνοισι, Κ 89; leading to concord, ὁμοφροσύνῃσιν, Ο 198.

Ἐνιῆνες : a tribe dwelling about Dōdōna, Β 749†.

ἐνι-κλάω, inf. ἐνικλᾶν : *break within, frustrate*, Θ 408 and 422.

Ἐνῑπεύς : river-god, river in Phthiōtis, λ 238†.

ἐνῑπή (ἐνίπτω) : *rebuke, reprimand*.

ἐνίπλειος : see ἔμπλειος.

ἐνιπλησθῆναι, -πλήσωσι : see ἐμπίπλημι.

ἐνι-πλήσσω, aor. subj. ἐνιπλήξω : intrans., *dash into, rush into;* τάφρῳ, ἔρκει, Μ 72, χ 469.

ἐνιπρήθω : see ἐμπρήθω.

ἐνίπτω, opt. ἐνίπτοι, imp. ἔνιπτε, aor. 2 ἐνένῑπε and ἠνίπαπε : *chide, rebuke, upbraid;* Odysseus chides him-

self, to repress his wrath, κραδίην ἠνίπαπε μύθῳ · | 'τέτλαθι δή, κραδίη,' υ 17; usually w. specifying terms in dat., χαλεποῖσιν ὀνείδεσιν, ὀνειδείοις ἐπέεσσιν, χαλεπῷ or κακῷ μύθῳ, Β 245, Γ 438, Ρ 141, σ 326.

ἐνι-σκίμπτω, aor. part. ἐνισκίμψαντε, aor. pass. ἐνισκίμφθη : *lean on, hold close to*, Ρ 437; pass., *stick in*, Ρ 528, Π 612.

Ἐνίσπη : a town in Arcadia, Β 606.

ἐνισπήσω, ἔνισπον, ἐνίσπες : see ἐνέπω.

ἐνίσσω, inf. ἐνισσέμεν, ipf. ἐνίσσομεν, pass. part. ἐνισσόμενος : parallel form of ἐνίπτω.

ἐνιχριμφθέντα : see ἐγχρίμπτω.

ἐνίψω : see ἐνέπω.

ἐννέα : *nine*.

ἐννεά-βοιος : *worth nine cattle*, Ζ 236†.

ἐννεα-καί-δεκα : *nineteen*, Ω 496†.

ἐννεά-πηχυς, υ : *nine cubits long*.

ἐννεά-χῑλοι : *nine thousand*.

ἔννεον : see νέω.

ἐννε-όργυιος : *nine fathoms long*, λ 312†.

ἐνν-εσίη : dat. pl., *at the command;* τινός, Ε 894.

ἐννέ-ωρος : *nine years old*, the number being a round one, Σ 351, κ 19; in τ 179 perhaps meaning 'in periods of nine years.'

ἐννήκοντα : *ninety*, τ 174†.

ἐνν-ῆμαρ : *nine days long*.

Ἔννομος : (1) a soothsayer, chief of the Mysians, slain by Achilles, Β 858, Ρ 218.—(2) a Trojan, slain by Odysseus, Λ 422.

ἐννοσί-γαιος (ἔνοσις, γαῖα) : *earthshaker*, epithet of Poseidon, god of the sea, as causer of earthquakes; joined with γαιήοχος, Ι 183.

ἔννῡμι (Ϝέννῡμι), fut. ἕσσω, aor. ἕσσα, imp. ἕσσον, inf. ἕσσαι, part. ἕσσᾱς, mid. and pass., pres. inf. ἕννυσθαι, ipf. ἕννυτο, aor. ἕ(σ)σατο, ἕέσσατο, inf. ἕσασθαι, part. ἑσσάμενος, perf. εἷμαι, ἕσσαι, εἷται, part. εἱμένος, plup. 2 sing. ἕσσο, 3 ἕστο, ἕεστο, du. ἕσθην, 3 pl. εἵατο : *clothe, put on clothing*, mid., on oneself, pass. (esp. perf. and plup.), *be clothed in, wear;* act., of clothing another, ἕσσᾱς με χλαῖνάν τε χιτῶνά τε, ξ 396; thus regularly w. two accusatives, Ε 905, ο 338, π 79; mid. w. acc., or acc.

and dat., χροῒ χαλκόν, Τ 233 ; also περὶ
χροΐ, Η 207 ; ἀμφ' ὤμοισιν, Κ 177 ;
pass. w. acc. of thing retained, τεύχεα
εἱμένος, κακὰ εἱμένος, ἀείκεα ἕσσο,
'shockingly clothed,' Δ 432, τ 327, π
199 ; fig., ἦ τέ κε λάϊνον ἕσσο χιτῶνα,
'hadst been clad in a coat of stone'
(stoned to death), Γ 57 ; φρεσὶν εἱμέ-
νος ἀλκήν, Υ 381.

ἐν-νύχιος, ἔννυχος (Λ 716†): *in the
night time.*

ἐν-οινο-χοέω: *pour (wine) in*, part.,
γ 472†.

ἐν-οπή (ὄψ): *voice*, κ 147, *outcry;*
attributed to musical instruments, αὐ-
λῶν συρίγγων τ' ἐνοπήν, Κ 13 ; esp.
of the cry of battle, Γ 2, and figura-
tively for battle itself, Μ 35 ; of grief,
ἐνοπήν τε γόον τε, Ω 160.

Ἐνόπη: a town in Messenia, sub-
ject to Agamemnon, Ι 150, 292.

ἐν-όρνῡμι, aor. ἐνῶρσα, part. ἐνόρσᾱς,
mid. aor. 2 ἐνῶρτο : *rouse* or *excite in ;*
τινὶ γόον, φύζαν, Ζ 499, Ο 62 ; mid.,
arise in or *among ;* ἐνῶρτο γέλως μα-
κάρεσσι θεοῖσιν, Α 599, θ 326.

ἐν - ορούω, aor. ἐνόρουσα : *spring
upon, rush* or *charge upon*, w. dat. ;
of warriors, of a lion, Π 783, Κ 486.

ἔν-ορχος: *uncastrated,* Ψ 147†.

ἐνοσί-χθων = ἐννοσίγαιος.

ἐνσκίμπτω: see ἐνισκίμπτω.

ἐν-στάζω: *drop in*, only perf. pass.,
ἐνέστακται, *has been infused* in thy
veins, β 271†.

ἐν-στηρίζω: only plup. pass., ἐνεστή-
ρικτο, *remained sticking fast,* Φ 168.

ἐν - στρέφω: only mid., ἐνστρέφεται
ἰσχίῳ, *turns (plays) in the* hip-joint, Ε
306†.

ἐν-τανύω (= ἐντείνω), aor. ἐντάνυσσε,
mid. aor. inf. ἐντανύσασθαι : *stretch
tight in*, regularly (act. and mid.)
string a bow ; νευρὴν ἐντανύσαι, of
stretching the string *in* the bow to
string it, not pulling it to shoot, τ 571 ;
φ 97, ω 171 ; then βιόν, τόξον, τ 577,
φ 75, 114, 150, 403 ; pass., φ 2. (See
cut No. 34, from an antique gem.)

ἐν-ταῦθα: *hither*, Ι 601†.

ἐν-ταυθοῖ: *here.*

ἔντεα, pl. : *harness, armor, weapons ;*
esp. the breast-plate, Γ 339, Κ 34, 75 ;
ἔντεα ἀρήϊα, 'fighting gear,' Κ 407, ψ
368 ; of table-furniture, ἔντεα δαιτός,
η 232.

34

ἐν-τείνω, only pass. perf. and plup. :
stretch within ; δίφρος ἱμᾶσιν ἐντέτα-
ται, 'is plaited' with gold and silver
straps, Ε 728 ; κυνέη ἱμᾶσιν ἐντέτατο,
'was lined with tightly - stretched
straps,' Κ 263, cf. Ψ 335, 436.

ἔντερον: *gut,* οἰός, used for harp-
string, φ 408 ; pl., *bowels.*

ἐντεσί-εργος (ἔντεα, ϝέργον): *work-
ing in harness,* Ω 277†.

ἐντεῦθεν: *thence,* τ 568†.

ἐν-τίθημι, fut. ἐνθήσω, aor. inf. ἐνθέ-
μεναι, mid. ipf. ἐντιθέμεσθα, aor. 2 ἔν-
θετο, imp. ἔνθεο, part. ἐνθεμένη : *put* or
place in or *on*, mid., for oneself, or
something of one's own ; of putting
provisions on board a ship, ε 166 ;
clothing on a bed, Ω 646, etc. ; mid.,
of a mother laying her son upon the
bier, Φ 124 ; metaph., μή μοι πατέρας
ποθ' ὁμοίῃ ἔνθεο τῑμῇ, 'hold in esteem,'
Δ 410 ; ἵλαον ἔνθεο θῡμόν, 'take on,'
Ι 639 ; χόλον θῡμῷ, 'conceive,' Ι 326,
ω 248 ; μῦθον θῡμῷ, 'take to heart,' α
361.

ἔντο: see ἵημι.

ἐντός: *within ;* w. gen., λιμένος ἐν-
τός, Α 432, etc.

ἔντοσθε(ν) and **ἔντοθεν** = ἐντός.

ἐν-τρέπω: only pass. (met.), ἐντρέ-
πεται ἦτορ, *is moved,* Ο 554 and α 60.

ἐν-τρέχω: *run in*, 'play freely in'
the armor, Τ 385†.

ἐν-τροπαλίζομαι (frequentative of
ἐντρέπομαι): only part., *turning fre-
quently about.* (Il.)

ἐντύνω, ἐντύω (ἔντεα), ipf. ἔντῡνον,
ἔντυον, aor. 1 imp. ἔντῡνον, part. ἐντύ-
νᾱσα, mid. subj. 2 sing. ἐντύνεαι, aor.
part. ἐντῡνάμενος: *harness,* Ε 720 ;
make ready, mid., for oneself, *adorn
oneself;* of preparing a bed, ψ 289 ; a
drink, Ι 203 ; striking up a song, μ

183; mid., δαῖτα, γ 33; ἦλθ' ἐντῡναμένη (Κίρκη), μ 18, cf. Ξ 162.

ἐν - τυπάς (τύπτω): adv., closely wrapped in his mantle, Ω 163†.

Ἐνῡάλιος (Ἐνῡώ): Enyalius, epith. of Ares as god of battle, usually subst.; adj., P 211; Ἐνῡαλίῳ ἀνδρεϊφόντῃ, 'synizesis,' B 651, etc.

Ἐνυεύς: king of Scyros, slain by Achilles, I 668†.

ἐν - ύπνιος: in sleep, only neut. as adv., B 56.

Ἐνῡώ: Enyo (Bellōna), battle personified, a companion of Ares, E 333, 592.

ἐν-ωπαδίως: face to face, clearly, ψ 94†.

ἐν-ωπῇ (ὤψ): in view, openly, E 374 and Φ 510.

ἐν-ώπια (ὤψ, cf. 'façade'): the side-walls of the vestibule, epith. παμφανόωντα, perhaps because painted white. See plate III. A and B.

ἕξ: six.

ἐξ-αγγέλλω, aor. 1 ἐξήγγειλεν: bring news out, report a fact, E 390†.

ἐξ-αγορεύω: relate, λ 234†.

ἐξ-άγω, ipf. ἔξαγε, imp. ἔξαγε, aor. 2 ἐξήγαγε, -άγαγε: lead or bring out, τινά (τινος), also ἔκ τινος; of 'extending' a mound (cf. ἐλαύνω), H 336; of birth (bringing to light, into the world), Π 188.

Ἑξάδιος: one of the Lapithae, A 264†.

ἑξά-ετες (ϝέτος): adv., six years, γ 115†.

ἐξ - αίνυμαι: take out or away, w. two accusatives, E 155; 'took out (of the chariot and placed) in the vessel,' o 206.

ἐξ-αίρετος: chosen, choice, δ 643, B 227.

ἐξ-αιρέω, aor. 2 ἐξεῖλον and ἔξελον, mid. ipf. ἐξαιρεύμην, aor. ἐξειλόμην, -ελόμην: take out or away, select, choose from, mid., for oneself; ἔνθεν ἐξέλε πέπλους, Ω 229; ἥν ἄρα μοι γέρας ἔξελον υἷες Ἀχαιῶν, Π 56; mid., φαρέτρης ἐξείλετο πικρὸν ὀϊστόν, Θ 323; (Βρισηΐδα) ἐκ Λυρνησσοῦ ἐξείλετο, here not of choosing but of taking away, B 690; cf. Λ 704; so of taking away one's life, θῡμόν, Ο 460, T 137, λ 201; φρένας, 'wits,' Z 234; of 'choosing,' I 130, 272, ξ 232.

ἐξαίρω: see ἐξάρνυμαι.

ἐξ-αίσιος (opp. ἐναίσιος): undue, unjust, unrighteous, δ 670, O 577; in ρ 577 ἐξαίσιον is sometimes interpreted as an adv., 'unduly,' 'excessively.'

ἔξ-αιτος = ἐξαίρετος.

ἐξ-αίφνης = ἐξαπίνης, P 738 and Φ 14.

ἐξ-ακέομαι, aor. opt. ἐξακέσαιο: heal completely; 'seek to remedy,' I 507; χόλον, 'appease,' Δ 36, γ 145.

ἐξ - αλαόω (ἀλαός), aor. ἐξαλάωσα: blind completely. (Od.)

ἐξ-αλαπάζω, fut. -ξω, aor. ἐξαλάπαξα: empty entirely, sack, utterly destroy; usually of cities, once of ships, N 813.

ἐξ - άλλομαι, aor. part. ἐξάλμενος: leap out from, w. gen.; of taking the lead with a spring in racing, Ψ 399.

ἐξ - ανα - βαίνω: only aor. 2 part., ἐξαναβᾶσαι, climbing up upon (out of the sea), Ω 97†.

ἐξ-ανα-δύνω, aor. 2 part. -δύς, fem. pl. -δῦσαι: emerge from; ἁλός, δ 405, ε 438.

ἐξ-ανα-λύω, aor. inf. -λῦσαι: release from; θανάτοιο, Π 442 and X 180.

ἐξ-ανα-φανδόν: quite openly, υ 48†.

ἐξ-αν-ίημι, aor. ἐξανιεῖσαι: let go forth, send forth, Σ 471†.

ἐξ-ανύω, aor. ἐξήνυσα: accomplish, Θ 370; euphem., finish, despatch, kill, Λ 365, Υ 452.

ἐξ-απατάω, fut. inf. -ήσειν, aor. ἐξαπάτησα: deceive utterly.

ἐξ-απαφίσκω, aor. 2 ἐξήπαφε, subj. ἐξαπάφω, mid. aor. 2 opt. ἐξαπάφοιτο: deceive utterly, cheat, act. and mid., Ξ 160, I 376.

ἐξ-απίνης: suddenly, on a sudden.

ἐξ - απο - βαίνω: only aor. 2, disembarked from; νηός, μ 306†.

ἐξ-απο-δίομαι: μάχης ἐξαποδίωμαι, chase out of the battle, E 763. (The ā a necessity of the rhythm.)

ἐξ - απο - δύνω: put off; εἵματα, ε 372†.

ἐξ - απ - όλλῡμι, aor. mid. opt. 3 pl. -λοίατο, perf. -όλωλε: perish utterly from, w. gen., ²Ιλίου, δόμων, οὐρανοῦ, Z 60, Σ 290, υ 357.

ἐξ-απο-νέομαι: μάχης ἐξαπονέεσθαι, return out of the battle. (Il.) (ā a necessity of the rhythm.)

ἐξ-απο-νίζω: only ipf., τοῦ (more

natural than τῷ) πόδας ἐξαπόνιζε, out
of which she used to wash feet, τ 387†.

ἐξ-απο-τίνω: pay off, satisfy in full,
Φ 412†.

ἐξ-άπτω, ipf. ἐξῆπτον, aor. part. ἐξά-
ψᾱς: attach to, τινός τί, mid., hang
hold of, swing from, Θ 20.

ἐξ-άρνυμαι, aor. ἐξήρατο : earn,
carry off as booty from, κ 84, ε 39, ν
137.

ἐξ-αρπάζω, aor. ἐξάρπαξα: snatch
away (from), μ 100; in Il. of rescuing
men from danger, Γ 380, Υ 443, Φ
597.

ἔξ-αρχος: pl., leaders of the dirge,
Ω 721.

ἐξ-άρχω, ipf. ἐξῆρχε, mid. -ήρχετο :
begin, lead off; μολπῆς, γόοιο, Σ 606,
316; w. acc., βουλάς, 'be the first to
propose,' B 273; mid., μ
339 (see ἄρχω).

ἐξ-αυδάω: speak out. (Il.)

ἔξ-αυτις: again, anew.

ἐξ-αφ-αιρέω, mid. aor. 2 subj. ἐξαφέ-
λησθε: take the life from; ψῡχάς, χ
444†.

ἐξ-αφύω (ἀφύσω=ἀφύσσω): draw en-
tirely out ; οἶνον, ξ 95†.

ἐξ - εῖδον: μέγ' ἔξιδεν ὀφθαλμοῖσιν,
looked forth with wondering eyes, Υ
342†.

ἐξείης (ἔχεσθαι): in order, one after
another, Ο 137, Χ 240.

1. ἔξ-ειμι (εἰμί): be from or of (son
or descendant of), ν 130.

2. ἔξ-ειμι (εἶμι), 2 sing. ἔξεισθα, inf.
ἐξιέναι, ἐξίμεναι, ipf. ἐξῄει: go out.

ἐξ-εῖπον, subj. ἐξείπω, opt. -ποι, fut.
ἐξερέω: speak out.

ἐξ-είρομαι, ipf. ἐξείρετο: inquire of,
ask for.

ἐξεκυλίσθη: see ἐκκυλίω.

ἐξ-ελαύνω, ἐξελάω, ipf. ἐξήλαυνε, fut.
inf. ἐξελάαν, aor. ἐξήλασε, -έλασε, 3 pl.
-ήλασσαν: drive out or away from,
usually w. gen.; knock out, ὀδόντας
γναθμῶν, σ 29; seemingly intrans.,
'drive,' sc. ἵππους, Ω 323 (see ἐλαύ-
νω).

ἐξελεῖν: see ἐξαιρέω.

ἐξ-έλκω: draw out, w. gen., ε 432 ;
the thread of the woof through the
warp, Ψ 762.

ἐξέμεν(αι): see ἐξίημι.

ἐξ - εμέω, aor. opt. -έσειε: belch out,
disgorge, μ 237 and 437.

ἐξ-εναρίζω, fut. -ίξει, aor. ἐξενάριξα:
strip of armor, despoil; τινά and τεύ-
χεα, E 151, 155, Η 146 ; then kill, slay,
Δ 488, λ 273, χ 264.

ἐξ-ερεείνω: make inquiry, abs., and
w. acc. of pers., or of thing, ἕκαστα,
'ask all about it,' κ 14 ; mid., Κ 81 ;
fig., πόρους ἁλὸς ἐξερεείνων, 'quest-
ing,' 'exploring,' μ 259.

ἐξ-ερείπω, aor. 2 subj. ἐξερίπῃ, part.
-εριποῦσα: aor. 2 intrans., fall down or
over. (Il.)

1. ἐξερέω: see ἐξεῖπον.

2. ἐξ-ερέω, ἐξερέομαι, inf. ἐξερέεσθαι,
only pres. forms of both act. and dep.
(act. only in Od.): inquire of, question,
ask, w. acc. of person, or of thing;
'explore,' δ 337, ρ 128, cf. μ 259 ; 'in-
vestigate,' α 416.

ἐξ-ερύω, aor. ἐξείρυσε, ἐξέρυσε, 3 pl.
ἐξείρυσσαν: draw out or away, σ 86,
χ 476; βέλος ὤμου, δόρυ μηροῦ, E 112,
666 ; but δίφρον ῥυμοῦ, 'by the pole,'
Κ 505.

ἐξ-έρχομαι, aor. ἐξῆλθον: come or
go out, march forth, Ι 476, 576 ; πό-
ληος, 'out of the city,' τείχεος, θύραζε,
τ 68.

ἐξ-ερωέω: only aor. ἐξερώησαν (ἵπ-
ποι), have run away, 'bolted,' Ψ 468†.

ἐξ-εσίη (ἐξίημι): errand, embassy, Ω
235 and φ 20.

ἐξ-ετής, εος: six years old, Ψ 266
and 655.

ἐξ-έτι: ever since, w. gen.; ἐξέτι
πατρῶν, 'since the times of our fa-
thers,' θ 245.

ἐξ - ευρίσκω, aor. opt. ἐξεύροι: find
out, discover, Σ 322†.

ἐξ-ηγέομαι, imp. -γείσθω: lead out,
w. gen., B 806†.

ἑξήκοντα: sixty.

ἐξήλασα: see ἐξελαύνω.

ἐξ - ήλατος (ἐλαύνω): beaten out,
hammered, Μ 295†.

ἐξ-ῆμαρ: for six days. (Od.)

ἐξ-ημοιβός (ἀμείβω): neut. pl., for
change, changes of raiment, θ 249†.

ἐξήπαφε: see ἐξαπαφίσκω.

ἐξηράνθη: see ξηραίνω.

ἐξήρατο: see ἐξάρνυμαι.

ἐξηρώησα: see ἐξερωέω.

ἑξῆς = ἐξείης. (Od.)

ἐξ-ίημι, aor. 2 inf. ἐξέμεν(αι): let go
out, send out, Λ 141, λ 531.

ἐξ-ῑθύνω: straighten, Ο 410†.

ἐξ-ικνέομαι, aor. 2 ἐξικόμην, ἐξίκετο (ῑ, augment): reach, arrive at, gain (from somewhere), w. acc. of place or person, I 479, μ 166, ν 206.

ἐξίμεναι: see ἔξειμι 2.

ἐξ-ίσχω: hold out, protrude, μ 94†.

ἐξοίσω: see ἐκφέρω.

ἐξ-οιχνέω, 3 pl. -νεῦσι: go forth, I 384†.

ἐξ-οίχομαι: only 3 sing. ἐξοίχεται, is gone away, Z 379, 384.

ἐξ-όλλῡμι, aor. 1 opt. -ολέσειε: utterly destroy, τ 597.

ἐξ - ονομαίνω, aor. subj. -μήνῃς, inf. -μῆναι: call by name, name, mention, ζ 66.

ἐξ - ονομα - κλήδην: calling out the name, by name, X 415.

ἐξ-όπιθε(ν): in the rear, behind; w. gen., P 521. (Il.)

ἐξ-οπίσω: backwards, back (from), w. gen., P 357. (Il.)—Of time, hereafter, in future. (The Greeks stood with their backs to the future.)

ἐξ-ορμάω: only aor. part. intrans., ἐξορμήσασα, starting away (from the direction intended), μ 221†.

ἐξ-οφέλλω: greatly augment, ο 18†.

ἔξ-οχος (ἔχω): prominent, preëminent above or among, w. gen., Ξ 118, or w. dat. (in local sense), B 483, φ 266. — Adv., ἔξοχον and ἔξοχα, preëminently, chiefly, most; 'by preference,' ι 551; ἔξοχ᾽ ἄριστοι, 'far' the best, I 638, δ 629.

ἐξ - υπ - αν - ίστημι: only aor. 2 intrans., σμῶδιξ μεταφρένου, started up from (on) his back under the blows of the staff, B 267†.

ἔξω: outside, without, P 205, κ 95; often of motion, forth, οἳ δ᾽ ἴσαν ἔξω, Ω 247; freq. w. gen.

ἔξω: see ἔχω.

ἔο, ἐοῖ: see οὗ.

ἔοι: see εἰμί.

ἔοικα (ϜέϜοικα), 3 du. ἔικτον, part. ἐοικώς, εἰκώς, fem. εἰκυῖα, ἐικυῖα, ἰκυῖα, pl. εἰοικυῖαι, plup. ἐῴκειν, du. ἐίκτην, 3 pl. ἐοίκεσαν, also ἔικτο, ἤικτο (an ipf. εἶκε, Σ 520, is by some referred here, by others to εἴκω): (1) be like, resemble, τινί (τι), ἄντα, εἰς ὦπα, α 208, Ω 630, Γ 158; 'I seem to be singing in the presence of a god when I sing by thee' (ἔοικα = videor mihi), χ 348. —(2) impers., be fitting, suitable, beseem; abs., οὐδὲ ϜέϜοικεν, A 119, and w. dat. of person, I 70, also w. acc. and inf., B 190; freq. the part. as adj., μῦθοι ἐοικότες, γ 124; ἐοικότα μῦθήσασθαι, καταλέξαι, γ 125, δ 239.

ἕοιο: see ἑός.

ἔοις: see εἰμί.

ἔολπα: see ἔλπω.

ἔον: see εἰμί.

ἔοργας: see ἔρδω.

ἑορτή: festival, ν 156 and φ 258.

ἑός, ἑή, ἑόν (σϜός, cf. suus), gen. ἑοῦ, ἑοῖο, ἑῆς: his, her, own; seldom w. art., Ψ 295, K 256; strengthened by gen. of αὐτός, ἑοῖ αὐτοῦ θῆτες, his own, δ 643.

ἐπ-αγάλλομαι: exult in, Π 91†.

ἐπ - αγγέλλω: bring news to, announce, δ 775.

ἐπ-αγείρω: bring together, A 126†.

ἐπάγην: see πήγνῡμι.

ἐπ - αγλαΐζομαι, fut. inf. ἐπαγλαϊεῖσθαι: glory in, Σ 133†.

ἐπ - άγω, aor. 2 ἐπήγαγον: lead or bring on, met., induce; of 'setting on' dogs, τ 445; joined w. πείθειν, ξ 392.

ἐπ-αείρω, aor. 1 3 pl. ἐπάειραν, part. -αείρας: lift up (on), K 80; w. gen., ἀμαξάων, 'and placed upon,' H 426, I 214.

ἔπαθον: see πάσχω.

ἐπ-αιγίζω (αἰγίς): rush on, of winds, B 148, ο 293.

ἐπ-αινέω, ipf. ἐπῄνεον, aor. ἐπῄνησα: give approval or assent, approve, commend; abs., also w. dat. of person, Σ 312; acc. of thing, μῦθον, B 335.

ἐπ - αινός (αἰνός): only fem.; the dread Persephone, consort of Hades.

ἐπ-αΐσσω, ipf. ἐπῄισσον, aor. ἐπῄιξα, iter. -αΐξασκε, inf. -αΐξαι, mid. ἐπαΐσσονται, fut. inf. -αΐξεσθαι: dart or spring at or upon; usually in hostile sense, abs., and w. gen. or dat. of the person or thing attacked; of the wind, ἐπαΐξας, 'darting down upon' the sea, B 146; ἐπαΐσσοντα νεῶν, N 687, E 263; Κίρκῃ ἐπαΐξαι, κ 295, 322; w. acc. of end of motion, ἐπαΐξαι μόθον ἵππων, H 240; mid., subjective, χεῖρες, 'play' lightly, Ψ 628; 'dart in' for the prize, Ψ 773.

ἐπ-αιτέω, aor. opt. -τήσειας: ask besides, Ψ 593†.

ἐπ-αίτιος: to blame; οὔ τί μοι ὔμμες

ἐπαίτιοι, 'I have no fault to find with you,' Α 335†.

ἐπ-ακούω, aor. ἐπάκουσα: hearken to, hear, with the same constructions as ἀκούω, τ 98, Β 143.

ἐπ-ακτήρ, ῆρος: hunter, i. e. ὁ κύνας ἐπάγων, τ 435; ἄνδρες ἐπακτῆρες, Ρ 135.

ἐπ-αλάομαι, aor. pass. subj. ἐπαληθῇ: wander to, w. acc. of end of motion, Κύπρον, δ 83; πόλλ' ἐπαληθείς, 'after long wanderings,' δ 81.

ἐπ-αλαστέω, part. -ήσασα: be indignant (at), α 252†.

ἐπ-αλέξω, fut. -ήσω: give aid to, defend, help, τινί, Θ 365 and Λ 428.

ἐπαληθείς: see ἐπαλάομαι.

ἐπ-αλλάσσω: only aor. part., ἐπαλλάξαντες, entwining in each other, connecting (the ends of the cord of war), i. e. prolonging the contest; others interpret, 'drawing the cord of war now this way, now that,' Ν 359†.

ἐπάλμενος: see ἐφάλλομαι.

ἔπ-αλξις, ιος (ἀλέξω): breastwork, battlement. (Il.)

Ἐπάλτης: a Lycian, slain by Patroclus, Π 415†.

ἐπᾶλτο: see ἐφάλλομαι.

ἐπ-αμάομαι: only aor. ἐπαμήσατο, heaped up for himself a bed of leaves, ε 482†. See ἀμάω.

ἐπ-αμείβω, aor. subj. ἐπαμείψομεν: give in exchange to, exchange with; ἀλλήλοις, Ζ 230; mid., νίκη δ' ἐπαμείβεται ἄνδρας, 'passes from one man to another,' Ζ 339. (Il.)

ἐπ-αμοιβαδίς (ἐπαμείβω): interchangingly, 'intertwined with each other,' ε 481†.

ἐπ-αμύντωρ, ορος: defender, π 263†.

ἐπ-αμύνω, aor. imp. ἐπάμυνον: bring aid to, come to the defence, abs., and w. dat., Ε 685, Θ 414. (Il.)

ἐπ-ανα-τίθημι, aor. 2 inf. ἐπανθέμεναι: shut again; σανίδας, Φ 535†.

ἐπ-αν-ίστημι: only aor. 2 intrans., ἐπανέστησαν, thereupon arose, i. e. after him, Β 85†.

ἐπ-αοιδή (ἐπαείδω): incantation, spell, τ 457†.

ἐπ-απειλέω, aor. ἐπηπείλησα: direct threats against, threaten, τινί (τι).

ἐπ-αραρίσκω, aor. 1 ἐπῆρσε, plup. ἐπαρήρει: trans. (aor. 1), fit to (τινί τι), Ξ 167, 339; intr. (plup.), fit in, Μ 456.

ἐπ-ᾱρή: imprecation, curse, pl., I 456†.

ἐπ-αρήγω: bring help to, succor.

ἐπαρήρει: see ἐπαραρίσκω.

ἐπ-αρκέω: bring defence to, ward off; τινί τι, ρ 568.

ἐπ-άρουρος (ἄρουρα): bound to the soil (as a serf), λ 489†.

ἐπ-αρτής, ἐς (root ἀρ): equipped, ready. (Od.)

ἐπ-αρτύω: fit on, θ 447.

ἐπ-άρχομαι, aor. imp. ἐπαρξάσθω, part. -ξάμενος: ritualistic word, always w. δεπάεσσιν, make a beginning (thereto), 'perform the dedicatory rites' with the cups, by filling them to pour the libation, Α 471, γ 340.

ἐπ-αρωγός (ἀρήγω): helper, λ 498†.

ἐπ-ασκέω: only perf. pass., ἐπήσκηται δέ οἱ αὐλὴ | τοίχῳ καὶ θριγκοῖσι, 'it (the house, οἱ) has a court skilfully adjoined with wall and coping,' ρ 266†.

ἐπ-ασσύτερος (ἄσσον): closer and closer, close together, Δ 423; in quick succession, Α 383, π 366.

ἔπ-αυλος (αὐλή): 'adjoining the court'): pl., cattle stalls, stables, ψ 358†.

ἐπ-αυρίσκω, aor. 2 subj. ἐπαύρῃ, inf. ἐπαυρεῖν, ἐπαυρέμεν, mid. pres. ἐπαυρίσκονται, fut. inf. -ρήσεσθαι, subj. aor. 2 ἐπαύρηαι and ἐπαύρῃ, 3 pl. ἐπαύρωνται: I. act., acquire, obtain, Σ 302, ρ 81; fig., often of missiles, 'reach,' 'touch,' χρόα, Λ 573; w. gen., λίθου, 'graze' the stone, Ψ 340.—II. mid., partake of, enjoy, 'reap the fruit of,' w. gen., Ν 733; freq. ironical, Α 410, Ζ 353; w. acc., bring on oneself, ρ 81.

ἐπ-αφύσσω, aor. ἐπήφυσε: draw or dip (water) upon, τ 388†.

ἐπ-εγείρω, aor. mid. ἐπέγρετο, part. ἐπεγρόμενος: awaken (at some juncture), χ 431; mid., wake up (at), Κ 124, υ 57.

ἐπέδραμον: see ἐπιτρέχω.

ἐπέην: see ἔπειμι 1.

ἐπεί: temporal and causal conjunction. — I. temporal, when, after; of definite time, foll. by ind. freq. aor. (where we use plup.), Α 57; but also by other tenses, Α 235; of indefinite time (conditional), with the usual constructions that belong to relative

words (see ἄν, κέν).—II. causal, *since,
for*, foll. by ind.—With other words,
ἐπεὶ πρῶτον, πρῶτα, 'after once,' 'as
soon as,' ἐπεὶ ἄρ, ἐπεὶ δή (ἐπειδή), ἐπεὶ
ἤ (ἐπειή), ἐπεὶ οὖν, ἐπεὶ περ, ἐπεί τοι,
see the several words. ἐπεὶ οὖ is to
be read with 'synizesis,' except in ε
364, θ 585. ἐπεί stands at the begin-
ning of some verses, as if ἐππεί.

Ἐπειγεύς: a Myrmidon, the son of
Agacles, slain by Hector, Π 571.

ἐπείγω, ipf. ἔπειγον, pass. ἐπείγετο:
I. act. and pass., *press hard, oppress,
impel, urge on;* of weight, ὀλίγον δέ
μιν ἄχθος ἐπείγει, M 452; old age,
χαλεπὸν κατὰ γῆρας ἐπείγει, Ψ 623;
wind driving a ship before it, ἔπειγε
γὰρ οὖρος ἀπήμων, μ 167; hurrying
on a trade, ο 445; pass. ἐπείγετο γὰρ
βελέεσσιν, 'hard pressed,' E 622; λέ-
βης ἐπειγόμενος πυρὶ πολλῷ, i. e. made
to boil in a hurry, Φ 362.—II. mid.,
press on, hasten; of winds driving
fast, ἐπειγομένων ἀνέμων, E 501; μή
τις ἐπειγέσθω οἰκόνδε νέεσθαι, B 354;
esp. freq. the part., 'hastily,' E 902, λ
339; and w. gen., 'eager for,' 'desir-
ous of,' ὁδοῖο, α 309, etc.; with acc.
and inf., ν 30. The mid. is also some-
times trans. (subjectively), 'hasten on
for oneself,' γάμον, β 97, τ 142, ω 132.

ἐπειδάν: *when*, N 285†.

ἐπειδή: *when, after, since*, the δή
being hardly translatable, see ἐπεί.
Less often causal than temporal, η
152.

ἐπειή: see ἐπεί and ἤ. Always
causal.

1. ἔπ-ειμι (εἰμί), opt. ἐπείη, ipf. 3
sing. ἐπέην and ἐπῆεν, 3 pl. ἔπεσαν,
fut. ἐπέσσεται: *be upon, be remaining*,
B 259, β 344, δ 756. See ἔπι, under
ἐπί.

2. ἔπ-ειμι (εἶμι), ἔπεισι, part. ἐπιών,
ipf. ἐπήιε, ἐπήισαν, ἐπῆσαν, mid. fut.
ἐπείσομαι, aor. part. ἐπιεισαμένη (ω
or *come upon* or *at;* abs., or w. acc. of
place or person, ἀγρόν, ψ 359; met.,
πρίν μιν καὶ γῆρας ἔπεισιν, 'shall
come upon' her, A 29; also w. dat.,
τοῖς ὀρυμαγδὸς ἐπήιεν, 'came to their
ears,' P 741; esp. in hostile sense, *at-
tack*, w. acc. or dat., Λ 367, N 482.

Ἐπειοί: the *Epeians*, a tribe in
North Elis, Λ 732, N 686, Δ 537.

Ἐπειός: *Epeius*, son of Panopeus,

the builder of the wooden horse, Ψ
665, 838, λ 523.

ἐπείπερ: see ἐπεί and πέρ.

ἔπειτα (ἐπί, εἶτα): *thereupon, then,
in that case;* of time or of sequence,
often correl. to πρῶτον, Z 260; and
joined with αὐτίκα, αἶψα, ὦκα, also
ἔνθα δ' ἔπειτα, Σ 450; referring back
to what has been stated (or implied),
'so then,' 'accordingly,' 'after all,' α
65, 106, γ 62; after a part., Ξ 223, Λ
730; freq. introducing an apodosis
emphatically, 'in that case,' α 84, and
after temporal clauses, esp. δὴ ἔπειτα,
θ 378; τότ' ἔπειτα.

ἐπεκέκλετο: see ἐπικέλομαι.

ἐπέκερσε: see ἐπικείρω.

ἐπ - ελαύνω, pass. plup. ἐπελήλατο:
forge or *weld on*, N 804, P 493. See
ἐλαύνω.

ἐπέλησε: see ἐπιλανθάνω.

ἐπ-εμ-βαίνω: only perf. part. ἐπεμ-
βαώς, *standing upon;* οὐδοῦ, I 582†.
See βαίνω.

ἐπενείκαι: see ἐπιφέρω.

ἐπένειμε: see ἐπινέμω.

ἐπενήνεον: see ἐπινηνέω.

ἐπ-εν-ήνοθε (cf. ἄνθος): defective
perf. w. signif. of ipf. or pres., *grew
upon*, B 219, K 134; of a perfume,
rises upon, 'floats around,' θεούς, θ 365
(cf. ἐνήνοθε).

ἐπ-εν-τανύω: only aor. part., ἐπεν-
τανύσας, *stretching high over* (a rope
over the rotunda), χ 467†.

ἐπ-εντύνω, ἐπεντύω: *harness* (to), Θ
374; mid., *equip oneself* to win, ἄεθλα,
ω 89.

ἐπ-έοικα, plup., ἐπεῴκει: *be seemly,
becoming;* τινί, Δ 341; also w. acc.
and inf., A 126; regularly impers., but
once w. pers. subject, 'befits,' I 392.

ἐπέπιθμεν: see πείθω.

ἐπέπληγον: see πλήσσω.

ἐπέπλως: see ἐπιπλώω.

ἐπεποίθει: see πείθω.

ἐπεπόνθει: see πάσχω.

ἐπέπταρε: see ἐπιπταίρω.

ἐπέπτατο: see ἐπιπέτομαι.

ἐπέπυστο: see πυνθάνομαι.

ἐπ - ερείδω, aor. ἐπέρεισε: *lean* or
bear on hard; Athēna lends force in
driving the spear of Diomed, E 856;
Polyphēmus throws enormous strength
into his effort as he hurls the stone,
ι 538.

ἐπερρώσαντο: see ἐπιρρώομαι.

ἐπ-ερύω, aor. ἐπέρυσσε: *draw to, a* 441†.

ἐπ-έρχομαι, fut. inf. ἐπελεύσεσθαι, aor. ἐπῆλθον, ἐπήλυθον, perf. ἐπελήλυθα: *come* or *go to* or *upon, come on;* of the 'arrival' of times and seasons, κ 175, Θ 488; the 'approach' of sleep or sickness, δ 793, λ 200; and often in hostile sense, 'attack,' esp. the part., Ο 406, Δ 334; mostly w. dat., but w. acc. in the sense 'visit,' 'haunt,' 'traverse,' ἄγκεα, Σ 321; γαῖαν, δ 268; ἀγρούς, π 27; τμήδην, 'struck and grazed,' Η 262.

ἐπεσ-βολίη (ἐπεσβόλος): *forward talk,* pl., δ 159†.

ἐπεσ-βόλος (ἔπος, βάλλω, 'wordslinging'): *wordy, scurrilous,* Β 275†.

ἔπεσον: see πίπτω.

ἐπέσπον: see ἐφέπω.

ἐπέσσεται: see ἔπειμι 1.

ἐπέσσυται: see ἐπισεύω.

ἐπέστη: see ἐφίστημι.

ἐπέσχον: see ἐπέχω.

ἐπ-ετήσιος (Ϝέτος): *throughout all the year,* η 118†.

ἔπευ: see ἔπω.

ἐπ-ευφημέω: only aor. ἐπευφήμησαν, *added their favoring voices,* to what the priest himself had said, in favor of granting his petition, Α 22, 376.

ἐπ-εύχομαι, fut. 2 sing. ἐπεύξεαι, aor. ἐπεύξατο: (1) *pray (at some juncture), add a prayer,* κ 533, ξ 436.—(2) *boast over, exult (at),* Λ 431, Ε 119.— In both senses abs., or w. dat., and w. foll. inf.

ἔπεφνον: see φεν-.

ἐπέφραδον: see φράζω.

ἐπ-έχω, ipf. ἐπεῖχον, ἔπεχεν, aor. 2 ἐπέσχον, opt. ἐπισχοίης, imp. ἐπίσχετε, mid. aor. part. ἐπισχόμενος: *hold to, hold on, direct to* or *at, extend over;* of putting the feet on a foot-stool, Ξ 241, ρ 410; holding a cup to the lips, Ι 489, Χ 494, similarly 83; guiding a chariot against the enemy, Ρ 464; and, intransitively, of assailing (cf. 'have at him'), τί μοι ὧδ᾽ ἐπέχεις, 'why so hard on me?' τ 71; then of occupying, reaching in space, Φ 407, Ψ 190, 238; *hold* in the sense of 'check,' intr. 'refrain,' Φ 244, φ 186; met., θῡμόν, υ 266.—Mid., aor., *take aim,* χ 15.

ἐπ-ήβολος: *possessed of,* β 319†.

ἐπ-ηγκενίδες: *uppermost streaks* or *planks* of a ship, forming the *gunwale,* ε 253†. (See cut No. 32, letter *c*).

ἐπῆεν: see ἔπειμι 1.

ἐπ-ηετανός (αἰεί): *lasting forever, perennial;* ἀρδμοί, πλυνοί, ν 247, ζ 86; hence 'plentiful,' 'abundant,' σῖτος, γάλα, κομιδή, σ 360, δ 89, θ 233. — Neut. as adv., ἐπηετανόν, *always,* 'abundantly,' η 128, 99, κ 427.

ἐπήιεν: see ἔπειμι 2.

ἐπήλυθον: see ἐπέρχομαι.

ἐπ-ημοιβός (ἀμείβω): *serving for a change;* χιτῶνες, ξ 513; ὀχῆες, *cross-bars,* shutting over one another in opposite directions. (See cut No. 29).

ἐπήν: *when, after.* See ἐπεί, also ἄν, κέν.

ἐπήνεον: see ἐπαινέω.

ἔπηξα: see πήγνῡμι.

ἐπ-ηπύω: *applaud,* Σ 502†.

ἐπ-ήρατος (ἐράω): *lovely, charming,* only of things and places, θ 366, δ 606, Σ 512.

ἐπ-ήρετμος (ἐρετμός): *at the oar,* β 403; *furnished with oars;* νῆες, δ 589, ε 16.

ἐπ-ηρεφής, έος (ἐρέφω): *overhanging, beetling;* πέτραι, κρημνοί, κ 131, μ 59, Μ 54.

Ἐπήριτος: a name feigned by Odysseus, ω 306†.

ἐπῆρσα: see ἐπαραρίσκω.

ἐπῆσαν: see ἔπειμι 2.

ἐπ-ητής, έος: *discreet, humane,* ν 332 and σ 128.

ἐπ-ήτριμος: *thick* together, *numerous;* πίπτειν, 'thick and fast,' Τ 226, Σ 211, 552.

ἐπ-ητύς, ύος (ἐπητής): *humanity, kindliness,* φ 306† (v. l. ἐπητέος).

ἐπί: *upon, on.*—I. adv., *thereon, on top, thereby, besides;* esp. ἔπι = ἔπεστι or ἔπεισι, οὔ τοι ἔπι δέος, 'thou hast nought to fear,' Α 515, θ 563. Here belong all examples of 'tmesis,' ἐπὶ δ᾽ αἴγειον κνῆ τῡρόν, grated 'on,' Λ 639, 640; the appropriate case of a subst. may specify the relation of the adv., ἐπὶ κνέφας ἤλυθε γαῖαν, darkness came 'on'—over the earth, Ω 351.—κρέ᾽ ἔδων καὶ ἐπ᾽ ἄκρητον γάλα πίνων, 'on top' of the meat, 'besides,' ι 297; πρὸ μέν τ᾽ ἄλλ᾽, αὐτὰρ ἐπ᾽ ἄλλα, some before, some 'after,' Ν 799; ἐπὶ σκέπας

ἦν ἀνέμοιο, 'withal,' ε 443.—II. prep.,
(1) w. gen., local, of position, on, at, or
direction, towards, for; and sometimes
temporal; freq. ἐφ' ἵππων, ἐπὶ νηῶν;
ἐπ' ἀγροῦ, 'in the country,' 'at the
farm,' α 190; ἐπ' ὄγμου, 'at the
swath,' Σ 557; σῖγῇ ἐφ' ὑμείων, 'by
yourselves,' Η 195; ἐπὶ παιδὸς ἔπε-
σθαι, 'along with,' α 278; direction,
νήσου ἔπι Ψυρίης, make 'for' the
island, γ 171, Ε 700; time, ἐπ' εἰρήνης,
ἐπὶ προτέρων ἀνθρώπων, 'in the time
of,' Β 797, Ε 637.—(2) w. dat., of
place, time, purpose, condition; νέμε-
σθαι ἐπὶ κρήνῃ, 'at' the spring, ν 408;
νῆα ἐπ' ἠπείροιο ἔρυσσαν | ὑψοῦ ἐπὶ
ψαμάθοις, high 'upon the sand,' Α
486; ἐπὶ Πατρόκλῳ τέτατο ὑσμίνη,
'over Patroclus,' Ρ 543; so of charge
or mastery, ποιμαίνειν ἐπ' ὄεσσι, Ζ 25;
υἱὸν ἐπὶ κτεάτεσσι λιπέσθαι, 'in charge
of,' 'as master of,' Ε 154; ἐπὶ ἵστορι
πείρας ἑλέσθαι, 'by,' i. e. before a
judge, Σ 501; freq. of hostile direc-
tion, ἧκε δ' ἐπ' Ἀργείοισι βέλος, 'at the
Greeks,' Α 382; addition, ὄγχνη ἐπ'
ὄγχνῃ, 'pear upon pear,' η 120, 216;
of time, ἐπὶ νυκτί, 'in the night,' Θ
529; ἐπ' ἤματι, 'a day long,' Τ 229;
'day by day,' μ 105; ἐπ' ἤματι τῷδε,
'on this day,' Ν 234; cause or pur-
pose, γαστέρας ἐπὶ δόρπῳ καθέμεθα,
'for supper,' σ 44; ἐπ' ἀρωγῇ, Ψ 574;
ἐπὶ ῥηθέντι δικαίῳ, 'at a just remark,'
σ 414; condition or price, μισθῷ ἔπι
ῥητῷ, Φ 445, Κ 304, Ι 602.—(3) w.
acc., local, direction to or at (hostile),
or extension, over; of purpose, for;
and of time in extension, for, up to;
ἔζεσθαι ἐπ' ἐρετμά, 'take seats at the
oars,' μ 171; ἐπὶ ἔργα τρέπεσθαι, 'to
work,' Γ 422; ὄρνυσθαι ἐπί τινα,
'against,' Ε 590; ἐπ' ἐννέα κεῖτο πέλε-
θρα, 'extending over,' λ 577; πάντας
ἐπ' ἀνθρώπους ἐκέκαστο, 'the world
over,' Ω 535; so ἐπὶ γαῖαν, ἐπὶ πόν-
τον; purpose, ἀναστῆναι ἐπὶ δόρπον,
Μ 439; time, παννύχιον εὑδεῖν καὶ ἐπ'
ἠῶ καὶ μέσον ἦμαρ, η 288; so ἐπὶ χρό-
νον, 'for a time;' ἐπὶ δ'ηρόν, 'for
long.'

ἐπ-ιάλλω: send upon; only aor. 1,
ἐπίηλεν τάδε ἔργα, 'brought to pass,'
χ 49†.

ἐπιάλμενος: see ἐφάλλομαι.

ἐπιανδάνω: see ἐφανδάνω.

ἐπ-ιάχω, aor. 2 ἐπίαχον: shout (at),
shout (in battle), Η 403, Ε 860. (Il.)

ἐπί-βαθρον (paid by an ἐπιβάτης):
fare, passage-money, ο 449†.

ἐπι-βαίνω, fut. inf. ἐπιβησέμεν, aor.
1 ἐπέβησα, subj. ἐπιβήσετε, imp. ἐπι-
βησον, aor. 2 ἐπέβην, subj. du. ἐπιβῆ-
τον, 1 pl. ἐπιβείομεν, mid. fut. ἐπιβή-
σομαι, aor. ἐπεβήσετο: set foot on,
mount, go on board; w. gen. γαίης,
ἵππων, νηῶν, εὐνῆς, κ 334; πυρῆς, Δ
99; fig., ἀναιδείης ἐπιβῆναι, 'tread the
path of insolence,' χ 424, ψ 52; w.
acc. Πιερίην, Ξ 226, ε 50.—Aor. 1 and
fut. act., causative, τινὰ ἵππων, make
one mount the car, Θ 129; πυρῆς, of
bringing men to their death, Ι 546;
πάτρης, bringing one home, η 223;
and fig., ἐυκλείης, σαοφροσύνης, Θ 285,
ψ 13.

ἐπι-βάλλω, ipf. ἐπέβαλλε, mid. pres.
part. ἐπιβαλλόμενος: throw or cast on;
of plying the whip, 'laying it on' the
horses, ζ 320; intrans., (νηῦς) Φεὰς
ἐπέβαλλε, 'touched at,' ο 297; mid.,
'lay hand on,' 'aim for,' ἐνάρων, Ζ 68.

ἐπι-βάσκω: equivalent to the caus-
ative tenses of ἐπιβαίνω, bring into;
κακῶν, Β 234†.

ἐπιβήμεναι: see ἐπιβαίνω.

ἐπι-βήτωρ, ορος: mounter, 'mounted
warrior,' ἵππων, σ 263; designating a
boar, συῶν ἐπιβήτωρ, λ 131, ψ 278.

ἐπι-βλής, ῆτος (ἐπιβάλλω): bar, of
gate or door, Ω 453†. (See cut No.
56, and the adjacent representation of
Egyptian doors; see also No. 29.)

35

ἐπι-βοάω, mid. fut. ἐπιβώσομαι: call
upon, for help, as witnesses, θεούς, α
378, Κ 463 (v. l. ἐπιδωσόμεθα).

ἐπι-βουκόλος: herdsman (over cat-
tle), cattle-herd. (Od.)

ἐπι-βρέμω: set roaring, Ρ 739†.

ἐπι - βρίθω, aor. ἐπέβρῑσα : *weigh down upon, make heavy* (with fruit), ω 344 ; *fall heavily (upon)*, Η 91, Μ 286, fig., πόλεμος, Η 343.

ἐπιβωσόμεθα: see ἐπιβοάω.

ἐπι-βώτωρ, ορος : μήλων, *shepherd*, ν 222. Cf. ἐπιβουκόλος.

ἐπι - γίγνομαι : *draw on, approach,* Ζ 148†.

ἐπι-γιγνώσκω, aor. subj. ἐπιγνώῃ, -γνώωσι : *mark, recognize,* σ 30, ω 217.

ἐπι-γνάμπτω, aor. ἐπέγναμψα : *bend over;* δόρυ, Φ 178 ; met., *bend,* 'change,' 'bow' the will, Β 14, Ι 514, Α 569.

ἐπιγνώῃ : see ἐπιγιγνώσκω.

ἐπι-γουνίς, ίδος (γόνυ, 'above the knee') : *thigh; μεγάλην ἐπιγουνίδα θεῖτο,* 'grow a stout thigh,' ρ 225. (Od.)

ἐπὶ - γράβδην (ἐπιγράφω) : adv., βάλε, struck *scratching,* i. e. 'grazed,' Φ 166†.

ἐπι-γράφω, aor. ἐπέγραψα : *scratch on;* 'graze,' χρόα, Ν 533 ; 'mark,' κλῆρον, Η 187.

Ἐπίδαυρος : *Epidaurus,* in Argolis, Β 561†.

ἐπιδέδρομε : see ἐπιτρέχω.

ἐπι - δέξιος : only neut. pl. as adv., ἐπιδέξια, *toward the right* (the lucky direction), φ 141 ; *on the right* (auspiciously), Β 353.

ἐπι-δευής, ές (ἐπιδεύομαι) : *in need of, lacking, inferior to;* δαιτός, Ι 225 ; w. two genitives (and illustrating both meanings at once), βίης ἐπιδευέες εἰμὲν Ὀδυσῆος, φ 253.—Adv., ἐπιδευὲς ἔχειν δίκης, 'fail of,' Τ 180.

ἐπι-δεύομαι (δέομαι), ipf. ἐπεδεύετο : *lack, need, be inferior to,* w. gen. of thing or of person, Β 229, Σ 77 ; both together, οὐ μὲν γάρ τι μάχης ἐπεδεύετ' Ἀχαιῶν (cf. φ 253, under ἐπιδευής), Ω 385.

ἐπι-δημεύω (δῆμος) : *stay at home* (in town, and not in the country), π 28†.

ἐπι-δήμιος : *at home,* α 194, Ω 262 ; πόλεμος, 'civil strife,' Ι 64.

ἐπι-δίδωμι, aor. ἐπέδωκε, inf. ἐπιδοῦναι, mid. fut. ἐπιδωσόμεθα, aor. 2 subj. ἐπιδώμεθα : *give besides or with,* Ψ 559 ; as dowry, Ι 147 ; mid., *take (to oneself) as witness,* Χ 254 ; 'honor with gifts '(?), Κ 463 (v. l. ἐπιβωσόμεθα).

ἐπι-δινέω (δίνη), aor. part. ἐπιδινήσας, pass. -νηθέντε : *set whirling, whirl,*

Γ 378, ι 538 ; pass., *wheel, circle* (of birds), β 151 ; mid., metaph., *revolve in mind, ponder,* v 218.

ἐπι-διφριάς, άδος (δίφρος) : *rim of* a chariot-box, Κ 475†. (See cut No. 10, under ἄντυξ.)

ἐπι-δίφριος (δίφρος) : *in the chariot,* neut. pl., predicatively, ο 51 and 75.

ἐπιδραμεῖν, ἐπιδραμέτην : see ἐπιτρέχω.

ἐπί-δρομος (ἐπιδραμεῖν): *to be scaled;* τεῖχος, Ζ 434†.

ἐπιδώμεθα : see ἐπιδίδωμι.

ἐπι-είκελος (Ϝείκελος): *like to; θεοῖς,* ἀθανάτοισιν, Α 265, Ι 485.

ἐπι-εικής, ές (Ϝέοικα): *suitable, becoming,* ι 382 ; (τύμβον) ἐπιεικέα τοῖον, 'only just of suitable size,' Ψ 246 ; often ὡς ἐπιεικές (sc. ἐστιν).

ἐπι-εικτός, 3 (Ϝείκω): *yielding,* always w. neg., μένος οὐκ ἐπιεικτόν, 'unyielding,' 'steadfast,' τ 493, Ε 892 ; σθένος, 'invincible,' Π 549 ; ἔργα, 'unendurable,' i. e. to which one must not yield, θ 307.

ἐπιειμένος : see ἐπιέννυμι.

ἐπιείσομαι : see ἔπειμι 2.

ἐπι-έλπομαι (Ϝέλπω) : *have hope of,* Α 545, φ 126.

ἐπι-έννυμι (Ϝέννυμι), aor. 1 pl. ἐπιέσσαμεν, pass. perf. part. ἐπιειμένος : *put on over;* χλαῖναν, υ 143 ; pass., metaph., ἐπιειμένος ἀλκήν, ἀναιδείην, *clothed* in might, etc., Η 164, Α 149.

ἐπι-ζάφελος : *raging, furious;* χόλος, Ι 525.—Adv., ἐπιζαφέλως, *vehemently.*

ἐπιῆλε : see ἐπιάλλω.

ἐπιήνδανε : see ἐφανδάνω.

ἐπιήρα : see ἦρα.

ἐπι-ήρανος (ἦρα) : *agreeable; θυμῷ,* τ 343†.

ἐπι-θαρσύνω : *encourage,* Δ 183†.

ἐπιθεῖτε : see ἐπιτίθημι.

ἐπί-θημα (τίθημι) : *lid of a chest,* pl., Ω 228†.

ἐπιθρέξᾱς : see ἐπιτρέχω.

ἐπι-θρώσκω: *spring upon; νηός,* Θ 515 ; 'jump upon ' (in contempt), Δ 177 ; τόσσον ἐπιθρώσκουσι, *spring so far,* Ε 772.

ἐπ-ῑθύω (ἰθύς), aor. part. ἐπῑθύσαντες : *charge straight at or on,* Σ 175, π 297.

ἐπι-ίστωρ, ορος (root Ϝιδ): *conscious of, accomplice in,* φ 26†.

ἐπίκαρ: see κάρ.

ἐπι-κάρσιος, 3 (κάρ, κάρα): head-foremost, headlong, ι 70†.

Ἐπικάστη (καίνυμαι, the 'Notorious'): the mother of Oedipus, in the tragic poets Jocasta, λ 271†.

ἐπί-κειμαι, fut. ἐπικείσεται: lie on or to, i. e. 'be closed' (of doors), ζ 19; met., ἀνάγκη, 'press upon' (as we say 'be under' the necessity), Z 458.

ἐπι-κείρω, aor. ἐπέκερσε: mow down; φάλαγγας, Π 394†.

ἐπι-κέλλω, aor. ἐπέκελσα: beach a ship, νῆα, ι 138; intr., νηῦς, run in on the beach, ν 114, ι 148 (cf. 149).

ἐπι-κέλομαι, aor. ἐπεκέκλετο: invoke; Ἐρῑνῦς, I 454†.

ἐπι-κερτομέω: mock at, deride; part., 'jestingly,' Ω 649.

ἐπι-κεύθω, fut. -σω, aor. subj. ἐπικεύσῃς: conceal, always w. neg., ξ 467, δ 744, E 816.

ἐπι-κίδναμαι: only pres. 3 sing., diffuses itself over, B 850, H 451, 458.

ἐπι-κίρνημι, aor. inf. ἐπικρῆσαι: mix in, add wine to water, η 164†.

ἐπι-κλείω (κλέος): bestow praise upon, applaud, α 351†.

Ἐπικλῆς: a Lycian, slain by Ajax, M 379†.

ἐπί-κλησις (καλέω): given name ('surname'); only acc., adverbially or predicatively, mostly with καλεῖν, Ἄρκτον θ', ἣν καὶ ἄμαξαν ἐπίκλησιν καλέουσιν, 'which they call also by the name of the wain,' ε 273, H 138, X 506; Σπερχειῷ, αὐτὰρ ἐπίκλησιν Βώρῳ, 'but by repute to B.,' Π 177.

ἐπι-κλίνω: only pass. perf. part., ἐπικεκλιμέναι σανίδες, closed doors, M 121†.

ἐπί-κλοπος (κλέπτω): thievish, cunning, sly rogue; μύθων, τόξων, 'filcher' (combined skill and rascality), X 281, φ 397.

ἐπι-κλύω: hear, Ψ 652, ε 150.

ἐπι-κλώθω, aor. ἐπέκλωσα, mid. ἐπεκλωσάμην: spin to, of the Fates spinning the threads of destiny; hence allot to, grant, w. acc., or foll. by inf. (Od. and Ω 525.)

ἐπι-κόπτω: only fut. part., ἐπικόψων, to fell by a blow, γ 443†.

ἐπι-κουρέω: only fut. part., ἐπικουρήσοντα, to give aid, E 614†.

ἐπί-κουρος: helper in battle, E 478,

fem., Φ 431; pl., allies of the Trojans.

ἐπι-κραίνω, ἐπικραιαίνω, aor. opt. ἐπικρήνειε, imp. ἐπικρήηνον: bring to fulfilment, fulfil, accomplish. (Il.)

ἐπι-κρατέω: have power over, rule over; 'have the upper hand,' Ξ 98.

ἐπι-κρατέως (κράτος): mightily, victoriously. (Il.)

ἐπικρήηνον, ἐπικρήνειε: see ἐπικραίνω.

ἐπικρῆσαι: see ἐπικίρνημι.

ἐπ-ίκριον: yard of a ship, ε 254 and 318.

ἐπι-λάμπω, aor. ἐπέλαμψε: shine in, P 650†.

ἐπι-λανθάνω, ἐπιλήθω, aor. ἐπέλησε, mid. ipf. ἐπελήθετο, fut. ἐπιλήσομαι: act., make to forget, w. gen., υ 85; mid., forget.

ἐπι-λείβω: pour wine over, as a libation, γ 341.

ἐπι-λεύσσω: see ahead, Γ 12†.

ἐπί-ληθος: causing oblivion; κακῶν, δ 221†.

ἐπιλήθω: see ἐπιλανθάνω.

ἐπι-ληκέω: beat time to a dance, θ 379†.

ἐπι-λίγδην: βλῆτο ὦμον, received a stroke grazing the shoulder, P 599†.

ἐπ-ιλλίζω: wink to, σ 11†.

ἐπι-λωβεύω (λώβη): mock at, β 323†.

ἐπι-μαίνομαι, aor. ἐπεμήνατο: be mad for, madly desirous, w. inf., Z 160†.

ἐπι-μαίομαι, imp. ἐπιμαίεο, ipf. ἐπεμαίετο, fut. ἐπιμάσσεται, aor. ἐπεμάσσατο, part. ἐπιμασσάμενος: (1) feel over, feel for, touch up; of the blind Polyphēmus feeling over the backs of his sheep, hoping to catch Odysseus, ὄίων ἐπεμαίετο νῶτα, ι 441; Odysseus feeling for the right place to stab the sleeping Polyphēmus, χείρ' (dat.) ἐπιμασσάμενος, ι 302; the surgeon probing a wound, ἕλκος δ' ἰητὴρ ἐπιμάσσεται, Δ 190; of touching one with the magic wand, ῥάβδῳ, N 429; horses with the whip, E 748.—(2) make for, strive for; τινός, μ 220, ε 344, K 401.

ἐπι-μάρτυρος: witness to a matter, only of gods, H 76, α 273.

ἐπιμασσάμενος: see ἐπιμαίομαι.

ἐπί-μαστος (ἐπιμαίομαι): of one

who has been *handled*, hence 'filthy,'
ἀλήτης, v 377†.

ἐπι-μειδάω: only aor. part., ἐπιμει-
δήσας, *smiling at* or *upon*, Δ 356; in
bad sense, K 400.

ἐπι - μέμφομαι: *find fault with,
blame for*, w. dat. of person, π 97;
gen. (causal) of the thing, A 65, 93, B
225.

ἐπι-μένω, aor. imp. ἐπίμεινον, inf.
ἐπιμεῖναι: *stay, wait, tarry*.

ἐπι-μήδομαι: *devise against;* τινί
τι, δ 437†.

ἐπι-μῆνις: *wrath thereat*, E 178†.
The reading of Aristarchus.

ἐπι-μηνίω: only ipf., *was at feud
with*, N 460†.

ἐπι-μιμνήσκομαι, aor. mid. opt.,
ἐπιμνησαίμεθα, pass. part. ἐπιμνησθείς:
call to mind, remember.

ἐπι-μίμνω: *wait upon, superintend;*
ἔργῳ, ξ 66 and ο 372.

ἐπι-μίξ: *indiscriminately*.

ἐπι-μίσγομαι: *mingle with*, hence
*come in contact with, have to do with,
engage* in battle (*with* the enemy), E
505.

ἐπιμνησαίμεθα: see ἐπιμιμνήσκο-
μαι.

ἐπι-μύζω (μύζω, 'say μῦ'), aor. ἐπέ-
μυξαν: *mutter, murmur at*. (Il.)

ἐπι-νέμω, aor. ἐπένειμε: *distribute*
(*to*).

ἐπι-νεύω, aor. ἐπένευσα: *nod* with
the helmet (of the plume), X 314; *nod
assent* (opp. ἀνανεύω), κάρητι, Ο 75.

ἐπι-νεφρίδιος (νεφρός): *over the
kidneys*, Φ 204†.

ἐπι-νέω, aor. ἐπένησε: *spin to*, i. e.
allot as destiny (cf. ἐπικλώθω), Υ 128
and Ω 210.

ἐπι-νηνέω (νέω, νηέω): *heap up
upon;* νεκροὺς πυρκαϊῆς, Η 428 and
431.

ἐπί-ξυνος (ξῠνός = κοινός): *com-
mon*, i. e. where several persons have
rights, M 422†.

ἐπι-ορκέω, fut. -ήσω: *swear falsely;*
πρὸς δαίμονος, in the name of a di-
vinity, T 188†.

ἐπί-ορκος: *falsely sworn, false*, T
264; as subst., ἐπίορκον, *false oath*, Γ
279; *vain oath*, K 332.

ἐπι-όσσομαι: *look after, look out
for* (to hinder, if possible), w. acc., P
381†.

ἐπίουρα: see οὖρον.

ἐπί - ουρος (οὖρος): *guardian* or
watch over; Κρήτῃ, 'ruler over' Crete,
N 450; ὑῶν, 'chief swine - herd,' ν
405, ο 39.

ἐπιόψομαι: see ἐφοράω.

ἐπι - πείθομαι, ipf. ἐπεπείθετο, fut.
ἐπιπείσομαι: *allow oneself to be pre-
vailed upon*, β 103, κ 406; hence, *obey*,
τινί.

ἐπι-πέλομαι: only syncopated part.,
ἐπιπλόμενον Fέτος, *on-coming, on-roll-
ing* year, η 261 and ξ 287.

ἐπι-πέτομαι, aor. ἐπέπτατο, inf. ἐπι-
πτέσθαι: *fly toward* or *in*, N 821; of
an arrow, Δ 126.

ἐπι-πίλναμαι: *come nigh*, ζ 44†.

ἐπι-πλάζομαι, aor. pass. part. -πλαγ-
χθείς: *drift over;* πόντον, θ 14†.

ἐπι - πλέω, ἐπιπλείω: *sail over*, w.
acc.

ἐπι - πλήσσω, fut. inf. -ήξειν: *lay on
blows*, K 500; metaph., *take to task,
rebuke*, M 211, Ψ 580.

ἐπιπλόμενον: see ἐπιπέλομαι.

ἐπιπλώω, aor. 2 2 sing. ἐπέπλως,
aor. 1 part. ἐπιπλώσᾱς: = ἐπιπλέω, γ
15, Z 291, Γ 47.

ἐπι - πνέω, ἐπιπνείω, aor. subj. ἐπι-
πνεύσωσι: *breathe* or *blow upon*, E
698; νηί, δ 357.

ἐπι - ποιμήν, ένος: pl., fem., *shep-
herdesses over*, μ 131†. Cf. ἐπιβουκό-
λος, ἐπιβώτωρ.

ἐπι - πρέπω: only 3 sing., *is to be
seen, manifest in*, ω 252†.

ἐπιπροέμεν: see ἐπιπροΐημι.

ἐπι-προ-ιάλλω: only aor. ἐπιπροΐη-
λε, *set before* them (σφωίν), Λ 628†.

ἐπι-προ-ίημι, aor. ἐπιπροέηκα, inf.
ἐπιπροέμεν: *let go forth to* or *at;* of
sending a man to the war, Σ 58, 439;
discharging an arrow at one, Δ 94;
intrans. (sc. νῆα), *make for;* νήσοισιν,
ο 299.

ἐπι - πταίρω, aor. ἐπέπταρε: *sneeze
at;* τινὶ ἐπέεσσιν (at one's words, a
lucky omen; πᾶσι, means that the
omen applied to *all* she had said), ρ
545†.

ἐπιπτέσθαι: see ἐπιπέτομαι.

ἐπι-πωλέομαι: *go round to; στίχας,
of* 'inspecting' the ranks, Δ 231; try-
ing them, to find a chance to fight, Λ
264. (Il.)

ἐπι - ρρέζω (Fρέζω): only ipf. iter.,

ἐπιρρέζεσκον, *were wont to do* sacrifice, ρ 211†.

ἐπι-ρρέπω (ῥέπω): *sink toward*, of the balance; ὄλεθρος ἡμῖν, 'settles down upon us,' Ξ 99.

ἐπι-ρρέω (σρέω): *flow upon*, B 754; met., *stream on*, Λ 724. (Il.)

ἐπι-ρρήσσω: only ipf. iter. ἐπιρρήσ-τεσκον, *drove to, pushed home*, Ω 454, 456. (Il.)

ἐπι-ρρίπτω (ῥίπτω), aor. ἐπέρρῑ-ψαν: *fling upon* or *at*, ε 310†.

ἐπί-ρροθος (cf. ἐπιτάρροθος): *helper*. (Il.)

ἐπι-ρρώομαι: see ῥώομαι, ipf. ἐπερ-ρώοντο, *plied their toil* at the mills, υ 107; aor. ἐπερρώσαντο, *flowed down; χαῖται*, Α 529.

ἐπι-σείω, ἐπισσείω: *shake* or *brandish over* or *against; τινί*, Δ 167, Ο 230. (Il.)

ἐπι-σεύω, ἐπισσεύω, aor. 1 ἐπέσσευε, part. ἐπισσεύᾱς, mid. ipf. ἐπεσσεύοντο, perf. w. pres. signif. ἐπέσσυμαι, part. ἐπεσσύμενος, plup. ἐπέσσυτο, ἐπεσσύμε-θα: I. act., *set upon, incite* or *send against; κῆτός τινι*, ε 421, ξ 399; met., *κακά, ὀνείρατα*, σ 256, τ 129, υ 87.—II. mid., *rush on* or *at, hasten on, speed to*, w. dat. of person, esp. in hostile sense; w. gen. of thing aimed at, *τεί-χεος*, Μ 388, Π 511, cf. χ 310; acc., *δέμνια*, ζ 20; also foll. by inf.; met., *θυμὸς ἐπέσσυται*, 'is so moved,' Α 173.

ἐπί-σκοπος (σκοπέω): *look-out, watch, spy* against, in hostile sense w. dat., *Τρώεσσι, νήεσσι*, Κ 38, 342; otherwise w. gen., θ 163; *guardian*, Χ 255, Ω 729.

ἐπι-σκύζομαι, aor. opt. ἐπισκύσσαι-το: *be indignant* or *wroth at; τινί*, Ι 370, η 306.

ἐπι-σκύνιον: *skin over the brows* (supercilium), *knitted in frowning*, Ρ 136†.

ἐπι-σμυγερῶς: *miserably, sadly*, γ 195, δ 672. (Od.)

ἐπί-σπαστος (σπάω): *drawn on himself*, σ 73. (Od.)

ἐπισπεῖν: see ἐφέπω.

ἐπι-σπέρχω: *urge on*, χ 451, Ψ 430; intr., *drive fast*, of storms, ε 304.

ἐπισπέσθαι, ἐπισπών: see ἐφέπω.

ἐπισσείω, ἐπισσεύω: see ἐπισείω, ἐπισεύω.

ἐπίσσωτρον: *tire* of a wheel. (Il.)

ἐπι-σταδόν (ἵστημι): adv., *stepping up to; standing*, i. e. on the spot, π 453.

ἐπίσταμαι, ipf. ἐπίστατο, fut. ἐπι-στήσονται: *know how, understand*, w. inf., Β 611; often the part. in the sense of *skilled in*, w. gen., φ 406, abs., Σ 599; w. dat., Ο 282; of 'knowing' a fact, δ 730.

ἐπισταμένως (ἐπίσταμαι): *skilfully*.

ἐπι-στάτης: *one who stands by* or *over; σὸς ἐπιστάτης*, 'thy petitioner,' meaning a beggar, ρ 455†.

ἐπι-στενάχομαι: *groan besides*, Δ 154†.

ἐπι-στεφής, ές (στέφω): *brimful*.

ἐπι-στέφομαι (στέφω), aor. ἐπεστέ-ψαντο: *fill to the brim* for oneself.

ἐπιστήμων: *knowing, sagacious*, π 374†.

ἐπίστιον: *dock-yard* or *boat-house*, a place for keeping ships, ζ 365†.

ἐπι-στοναχέω: only aor., ἐπιστονά-χησε, the billows *roared* as they closed *upon her*, Ω 79†.

ἐπι-στρέφω, aor. part. ἐπιστρέψᾱς: *turn towards*, sc. μίν, Γ 370†.

ἐπι-στροφάδην: *turning in every direction, on every side*.

ἐπί-στροφος (ἐπιστρέφομαι): *conversant with* (ἀνθρώπων), through wanderings, α 177†.

Ἐπίστροφος: (1) son of Iphitus, leader of the Phocians, Β 517.—(2) leader of the Halizonians, Β 856.—(3) son of Evēnus, slain by Achilles at the sack of Lyrnessus, Β 692.

ἐπι-στρωφάω (frequentative of ἐπι-στρέφω): *haunt; πόληας*, ρ 486†.

Ἐπίστωρ: a Trojan, slain by Patroclus, Π 695†.

ἐπι-σφύριον (σφυρόν): anything *at the ankle*, pl., *ankle-clasps* fastening the greaves, or perhaps, *ankle-guards*, Γ 331. (Il.) (See cut on next page.)

ἐπι-σχερώ (σχερός): adv., *in a row, close together*, Ψ 125. (Il.)

ἐπι-σχεσίη (ἐπέχω): μύθου ποιή-σασθαι ἐπισχεσίην, give a *direction* to one's statements, φ 71†.

ἐπί-σχεσις (ἐπέχω): *restraint*, foll. by inf., ρ 451†.

ἐπ-ίσχω (parallel form of ἐπέχω): *direct to* or *at; ἵππους*, Ρ 465†.

ἐπι-τάρροθος (cf. ἐπίρροθος): *helper*. (Il. and ω 182.)

36

ἐπι-τέλλω, aor. ἐπέτειλα, imp. ἐπί-τειλον, inf. ἐπιτεῖλαι, part. ἐπιτείλᾱς, mid. aor. ἐπετείλατο, part. ἐπιτειλαμέ-νῳ: act. and mid., enjoin, lay command or order upon, charge, τινί (τι), and w. foll. inf. ; συνθεσίᾱς, E 320; μῦθον, Λ 840 ; ἀέθλους, λ 622 ; ὥδ᾿ ἐπέτελλε, μὴ πρὶν πημανέειν, 'thus charged me,' 'gave me this assurance,' Ω 781. ἐπιτέλλω, ψ 361.

ἐπι-τέρπομαι: take pleasure in, ξ 228†.

ἐπιτέτραπται, ἐπιτετράφαται: see ἐπιτρέπω.

ἐπι-τηδές: sufficiently, as are needed, A 142, ο 28.

ἐπι-τίθημι, fut. ἐπιθήσω, aor. ἐπέθη-κα, imp. ἐπίθες, opt. ἐπιθείη, 2 pl. -θεῖτε: put or place to or upon, add, H 364 ; of putting food on the table, α 140 ; a veil on the head, ε 314 ; the cover on a quiver, ι 314 ; a stone against a door-way, ι 243 ; and regularly of ' closing' doors (cf. 'pull the door to'), Ξ 169, χ 157, cf. E 751, Θ 395, λ 525 ; metaph. θωήν, 'impose' a penalty, β 192 ; μύ-θῳ τέλος, 'give fulfilment,' T 107.

ἐπι-τῑμήτωρ: avenger, protector, ι 270†.

ἐπι-τλῆναι, imp. ἐπιτλήτω: be patient (at), Ψ 591 ; μύθοισιν, 'hearken patiently to,' T 220.

ἐπι-τολμάω, imp. ἐπιτολμάτω, aor. ἐπετόλμησε: hold out, endure, abs., ρ 238, w. inf., α 353.

ἐπί-τονος (τείνω): back-stay of a mast, μ 423†. (See cut, representing a Phoenician war-ship.)

ἐπι-τοξάζομαι: bend the bow upon, shoot at ; τινί, Γ 79†.

ἐπι-τραπέω: commit, intrust to, K 421†.

ἐπι-τρέπω, aor. 1 ἐπέτρεψα, aor. 2 ἐπέτραπον, imp. 2 pl. ἐπιτράφεθ᾿, mid. aor. 2 ἐπετραπόμην, pass. perf. ἐπιτέ-τραμμαι, 3 pl. ἐπιτετράφαται: act., turn or give over to, commit, intrust, pass., B 25, E 750; of 'leaving' the victory to another, Φ 473 ; intr., 'give up,' 'give in to,' γήραϊ, K 79; mid. (met.), be inclined, θῡμός, ι 12.

ἐπι-τρέχω, aor. 1 part. ἐπιθρέξαντος, aor. 2 ἐπέδραμον, perf. ἐπιδέδρομα: run up, run upon, often in hostile sense, ξ 30 ; of horses putting forth their speed, 'ran on,' Ψ 418, 447; the chariot rolling close on (behind) the horses, Ψ 504; a spear impinging upon a shield, N 409 ; λευκὴ δ᾿ ἐπιδέ-δρομεν αἴγλη, runs over all, ζ 45 ; ἀχ-λύς, υ 357.

ἐπι-τροχάδην : glibly, fluently, Γ 213, σ 26.

ἐπι-φέρω, fut. ἐποίσει, aor. 1 inf. ἐπενεῖκαι: bear upon, only in unfavorable sense, χεῖρα, χεῖρας, lay hands upon, A 89, π 438 ; 'touch,' T 261.

ἐπι-φθονέω: begrudge, refuse, deny, λ 149†.

ἐπι-φλέγω: burn, consume ; ὕλην, νεκρόν, B 455, Ψ 52. (Il.)

ἐπι-φράζομαι, aor. 1 2 sing. ἐπεφρά-σω, 3 ἐπεφράσατο, subj. ἐπιφράσσετ᾿, opt. ἐπιφρασσαίμεθα, 3 pl. -αίατο, pass. aor. ἐπεφράσθης: consider, mark, de-vise, ο 444 ; joined w. νοεῖν (Odysseus weeps), Ἀλκίνοος δέ μιν οἶος ἐπεφρά-σατ᾿ ἠδ᾿ ἐνόησεν, 'remarked' and noted the fact, θ 94, 533, E 665 ; οἷον δὴ τὸν μῦθον ἐπεφράσθης ἀγορεῦσαι, 'didst take it into thy head' to say, ε 183.

ἐπι-φρονέουσα: part., sagaciously, τ 385†.

ἐπι-φροσύνη: thoughtfulness, sagac-ity; pl. ἀνελέσθαι, assume discretion, τ 22. (Od.)

37

ἐπί - φρων : *thoughtful, sagacious, discreet;* βουλή, μῆτις, γ 128, τ 326. (Od.)

ἐπι-χειρέω (χείρ): *put hand to, apply oneself to;* δείπνῳ, σίτῳ, ω 386 and 395.

ἐπιχεῦαι : see ἐπιχέω.

ἐπι-χέω, aor. 1 ἐπέχευε, inf. ἐπιχεῦαι, mid. aor. 1 ἐπεχεύατο, aor. 2 ἐπέχυντο : *pour upon, heap up,* mid. (aor. 1), for oneself; not of liquids only, but of earth, leaves, etc.; πολλὴν δ' ἐπεχεύατο ὕλην, for wattling, ε 257; χύσιν φύλλων, for a bed, ε 487; mid., aor. 2, intr. (metaph.) τοὶ δ' ἐπέχυντο, *poured in,* Ο 654, Π 295.

ἐπι-χθόνιος (χθών): *upon the earth, earthly,* epith. of men, mortals, as opp. to gods; subst., *dwellers upon earth,* Ω 220, ρ 115.

ἐπι-χράω, aor. 2 ἐπέχραον : *assail;* τινί, Π 352, 356; fig., of the suitors 'besetting' Penelope with their wooing, β 50.

ἐπι-χρίω, aor. part. ἐπιχρίσασα : *besmear, anoint,* mid., oneself, σ 179. (Od.)

ἐπι-ψαύω : *touch upon;* met., πραπίδεσσιν, 'have perception,' θ 547†.

ἐπι - ωγαί, pl. ; *places of shelter against* wind and wave, *roadstead,* ε 404†.

ἐπιών : see ἔπειμι 2.

ἔπλε : see πέλω.

ἔπλεο, ἔπλευ, ἔπλετο : seε πέλομαι.

ἔπληντο : see πελάζω.

ἐποίσει : see ἐπιφέρω.

ἐπ-οίχομαι, ipf. ἐπῴχετο : *go up to, go against,* w. acc. of person or of thing ; ἐποιχόμενον στίχας ἀνδρῶν, i. e. to marshal them, Ο 279, Π 155 ; οὐρῆας μὲν πρῶτον ἐπῴχετο, 'attacked,' Α 50 ; ἐπῴχετο κῆλα θεοῖο, 'sped' to their mark, Α 383 ; ἐποιχομένη πόσιν εὗρεν, had 'gone abroad' to find a husband, ζ 282; ἔργον ἐποίχεσθαι, δόρπον, α 358, ν 34 ; ἱστὸν ἐποιχομένη, 'plying' the loom, i. e. going up and down before it, Α 31.

ἔπομαι : see ἕπω.

ἐπ-όμνυμι, ἐπομνύω, ipf. ἐπώμνυον, aor. ἐπώμοσα : *take oath, swear upon* some matter, ο 437 ; ἐπίορκον, 'swear a vain oath,' Κ 332.

ἐπ-ομφάλιος (ὀμφαλός): βάλεν σάκος ἐπομφάλιον, on the boss, Η 267†.

ἐπ-οπίζομαι (ὄπις): *stand in awe of, reverence,* ε 146†.

ἐπ - οπτάω : *broil over* a fire, μ 363†.

ἐπ - οπτεύω, ipf. iter. ἐποπτεύεσκε : *oversee, superintend,* π 140†.

ἐπ-ορέγω : only mid. aor. part., ἐπορεξάμενος, *reaching out after, lunging at,* Ε 335†.

ἐπ - όρνυμι, ἐπορνύω, ipf. ἐπώρνυε, aor. 1 ἐπῶρσα, mid. aor. 2 ἐπῶρτο : act., *rouse against, arouse, send upon,* mid., *rise against;* ἄγρει μάν οἱ ἔπορσον 'Αθηναίην, Ε 765 ; (Ζεύς) ὅς μοι ἐπῶρσε μένος, Υ 93 ; τῇ τις θεὸς ὕπνον ἐπῶρσεν, χ 429 ; mid. (the river Scamander), ἐπῶρτ' 'Αχιλῆι κυκώμενος, Φ 324.

ἐπ-ορούω, aor. ἐπόρουσα : *rush upon, hasten to;* τινί, usually in hostile sense, but not always, Ε 793 ; w. acc., ἄρμα, Ρ 481 ; met., ὕπνος, 'came swiftly upon,' ψ 343.

ἔπος (root Fεπ., cf. v o x), pl. ἔπεα : *word, words,* rather with reference to the feeling and ethical intent of the speaker than to form or subject-matter (ῥῆμα, μῦθος); κακόν, ἐσθλόν, μείλιχον, ἅλιον, ὑπερφίαλον ἔπος, Ω 767, Α 108, ο 374, Σ 324, δ 503 ; pl., ἔπεσιν καὶ χερσὶν ἀρήξειν, Α 77 ; δώροισίν τ' ἀγανοῖσιν ἔπεσσί τε μειλιχίοισιν, Ι 113 ; so of the bard, ἔπε' ἱμερόεντα, ρ 519, θ 91 ; phrases, ποῖόν σε ἔπος φύγεν ἕρκος ὀδόντων, ἔπος τ' ἔφατ' ἔκ τ' ὀνόμαζεν, εὐχόμενος ἔπος ηὔδα, ἔπεα πτερόεντα προσηύδα. ἔπος, ἔπεα are best literally translated ; if paraphrased, 'command,' 'threat,' are admissible, not 'tale,' 'message,' or the like.

ἐπ-οτρύνω, aor. ἐπώτρυνα: *urge on, move, prompt, impel,* τινά, and w. inf. rarely τινί (most of the apparent instances of the dat. depend on some other word), Ο 258, κ 531 ; joined with κελεύω, ἄνωγα, β 422, Κ 130 ; often θυμὸς ἐποτρύνει, Ζ 439 ; in bad sense, 'stirred me up,' θ 185 ; of things, πόλεμόν τινι, ἀγγελίᾱς πολίεσσι, χ 152, ω 335 ; mid., ἐποτρύνώμεθα πομπήν, 'be quick with our escort,' θ 31 (cf. act., 30).

ἐπ-ουράνιος (οὐρανός): *in heaven, heavenly,* epithet of the gods (opp. ἐπιχθόνιος).

ἐπ-οχέομαι, fut. -ήσεται : *be carried*

upon, ride upon, ἵπποις (in the sense of *chariot*), P 449. (Il.)

ἐπόψομαι: see ἐφοράω.

ἔπραθον: see πέρθω.

ἑπτά: *seven.*

ἑπτα-βόειος (βοείη): *of seven folds of hide;* σάκος, H 220 ff. (Il.)

ἑπτα-έτης (Fέτος): only neut., ἑπτάετες, *seven years.* (Od.)

ἑπτα-πόδης (πούς): *seven feet long,* O 729†.

Ἑπτάπορος: a river in Mysia, flowing from Mt. Ida, M 20.

ἑπτά - πυλος (πύλη): *seven - gated,* epith. of Boeotian Thebes, Δ 406.

ἔπταρον: see πταίρω.

ἔπτατο: see πέτομαι.

ἔπταχα: *in seven parts,* ξ 434†.

ἕπω, ipf. ἕπον, mid. ἕπομαι, imp. ἕπεο, ἕπευ, ipf. εἱπόμην, ἑπόμην, fut. ἕψομαι, aor. ἑσπόμην, imp. σπεῖο, ἑσπέσθω, part. ἑσπόμενος: *move about, be busy.* — I. act., ἀμφ' Ὀδυσῆα Τρῶες ἕπον, 'moved around Odysseus,' Λ 43 ; ἄλλοι δ' ἐπὶ ἔργον ἕποιεν, 'be busy with their work,' ξ 195 ; trans., περικαλλέα τεύχε' ἕποντα, 'occupied with,' Z 321 ; οὐ μὲν δὴ τόδε μεῖζον ἕπει κακόν, a greater evil that 'approaches,' μ 209 (v. l. ἕπι).—II. mid., once like act., ἀμφὶ δ' ἄρ' αὐτὸν Τρῶες ἕπονθ', 'moved around him,' Λ 474 (cf. 483); usually *go along with, accompany, follow,* κέκλετο θεράποντας ἅμα σπέσθαι ἑοῖ αὐτῷ, δ 38; σοὶ δ' ἄλοχον σπέσθαι χ 324; τούτου γ' ἑσπομένοιο, 'if *he* should go too,' Κ 246 ; ἕπεο προτέρω, 'come along in,' Σ 387 ; ὣς εἰπὼν ἡγεῖθ', ἣ δ' ἕσπετο, *followed,* α 125 ; also w. adverbs, μετά, σύν, ἐπί, Ψ 133, κ 436, Δ 153 (met.); often of things, ὅσσα ἔοικε φίλης ἐπὶ παιδὸς ἕπεσθαι, 'go along with,' i. e. be given as dowry, α 278; οἴη ἐμὴ δύναμις καὶ χεῖρες ἕπονται, 'answer to' my strength, υ 237 ; γούνατα, Δ 314 ; in hostile sense only in Il., Λ 154, 165, etc.

ἐπ - ώνυμος (ὄνομα): *by a name given for some reason* ('s u r name,' cf. ἐπίκλησις), Ι 562 ; ὄνομα ἐπώνυμον, of a *significant* name, η 54, τ 409.

ἐπώρτο: see ἐπόρνυμι.

ἐπ - ώχατο, plup. pass. 3 pl. from ἐπέχω: *were shut,* M 340†.

ἔρα-ζε: *upon the ground,* with πίπτω and χέω, χ 20, M 156.

ἔραμαι, ἐράομαι, ipf. 2 pl. ἐράασθε, aor. ἠρασάμην, ἐρά(σ)σατο : *be* (aor. *become*) *enamoured of, in love with;* fig., πολέμου, φυλοπίδος, Ι 64, Π 208.

ἐραννός (ἔραμαι): *lovely, charming,* epith. of places, I 531, η 18.

ἔρανος: *picnic,* α 226. (Od.)

ἐράσσατο: see ἔραμαι.

ἐρατεινός (ἐρατός): *lovely, charming;* epith. of places and of things ; twice of persons, δ 13 and (in a litotes, much like ποθεινός) ι 230.

ἐρατίζω (ἔραμαι): only part., *craving;* κρειῶν, Λ 551, P 660.

ἐρατός (ἔραμαι): *lovely,* neut. pl., Γ 64†.

ἐργάζομαι (Fέργον), ipf. εἰργάζετο, ἐργάζοντο: *work, do, perform;* κέλευσε δὲ Fεργάζεσθαι, bade his bellows *be at work,* Σ 469 ; ἔργα ἐργάζεσθαι, υ 72; ἐναίσιμα, 'do what is right,' ρ 321; χρῦσὸν εἰργάζετο, *wrought,* γ 435.

ἔργαθεν, ἐέργαθεν (Fέργω), ipf. or aor.: *sundered, cut off;* τὶ ἀπό τινος, E 147. (Il.)

ἔργον (Fέργον): *work, deed, act, thing;* μέγα ἔργον, usually in bad sense (facinus), γ 261, but not always, Κ 282 ; collectively, and pl., ἔργον ἐποίχεσθαι, ἐπὶ ἔργα τρέπεσθαι, νῦν ἔπλετο Fέργον ἅπᾶσιν, 'something for all to do,' Μ 271 ; with specifying αdj., πολεμήια, θαλάσσια ἔργα, ἔργα γάμοιο, B 614, E 429 ; esp. of husbandry, οὔτε βοῶν οὔτ' ἀνδρῶν φαίνετο Fέργα (boumque hominumque labores), κ 98, and simply ἔργα, *fields,* 'Ἰθάκης εὐδειέλου ἔργ' ἀφίκοντο, ξ 343, B 751; of the results of labor (κρητήρ) ἔργον Ἡφαίστοιο, δ 617 ; (πέπλοι) ἔργα γυναικῶν, Z 289; also in the sense of 'accomplishments,' θ 245, etc.; ὅπως ἔσται τάδε Fέργα, these 'matters,' 'affairs.'

ἔργω, ἐέργω, εἴργω, ἔργνῦμι (Fέργ.), ipf. ἔεργε, ἐέργνῡ, aor. 3 pl. ἔρξαν, pass. perf. ἔεργμαι, 3 pl. ἐέρχαται, plup. 3 pl. ἔρχατο, ἐέρχατο, aor. part. acc. ἐρχθέντα: *shut off* by barrier or enclosure, ἐντὸς ἐέργειν, *shut in,* B 617, etc.; of simply 'enclosing,' διακεκριμέναι δὲ ἕκασται | ἔρχατο, the young animals were severally 'penned,' ι 221, ξ 73; ἐρχθέντ' ἐν ποταμῷ, 'shut up,' Φ 282; also of 'crowding,' 'pressing closely,' Π 395; mostly w. specifying adv. (as ἐντός above), ζυγὸν ἀμφὶς ἐέργει (βόε), 'holds apart,' N 706; so ἐκτός, μ 219; κατά, κ 238; the gen. may follow even the simple verb, ὡς ὅτε μήτηρ | παιδὸς ἐέργῃ μυῖαν, 'keeps a fly away from her child,' Δ 131; ἐεργμέναι, E 89; better reading ἐερμέναι.

ἔρδω (root Ϝεργ.), ipf. iter. ἔρδεσκες, fut. ἔρξω, aor. ἔρξα, perf. ἔοργα, plup. ἐώργειν: do, esp. do sacrifice, sacrifice; ἑκατόμβᾱς, A 315, η 202; ἱρὰ θεοῖς, Λ 207; w. two accusatives, or w. dat., ὅ με πρότερος κάκ' ἔοργεν, Γ 351; πολλὰ κάκ' ἀνθρώποισιν ἐώργει, ξ 289, Ξ 261; ἔρξον ὅπως ἐθέλεις, 'do as thou wilt,' ν 145; defiantly, ἔρδ'· ἀτὰρ οὔ τοι πάντες ἐπαινέομεν, 'go on and do!' Δ 29.

ἐρεβεννός ("Ερεβος): black (ater), gloomy; νύξ, ἀήρ, νέφεα, E 659, 864, X 309. (Il.)

ἐρέβινθος: chick-pea, N 589.

"Ερεβος, gen. Ἐρέβευς, Ἐρέβεσφι: Erebus, the realm of nether darkness, Θ 368, Π 327, κ 528, μ 81.—Ἐρεβόσδε, to Erebus, υ 356.

ἐρεείνω, ipf. ἐρέεινε, mid. ἐρεείνετο: ask, abs., Γ 191, η 31; τινά (τι), Z 176, α 220; ἀμφί τινι, ω 262; mid., with μύθῳ, ρ 305.

ἐρεθίζω = ἐρέθω, A 32, Ω 560.

ἐρέθω (cf. ἔρις): irritate, provoke, A 519, Γ 414; ὀδύναι, μελεδῶναι, 'disquiet,' 'worry,' δ 813, τ 517.

ἐρείδω, pass. perf. ἐρήρεισμαι, 3 pl. ἐρηρέδαται, plup. 3 sing. ἠρήρειστο, 3 pl. ἐρηρέδατο, aor. ἐρείσθη, mid. aor. ἐρείσατο, part. ἐρεισάμενος: I. act., lean one thing against another, usually with some notion of weight or violence, support, press or force down; δόρυ πρὸς τεῖχος ἐρείσᾱς, X 112; θρόνον πρὸς κίονα, θ 66; ἀσπὶς ἀσπίδ' ἔρειδε, 'bore hard on,' N 131; ἐρείδοντες βελέεσσιν, 'pressing him hard,' Π 108; pass., ἐπὶ μελίης ἐρεισθείς, 'supported,' 'supporting himself,' 'leaning' upon the lance, X 225; θρόνοι περὶ τοῖχον ἐρηρέδατο, 'set firmly,' η 95; λᾶε ἐρηρέδαται, 'planted,' Ψ 329; ὕπτιος οὔδει ἐρείσθη, 'forced heavily to the ground,' H 145; οὔδεϊ δὲ σφιν | χαῖται ἐρηρέδαται, their manes 'rest upon' the ground), Ψ 284; διὰ θώρηκος ἠρήρειστο, 'forced through,' Γ 358. — II.

mid., lean or support oneself firmly; ἐρείσατο χειρὶ γαίης, 'upon the ground with his hand,' E 309; ἐρεισάμενος, 'planting himself firmly,' M 457; of wrestlers, Ψ 735.

ἐρείκω, aor. 2 ἤρικε, pass. pres. part. ἐρεικόμενος: act. (aor. 2), intr., broke, P 295; pass., ἐρεικόμενος περὶ δουρί, transfixed, N 441. (Il.)

ἔρειο: see ἔρομαι.

ἐρείομεν: see ἐρέω.

ἐρείπω, ipf. ἔρειπε, aor. 2 ἤριπε, ἔριπε, subj. ἐρίπῃσι, part. -ών, -οῦσα, pass. plup. ἐρέριπτο: act. (exc. aor. 2), throw down, overthrow; τεῖχος, ἐπάλξεις, M 258, O 356, 361; pass., Ξ 15; intr., aor. 2, fall down, tumble, E 47, 75, χ 296; ἔστη γνὺξ ἐριπών, held himself up, 'sinking on his knee,' E 309.

Ἐρεμβοί: a fabulous people, δ 84†.

ἐρεμνός = ἐρεβεννός. ἐρεμνὴ γαῖα = Ἔρεβος, ω 106.

ἔρεξα: see ῥέζω.

ἔρεομαι: see ἐρέω.

ἐρέπτομαι, only part. ἐρεπτόμενοι: bite off, crop, usually of animals, B 776, Φ 204, τ 553; of men 'plucking' and eating of the lotus, ι 97.

ἐρέριπτο: see ἐρείπω.

ἐρέσσω: row, I 361, ι 490.

ἐρέτης: pl., rowers, oarsmen, A 142.

Ἐρετμεύς ('Oarman'): a Phaeacian, θ 112.

ἐρετμόν: oar. (Od. and A 435.)

(The cut, from an antique vase, repre-

38

sents a different way of working the oars from that of the Homeric age; see cut No. 120.)

ἐρεύγομαι, aor. 2 ἤρυγε: belch, belch forth, intr., ι 374; trans., Π 162; of the sea, partly with reference to sound, bellow, P 265, E 403, 438; and aor. 2 of animals, Υ 403, 404, 406.

Ἐρευθαλίων: a noble Arcadian, slain by Nestor in a war of the Pylians with the Arcadians, H 136.

ἐρεύθω, aor. inf. ἐρεῦσαι: *redden, dye with blood*, Λ 394, Σ 329. (Il.)

ἐρευνάω: *track, trace, scent out* or *seek*, χ 180.

ἐρέφω, aor. ἔρεψα: *roof over*, Ω 450, ψ 193; specific for generic, 'built,' Α 39.

'Ερεχθεύς: *Erechtheus*, a national hero of the Athenians, Β 547, η 81.

ἐρέχθω (cf. ἐρείκω): *rack;* metaph., θῡμόν, ε 83; pass., of a ship, *be buffetted about*, ἀνέμοισι, Ψ 317.

ἐρέω = ἐρῶ, see εἴρω 1.

ἐρέω, part. ἐρέων, subj. ἐρείομεν, opt. ἐρέοιμεν, mid. ἐρέομαι, ipf. ἐρέοντο, subj. ἐρέωμαι, inf. ἐρέεσθαι: *ask*, τινά, and abs.; ἔκ (adv.) τ' ἐρέοντο, 'made inquiry,' Ι 671.

ἐρῆμος (Att. ἔρημος): *deserted, desolate*, Ε 140.

ἐρηρέδαται: see ἐρείδω.

ἐρητύω (ἐρύω), aor. iter. ἐρητύσασκε, opt. ἐρητύσειε, pass. aor. 3 pl. ἐρήτῡθεν: *hold back, restrain, control;* φάλαγγας, λᾱόν, Λ 567, Σ 503; pass. Β 99, 211; met., θῡμόν, Α 192, pass., Ι 635; mid. as dep., Ο 723, elsewhere subjective and not easily distinguished from the pass., Ι 462.

ἐρι-: intensive prefix, like ἀρι-.

ἐρι-αύχην, ενος: *with high-arching neck*, epith. of steeds, Λ 159, Κ 305. (Il.)

ἐρι-βρεμέτης, εω (βρέμω): *loud-thundering*, Ν 624†.

ἐρι-βῶλαξ, ακος, and ἐρίβωλος: *with large clods*, i. e. with rich soil, *fertile*, epith. of lands. (Il. and ν 235, ε 34.)

ἐρί-γδουπος and ἐρίδουπος (γδούπος): *loud - thundering, resounding;* epith. of Zeus, also of the seashore, the feet of horses, and the portico of a palace, Ε 672, Υ 50, Λ 152, Ω 323.

ἐριδαίνω (ἔρις), mid. aor. 1 inf. ἐρῑδήσασθαι: *contend, dispute, strive, vie with;* τινί, ἀντία τινός, α 79; ἕνεκα, περί τινος, β 206, σ 403; abs., ποσσίν, 'in running,' Ψ 792; fig., of winds, Π 765.

ἐριδμαίνω (ἔρις): *irritate, stir up*, Π 260†.

ἐρίδουπος: see ἐρίγδουπος.

ἐρίζω, ipf. iter. ἐρίζεσκον, aor. subj. ἐρίσωσιν, opt. ἐρίσειε, -αν, mid. aor. subj. ἐρίσσεται: = ἐριδαίνω, θ 225, Ε 172.

ἐρί - ηρος (root ἀρ), pl. ἐρίηρες: *trusty, faithful;* epith. of ἑταῖροι (sing., Δ 266), Γ 47, ι 100; of ἀοιδός, α 346, θ 62, 471.

ἐρι - θηλής, ές (θάλλω): *blooming, luxuriant*, Ε 90. (Il.)

ἐρίθος: pl., *reapers*, Σ 550, 560.

ἐρι-κῡδής, ές (κῡδος): *glorious, famous;* epith. of gods, also of things, δῶρα θεῶν, ἥβη, δαίς, Γ 65, Λ 225, γ 66.

ἐρί-μῡκος (μῡκάομαι): *loud-bellowing*, epith. of cattle, ο 235.

ἐρινεός: *wild fig-tree*, μ 103; in the Iliad a particular tree near the sources of the Scamander, Ζ 433.

ἐρῑνόν = ἐρῑνεός, the reading of Aristarchus in ε 281†.

'Ερῑνύς, ύος, acc. pl., 'Ερῑνῦς, -ύας: the *Erinnys*, pl., the *Erinnyes* (Furiae), goddesses who fulfil curses and avenge crimes, Ι 571. (See cut.)

39

ἔριον, εἴριον: *wool*, δ 124, Μ 434, pl., Γ 388, etc.

ἐρι-ούνης and ἐριούνιος (ὀνίνημι): *helpful*, the *Helper*, epith. of Hermes; subst., Ω 440.

ἔρις, acc. ἔριδα and ἔριν: *strife, contention, rivalry*, Α 8, Η 210; ἔριδα προφέρουσαι, 'putting forth rivalry,' 'vying with one another' in speed, ζ 92; ἔριδά τινι προφέρεσθαι ἀέθλων, 'challenge one to a contest for prizes,' θ 210; ἐξ ἔριδος, 'in rivalry,' Θ 111, δ 343.—Personified, "Ερις, *Discord*, Λ 73. "Ερῑς, Δ 440.

ἐρι - σθενής, έος (σθένος): *most mighty, all - powerful*, epith. of Zeus, Τ 355, θ 289.

ἔρισμα (ἐρίζω): *matter* or *cause of strife*, Δ 38†.

ἐρι - στάφυλος (σταφυλή): *large-clustered*, οἶνος, ι 111, 358.

ἐρί - τῑμος (τῑμή): *highly - prized,*
precious, B 447. (II.)

ἔριφος: *kid,* pl., ι 220.

Ἐριφύλη: *Eriphȳle,* the wife of
Amphiarāus, λ 326†.

Ἐριχθόνιος: son of Dardanus, and
father of Tros, Υ 219, 230.

Ἐριῶπις: wife of Oïleus, N 697.

ἑρκεῖος (ἕρκος): *of the enclosure, of
the court* (αὐλή), epith. of Zeus as
household god, having his altar in the
court, χ 335†. (See plate III., at end
of volume.)

ἑρκίον (ἕρκος): *wall* or *hedge* of the
court-yard; αὐλῆς, I 476, σ 102.

ἕρκος, εος (Γέργω): *hedge, wall,* then
the *enclosure* itself, i. e. the court, Ω
306, pl., θ 57, etc.; *bulwark, defence*
against, ἀκόντων, βελέων, Δ 137, E
316; said of persons, ἕρκος πολέμοιο,
ἕρκος Ἀχαιῶν, Α 284, Γ 229 (cf. πύρ-
γος); ἕρκος ὀδόντων (the 'fence of the
teeth'), used in connections where we
should always say 'lips.'

1. ἕρμα (εἴρω 2, root σερ): only pl.,
ἕρματα, *pendants, ear - rings,* probably
strings of beads. (See cuts, the one
on the left an Athenian tetradrachm,
that on the right a Sicilian deca-
drachm.)

40 41

2. ἕρμα, ατος: *prop;* pl., of the sup-
ports placed under ships when drawn
up on shore, A 486; met., of persons,
ἕρμα πόληος, 'prop and stay,' 'pillar'
of the state, Π 549; of an arrow, με-
λαινέων ἕρμ' ὀδυνάων, 'bearer of black
pains,' by some referred to ἕρμα 1, Δ
117.

Ἕρμαιος: *of Hermes,* λόφος, a hill
in the island of Ithaca, a spur of Mt.
Neïon, π 471†.

Ἑρμῆς, Ἑρμείᾱς, gen. Ἑρμείᾱο and
Ἑρμείω, dat. Ἑρμῇ and Ἑρμέᾳ, acc.
Ἑρμῆν and Ἑρμείᾱν, voc. Ἑρμείᾱ:

Hermes (M e r c u r i u s), son of Zeus
and Maia, ξ 435; messenger of the
gods, guide of mortals (of Priam, Ω
457), and conductor of the shades of
the dead; his winged sandals and
magic wand, ε 44 ff. Epithets, ἀκάκη-
τα, ἐριούνιος, ἐΰσκοπος, σῶκος, χρυσόρ-
ραπις, διάκτορος, Ἀργειφόντης.

Ἑρμιόνη: *Hermione.* — (1) the
daughter of Menelāus and Helen, δ
14.—(2) name of a city in Argolis, B
560.

ἑρμΐς, ῖνος (ἕρμα 2): pl., *bed-posts,*
θ 278 and ψ 198.

Ἕρμος: a river in Phrygia and
Mysia, Υ 392.

ἔρνος, εος: *shoot, scion, young tree,* P
53; ἔρνεϊ Γῖσος, of young persons, Σ
56, ξ 175, cf. ζ 163.

ἔρξω: see ἔρδω.

ἔρομαι, assumed pres. for aor. subj.
ἐρώμεθα, opt. ἔροιτο, imp. ἐρεῖο, inf.
ἐρέσθαι: *ask,* α 135, γ 243.

ἔρος: see ἔρως.

ἑρπετόν (ἕρπω): *creeping thing;*
ὅσσ' ἐπὶ γαῖαν ἑρπετὰ γίγνονται, i. e.
all the 'creatures that move' upon
the earth, δ 418†. Cf. the 2d example
under ἕρπω.

ἑρπύζω: parallel form of ἕρπω.
ἑρπύζων, 'dragging himself,' the
effect of grief or of old age, Ψ
225, ν 220, α 193.

ἕρπω (cf. s e r p o), ipf. εἷρπον,
ἕρπε: *creep, crawl;* ῥϊνοί, a prodi-
gy, μ 395; specific for generic,
ὅσσα τε γαῖαν ἔπι πνείει τε καὶ
ἕρπει, 'breathes and crawls,' i. e.
lives and moves, P 448, σ 131;
ἥμενος ἢ ἕρπων, an alliterative
saying, 'sitting or stirring,' in-
tended to suit any possible atti-
tude or condition, ρ 158.

ἐρράδαται: see ῥαίνω.

ἔρρῑγα: see ῥῑγέω.

ἔρρω (Γέρρω): *go* with pain or diffi-
culty, δ 367; of the lame Hephaestus,
Σ 421; esp. imp. as imprecation, ἔρρε,
ἔρρετε, *begone!* Θ 164, κ 72, 75, Ω 239;
ἐρρέτω, 'off with him!' ε 139; 'let
him go to Perdition!' I 377; similar-
ly the part., ἐνθάδε Γέρρων, 'coming
hither, to my ruin,' Θ 239, I 364.

ἔρση, ἐέρση (ἐΓέρση): pl., *dew-
drops,* Λ 53 (in a prodigy); of new-
born lambs, ι 222.

ἐρσήεις, εσσα, ἑερσήεις (Ϝέρση): dewy, fresh, Ξ 348, Ω 419, 757.

ἐρύγμηλος (ἐρυγεῖν): bellowing, Σ 580†.

ἐρυγών : see ἐρεύγομαι.

ἐρυθαίνομαι (ἐρυθρός): only ipf., was reddened, Κ 484, Φ 21. (Il.)

Ἐρυθῖνοι : a place in Paphlagonia, Β 855.

Ἐρύθραι : Erythrae, in Boeotia, Β 499.

ἐρυθρός : red, ruddy; οἶνος, νέκταρ, χαλκός, ι 163, Τ 38, Ι 365.

ἐρῦκακέειν, ἐρύκακον : see ἐρύκω.

ἐρῦκανάω, ἐρῦκάνω : parallel forms of ἐρύκω, α 199, κ 429 (v. l. ἐρύκακε).

ἐρύκω, ipf. ἐρῦκε, fut. ἐρύξω, aor. 1 ἔρυξα, aor. 2 ἠρύκακε, ἐρύκακε: hold back, restrain, detain, τινά τινος, and abs.; καί κέν μιν τρεῖς μῆνας ἀπόπρο-θεν οἶκος ἐρύκοι, 'keep him at a distance,' ρ 408 ; met., μένος, Θ 178 ; θῡμόν, Λ 105 ; ἕτερος δέ με θῡμὸς ἔρῦκεν, ι 302 ; mid., tarry, Ψ 443, ρ 17 ; like act., Μ 285.

Ἐρύλᾱος : a Trojan, slain by Patroclus, Π 411†.

ἔρυμα (ἐρύομαι) : a protection ; χροός, Δ 137†.

Ἐρύμανθος : Erymanthus, a mountain in Arcadia, ζ 103†.

Ἐρύμᾱς : (1) a Trojan, slain by Idomeneus, Π 435. — (2) a Lycian, slain by Patroclus, Π 415.

ἐρύομαι, εἰρύομαι (Ϝερ.), ipf. ἐρύετο, fut. 3 sing. ἐρύσσεται, 3 pl. εἰρύσσονται, aor. 2 sing. εἰρύσαο, 3 sing. εἰρύσατο, ἐρύσσατο, ἐρύσατο, opt. εἰρύσσαιτο, ἐρύσαιτο, 2 pl. εἰρύσσαισθε, inf. εἰρύσασ-θαι, also from εἴρυμαι, ἔρυμαι, 3 pl. εἰρύαται, inf. ἔρυσθαι, εἴρυσθαι, ipf. 2 sing. ἔρῦσο, 3 sing. ἔρῦτο, εἴρῦτο, 3 pl. εἴρυντο, εἴρυατο: shield, protect, pre-serve; ὅσσον τ᾽ ἠὲ δύω ἠὲ τρεῖς ἄνδρας ἔρυσθαι, enough leaves to 'cover' two or three men, ε 484 ; (βουλή) ἥ τίς κεν ἐρύσσεται ἠδὲ σαώσει | Ἀργείους καί νῆας, Κ 44 ; ἔπος εἰρύσσασθαι, 'observe' the command, Α 22 ; οὐ σύ γε βουλὰς | εἰρύσαο Κρονίωνος, Φ 230 ; φρεσὶν εἰρύσσαιτο, 'keep' the secret, π 459 ; πὰρ νηΐ τε μένειν καὶ νῆα Ϝέρυ-σθαι, 'watch' the ship, κ 444 ; so 'watch for,' 'lie in wait for,' π 463, ψ 82 ; from the sense of protecting comes that of 'warding off,' 'defend-

ing against,' ἥ δ᾽ (ἀσπίς) οὐκ ἔγχος ἔρῦτο, Ε 538, Δ 186, Β 859 ; χόλον, 'keep down,' Ω 584.

ἐρυσ-άρματες (ἐρύω, ἅρμα), pl. : chariot-drawing, steeds, Ο 354. (Il.)

ἐρυσί-πτολις (ἐρύω) : city-rescuing, city - protecting, epith. of Athēna, Ζ 305†.

ἐρύω (Ϝερύω), fut. ἐρύουσι, aor. εἴρυ(σ)σε, ἔρυσε, mid. εἰρυόμεσθα, inf. ἐρύεσθαι (or fut.), fut. 2 sing. ἐρύσσεαι, inf. ἐρύσσεσθαι and ἐρύεσθαι, aor. εἰρυ-σάμην, -ύ(σ)σατο, perf. 3 pl. εἰρύαται, part. εἰρῦμέναι, plup. εἴρυτο, 3 pl. εἴρυντο and εἴρυατο : draw, drag, mid., draw for oneself or to oneself, rescue, esp. the fallen in battle, νέκυν, νεκρόν ; act., of drawing an arrow from the wound, Ε 110 ; a mantle down over the head, θ 85 ; drawing the bow, Ο 464 ; ships into the sea, Α 141 ; pulling flesh off the bones, ξ 134 ; battlements from a wall, Μ 258 ; pass., Δ 248, Ξ 75, ζ 265 ; mid., of drawing one's sword or dagger, Γ 271 ; one's ships into the sea, Ξ 79 ; drawing off meat from the spits (to eat it yourself), Α 466, and other subjective actions; draw to oneself, rescue, Ε 456, Ρ 161, Ξ 422, Σ 152.

ἔρχαται, ἔρχατο : see ἔργω.

ἐρχατάω (Ϝέργω) : only ipf. pass., ἐρχατόωντο, were penned up, ξ 15†.

ἐρχθείς : see ἔργω.

ἔρχομαι, fut. ἐλεύσομαι, aor. ἤλθον and ἤλυθον, perf. εἰλήλουθα, εἰλήλου-θμεν, part. εἰληλουθώς and ἐληλυθώς, plup. εἰληλούθει: come, go; the word needs no special illustration, as there is nothing peculiar in its numerous applications. The part. ἐλθών is often employed for amplification, οὐ δύνα-μαι . . μάχεσθαι | ἐλθὼν δυσμενέεσσιν, 'to go and fight,' Π 521.

ἔρῳ: see ἔρομαι.

ἐρῳδιός : heron, Κ 274†.

ἐρωέω (ἐρωή), fut. ἐρωήσει, aor. ἠρώησα (1) flow, Λ 303, π 441.—(2) recede, fall away; (νέφος) οὐ ποτ᾽ ἐρωεῖ, μ 75 ; μηδέ τ᾽ ἐρωει, 'rest not,' Β 179 ; αἳ δ᾽ (the horses) ἠρώησαν ὀπίσσω, 'fell back,' Ψ 433 ; w. gen., πολέμοιο, χάρμης, Ν 776, Ξ 101 ; once trans., τῷ κε καὶ ἐσσύμενόν περ ἐρωήσαιτ᾽ ἀπὸ νηῶν, 'drive him away,' Ν 57.

ἐρωή (cf. ῥέω, ῥώομαι) : (1) rush,

sweep, force in motion, Γ 62; ὅσον τ' ἐπὶ δουρὸς ἐρωὴ | γίγνεται, a spear's 'throw,' Ο 358, Ψ 529.—(2) *cessation;* πολέμου, Π 302, Ρ 761.

ἔρως, ἔρος, dat. ἔρῳ, acc. ἔρον: *love; θεᾶς, γυναικός,* 'for' a goddess, a woman, Ξ 315; fig., of things, γόου, Ω 227; often πόσιος καὶ ἐδητύος, 'appetite,' see ἵημι.

ἐρωτάω: see εἰρωτάω.

ἐσ-: for words compounded with ἐς, see under εἰσ-.

ἐσάλτο: see εἰσάλλομαι.

ἔσβη: see σβέννῦμι.

ἐσδύσεαι: see εἰσδύνω.

ἐσέδρακον: see εἰσδέρκομαι.

ἐσελεύσομαι: see εἰσέρχομαι.

ἐσεμάσσατο: see εἰσμαίομαι.

ἐσέχυντο: see εἰσχέω.

ἐσήλατο: see εἰσάλλομαι.

ἔσθην: see ἕννῦμι.

ἐσθής, ῆτος (Fεσθ.): *clothing, clothes,* a 165, ζ 74; 'bedding,' ψ 290. (Od.)

ἐσθίω, ἔσθω, inf. ἐσθέμεναι, ipf. ἤσθιον, ἦσθε, aor. ἔφαγον, inf. φαγέμεν, φαγέειν, for fut. and perf., see ἔδω: *eat,* said of both men and animals; fig., 'consume,' 'devour,' β 75; πῦρ, Ψ 182; pass., οἶκος, δ 318.

ἐσθλός: a poetic synonym of ἀγαθός, q. v.; examples are numerous in every application of the meaning *good,* opp. κακός, ἄλλοτε μέν τε κακῷ ὅ γε κύρεται, ἄλλοτε δ' ἐσθλῷ, Ω 530.

ἔσθος, εος (Fέσθος): *garment,* Ω 94†.

ἔσθω: see ἐσθίω.

ἐσιδεῖν: see εἰσεῖδον.

ἐσϊέμεναι: see εἰσίημι.

ἔσκον: see εἰμί.

ἐσόψομαι: see εἰσοράω.

ἐσπέριος (Fέσπερος): *in the evening,* Φ 560, ι 336; *of the West,* θ 29.

ἔσπερος (Fέσπ., cf. v e s p e r): *of* or *at evening; ἀστήρ,* 'evening star,' Χ 318; usually subst., *evening,* α 422 f.; pl., ἔσπερα, the *evening* hours, ρ 191.

ἔσπετε, defective imp.: *relate,* only in the formula ἔσπετε νῦν μοι Μοῦσαι, Β 484, Λ 218, Ξ 508, Π 112.

ἐσπόμην: see ἕπω.

ἔσσα, ἔσσαι, ἐσσάμενος: see ἕννῦμι.

ἔσσεῖται, ἐσσί: see εἰμί.

ἐσσεύοντο: see σεύω.

ἔσσο: see εἰμί.

ἔσσο: see ἕννῦμι.

ἔσσυμαι, ἐσσύμενος: see σεύω.

ἐσσυμένως (σεύω): *hastily.*

ἐστάμεν(αι), ἕσταμεν, ἔσταν, ἔστασαν, ἕστασαν, ἑστεώς, -αώς, ἕστηκα, ἑστήκειν: see ἵστημι.

ἔστωρ, ορος: *bolt* at the end of the pole of a chariot, *yoke-pin,* Ω 272†. (See cut; cf. also No. 46.)

42

ἔσχ' = ἔσκε in β 346, see εἰμί.—For ἔσχε, see ἔχω.

ἐσχάρη, gen. and dat. ἐσχαρόφιν: *hearth, fire-place; πυρός,* of watch-fires, Κ 418. (According to some, 'portable' hearths are to be understood in certain passages, e. g., ε 59, ζ 305, υ 123. Portable fire-basins were doubtless common in the time of Homer as now in the Orient. See cut No. 83; cf. also the Pompeian warming-pan and water-warmer represented in the adjoining cut.)

43

ἐσχατιή (ἔσχατος): *border, edge, remotest part;* λιμένος, νήσου, β 391, ε 238; Φθίης, πολέμοιο, Ι 484, Λ 524; without gen., ἐσχατιῇ, *at the remotest estate,* ξ 104.

ἔσχατος (ἐξ): *furthest, remotest, extremest, last,* only of place; of the Aethiopians, ἔσχατοι ἀνδρῶν, α 23, cf. 24; ἔσχατοι ἄλλων, 'outside of the others,' Κ 434; neut. pl. as adv., ἔσχατα, *at the outside, at the ends,* Θ 225, Λ 8.

ἐσχατόων, -όωσα, defective part.: *at the border, at the end; δηίων ἐσχατόων,* 'a straggler,' K 206; of 'frontier' towns, B 508, 616.

ἔσχεθον, ἔσχον, ἔσχετο: see ἔχω.
ἔσω: see εἴσω.

ἑταίρη, ἑτάρη: *companion, attendant,* Δ 441; usually fig., I 2, ρ 271.

ἑταιρίζω, ἑταρίζω; aor. inf. ἑταιρίσσαι, mid. aor. opt. ἑταρίσσαιτο: act., *be companion to, attend,* Ω 335; mid., causative, *take as one's companion,* N 456. (Il.)

ἑταῖρος, ἔταρος: *companion, comrade;* fig., of a wind, ἐσθλὸς ἑταῖρος, λ 7, cf. ἑταίρη; as adj., w. ἀνήρ, λᾱοί, P 466, N 710.

ἐτεθήπεα: see θαπ-.

Ἐτεοκλήειος: *of Eteocles* (the son of Oedipus, king of Thebes); βίη Ἐτεοκληείη, periphrasis for the name of the man (see βίη), Δ 386.

Ἐτεόκρητες (ἐτεός, Κρής): *true* (primitive) *Cretans,* τ 176†.

ἐτεός: *true, real; νεικεῖν πόλλ' ἐτεά τε καὶ οὐχί,* 'reproaches true and untrue,' Υ 255; elsewhere only ἐτεόν, *the truth* or *truly; εἰ δή ῥ' ἐτεόν γε καὶ ἀτρεκέως ἀγορεύεις,* O 53, and freq. εἰ ἐτεόν γε (sc. ἐστί), Ξ 125, γ 122.

ἐτερ-αλκής, ἐς (ἕτερος, ἀλκή): *νίκη, lending strength to the other party,* i. e. to the party previously inferior, H 26, Θ 171, Π 362; in more general sense, *decisive,* χ 236; δῆμος, *able to change the fortune of the fight,* O 738.

ἐτερ-ήμερος (ἡμέρη): *on alternate days,* pl., Λ 303†.

ἕτερος: *the other* or *one of two* (alter); pl., ἕτεροι, *one* or *the other party,* Υ 210; ἕτερα ἅρματα, chariot 'of the other party,' Δ 306; freq. ἕτερος μὲν . . ἕτερος δέ, also w. article, or replaced in one member by ἄλλος, Ξ 272, Φ 164, I 913; ἑτέρῃ χειρί, or simply ἑτέρῃ or ἑτέρηφι, Π 734; with reference to more than two, like ἄλλος, Φ 437, η 124, ρ 266.

ἑτέρωσε: see τερσαίνω.
ἑτέρωθεν: *from* or *on the other side.*
ἑτέρωθι: *on the other side, elsewhere.*
ἑτέρως: *otherwise,* α 234†.
ἑτέρωσε: *in the other direction,* Δ 492, τ 470; *to one side,* Θ 306, 308; *in another direction, away,* Ψ 231, π 179.

ἐτέταλτο: plup. pass. from τέλλω. See ἐπιτέλλω.

ἐτετεύχατο: see τεύχω.

ἔτετμον, defective aor., 3 sing. ἔτετμε, τέτμε, subj. 2 sing. τέτμῃς: *find, reach,* Z 374, ο 15; fig. ὃν γῆρας ἔτετμεν, α 218.

ἐτέτυκτο: see τεύχω.

Ἐτεωνεύς: son of Boethous, a companion-at-arms of Menelāus, δ 22.

Ἐτεωνός: a town in Boeotia, B 497†.

ἔτης (Fέτης), pl. ἔται: *friends, retainers,* distinguished from near relatives, δ 3, Z 239, I 464.

ἐτήτυμος (cf. ἔτυμος, ἐτεός): *true, truthful, real; ἄγγελος, νόστος, μῦθος,* X 438, γ 241, ψ 62; freq. neut. as adv., ἐτήτυμον, *actually, really,* A 558, Σ 128.

ἔτι: *still, yet.* — I. temporal, πάλαι ἠδ' ἔτι καὶ νῦν, *still to this day,* I 105; often w. neg., οὐδ' ἄρ' ἔτι δFὴν | ἦν, *he lived* 'not much longer,' 'not long thereafter,' Z 139; and idiomatically, οὐ γὰρ ἔτι Τροίην αἱρήσομεν, we shall not take Troy 'any more,' i. e. we can no longer *hope* to take the city, B 141. —II. denoting addition, ἄλλος, ἕτερος ἔτι, *yet* another, H 364, ξ 325; ἔτι μᾶλλον, μᾶλλον ἔτι, α 322.

ἔτλην: see τλῆναι.

ἑτοιμάζω, aor. imp. ἑτοιμασάτω, -άσατε, mid. aor. ἑτοιμάσαντο: *make ready, prepare,* A 118, ν 184.

ἕτοιμος: *ready, at hand; μῆτις,* 'feasible,' I 425; 'actual,' 'actually,' Ξ 53, θ 384; πότμος, 'certain,' Σ 96.

ἔτορον: see τορέω.

ἔτος, εος (Fέτος, cf. vetus): *year.* See ἐνιαυτός.

ἔτραπον: see τρέπω.

ἐτράφην, ἔτραφον: see τρέφω.

ἔτυμος, pl. ἔτυμα, and ἔτυμον = ἐτήτυμος, ἐτήτυμον, τ 203, 567, ψ 26.

ἐτώσιος (Fετ.): *fruitless, vain; ἔγχος, βέλεα, δῶρα, ἄχθος,* Γ 368, Ω 283, Σ 104.

εὖ, ἐΰ (neut. of ἐΰς): *well,* answering in meaning as adv. to the adjectives ἀγαθός and κᾱλός; hence 'rightly,' 'finely,' 'carefully,' etc., esp. 'happily,' 'prosperously,' εὖ ζώειν, εὖ οἴκαδ' ἱκέσθαι, ρ 423, A 19, γ 188, 190; εὖ ἔρδειν τινά, i. e. ἀγαθὰ ἔρδειν, E 650; used to strengthen other words, εὖ μάλα, εὖ πάντες, 'quite all,' κ 452, σ 260.

εὖ: see οὖ.

εὐ - αγγέλιον: reward for good tidings, ξ 152, 166.

εὔαδε: see ἁνδάνω.

Εὐαιμονίδης : son of Euaemon, Eurypylus, E 76, H 167. (Il.)

Εὐαίμων: son of Ormenus, and father of Eurypylus, B 736, E 79.

εὐ - ανθής, ές (ἄνθος): luxuriant, abundant, λ 320†.

Εὐάνθης: the father of Maron, ι 197†.

Εὔβοια: Euboea, the island separated from Boeotia by the Euripus, named by Homer as the home of the Abantes, B 536, γ 174, η 321.

εὔ-βοτος (βόσκω): with fine cattle, o 406†.

εὔγμα, ατος (εὔχομαι): boast, pl., χ 249†.

εὐ-γναμπτος, ἑνγ. (γνάμπτω): gracefully bent, σ 294†.

εὐ-δείελος : (if from δείλη) westering, sunny; (if from δέελος, δῆλος) clearly or far seen; epith. of islands, esp. Ithaca, β 167. (Od.)

εὐ-δικίη (δίκη): fair justice, pl., τ 111†.

εὔ-δμητος, ἑνδ. (δέμω): well-built.

εὕδω, ipf. εὗδον, iter. εὕδεσκε: sleep, lie down to sleep, β 397; fig., of death, Ξ 482; of the wind, E 524.

Εὔδωρος: son of Hermes and Polymēle, a leader of the Myrmidons, Π 186, 179.

εὐ - ειδής, ές (Fεῖδος): beautiful, Γ 48†.

εὐ - εργεσίη (Fέργον): well - doing, kindness, χ 235, 374†.

εὐ-εργής, ές: well-made, well-wrought; pl., ἐνεργέα, good deeds, benefactions, χ 319.

εὐ-εργός: doing right, good, λ 434. (Od.)

εὐ - ερκής, ές (ἕρκος): well - fenced, well - enclosed ; αὐλή, 1 472 ; θύραι, ' well hung,' ρ 267 (v. l. ἐνεργέες).

εὔ-ζυγος, ἑνζ. (ζυγόν): well - yoked, of a ship, i. e. 'well - beamed,' or according to others, ' well - benched,' ν 116, ρ 288.

ἐν-ζωνος, οιο, ους (ζώνη): beautifully girdled, the girdle giving a graceful appearance to the garment, Z 467, A 429. (Il.) (See cut No. 44.)

εὐ-ηγενής, ές (= εὐγενής): well or nobly born, Λ 427. (Il.)

εὐ-ηγεσίη (ἡγέομαι): good government, τ 114† (v. l. ἐνεργεσίης).

εὐ - ήκης, ες (ἀκή): well - pointed, sharp, X 319†.

Εὐηνίνη: daughter of Evēnus, Marpessa, I 557†.

Εὐηνορίδης : son of Evēnor, Leiocritus, β 242. (Od.)

Εὐηνός : (1) son of Selepius, B 693. —(2) father of Marpessa,

εὐ-ήνωρ, ορος (ἀνήρ): manly or 'inspiring manliness,' χαλκός, οἶνος, ν 19, δ 622. (Od.)

εὐ - ήρης, ές (root ἀρ): well - fitted, handy, of oars, λ 121. (Od.)

ἐύ-θριξ, τριχος: well - maned, 'with flowing mane,' Ψ 13.

ἐύ-θρονος: well-throned, 'with beautiful throne,' Ἠώς, Θ 565. (Od.)

εὐθύς : see ἰθύς.

εὔ - θυμος : well - disposed, kindly, ξ 63†.

Εὔιππος : a Lycian, slain by Patroclus, Π 417†.

εὐ-καμπής, ές (κάμπτω): well-bent, curved, sickle, key, φ 6. (Od.)

εὐ - κέατος (κεάζω): easily cleft or split, fissile, ε 60†.

εὔκηλος (Fέκηλος, ἐFκ.) = ἕκηλος, A 554, γ 263.

εὐ-κλεής, ές, εὐκλειής (κλέος), acc. pl. εὐκλειας: glorious, renowned, K 281, φ 331.—Adv., εὐκλεῶς, εὐκλειῶς, gloriously, X 110.

ἐυ-κλείη : good reputation, fame, Θ 285, ξ 402.

ἐυ-κλήΐς, ΐδος (κληΐω): close - shutting, Ω 318†.

ἐυ-κνήμις, ΐδος : well-greaved, epith. of Ἀχαιοί, and in the Od. also of ἑταῖροι. (See cut under ἀμφίβροτος.)

εὐ - κόσμως : well arranged or disposed, φ 123†.

ἐυ-κτίμενος, ΄ύκτιτος (κτίζω): well-built, well-appointed, well-tilled, B 501, Φ 77, ι 130, ω 336.

εὐκτός (εὔχομαι): prayed - for, wished - for ; neut. pl., 'occasion for triumph,' Ξ 98†.

εὔ - κυκλος : well-rounded, well-rimmed (Il.), well-wheeled, ζ 58.

εὐ - λείμων : with fair meadows, abounding in meadows, δ 607†.

εὐλή (cf. Fείλω): worm, maggot. (Il.)

εὔληρα, pl.: *reins*, Ψ 481.

Εὔμαιος : *Eumaeus*, the faithful swine-herd of Odysseus, ξ 17–190, χ 267; son of Ctesius, king of the island of Syria; the story of his life, ο 400 ff.

εὐ-μενέτης = εὐμενής, ζ 185 (opp. δυσμενής, 184).

Εὐμήδης : father of Dolon, a Trojan herald, Κ 314, 412.

εὔ-μηλος : *abounding in sheep*, ο 406†.

Εὔμηλος : *Eumēlus*, son of Admētus and Alcestis, Ψ 288. (Il.)

ἐυ-μμελίης, gen. ίω (μελίη): *good at the ashen lance, good at the spear*, epith. of Priam and others. (Il. and γ 400.)

εὐνάζω and εὐνάω (εὐνή), fut. εὐνάσω, aor. εὔνησε, mid. pres. inf. εὐνάζεσθαι, pass. aor. inf. εὐνηθῆναι: *put in a place to lie, place in ambush*, δ 408, 440; mid. and pass., *lie down* to sleep or rest, Γ 441, υ 1; fig., of winds, ε 384.

εὐναιετάων, -άωσα: see ναιετάω.

εὐναιόμενος : see ναίω.

εὐνή, gen. εὐνῆφι: (1) *place to lie, bed, couch*; said of an army, Κ 408; of the 'lair' of wild animals, Λ 115; esp. typical of love and marriage, φιλότητι καὶ εὐνῇ, οὐκ ἀποφώλιοι εὐναὶ ‖ ἀθανάτων, λ 249. — (2) pl., εὐναί, *mooring-stones*, which served as *anchors*, having cables (πρυμνήσια) attached to them, and being cast into the water or upon the shore, Α 436, 476.

εὐνῆθεν : *from his couch*, υ 124†.

Εὔνηος : son of Jason, and king of Lemnos, Η 468. (Il.)

εὔ-ννητος (νέω): *well-woven*, Σ 596.

εὐνῆφι(ν): see εὐνή.

εὖνις, ιος: *reft, bereft*, Χ 44, ι 524.

εὐ-νομίη (νόμος): *good order, obedience to laws*, ρ 487†.

ἐύ-ξεστος and ἐύξοος (ξέω), gen. εὔξου: *well-scraped, well-planed, polished*; in act. sense, σκέπαρνον ἐύξοον, ε 237.

εὔ-ορμος : *affording good moorage* or *anchorage*, Φ 23. (Od.)

εὐ-πατέρεια : *daughter of a noble father*, epith. of Helen and Tyro, Ζ 292, λ 235.

Εὐπείθης : father of the suitor Antinous, slain by Laertes, ω 523.

εὔ-πεπλος : *with beautiful mantle, beautifully robed*, Ε 424, ζ 49.

εὐ-πηγής and ἐύπηκτος (πήγνυμι): *well* or *firmly joined, well built*, φ 334†, Β 661, ψ 41.

ἐύ-πλειος : *well filled*, ρ 467†.

ἐυ-πλεκής and ἐύ-πλεκτος (πλέκω): *well plaited*.

εὐ-πλοίη (πλέω): *prosperous voyage*, Ι 362†.

ἐυ-πλοκαμῖς, ῖδος, and ἐυ-πλόκαμος (πλόκαμος): *with beautiful tresses, fair-tressed*, epithet of goddesses and of women, ε 125, β 119. (See cut.)

44

ἐυ-πλυνής, ές (πλύνω): *well-washed*. (Od.)

εὐ-ποίητος : *well-made, well-wrought*.

εὔ-πρηστος (πρήθω): *well* or *strongly burning* or *blowing*, Σ 471†.

εὔ-πρυμνος (πρυμνή): *of ships, with well-built* or *decorated sterns*, Δ 248†.

εὔ-πυργος: *well towered* or *walled*, Η 71†.

εὔ-πωλος (πῶλος): *abounding in horses, with fine horses*, epith. of Ilium, Ε 551, β 18.

εὐράξ (εὖρος): *on one side, sidewise*, Λ 251, Ο 541.

εὑρίσκω, aor. 2 εὗρον, mid. pres. imp. εὕρεο, aor. ind. εὕρετο: *find, find out, discover*, mid., for oneself; of 'thinking up' a name for a child, τ 403; 'bringing (trouble) on oneself,' φ 304.

Εὖρος: *Eurus*, the south-east wind, stormy, B 145, Π 765 ; but warm enough to melt the snow, τ 206.

εὖρος, εος (εὐρύς): *breadth, width*, λ 312†.

ἐυ-ρραφής, ές (ῥάπτω): *well-sewed*, β 354, 380.

ἐυ-ρρεής, gen. ἐυρρεῖος, **ἐυ-ρρείτης**, āο: *fair-flowing*, epith. of rivers.

ἐύ-ρροος = ἐυρρεής, ἐυρρείτης.

εὐρυ-άγυια: *wide - streeted*, epith. of cities.

Εὐρυάδης: a suitor of Penelope, slain by Telemachus, χ 267†.

Εὐρύαλος: *Euryalus*.—(1) an Argive, son of Mecisteus, Z 20, Ψ 677.—(2) a Phaeacian, θ 115, 396.

Εὐρυβάτης: *Eurybates*.—(1) a herald of Agamemnon, Α 320.—(2) a herald of Odysseus, B 184, τ 247.

Εὐρυδάμᾱς: *Eurydamas*.— (1) a Trojan, the father of Abas and Polyīdus, E 149.—(2) a suitor of Penelope, slain by Odysseus, χ 283.

Εὐρυδίκη: *Eurydice*, the wife of Nestor, γ 452.

Εὐρύκλεια: *Euryclēa*, the nurse of Odysseus, and faithful housekeeper in his palace, τ 357, β 361.

εὐρυ-κρείων: *wide-ruling*, epith. of Poseidon and of Agamemnon, Λ 751, Α 102.

Εὐρύλοχος: a cousin and companion of Odysseus, κ 232, λ 23, μ 195. 339. (Od.)

Εὐρύμαχος: son of Polybus, a suitor of Penelope, slain by Odysseus, α 3ℂ9, χ 82. (Od.)

Εὐρυμέδουσα: an attendant of queen Arēte, η 8†.

Εὐρυμέδων: *Eurymedon*.—(1) son of Ptolemaeus, and charioteer of Agamemnon, Δ 228. — (2) a servant of Nestor, Θ 114, Λ 620.—(3) king of the Giants, father of Periboea, η 58.

εὐρυ-μέτωπος: *broad-browed*.

Εὐρυμίδης: *son of Eurymus*, Telemus, a seer among the Cyclōpes, ι 509†.

Εὐρυνόμη: *Eurynome*. — (1) an Oceanid, Σ 398†.—(2) stewardess of Penelope, ρ 495, τ 97.

Εὐρύνομος: an Ithacan, the son of Aegyptius, β 22. (Od.)

εὐρύνω (εὐρύς), aor. 1 εὐρῦνα: *widen, enlarge*, θ 260†.

εὐρυ-όδεια (ὁδός): *wide - wayed*, i. e. 'wide-wandered,' epith. of the earth as field of human travel, always χθονὸς εὐρυοδείης.

εὐρύ-οπα, nom., acc., and voc.: (if from ὄψ) *wide (far) thundering*; (if from ὤψ) *wide (far) seeing*, E 265, Π 241, Α 498.

εὐρύ-πορος (πόρος): *wide-traversed*, epith. of the sea (cf. εὐρυνόδεια), always θαλάσσης εὐρυπόροιο. (Od.)

εὐρυ-πυλής, ες (πύλη): *wide - gated*, εὐρυπυλὲς Ἄιδος δῶ.

Εὐρύπυλος: *Eurypylus*.—(1) son of Euaemon, from Thessaly, B 736, E 76, Z 36, Λ 580, 809.—(2) son of Poseidon and Astypalaea, from the island of Cos, B 677.—(3) son of Telephus, slain by Neoptolemus, λ 520.

εὐρυ-ρέεθρος and **εὐρυρέων**; *broad-flowing*, Φ 141†, B 849. (Il.)

εὐρύς, εῖα, ύ, gen. -έος, -είης, acc. εὐρέα and εὐρύν: *broad, wide*; comp., **εὐρύτερος**, Γ 194, Ψ 427; adv., εὐρὺ ῥέειν, E 545.

εὐρυ-σθενής, ές (σθένος): *widely powerful, with far-reaching might*, epith. of Poseidon, ν 140. (Il.)

Εὐρυσθεύς: *Eurystheus*, son of Sthenelus, and king of Mycēnae; by a trick of Hera upon Zeus, Eurystheus was born to power over Heracles, and imposed upon him the celebrated labors, T 103 ff., 123 ff., θ 363, λ 620.

Εὐρυτίδης: son of *Eurytus*, Iphitus, guest - friend of Odysseus, φ 14, 37. (Od.)

Εὐρυτίων: a Centaur, φ 295†.

Εὔρυτος (εὖ, ἐρύω, 'Drawer of the Bow'): *Eurytus*.—(1) son of Actor (or of Poseidon) and Molione, brother of Cteatus (see Ἀκτορίων), with his brother an ally of Augēas against Nestor and the Pylians, B 621, Λ 709 ff.—(2) son of Melaneus and Stratonice, kıng of Oechalia, father of Iole and Iphitus. A celebrated archer, he challenged Apollo to a contest, and was slain by the god, θ 204 ff. Odysseus received the bow of Eurytus from his son Iphitus, φ 32 ff.

εὐρυ-φυής, ές (φύω): *wide-growing*, i. e. with its rows of kernels far apart, epith. of barley, δ 604†.

εὐρύ-χορος: (if from χορός) *with broad dancing-places or lawns;* (if from χῶρος) *spacious;* epith. of lands and cities.

εὑρώεις, εσσα (εὐρώς): *mouldy, dank,* epith. of Hades.

ἐύς, ἐύ, and ἠύς, ἠύ, gen. ἐῆος, acc. ἐύν, ἠύν, pl. gen. ἐάων : synonym of ἀγαθός and καλός, the neut. forms of the sing. mostly adverbial, see εὖ. ἐὺς παῖς, υἱός, θεραπών, Βίας, παιδὸς ἐῆος, esp. in Il.; also μένος ἠύ, 'noble ardor,' β 271, etc.; ἠύς τε μέγας τε, Β 653.— gen. pl. ἐάων, *of good things, blessings,* Ω 528 ; θεοὶ δωτῆρες ἐάων, θ 325.

εὗσα : see εὔω.

ἐύ-σκαρθμος (σκαίρω): *lightly bounding,* Ν 31†.

ἐύ-σκοπος: (1) *well-aiming,* epith. of Artemis, the huntress, λ 198.—(2) *sharp-seeing,* of Hermes, Ω 24, etc.

ἐύ-σσελμος (σέλμα): *with good deck, well-decked,* of ships, Β 170, β 390. (The Homeric ships were decked only at bow and stern.)

Ἐύσσωρος: a Thracian, the father of Acamas, Ζ 8†.

ἐύ-σταθής (ἵστημι): *well-based, firm-standing;* μέγαρον, θάλαμος, Σ 374, ψ 178.

ἐυ-στέφανος (στεφάνη): *with beautiful head-band,* epith. of goddesses and women, Φ 511, σ 193, β 120 ; fig., of Thebes, *with noble wall,* Τ 99.

ἐύ-στρεπτος, ἐυστρεφής, ἐύστροφος (στρέφω): *well-twisted.*

εὖτε : (1) *when, at the time when,* foll. by the same constructions as other relative words (see ἄν, κέν). εὖτε is always employed 'asyndetical-ly,' i. e. without a connecting particle, and is freq. followed by a demonstra-tive temporal word in the apodosis, ἔνθα, τῆμος δή, καὶ τότε δή, ἔπειτα, etc. ; εὖτ' ἀστὴρ ὑπερέσχε φαάντατος .. τῆμος δὴ νήσῳ προσεπίλνατο πον-τοπόρος νηῦς, ν 93 ; the clause intro-duced by εὖτε may, however, follow its apodosis, τλῆ δ' Ἀίδης .. ὠκὺν ὀιστόν .. εὖτέ μιν ωὐτὸς ἀνὴρ .. ὀδύνησιν ἔδωκεν, Ε 396.—(2) *as, even as,* intro-ducing a simile, Γ 10, Τ 386 (where some write ἠῦτε, for ἠύτε).

ἐυ-τείχεος, metapl. acc. sing. ἐυτεί-χεα : *well-walled, well-fortified,* Α 129, Π 57.

ἐύ-τμητος (τέμνω): *well-cut,* of straps, Ψ 684. (Il.)

ἐυ-τρεφής, ές (τρέφω): *well-nour-ished, fat,* ι 425. (Od.)

Εὔτρησις: a village in Boeotia, Β 502.

ἐύ-τρητος (τιτράω): *well-pierced,* Ξ 182†.

ἐύτριχας : see ἐύθριξ.

ἐύ-τροχος (τροχός): *well-wheeled,* Θ 438.

ἐύ-τυκτος (τεύχω): *well-wrought,* Γ 336, δ 123.

εὐ-φημέω (εὔφημος): *observe a holy silence,* i. e. avoid ill-omened words by not speaking at all, Ι 171†.

Εὔφημος : son of Troezēnus, and leader of the Ciconians, Β 846†.

Εὐφήτης : ruler over Ephyra in Elis, Ο 532†.

Εὔφορβος : *Euphorbus,* a Trojan, the son of Panthous; after wounding Patroclus, he is slain by Menelāus, Π 806, Ρ 59.

ἐυ-φραδέως (φράζομαι): *thought-fully, wisely,* τ 352†.

εὐ-φραίνω (φρήν), fut. εὐφρανέω, aor. εὔφρηνα: *cheer, gladden,* mid., *take one's pleasure,* β 311.

ἐυ-φρονέων : *well meaning and well judging, with good and wise intent,* al-ways ἐυφρονέων ἀγορήσατο καὶ μετέει-πεν.

ἐυ-φροσύνη : *mirth, gladness.*

ἐύ-φρων : *glad, cheerful ;* in act. sense, οἶνος, Γ 246.

ἐυ-φυής, ές (φύω): *well-grown, shapely,* Φ 243, Δ 147. (Il.)

ἐύ-χαλκος : *of fine bronze, well mounted with bronze,* Υ 322.

εὐχετάομαι (εὔχομαι), opt. εὐχετοῴ-μην : *pray* or *offer obeisance,* τινί, *boast;* εὐχετόωντο θεῶν Διὶ Νέστορί τε ἀνδρῶν, Λ 761, θ 467 ; ὑπέρβιον, αὔ-τως εὐχετάασθαι, Ρ 19, Υ 348 ; τίνες ἔμμεναι εὐχετόωνται, α 172 (see εὔχο-μαι).

εὐχή : *prayer, vow,* pl., κ 526†.

Εὐχήνωρ: son of Polyīdus, Ν 663.

εὔχομαι, imp. εὔχεο and εὔχου, ipf. εὐχόμην, aor. εὐξάμην : (1) *pray, vow;* then *solemnly declare* and *wish ;* εὔχετο πάντ' ἀποδοῦναι, 'asseverated,' Σ 499 ; εὐξάμενός τι ἔπος ἐρέω .. εἴθ' ὡς ἡβώ-οιμι, ξ 463, 468, Ξ 484 ; usually, how-ever, of praying to the gods. — (2) *avow, avouch oneself, boast ; ἡμεῖς τοι πατέρων μέγ' ἀμείνονες εὐχόμεθ' εἶναι,*

Δ 405; usually of just pride, but not always, N 447.

εὖχος (εὔχομαι, *boast*): *glory*, esp. of war and victory, freq. διδόναι εὖχός τινι, εὖχος ἀρέσθαι, Ε 285, ι 317, Η 203.

εὐ-χροής, ἐς (χρώς): *bright-colored*, ξ 24†.

εὐχωλή (εὔχομαι): (1) *prayer, vow*, ν 357, Α 65. — (2) *boast, exultation, shout of triumph*, Δ 450, Θ 229, Β 160; 'my pride,' Χ 433.

εὕω, aor. εὖσα: *singe*, bristles of swine, Ι 468, β 300; the eyelids of Polyphēmus, ι 379.

εὐ - ώδης, ες (ὄζω, ὄδωδα): *sweet-smelling, fragrant*.

εὐ - ῶπις, ιδος (ὤψ): *fair - faced*. (Od.)

ἔφαγον: see φαγεῖν.

ἐφ - άλλομαι, aor. 2 ἐπᾶλτο, part. ἐπάλμενος and ἐπιάλμενος: *leap* or *spring upon* or *at;* ἵππων, Η 15; and freq. in hostile sense, τινί, Ν 643; in friendly sense, abs., ω 320.

ἔφ-αλος (ἅλς): situated *on the sea*, epith. of maritime cities, Β 538, 584. (Il.)

ἔφαν: see φημί.

ἐφ-ανδάνω, ἐπιανδάνω (Ϝανδάνω): *be pleasing* or *acceptable to, please*.

ἐφάνη: see φαίνω.

ἐφ-άπτω, pass. perf. ἐφῆπται, plup. ἐφῆπτο, mid. aor. subj. ἐφάψεαι: act., *attach to*, pass. (metaph.), *be hung over, hang over, impend;* τινί, Β 15, Ζ 241; mid., *touch*, ε 348.

ἐφ - αρμόζω, aor. opt. ἐφαρμόσσειε: intr., *fit, suit*, Τ 385†.

ἐφ-έζομαι, ipf. ἐφέζετο: *sit upon* or *by*, Φ 506, ρ 334.

ἐφέηκα, ἐφείην: see ἐφίημι.

ἐφ-εῖσα, defective aor., inf. ἐφέσσαι, mid. aor. imp. ἔφεσσαι, part. ἐφεσσάμενος, fut. inf. ἐφέσσεσθαι: *cause to sit upon* or *by, set*, mid., *for oneself* (of putting on board ship, ν 274; mid., w. gen. (νηός), ο 277; τινί τι, Ι 455, π 443.

ἐφ-έλκω, *drag to* or *after*, pass., Ψ 696; mid. (met.), *draw to oneself, attract*, π 294.

ἐφ-έννυμι: see ἐπιέννυμι.

ἐφ-έπω, ipf. ἔφεπε, iter. ἐφέπεσκον, fut. ἐφέψεις, aor. ἐπέσπον, opt. ἐπίσποι, inf. ἐπισπεῖν, mid. aor. inf. ἐπισπέσθαι,

part. -όμενος: I. act., *follow up, pursue*, and seemingly causative, Πατρόκλῳ ἔφεπε κρατερώνυχας ἵππους, 'urge on against,' Π 724; ὡς τοὺς Ἀτρείδης ἔφεπε, 'followed up,' 'pursued,' Λ 177; (κυνηγέται) κορυφὰς ὀρέων ἐφέποντες, 'pushing to,' ι 121; ὑσμίνης στόμα, 'move over,' Υ 359, Λ 496; freq. met., θάνατον καὶ πότμον ἐπισπεῖν, 'meet' one's fate; so οἶτον, ὀλέθριον or αἴσιμον ἦμαρ, γ 134, Τ 294, Φ 100.—Π. mid., *follow close;* τινί, Ν 495; ποσίν, 'in running,' Ξ 521; met., ἐπισπόμενοι μένει σφῷ, θεοῦ ὀμφῇ, ξ 262, γ 215.

ἐφέσσαι, ἔφεσσαι, ἐφέσσεσθαι, ἐφεσσάμενος : see ἐφεῖσα.

ἐφ - έστιος (ἑστία): *at* or *to the hearth, at* one's own *hearth* or *home*, γ 234, ψ 55; ἐφέστιοι ὅσσοι ἔασιν, i. e. all the *native* Trojans, Β 125; (ἐμέ) ἐφέστιον ἤγαγε δαίμων, 'to her hearth,' η 248.

ἐφ-ετμή (ἐφίημι): *command, behest*, mostly in pl. (Il. and δ 353).

ἐφ - ευρίσκω, aor. ἐφεύρομεν, opt. ἐφεύροι: *come upon and find, surprise*, freq. w. part.

ἐφ-εψιάομαι: *mock, make sport of*, τινί. (Od.)

ἔφ-ημαι: *sit upon* or *at*. (Od.)

ἐφ-ημέριος: *the day through*, δ 223; ἐφημέρια φρονεῖν, thoughts 'but for the day,' i. e. no thought for the morrow, φ 85.

ἐφ-ημοσύνη (ἐφίημι) = ἐφέτμη.

ἔφησθα: see φημί.

ἔφθην: see φθάνω.

ἐφθίαθ' : see φθίω.

Ἐφιάλτης: *Ephialtes*, the giant, son of Aloeus, and brother of Otus, Ε 385, λ 308.

ἐφ-ιζάνω: *sit upon* or *at;* δείπνῳ, Κ 578; met., ὕπνος ἐπὶ βλεφάροισιν, Κ 26.

ἐφ-ίζω, ipf. iter. ἐφίζεσκε: *sit upon*. (Od.)

ἐφ - ίημι, part. ἐφιείς, ipf. ἐφίει, fut. ἐφήσεις, aor. ἐφῆκα, ἐφέηκα, subj. ἐφείω, opt. ἐφείην, imp. ἔφες, mid. pres. part. ἐφιέμενος: *let go at* or *upon*.—I. act., of 'sending' one person to another, Ω 117; 'letting fly' missiles at anything, βέλεά τινι, Α 51, Φ 170; 'laying (violent hands) upon' one, Α 567, α 254; met., of 'inciting' a person to some action, w. inf., χαλεπῆναι, ἀεῖσαι, Σ

108, ξ 464; also of 'bringing' or 'imposing' troubles, etc., upon one, πότμον, ἄεθλον, κήδεά τινι, Δ 396, τ 576, Α 445. — II. mid., *enjoin upon, command; τινί (τι)*, Ψ 82, Ω 300, ν 7.

ἐφ - ικνέομαι : only aor. ἐφίκοντο (ἀλλήλων), *fell upon each other*, Ν 613†.

ἐφίληθεν : see φιλέω.

ἐφ-ίστημι, perf. 3 pl. ἐφεστᾶσι, inf. ἐφεστάμεν(αι), part. gen. ἐφεσταότος, plup. ἐφεστήκει, 3 pl. ἐφέστασαν, aor. 2 ἐπέστη, mid. ipf. ἐφίστατο : perf. and mid., *stand upon, by,* or *at,* aor. 2, *come up to, draw near,* w. dat., or a prep. and its case, Ζ 373, Ψ 201, Κ 124, Λ 644; in hostile sense, 'set upon,' Ο 703; fig., Κῆρες ἐφεστᾶσιν θανάτοιο, Μ 326.

ἐφ-όλκαιον (ἕλκω) : *rudder*, ξ 350†.

ἐφ-ομαρτέω : *follow close upon*. (Il.)

ἐφ - οπλίζω, fut. -οπλίσσουσι, aor. ἐφόπλι(σ)σα, mid. aor. subj. ἐφοπλισόμεσθα : *equip, get ready,* mid., *for oneself, νῆα, ἄμαξαν, δαῖτα, δόρπα*, β 295, ζ 37, Θ 503, Ι 66.

ἐφ - οράω, fut. ἐπόψομαι, ἐπιόψομαι, aor. ἐπειδον : *look upon, behold, watch over; (Ζεύς) ἀνθρώπους ἐφορᾷ καὶ τίνυται ὅς κεν ἀμάρτῃ*, ν 214; also 'go to see' (visere), η 324, ψ 19, and 'look up' (in order to choose), here the form ἐπιόψομαι, Ι 167, β 294; fig., 'live to see,' κακά, Χ 51.

ἐφ - ορμάω, aor. ἐφώρμησα, pass. ἐφωρμήθην : act., *set a-going against, arouse against; πόλεμόν τινι, ἀνέμους*, Γ 165, η 272; mid. and pass., *rush upon, be impelled, be eager; ἐνὶ δίφρῳ | ἔγχει ἐφορμᾶσθαι*, Ρ 465; w. acc., *ὀρνίθων πετεηνῶν αἰετὸς αἴθων | ἔθνος ἐφορμᾶται*, Ο 691, Υ 461; εἴ οἱ θυμὸς ἐφορμᾶται γαμέεσθαι, α 275.

ἐφ-ορμή : *way to speed to* (from the interior to the ὁδὸς ἐς λαύρην), χ 130†.

ἐφ-υβρίζω : only part., *insultingly*, Ι 368†.

ἔφ-υδρος (ὕδωρ) : *wet, rainy*, ξ 458†.

ἐφ-ύπερθε(ν) : *above*.

Ἐφύρη : Ephyra.—(1) the ancient name of Corinth, Ζ 152, 210.—(2) a Pelasgic city in Northern Elis, the residence of Augeas, Β 659, Ο 531, Λ 739, α 259, β 328.

Ἔφυροι : the inhabitants of Cran-

non in Thessaly, which formerly bore the name of Ephyra, Ν 301.

ἔχαδον : see χανδάνω.

ἔχεαν, ἔχεε : see χέω.

ἐχέ-θυμος : *restraining passion; οὐκ ἐχέθυμος, incontinent*, θ 320†.

Ἐχεκλῆς : a Myrmidon, the son of Actor, Π 189.

Ἔχεκλος : (1) a son of Agenor, slain by Achilles, Υ 474†.—(2) a Trojan, slain by Patroclus, Π 694†.

Ἐχέμμων : a son of Priam, slain by Diomed, Ε 160†.

Ἐχένηος : an aged Phaeacian, λ 342.

ἐχε-πευκής, ές (cf. πικρός): *having a sharp point, sharp, ὀιστός*. (Il.)

Ἐχέπωλος : (1) a descendant of Anchises, dwelling in Sicyon, Ψ 296. —(2) a Trojan, the son of Thalysius, slain by Antilochus, Δ 458.

ἔχεσκον : see ἔχω.

Ἔχετος : a barbarous king in Epirus, φ 308. (Od.)

ἔχευα, ἐχευάμην : see χέω.

ἐχέ-φρων : *thoughtful, prudent*. (Od.)

Ἐχέφρων : a son of Nestor, γ 413.

ἔχησθα : see ἔχω.

ἐχθαίρω (ἔχθος), aor. ἤχθηρα : *hate,* opp. φιλεῖν, δ 692.

ἔχθιστος (sup. of ἐχθρός): *most hateful, most odious*. (Il.)

ἐχθο-δοπέω : only aor. inf. ἐχθοδοπῆσαι, *to enter into hostilities against, τινί*, Α 518†.

ἔχθομαι, inf. ἔχθεσθαι, ipf. ἤχθετο : *be hated, odious*. (Od.)

ἔχθος, εος : *hate, enmity, wrath.*

ἐχθρός : *hateful, odious.*

Ἐχῖναι : νῆσοι, name of a group of islands in the Ionian Sea, near Dulichium, Β 625.

Ἐχίος : (1) the father of Mecisteus, Θ 333.—(2) a Lycian, slain by Patroclus, Π 416.—(3) a Lycian, slain by Polītes, Ο 339.

ἔχμα (ἔχω), pl. ἔχματα : *props, supports, bearers; νηῶν, πύργων*, Ξ 410, Μ 260; of the earth under a mass of rock, πέτρης, Ν 139; also of the mud or rubbish from a canal, *holding back* the flow of water, Φ 259.

ἔχω, subj. 2 sing. ἔχῃσθα, ipf. εἶχον, ἔχον, iter. ἔχεσκον, fut. ἕξω, σχήσω, aor. ἔσχον, inf. σχέμεν, mid. fut. ἕξεται, σχήσεσθε, aor. ἐσχόμην, imp. σχέο, par-

allel forms of aor. act. ἔσχεθον, σχε-
θέειν: *hold, have.*—I. act. (and pass.)
—(1) trans., *hold,* in the hands, A 14;
or in any way or direction, hence
'wear,' N 163, Ψ 136, Π 763, τ 225;
'hold up,' 'support,' α 53; 'hold
back,' 'stop,' Δ 302, M 456; and simi-
larly of holding something to a course,
'guide,' 'steer,' a ship, horses, ι 279,
N 326; met., of holding watch, hold-
ing under one's protection, I 1, Ω 730;
also *have, keep,* esp. 'have to wife,' δ
569; as one's abode, 'inhabit,' E 890;
under one's authority, β 22; and w.
inf., 'be able,' Π 110, μ 433. Pass.,
H 102.—(2) intrans., *hold* still, or in
some position, ἔξω, ὡς λίθος, τ 494;
also of motion, direction, ἔγχος ἔσχε
δι' ὤμου, simply giving verbal force to
the prep. διά, N 520; freq. w. an adv.,
ῥίζαι ἑκὰς εἶχον, were 'far reaching,'
μ 435; εὖ ἔχει, 'it is well,' ω 245;
answering to the trans. use w. νῆα,
ἵππους, but without object, 'steer,'
'drive,' γ 182, Ψ 401; and similarly
where no object can be thought of,
ἐπὶ δ' αὐτῷ πάντες ἔχωμεν, 'have at
him,' χ 75.—II. mid., *hold* something
for oneself, or of one's own, *hold fast,*
hold still, cease from, hold on to some-
thing (τινός); ἄντα παρειάων σχομένη
λιπαρὰ κρήδεμνα, 'before her cheeks,'

α 334, Υ 262; ἔχεο κρατερῶς, Π 501;
τῷ προσφὺς ἐχόμην ὡς νυκτερίς, μ 433;
ἔσχετο φωνή, 'stuck,' 'stopped,' P 696,
Φ 345; w. gen., B 98; metaph., 'de-
pend on,' σέο ἔξεται, I 102, ζ 197, λ
346.

ἐψιάομαι: *make merry,* ρ 530; μολ-
πῇ καὶ φόρμιγγι, φ 429.

ἑῶ, ἑῶ: see ἐάω.

ἕωθα: see ἔθω.

ἑώκει: see ἔοικα.

ἑώλπει: see ἔλπω.

ἕωμεν: unintelligible word in T
402†. (According to most of the
ancient grammarians it is equiv. to
ἅδην ἔχωμεν, πληρωθῶμεν, κορεσθῶ-
μεν.)

ἑών: see εἰμί.

ἑωνοχόει: see οἰνοχοέω.

ἑώργει: see ἔρδω.

ἕως, εἵως, εἷος: (1) *as long as, until;*
foll. by the usual constructions with
rel. words (see ἄν, κέν). A clause in-
troduced by ἕως often denotes pur-
pose, δ 800, ι 376.—(2) like τέως, *for
a while,* usually with μέν, β 148, etc.
—ἕως, to be read with 'synizesis,' ex-
cept β 78.

ἕωσι: see εἰμί.

ἑῶσι: see ἐάω.

Ἑωσ-φόρος: *morning star* (**Luci-**
f e r), Ψ 226†.

Z.

ζα- (διά): intensive prefix, like δα-.

ζαής, ές (ἄημι), acc. ζαῆν: *strongly
blowing, tempestuous.*

ζά-θεος, 3: *most divine, sacred,* of
localities favored by the gods. (Il.)

ζά-κοτος (κότος): *surly, morose,* Γ
220†.

Ζάκυνθος: *Zacynthus* (now Zante),
an island in the realm of Odysseus,
south of Same, α 246, B 634. A short
syllable is not necessarily lengthened
by position before the initial Z of this
word, ι 124, α 246; cf. Ζέλεια.

ζα-τρεφής, ές (τρέφω): *highly fed,
fat, sleek.*

ζα-φλεγής, ές (φλέγω): *strongly
burning,* met., *full of fire,* Φ 465†.

ζα-χρηής (χράω): *raging, impetu-
ous.* (Il.)

ζάω: see ζώω. [δ 41, 604.

ζειαί: a coarse kind of barley, *spelt,*

ζεί-δωρος: *grain-giving.*

Ζέλεια: a town at the foot of Mt.
Ida. A short syllable is not necessarily
lengthened by position before the initial
Z of this word, B 824; cf. Ζάκυνθος. (Il.)

ζέσσεν: see ζέω.

ζεύγλη: *yoke-cushion,* between neck
and yoke. (Il.) (See cut No. 72, also
45, letter d.)

ζεύγνῡμι, ζευγνύω, inf. ζευγνύμεν (ζευγνύμεν, Π 145), aor. ἔζευξα, ζεῦξε, pass. perf. part. ἐζευγμέναι: yoke, yoke up, yoke together, mid., for oneself; ἵππους, βόας, also w. ὑπ' ὄχεσφιν, ὑπ' ἀπήνῃ, etc., Υ 495, Ψ 130, ζ 73, ο 46, γ 492; abs., Ω 281.

ζεῦγος, εος: pl., a pair, yoke of draught animals, Σ 543†.

Ζεύς (Διεύς, root διϜ), gen. Διός, dat. Διί, acc. Δία, voc. Ζεῦ, also gen. Ζηνός, dat. Ζηνί, acc. Ζῆν(α): Zeus (Diespiter, Juppiter; cf. Ζεῦ πάτερ, Γ 320), the son of Cronos and the father of gods and men, god of the lightning, the clouds and weather, of time itself, hence ὑψίζυγος, αἰθέρι ἀναίων, Διὸς ὄμβρος, Διὸς ἐνιαυτοί, εὐρύοπα, ἐρίγδουπος πόσις Ἥρης, αἰγίοχος, ὑψιβρεμέτης, νεφεληγερέτα, κελαινεφής, στεροπηγερέτα, τερψικέραυνος, ἀστεροπητής, ἀργικέραυνος, ἐριβρεμέτης. Zeus is the sender of portents, and the shaper of destiny, πανομφαῖος, Διὸς τάλαντα, etc.; he is the protector of kings, of suppliants, of house and court, and he presides over the fulfilment of oaths, διοτρεφεῖς, διογενεῖς βασιλῆες, Ζεὺς ξείνιος, ἱκετήσιος, ἑρκεῖος. The original meaning of the root of the word is the brightness of the sky, afterwards personified; cf. δῖος, Lat. sub divo.

ζεφυρίη: the western breeze, η 119†. (The first syllable long in the verse.)

ζέφυρος (ζόφος): the west wind, rough and violent, ε 295, μ 289, 408; and the swiftest of the winds, Υ 415; bringing snow and rain, τ 202, ξ 458; only in fable-land soft and balmy, η 119, δ 567; personified, Π 150, Ψ 200.

ζέω, ipf. ζέε, aor. ζέσσε: boil, seethe; λέβης ζεῖ, the kettle boils, Φ 362.

Ζῆθος: Zethus, son of Zeus and Antiope, brother of Amphīon, with whom he founded Thebes, λ 262; the husband of Aëdon, and father of Itylus, τ 523.

ζηλήμων (ζῆλος): jealous, grudging, ε 118†.

Ζήν, Ζηνός: see Ζεύς.

ζητέω: seek, Ξ 258†.

ζόφος (cf. κνέφας, γνόφος, δνόφος): (1) gloom, darkness, esp. of the nether world, and for the realm of shadows

itself, Ο 191.—(2) evening, the Occident, the West, ι 26, μ 81.

ζυγό-δεσμον: yoke-band, a cord or strap for fastening the yoke to the pole, Ω 270. (See cut under ζυγόν, b; and cut No. 42.)

ζυγόν (ζεύγνῡμι), gen. ζυγόφιν: (1) yoke or cross-bar by means of which beasts of draught were attached to whatever was to be drawn. (See adjacent cut, combined from several an-

tique representations.) a, ὀμφαλός; b, ξυγόδεσμον; c, κρίκος; d, ζεύγλαι; e, straps to fasten the ζεύγλαι; f, λέπαδνα; g and h, οἴηκες, points of attachment for the collars, and rings through which the reins pass; i, ζυγόν; k, projections to hold, e. g., the reins of the παρήορος ἵππος. (Cf. also the Assyrian yoke on the chariot on board a ship, represented in the adjoining cut.)—(2) cross-bar of a lyre

(see φόρμιγξ), to which the strings were attached, Ι 187.—(3) pl., ζυγά, rowers' benches, thwarts of a ship (see cut No. 32, under ἔδαφος).

ζω-άγρια, pl. (ζωός, ἀγρέω): reward for saving life, Σ 407, θ 462.

1. ζωγρέω (ζωός, ἀγρέω): take alive, i. e. grant quarter and not slay, Κ 378†.

2. ζωγρέω (ζωή, ἐγείρω): *revive, re-animate; θυμόν*, E 698†.

ζωή (ζάω): *means of life, substance*, ξ 208, π 429. (Od.)

ζῶμα (ζώννῡμι): (1) *apron* of leather or of felt, extending from the flank to the upper part of the thigh, and serving to protect the part of the body left exposed between the cuirass and the greaves (see cut under Ἀχιλλεύς: also cut No. 12, the figure of Aenëas). —(2) *broad girdle* around the waist of boxers, like that of the tumbler in the adjoining cut, Ψ 683.

Tumbler.   Athēne with owl.

ζώνη: *girdle* of a woman (see cut No. 48, also Nos. 44 and 61); then for *waist*, B 479, Λ 234.

ζώννῡμι, aor. part. ζώσαντες, mid. pres. subj. ζώννῡνται, ipf. ζώννυτο, iter. ζωννύσκετο, aor. ζώσατο, imp. ζῶσαι, part. ζωσαμένω: act., *gird* another, σ 76, mid.; *gird oneself, gird on*, w. acc. or dat. of the belt used, E 857, K 78; abs., Λ 15, σ 30.

ζωός, ζώς, acc. ζών: *alive, living*, E 887, Π 445.

ζωρός, comp. **ζωρότερος**: *lively, fiery*, of wine; ζωρότερον κέραιε, i. e. mix it stronger, pour in less water, Ι 203†.

ζωστήρ, ῆρος (ζώννῡμι): (1) *warrior's body-girdle*, of leather strengthened with metal plates, which covered the lower part of the θώρηξ, and the upper part of the μίτρη and of the ζῶμα (see cuts Nos. 3 and 79). (Il.) —(2) *girdle* worn over the tunic, ξ 72. (See cut No. 73.)

ζῶστρον = ζώνη, ζ 38†.

ζώω, inf. ζώειν, ζωέμεναι, part. ζώοντος and ζῶντος, ipf. ἔζωον: *live;* freq. joined with ὁρᾶν φάος ἠελίοιο, δ 833; with ἔστιν, ω 263; ῥεῖα ζώοντες, of the gods and their untroubled existence.

H.

ἤ, ἠέ: *or, than, whether.* — (1) disjunctive, *or*, and in correlation, *either .. or*, ὅππως κε μνηστῆρας .. κτείνῃς ἠὲ δόλῳ ἢ ἀμφαδόν, α 296.—(2) comparative, *than.*—(3) interrogative, (*a*) rarely in a single indirect question, *whether*, Θ 111, ν 415 (v. l. εἰ).—(*b*) freq. in double questions, direct or indirect (*whether*) .. *or* (Att. πότερον .. ἤ), the accentuation of the second particle according to the ancient grammarians being ἤ (ἤε). The first member is introduced either by ἤ (ἠέ), or by some other particle, or stands without any particle; θεός νύ τις ἢ βροτός ἐσσι; ζ 149. οὐδέ τι οἶδα, ζώει

ὅ γ᾽ ἦ τέθνηκε, λ 464. Τυδείδην δ᾽ οὐκ ἂν γνοίης ποτέροισι μετείη, | ἠὲ μετὰ Τρώεσσιν ὁμῑλέοι ἢ μετ᾽ Ἀχαιοῖς, E 86. With εἰ in first clause, π 33.

ἤ: see (1) εἰμί.—(2) ἠμί.

ἦ: *in truth, surely, verily.*—(1) particle of asseveration, always standing at the beginning of its clause except in the phrase ἐπεὶ ἦ (sometimes written ἐπειή). Freq. in combination with other particles, ἦ δή, ἦ μάλα (δή), ἦ θήν, ἦ τε, ἦ τοι (q. v.), and esp. ἦ μήν (μέν), which may be retained even in indirect quotation, καί μοι ὄμοσσον | ἦ μέν μοι .. ἀρήξειν (representing in the direct form, ἦ μέν σοι ἀρήξω, 'I sol-

emnly declare that I will defend thee'),
A 77, Ξ 275.—(2) the same particle
may introduce a direct question, esp.
a specific question following a general
one, always, however, with the expres-
sion of some feeling; τίπτ' αὖτ' . .
εἰλήλουθας; ἦ ἵνα ὕβριν ἴδῃ Ἀγαμέ-
μνονος, ' is it that thou may'st behold,
etc. ?' Α 203, Γ 400, Υ 17 ; Ζεῦ πάτερ,
ἦ ῥά τις ἔστι βροτῶν, κτλ., ' pray, lives
there a man, etc. ?' Η 446.

ἤ: see ὅς.

ἤ: regarded by some as an adv. in
the phrase ἦ θέμις ἐστίν, as is right.
See ὅς.

ᾗ: where (whither), as ; dat. fem. of
the rel. pron., used as adv., M 389, O
46, I 310.

ἦα: see εἰμί.

ἦα: see ἤα.

ἠβαιός (Att. βαιός): little, slight,
usually w. neg., οὐδ' οἱ ἔνι φρένες, οὐδ'
ἠβαιαί, ' not the least,' Ξ 141, φ 288,
σ 355.—Adv., ἠβαιόν, a little, ι 462,
elsewhere w. neg.

ἡβάω, opt. ἡβώοιμι, ἡβῷμι, part.
ἡβῶν, ἡβώοντα, etc., aor. ἥβησα: be
(aor. arrive) at one's prime, have youth-
ful vigor; fig., of a vine, ' luxuriant,'
ε 69.

ἥβη: youth; ἥβης μέτρον, ' youth-
ful prime,' Λ 225, λ 317 ; youthful
strength or vigor, Π 857, θ 181.

Ἥβη: Hebe, daughter of Zeus and
Hera, spouse of Heracles, λ 603. In
the Iliad she always appears as a god-
dess performing some manual service
for other divinities, Δ 2, E 722, 905.

ἡβῷμι, ἡβώοιμι: see ἡβάω.

ἠγάασθε: see ἄγαμαι.

ἤγαγον, ἠγαγόμην: see ἄγω.

ἠγάθεος : highly divine, sacred, of
localities, Z 133, δ 702. Cf. ζάθεος.

ἤγειρα: see (1) ἀγείρω.—(2) ἐγείρω.

ἠγάσσατο: see ἄγαμαι.

ἡγεμονεύω (ἡγεμών), fut. -εύσω: be
leader, lead the way (w. dat.), command
an army (w. gen.), (Il.); τοῖσι γέρων
ὁδὸν ἡγεμόνευεν, ω 225 ; ὕδατι ῥόον,
Φ 258 ; ἑτέρης (στιχός), Π 179 (dat. B
816).

ἡγεμών, όνος : guide, leader, com-
mander. (Il. and κ 505, ο 310.)

ἡγέομαι (ἄγω), fut. -ήσομαι, aor.
-ησάμην : go before, lead the way, guide,
lead; opp. ἕπομαι, a 125 ; πρόσθεν

ἡγεῖσθαι, Ω 696 ; ὁδόν, κ 263 ; w. acc.
of the place led to, ἄστεα, ο 82 ; met.,
w. gen., ὀρχηθμοῖο, ψ 134 ; w. gen. of
persons commanded, B 567, 620, 851.

ἠγερέθομαι (ἀγείρω): assemble.

ἤγερθεν: see ἀγείρω.

ἠγηλάζω: parallel form of ἡγέομαι,
w. acc., ρ 217 ; μόρον, λ 618. (Od.)

ἡγήτωρ, ορος (ἡγέομαι): leader,
chief; freq. ἡγήτορες ἠδὲ μέδοντες, w.
ἄνδρες, Π 495.

ἠγοράασθε, ἠγορόωντο: see ἀγο-
ράομαι.

ἠδέ: and; combined, ἠδὲ . . καὶ . .
ἠδέ, τ' ἠδέ, τὲ . . ἠδέ, τὲ . . ἠδὲ καί, O
663, B 206, α 12, E 822 ; ἠδὲ καί, ' and
also,' A 334, etc. ; freq. correl. to ἠμέν,
also to μέν.

ἤδεα, ἤδη : see εἴδω (II.).

ἤδη : already, now (i a m) ; ἤδη ποτὲ
ἤλυθε, ' once before,' Γ 205 ; ἐπὶ νῆα
κατελεύσομαι ἤδη, ' at once,' α 303 ;
freq. ἤδη νῦν, A 456, O 110, Π 844.

ἥδομαι (ἡδύς): only aor. ἥσατο, was
delighted, ι 353†.

ἦδος, εος : joy, enjoyment; δαιτός, A
576, σ 404; ἡμέων ἔσσεται ἦδος, ' joy
of us,' i. e. from us, Λ 318 ; ' profit,'
' advantage,' Σ 80, ω 95. Always w.
neg. expressed or implied.

ἡδυ-επής (Ϝέπος): sweet-speaking,
A 248†.

ἡδύ-ποτος (πίνω): sweet to drink.
(Od.)

ἡδύς, εῖα, ύ (σϜηδύς). sup. ἥδιστος:
sweet, pleasant ; adv., ἡδύ, κνώσσειν,
γελᾶν, δ 809, B 270.

ἠέ (ἦε): see ἤ.

ἦε : see εἰμί.

ᾔδειν, ᾔδη, ᾔδης : see εἴδω (II.)

ἠέλιος : the sun; of rising, ἀνιέναι,
ἀνορούειν, γ 1 ; ἀνανεῖσθαι, κ 192 ;
στείχειν πρὸς οὐρανόν, λ 17 ; noon,
μέσον οὐρανὸν ἀμφιβαίνειν, Θ 68 ;
afternoon, μετανίσσειν βουλυτόνδε, Π
779 ; ἂψ ἐπὶ γαῖαν προτρέπεσθαι, λ
18 ; setting, δύειν, ἐπιδύειν, καταδύειν.
ἐμπίπτειν Ὠκεανῷ, Θ 485 ; of shining,
ἐπιλάμπειν, ἀκτῖσι βάλλειν, ἐπιδέρκε-
σθαι ἀκτίνεσσιν, also φάος ἠελίοιο,
often as typical of life, λ 93, Σ 11, 61,
δ 540 ; αὐγή, αἴγλη, μένος, Ψ 190, κ
160; epithets, ἀκάμας, λαμπρός, λευ-
κός, παμφανόων, φαεσίμβροτος. Ex-
pressions for east and west, ν 240, M
239, κ 191.—Ἠέλιος, Ἥλιος (θ 271).

Helius, the sun-god, son of Hyperion, μ 176, a 8; father of Circe, and of Phaethūsa and Lampetie, κ 138, μ 133; propitiated by sacrifice, Γ 104, T 197; oath by the sun, T 259; the kine of Helius, μ 128, 322, τ 276, ψ 329.

ἦεν : see εἰμί.

ἠέπερ : see ἤπερ.

ἠερέθομαι (ἀείρω): *flutter, float,* Φ 12; φρένες, 'are unstable,' Γ 108.

Ἠερίβοια : *Eriboea*, the second wife of Aloëus, step-mother of Otus and Ephialtes, E 389.

ἠέριος : adj., *at early morn*, always used predicatively, A 497, ι 52.

ἠερο-ειδής, ἐς (εἶδος) : *misty, murky, gray;* πόντος, σπέος, πέτρη, Ψ 744, μ 80, 233; ὅσσον δ' ἠεροειδὲς ἀνὴρ ἴδεν ὀφθαλμοῖσιν, sees 'into the dim distance,' 'through the haze,' E 770.

ἠερόεις, εσσα, εν (ἀήρ) : *cloudy, gloomy*, mostly with reference to the nether world, Θ 13, O 191, υ 64.

ἠέρος : see ἀήρ.

ἠερο-φοῖτις (φοιτάω): *walking in darkness;* Ἐρῑνύς, I 571. (Π.)

ἠερό-φωνος : *loud-voiced;* (if from ἀείρω) 'raising the voice,' (if from ἀήρ) 'sending the voice abroad.'

Ἠετίων : *Eëtion.*—(1) king of Thebe in the Troad, the father of Andromache, Z 396, A 366.—(2) an Imbrian, a guest-friend of Priam, Φ 43.—(3) a Trojan, P 590.

ἤην : see εἰμί.

ἠθεῖος (ἔθος, ἦθος) : *familiar, beloved, dear;* usually the voc., ἠθεῖε, also ἠθείη κεφαλή, 'dear heart' we should say, Ψ 94; ἀλλά μιν ἠθεῖον καλέω, 'dear master,' ξ 147.

ἦθος (Ϝῆθος), pl. ἤθεα : *accustomed places, haunts,* Z 511; of 'pens,' ξ 411.

ἤϊα, ἦα : (1) *provisions, food,* N 103. (Od.)—(2) gen. ἠΐων θημῶνα, *heap of chaff,* ε 368†.

ἤϊε : see εἰμί.

ἠΐθεος : *unmarried youth, bachelor;* παρθένος ἠΐθεός τε, Σ 593, λ 38.

ἤϊκτο : see ἔοικα.

ἤϊξε : see ἀΐσσω.

ἠϊόεις, εσσα : doubtful word, *with changing banks,* E 36†. (The above interpretation assumes a derivation from ἠών, some rivers like the Scamander, in warm countries, with their

sources in neighboring mountains, have in consequence of rains a broad rugged bed out of proportion to the ordinary size of the stream, and banks ragged and often high.)

ἤϊον : see εἰμί.

Ἠϊόνες : name of a sea-port in Argolis, B 561†.

Ἠϊονεύς : (1) father of the Thracian king Rhesus, K 435. — (2) a Greek, slain by Hector, H 11.

ἤϊος : epithet of Apollo in the apostrophe, ἤϊε Φοῖβε, O 365, Υ 152; perhaps 'far-darting' (ἵημι).

ἤϊσαν : see εἰμί.

ἤϊχθη : see ἀΐσσω.

ἠϊών, όνος : *sea-bank, shore,* M 31, ζ 138.

ἦκα (Ϝῆκα): *gently, softly, slightly,* Υ 440, Σ 596, υ 301.

ἧκα : see ἵημι.

ἤκαχε : see ἀκαχίζω.

ἠκέσσατο : see ἀκέομαι.

ἤ-κεστος (κεντέω) : *ungoaded,* hence *untamed,* Z 94. (Il.)

ἤκιστος (Ϝῆκα) : *slowest, most sluggish,* Ψ 531†.

ἥκω : *am come,* E 478, ν 325.

ἠλάκατα, pl.: *wool,* or *woollen thread* on the distaff; στρωφῶσα, στροφαλίζετε, 'ply the distaff,' σ 315. (Od.) (See the first of the cuts below.)

ἠλᾰκάτη : *spindle,* Z 491. (Od.) (See the cuts, representing distaff and spindles.)

ἤλασα, ἠλασάμεσθα : see ἐλαύνω.

ἠλασκάζω (ἠλάσκω) : *wander about;* trans., ἐμὸν μένος, 'try to escape' by dodging, ι 457.

ἠλάσκω (ἀλάομαι) : *prowl about, swarm about,* M 104, B 470.

ἠλᾶτο : see ἀλάομαι.

ἤλδανε : see ἀλδαίνω.

ἠλέ: see ἠλεός.

'Ηλεῖοι: the Eleans, inhabitants of Elis, Λ 671†.

ἤλεκτρον: amber, δ 73. (Od.)

ἠλέκτωρ: beaming (sun), with and without Ὑπερίων, Τ 398, Ζ 513. (Il.)

ἠλεός, ἡλός: crazed, infatuated, with φρένας, Ο 128, β 243; in active sense, οἶνος, ξ 464.

ἠλήλατο: see ἐλαύνω.

ἠλίβατος: towering, lofty, ι 243, Ο 273.

ἤλιθα (ἅλις): sufficiently, always ἤλιθα πολλή(ν), 'very much' (satis multum), Λ 677, ε 483.

ἡλικίη (ἧλιξ): time of life, age; for concrete, mates, fellows, Π 808. (Il.)

ἧλιξ, ικος: pl., equal in age, σ 373†.

ἥλιος: see ἠέλιος.

'Ηλις, ιδος: Elis, a division of the Peloponnēsus on the west coast, inhabited in the north by Epeians, in the south by Achaeans, Β 316, δ 635.

ἤλιτε: see ἀλιταίνω.

ἠλιτό-μηνος (ἀλιτεῖν, μήν): untimely born, Τ 118†.

ἤλκησε: see ἑλκέω.

ἧλος: pl., nails, studs, only used for ornamentation, Α 246, Λ 29, 633. (Il.)

ἤλυθον: see ἔρχομαι.

'Ηλύσιον πεδίον: the Elysian fields, the abode of the blest, δ 563 ff.

ἤλφον: see ἀλφάνω.

ἤλω: see ἁλίσκομαι.

ἠλώμην: see ἀλάομαι.

'Ηλώνη: a city in Phthiōtis, Β 739†.

ἦμα, ατος (ἵημι): throw; ἤμασιν ἄριστος, best 'at javelin-throwing,' Ψ 891†.

'Ημαθίη: Emathia, the ancient name of Macedonia, Ξ 226†.

ἠμαθόεις (ἄμαθος): sandy, epithet of Pylos.

ἧμαι, ἧσ(αι), ἧσται, ἤμεθα, ἧσθε, ἔαται and εἴαται, imp. ἧσο, inf. ἧσθαι, part. ἥμενος, ipf. ἥμην, ἧστο, ἥσθην, ἥμεθα, ἧντο and ἔατο and εἴατο: sit; often w. a part. to denote some condition of mind or body, ἧστο ὀδυρόμενος, θαυμάζων, ὀλιγηπελέων, etc.; and, in general, the verb may denote a settled condition of any sort, 'stay,' 'keep,' ἑκὰς ἥμεθα πατρίδος αἴης, Ο 740, Ω 542; σιγῇ, ἀκέουσα, σιωπῇ ἧσο, Δ 412.

ἦμαρ, ατος: day; divided by Homer into ἠώς, μέσον ἦμαρ, and δείλη, Φ

111, η 288; ἦμαρ χειμέριον, ὀπωρῑνόν, also αἴσιμον, μόρσιμον ἦμαρ, νηλέες ἦμαρ, νόστιμον ἦμαρ, δούλιον and ἐλεύθερον ἦμαρ, mostly poetic periphrases for the noun implied in the adj.; ἤματα πάντα, ἐπ' ἤματι (see ἐπί), πᾶν, πρόπαν ἦμαρ, freq. formula ἤματι τῷ ὅτε.

ἡμάτιος: by day, β 104; daily, Ι 72.

ἤμβροτον: see ἁμαρτάνω.

ἡμεῖς and ἄμμες, gen. ἡμέων and ἡμείων, dat. ἡμῖν and encl. ἡμιν, also ἄμμι(ν), acc. ἄμμε, ἡμέας (encl. ἧμας, π 372): we, us.

ἠμέν: always in correlation, usually with ἠδέ, both . . (and), as well . . (as), Β 789, ξ 193; also correl. to δέ, καί, or τέ, Μ 428, Ο 664, θ 575.

ἡμέρη, pl. ἡμέραι: day; other forms than the nom. are supplied by ἦμαρ.

ἡμερίς (ἥμερος): cultivated (not wild) vine, ε 69†.

ἥμερος: tame, domesticated, ο 162†.

ἡμέτερος (ἡμεῖς): our, ours; ἐφ' ἡμέτερα νέεσθαι, Ι 619; adv., ἡμέτερόνδε, homeward, home.

ἡμί: only ipf., ἦ (dixit), at the beginning of the verse, and regularly foll. by καί and a verb expressing action; ἦ ῥα, καὶ ἐκ χειρὸς χεῖρα σπάσατ' 'Αντινόοιο, 'he spoke,' and drew his hand away, β 321, Γ 355; in slightly different combination, σ 356, Ζ 390.

ἡμι-: half- (semi-), in composition.

ἡμι-δαής (δαίω): half-burnt, Π 294†.

ἡμί-θεος: demi-god, pl., Μ 23†.

ἡμι-όνειος: of mules; ἄμαξα, ζυγόν, mule-wagon, mule-yoke, ζ 62, Ω 268.

ἡμί-ονος (ὄνος): mule; the name designates the hybrid, cf. οὐρεύς.—As adj., Ψ 266.

ἡμι-πέλεκκον (πέλεκυς): half-axe, one-edged axe. (Il.)

ἥμισυς, σεια, συ: half; sing. only neut. as subst., Ζ 193, Ι 579, 580; pl., ἡμίσεες λᾱοί, Φ 7, γ 155, 157; gen. ἡμίσεων πλείους, ω 464.

ἡμι-τάλαντον: half a talent, half a pound (gold), Ψ 751, 796.

ἡμι-τελής: half-finished, Β 701†.

ἦμος: when, at the time when, always at the beginning of a verse, exc. μ 439; followed in the apod. by τῆμος, δὴ τότε, δή. καὶ τότ' ἔπειτα.

ἡμύω, aor. ἤμυσα: nod, bow, droop; with κάρη or καρήατι, Θ 308, Τ 405; of a field of grain, ἐπί (adv.) τ' ἠμύει ἀσταχύεσσιν, 'nods its heads to the breeze,' B 148; fig. of cities, 'sink to earth,' B 373, Δ 290.

ἤμων, ονος (ἵημι): *darter;* ἤμονες ἄνδρες, 'javelin men,' Ψ 886†.

ἤν (εἰ, ἄν): *if;* for constructions see εἰ, ἄν, κέν. Sometimes called 'interrogative,' 'in case that,' α 282, and often. For ἤνπερ, ἤν που, ἤν πως, see the several particles.

ἠναίνετο: see ἀναίνομαι.

ἤνεικα, ἤνείκατο: see φέρω.

ἠνεμόεις, εσσα, εν (ἄνεμος): *windy, breezy, airy,* of towns, trees, and mountain-tops.

ἡνία, pl.: *reins;* often adorned with gold or ivory, σῖγαλόεντα, E 226.

ἡνίκα: *when, at the time when,* χ 198†.

Ἡνιοπεύς: son of Thebaeus, a charioteer of Hector, slain by Diomed, Θ 120†.

ἡνιοχεύς, ῆος=ἡνίοχος. (Il.)

ἡνιοχεύω: *be charioteer, hold the reins, drive.*

ἡνί-οχος (ἡνία, ἔχω): *holding the reins,* θεράπων, E 580; *charioteer.* The charioteer usually stood at the left of the πρόμαχος. (Among the Assyrians, as shown by the cut, the warrior, armed with a bow, had also a second attendant as shield-bearer with himself on the chariot. The Egyptian monuments represent only one warrior or triumphing king upon the war-chariot.)

ἠνίπαπε: see ἐνίπτω.

ἤνις, ιος, acc. pl. ἤνῑς: *a year old, yearling;* thus the word was understood by the ancients.

ἤνον: see ἄνω.

Ἠνοπίδης: *son of Enops,* Satnius, Ξ 444†.

ἠνορέη (ἀνήρ), dat. ἠνορέηφι: *manliness, manly courage, prowess.*

ἤνοψ, οπος (Ϝῆνοψ): *bright, gleaming,* χαλκός.

Ἦνοψ: (1) a Mysian, the father of Satnius and Thestor, Ξ 445.—(2) father of Clytomēdes, from Aetolia, Ψ 634.

ἤνπερ: see ἤν and πέρ.

ἤντεον: see ἀντάω.

ἤντο: see ἧμαι.

ἤνυτο: see ἀνύω.

ἠνώγεα, ἠνώγει: see ἄνωγα.

ἤξε: see ἄγνῡμι.

ἠοῖος (ἠώς): fem. ἠοίη, as subst., *morning, dawn,* δ 447; adj., *eastern* (opp. ἑσπέριοι), *Oriental,* ἄνθρωποι, θ 29.

ἦος: see ἕως.

ἦπαρ, ατος: *liver.*

ἤπαφε: see ἀπαφίσκω.

ἠπεδανός: *feeble, weakly.*

ἤπειρος: *land* (terra firma), as opp. to the sea, Α 485, ε 56; *mainland,* as opp. to the islands, B 635, ω 378;

51

designating inland as opp. to coast, ι
49.— ἤπειρόνδε : *landwards, toward
the land, inland.*

ἤπερ, ἠέπερ : see ἤ, ἠέ.

ἤπερ : see ὅσπερ.

ἠπεροπεύς, ῆος, and ἠπεροπευτής,
deceiver, seducer, λ 364†, Γ 39 and N
769.

ἠπεροπεύω : *talk with intent to de-
ceive, cajole, seduce.*

ἠπιό-δωρος : *kindly giving, bounti-
ful,* Z 251†.

ἤπιος : *mild;* of persons, remedies,
Δ 218, counsels, Δ 361.

ἠπύτα (for ἠπύτης, ἠπύω): *loud-
calling, loud-voiced,* H 384†.

Ἠπυτίδης : *son of Epytus,* Periphas,
a Trojan, P 324†.

ἠπύω : *call afar, hail,* τινά, ι 399, κ
83; 'resound,' 'pipe,' of the lyre, and
wind, ρ 271, Ξ 399.

ἦρα (Ϝῆρα) : only with φέρειν, *favor,
gratify, humor,* θῡμῷ, 'the impulse,'
Ξ 132; also w. ἐπί, μητρὶ φίλῃ ἐπὶ
Ϝῆρα φέρων, A 572, 578.

Ἡρακλείδης : *son of Heracles.*—(1)
Tlepolemus, B 653.—(2) Thessalus, B
679.

Ἡρακλέης, gen. Ἡρακλῆος : *Hera-
cles,* son of Zeus and Alcmēna, T 98;
his celebrated labors, Θ 362, λ 623, φ
26; he destroys the Troy of Laome-
don, and conquers Pylos, Υ 145, E 642,
Λ 689 ff., cf. E 392, 397; his death,
and his shade, Σ 117, λ 601. Heracles
was celebrated in song as a national
hero before the time of Homer, λ 602,
267. Epithets, θεῖος, θρασυμέμνων,
κρατερόφρων, καρτερόθῡμος.

Ἡράκλειος : *of Heracles,* only in
the periphrasis βίη Ἡρᾱκληείη (see
βίη).

ἤραρε : ἀραρίσκω.

ἤρατο : see ἄρνυμαι.

ἠρᾶτο : see ἀράω.

Ἥρη : *Hera,* daughter of Cronus
and Rhea, sister and spouse of Zeus,
see Ξ 201 ff. The perpetual jarring of
Zeus and Hera in Olympus, described
with humor in the Iliad, but as too
serious to be trivial, A 568, O 14 ff.
Hera is the friend of the Greeks and
enemy of the Trojans. Her children,
Ares, Hephaestus, Hebe, Eilithyia; fa-
vorite haunts, Argos, Mycēnae, Sparta,
Δ 51 f. Epithets, Ἀργείη, Βοῶπις πό-

τνια, πρέσβα θεά, Διὸς κυδρὴ παράκοι-
τις, ἠύκομος, λευκώλενος, χρῡσόθρονος,
χρῡσοπέδιλος, besides many uncom-
plimentary titles applied to her by
Zeus.

ἠρήρει : see ἀραρίσκω.

ἠρήρειστο : see ἐρείδω.

ἦρι : *at early morn.*

ἠρι-γένεια : *early born,* epith. of
ἠώς. As subst. = Eos, *child of dawn,*
χ 197.

ἤρικε : see ἐρείκω.

ἤριον : *sepulchral mound,* Ψ 126†.

ἤριπε : see ἐρείπω.

ἤρυγε : see ἐρεύγομαι.

ἠρῶ : see ἀράω.

ἠρώησαν : see ἐρωέω.

ἥρως, gen. ἥρωος and ἥρῶος, dat.
ἥρωι and ἥρῳ, acc. ἥρω(α): *hero, war-
rior;* a title of honor for the free and
brave; alone as subst., A 4, K 179; in
address, Υ 104, K 416; w. Δαναοί,
Ἀχαιοί, likewise with single names, Δ
200, β 15, Φ 163; joined w. θεράποντες
Ἄρηος, B 110; γέρων, η 155. Never
= demigod.

ἧσαι : see ἧμαι.

ἥσατο : see ἥδομαι.

ἥσειν : see ἵημι.

ἧσθα : see εἰμί.

ἥσκειν : see ἀσκέω.

ἧσο : see ἧμαι.

ἥσσων, ἧσσον, ονος : *inferior.* —
Neut. as adv., *less.*

ἧσται : see ἧμαι.

ἥστην : see εἰμί.

ἡσυχίη : *peace, quiet,* σ 22†.

ἥσυχιος : *in quiet,* Φ 598†.

ἠσχυμμένος : see αἰσχύνω.

ἠτε, ἤ τε : or, T 148; *than,* π 216;
usu. in correlation, ἤτε . . ἤτε, *whether
. . or, either . . or* (sive . . sive).

ἦτε, ἤ τε : see ἤ.

ἠτιάασθε, ἠτιόωντο : see αἰτιάομαι.

ἤτοι (ἤ τοι): *verily, to be sure,* par-
ticle of asseveration (see ἤ), and an-
tithesis, not always to be translated;
in correlation ἤτοι . . αὐτάρ differs
from μὲν . . δέ only in so far as disyl-
labic and initial words must necessa-
rily have more weight than monosyl-
labic and postpositive ones. As αὐ-
τάρ, q. v., often correlates to μέν, so
ἤτοι may be followed by δέ, A 68, and
often. Freq. ἀλλ' ἤτοι, also ἤτοι μέν,
A 140, 211, Π 451.

ἦτορ, οηος: *heart*, B 490, K 93; always fig., as typical of life, or thought, or feeling; ἐν δέ τέ οἱ κραδίῃ στένει ἄλκιμον ἦτορ, Υ 169.

ἠϋ-γένειος (γένειον): *strong-bearded;* epith. of the lion, O 275, δ 456.

ηὔδᾱ: see αὐδάω.

ἠΰ-κομος (κόμη): *fair-haired*, epith. of goddesses and women. (Il. and μ 389).

ἠΰς: see ἐΰς.

ἤνσε: see αὔω.

ἠΰτε: *as, like, as when*, Δ 277, Α 359, Β 87.

῞Ηφαιστος: *Hephaestus* (V u l c a-n u s), the son of Zeus and Hera, the god of fire and of arts which need the aid of fire: in the Iliad married to Charis, Σ 382 ff., but in the Odyssey to Aphrodīte, θ 266 ff. His works are the houses of the gods on Olympus, the armor of Achilles, the sceptre and aegis of Zeus, etc. Epithets, ἀμφιγυήεις, κυλλοποδίων, χαλκεύς, κλυτοτέχνης, κλυτόεργος, κλυτόμητις, πολύφρων, περίκλυτος, πολύμητις. The

name ῞Ηφαιστος is used by personification for the element which he represents, B 426, cf. I 468.

ἦφι (σϜῆφι)=ῇ, see ὅς, ἑός.

ἠχή (Ϝηχή): resounding, echoing noise, roar; of voices (compared to the waves), wind, B 209, Π 769; freq. ἠχῇ θεσπεσίῃ, γ 150.

ἠχήεις, εσσα, εν (Ϝηχή): *sounding, echoing, roaring*, δ 72, Α 157.

ἤχθετο: see (1) ἄχθομαι.—(2) ἔχθομαι.

ἧχι: *where*.

ἠῶθεν (ἠώς): *in the morning*, Λ 555, α 372; *to-morrow morning*, Σ 136, Τ 320, α 372.

ἠῶθι: always with πρό (q. v.), *early in the morning*, Λ 50.

ἠώς, ἠοῦς, ἠοῖ, ἠῶ: *dawn, morning*, Φ 111; for *day*, Ω 31; *east*, ι 26.—᾽Ηώς, *Eos* (A u r o r a), consort of Ti-thōnus, cf., however, ε 121, ο 250. Mother of Memnon, δ 188; her abode, μ 3, Λ 1, Τ 1, χ 197. Epithets, ἠριγένεια, ῥοδοδάκτυλος, δῖα, ἐΰθρονος, κροκόπεπλος, χρυσόθρονος.

Θ.

θαάσσω, inf. -έμεν, ipf. θάασσε: *sit*. (Il. and γ 336.)

θαιρός: *hinge*, pl., M 459†. (See cuts from Egyptian originals; also under ἐπιβλής, No. 35.)

52

θαλάμη: *bed, hole*, of an animal, ε 432†.

θαλαμη-πόλος (πέλομαι): *chamber-maid*. (Od.)

θάλαμος: the rear portion of the house, hence any *room, chamber* there-

in; e. g. women's chamber, δ 121; room for weapons, τ 17; store-room, β 337; bedchamber, Γ 423.—θάλαμόνδε, *to the chamber*. (See table III., at end of volume.)

θάλασσα: *the sea*.

θαλάσσιος: *of the sea;* θαλάσσια Ϝέργα, 'business on the sea,' navigation, fishing, B 614, ε 67.

θάλεα, pl.: *good cheer*, Χ 504†.

θαλέθω: parallel form of θάλλω, ψ 191; fig., ζ 63; ἀλοιφῇ, 'teeming,' 'loaded' with fat, I 467, Ψ 32.

θάλεια: fem. adj., δαίς, *bounteous, plentiful* repast.

Θάλεια ('Bloomer'): a Nereid, Σ 39†.

θαλερός (θάλλω): *swelling, blooming;* with reference to growth, μηρώ, χαίτη, 'lusty,' 'thick,' O 113, P 439; the freshness of youth, παράκοιτις, γάμος, Γ 53, ζ 66; 'rich' fat, θ 476;

'big,' 'bursting,' tear, sobs, B 266, κ 457 ; the 'full,' 'swelling ' voice, δ 705.

θαλίη : *abundance, prosperity ;* pl., *good cheer,* λ 603.

θαλλός : collectively, *twigs* for fodder, ρ 224†.

θάλλω, perf. part. τεθηλώς, τεθαλυῖα, plup. τεθήλει : *swell, teem, bloom ; σταφυλῇσιν,* ε 69 ; *φύλλοισι,* μ 103 ; *ἀλοιφῇ,* I 208 ; freq. the part. as adj. w. *ἀλωή, ὀπώρη, ἐέρση,* etc. Cf. *θαλερός.*

θάλος : *scion,* only metaph., X 87, ζ 157.

θαλπιάω (θάλπος) : *be warm,* part., τ 319†.

Θάλπιος : son of Eurytus, a leader of the Epeians, B 620†.

θάλπω : *warm, warm up.* (Od.)

θαλπωρή : *warming,* met., *comfort.*

θαλύσια, pl. (θάλλω) : *offering of first fruits, harvest offering,* I 534†.

Θαλῡσιάδης : *son of Thalysius,* Echepōlus, Δ 458†.

θάμα : *frequently, often.*

θαμβέω (root θαπ), aor. θάμβησα : *be astonished* or *wonder at, gaze upon with wonder,* β 155, Ω 483.

θάμβος, ευς : *wonder, astonishment.*

θαμέες, θαμειαί (θάμα), dat. θαμέσι, θαμειαῖς, acc. θαμίας : *frequent, thick; σταυροὶ πυκνοὶ καὶ θαμέες,* 'thick set and numerous,' ξ 12.

θαμίζω : *come* or *go* or *do frequently, resort to;* w. part. *οὔ τι κομιζόμενός γε θάμιζεν* = *οὐ θάμα ἐκομίζετο.*

θάμνος : *thicket, bush ;* of the leaves and branches of an olive-tree, ψ 190.

Θάμυρις : *Thamyris,* a Thracian bard vanquished and blinded by the Muses, B 595†.

θάνατος : *death; θάνατόνδε, to death,* Π 693. — Personified, *Death,* twin-brother of Sleep, Ξ 231.

θανέειν : see θνήσκω.

1. θάομαι, aor. opt. 3 pl. θησαίατο : *admire,* σ 191†.

2. θάομαι, inf. θῆσθαι, aor. θήσατο : *suck,* Ω 58 ; *milk,* δ 89.

θαπ- or **ταφ-,** perf. w. pres. signif. τέθηπα, part. -πώς, ότες, ότας, plup. ἐτεθήπεα, aor. 2 part. ταφών : *wonder, be amazed at, be dazed,* Δ 243.

θάπτω, aor. θάψαν, pass. plup. ἐτέθαπτο : *inter, bury.*

θαρσαλέος (θάρσος), comp. -εώτερον :

courageous, daring, bold; in bad sense, ρ 449.—Adv., **θαρσαλέως.**

θαρσέω (θάρσος), aor. θάρσησε, perf. τεθαρσήκᾱσι : *be bold, confident, full of courage,* aor., *take courage,* A 92, γ 76 ; w. acc. of specification, θ 197.

θάρσος, εος : *courage, confidence, boldness, audacity.*

θάρσυνος : *confident, relying upon* (τινί), N 823.

θαρσύνω, ipf. iter. θαρσύνεσκε, aor. θάρσυνα : *encourage.*

θάσσων : see ταχύς.

θαῦμα : a *wonder, marvel; θαῦμα ϝιδέσθαι,* E 725, ζ 306 ; *wonder, amazement, θαῦμά μ' ἔχει,* κ 326.

θαυμάζω, ipf. iter. θαυμάζεσκον, fut. θαυμάσσεται, aor. subj. θαυμάσωσι : *wonder, admire.*

θαυμαίνω, fut. part. θαυμανέοντες = θαυμάζω, θ 108†.

Θαυμακίη : a town in Magnesia, under the rule of Philoctētes, B 716†.

θεά, θεᾶς, dat. pl. θεαῖς, θεῇς, θεῇσιν : *goddess.*

θέαινα = θεά, only pl.

Θεᾱνώ : *Theāno,* daughter of Cisseus, and wife of Antēnor, a priestess of Athēna in Troy, Z 302.

θέειον and **θήιον** (Att. θεῖον) : *sulphur,* used for fumigation and purification, hence called *κακῶν ἄκος,* χ 481 ; 'sulphurous fumes,' μ 417.

θεειόω (Att. θειόω) : *fumigate with* sulphur, mid., ψ 50.

θεῖεν : see τίθημι.

θειλόπεδον : *drying-place,* a sunny spot in the vineyard where grapes were dried, η 123†.

θεῖμεν, θεῖναι : see τίθημι.

θείνω, inf. θεινέμεν(αι), subj. θείνῃ, aor. ἔθεινε, θεῖνε, part. θείνᾱς, pass. pres. part. θεινόμενος : *strike.*

θείομεν : see τίθημι.

θεῖος (θεός) : *of the gods, god-like, sacred ;* of anything belonging or related to, given or sent by, the gods, *γένος* (the Chimaera), Z 180 ; *ὄνειρος,* B 22 ; also of things consecrated to them or under their protection, *χορός,* θ 264 ; *κῆρυξ,* Δ 192 ; *ἀοιδός, α* 336 ; then of persons, *θεῖοι βασιλῆες, δ* 691 ; and even of things excellent in a high degree, *ποτόν, β* 341 ; *δόμος, δ* 43.

θείω : see (1) θέω.—(2) τίθημι.

θέλγω, ipf. θέλγε, iter. θέλγεσκε, fut

θέλξω, aor. ἔθελξα, pass. pres. opt. θέλ-
γοιτο, aor. 3 pl. ἔθελχθεν: *charm, en-
chant;* Hermes with his magic wand,
ἀνδρῶν ὄμματα θέλγει, 'charms' their
eyes, 'entrances,' puts them to sleep, Ω
343, ε 47 ; so Poseidon casts a blind-
ness upon Alcathous, θέλξ ἃς ὄσσε
φαεινά, N 435 ; usually in a bad sense,
of 'bewitching,' 'beguiling,' νόον, θῡ-
μόν, M 255, O 322 ; ἐπέεσσιν, ψεύδεσσι,
δόλῳ, γ 264, Φ 276, 604; of love,
pass., σ 612 ; rarely in good sense, ρ
514, 521.

θελκτήριον (θέλγω): any means of
charming or winning, *spell, charm;*
attributed to the girdle of Aphrodīte,
ἔνθα τέ οἱ θελκτήρια πάντα τέτυκτο, Ξ
215 ; of songs, θελκτήρια βροτῶν (obj.
gen.), α 337 ; and of the Trojan
Horse, a winsome offering to the
gods, θ 509.

θέμεθλα and θεμείλια (τίθημι), pl. :
foundations, base; 'roots,' 'bed,' στο-
μάχοιο, ὀφθαλμοῖο, P 47, Ξ 493.

θέμεν(αι): see τίθημι.

θέμις, θέμιστος (τίθημι): old (estab-
lished) *law, right* by custom or usage ;
ἦ θέμις ἐστίν, 'as is right'; ἦ θέμις
ἀνθρώπων πέλει, 'the old way' of
mankind, I 134.—Pl., θέμιστες, *ordi-
nances, decrees, prerogatives;* Διός, π
403, cf. A 238 ; κρίνειν, Π 387 ; τελεῖν,
as 'dues,' 'tribute,' I 156, 298.—Per-
sonified, *Themis,* β 68, Υ 4, O 87, 93.

θεμιστεύω (θέμις): *be judge for* or
over, judge; τινί, λ 569 ; τινός, ι 114.

θεμόω: only aor., θέμωσε, *caused,* w.
inf., ι 486 and 542.

-θεν: a suffix forming an ablatival
genitive; of place, Τροίηθεν, οἴκοθεν,
ἄλλοθεν, 'from Troy,' 'from home,'
'from elsewhere,' and with preposi-
tions, ἀπὸ Τροίηθεν, ι 38 ; ἐξ ἀλόθεν,
Φ 335 ; less often of persons, Διόθεν,
θεόθεν, 'from Zeus,' 'from a god.'

θέναρ, αρος: *flat of the hand,* E
339†.

θέο: see τίθημι.

θεό-δμητος (δέμω): *god-built,* Θ
519†.

θεο-ειδής, ές (Ϝεῖδος): *god-like, beau-
tiful as the gods.*

θεο-είκελος (Ϝείκελος): *like the gods,
god-like,* of persons.

θεόθεν: *from a god, from God,* π
447†.

5*

Θεοκλύμενος: a seer in Ithaca, ο
256, υ 350.

θεο-προπέω: *prophesy,* only part.

θεο-προπίη and θεοπρόπιον (II.) :
prophecy, oracle.

θεο-πρόπος: one who reveals and
interprets the will of the gods, *seer,
prophet;* as adj., N 70.

θεός, gen. and dat. pl. θεόφιν: *god*
(or *goddess*); of individual divinities,
and collectively, *the deity, God,* σὺν
θεῷ, ἄνευ θεοῦ, etc. Forms of the pl.
are often to be read with synizesis,
e. g. θεοῖσιν, ξ 251.

θεουδής (θεός, δϜέος): *god-fearing,
pious.* (Od.)

θεραπεύω (θεράπων): *be servant to,
serve, defer to,* ipf., ν 265†.

θεράπων, οντος: *attendant, comrade
at arms* (esquire, not servant), cf. λ
255, B 110, δ 23.

θερέω: see θέρω.

θερμαίνω, aor. subj. θερμήνῃ: *warm,
heat;* pass., *get hot,* ι 376.

θερμός: *warm, hot.*

θέρμω, imp. θέρμετε: = θερμαίνω,
pass., Ψ 381.

θέρος, εος: *warm season, summer*
(opp. ὀπώρη, *late summer*), μ 76.

Θερσίλοχος: (1) a Trojan, P 216.
—(2) a Paeonian, slain by Achilles, Φ
209.

Θερσίτης: *Thersites,* the ugliest
Greek before Troy, and a brawler (as
his name indicates), B 212 ff.

θέρω, pass. pres. inf. θέρεσθαι, aor.
ἐθέρην, subj. θερέω, mid. fut. part. θερ-
σόμενος: *warm, be warm, warm one-
self;* πυρός, 'by the fire,' ρ 23 ; 'burn,'
πυρός, 'with fire,' Z 331, Λ 667.

θές: see τίθημι.

θέσκελος (θεός): *supernatural,* fig.,
wondrous; ἔργα, λ 374, 610. — Adv.,
θέσκελον, *wonderfully,* Ψ 107.

θεσμός (τίθημι): *site, place,* ψ 296†.

Θέσπεια: a town in Boeotia, B
498†.

θεσπέσιος (θεός, root σεπ, ἔσπετε):
divinely uttered or *uttering* (θεσπεσίῃ,
'by divine decree,' B 367), *divine;*
ἀοιδή, B 600 ; Σειρῆνες, 'heavenly-
singing,' μ 158 ; βηλός, 'of heaven,' A
591 ; then of anything *prodigious,
vast, wondrous, mighty,* a storm, clam-
or, panic, etc. — Adv., θεσπεσίως, O
637.

θεσπι-δαής, ές (δαίω 1): *prodigiously* or *fiercely blazing*, πῦρ. (Il. and δ 418).

θέσπις, ιος (cf. θεσπέσιος): *inspired, divine*; ἀοιδή, ἀοιδός, α 328, θ 498, ρ 385.

Θεσπρωτοί: the *Thesprotians*, a tribe dwelling about Dodōna in Epīrus, π 427; their king Pheidon, ξ 316. (Od.)

Θεσσαλός: a son of Heracles, father of Pheidippus and Antiphus, B 679†.

Θεστορίδης: *son of Thestor.*—(1) Calchas, the seer, A 69.—(2) Alcmāon, M 394.

Θέστωρ: (1) the father of Calchas. —(2) father of Alcmāon.—(3) son of Enops, slain by Patroclus, Π 401†.

θέσ-φατος (θεός, φημί): *declared or decreed by God*, Θ 477, δ 561; *divine* (miraculous), ἀήρ, η 143; as subst., θέσφατον, *decree of heaven, fate, oracle*.

Θέτις: *Thetis*, a Nereid, married to Peleus, and the mother of Achilles, Σ 431 ff., Ω 62, cf. Α 502 ff., 397 ff. Epithets, ἀλοσύδνη, ἀργυρόπεζα, ἠύκομος, καλλιπλόκαμος, τανύπεπλος.

θέω, θείω, inf. θείειν, ipf. ἔθεε, θέε, ἔθει, iter. θέεσκον, fut. 2 sing. θεύσεαι, inf. θεύσεσθαι: *run;* often the part. joined to other verbs, ἦλθε θέων, etc.; said of ships, the potter's wheel, Σ 601; a vein, Ν 547; and otherwise figuratively.

θεώτερος: *divine, for the gods*, i. e. rather than for men, of the *two* entrances (cf. θηλύτερος), πύλαι, ν 111†.

Θῆβαι, ῶν, and **Θήβη**: *Thebes* or *Thebē.*—(1) the city in Boeotia, founded by Cadmus and fortified by Amphīon and Zethus, epithets ἑπτάπυλος, ἐυστέφανος, πολυήρατος. — (2) Egyptian Thebes, on the Nile, called ἑκατόμπυλαι, I 381, δ 126.—(3) a city in the Troad, at the foot of Mt. Placus, the residence of king Eetion, A 366, Z 397.

Θήβασδε: *to Thebes*, Ψ 679.

Θηβαῖος: (1) *a Theban.*—(2) name of the father of Eniopeus, Θ 120.

θήγω, mid. aor. imp. θηξάσθω: *whet, sharpen*, mid., something of one's own, B 382.

θηέομαι (Att. θεάομαι), opt. 2 sing. θηοῖο, ipf. θηεῖτο, ἐθηεύμεθα, θηεῦντο, aor. 2 sing. θηήσαο, opt. θηήσαιο: *gaze*

at, behold with admiration or delight; joined with θαμβεῖν, θαυμάζειν, Ψ 728, Θ 265.

θήης: see τίθημι.

θηητήρ (θηέομαι): *beholder*, i. e. *fancier;* τόξων, φ 397†.

θήιον: see θέειον.

θήλεας: see θῆλυς.

θηλέω = θάλλω, w. gen. of fulness, ε 73†.

θῆλυς, θήλεια, θῆλυ (also w. two endings): *female;* αὐτή, i. e. of women's voices, ζ 122; ἐέρση, with the thought of 'nourishing,' ε 467; comp., θηλύτερος, *weaker* (of the two sexes), *weak*, Θ 520, θ 324.

θημῶν, ῶνος: *heap*, ε 368†.

θήν: *doubtless, surely now*, enclitic particle, much like δή or δήπου in prose; combined, ἦ θην, οὔ θην (δή), οὐ μὲν θην, ἐπεί θην, καὶ γάρ θην, γ 352, π 91, Φ 568.

θηοῖο: see θηέομαι.

θήρ, θηρός: *wild beast*, ε 473.

θηρευτής (θηρεύω): *hunts(man), hunting*-dog, only with ἀνδράσιν and κύνεσσιν. (Il.)

θηρεύω (θήρ): *hunt*, part., τ 465†.

θήρη (θήρ): *hunting, chase, game.*

θηρητήρ, ῆρος, and **θηρήτωρ**, ορος (θηράω): *hunter;* also as adj., M 170, Φ 252; in φ 397 the better reading is θηητήρ.

θηρίον: *wild animal, beast;* μέγα θηρίον, of a stag, κ 171.

θής, θητός: *hired laborer, day laborer*, pl., δ 644†.

θησαίατο: see θάομαι 1.

θήσατο: see θάομαι 2.

Θησεύς: *Theseus*, national hero of Athens and Attica, A 265.

θῆσθαι: see θάομαι 2.

θητεύω (θής), inf. θητευέμεν, aor. θητεύσαμεν: *be a day laborer, work for hire.*

-θι (cf. Lat. -b i): a suffix denoting the place *in which*, e. g. ἀγρόθι, ἄλλοθι. Of time in ἠῶθι.

θίς, θῑνός: *heap*, μ 45; then of the sandy shore, *strand.*

Θίσβη: a town in Boeotia, B 502†.

θλάω, aor. ἔθλασε, θλάσσε: *crush, bruise.*

θλίβω: *press, squeeze;* only mid. fut., θλίψεται ὤμους, 'will rub his shoulders,' ρ 221†.

θνήσκω, ipf. θνῆσκον, fut. inf. θανέε-
σθαι, aor. ἔθανον, θάνον, inf. θανέειν,
perf. τέθνηκα, 3 pl. τεθνᾶσι, opt. τε-
θναίην, imp. τέθναθι, -άτω, inf. τεθνά-
μεν(αι), part. τεθνηώς, τεθνηκυῖα, τε-
θνηῶτος and τεθνηότος, dat. τεθνεῶτι:
die, be killed, perf. be dead.

θνητός: mortal; subst., θνητοί, opp.
ἀθάνατοι.

Θόᾱς: (1) son of Andraemon, king
of Pleuron and Calydon in Aetolia, B
638, Δ 527.—(2) king in Lemnos, son
of Dionȳsus and Ariadne, Ξ 230.—(3)
a Trojan, slain by Menelāus, Π 311.

Θόη: a Nereid, Σ 40†.

θοινάω: only aor. pass. inf., θοινη-
θῆναι, to be entertained at the feast, δ
36†.

θόλος, οιο: rotunda, a building of
circular form, with vaulted roof, in the
court-yard of Odysseus's palace. (See
plate III., k.)

θοός (θέω): swift, quick; of night,
'swift - descending,' because night in
the countries of the Mediterranean
follows the setting of the sun more
speedily than with us (cf. β 388);
θοαὶ νῆσοι, islands 'swiftly flitting by'
and sinking in the horizon, o 299.—
Adv., θοῶς.

θοόω, aor. ἐθόωσα: make pointed,
bring to a point, ι 327†.

θόρε: see θρώσκω.

θοῦρος and θοῦρις, ιδος (θρώσκω):
impetuous, rushing.

θόωκος: see θῶκος.

Θόων: (1) a Phaeacian, θ 113.—(2)
son of Phaenops, a Trojan, slain by
Diomed, E 152.—(3) a Trojan slain by
Odysseus, Λ 422.—(4) a Trojan, com-
rade of Asi:s, slain by Antilochus, M
140, N 545.

Θόωσα: a nymph, the daughter of
Phorcys, and mother of Polyphēmus.

Θοώτης: the herald of Menestheus,
M 342.

Θράσιος: a Paeonian, slain by
Achilles, Φ 21C

θράσος = θάρσος, Ξ 416†.

Θρασύδημος: see Θρασύμηλος.

θρασυ-κάρδιος: stout-hearted. (Il.)

θρασυ-μέμνων, ονος: bravely stead-
fast (if from μίμνω), epith. of Hera-
cles, E 639 and λ 267.

Θρασυμήδης: a son of Nestor, Π
321, K 255.

Θρασύμηλος: charioteer of Sarpē-
don, Π 463†.

θρασύς, εῖα, ύ: bold, daring, confi-
dent.

θρέξασκον: see τρέχω.

θρέπτρα (= θρεπτήρια, τρέφω): re-
turn for rearing; οὐδὲ τοκεῦσιν θρέπ-
τρα φίλοις ἀπέδωκεν, 'nor did he rec-
ompense his parents for their tender
care' (since his life was cut short), Δ
478 and P 302.

θρέψα: see τρέφω.

Θρηίκιος: Thracian; πόντος, the
northern part of the Aegēan, Ψ 230;
Σάμος, Samothrace, N 13.

Θρῆιξ, ικος, Θρῇξ: inhabitant of
Thrace, Thracian; allies of the Tro-
jans.

Θρῄκη: Thrace, a region of north-
ern Greece, beyond the Penēus, trav-
ersed by the river Axius, and inhab-
ited by the Ciconians and Paeonians,
B 845, Υ 485, Λ 222.—Θρῄκηθεν, from
Thrace.—Θρῄκηνδε: to Thrace.

θρηνέω: chant or sing a dirge, ω 61;
ἀοιδήν, 'were raising the funeral song,'
Ω 722.

θρῆνος: dirge, Ω 721.

θρῆνυς, υος: footstool, either as in
cut No. 105, from an Assyrian origi-
nal, attached to the chair, or as usual
standing free; also for the feet of
rowers, or of the helmsman, in a ship,
O 729.

Θρῇξ: see Θρῆιξ.

θριγκός: coping, cornice, pl., battle-
ments, ρ 267. (Od.)

θριγκόω: only aor. ἐθρίγκωσεν,
crowned the top of the wall, to make it
impassable, with bramble - bushes, ξ
10†.

Θρῑνακίη: a fabulous island, the
pasture of the kine of Helius, μ
135; identified by the ancients with
Sicily.

θρίξ, τριχός, dat. pl. θριξί: hair,
hairs, of animals as well as men;
hence of wool, Γ 273; and bristles, Τ
254.

θρόνον, pl. θρόνα: flowers, in woven
work, X 441†.

Θρόνιον: a town of the Locrians, B
533†.

θρόνος: arm-chair, with high back
and foot - stool; cushions were laid
upon the seat, and over both seat and

back rugs were spread. (See cut, under ἄμπυξ. Cf. also Nos. 105, 106, where two chairs, from Assyrian and Greek originals, are represented.)

θρόος: *speech, tongue*, Δ 437†.

θρυλίσσω, aor. pass. θρυλίχθη : *crush*, Ψ 396†.

θρύον: *rush*, collectively, *rushes*, Φ 351†.

Θρύον and Θρυόεσσα ('Rushton'): a town in Elis, on the Alphēus, B 592, Λ 711.

θρώσκω, ipf. θρῶσκον, aor. ἔθορον, θόρον, part. θορών: *spring, leap up*, freq. in hostile sense with ἐπί or ἐν, Θ 252, E 161 ; also fig., of arrows, plants, lots, etc.

θρωσμός (θρώσκω): πεδίοιο, *rise or elevation* of the plain of the Scamander, K 160. (Il.)

θυγάτηρ, gen. θῡγατέρος and θυγατρός: *daughter*.

θνέεσσιν: see θύος.

θύελλα (θύω): *blast, gust, squall; πυρὸς ὀλοοῖο*, from volcanic islands, μ 68, 202, 219 ; figuratively assumed as the agency causing the sudden disappearance of lost persons (cf. ἅρπυια, ν 63, δ 515.

Θυέστης : *Thyestes*, the brother of Atreus, and father of Aegisthus, δ 517, B 107.

Θυεστιάδης : *son of Thyestes*, Aegisthus, δ 518.

θυήεις (θύος): *smoking with incense, fragrant*.

θυηλή (θύω): the part of the victim to be burned, *sacrificial offering*, pl., I 220†.

θῡμ-αλγής, ες (ἄλγος): *heart-grieving, distressing*.

θῡμ-ᾱρής, ές : *pleasing to the heart, dear, welcome*.

Θυμβραῖος: a Trojan, slain by Diomed, Λ 320†.

Θύμβρη: a region or a plain bordering on the Thymbrius, a branch of the Scamander, X 430†.

θῡμ-ηγερέω (ἀγείρω): *collect or rally the life* in one, *recover*, η 283†.

θῡμ-ηδής, ές (ἧδος): *delighting the heart, agreeable*, π 389†.

θυμ-ηρής, ές = θῡμᾱρής, 'to suit the feelings,' κ 362†.

θυμο-βόρος (βιβρώσκω): *heart-gnawing, ἔρις*. (Il.)

θῡμο-δακής, ές (δάκνω): *heart-stinging, cutting*, θ 185†.

Θυμοίτης : a Trojan chief, Γ 146†.

θῡμο-λέων, οντος : *lion-hearted*, E 639.

θῡμο-ραϊστής, ες (ῥαίω): *life-destroying*. (Il.)

θῡμός (θύω): *heart, soul, life*, the seat of emotion, reason, and of the vital principle itself ; an extremely common and highly characteristic word in Homer, often employed where no equivalent is called for in modern speech. Of life, θῡμὸν ἀφελέσθαι, ὀλέσαι, θῡμὸν ἀποπνείειν, ἐγείρειν, θῡμὸν ἀπὸ μελέων δῦναι δόμον ᾉδος εἴσω, H 131 ; emotion, χόλος ἔμπεσε θῡμῷ, θῡμὸν ὀρίνειν, ἐκ θῡμοῦ φιλέειν, θῡμῷ χαίρειν, ἀπὸ θῡμοῦ | μᾶλλον ἐμοὶ ἔσεαι, 'further from my heart,' A 562 ; desire, appetite, πλήσασθαι, τέρπειν θῡμόν, θῡμὸς ἀνώγει, κέλεται, κατὰ θῡμόν, 'to one's wish,' A 136 ; thoughts, disposition, θῡμὸν πείθειν, φράζεσθαι θῡμῷ, ἕνα θῡμὸν ἔχειν, ἐν θῡμῷ βαλέσθαι, 'lay to heart'; κατὰ φρένα καὶ κατὰ θῡμόν, 'in mind and soul.'

θῡμο-φθόρος (φθείρω): *life-destroying, deadly; σήματα,* 'of fatal import,' Z 169 ; φάρμακα, β 329 ; 'inhuman,' τ 323 ; 'heart-wasting,' ἄχος, κάματος, δ 716, κ 363.

θύνω (θύω), ipf. θύνον: *rush along, charge*. (Il. and ω 449.)

θυόεις, εν (θύος): *odorous*, O 153†.

θύον: a tree with fragrant wood, *arbor-vitae*, ε 60†.

θύος, εος : pl., *burnt-offerings*.

θυο-σκόος : *prophet*, drawing omens from the smoke of burnt-offerings, Ω 221, φ 145.

θυόω (θύος) = θύω, only pass. perf. part., τεθυωμένον, *fragrant*, Ξ 172†.

θύραζε : *to the door, forth, out*, E 694, ε 410.

θυρα-ωρός (root Fορ, ὁράω): *door-watching*, of watch-dogs, X 69†.

θυρεός (θύρη): *door-stone*, placed by Polyphēmus at the mouth of his den, ι 240.

θύρετρα, pl. : *wings of a door, door*, B 415 ; αὐλῆς, near to the στόμα λαύρης, χ 137 (see plate III., o).

θύρη: *door, gate, folding-doors, entrance*, ν 370 ; ἐπὶ θύργσι, 'at the court' (cf. 'Sublime Porte,' of the Sultan, and Xenophon's βασιλέως θύραι).

θύρηθι: *out of doors*, out of the sea, ξ 352 (cf. θύραζε, ε 410).

θύρηφι = θύρηθι.

θυσανόεις, εσσα (θύσανος): *tasselled, many-tasselled*, of the aegis. (Il.)

θύσανος: pl., *tufts, tassels, fringe*. (Il.)

θύσθλα (θύω), pl.: the *thyrsi*, wands and other sacred implements used in the worship of Dionȳsus, Z 134†. (See cuts.)

53

θύω: *rage;* of men, and of winds, waves, torrents, 'surging,' Φ 234; δάπεδον δ' ἅπαν αἵματι θῦεν, 'reeked,' 'swam' with blood, λ 420.

θύω, part. θύοντα, but ipf. θῦε, aor. ἔθῦσα: *offer* as *burnt* offering, ξ 446, ο 260. (See cut.)

54

θυ-ώδης (θύος): *fragrant*. (Od.)

θωή (τίθημι): *penalty*, β 192, Ν 669.

θῶκος and **θόωκος** (Att. θᾶκος): *seat*, β 14; *assembly*, β 26.—**θῶκόνδε**, *to the assembly*.

Θῶν: *Thon*, a noble Egyptian, δ 228†.

θωρηκτής (θωρήσσω): *cuirassed, well-cuirassed*. (Il.)

θώρηξ, ηκος: *breast-plate, cuirass, corselet*, Λ 19 ff. It was usually of bronze, consisting of two plates, γύαλα. (See adjacent cut, also cut No. 33.) The cuirass fitted closely to the body, and was cut square off at the waist; the shoulder-pieces (see cut) were drawn down by small

55

chains and fastened to buttons in front; the metal plates were united by clasps (see cut No. 19); the upper part of the thighs was protected by the μίτρη, worn over the apron, ζῶμα, of leather or felt, and by its metal flaps, πτέρυγες (Nos. 12, 33, 79), or plates (Nos. 3 and 33); over the θώρηξ, μίτρη, and ζῶμα was bound the ζωστήρ (No. 3), below which projected the lower end of the χιτών (Nos. 3, 19, 33 ; cf. λινοθώρηξ and χιτών).

θωρήσσω, aor. θώρηξε, subj. θωρήξομεν, mid. fut. θωρήξομαι, pass. ipf. 3 du. θωρήσσεσθον, aor. θωρήχθησαν: *arm with cuirass*, mid., *arm oneself* for battle.

θώς, **θωός**: *jackal*. (Il.)

I.

ἴα, ἰῆς: see ἴος.

ἰά: see ἰός.

ἰαίνω, aor. ἴηνα, pass. ἰάνθη (ῑ when with augment): *warm, soften* by warming, μ 175; met., *warm, melt, move* the heart to compassion, cheer, etc., ο 379; often thus in pass., θῡμός, κῆρ, Ψ 598, χ 59; μέτωπον ἰάνθη, 'brightened,' Ο 103; also w. acc. of specification, θῡμόν, φρένας, ψ 47, ω 382; w. dat., τ 537.

Ἴαιρα: a Nereid, Σ 42†.

ἰάλλω, aor. ἴηλα, inf. ἰῆλαι: *send,* mostly implying quick motion toward some definite point; freq. ἐπ' ὀνείατα χεῖρας ἰάλλειν, 'apply' the hands to viands, I 91, etc.; ἑτάροις ἐπὶ (adv.) χεῖρας ἴαλλεν, 'flung out' his arms to them, ι 288; ὀιστὸν ἀπὸ νευρῆφιν ἴαλλεν | Ἕκτορος ἀντικρύ, Θ 300; ἐπὶ (adv.) δεσμὸν ἴηλον, 'whip' on a knot, θ 443, cf. 497; met., ἀτῑμίησιν ἰάλλειν, 'assail' as with missiles, ν 142.

Ἰάλμενος: a son of Ares, leader of Boeotians, B 512, I 82.

Ἰαμενός: a Trojan chief, Μ 139†.

Ἰάνασσα, Ἰάνειρα: Nereids, Σ 47†.

ἰάνθη: see ἰαίνω.

ἰάομαι, ipf. ἰᾶτο, fut. ἰήσεται, aor. ἰησάμην: *heal, cure,* Μ 2, ι 525.

Ἴονες: *Ionians,* Ν 685†.

Ἰάπετος: a Titan, Θ 479†.

ἰάπτω: only μὴ κλαίουσα κατὰ (adv.) χρόα καλὸν ἰάπτῃ(ς), *harm* by smiting, β 376, δ 749.

Ἰάρδανος: the river *Iardanus.* — (1) in Crete, γ 292.—(2) in Elis, near Pheiae, Η 135.

ἴασι: see εἶμι.

Ἰασίδης: *son of Iasus.* — (1) Amphīon, λ 283.—(2) Dmetor, ρ 443.

Ἰασίων: a mortal beloved by Demeter, and slain by the thunderbolt of Zeus, ε 125†.

Ἴασον Ἄργος: *Iasian* Argos, meaning the Peloponnēsus, the origin of the epithet being unknown, σ 246†.

Ἴασος: (1) son of Sphelus, a leader of the Athenians, slain by Aenēas, Ο 332.—(2) the father of Amphīon.—(3) the father of Dmetor.

ἰαύω (cf. ἄϝεσα), ipf. ἴαυον, iter. ἰαύεσκον, aor. inf. ἰαῦσαι: *sleep, rest, lie;* πολλὰς μὲν ἀὔπνους νύκτας ἴαυον, Ι 325, 470, τ 340.

ἰαχή (ϝιαχή): loud, sharp *cry, shriek;* of men in battle, Δ 456; the shades in the nether world, λ 43; hunters, Ο 275.

ἰάχω (ϝιάχω), ipf. ἴαχον (ῑ when with augment): *cry* loud and sharply, *shriek, scream;* of applause, the cry of battle, of wounded men, Ψ 766, Δ 506, Ε 343, etc.; of Circe, threatened with Odysseus's sword, κ 323; of a child, Ζ 468; transferred to inanimate objects, the 'twanging' of the bow-string, Δ 125; the 'blare' of the trumpet, Σ 219; 'hissing' of hot iron in water, ι 392; 'crackling' of fire, Ψ 216; but the Eng. words do not involve a personification like the Greek.

Ἰαωλκός: *Iolcus,* a town in Thessaly on the Pagasaean gulf, λ 256, B 712.

ἰγνύη (γόνυ): *hollow of the knee,* Ν 212†.

Ἰδαῖος: *of Mt. Ida, Idaean,* epith. of the mountains belonging to the range, Θ 170, Υ 189; also of Zeus, whose grove and altar were upon Gargaron, Π 605, Ω 291.

Ἰδαῖος: *Idaeus.*—(1) a herald of the Trojans, charioteer to Priam.—(2) a Trojan, the son of Dares, Ε 11.

ἰδέ = ἠδέ, *and.*

ἴδε, ἰδέειν, ἴδεσκε: see εἴδω (I.).

ἰδέω: see εἴδω (II.).

Ἴδη: *Ida,* a mountain range, rich in springs, ravines, forest, and game, extending from Phrygia, through Mysia, toward the Hellespont, and subsiding into the plain near Troy, B 821, Λ 183; its summit, Γάργαρον.—Ἴδηθεν, *from Ida.*

ἴδηαι: see εἴδω (I.).

Ἴδης: a famous archer, the father of Cleopatra, I 558†.

ἴδιος: *private,* opp. δήμιος, γ 82 and δ 314.

ἰδίω = ἰδρόω, only ipf., υ 204†.

ἴδμεν(αι): see εἴδω (II.).

ἰδνόω, pass. aor. ἰδνώθη, part. -θείς: *bend* backward, *double up*, pass. as mid., Β 266, θ 375.

ἰδοίατο: see εἴδω (I.).

Ἰδομενεύς: *Idomeneus*, son of Deucalion, grandson of Minos, king in Crete, Δ 265, Μ 117, Β 645; his son Arsilochus, ν 259; comrade-at-arms, Meriones, Ψ 113.

ἰδρείη (Ϝιδρ.): *knowledge, skill*. (Il.)

ἴδρις (Ϝιδρ.): *knowing, skilled, skilful*, w. inf., η 108. (Od.)

ἰδρόω (ἰδρώς), part. ἰδρώοντα, etc., fem. pl. ἰδρῶσαι, fut. ἰδρώσει, aor. ἴδρωσα: *sweat*.

ἰδρύω (root ἰδ), aor. ἵδρῦσα, pass. ἱδρύνθην: *cause* or *bid 'to be seated*, Β 191; pass., *take seats, be seated*, Γ 78.

ἱδρώς, dat. -ῷ, acc. -ῶ (σϜιδρ.): *sweat*.

ἰδυῖα: see εἴδω (II.).

ἴδω, ἴδωμι: see εἴδω (I.).

ἴε, ἴεν: see εἶμι.

ἴει: see ἵημι.

ἰείη: see εἶμι.

ἵεμαι: see ἵημι.

ἵενται, ἵεσθε: *more correct reading,* ἵενται, ἵεσθε, see ἵημι.

ἱερεύς, ἱρεύς, ῆος: *priest*, in charge of the sacrifices to some special god, also *soothsayer*, Λ 23.

ἱερεύω, ἱρεύω, ipf. iter. ἱρεύεσκον, fut. inf. ἱερεύσειν, aor. ἱέρευσα, pass. plup. ἱέρευτο, mid. aor. inf. ἱρεύσασθαι: *sacrifice*, esp. by killing the victim, *offer*, then, in general, *slaughter*, Ζ 174; ξείνῳ, 'in honor of the guest,' ξ 414; mid., subjective, τ 198.

ἱερήιον: *victim*, animal for sacrifice or slaughter, ξ 94.

ἱερόν, ἱρόν, neut. of ἱερός as subst.: *sacrifice, victim*, α 61, Α 147.

ἱερός, ἱρός: (1) *strong, powerful;* ἴς, μένος, φυλάκων τέλος, πυλαωροί, στρατός, β 409, η 167, Κ 56, Ω 681, ω 81; ἰχθύς, 'lively,' Π 407.—(2) *sacred, hallowed*.

ἱζάνω (ἵζω): *sit;* trans., *cause* or *bid to be seated*, Ψ 258.

ἵζω (root ἰδ), ipf. ἵζον, iter. ἵζεσκε: *take a seat, sit down, sit still, rest;* βουλήν, 'hold a council,' 'session,' Β 53; mid., like act., of an ambuscade, Σ 522.

ἵηλα, ἰήλαι: see ἰάλλω.

Ἰηλῦσός: a town in Rhodes, Β 656†.

ἵημι, ἵησι, 3 pl. ἱεῖσι, inf. ἱέμεναι, part. ἱέντες, ἱεῖσαι, imp. ἵει, ipf. ἵει, 3

pl. ἵεν, fut. ἥσω, aor. ἧκα, ἕηκα, 3 pl. ἧκαν and ἕσαν, subj. ᾗσιν, opt. εἵην, inf. εἷναι, mid. pres. ἵεται, imp. ἵεσθε, part. ἱέμενος, ipf. ἵετο, ἵεντο, aor. 3 pl. ἕντο: *let go*, i. e. set in motion of any sort.—I. act., *send*, ἄγγελόν τινι, Σ 182; *put* to anything, as harness, Π 152; *throw, let fly*, μετά (adv.) δ' ἰὸν ἕηκεν, 'in among them,' Α 48; so 'let fall' anything, as tears, a sword from the hand, 'let down' the hair, 'let on' water, Μ 25, and of the river itself 'rolling' its waters (thus, intrans., λ 239, η 130); metaph., of 'dismissing,' i. e. by satisfying, a desire, ἔρον, Ν 638; 'inspiring' one with force, Ε 125; 'laying' misfortune on one, Κ 71. The applications of the word are very numerous, but always distinct if the fundamental signification be held in mind. The ground-meaning, as may be seen from the examples, usually gets a specific turn from the context, esp. by means of adverbs (ἐν, ἐξ, κατά, μετά, etc.).—II. mid., *set oneself in motion* at something (τινός), ἱέμενος ποταμοῖο ῥοάων, 'giving thyself a direction' toward Oceanus, κ 529; so 'press on,' 'hasten,' Ν 707, Μ 274; met., with and without θυμῷ, 'strive after' (τινός), 'be eager,' Ψ 371; θυμός, θ 301; freq. phrase, ἐπεὶ πόσιος καὶ ἐδητύος ἐξ ἔρον ἕντο, had dismissed 'from themselves,' Α 469, α 150.

ἱήνατε: see ἰαίνω.

ἱήσασθε: see ἰάομαι.

ᾗσι: see εἶμι.

Ἰησονίδης: *son of Ieson* (Jason), Euneus, Η 468, 471, Ψ 747.

Ἰήσων: *Ieson* (Jason), the leader of the Argonauts, μ 72.

ἰητήρ, ῆρος, = ἰητρός.

ἰητρός (ἰάομαι): *healer, surgeon, physician;* with ἀνήρ, Λ 514.

ἴθαι - γένης (ἰθύς): *born in lawful wedlock, legitimate*, ξ 203†.

Ἰθαιμένης: a Lycian, Π 586†.

Ἰθάκη: *Ithaca*.—(1) the native island of Odysseus, with Mts. Neritus, Neius, and Corax, and the harbor Reithrum. Epithets, ἀμφίαλος, εὐδείελος, εὐκτιμένη, κραναή, παιπαλόεσσα, τρηχεῖα.—(2) the city, at the foot of Mt. Neius, γ 81, cf. π 322. — Ἰθάκηνδε, *to Ithaca*. — Ἰθακήσιος: *inhabitant of Ithaca, Ithacan*.

Ἴθακος: the eponymous hero of the island of Ithaca, ρ 207†.

ἴθι, imp. of εἶμι: come! go! employed as an interjection, freq. with ἄγε.

ἴθμα, ατος: step, gait, pl., E 778†.

ἰθύντατα: see ἰθύς.

ἰθύνω (ἰθύς), aor. ἴθῡνα, subj. ἰθύνομεν. make straight, straighten, ἐπὶ στάθμην, 'to the line,' ε 245; pass., ἵππω δ᾽ ἰθῡνθήτην, 'placed themselves in line' with the pole of the chariot, Π 475; guide a ship, chariot, etc., and, of missiles, aim, direct, E 290, P 632, mid., 'his arrow,' χ 8.

ἰθυ-πτίων, ωνος (πέτομαι): straight-flying, μελίη, Φ 169†.

ἰθύς, εῖα, ύ: straight; τέτραπτο πρὸς ἰθύ οἱ, 'straight opposite him,' Ξ 403; usually metaph., straight, right, just, Ψ 580; sup., ἰθύντατα, most fairly, Σ 508. — As adv., ἰθύς, ἰθύ, straight at, straight for, τινός, E 849; also with prepositions, and abs., Υ 99, γ 10; ἰθὺς φέρειν, μάχεσθαι, φρονεῖν, 'turn the mind straight on,' 'be bent on battle,' N 135, cf. Λ 95.

ἰθύς, ύος: straight course, ἀν᾽ ἰθύν, 'straight up,' 'straight on,' Φ 303, θ 377; hence 'attack,' 'tendency,' 'disposition,' Ζ 69, δ 434, π 304.

ἰθύω, aor. ἴθῡσα: go straight forward, advance, attack, of warriors, a lion, M 48; w. gen., νεός, O 693; w. inf., 'strive,' λ 591.

Ἰθώμη: a town in Thessaly, B 729†.

ἱκάνω (ἵκω), mid. ἱκάνομαι: come to, arrive at, reach, w. acc. of person or thing attained to, less often with prep., A 431; freq. of supplication, γούναθ᾽ ἱκάνω, ε 449; met., 'come upon,' 'come home to,' ὕπνος, θέσφατα, K 96, ι 507, etc. Often with perf. signif., 'am come to,' I 197, ζ 119.

Ἰκάριος: Icarius, the brother of Tyndareus, and father of Penelope, α 276, 329, δ 797.

Ἰκάριος πόντος: the Icarian Sea, S.W. of Asia Minor, B 145†.

ἴκελος (Ϝικ.), like, resembling.

Ἰκεταονίδης: son of Hicetāon, Melanippus, O 546†.

Ἰκετάων: (1) a son of Laomedon, and brother of Priam, Γ 147, Υ 238.— (2) the father of Melanippus, O 576.

ἱκετεύω (ἱκέτης), aor. ἱκέτευσα: ap-

proach as suppliant, supplicate, τινά, also w. praep. (Od. and Π 574).

ἱκέτης (ἵκω): suppliant, for protection of any sort, but esp. one in search of purification from homicide (cf. Tlepolemus, Lycophron, Patroclus), ι 269, Φ 75.

ἱκετήσιος: of suppliants, protector of suppliants, epith. of Zeus, ν 213†.

ἵκηαι: see ἱκνέομαι.

Ἰκμάλιος: a joiner in Ithaca, τ 57†.

ἰκμάς, άδος: moisture, P 392†.

ἴκμενος: fair wind (οὖρος), a wind 'that follows fast' (secundus). (Od.)

ἱκνέομαι (ἵκω), part. ἱκνεύμεναι, ipf. ἱκνεύμεσθα, fut. ἵξομαι, aor. ἱκόμην, 2 sing. ἵκευ (ῑ when with augment): come to, arrive at, reach, w. acc., also with praep.; 'return,' when the context gives this sense, ψ 151; esp. 'approach as suppliant,' 'supplicate,' Ξ 260, X 123, ι 267; met., ποθή, κάματος, σέβας, τί σε φρένας ἵκετο πένθος; A 362.

ἴκρια, ἰκριόφιν, pl.: deck-beams, deck, which in the Homeric ship was partial, only fore and aft (see plate IV., at end of volume); also ribs of a ship. (See cut No. 32.)

ἵκω, subj. ἵκωμι, ipf. ἶκε, aor. ἶξον: come (to), reach; ἵκω is the stem-form answering to ἱκάνω and ἱκνέομαι, and has the same applications and constructions as those verbs; πινυτὴ φρένας ἵκει, 'informs,' υ 228.

ἰλαδόν (Ϝίλη): adv., in troops, B 93†.

ἵλαος: appeased, hence propitious, gracious, kind. (Il.)

ἱλάσκομαι and ἱλάομαι (B 550), ipf. ἱλάσκοντο, aor. subj. (or fut.) ἱλάσσομαι, ἱλασόμεσθα, part. ἱλασσάμενοι: reconcile to oneself, appease, propitiate.

Ἰλήιος (Ϝιλ.): of Ilus, πεδίον, so named, according to the scholiast, from the tomb of Ilus, Φ 558†.

ἵλημι, imp. ἵληθι, perf. subj. ἱλήκησι, opt. ἱλήκοι; be propitious, gracious, γ 380. (Od.)

Ἰλιόθεν (Ϝιλ.): from Ilium.

Ἰλιόθι (Ϝιλ.): always with πρό, before Ilium.

Ἴλιος (Ϝίλιος) and Ἴλιον (O 71): Ilium, a name for Troy derived from

Ἰλιονεὺς : Trojan

that of its founder Ilus; epithets, ϰίπεινή, αἰπύ, ἐρατεινή, εὐτείχεος, ἠνεμόεσσα, ἱερή, ὀφρυόεσσα. In wider ῂignification, for the region about Troy, A 71, τ 182. In O 66, Φ 104, X 8, the true form of the gen. is ᾽Ιλίοο, ᾳs the scansion shows (cf. Αἴολος).

²Ἰλιόφι = ²Ἰλίον, Φ 295.

ἱλλάς, άδος (εἴλω): pl., *twisted cords*, N 572†.

°Ιλος: *Ilus.*—(1) son of Tros, and father of Laomedon, Λ 166, Υ 232; his tomb, K 415, Λ 372.—(2) son of Mermeros of Ephyra, α 259.

ἰλύς, ύος: *mud, slime,* Φ 318†.

ἱμάς, αντος: leather *strap* or *thong.* —(1) in connection with the chariot, (a) *straps* in which the chariot-box was hung, or perhaps more likely the network of plaited straps enclosing the body of the chariot, E 727; (b) the *reins,* Ψ 324, 363; (c) the *halter,* Θ 544.—(2) the *chin-strap* of a helmet, Γ 371.—(3) the *cestus* of boxers, see πυγμάχοι.—(4) the *leash* or *latchstring* by which doors were fastened. See adjacent cut, in four divisions:

56

3   4
     Closed.
Inside.
     Outside.

2   1
     Open.
Inside.
     Outside.

above, the closed, below the unfasten̄ed door; on the left, as seen from the inner side, on the right as seen from the outside. To close the door from the outside, the string, hanging loosely in fig. 1, was pulled until it drew the bolt from the position of fig. 2 to

that of fig. 3, when it was made fast by a knot to the ring, κορώνη, e, fig. 4. To open from the outside, the string was first untied, and then the κληΐς, not unlike a hook (fig. 4, *f*), was introduced through the key-hole, c, and by means of a crook (*g*, fig. 3) at the end of it the bolt was pushed back from the position of fig. 3 to that of fig. 2, and the door opened, α 442.— (5) for a *bed-cord,* ψ 201.—(6) the magic *girdle* of Aphrodīte, Ξ 214, 219. —(7) a *thong to make a drill revolve,* ι 385. (See cut No. 121.)

ἱμάσθλη: *lash, whip.*

ἱμάσσω, aor. ἵμασε, subj. ἱμάσσω: *lash, scourge, beat,* E 589, B 782, O 17.

᾽Ιμβρασίδης: *son of Imbrasus,* Piroüs, Δ 520†.

῍Ιμβριος: (1) *inhabitant of Imbros, Imbrian,* Φ 43.—(2) the son of Mentor, son-in-law of Priam, slain by Teucer, N 171, 197.

῍Ιμβρος: *Imbros,* an island on the coast of Thrace, with capital city of the same name, Ξ 281, N 33.

ἱμείρω (ἵμερος), mid. ἱμείρεται, ἱμειρόμενος, aor. opt. ἱμείραιτο, subj. ἱμείρεται: *long for, yearn for,* τινός, and w. inf., κ 431, Ξ 163.

ἵμεν(αι): see εἶμι.

ἱμερόεις, εσσα, εν (ἵμερος): *passionate, fond, lovely;* γόος, ἔργα γάμοιο, ἀοιδῆ, κ 398, E 429, α 421.—Adv., ἱμερόεν κιθάριζε, *charmingly,* Σ 570.

ἵμερος: *longing, passion, love;* freq. w. obj. gen.; w. two genitives, πατρὸς ἵμερος γόοιο, 'yearning after tears, to weep for his father,' Ω 507, δ 113.

ἱμερτός (ἱμείρω): *lovely,* B 751†.

ἴμμεναι: see εἶμι.

ἵνα: (1) adv., *where;* this meaning being the primary one, is to be assumed in preference to signif. (2), when the sense admits, e. g. Ω 382. Apparently demonstrative, *there,* in K 127.—(2) conj., *in order that, that;* rarely with κέ, μ 156.

ἰνδάλλομαι (root Ϝιδ): *be seen, appear,* w. part., P 213; ὥς μοι ἰνδάλλεται ἦτορ, impers., 'as floats before me in recollection' (ἦτορ like κατὰ θῦμόν), τ 224.

ἴνεσι: see ἴς.

ἰνίον (Ϝιν.): bone of the *back of the head.* (Il.)

Ἴνω: *Ino,* see Λευκοθέᾱ.

ἴξαλος: doubtful word, *spry,* epith. of the wild goat, Δ 105†.

Ἰξιόνιος: ἄλοχος Ἰξιονίη, *wife of Ixīon,* Ξ 317†.

ἰξύν: see ἴκω.

ἰξύς, dat. ἰξυῖ: *waist.* (Od.)

ἰο-δνεφής, ές (Fίον, δνόφος): *violet-dark, dark-hued,* εἴρος. (Od.)

ἰο-δόκος (ἰός, δέχομαι): *arrow-receiving,* quiver.

ἰο-ειδής, ές (Fίον, Fεῖδος): *violet-colored, deep blue,* epith. of the sea.

ἰόεις, εσσα (Fίον) = ἰοειδής, *of iron,* Ψ 850†.

ἰό-μωρος: doubtful word, a disparaging epithet applied to the Greeks, Ἀργεῖοι ἰόμωροι, *boasters.* (Il.)

ἴον (Fίον): collectively, *violets,* ε 72†.

ἰονθάς, άδος (Fιονθ.): *shaggy,* ξ 50†.

ἰός, pl. ἰοί (ἰά, Υ 68): *arrow.*

ἴος, ἴα, ἴον (= εἷς, μία, ἕν), gen. ἰῆς, dat. ἰῷ, ἰῇ: *one;* as subst. *τὴν ἴαν,* 'one portion.' (Il. and ξ 435.)

ἰότης, ητος: *will,* mostly θεῶν ἰότητι, η 214, etc.; μνηστήρων ἰότητι, 'according to their wish,' σ 234.

ἴουλος (οὖλος): *first growth of beard, down,* λ 319†.

ἰο-χέαιρα (χέω): *pouring arrows, archeress,* epith. of Artemis, both as adj. and subst.

ἱππάζομαι: *drive* one's horses, Ψ 426†.

Ἱππασίδης: *son of Hippasus.*—(1) Apisāon, P 348.—(2) Hypsēnor, N 411.—(3) Charops, Λ 426.—(4) Socus, Λ 431.

ἵππειος: *of horses, horse-;* λόφος, *horse-hair* plume.

ἱππεύς, ῆος, pl. ἱππῆες: *chariot-man,* whether as warrior fighting from the chariot, or as competitor in a chariot-race, Δ 297, Ψ 262.

ἱππ-ηλάσιος (ἐλαύνω): *for driving chariots;* ἱππηλασίη ὁδός, H 340 and 439.

ἱππ-ηλάτα (ἐλαύνω), for -άτης: *driver of steeds, chariot-fighter, knight.*

ἱππ-ήλατος: *passable with chariots, adapted to driving horses.* (Od.)

Ἱππ-ημολγοί (ἀμέλγω): the Hippemolgi, 'mare-milkers,' a Scythian tribe, N 5.

ἱππιο-χαίτης (χαίτη): *of horse-hair;* λόφος, Z 469†.

ἱππιο-χάρμης (χάρμη): *fighter from a chariot,* Ω 257, λ 259.

ἱππό-βοτος (βόσκω): *horse-nourishing, horse-breeding,* esp. as epith. of Argos, B 287.

Ἱπποδάμᾱς: a Trojan, slain by Achilles, Υ 401.

Ἱπποδάμεια: *Hippodamīa.*—(1) a daughter of Anchīses, N 429.—(2) an attendant of Penelope, σ 182.—(3) the wife of Pirithoüs, B 742.

ἱππό-δαμος (δαμάζω): *horse-taming,* epith. of the Trojans, and of individual heroes. (Il. and γ 17, 181.)

Ἱππόδαμος: a Trojan, slain by Odysseus, Λ 335†.

ἱππο-δάσεια (δασύς, εῖα): *with thick horse-hair* plume, epith. of the helmet. (Il. and χ 111, 145.)

ἱππό-δρομος: *course for chariots,* Ψ 330.

ἱππόθεν: *from the* (wooden) *horse,* θ 515, λ 531.

Ἱππόθοος: (1) a son of Priam, Ω 251.—(2) a leader of the Pelasgians, slain by Ajax, P 289.

ἱππο-κέλευθος: *making way with the chariot, swift-driving,* epith. of Patroclus. (Il.)

ἱππό-κομος (κόμη): *decked with horse-hair.*

ἱππο-κορυστής (κορύσσω): *chariot-equipped, chariot-fighter,* epith. of the Maeonians and Paeonians, and of individual heroes, B 1, Ω 677.

Ἱπποκόων: a cousin of Rhesus, K 518†.

Ἱππόλοχος: (1) son of Antimachus, slain by Agamemnon, Λ 122.—(2) a Lycian, son of Bellerophon, the father of Glaucus, Z 206.

ἱππό-μαχος: *fighting from horses* (chariots), K 431†.

Ἱππόμαχος: a Trojan, the son of Antimachus, slain by Leonteus, M 189†.

Ἱππόνοος: a Greek, slain by Hector, Λ 303†.

ἱππό-πολος (πολεύω): *horse-managing, horse-training,* Thracians, N 4 and Ξ 227.

ἵππος: *horse* or *mare;* ἄρσενες ἵπποι, 'stallions,' ν 81; θήλεες ἵπποι, ἵπποι θήλειαι, E 269, Λ 681; the Homeric Greeks did not ride horseback, but employed chariots; hence ἵπποι,

oftener ἵππω, span, chariot, alone or
ϝ. ἅρμα, M 120; freq. ἵπποισιν καὶ
ὄχεσφιν, M 114, 119; ἐξ or ἀφ' ἵππων
ἀποβῆναι, Γ 265, E 13; of chariot-
men as opposed to infantry, ξ 267, B
354, Π 167, Σ 153.

ἱπποσύνη : horsemanship, i. e. char-
iot-fighting. (Il. and ω 40.)

ἱππότα, for -ότης: horseman, knight,
esp. as epith. of Nestor, B 336, 628.

Ἱπποτάδης : son of Hippotes, Aeo-
lus, κ 36†.

Ἱπποτίων : an Ascanian, slain by
Meriones, N 792, Ξ 514.

ἱππ-ουρις, ιος (οὐρά): with horse-
tail plume, epith. of the helmet. (Il.
and χ 124.)

ἵπτομαι, fut. ἵψεται, aor. 2 sing.
ἵψαο: smite, chastise, afflict; said of
gods and kings, A 454, B 193.

ἱρεύς : see ἱερεύς.

ἱρεύσασθαι : see ἱερεύω.

Ἱρή : a town in Messēne, under
the sway of Agamemnon, I 150, 292.

ἵρηξ, ηκος: hawk or falcon; typical
of swiftness, O 237.

ἶρις (ϝῖρις), dat. pl. ἴρισσιν: rain-
bow, Λ 27, P 547.—Personified, Ἶρις,
ιδος, acc. Ἶριν, voc. Ἶρι, Iris, messen-
ger of the gods in the Iliad. To men
she usually appears under the assumed
form of some mortal.

ἱρόν, ἱρός: see ἱερόν, ἱερός.

Ἶρος (ϝῖρις): Irus, a nickname of
Arnaeus the beggar, given to him by
the suitors of Penelope, because he
went on errands, σ 5 follg.

ἴς (ϝίς, cf. vis), acc. ἶνα, pl. ἶνες,
dat. ἴνεσι: (1) sinew, collectively, P
522, elsewhere pl.—(2) strength, force,
literally and fig.; freq. with gen. as
periphrasis for the person, κρατερὴ ἲς
Ὀδυσῆος, i. e. the mighty strong Odys-
seus himself, Ψ 720 and Φ 356.

ἰσάζω (ϝῖσος), part. ἰσάζουσα, mid.
aor. iter. ἰσάσκετο : make equal, bal-
ance, M 435; mid., deem oneself equal,
vie with, Ω 607.

ἴσαν: see (1) εἶμι.—(2) εἴδω (II.).

Ἴσανδρος: Isander, son of Bellero-
phon, slain by Ares, Z 197, 203.

ἴσāσι: see εἴδω (II.).

ἰσάσκετο: see ἰσάζω.

ἴσθι: see εἴδω (II.).

ἴσθμιον: necklace, σ 300†. (See cuts
Nos. 2, 40, 41 and 93.)

ἴσκε : defective ipf., perhaps from
the same root as ἔσπετε, said, spoke,
τ 203, χ 31.

Ἴσμαρος : a city of the Ciconians,
ι 40.

ἰσό-θεος (ϝῖσος): equal to the gods,
godlike; always ἰσόθεος φώς. (Il., and
of Telemachus, α 324, υ 124.)

ἰσό-μορος (ϝῖσος): of equal lot, a
peer, O 209†.

ἰσό-πεδον (ϝῖσος): level ground, N
142†.

ἴσος (ϝῖσος, Att. ἴσος), ἴση, ἴσον:
equal in size, weight, or number, also
like; freq. ἴση as subst., μή τίς μοι
ἀτεμβόμενος κίοι ἴσης, of an equal
share in the feast, ι 42, Λ 705, M 423;
also ἴσα as subst, 'reparation,' β 203.
— Adv., ἴσον, ἴσα, equally, on equal
terms, I 616; also κατὰ ϝῖσα, ἐπὶ ϝῖσα,
'equally balanced,' 'undecided, Λ 336,
M 436, O 413.

Ἴσος : a natural son of Priam, slain
by Agamemnon, Λ 101†.

ἰσο-φαρίζω (ϝῖσος, φέρω): deem one-
self equal, vie with, rival, in anything
(τι), Z 101, I 390. (Il.)

ἰσο-φόρος: bearing alike, equally
strong, σ 373†.

ἰσόω (ϝῖσος), mid. aor. opt. ἰσωσαί-
μην: mid., compare oneself, η 212†.

ἵστημι, ἱστᾶσι, imp. ἵστη, inf. ἱστά-
μεναι, ipf. iter. ἵστασκε, 3 pl. ἵστασαν,
fut. inf. στήσειν, aor. 1 ἔστησα, στῆσα,
aor. 2 ἔστην, στῆν, 3 pl. ἔστησαν, ἔσταν,
στάν, iter. στάσκε, subj. στήῃς, στήῃ, 1
pl. στέωμεν, στείομεν, perf. ἔστηκα, du.
ἔστατον, 2 pl. ἔστητε, 3 pl. ἑστᾶσι, subj.
ἑστήκῃ, imp. ἔσταθι, ἔστατε, inf. ἑστά-
μεν(αι), part. ἑσταότος, etc., also ἑστεώ-
τα, etc., plup. 1 pl. ἔσταμεν.—Mid. (and
pass.), ἵσταμαι, imp. ἵστασο, ipf. ἵστατο,
fut. στήσομαι, aor. 1 στήσαντο, στήσα-
σθαι, -σάμενος, aor. pass. ἐστάθη : I.
trans. (pres., ipf., fut., and aor. 1 act.),
set in place, set on foot, cause to stand,
rise, or stop; of marshalling soldiers,
στίχας, λᾶόν, B 525, Z 433; causing
clouds, waves, to rise, μ 405, Φ 313;
bringing horses to a standstill, ships
to anchor, E 368, γ 182; metaph., 'ex-
cite,' 'rouse,' battle, strife, λ 314, π
292; weigh, T 247, X 350, Ω 232.—
Mid. aor. 1 is causative, set up or set on
foot for oneself, or something of one's
own, κρητῆρα, ἱστόν, met., μάχην, Z

528, A 480, ι 54. — II. intrans. (pass.,
fut. mid., aor. 2 and perf. and plup.
act.), *place oneself, come to a stand, rise,*
perf. and plup., *stand;* κῦμα ἵσταται,
Φ 240; ὀφθαλμοὶ ὡσεὶ κέρα ἕστασαν,
'were fixed,' τ 211; στῆ δ' ὀρθός, ὀρθαὶ
τρίχες ἕσταν, Ω 359; met., νεῖκος ἵστα-
ται, ἕβδομος ἑστήκει μείς, 'had set in,'
Τ 117; μὴν ἱστάμενος, 'beginning of
the month,' ξ 162, τ 307; of spring, τ
519; aor. pass., ὁ δ' ἐστάθη ἠΰτε πέτρη,
ρ 463.

Ἱστίαια: a city in Euboea, B 537†.

ἱστίη (Att. ἑστίᾱ): *hearth.* (Od.)

ἱστίον (ἱστός): *sail.* (See cut, from
an ancient coin bearing the inscription
ΝΙΚΟΜΗΔΙΩΝ. ΔΙΣ. ΝΕΩΚΟΡΩΝ.)

57

ἱστο-δόκη (δέχομαι): *mast - receiver,
mast-crutch,* a saw-horse shaped support
on the after-deck to receive the mast
when lowered, A 434†. (Plate IV.)

ἱστο-πέδη: *mast-stay, mast-block,* a
thwart or transverse beam with a de-
pression into which the mast fitted,
which was by this means, as well as by
the ἐπίτονοι, prevented from falling
forward, μ 51. (See cut, letter *b*.)

58

ἱστός (ἵστημι): *anything that stands.*
— (1) *mast,* in the middle of the ship,
held in place by the μεσόδμη, ἱστοπέ-
δη, πρότονοι, ἐπίτονοι. During stay in
port the mast was unstepped and laid
back upon the ἱστοδόκη (cf. preceding
cut, and Nos. 60, 84). — (2) *weaver's
beam, loom.* The frame of the loom
was not placed, as in modern hand-
looms, in a horizontal position, but
stood upright, as appears in the cut,

59

representing an ancient Egyptian loom.
The threads of the warp hung perpen-
dicularly down, and were drawn tight
by weights at their lower ends. To set
up the beam and so begin the web is
(ἱστὸν) στήσασθαι. In weaving, the
weaver passed from one side to the
other before the loom (ἐποίχεσθαι), as
he carried the shuttle (κανών), on which
was wound the thread of the woof,
through the warp, and then drove the
woof home with a blow of the κερκίς.—
(3) *warp,* and in general, *web, woven stuff.*

ἴστω: see εἴδω (II.).

ἴστωρ, ορος (root ϝιδ): *one who
knows, judge,* Σ 501, Φ 486.

ἰσχαλέος (ἰσχνός): *dry, withered,* τ
233†.

ἰσχανάω, ἰσχάνω (ἴσχω), ipf. iter.
ἰσχανάασκον: *hold, restrain, detain,* P
747, ο 346; intrans., w. gen., or inf.,
hold to, crave, desire, P 572, Ψ 300, θ
288; mid., *restrain oneself, delay,* M
38, T 234, η 161.

ἰσχίον (cf. ἰξύς): *hip-joint,* E 306;
then the parts about the *hips, loins,
flanks.*

ἴσχω (σισέχω, root σεχ, ἔχω), inf.
ἰσχέμεναι, mid. ipf. ἴσχετο: *hold* in the
simplest sense, then *hold* back, *check,
restrain,* τινός, 'from' something, E
90; mid., *restrain oneself, stop, desist*
from (τινός), χ 367, ω 54.

ἰτέη (Ϝιτέη): *willow*, Φ 350 and κ 510.

ἴτην: see εἶμι.

Ἴτυλος: *Itylus* (in the tragic poets *Itus*), son of Aēdon, slain by her through mistake, and lamented in her plaintive notes, of which the name is an imitation, τ 522†.

²Ἰτυμονεύς: son of Hypirochus in Elis, slain by Nestor, Λ 672†.

ἴτυς (Ϝίτυς): *felloe* of a wheel. (Il.)

ἴτω: see εἶμι.

Ἴτων: a town in Thessaly, B 696†.

ἰυγμός: *cry of joy, jubilant outcry*, Σ 572†.

ἰύζω: *cry out, scream* with intent to scare something away, ο 162 and P 66.

²Ἰφεύς (Ϝιφ.): a Trojan, slain by Patroclus, Π 417†.

Ἰφθίμη: daughter of Icarius, the sister of Penelope and wife of Eumēlus, δ 797†.

ἴφθιμος: doubtful word, *mighty, strong, goodly*, the latter interpretation to suit the epith. as applied to women, ἄλοχος, θυγάτηρ, Πηρώ, E 415, ο 364, λ 287.

ἶφι (Ϝίς): *with might*, ἀνάσσειν, etc.; *by violence*, κτάμενος, Γ 375.

²Ἰφιάνασσα: *Iphianassa*, daughter of Agamemnon, I 145 and 287.

²Ἰφιδάμᾶς: son of Antēnor and Theāno, Λ 21 ff.

²Ἰφικλήειος: *of Iphiclus*, βίη ²Ἰφικληείη, i. e. the mighty Iphiclus himself (see βίη), λ 290, 296.

²Ἴφικλος: son of Phylacus, father of Podarces and Protesilāüs, B 705, N 698, Ψ 636, λ 289 †.

²Ἰφιμέδεια: wife of Alōeus, and mother of Otus and Ephialtes, λ 305.

Ἰφίνοος: son of Dexius, slain by Glaucus, H 14†.

ἴφιος: *strong, fat, goodly*, only ἴφια μῆλα.

²Ἶφις: from Scyros, a slave of Patroclus, I 667†.

²Ἰφιτίδης: *son of Iphitus*, Archeptolemus, Θ 128†.

²Ἰφιτίων: son of Otrynteus, slain by Achilles, Υ 382.

²Ἴφιτος (Ϝιφ.): *Iphitus.*—(1) son of Eurytus, an Argonaut, guest-friend of Odysseus, slain by Heracles, φ 14–37. —(2) son of Nautolus, an Argonaut, from Phocis, father of Schedius and Epistrophus, B 518, P 306.—(3) father of Archeptolemus.

ἰχθυάω, ipf. iter. ἰχθυάασκον: *catch fish, fish*, μ 95 and δ 368.

ἰχθυόεις, only -όεντι, -όεντα: *abounding in fish, fishy.*

ἰχθύς, ύος, acc. pl. ἰχθύας, ἰχθῦς: *fish.*

ἴχνιον = ἴχνος.

ἴχνος, εος: *foot-step, track, trace*, ρ 317†.

ἰχώρ, acc. ἰχῶ: *ichor*, attributed to the gods in place of blood, see E 339–342.

ἴψ, ἰπός: *worm* that eats into horn or wood, *borer*, φ 395.

ἴψαο, ἴψεται: see ἴπτομαι.

ἰωγή: *shelter*; βορέω, 'from' the wind, ξ 533†. Cf. ἐπιωγαί.

ἰωή: *sound* of a voice, K 139; *tone* of a lyre, ρ 261; *whistling* of the wind, Δ 276, Λ 308.

ἰωκή, acc. ἰῶκα (διώκω): *pursuit, attack, battle - tumult.* Personified, E 740. (Il.)

ἰωχμός = ἰωκή, Θ 89 and 158.

K.

κ² = (1) κέ.—(2) καί.

κάββαλε: see καταβάλλω.

κάγ: see κατά.

Καβησόθεν: *from Cabēsus*, a city in Thrace, or, according to others, in Asia Minor, N 363†.

κάγχανος: *dry*, Φ 364, σ 308.

καγχαλάω, 3 pl. καγχαλόωσι, part. καγχαλόων: *laugh aloud* or *exultingly.*

κάδ: see κατά.

καδδραθέτην: see καταδαρθάνω.

καδδῦσαι: see καταδύω.

Καδμεῖοι, Καδμείωνες: the *Cadmeians, Thebans*, Δ 391, 385.

Κάδμος: *Cadmus*, the founder of Thebes, father of Ino, ε 333†.

Κάειρα, fem. of Κάρ: *of Caria, Carian*, Δ 142†.

καήμεναι: see καίω.

καθ-αιρέω, fut. καθαιρήσουσι, aor. καθείλομεν, subj. καθέλῃσι, part. καθελοῦσα: *take down*, ἱστία, ζυγὸν ἀπὸ πασσαλόφι, ι 149, Ω 268; of closing the eyes of the dead, Λ 453, ω 296; fig., μοῖρα θανάτοιο, *bring low, overcome*, β 100, γ 238.

καθαίρω (καθαρός), aor. (ἐ)κάθηρα, imp. κάθηρον, inf. -ῆραι, part. -ήραντες: *cleanse, clean;* 'make fair,' σ 192; w. acc., *wash off* or *away*, Ξ 171, ζ 93; with two accusatives, Π 667.

καθ-άλλομαι: *rush down*, of a storm, Λ 298†.

καθ-άπαξ: *once for all*, φ 349†.

καθ-άπτομαι, -άπτεσθαι, -όμενος, ipf. καθάπτετο: only fig., *accost, address*, and in unfavorable sense, *upbraid, chide, reprove*, σ 415, Ο 127, β 240, γ 345.

καθαρός: *clean, fair, clear;* of an open space, Θ 491; fig., of an honorable death, χ 462.

καθ-έζομαι, subj. καθεζώμεσθα, part. -όμενος, ipf. καθέζετο: *sit down;* of a public session, α 372; πρόχνυ καθεζομένη, 'kneeling down,' Ι 570; of a bird, 'perched,' τ 520; 'staying,' ζ 295.

καθέηκα: see καθίημι.

καθείατο: see κάθημαι.

καθ-εῖσα (εἷσα): *cause* or *bid to sit down*, Σ 389; *set, place, establish*, δ 524, Ξ 204.

καθέξει: see κατέχω.

καθ-εύδω, imp. καθεῦδε: *lie down to sleep, sleep*. (Od. and Α 611.)

καθ-εψιάομαι: *make sport of;* τινός, τ 372†.

κάθ-ημαι, imp. κάθησο, ipf. καθῆστο, 3 pl. καθείατο: *sit*, esp. of sitting quiet or inactive, 'remaining' anywhere, Ω 403, Β 191, Α 565, γ 186.

κάθηρα: see καθαίρω.

καθ-ιδρύω: *bid to sit down*, υ 257†.

καθ-ιζάνω: *take seat;* θωκόνδε, ε 3†.

καθ-ίζω, ipf. καθῖζον, aor. 3 pl. κάθισαν, imp. κάθισον, part. καθίσσας, κα-

θίσᾶσα: intrans., *sit;* trans., *cause to sit, place, convoke*, β 69.

καθ-ίημι, imp. καθίετε, aor. καθῆκα, 1 pl. κάθεμεν, 3 pl. κάθεσαν: *let go down, let down;* of lowering sails, ι 72; pouring wine down the throat, Ω 642.

καθ-ικνέομαι, aor. καθικόμην: *reach, touch*, α 342, Ξ 104.

καθ-ίστημι, imp. καθίστᾱ, aor. 1 imp. κατάστησον, inf. -στῆσαι: *set down;* νῆα, 'bring to anchor,' μ 185; so of bringing one to his destination, ν 274.

καθ-οράω, mid. part. καθορώμενος: *look down upon*, Λ 337, Ν 4.

καθ-ύπερθε(ν): *from above, above, over;* whether the word expressly denotes 'northward' is doubtful, Ω 545, γ 170, ο 404.

καί: *and, also, too, even;* the purely copulative use needs no illustration, but the word is idiomatically employed in many ways that call for insight and feeling rather than translation; (Νέστωρ) ἀνόρουσε, λιγὺς Πυλίων ἀγορητής, | τοῦ καὶ ἀπὸ γλώσσης μέλιτος γλυκίων ῥέεν αὐδή, 'even from whose tongue, etc.' (comparing γλυκίων with λιγύς), Α 249; this comparing καί may appear in both members of the statement, δότε δὴ καὶ τόνδε γενέσθαι | παῖδ' ἐμόν, ὡς καὶ ἐγώ περ, ἀριπρεπέα Τρώεσσι, Ζ 476; καί introducing an apodosis institutes a comparison between dependent clause and main clause, Α 478. καί appears in Greek often where we employ a disjunctive word, ἕνα καὶ δύο, 'one or two,' Β 346. Combined w. other particles, καὶ εἰ, εἰ καί (see εἰ), καὶ δέ (δέ the connective), καὶ δή, καὶ μήν, καί ῥα, καί τε, καὶ . . πέρ (see πέρ), etc. καί sometimes suffers elision, κ' ἔτι, Ψ 526; freq. in crasis, χἠμεῖς (καὶ ἡμεῖς), κἀγώ, etc.

Καινείδης: *son of Caeneus*, Corōnus, Β 746†.

Καινεύς: a king of the Lapithae, Α 264†.

καίνυμαι, ipf. ἐκαίνυτο, perf. 2 sing. κέκασσαι, 3 κέκασται, inf. κεκάσθαι, plup. (ἐ)κέκαστο: *excel*, w. acc., ἐκαίνυτο φῦλ' ἀνθρώπων | νῆα κυβερνῆσαι, γ 282; ἐγχείῃ δ' ἐκέκαστο Πανέλληνας καὶ Ἀχαιούς, Β 530; mostly w. dat. of the thing and prep. governing the person, ἐν Δαναοῖσι, μετὰ δμωῇσι, πᾶσαν ἐπ' αἶαν, δ 725, τ 82, ω 509; gen. of person, Ω 546; ἐπί with dat. of thing, Υ 35.

καίριος (καιρός): in the right place, a fatal place for a wound, Θ 84, Δ 185. (Il.)

καιροσέων or καιροσσέων: gen. pl. fem. from an adj. καιρόεις, with many loops (καῖροι) or thrums to which the threads of the warp were attached; κ. ὀθονέων, from the fine-woven linen, η 107†.

καίω, inf. καιέμεν, ipf. καῖον, aor. ἔκηα, opt. 3 sing. κήαι, 3 pl. κήαιεν, subj. 1 pl. κήομεν, inf. κῆαι, imp. κῆον, part. κήαντες, pass. pres. καίεται, ipf. 2 sing. καίεο, aor. (ἐ)κάη, inf. καήμεναι, mid. aor. κήαντο, part. κηάμενος: burn, consume, mid., for oneself, I 88, 234, π 2; pass., burn, burn up.

κάκ: see κατά.

κακίζομαι: play the coward, Ω 214†.

κακκείαι, -ῆαι: see κατακαίω.

κακκείοντες: see κατακείω.

κακο-είμων, ονος (Ϝεῖμα): ill-clad, σ 41.

κακο-εργίη (Ϝέργον): ill-doing, χ 374†.

κακο-εργός: evil-doing, rascally, σ 54†.

Κακο-ίλιος (Ϝίλιος): sad Ilium, Ilium of evil name, τ 260, 597, ψ 19.

κακο-μήχανος (μηχανή): contriving evil, malicious, π 418.

κακό-ξεινος: having sorry guests, comp., υ 376†.

κακο-ρραφίη (ῥάπτω): evil device, maliciousness, μ 26.

κακός, comp. κακώτερος, κακίων, sup. κάκιστος: bad, opp. ἀγαθός, ἐσθλός. The variety of applications is as great as that of the opp. words, hence 'cowardly,' 'ugly,' 'poor,' 'vile,' 'sorry,' 'useless,' 'destructive,' 'miserable,' 'unlucky,' 'ill-boding,' etc. Not often of persons morally bad, λ 384. As subst., κακόν, κακά, evil, pest, ills of all sorts, E 831, μ 118, λ 482.— Adv., κακῶς.

κακό-τεχνος (τέχνη): devised in evil; δόλος, O 14†.

κακότης, ητος: evil, wickedness, cowardice; also 'hardship,' 'misery,' ρ 318, and esp. the ills suffered in war or battle, e. g. Λ 382.

κακο-φραδής, ἐς (φράζομαι): ill-judging, perverse, Ψ 483†.

κακόω, imp. κάκου, aor. ἐκάκωσα: bring to evil or trouble, maltreat, disfigure, ζ 137; κεκακωμένοι, 'in a sad plight,' Λ 689; μηδὲ γέροντα κάκου κεκακωμένον, 'afflict the afflicted,' δ 754.

κάκτανε: see κατακτείνω.

κακώτερος: see κακός.

καλάμη (cf. κάλαμος, calamus): reed, stalk, Τ 222 (straw as opp. to kernel); fig., as relic of former bloom, 'by looking on the poor husk that remains I fancy thou canst perceive' what I once was, ξ 214.

καλαῦροψ, οπος: shepherd's staff, Ψ 845†.

καλέω, καλέει and καλεῖ, etc., inf. καλήμεναι, part. καλεῦντες, ipf. (ἐ)κάλει, iter. καλέεσκον, aor. (ἐ)κάλεσσα, part. καλέ(σ)σᾱς, pass. καλέονται, ipf. καλεῦντο, iter. καλέσκετο, perf. κέκλημαι, plup. 3 pl. κεκλήατο, fut. perf. 2 sing. κεκλήσῃ, mid. aor. (ἐ)καλέσσατο, καλέσαντο: call by name, call together, summon, invite, mid., to or for oneself; w. cognate acc., τινὰ ἐπώνυμον or ἐπίκλησιν καλεῖν, call a person 'by a name,' I 562, Σ 487; freq. pass., esp. perf., 'be called,' 'pass for,' often only a poetic amplification of εἶναι, αἲ γὰρ ἐμοὶ τοιόσδε πόσις κεκλημένος εἴη, ζ 244; often of inviting to dinner, see λ 185–187; mid., Ω 193, φ 380.

Καλήσιος: companion of Axylus, slain by Diomed, Z 18†.

Καλητορίδης: son of Caletor, Aphareus, N 541†.

καλήτωρ, ορος: crier, Ω 577†.

Καλήτωρ: (1) son of Clytius, cousin of Hector, slain by Ajax, O 419.— (2) the father of Aphareus.

καλλείπω: see καταλείπω.

Καλλιάνασσα and Καλλιάνειρα: Nereids, Σ 46, 44†.

Καλλίαρος: a town in Locris, B 531†.

καλλί-γυναιξ, only acc. καλλιγύναικα: with beautiful women, epith. of Hellas, Achaea, Sparta.

καλλί-ζωνος: with beautiful girdles. (See cut No. 44.)

καλλί-θριξ, καλλίτριχος: of horses, with beautiful manes; sheep, fair-fleeced.

Καλλικολώνη : *Fair-mount,* near Ilium, Υ 53, 151.

καλλί-κομος (*κόμη*): *with beautiful hair,* cf. *ἠΰκομος.*

καλλι - κρήδεμνος (*κρήδεμνον*): *with beautiful head-bands,* pl., δ 623†.

κάλλιμος = *κᾱλός.* (Od.)

κάλλιον : see *κᾱλός.*

καλλι - πάρῃος (*παρειά*): *fair-cheeked.*

κάλλιπε, -πέειν : see *καταλείπω.*

καλλι - πλόκαμος : *with beautiful locks* of hair, cf. *ἐϋπλοκαμίς.* (See cut No. 44.)

καλλι - ρέεθρος : *beautifully-flowing.* (Od.)

καλλί - ρροος : *beautifully - flowing, fair-flowing.*

κάλλιστος : see *κᾱλός.*

καλλί-σφυρος (*σφυρά*) : *fair-ankled.* (See cuts Nos. 2, 44, 62, 70.)

κάλλιφ' = *κάλλιπε,* see *καταλείπω.*

καλλί-χορος : *with beautiful dancing-lawns,* λ 581†.

κάλλος, εος : *beauty; κάλλος ἀμβρόσιον,* apparently conceived as an unguent, σ 192.

κᾱλός, comp. *καλλίων, κάλλιον,* nom. pl. *καλλίονες,* sup. *κάλλιστος* : *beautiful, fair;* sometimes figuratively, *λιμήν, ἄνεμος,* ζ 263, ξ 253 ; met., *fine, well, proper,* only neut. in Homer, *κᾱλὸν εἰπεῖν, κᾱλὰ ἀγορεύειν, κᾱλόν ἐστί τινι.* — Adv., **κᾱλόν, κᾱλά, καλῶς,** Θ 400, β 63.

κάλος (Att. *κάλως*): pl., *ropes, halyards ;* passing through a hole at the top of the mast, then made fast at the bottom, and serving to hoist and lower the yard. (See cut.)

60

κάλπις : *water - jar, urn,* η 20†. (See cut, from a picture on an ancient vase.)

61

Καλύδναι *νῆσοι* : the *Calydnian* islands, near Cos, Β 677†.

Καλυδών : *Calydon,* a city in Aetolia, Ι 530, Ν 217, Β 640.

κάλυμμα (*καλύπτω*) : *veil,* Ω 93†. (See cuts Nos. 2, 44, 62, 70.)

κάλυξ, υκος : pl., women's ornaments, perhaps cup-shaped *ear-rings,* Σ 401†. (See cut No. 8.)

καλύπτρη : *veil.* (Cf. cut, and Nos. 2, 44, 70.)

62

καλύπτω, fut. -*ψω,* aor. (*ἐ*)*κάλυψα,* pass. perf. part. *κεκαλυμμένος,* plup. *κεκάλυπτο,* aor. part. *καλυφθείς,* mid. aor. *καλύψατο* : *cover, veil, hide,* mid., oneself or some part of oneself ; *τινί,* 'with' something, but sometimes w. acc. of the thing used to cover with, *τόσσην οἱ ἄσιν καθύπερθε καλύψω,* Φ 321, Ε 315 ; fig., of darkness, sorrow, war, death, Ρ 243, Λ 250, ω 315 ; mid., θ 92, κ 179.

Καλυψώ (the 'Concealer,' O c c u l i n a) : *Calypso,* a goddess, daughter of Atlas, dwelling in the isle of Ogygia, where she detains Odysseus for seven years, until commanded by Zeus to dismiss him, ε 28, η 259, 265 ; epithets, *δολόεσσα, δεινὴ θεός, ἐϋπλόκαμος, αὐδήεσσα, ἠΰκομος, νύμφη πότνια.*

Κάλχᾱς, αντος: *Calchas*, the son of Thestor, renowned seer of the Greeks before Troy, A 69–72, B 300. (Il.)

κάμ: see κατά.

κάμαξ, ακος: *vine-pole, vine-prop*, pl., Σ 563†.

κάματος (κάμνω): *fatigue, weariness, toil;* 'fruit of our labor,' ξ 417.

κάμβαλε: see καταβάλλω.

κάμε: see κάμνω.

Κάμειρος: a town on the west coast of Rhodes, B 656†.

καμῑνώ, οῦς: γρηὶ καμῑνοῖ Ϝῖσος, like an old *oven*-woman, *bake*-woman (of a clattering tongue, as in Eng. 'fish-woman'), σ 27†.

καμμίξᾱς: see καταμίγνῡμι.

καμ-μονίη (καταμένω): *steadfastness, endurance* (meaning the *victory* won thereby), X 257, Ψ 661.

κάμ-μορος (κατάμορος): 'given over to fate,' hence, *ill-starred, hapless.*

κάμνω, fut. καμεῖται, aor. 2 ἔκαμον, κάμε, subj. κάμῃσι, perf. κέκμηκα, part. κεκμηώς, -ηῶτα, -ηότας, mid. aor. ἐκάμοντο, καμόμεσθα: I. intr., *grow weary*, frequently w. acc. of specification, γυῖα, ὦμον, χεῖρα, also w. thing as subj., πόδες, ὄσσε, μ 232; w. part., Δ 244, H 5; euphem., καμόντες, the *dead*, those who have finished their toil, λ 476.— II. trans. (aor. act.), *wrought* with toil, μίτρη, τὴν χαλκῆες κάμον ἄνδρες, Δ 187; also with τεύχων; aor. mid., 'won by toil,' Σ 341; 'worked up for oneself,' 'tilled,' ι 130.

κάμπτω, fut. inf. -ψειν, aor. ἔκαμψα: *bend,* Δ 486; 'into a lyre,' Ω 274; freq. γόνυ, with weariness.

καμπύλος (κάμπτω): *bent, curved.*

καναχέω: only aor., *rang,* τ 469†.

καναχή: *ringing* of bronze, *rattling* of a mule-wagon, ζ 82; 'gnashing' of teeth, T 365.

καναχίζω: only ipf., *rattled,* M 36; *re-echoed,* κ 399.

κάνεον, κάνειον: *tray, basket,* for bread and meat, and for sacrificial barley, α 147, ρ 343.

καννεύσᾱς: see κατανεύω.

κανών, όνος: (1) *shuttle* or *spool*, by which the thread of the woof was drawn through the thread of the warp, Ψ 761.—(2) *handle* on the interior of a shield, grasped by the left hand, Θ 193, N 407. (Il.) (See cuts Nos. 12,

16, 79; rudely represented in the adjacent cut.)

63

κάπ: see κατά.

Καπανεύς: *Capaneus*, one of the Seven against Thebes, the father of Sthenelus, E 319.

Καπανηϊάδης and **Καπανήϊος, υἱός**: *son of Capaneus*, Sthenelus, E 109, 108.

κάπετος: *ditch, grave*, Σ 564, Ω 797. (Il.)

κάπη, pl. dat. κάπῃσι: *crib, manger,* δ 40, Θ 434.

καπνίζω (καπνός): only aor., *lighted fires,* B 399†.

καπνός: *smoke;* in μ 202 of a cloud of spray from violently agitated water.

κάππεσον: see καταπίπτω.

κάπριος (κάπρος): *wild boar*, with and without σῦς, M 42, P 282.

κάπρος: *wild boar, boar*, T 197.

Κάπυς: *Capys*, son of Assaracus, and father of Anchīses, Υ 239†.

καπύω: only aor., ἀπὸ (adv.) δὲ ψῡχὴν ἐκάπυσσεν, *breathed forth* (in a swoon), X 467†.

κάρ: see κατά.

κάρ (κάρη): only ἐπὶ κάρ, *headlong,* Π 392†.

Κάρ, pl. **Κᾶρες**: the *Carians*, inhabitants of Caria in Asia Minor, B 867. (Il.)

καρός, defect. gen.: doubtful word, only τίω σέ μιν ἐν καρὸς αἴσῃ, 'the value of a straw,' 'not a *whit,*' I 378.

Καρδαμύλη: a town in Messēne, under the sway of Agamemnon, I 150†.

καρδίη, κραδίη: *heart*, as an organ

of the body, K 94, N 282, 442; then as seat of life, courage, emotion, reason, A 225, I 646, K 244, δ 548, 260.

κάρη (Att. κάρᾱ), gen. κάρητος, καρήατος, κρᾱτός, κράᾱτος, dat. similarly, acc. κάρη, κρᾶτα, pl. καρήατα, κρᾶτα, κράᾱτα, dat. κρᾱσί, κράτεσφι: head, of men or animals; also of a poppy, mountain-peaks, the head of a harbor, Θ 306, Υ 5, ι 140. For **κρῆθεν**, see κατάκρηθεν.

καρη-κομόωντες: long-haired; epith. of the Achaeans, who cut their hair only in mourning or on taking a vow, Ψ 146, 151, while slaves and Orientals habitually shaved their heads.

κάρηνον (κάρη): only pl., heads, also summits (ὀρέων), and of towers, battlements, B 117.

Κάρησος: a river rising in Mt. Ida, M 20†.

καρκαίρω: quake, ipf., Υ 157†.

καρπάλιμος (cf. κραιπνός): swift. — Adv., **καρπαλίμως**, swiftly, speedily, quickly.

1. καρπός: fruit of tree, field, or vine, Γ 246.

2. καρπός: wrist, always ἐπὶ καρπῷ, and with χείρ, E 458, σ 258, Σ 594.

καρρέζουσα: see καταρρέζω.

καρτερό-θῡμος: strong-hearted. (Il.)

καρτερός: see κρατερός.

κάρτιστος: strongest, mightiest; neut., φυγέειν κάρτιστον ἀπ' αὐτῆς (sc. ἐστί), best, i. e. 'the better part of valor,' μ 120.

κάρτος: see κράτος.

καρτύνω: only aor. mid., ἐκαρτύναντο φάλαγγας, strengthened their ranks. (Il.)

Κάρυστος: a town at the southern extremity of Euboea, B 539†.

καρφαλέος: dry; of sound (cf. αὖον), N 409. (Il. and ε 369.)

κάρφω, fut. κάρψω, aor. κάρψε: parch, shrivel up, ν 398 and 430.

καρχαλέος: rough with thirst (δίψῃ), of the throat, dry, Φ 541†.

καρχαρ-όδους, όδοντος: sharp-toothed, epith. of dogs. (Il.)

κασι-γνήτη (κάσις, γίγνομαι): sister (of the same mother).

κασί-γνητος (κάσις, γίγνομαι): brother; of a cousin, Ο 545, Π 456.

Κάσος: an island near Cos, B 676†.

Κασσάνδρη: Cassandra, daughter

of Priam, the prophetess, carried to Greece as captive by Agamemnon, and slain by Clytaemnestra, N 366, Ω 699, λ 422.

κασσίτερος: tin; used to ornament weapons and chariots.

Καστιάνειρα: the mother of Gorgythion, Θ 305†.

καστορνῦσα: see καταστορέννῡμι.

Κάστωρ: Castor.—(1) son of Zeus and Leda, brother of Polydeuces and Helen, famed for horsemanship (ἱππόδαμος), as participant in the hunt of the Calydonian boar, and in the Argonautic expedition, Γ 237, λ 299 ff. — (2) son of Hylacus, ξ 204.

κάσχεθε: see κατέχω.

κατά, before γ sometimes κάγ, before δ κάδ, before μ κάμ, before π and φ κάπ, before ρ κάρ, or written as one word, e. g. κάγγόνυ, καδδύναμιν: down. — I. adv., down, utterly (here belong all examples of 'tmesis' so-called); κατὰ δάκρυ χέουσα, fig., κατὰ δ' ὅρκια πάτησαν, 'under foot,' Δ 157; κατὰ δ' ἅρματα ἄξω, break 'to pieces;' κατὰ ταῦρον ἐδηδώς, having devoured, stronger than 'eaten,' through the force of κατά, P 542; Πηλῆά γ' ὀίομαι ἢ κατὰ πάμπαν | τεθνάμεν, to be dead and gone, cf. καταθνήσκω, Τ 334; the appropriate case of a subst. may specify the relation of the adv., κατὰ δὲ νότιος ῥέεν ἱδρώς | ὤμων καὶ κεφαλῆς (local gen.), Λ 811.—II. prep., (a) w. gen., down, down from, down over, κατ' οὐρανοῦ εἰλήλουθεν, η 199; κατ' ὀφθαλμοῦ κέχυτ' ἀχλύς, E 696; ἀμβροσίην καὶ νέκταρ ἐρυθρὸν | στάξε κατὰ ῥινῶν, 'down through,' 'in through,' Τ 39; κατ' ἄκρης, 'from top to bottom,' 'utterly.'—(b) w. acc., down, down through, down into, κατὰ τεῖχος ἔβησαν, N 737; of motion not so vaguely as ἀνά, 'up and down,' but usually rather with reference to some definite end or purpose, δοιὼ δὲ κυβιστητῆρε κατ' αὐτοὺς .. ἐδίνευον κατὰ μέσσους, 'among them .. down the centre,' δ 18; ναίειν κατὰ πόλιν, in particular places throughout the city, B 130; so, κατὰ γαῖαν, κατὰ πόντον, and simply local, κατὰ στῆθος, in tne breast, met., κατὰ θῡμόν, 'in the heart;' transferred from the physical or local sense to other relations, distributive. according *to*, *by*, κατὰ σφέας, 'by themselves ;' fitness, κατὰ θυμόν, *according to* one's wish ; κατὰ κόσμον, κατ᾽ αἶσαν, κρομύοιο λοπὸν κάτα, 'after the semblance' of an onion-skin, τ 233; purpose, κατὰ πρῆξιν, 'on business'; κατὰ δαῖτα, 'for a banquet,' A 424.

κατα-βαίνω, aor. 2 κατέβην, 3 pl. -έβησαν, κατέβαν, subj. -βείομεν, imp. κατάβηθι, inf. -βῆναι, -βήμεναι, mid. aor. κατεβήσετο, imp. καταβήσεο, subj. καταβήσεται : *step down, descend*, τινός, 'from,' οὐρανόθεν, ζ 281; εἴς τι, ἐπί τι, and sometimes w. acc. of end of motion without prep., κατεβήσετο θάλαμον, β 337; then apparently trans., κλίμακα, ἐφόλκαιον, 'down-stairs,' 'down the rudder,' α 330, ξ 350; ὑπερώια, as acc. of the place *from* which (as if the verb meant to *leave*), σ 206, ψ 85.

κατα-βάλλω, ipf. κατέβαλλε, aor. sync. κάββαλε (κάμβαλε): *cast* or *throw down*, Ο 357, ζ 172; then merely 'put down,' 'let fall,' I 206, E 343, Θ 249; (κυών) οὔατα κάββαλεν, 'dropped' his ears, ρ 302†.

κατα-βλώσκω : *come down, go through*, π 466†.

κατα-βρόχω : *swallow*, aor. δ 222†.

κατα-γηράσκω and **κατα-γηράω** : *grow old*.

κατ-αγῑνέω(άγω): *carry down*, κ 104†.

κατ-άγνυμι, fut. κατάξω, aor. κατέαξα, κατῆξα : *shatter*.

κατ-άγω, aor. κατήγαγε, inf. καταξέμεν, mid. ipf. κατήγετο, κατάγοντο, aor. -ηγαγόμεσθα : *lead* or *bring down*, *bring* to some definite place, ἵππους, ἐπὶ νῆας, E 26 ; τινὰ Κρήτηνδε, 'drove' to Crete, τ 186; mid., of sailing, *bring to land* or *port*, *put in* (opp. ἀνάγεσθαι), γ 10, 178, κ 140.

κατα-δάπτω, aor. κατέδαψαν : *tear, devour ;* ἦτορ καταδάπτεται, π 92.

κατα-δαρθάνω, aor. κατέδραθον, du. sync. καδδραθέτην : *fall asleep, sleep.*

κατα-δέρκομαι : *look down upon*, λ 16†.

κατα-δεύω : *drench, wet*, I 490†.

κατα-δέω, ipf. κατέδει, aor. κατέδησε : *bind down, bind fast, confine.*

κατα-δημο-βορέω (δημοβόρος) : *devour in common*, aor., Σ 301†.

καταδράθω : see καταδαρθάνω.

κατα-δύω, aor. 2 κατέδῡν, inf. καταδῦναι, -δύμεναι, part. -δύς, nom. pl. fem.

sync. καδδῦσαι, mid. fut. καταδῡσόμεθα, aor. κατεδύσετο : *go down into, enter ;* εἰς Ἀίδαο δόμους, κ 174 ; κατά, Τ 25. and often w. acc., δόμον, πόλιν, ὅμιλον, etc. ; of the sun, *set ;* apparently trans., τεύχεα, *put on*, Z 504, μ 228.

καταειμένος, καταείνυσαν : see καταείνυμι.

καταείσατο : see κάτειμι.

κατα-έννυμι (Ϝέννυμι), ipf. καταείνυσαν, pass. perf. part. καταειμένος : *clothe, cover*, Ψ 135; fig., ὕλῃ, ν 351.

κατ-αζαίνω, aor. iter. καταζήνασκε : *make dry, dry up*, λ 587†.

κατα-θάπτω, aor. inf. καταθάψαι : *inter, bury.* (Il.) [θημι.

καταθείομαι, -θείομεν : see κατατίθημι.

κατα-θέλγω, aor. κατέθελξε : *subdue by charming, charm, enchant*, κ 213†.

κατα-θνήσκω, aor. 2 sync. κάτθανε, perf. κατατεθνήκᾱσι, opt. -τεθναίη, part. -τεθνηῶτος, etc., fem. -τεθνηυίης : *go down to death, die*, perf., *be dead and gone ;* ψῡχαὶ νεκύων κατατεθνηώτων, shades of the 'departed dead,' λ 37.

κατα-θνητός : *mortal.*

κατα-θύμιος (θῡμός) : *in* or *upon the mind* or *heart*, Κ 383, Ρ 201, Χ 392.

καται-βατός : *to be descended*, *passable*, ν 110†.

κατ-αικίζω, pass. perf. κατήκισται : *disfigure, soil*, π 290 and τ 9.

κατ-αισχύνω : *disgrace, dishonor.*

κατα-ίσχω : see κατίσχω.

καταῖτυξ, υγος, *leather helmet* or *skull-cap*, Κ 258†. (See cut No. 115.)

κατα-καίριος (καιρός): *mortal*, with τέλος (like τέλος θανάτοιο), Λ 439†.

κατα-καίω, inf. -καιέμεν, aor. 1 κατέκηα, subj. -κήομεν, inf. sync. κακκῆαι (-κεῖαι) : *burn up, consume.*

κατά-κειμαι, 3 pl. κατακείαται, ipf. κατέκειτο : *lie down, lie, remain in any settled condition; mel., rest ;* as pass. of κατατίθημι, *be set down*, Ω 527.

κατα-κείρω: *shear down*, hence *waste, consume.* (Od.)

κατα-κείω, subj. κατακείομεν, part. sync. κακκείοντες : *lie down ;* as desiderative, part. w. ἔβαν, went *to lie down, to sleep*, Α 606, α 424.

κατακῆαι, -κήεμεν, -κήομεν : see κατακαίω.

κατα-κλάω, ipf. κατέκλων : *break down, break off ;* pass., fig., κατεκλάσθη φίλον ἦτορ, my heart *broke*, 'gave way.'

κατα-κλίνω, aor. part. -κλίνᾱς: *lean or lay down; δόρυ ἐπὶ γαίῃ*, κ 165†.

Κατακλῶθες: see Κλῶθες.

κατα-κοιμάω, only aor. pass. κατεκοιμήθην: pass., *lie down to sleep, sleep, lie.* (Il.)

κατακοιρανέω: see κοιρανέω.

κατα-κοσμέω, mid. aor. subj. κατακοσμήσησθε: *put in order*, χ 440; 'fitted,' Δ 118.

κατά-κρηθεν (κάρη): *from top to bottom, utterly.*

κατάκρης = κατάκρηθεν, see ἄκρη.

κατα-κρύπτω, fut. inf. -ύψειν, aor. part. κατακρύψας: *hide, conceal; αὐτόν*, 'himself,' δ 427; 'make no concealment,' η 205.

κατα-κτείνω, fut. κατακτενεῖ, 3 pl. κτανέουσι, aor. 1 opt. κατακτείνειε, aor. 2 κατέκτανον, imp. κατάκτανε, κάκτανε, also κατέκταν, inf. -κτάμεν(αι), part. -κτάς, pass. aor. 3 pl. κατέκταθεν, mid. fut. κατακτανέεσθε, aor. part. κατακτάμενος: *kill, slay*; mid. w. pass. signif., Ξ 481, π 106.

κατα-κύπτω, aor. κατέκυψε: *bend down the head, bow down.* (Il.)

1. κατα-λέγω, fut. -λέξω, aor. κατέλεξα. *enumerate, recount*, τ 497, π 235; then *narrate, relate*, with εὖ, ἀτρεκέως, ἐν μοίρῃ, Ι 115, Τ 186.

2. κατα-λέγω (root λεχ), mid. fut. καταλέξεται, aor. κατελέξατο, imp. κατάλεξαι, aor. 2 κατέλεκτο, inf. καταλέχθαι, part. καταλέγμενος: mid., *lay oneself down, lie down to sleep or rest, lie.*

κατα-λείβω: only pass. part. *trickling down*, Σ 109†.

κατα-λείπω, καλλείπω, aor. 2 κάλλιπον (κάλλιφ', Ζ 223, Κ 338), inf. -έειν: *leave behind, leave in the lurch, abandon*, Φ 414, Χ 383, Ω 383; 'give over,' ἕλωρ γενέσθαι, Ρ 151, γ 271, ε 344.

κατα-λήθομαι: *forget entirely.*

καταλοφάδεια (λόφος): adv., 'down over the neck'; φέρων, carrying the animal *crosswise over his back* (the feet being tied together and held under the chin of the bearer), κ 169†.

κατα-λύω, aor. κατέλυσε, subj. -λύσομεν: *loose* (unharness), δ 28; fig., *undo*, 'destroy,' Β 117, Ι 24.

κατα-μάρπτω, aor. subj. καταμάρψῃ: *overtake.*

κατ-αμάω: only aor. mid. καταμήσατο, had *heaped upon himself*, Ω 165†.

κατ-αμύσσω: only aor. mid., *καταμύξατο χεῖρα*, has *scratched her* hand, Ε 425†.

κατα-νεύω, part. κατᾰνεύων (ι 490), fut. -νεύσομαι, aor. κατένευσα, part. sync. καννεύσᾱς: *nod down* (forward), *nod to, to give a sign*, regularly of *assent* (opp. ἀνανεύω); κεφαλῇ or κρᾱτί, Α 527; joined with ὑπέσχετο, ὑπέστην, Β 112, ν 133, Δ 267; *grant* (τινί τι), νῑκήν, κῦδος, also w. inf., Κ 393, δ 6.

κατ-άνομαι (ἄνω): pass., *be used up, wasted.* (Od.)

κάτ-αντα (κατάντης): adv., *downhill*, Ψ 116†.

κατάντηστιν: see ἄντηστις.

καταντικρύ: see ἀντικρύ.

κατά-παυμα (παύω): *rest from, alleviation; τινός*, Ρ 38†.

κατα-παύω, fut. -σω, aor. κατέπαυσα, subj. -παύσομεν: *put an end to, quell;* of persons and w. gen. of separation, *silence, stop* in anything (ἀγηνορίης, ἀφροσυνάων), Χ 457, ω 457; ironically of killing, Π 618.

κατα-πέσσω, aor. subj. καταπέψῃ: *digest*, fig., χόλον (as we say 'swallow' one's anger), Α 81†.

καταπέφνων: see κατέπεφνον.

κατα-πήγνῡμι, aor. κατέπηξα, mid. aor. sync. κατέπηκτο: *stick fast, plant*, mid. intrans., Λ 378.

κατα-πίπτω, aor. sync. κάππεσον: *fall down;* fig., παραὶ ποσὶ κάππεσε θῡμός, i. e. their courage utterly forsook them, Ο 280.

κατα-πλέω: *sail down, put in* (to shore from the high sea), ipf., ι 142†.

κατα-πλήσσω: only aor. pass., κατεπλήγη, was *struck with dismay* (ἦτορ, acc. of specification), Γ 31†.

κατα-πρηνής, ές: 'down-turned forward,' only w. χείρ, the *flat* of the hand.

κατα-πτήσσω, aor. 1 part. καταπτήξᾱς, aor. 2 κατέπτην, 3 du. καταπτήτην: *crouch down, cower* with fear, Θ 136.

κατα-πτώσσω = καταπτήσσω. (Il.)

κατα-πύθομαι (πύθω): *become rotten, rot away*, Ψ 328†.

κατ-αράομαι: *utter imprecations, invoke upon* (τινί τι); followed by inf. denoting the substance of the prayer, Ι 454.

κατᾱ-ρῑγηλός (Ϝρῖγος): horrible, ξ 226†.

κατα-ρρέζω, καταρέζω, part. καρρέζουσα, aor. κατέρεξε: stroke, caress.

κατα-ρρέω, part. neut. καταρρέον: flow down.

κατ-άρχομαι: only ipf., in ritualistic sense, χέρνιβά τ᾽ οὐλοχύτας τε, began the sacred hand-washing and sprinkling of barley meal, γ 445†.

κατα-σβέννῡμι, aor. κατέσβεσε: extinguish, quench, Φ 381†.

κατα-σεύομαι: only aor. 2, κατέσσυτο, rushed down, Φ 382†.

κατα-σκιάω: overshadow, ipf., μ 436†.

κατα-στορέννῡμι and καταστόρνῡμι, part. sync. κᾱστορνῦσα, aor. κατεστόρεσα: spread down, spread out upon, ρ 32; then of 'covering over,' Ω 798.

κατα-στυγέω: only aor., κατέστυγε, was horror-struck, P 694†.

κατασχεθεῖν: see κατέχω.

κατα-τήκω, aor. κατέτηξε: melt down, melt; pass. intrans.; fig., 'pine away,' κατατήκομαι ἦτορ (acc. of specification), τ 136.

κατα-τίθημι, fut. -θήσω, aor. κατέθηκα, pl. κάτθεμεν, κάτθεσαν, imp. κάτθετε, subj. καταθείομεν, inf. θεῖναι, κατθέμεν, part. du. καταθέντε, mid. aor. 2 κατθέμεθα, κατθέσθην, subj. καταθείομαι, part. κατθέμενοι: put or lay down, put away, mid., for oneself; of setting one ashore or at any other place of destination, π 230, Π 683; spreading a bed, τ 317; proposing as a prize in a contest, Ψ 267; laying the dead on the bier, ω 190, 44; depositing things for safe keeping, etc.

κατα-τρύχω: wear or waste away, exhaust, consume.

καταῦθι, καταυτόθι: see αὖθι and αὐτόθι.

κατα-φέρω: only fut., κατοίσεται, will bring me down to the grave, Χ 425†.

κατα-φθίω, fut. -φθίσει, mid. aor. κατέφθιτο, inf. καταφθίσθαι, part. -φθίμενος: destroy, mid., perish, pass away, die; νέκυεσσι καταφθιμένοισιν (κατά because they have passed down to Hades, cf. καταθνήσκω), λ 491.

κατα-φλέγω, fut. -ξω: burn up, consume; πυρί, Χ 512†.

κατα-φῦλαδόν (φῦλον): in tribes, in clans, Β 668†.

κατα-χέω, aor. κατέχευα, inf. καταχεῦαι, mid. aor. 3 pl. κατέχυντο: pour down, shower down, shed over (τινί τι); not of fluids only, but variously, of letting fall a garment, E 734; throwing down wands, Z 134; levelling a wall, H 461; and often metaph., χάριν, πλοῦτον, ὀνείδεα, β 12, B 670, ξ 38; mid., ὅπλα εἰς ἄντλον, 'fell in a heap,' μ 411.

κατα-χθόνιος: subterranean, nether, Ζεύς (= Hades), I 457†.

κατέαξα: see κατάγνῡμι.

κατέδει: see καταδέω.

κατ-έδω, fut. κατέδονται: eat up, devour; fig., οἶκον, θῡμόν, β 237, Z 202.

κατ-είβω (= καταλείβω): let flow down, shed; mid., flow apace, trickle down, fig., αἰών, 'ebb away,' ε 152.

κάτ-ειμι (εἶμι), κάτεισι, inf. κατίμεν, ipf. κατήιε, mid. aor. καταείσατο: go or come down in some definite direction, as back home, into port, etc.; fig, of a river, 'flow down,' Λ 492; a ship, π 472; a spear, Λ 358.

κατέκταθεν: see κατακτείνω.

κατεναίρω, mid. aor. κατενήρατο: slay, λ 519†.

κατ-εναντίον: down against, go to meet; τινί, Φ 567†.

κατ-ένωπα: in the face of, turned toward, O 320†.

κατεπάλμενος: see κατεφάλλομαι.

κατέπαλτο: see ἐκκαταπάλλω.

κατ-έπεφνον, subj. καταπέφνῃ, part. (w. irreg. accent) καταπέφνων: kill, slay.

κατ-ερείπω, aor. κατήριπεν, perf. κατερήριπεν: aor. and perf., intr., fall down, be prostrated, fig., 'fall away,' 'come to nought,' E 92. (Il.)

κατ-ερητύω: hold back, restrain.

κατ-ερῡκάνω and κατερῡκω: hold back, hinder, detain, pass., α 197.

κατ-ερύω, aor. κατείρυσε, pass. perf. κατείρυσται, κατειρύσθαι: draw down, launch a vessel.

κατ-έρχομαι, fut. κατελεύσομαι, aor. κατήλυθον, inf. κατελθέμεν: come or go down, come in some definite direction, as from country to town, home, from high sea to harbor, etc.; πέτρῃ, 'descending,' ι 484.

κατέσσυτο: see κατασεύομαι.

κατ-ευνάζω and **κατευνάω**, aor. opt. κατευνήσαιμι, aor. pass. 3 pl. κατεύνασθεν, part. κατευνηθέντα: *put to bed, lull to sleep*, pass., *lie down, sleep.*

κατ-εφ-άλλομαι: only aor. part., **κατεπάλμενος**, *springing down* to the attack, Λ 94†.

κατ-έχω, fut. καθέξει, aor. 2 κατέσχον, pass. κατέχονται, ipf. κατείχετο, -έχοντο, mid. aor. κατέσχετο, part. κατασχομένη, aor. 2, parallel forms, **κατέσχεθον**, sync. κάσχεθε: I. act., *hold down*, ω 242; *hold fast, keep back*, Λ 702, o 200; *occupy*, 'fill,' Π 79; fig., of the earth holding down (within its depths) the buried dead, πρὶν καί τινα γαῖα καθέξει, Π 629, Γ 243; of the heavens held (obscured) by night, the moon by clouds, ν 269, ι 145. — II. mid., *hold down upon* or *cover oneself* or a part of oneself, Γ 419, τ 361; *stop, tarry*, γ 284.

κατ-ηπιάω (ἤπιος): *alleviate, assuage*, pass., Ε 417†.

κατ-ηρεφής, ές (ἐρέφω): *covered over, vaulted, overhanging.*

κατήριπε: see κατερείπω.

κατ-ηφείη (κατηφής): *humiliation, shame.* (Il.)

κατ-ηφέω, aor. κατήφησαν, part. -φήσας: *be humiliated, confounded*, π 342, Χ 293.

κατ-ηφής, ές: *humiliated, disgraced*, ω 432†.

κατ-ηφών, όνος = κατηφείη, abstract for concrete, *disgraces*, Ω 253†.

κάτθανε: see καταθνήσκω.

κατθάψαι: see καταθάπτω.

κάτθεμεν, κάτθεμεν, κάτθετε, κάτθεσαν: see κατατίθημι.

κατίμεν: see κατιέναι.

κατ-ίσχω and **καταΐσχω**, inf. κατισχέμεν(αι), pass. καταΐσχεται: *hold down, occupy*, ι 122; *hold back*, Ψ 321; *hold* to a course, *steer*, νῆα, λ 456; mid., *keep* for oneself, Β 233.

κατ-οίσεται: see καταφέρω.

κατ-όπισθε(ν): *in the rear, behind;* w. gen., μ 148; of time, *in the future, afterwards.*

κάτω (κατά): *down, downward*, Ρ 136 and ψ 91.

κατ-ωμάδιος (ὦμος): (*down*) *from* (over) *the shoulder*, of the discus so hurled, Ψ 431†. (See cut No. 30.)

κατ-ωμαδόν (ὦμος): (*down*) *from* (over) *the shoulder*, of the whip as used by the driver, or 'down on the shoulders' of the horses. (Il.)

κατ-ῶρυξ, υχος (ὀρύσσω): *dug in, buried* or *firmly set in the earth.* (Od.)

Καύκωνες: the *Cauconians.*—(1) in Paphlagonia, Κ 429. — (2) in Elis, γ 366.

καυλός: *spear-shaft*, part next the point, Π 115; also *sword-hilt*, Π 338.

καῦμα, ατος (καίω): *burning heat*, Ε 865†.

καύστειρα (καίω), fem. adj.: *hot, raging*, μάχη. (Il.)

Καΰστριος: the *Caÿster*, a river in Ionia, emptying into the sea near Ephesus, Β 461.

καυτός = καὶ αὐτός.

καφ-: only perf. part., **κεκαφηότα**, *gasping out*, θυμόν, Ε 698 and ε 468.

κέ, κέν: enclitic modal adv. indicating a condition; essentially equivalent to ἄν, but of more frequent occurrence, esp. in affirmative sentences, and sometimes found in combination with ἄν, Λ 187, Ν 127, Ω 437, ε 361, ζ 259, ι 334. Homer uses κέν, like ἄν, with the fut. indic. and w. the subj. in independent sentences, καί κέ τις ὧδ' ἐρέει, 'thus many a one will be to say,' Δ 176; ἐγὼ δέ κ' ἄγω Βρισηΐδα, 'just as certainly will I,' etc., Α 184. With inf., Χ 110. See ἄν.

Κεάδης: *son of Ceas*, Troezenius, Β 847.

κεάζω, aor. (ἐ)κέασσε, κέασε, opt. κεάσαιμι, inf. κεάσσαι, pass. perf. part. κεκεασμένα, aor. κεάσθη: *split, cleave;* of lightning, *shiver*, ε 132, η 250.

κέαται: see κεῖμαι.

Κεβριόνης: a son of Priam, charioteer of Hector, slain by Patroclus, Θ 318, Π 738.

κεδάννῦμι (parallel form of σκεδάννῦμι, employed for metrical convenience), aor. ἐκέδασσε, pass. aor. 3 pl. ἐκέδασθεν, κεδασθείς: *disperse, scatter;* γεφύρας, 'burst the dikes,' Ε 88.

κεδνός (root καδ, κήδω), sup. κεδνότατος: *careful, true, good, excellent;* a poetic synonym of ἀγαθός, ἐσθλός, used mostly of persons; κεδνὰ Ριδνῖα, 'careful-minded,' α 428.

κεδρινός: *of cedar*, Ω 192†.

κέδρος: *cedar*, of the tree and of the wood, ε 60†.

κειάμενος, κείαντες : see καίω.
κείαται, κείατο : see κεῖμαι.
κεῖθεν (κεῖνος) : thence, then, O 234.
κεῖθι : there.
κεῖμαι, κεῖσαι, κεῖται, 3 pl. κεῖνται,
κέαται, κείαται, subj. κῆται, imp. κεῖσο,
κείσθω, inf. κεῖσθαι, part. κείμενος, ipf.
(ἐ)κείμην, 3 pl. κέατο, κείατο, iter. 3 sing.
κέσκετο, fut. κείσομαι : lie, be placed or
situated, of both persons and things,
and often virtually a pass. to τίθημι,
as κεῖται ἄεθλα, prizes 'are offered,'
Ψ 273 ; freq. where we say 'stand,'
δίφρος, θρῆνυς, ρ 331, 410 ; fig., πένθος
ἐπὶ φρεσὶ κεῖται, ω 423 ; ταῦτα θεῶν ἐν
γούνασι κεῖται, 'rest' in their disposal;
see γόνυ.

κειμήλιον (κεῖμαι) : treasure, heir-
loom; of 'landed property,' β 75.
κεῖνος, κείνη, κεῖνο : see ἐκεῖνος.
κεινός : see κενός.
κείρω, fut. inf. κερέειν, aor. 1 ἔκερσα,
κέρσε, mid. part. κειρόμενος, ipf. κείρον-
το, aor. inf. κείρασθαι : shear, shear off,
cut down ; κόμην, δοῦρα, τένοντε, Ψ
146, Ω 450, Κ 546 ; then 'consume,'
'waste,' κτήματα, βίοτον, β 312, 143 ;
fig., μάχης ἐπὶ (adv.) μήδεα κείρει, 'cuts
short,' Ο 467 ; mid., cut off one's own
hair (as an offering to the dead), Ψ 46,
δ 198.

κεῖσε (κεῖνος) : thither, there ; 'thus
far,' Ψ 461.
1. κείω, κέω, inf. κείεμεν, part. κείων,
κέων, a future with desiderative force:
wish to sleep ; freq. the part. w. verb
of motion, βὰν κείοντες, ὄρσο κέων, η
342.
2. κείω, stem form of κεάζω : split,
part., ξ 425†.
κεκαδήσει, -δησόμεθα : see κήδω.
κεκάδοντο, κεκαδών : see χάζομαι.
κέκασμαι : see καίνυμαι.
κεκαφηώς : see καφ-.
κέκλετο : see κέλομαι.
κέκληγα : see κλάζω.
κεκλήατο : see καλέω.
κεκλήσῃ : see καλέω.
κεκλόμενος : see κέλομαι.
κέκλυθι, κέκλυτε : see κλύω.
κέκμηκας, κεκμηώς : see κάμνω.
κεκοπώς : see κόπτω.
κεκόρημαι, κεκορηότε : see κορέν-
νυμι.
κεκορυθμένος : see κορύσσω.
κεκοτηώς : see κοτέω.

κεκράανται, κεκράαντο : see κεράν-
νυμι.
κεκρύφαλος : net to confine the hair,
Χ 469†. (See cut No. 41.)
κεκύθωσι : see κεύθω.
κελαδεινός: sounding, ringing, clang-
ing, echoing ; Ζέφυρος, Ψ 208 ; else-
where, κελαδεινή, epithet of Artemis
as huntress (leader of the pack), as
subst., Φ 511.
κελαδέω : sound applause, shout in
applause, aor. (Il.)
κέλαδος : clang, echo, clamor, of the
hunt or the combat, and otherwise, σ
402.
κελάδων, οντος : part., sounding, Φ
16†.
Κελάδων : a stream in Elis, Η 133†.
κελαι-νεφής, ές (κελαινός, νέφος) : as
epith. of Zeus, god of the dark clouds,
subst., ν 147 ; of blood, dark.
κελαινός : dark, black; of the skin,
blood, night, wave, storm, the earth,
Π 384.
κελαρύζω : gurgle, of flowing water ;
of blood, Λ 813.
κέλευθος, pl. κέλευθοι, oftener κέλευ-
θα : path, way ; ἀνέμων λαιψηρὰ κέλευ-
θα, κελεύθους, ε 383 ; ὑγρά, ἰχθυόεντα
κέλευθα, of the paths of air and of the
sea; of a journey, κ 539 ; κέλευθον
πρήσσειν, τιθέναι, θέσθαι, γεφυροῦν, of
making a way over a ditch, Ο 357 ;
νυκτός τε καὶ ἤματος κέλευθοι, 'outgo-
ings of night and day,' κ 86 ; met.,
θεῶν ἀπόειπε κελεύθου, 'cease from
walking heavenly ways,' Γ 406.
κελευτιάω (frequentative of κελεύω),
part. -τιόων : urge or cheer on, 'ani-
mate,' Μ 265. (Il.)
κελεύω (root κελ), ipf. (ἐ)κέλευον, fut.
inf. κελευσέμεναι : urge, μάστιγι, Ψ 642 ;
then command, bid, request, τινί τι, or
w. inf., π 136, Β 50 ; freq. w. acc. and
inf. ; w. two accusatives in the formula
ὄφρ' εἴπω τά με θυμὸς ἐνὶ στήθεσσι κε-
λεύει, Η 68.
κέλης, ητος (root κελ, cf. celer): racer,
courser, w. ἵππος, race-horse, ε 371†.
κελητίζω (κέλης) : ride race-horses,
ἵπποισι, of professional fancy riding,
Ο 679†.
κέλλω, aor. ἔκελσα : beach a ship
(νῆα); also intr., κελσάσῃσι δὲ νηυσί,
the ships 'having run on the beach,'
we, etc., ι 149.

κέλομαι (root κελ), κέλεαι, fut. κελή-σεται, aor. 2 redupl. (ἐ)κέκλετο, part. κε-κλόμενος : command, urge on, exhort, call to (τινί or τινά, Z 66, Σ 391) ; fig., the wax was softened, ἐπεὶ κέλετο με-γάλη Fὶς | ἠελίου, μ 175.

κέλσαι : see κέλλω.

κεμάς, άδος : a two-year old deer, K 361†.

κέν : see κέ.

κενε-αυχής, ές (αὐχέω) : emptily or idly boasting, Θ 230†.

κενεός : see κενός.

κενεών, ῶνος (κενεός) : the empty space of the body, part between the hips and ribs, waist, small of the back, χ 295 ; acc. of specification, E 284 ; elsewhere w. ἐς.

κενός, κενεός, κεινός : empty ; met., vain, idle, εὔγματα, χ 249.

κένσαι : see κεντέω.

Κένταυρος : a Centaur, e. g. Euryt-ion, φ 295. In Homer the Centaurs were a wild Thessalian tribe, A 268.

κεντέω, aor. inf. κένσαι : goaded on ; ἵππον, Ψ 337†.

κεντρ-ηνεκής, ές : goaded on. (Il.)

κέντρον (κεντέω) : goad. (Il.)

κέντωρ, ορος : goader; κέντορες ἵπ-πων, epith. of Cadmaeans and Trojans. (Il.)

κέονται : see κεῖμαι.

κεράασθε : see κεράννῡμι.

κεραΐζω (cf. κείρω), inf. κεραΐζέμεν : lay waste, destroy; also kill, B 861.

κεραίω, κεράω : see κεράννῡμι.

κεραμεύς, ῆος : potter, Σ 601†.

κέραμος : anything of earthen ware, pot or jar, such as are sometimes found half buried in the earth (see cut), Γ 469 ; in E 387, χαλκέῳ ἐν κεράμῳ, serv-ing as a dungeon (cf. the pit into which Joseph was thrown by his brethren).

64

κεράννῡμι, κεράω, κεραίω (cf. also κιρνάω and κίρνημι), aor. κέρασσε, part. fem. κεράσασα, mid. pres. subj. κέρωντ-αι, imp. κεράασθε, κερᾶσθε, ipf. κερόων-

το, κερῶντο, aor. κεράσσατο, pass. perf. κεκράανται, plup. -αντο : mix, prepare by mixing, mid., for oneself, have mixed; esp. of tempering wine with water, also of preparing water for a bath, κ 362 ; of alloy, or similar work in metal, χρῡ-σῷ δ' ἐπὶ χείλεα κεκράανται, 'plated ' with gold, δ 132.

κεραο-ξόος (κέρας, ξέω) : horn-polish-ing, worker in horn, τέκτων, Δ 110†.

κεραός : horned.

κέρας, κέραος, dat. κέραι (κέρᾳ), pl. κέρᾱ (but shortened before a vowel), κεράων, dat. κέρασι, κεράεσσι : horn ; bows were made of horn, Δ 109 ff., φ 395 ; hence said for 'bow,' Λ 385 ; a sheath of horn was used to encase a fishing-line, to prevent the hook from being bitten off, Ω 81 ; with a play upon the word κραίνω, τ 566.

κεραυνός : thunderbolt, lightning.

κεράω : see κεράννῡμι.

κερδαλέος (κέρδος): profitable, ad-vantageous ; hence cunning, sly, ζ 148, θ 548, ν 291.

κερδαλεό-φρων : with mind bent on gain, greedy-minded, A 149 ; crafty-minded, Δ 339.

κερδίων, κέρδιον : more profitable, more advantageous, 'better,' σ 166.— Sup. **κέρδιστος**, the slyest, Z 153†.

κέρδος, εος : gain, profit ; shrewd counsel, esp. pl., Ψ 515 ; κέρδεα ἐπί-στασθαι, εἰδέναι, to be 'versed in cun-ning arts,' Ψ 322 ; νωμᾶν ἐνὶ φρεσί, 'devise clever counsels,' σ 216 ; in bad sense, β 88, ψ 217.

κερδοσύνη : craft; only dat. as adv., cunningly, craftily.

κερκίς, ίδος : rod (in later times 'comb '), by a blow from which the threads of the woof were driven home into the warp, and the web made firm and close, ε 62. (See cut No. 59.)

κέρσᾱς : see κείρω.

κερ-τομέω (κέρτομος), ipf. (ἐ)κερτό-μεον : taunt, tease, Π 261.

κερτομίη : taunt, only pl.

κερτόμιος (cf. κείρω): taunting, cut-ting, ἔπτα, Δ 6 ; also as subst., κερτό-μια (=κερτομίαι), A 539, ι 474.

κερῶνται, κερόωντο : see κεράννῡμι.

κέσκετο : see κεῖμαι.

κεστός (κεντέω): of needle-work, em-broidered (girdle of Aphrodite), Ξ 214†.

κευθάνω = κεύθω, Γ 453†.

κευθμός: *lair*, pl., N 28†.

κευθμών, ῶνος: *hiding-place, cranny*, ν 367; of the sties of swine, κ 283.

κεῦθος, εος, = κευθμός, κευθμών, only pl., *ὑπὸ κεύθεσι γαίης*, 'in the depths of the earth beneath,' of Hades, X 482, ω 204.

κεύθω, fut. -σω, aor. 2 κύθε, subj. redupl. κεκύθω, perf. κέκευθα: *hold concealed, hide, cover;* esp. of death, *κύθε γαῖα*, γ 16; pass., *᾿Αιδι κεύθωμαι*, Ψ 244; met., *νόῳ, ἐνὶ φρεσίν*, etc.; with two accusatives, γ 187, ψ 273.

κεφαλή, κεφαλῆφι: *head;* typical of life, Δ 162, β 237, Ρ 242; several expressions have no equivalent in Eng.; *φίλη, ἠθείη κεφαλή* (carum caput), terms of endearment; as the source of voice, Λ 462, Π 76.

Κεφαλλῆνες: the *Cephallenians*, collective designation of the subjects of Odysseus on islands and mainland, B 631, ξ 100, υ 187, ω 355, 378, 429.

κέχανδα: see χανδάνω.

κεχαρησέμεν, κεχαρήσεται, κεχαρηώς, κεχαροίατο, κεχάροντο: see χαίρω.

κεχηνώς: see χαίνω.

κεχαρισμένος: see χαρίζομαι.

κεχόλωμαι: see χολόω.

κεχρημένος: see χράομαι.

κέχυμαι: see χέω.

κέω: see κείω.

κῆαι, κῆαι, κηάμενος: see καίω.

κήδειος, κήδεος (κῆδος): of any object of solicitude, *dear;* esp. of those who claim burial service, Τ 294 and Ψ 160.

κηδεμών, όνος: one solicitous, *near friend, mourner*, only pl. (Il.)

κήδιστος, a sup. to κήδειος: *dearest*.

κῆδος, εος: *care, trouble*, esp. for deceased friends, *mourning*, Δ 270; pl. κήδεα, *sorrows*.

κήδω, ipf. iter. κήδεσκον, fut. part. κηδήσοντες, mid. ipf. iter. κηδέσκετο, fut. κεκαδησόμεθα: *trouble, distress*, E 404, Φ 369, Ω 240, 542, ι 402; pass. and mid., *be concerned, care for*, τινός, H 204, Α 196, ξ 146.

κῆεν: see καίω.

κηκίω (κίω): *gush forth*, ε 455†.

κήλεος, κήλειος (καίω): *blazing;* πῦρ, Ο 744.

κηληθμός (κηλέω): *charm;* κηληθμῷ

6

δ᾿ ἔσχοντο, they were *spell-bound*, λ 334 and ν 2.

κῆλον: pl., *shafts, missiles* of the gods; of snow, Μ 280. (Il.)

κήξ: (sea-)*gull*, ι 479†.

κήομεν: see καίω.

κῆπος: *garden*.

Κήρ, Κηρός (κείρω): the *angel of death*, any form of death personified, hence *κῆρες θανάτοιο, fates* of death, *μυρίαι*, Μ 326, ξ 207, B 302. Immediately upon the birth, the *Moira* or *Aisa* was determined for the life, and the *κήρ* for the death (cf. I 411, where the choice of a twofold destiny is offered to Achilles; the passage also shows that the *Κῆρ* impels to destruction, cf. κηρεσσιφόρητος). When the time of death for the special favorites of Zeus approaches, he weighs the fortunes of combatants, e. g. Patroclus and Sarpēdon, Achilles and Hector. (See cut, representing Hermes discharging this function.) Freq. joined

65

w. θάνατος, β 283; φόνος, δ 273, β 165; hence w. adj. μέλαινα, Φ 66; like θάνατος, Π 687; often = death, Λ 360, 362, E 652, I 411; symbol of hate, A 228.

κῆρ, κῆρος: *heart*, Π 481; then in wider signification, as the seat of understanding, will, and emotion, thus answering approximately to Eng. 'heart'; hence (ἐν)φρεσίν, ἐνὶ στήθεσσιν, ἐν θῦμῷ, Z 523, 'within me'; (περὶ) κῆρι, 'at heart exceedingly,' 'most heartily,' ε 36; κηρόθι μᾶλλον, 'still more in heart,' ρ 458; also used periphrastically like μένος, βίη, etc., B 851, cf. A 395.

κηρεσσι-φόρητος: *borne on by* their *fates* to death, Θ 527†.

Κήρινθος: a town in Euboea, N. E. from Chalcis, B 538†.

κηρόθι: see *κῆρ*.

κηρός: *wax.* (Od.)

κῆρυξ, ῦκος: *herald.* The heralds convoked the popular assembly, kept order at trials, bore as sign of their office a staff (see cut, from an archaic relief, No. 114), which they handed over to him who had the right to speak. They served also as messengers of the chiefs and as their assistants in sacrifice. Epithets, θεῖοι, Διὸς ἄγγελοι, Διὶ φίλοι. κήρυκι Ἡπυτίδῃ, P 324.

κηρύσσω: *proclaim as herald, summon, order*, πολεμόνδε, ἀγορήνδε. 'In the office of herald,' P 325.

κῆται: see *κεῖμαι.*

Κήτειοι: a Mysian tribe, followers of Eurypylus, λ 521†.

κῆτος, εος: *sea-monster,* e. g. sharks and seals, Υ 147, δ 446.

κητώεις, εσσα (κῆτος): *full of ravines,* epith. of Lacedaemon, B 581, δ 1.

Κηφῖσίς, ίδος: λίμνη, name of a lake in Boeotia, later Copāis, E 709†.

Κηφῖσός: a river in Phocis.

κηώδης: *sweet-smelling, fragrant,* Z 483†.

κηώεις = κηώδης.

κίδναμαι (κίδνημι = σκεδάννῡμι): Ἠώς, *be diffused.*

κιθαρίζω: *play on the cithara, play;* φόρμιγγι, Σ 570†. (See cut, representing a Greek woman.)

66

κίθαρις: *cithara, lyre;* for κιθαριστός, N 731.

κιθαριστύς: *cithara-playing.* (See cut.)

67

κικλήσκω (καλέω): *call by name, call, summon,* mid., to oneself, I 569, K 300.

Κίκονες: the *Ciconians,* a Thracian tribe, B 846, ι 39 ff.

κῖκυς: *force,* λ 393†.

Κίλικες: the *Cilicians,* a tribe of Greater Phrygia, dwelling under two leaders, in Hypoplacian Thebe and in Lyrnessus, Z 397, 415.

Κίλλα: *Cilla,* a town in the Troad, A 38, 452.

Κιμμέριοι: the *Cimmerians,* a fabulous people dwelling at the entrance of Hades, λ 14†.

κινέω (κίω), aor. κίνησα, pass. κῑνήθη, 3 pl. ἐκίνηθεν: *move, set in motion, disturb, stir,* pass. intr., *move,* A 47.

κίνυμαι, part. κινύμενος = κῑνέομαι, *move on, march.*

Κινύρης: a ruler in Cyprus, Λ 20†.

κινυρός: *whimpering, wailing,* P 5†.

Κίρκη: *Circe,* the enchantress, daughter of Helius, sister of Aeëtes, dwelling in the isle of Aeaea, κ 230 ff.

κίρκος: a *hawk* or *falcon* that flies in circles, ἴρηξ, ν 87; Ἀπόλλωνος ἄγγελος, ο 526.

κιρνάω, κίρνημι (parallel form of κεράννῡμι), part. κιρνάς, ipf. ἐκίρνᾱ: *mix.*

Κισσηίς: *daughter of Cisses,* Theāno, Z 299†.

Κισσής: a ruler in Thrace, the father of Theāno, Λ 223†.

κισσύβιον: 'cup or *bowl,* originally of ivy-wood, for drinking or for mixing, ι 346, ξ 78, π 52. (Od.)

κίστη: *box, chest,* ζ 76†.

κιχάνω, κίχημι, κιχάνομαι, fut. κιχήσομαι, pres. subj. κιχείω, inf. κιχῆναι, κιχήμεναι, ipf. 2 sing. κίχεις, -εν. -ήτην, aor. κιχήσατο, aor. 2 ἔκιχε, κίχον: overtake, come upon, find, freq. w. part., A 26, B 18.

κίχλη: thrush, pl., χ 468†.

κίω, opt. κίοι, κιοίτην, κίοιτε, part. κιών, -οῦσα, ipf. ἔκιον, κίον: go, go away, usually of persons, rarely of things, Z 422, o 149, π 177; the part. κιών is often employed for amplification, κ 156, ω 491.

κίων, ονος: pillar, very often of those that support the beams of a house. (See plate III. at end of vol., F and G.)

κλαγγή (κλάζω): scream, properly of birds, λ 605; of animals, as the squealing of pigs, ξ 412; and of the loud cry of warriors, B 100; the sharp twang of a bowstring, A 49.

κλαγγηδόν: adv., with cries, B 463†.

κλάζω, aor. ἔκλαγξα, perf. part., w. pres. signif., κεκληγώς, pl. κεκλήγοντες: scream, properly of birds, Π 429; then of animals, ξ 30; applied also to warriors and to men under other circumstances, E 591, μ 256, B 222; to things, as arrows, the wind, etc., A 46, P 88, μ 408. The verb may be translated according to the context in the several passages, but its original and proper application shows its force. Cf. κλαγγή.

κλαίω, ipf. κλαῖον, iter. κλαίεσκε, fut. κλαύσομαι, aor. κλαῦσε: weep, cry; freq. of lamenting the dead (as natural or as formal ceremonial utterance), hence used transitively, T 300, a 263.

κλαυθμός (κλαίω): weeping.

κλαῦσε: see κλαίω.

κλάω, aor. κλάσε, pass. ἐκλάσθη: break, break off, pass. intrans., Λ 584.

κλεηδών, όνος, and κληηδών (κλέος): rumor, tidings, δ 317; then of something heard as favorable omen, β 35, σ 117, v 120.

κλειτός (κλέος): celebrated, famous, epith. of persons and of things; esp. ἐπίκουροι, ἑκατόμβῃ, Γ 451, A 447. (Il. and ζ 54.)

Κλεῖτος: (1) a Greek, the son of Mantius, o 249.—(2) a Trojan, the son of Pisēnor, companion of Polydamas, slain by Teucer, O 445.

1. κλείω, κλέω (root κλυ, κλύω),

pass. κλέομαι, ipf. 2 sing. (ἔ)κλεο: celebrate, make famous; pass., Ω 202, ν 299.

2. κλείω: see κληίω.

Κλεόβουλος: a Trojan, slain by the lesser Ajax, Π 330†.

Κλεοπάτρη: the wife of Meleāger, identical w. Ἀλκυόνη, I 556†.

κλέος (root κλυ, κλύω), pl. κλέα (shortened before a vowel): rumor, tidings, glory; σόν, ἐμὸν κλέος, 'news of thee,' 'of me,' ν 415; κλέος πρὸς Τρώων, 'an honor to thee before the Trojans,' X 415; ἀνδρῶν κλέα, glorious deeds (laudes), I 189.

κλέπτης: thief, Γ 11†.

κλεπτοσύνη: thieving, trickery, τ 396†.

κλέπτω, aor. ἔκλεψα: steal; then deceive, νόον τινός, Ξ 217; μὴ κλέπτε νόῳ, 'do not hide things in thy heart,' A 132.

Κλεωναί: a town in Argolis, B 570†.

κλήδην (καλέω): by name, I 11†.

κληηδών: see κλεηδών.

κλήθρη: alder, ε 64 and 239.

κληίς, ῖδος (Att. κλείς): (1) bolt, bar (see cuts Nos. 29 and 35, both from Egyptian originals); cut No. 56, in four compartments, shows above the open, below the closed door: on the left as seen from within; on the right from without. c, g, f, mark the place of the key-hole, through which the thong (ἱμάς, a 442) ran, and the key was passed by which the bolt was first lifted (as is seen at g), ἀνέκοψεν, and then pushed back, ἀπῶσαν. The adjoining cut (No. 68), from a Greek sepulchral monument, as well as No. 29, presupposes double bolts, and above on the right we see the key as it is applied, and below on the other half of the door the loosened thong. These bolts of double doors are also called ἐπιβλής, ὀχῆες. κρυπτῇ, with hidden, concealed bolt.—(2) key, better described as hook, M 456. (See cut No. 56, f, g.)—(3) collar-bone.—(4) curved tongue of a buckle, σ 294. (See cut No. 97.)—(5) pl., thole-pins, rowlocks, ἐπὶ κληῖσι, to which the oars were made fast by a thong, and round which they played, see cuts Nos. 120 and 32; for later, different arrangements, see cuts Nos. 38, 60, and the

68

Assyrian war - ship, cut No. 37. ἐπὶ κλῄϊσι, translate, *at the oars.*

κληϊστός: *that may be closed,* β 344†.

κληΐω (Att. κλείω), aor. (ἐ)κλήϊσε, inf. κληΐσαι: *shut; ὀχῆας,* 'draw forward' the bolts closing the door, by means of the thong. (See cut No. 56.)

κλῆρος: (1) *lot,* a stone or potsherd, on which each man scratched his mark, H 175. The lots were then shaken in a helmet, and he whose lot first sprang forth was thereby selected for the matter in hand.—(2) *paternal estate,* ξ 64.

κλητός (καλέω): *called, chosen, invited,* I 165, ρ 386.

κλῖμαξ, ακος (κλίνω): *stair-way, ladder.* (Od.)

κλιντήρ, ῆρος: *couch, sofa.* (See cut.)

69

κλίνω, aor. ἔκλῑνα, κλῖναν, pass. aor. (ἐ)κλίνθη, ἐκλίθη, perf. 3 pl. κεκλίαται, κεκλιμένος, plup. κέκλιτο, mid. aor. part. **κλῑνάμενος**: I. act., *make to slope*

or *incline, lean* one thing against another, τινί τι, or πρός τι, Λ 593, χ 121; of turning away the eyes, Γ 427; turning the tide of battle (μάχην, i n c l i - n a r e p u g n a m), Ξ 510, and esp. *put to flight,* E 37, ι 59. — II. pass., *bend oneself, sink* or *lie down; ἐκλίνθη καὶ ἀλεύατο κῆρα, ἑτέρωσ' ἐκλίνθη κάρη, κλίνθη κεκμηώς,* Γ 360, N 543, Ψ 232; *be supported, lean against,* τινί, Λ 371, ζ 307, mid., ρ 340.

κλισίη (κλίνω), dat. **κλισίηφι**: *hut* or *lodge* of shepherds, Σ 589, ξ 45, ο 301, π 1; *barrack* (not exactly 'tent') of warriors, Λ 448 ff ; often in pl. ; also *couch* or *easy-chair,* δ 123, τ 55. (See cut No. 73.)

κλισίηθεν: *from the hut, from the barrack.*

κλισίηνδε: *to the hut, to the barrack.*

κλίσιον (κλίνω): *an adjoining building* for servants, etc., ω 208†.

κλισμός (κλίνω): *reclining chair, easy-chair,* α 145. (Cf. adjoining cut, or Nos. 105, 106.)

70

κλιτύς, pl. acc. κλιτῦς : *slope, hillside.*

κλονέω, κλονέει, pass. κλονέονται, ipf. κλονέοντο: *put to rout, drive in confusion,* pass., *be driven* or *rush* *wildly about ;* fig., of wind, driving clouds or flame, Ψ 213, Υ 492 ; pass., Δ 302, Φ 528. (Il.)

Κλονίος : leader of the Boeotians, slain by Agēnor, B 495, O 340.

κλόνος : *tumult ;* ἐγχειάων, 'press of spears,' E 167. (Il.)

κλόπιος : *deceitful,* ν 295†.

κλοτοπεύω : doubtful word, *be wasting words* or *making fine speeches,* T 149†.

κλύδων, ωνος (κλύζω): *surge, billow,* μ 421†.

κλύζω, ipf. iter. κλύζεσκον : of waves, *plash, dash,* Ψ 61; aor. pass., 'was dashed high,' 'rose in foam,' Λ 392, ι 484, 541.

κλῦθι : see κλύω.

Κλυμένη : (1) a Nereid, Σ 47.—(2) an attendant of Helen, Γ 144. — (3) daughter of Minyas or Iphis, mother of Iphiclus, λ 326.

Κλύμενος : king of the Minyans in Orchomenus, father of Eurydice, mortally wounded at Thebes, γ 452.

Κλυταιμνήστρη : daughter of Tyndareus, sister of Helen, and wife of Agamemnon. She was slain at the same time that her paramour Aegisthus was killed by Orestes, A 113, γ 266, 310, λ 439. (See cut No. 33.)

Κλυτίδης : *son of Clytius.*—(1) Dolops.—(2) Piraeus.

Κλύτιος : (1) a son of Laomedon, brother of Priam, and father of Calētor, O 419, 427, Γ 147, Υ 238. — (2) father of Piraeus in Ithaca, π 327.— (3) a Greek, the father of Dolops.

κλυτό - εργος (Ϝέργον): *maker of famous works,* θ 345.

Κλυτομήδης : son of Enops of Aetolia, beaten by Nestor in a boxing-match, Ψ 634†.

Κλυτόνηος : son of Alcinous, θ 119, 123.

κλυτό - πωλος : *with famous steeds,* epithet of Hades, E 654 ff. Probably said with reference to the rape of Proserpine. (Il.)

κλυτός, 2 and 3 (κλύω): *illustrious, glorious,* epith. of gods and men ; then of things, *famous, fine,* ἄλσος, μῆλα, ἔργα, etc. ; ὄνομα, ι 364, cf. τ 183.

κλυτο - τέχνης : *famous in art, renowned artificer,* epithet of Hephaestus.

κλυτό-τοξος : *with glorious bow, illustrious archer,* epith. of Apollo.

κλύω, ipf., w. aor. signif., ἔκλυον, κλύον, ἔκλυε, aor. 2 imp. κλῦθι, κλῦτε, redupl. κέκλυθι, κέκλυτε : *hear,* esp. *hear willingly, hearken to* prayer or entreaty; hence very often the imp., κλῦθί μευ, ἀργυρότοξε, κέκλυτέ μευ μύθων, A 37, κ 189 ; also implying obedience, τοῦ μάλα μὲν κλύον ἠδ' ἐπίθοντο, H 379, γ 477 ; w. participle, ἔκλυον αὐδήσαντος, K 47 ; freq. w. acc. of thing heard.

Κλῶθες : the 'Spinsters,' i. e. the *Fates,* η 197†.

κλωμακόεις, εσσα : *rock - terraced, rocky,* B 729†.

κνάω, ipf. (or aor.) κνῆ : *grate* (cheese), Λ 639†.

κνέφας (cf. γνόφος, δνόφος): *darkness, dusk,* of the first part of the night.

κνῆ : see κνάω.

κνήμη : the part of the leg between knee and ankle, *shin.*

κνημίς, ῖδος (κνήμη): *greave.* The greaves were metal plates, lined with some soft material, bent around the shin-bone under the knee, and fastened by clasps at the ankle (see cut No. 36), thus only in the Iliad. In the Odyssey, ω 229, the word signifies *leather leggins.*

κνημός : only pl., *mountain - valleys* (saltus).

κνῆστις, dat. κνήστῑ (κνάω) : *grater,* or knife for grating, Λ 640†.

κνίση : the *steam* or *savor* of burnt offerings, originally *fat,* esp. that of the caul or diaphragm, in which the thighs of the victim were wrapped. It was then laid upon the fire and burned, together with pieces of flesh piled upon it, A 460.

κνισήεις, εν : *redolent of savory viands,* κ 10†.

κνυζηθμός (κνύζω): *whimpering,* of dogs, π 163†.

κνυζόω, fut. -ώσω, aor. κνύζωσε : *render dim* or *lustreless,* ν 401 and 433.

κνώδαλον : *wild animal,* ρ 317†.

Κνωσός : *Cnosus,* the principal city in Crete, B 646, Σ 591, τ 178.

κνώσσω : *slumber,* δ 809†.

κοῖλος (cf. c a v u s): *hollow ;* often of places between mountains, ὁδός, Λακεδαίμων, Ψ 419, δ 1 ; λιμήν, 'deep-embosomed,' i. e. extending far into the land, κ 92.

κοιμάω (cf. κεῖμαι), aor. (ἐ)κοίμησα, mid. ipf. κοιμᾶτο, κοιμῶντο, aor. (ἐ)κοιμήσατο, pass. aor. (ἐ)κοιμήθην: act., *put to bed* or *to rest*, γ 397, δ 336; *lull to sleep*, τινὰ ὕπνῳ, μ 372; fig. of winds, μ 281; mid. and pass., *lie down to sleep* or *to rest* (esp. w. reference to the comfort or discomfort of the resting-place), *sleep;* fig. of the sleep of death, Λ 241.

κοιρανέω (κοίρανος): *be lord* or *ruler, rule,* ἀνά, κατά, διά *τινας,* whether in war or peace; of the suitors of Penelope, 'playing the lord,' 'lording it,' ν 377.

κοίρανος (cf. κῦρος): *lord, ruler, master,* σ 106.

Κοίρανος: (1) a Lycian, slain by Odysseus, Ε 677.—(2) from Lyctus in Crete, charioteer of Meriones, slain by Hector, Π 611, 614.

κοίτη (κεῖμαι): *bed,* τ 341†.

κοῖτος: *night's rest, sleep,* then *resting-place,* χ 470.

κολεόν, κουλεόν: *sheath* or *scabbard* of a sword, made of metal, and decorated with ivory, Λ 30 ff., Π 272.

κολλήεις (κολλάω): ξυστὰ ναύμαχα κολλήεντα, ship-spears *united* with rings, Ο 389†.

κολλητός (κολλάω): *joined,* well-*compacted* or 'shod,' with bands or otherwise, δίφρος, σανίδες, Τ 395, Ι 593, ψ 194.

κόλλοψ, οπος: *peg* of a lyre, round which the string was fastened, φ 407†.

κολοιός: *jack-daw.* (Il.)

κόλος: *docked, pointless,* Π 117†.

κολοσυρτός: *noisy rout,* of the hunt, Μ 147 and Ν 472.

κολούω (κόλος): *cut short, curtail,* only fig., Υ 370, θ 211, κ 340.

κόλπος: *bosom,* also of the *fold* of the garment about neck and breast, Ι 570; fig. of the sea, θαλάσσης, ἁλός.

κολῳάω (κολῳός), ipf. ἐκολῴᾱ: *bawl,* Β 212†.

κολώνη: *hill.* (Il.)

κολῳός: *noisy wrangling, racket,* Α 575†.

κομάω (κόμη): only part., *wearing long hair;* κάρη κομόωντες Ἀχαιοί, 'long-haired Achaeans;' Ἄβαντες ὄπιθεν κομόωντες, i. e. shorn in front, Β 542; ἐθείρῃσι, 'with long manes,' Θ 42.

κομέω, κομέουσι, ipf. ἐκόμει, κομείτην, iter. κομέεσκε: *take care of, tend,* by af-

fording food, bed, clothing, bath, λ 250; of animals, ρ 310, 319.

κόμη: *hair* of the head, with reference to comeliness, pl., *locks,* ζ 231; then *foliage,* ψ 195.

κομιδή: *care, attendance,* bestowed on persons, horses, garden, ω 245, 247.

κομίζω (κομέω), fut. κομιῶ, aor. κόμισσα, (ἐ)κόμισσα, mid. aor. (ἐ)κομίσσατο, κομίσαντο: I. act. (1) *wait upon, attend, care for,* esp. *entertain* as guest, κ 73, ρ 113, cf. 111; of feeling (τινά τινι), υ 69; pass., θ 451. — (2) *take* or *bring away* to be cared for, *fetch, convey,* Β 183, Γ 378, Λ 738, Ν 196, Ψ 699, ν 68.—II. mid., *take to one's care, entertain* hospitably, *take* or *convey home* or *to oneself,* Ε 359, Θ 284, ξ 316, Α 594, ζ 268; of carrying off a spear in one's body, Χ 286.

κομπέω: *clash,* Μ 151†.

κόμπος: *clashing;* 'stamping' of feet, θ 380; 'gnashing' of the tusks of a wild boar, Λ 417, Μ 149.

κοναβέω, aor. κονάβησα: *resound, ring,* of echoing and of metallic objects, πήληξ, νῆες, δῶμα. (Il. and ρ 542.)

κοναβίζω = κοναβέω. (Il.)

κόναβος: *din,* κ 122†.

κονίη: *dust, sand, ashes,* λ 600, Ψ 502, η 153.

κόνις, ιος, dat. κόνι = κονίη.

κονίσαλος: *dust-cloud, dust-whirl.* (Il.)

κονίω, fut. κονίσουσι, aor. ἐκόνῑσα, pass. perf. part. κεκονῑμένος, plup. κεκόνῑτο: *make dust* or *make dusty, cover with dust;* pass., Χ 405, Φ 541; intr., κονίοντες πεδίοιο, 'scampering' over the plain in a cloud of dust.

κοντός: *punting-pole, pole,* ι 487†.

Κοπρεύς: the father of Periphetes, herald of Eurystheus, Ο 639†.

κοπρέω: only fut. part. κοπρήσοντες, *for manuring* the fields, ρ 299†.

κόπρος: *dung, manure,* Ω 164; then 'farm-yard,' 'cow-yard,' Σ 575.

κόπτω, aor. κόψε, perf. part. κεκοπώς, mid. aor. κόψατο: *knock, smite, hammer,* Σ 379, θ 274, mid., oneself or a part of oneself, Χ 33.

Κόρακος πέτρη: *Raven's* Rock, in Ithaca, ν 408†.

κορέννῡμι, fut. κορέω, aor. ἐκόρεσα, pass. perf. κεκόρημαι, part., act. w. pass. signif., κεκορηώς, aor. pass. (ἐ)κορέσθην, aor. mid. (ἐ)κορέ(σ)σατο : *sate, satisfy*, τινά τινι, Θ 379 ; mid., *satisfy oneself*, τινός ; met., *have enough of, be tired of*, w. gen. or participle, υ 59.

κορέω, aor. imp. κορήσατε : *sweep, sweep out*, υ 149†.

κόρη : see κούρη.

κορθύομαι (κόρυς): *rise to a head, tower up*, Ι 7†.

Κόρινθος : *Corinth*, Β 570 ; anciently named Ephyra.—Κορινθόθι, *at Corinth*, Ν 664.

κορμός (κείρω) : *log, trunk* of a tree, ψ 196†.

κόρος : *satiety, surfeit*, τινός.

κόρση (κάρη) : *temple*. (Il.)

κορυθ-άϊξ (ἀίσσω): *helmet-shaking, with waving plume*, Χ 132†.

κορυθ-αίολος : *with glancing helm ;* epith., esp. of Hector and Ares. (Il.)

κόρυμβος, pl. κόρυμβα (cf. κόρυς, κάρη) : pl., the *heads, bow-ends* of a vessel, cf. ἄφλαστα, Ι 241†. (See cut No. 38.)

κορύνη : *battle-mace*, club of iron. (Il.)

κορυνήτης : *club-brandisher*. (Il.)

κόρυς (cf. κάρη), acc. κόρυθα and κόρυν : *helmet ;* epithets, βριαρή, δαιδαλέη, ἱπποδάσεια, ἱππόκομος, λαμπομένη, λαμπρή, παναίθη, τετράφαλος, φαεινή, χαλκήρεος, χαλκοπάρηος. (See cuts under these adjectives.)

κορύσσω, mid. aor. part. κορυσσάμενος, pass. perf. part. κεκορυθμένος : *arm the head with the helmet ;* then, in general, *arm, equip*, mid., *arm oneself ;* of weapons, κεκορυθμένα χαλκῷ, with *head of bronze, bronze-shod*, Γ 18, Π 802 ; met., πόλεμον, κῦμα (cf. κορθύομαι), Φ 306, Δ 424.

κορυστής, du. κορυστά : *helmeted*, hence *armed, equipped* for battle. (Il.)

κορυφή (cf. κόρυς, κάρη) : *crest, summit*. (Il. and ι 121.)

κορυφόω, mid. κορυφοῦται : mid., *rise with towering crest ; κῦμα* (cf. κορθύομαι), Δ 426†.

Κορώνεια : *Coronēa*, a city in Boeotia, south of lake Copāis, Β 503†.

κορώνη : anything *crooked* or *curved*.—(1) the *ring* on a door, α 441. (See cuts Nos. 68 and 56.)—(2) the *curved end* of the bow over which the loop of the bow-string was brought. (See cut No. 34.)—(3) *sea-crow cormorant*, ι 66.

κορωνίς, ίδος (κορώνη): *curved*, epith. of ships ; always νηυσὶ (or νήεσσι) κορωνίσιν. (See cuts Nos. 38, 87, 88.)

Κόρωνος : son of Caeneus, father of Leonteus, king of the Lapithae, Β 746†.

κοσμέω (κόσμος), aor. ἐκόσμησα, pass. aor. 3 pl. κόσμηθεν, mid. aor. part. κοσμησάμενος : *arrange, order*, esp. *marshall* troops, mid., one's own men, Β 806 ; of *preparing* a meal, η 13.

κοσμητός : *well laid out*, η 127†.

κοσμήτωρ, ορος : *marshaller*, in Il. always κοσμήτορε λαῶν, of the Atrīdae and the Dioscūri ; sing., σ 152.

κόσμος : *order, arrangement*, then *ornaments* (of women), *trappings* (of horses) ; of building or construction, ἵππου (the wooden), θ 492 ; freq. κόσμῳ, and (εὖ) κατὰ κόσμον, both literally and figuratively, 'duly,' 'becomingly,' θ 489 ; also οὐ κατὰ κόσμον, υ 181.

κοτέω, κοτέομαι, perf. part. κεκοτηώς, mid. aor. κοτέσσατο : *be angry* with, τινί, also w. causal gen., Δ 168.

κοτήεις : *wrathful*, Ε 191†.

κότος : *grudge, rancor, wrath*.

κοτύλη : *little cup, hip-joint*, Ε 306.

κοτυληδών, όνος, dat. pl. κοτυληδονόφιν : pl., *suckers* at the ends of the tentaculae of a polypus, ε 433†.

κοτύλ-ήρυτος (ἀρύω) : *that may be caught in cups, streaming*, Ψ 34†.

κουλεόν : see κολεόν.

κούρη : *young girl, daughter ;* also of young married women, Ζ 247.

κούρητες (κοῦρος), pl. : *youths*, usually *princes*.

Κουρῆτες : the *Curētes*, a tribe in Aetolia, afterward expelled by the Aetolians ; their siege of Calydon, Ι 529–599.

κουρίδιος : doubtful word, *regular, wedded*, epith. of ἄλοχος, πόσις, λέχος, as opposed to irregular connections ; δῶμα, house *of the husband*, or *princely* house, τ 580 ; as subst. (= πόσις), ο 22.

κουρίζω : only part., *when a young man*, χ 185†.

κουρίξ : adv., *by the hair*, χ 188†.

κοῦρος : *youth, boy*, esp. of noble rank, so when applied to the attendants at sacrifices and banquets, as these were regularly the sons of princely houses, A 470, α 148; also implying vigorous youth, ability to bear arms, P 726; *son*, τ 523.

κουρότερος: *younger;* as subst., Δ 316. [ι 27†.

κουρο-τρόφος : *nourisher of youths,* **κοῦφος**: *light, agile;* adv., **κοῦφα**, *quickly,* N 158; **κουφότερον**, *with lighter heart,* θ 201.

Κόων: son of Antēnor, slain by Agamemnon, Λ 248-260, T 53.

Κόωνδε: see Κῶς.

κράατα, κράατι, κράατος: see κάρη.

κραδαίνω = κραδάω, only mid. part., *quivering.* (Π.)

κραδάω, part. κραδάων: *brandish.*

κραδίη: *heart.*

κραίνω, κραιαίνω, κραίνουσι, ipf. ἐκραίαινε, aor. imp. κρήηνον, κρῆνον, inf. κρηῆναι, κρῆναι, mid. fut. inf. κρανέεσθαι (for κεκράανται, -ντο, see κεράννῦμι): *accomplish, fulfil, bring to pass;* fut. mid. as pass., I 626; 'bear sway,' θ 391.

κραιπνός, comp. κραιπνότερος: *rapid, quick;* fig., *hasty,* νόος, Ψ 590.— Adv., **κραιπνῶς**, also κραιπνά, E 223.

Κρανάη: name of an island, Γ 445.

κραναός: *rocky,* epith. of Ithaca.

κρανέεσθαι: see κραίνω.

κράνεια: *cornel-tree,* Π 767, κ 242.

κρᾱνίον (κρᾱνον): *upper part of the skull,* θ 84†.

Κράπαθος (later Κάρπαθος): an island near Rhodes, B 676.

κρᾱτα, κρᾱτί: see κάρη.

κραται-γύαλος: *with strong breast-plates,* T 361†. (See cut No. 55.)

κραταιίς: *overpowering force,* 'weight' we should say, i. e. the force of gravitation, in the stone of Sisyphus, λ 597.—Personified, **Κραταιίς**, *Crataeis,* the mother of Scylla, μ 124.

κραταιός: *powerful, mighty;* Μοῖρα, θήρ (lion), Λ 119.

κραταί-πεδος (πέδον): *with strong (hard) footing* or *surface,* ψ 46†.

κρατερός, καρτερός, κρατερῆφι: *strong, powerful, mighty,* of persons and things, and sometimes in bad sense, μῦθος, 'stern,' A 25. — Adv., **κρατερῶς**.

κρατερό-φρων: *stout-hearted, dauntless.*

κρατερ-ῶνυξ (ὄνυξ): *strong-hoofed, strong-clawed.*

κράτεσφι: see κάρη.

κρατευταί: explained by Aristarchus as *head-stones,* on which the spits were rested in roasting meat; cf. our 'fire-dogs,' 'andirons.' Possibly the shape was like the horns (κέρας) on the altar in cut No. 95. I 214†.

κρατέω (κράτος): *be superior* in might, *have power, rule over,* τινός, sometimes τισίν (among), λ 485, π 265; κρατέων, 'with might.'

κράτος, κάρτος, εος: *superior strength, might, power,* then *mastery, victory,* α 359, φ 280.

κρᾱτός: see κάρη.

κρατύς = κρατερός, epith. of Hermes.

κρέας, ατος, pl. κρέα and κρέατα, gen. κρεῶν and κρειῶν, dat. κρέασιν: *flesh, meat,* pl., pieces of dressed *meat;* κρέα, ι 347.

κρεῖον (κρέας): *meat-tray, dresser,* I 206†.

κρείσσων, ον: *stronger, superior* in strength or might, *better;* w. inf., φ 345.

Κρειοντιάδης: son of Creon, Lycomēdes, T 240†.

κρείων, ουσα, properly part.: *ruling, ruler;* εὐρὺ κρείων, 'ruling far and wide,' title esp. of Agamemnon, as generalissimo of the Greek forces; also of Zeus and Poseidon; more freely applied, δ 22.

Κρείων: *Creon.*—(1) a king of Thebes, the father of Megara, λ 269.—(2) father of Lycomēdes.

κρεμάννῦμι, κρέμαμαι, fut. κρεμόω, aor. κρέμασε, mid. ipf. (ἐ)κρέμω: *hang, hang up,* mid. intrans., O 18.

κρεῶν: see κρέας.

κρήγυος: *good, useful, helpful,* A 106†.

κρήδεμνον (κάρη, δέω): *head-band;* in women's attire, a short veil, as seen in the cut, α 334; also of the 'battlements' of cities, ν 388; 'lid' of a wine-jar, γ 392. (See cut No. 64.)

71

κρηῆναι: see κραίνω.

κρήθεν: see κατάκρηθεν.

Κρηθεύς: *Cretheus,* of Iolcus, the husband of Tyro, λ 237, 258.

Κρήθων: son of Diocles, slain by
Aenēas, E 542, 549.

κρημνός (κρέμαμαι): *steep*, over-
hanging *bank*, often of the gullied
banks of the Scamander, Φ 26, 175.

κρηναῖος (κρήνη): *of the fount*,
νύμφαι, *fountain*-nymphs, ρ 240†.

κρήνη: *fount, spring; κρήνηνδε, to
the spring*, υ 154. (Cf. cut No. 61.)

Κρής, pl. **Κρῆτες**: the *Cretans, in-
habitants of Crete*.

Κρήτη, also pl. Κρῆται: *Crete;* epi-
thets, ἑκατόμπολις, εὐρεῖα, τ 172, 175.—
Κρήτηνδε, *to Crete*, τ 186; **Κρήτηθεν**,
from Crete, Γ 233.

κρητήρ, ῆρος (κεράννυμι): *mixing-
bowl, wassail-bowl*, in which wine and
water were mingled, to be distributed
in cups; two parts of wine to three of
water was a common mixture; κρητῆ-
ρα μίσγεσθαι, στήσασθαι, 'set up,' place
at hand. The wassail-bowl was usu-
ally placed near the hearth, and often
on a tripod (esp. when several κρητῆ-
ρες were in use at the banquet); the
contents were poured into the cups
(δέπαα) by means of a filler (πρόχοος,
pitcher), γ 339. Cut No. 7 shows (1)
the ἀμφιφορεύς, from which the wine
was poured into the upper, smaller mix-
ing-bowl, on which the πρόχοος stands.
The second mixing-bowl served to con-
tain the water, and then the contents
of both bowls may be imagined as
mixed in the largest bowl, which stands
upon the tripod, and from which the
diluted wine was distributed. (Cf. cut
No. 26.)

κρῖ = κριθή.

κρίζω, aor. 2 κρίκε: *creak*, said of
the yoke under a strain, Π 470.

κριθή, only pl. κριθαί: *barley, barley-
corn*.

κρίκε: see κρίζω.

κρίκος (κίρκος): *yoke-ring*, Ω 272†.
(See adjoining cut, from the antique;
still clearer are cuts Nos. 42, 45.)

κρίνω, imp. κρῖνε, pass. perf. part.
κεκριμένος, aor. κρινθέντες, mid. aor.
ἐκρίνατο, subj. κρίνωνται, inf. κρίνα-
σθαι, part. κρινάμενος: I. act., *sepa-
rate*, καρπόν τε καὶ ἄχνᾶς, E 501;
hence of arranging troops, B 446;
then *select*, Z 188; freq. the pass., N
129, ν 182; *decide* (cernere), νεῖκος,
θέμιστας, σ 264, Π 387; οὖρος κεκρι-

μένος, a 'decided' wind, Ξ 19.—II.
mid., *select* or *choose for oneself;* δ 408,
θ 36; *get* a contest *decided*, 'measure
oneself' in battle, κρίνεσθαι Ἄρηι (d e-
cernere proelio), B 385; abs. ω
507, cf. π 269; of 'interpreting'
dreams, E 150.

κριός: *ram*. (Od.)

Κρῖσα: a town in Phocis, near
Delphi, termed ζαθέη, B 520.

κριτός (κρίνω): *chosen*, H 434 and
θ 258.

κροαίνω (κρούω): *gallop*. (Il.)

Κροῖσμος: a Trojan, slain by Me-
ges, O 523†.

κροκό-πεπλος: *with saffron-colored
mantle, saffron-robed;* epith. of Eos.
(Il.)

κρόκος: *saffron*, Ξ 348†.

Κροκύλεια: an island or a village
belonging to Ithaca, B 633†.

κρόμυον: *onion*.

Κρονίδης: *son of Cronus*, Zeus, of-
ten used alone without Ζεύς, Δ 5.

Κρονίων = Κρονίδης.

Κρόνος: *Cronus* (Saturnus), the
father of Zeus, Poseidon, Hades, Hera,
Demēter, and Hestia; overthrown with
the Titans, Θ 415, 479, 383, E 721.

κρόσσαι (cf. κόρση, κάρη): *πύργων,
walls* or *breasting* of the towers, be-
tween foundations and battlements, M
258, 444.

κροταλίζω (κρόταλον): *rattle; ὄχεα
κροτάλιζον*, 'drew the rattling char-
iots,' Λ 160†.

κρόταφος (cf. κόρση, κάρη): *temples*
of the head, Δ 502, Υ 397; usually pl.

κροτέω (κρότος) = κροταλίζω, O
453†.

Κρουνοί: 'Springs,' a place in Elis,
ο 295†.

κρουνός: *source, spring*. (Il.)

κρύβδα, κρύβδην: *secretly.*

κρυερός (κρύος): *chilling, dread.*

κρυόεις = κρυερός. (Il.)

κρυπτάδιος: *secret;* κρυπτάδια φρονέοντα δικαζέμεν, 'harbor secret counsels,' A 542.

κρυπτός: *concealed, secret,* Ξ 168†.

κρύπτω, ipf. iter. κρύπτασκε, fut. κρύψω, aor. ἔκρυψα, pass. aor. κρύφθη, perf. part. κεκρυμμένος: *hide, conceal,* sometimes implying protection, τινὰ σάκεϊ, κεφαλὰς κορύθεσσι, cf. καλύπτω; pass., κρύφθη ὑπ ἀσπίδι, 'hid himself,' N 405; met., 'keep secret,' ἔπος τινί, λ 443.

κρύσταλλος: *clear ice, ice,* ξ 477 and X 152.

κρυφηδόν: *secretly,* ξ 330 and τ 299.

Κρῶμνα: a locality in Paphlagonia, B 855†.

κτάμεν(αι): see κτείνω.

κτάομαι, aor. 2 sing. ἐκτήσω, perf. inf. ἐκτῆσθαι: *acquire,* perf. *possess,* I 402; of acquiring for another than oneself, ν 265.

κτέαρ, dat. pl. κτεάτεσσι: pl., *possessions, property.*

κτεατίζω, aor. κτεάτισσα=κτάομαι.

Κτέατος: son of Actor and Molione, B 621.

κτείνω, ipf. κτεῖνον, iter. κτείνεσκε, fut. κτενέει, part. κτανέοντα, aor. ἔκτεινα, κτεῖνε, aor. 2 ἔκτανον, κτάνον, also ἔκτα, ἔκταμεν, ἔκταν, subj. κτέωμεν, inf. κτάμεναι, pass. pres. inf. κτείνεσθαι, aor. 3 pl. ἔκταθεν, aor. 2 mid. w. pass. signif., κτάσθαι, κτάμενος: *kill, slay,* esp. in battle; rarely of animals, Ο 587, μ 379, τ 543; pass., E 465; aor. mid. as pass., Ο 558.

κτέρας = κτέαρ, K 216 and Ω 235.

κτέρεα, pl.: possessions burned in honor of the dead upon the funeral-pyre, hence *funeral honors, obsequies* (extremi honores), always with κτερεΐζειν.

κτερίζω, κτερεΐζω, inf. κτερεΐζέμεν, fut. κτεριῶ, aor. opt. κτερίσειε, inf. κτερεΐξαι: *bury with solemn honors;* ἀέθλοις, 'celebrate one's funeral with games,' Ψ 646; ἐπὶ (adv.) κτερέα κτερεΐξαι, 'bestow funeral honors upon' one, α 291, Ω 38.

κτῆμα (κτάομαι): *possession, property,* sing., ο 19; elsewhere pl., in the Iliad mostly of *treasures,* H 350, I 382.

Κτήσιος: the father of Eumaeus, ο 414†.

Κτήσιππος: son of Polytherses, from Same, one of the suitors of Penelope, slain by Philoetius, υ 288, χ 279, 285.

κτῆσις, ιος (κτάομαι): *property.*

κτητός: *that may be acquired,* I 407†.

κτίδεος (ἰκτίς): *of weasel-skin;* κυνέη, K 335 and 458.

κτίζω, aor. ἔκτισα, κτίσσε: *settle, found,* a city or land.

κτίλος: *ram,* Γ 196 and N 492.

Κτιμένη: daughter of Laertes, sister of Odysseus, settled in marriage in Same, ο 363.

κτυπέω, aor. ἔκτυπε: *crash, thunder;* of falling trees, the bolts of Zeus.

κτύπος: *any loud noise such as a crash, thunder;* of the stamping of the feet of men, or the hoofs of horses, the tumult of battle, and the bolts of Zeus, π 6, K 532, M 338.

κύαμος: *bean,* pl., N 589†.

κυάνεος (κύανος): *of steel,* Σ 564, then *steel-blue, dark blue, dark;* of the brows of Zeus, A 528; the hair of Hector, X 402; a serpent, Λ 26; earth or sand, μ 243; and esp. νεφέλη, νέφος, even in metaphor, Π 66, Δ 282.

κῡανό-πεζα: *with steel-blue feet,* τράπεζα, Λ 629†.

κυανό-πρῳρος and **κυανο-πρῴρειος** (πρῴρᾱ): *dark-prowed, dark-bowed,* epith. of ships.

κύανος: probably blue *steel,* Λ 24, 35, and η 87.

κυανο-χαίτης and **κῡανο-χαῖτα**: the *dark-haired,* epith. of Poseidon, also as subst.; *dark-maned,* ἵππος, Υ 224.

κυαν-ῶπις, ιδος: *dark-eyed,* μ 60†.

κυβερνάω, aor. inf. κυβερνῆσαι: *steer,* νῆα, γ 283†.

κυβερνήτης, εω, and **κυβερνητήρ, ῆρος**: *helmsman, pilot.* (Od.)

κυβιστάω (κύβη, head, found only in glossaries), ipf. κυβίστων: *turn somersaults, tumble,* Π 745, 749; of fishes, Φ 354.

κυβιστητήρ, ῆρος: *tumbler; diver,* Π 750.

κυδαίνω (κύδος), aor. κύδηνε, inf. κυδῆναι: *glorify, ennoble;* θυμόν, *rejoice,* trans., ξ 438.

κυδάλιμος (κύδος): *glorious, noble,*

epith. of persons, and of κῆρ, as typical of the person.

κῡδάνω: *glorify, exalt;* intrans., *exult,* Υ 42.

κῡδι-άνειρα: *man-ennobling, ἀγορή, μάχη.* (Il.)

κῡδιάω, part. *κῡδιόων: triumph, be proud.* (Il.)

κῡδιστος: *most glorious.*

κυδοιμέω, aor. *κυδοίμησαν: rush tumultuously, spread confusion;* trans., *throw into confusion,* Ο 136.

κυδοιμός: *uproar, confusion, din* or *mêlée of battle;* personified, Ε 593, Σ 535.

κῦδος, εος: *glory, majesty, might;* of persons, in address, μέγα κῦδος Ἀχαιῶν, 'pride of the Greeks,' Nestor and Odysseus, Κ 87, ι 673.

κυδρός: *glorious, illustrious,* always κυδρὴ παράκοιτις.

Κύδωνες: the *Cydonians,* a tribe in the northwest of Crete, γ 292, τ 176.

κυέω: *conceive, carry* in the womb; of a mare with mule foal, Ψ 266.

κύθε: see κεύθω.

Κυθέρεια: *Cytherēa,* epithet of Aphrodite, from the island of Cythēra.

Κύθηρα, pl.: *Cythēra,* an island off the coast of Laconia, S.W. of the promontory of Malēa, where the worship of Aphrodite had been introduced by an early Phoenician colony, ι 81, Ο 432. — **Κυθηρόθεν,** *from Cythēra,* Ο 538. —Adj. **Κυθήριος,** *of Cythēra,* Κ 268, Ο 431.

κυκάω, part. *κυκόωντι,* ipf. *ἐκύκα,* aor. *κύκησε,* pass. *κυκήθην: stir up, stir in, mix up;* met., only pass., *be stirred up,* 'panic-stricken,' Υ 489; of waves and the sea, *foam up, be in commotion,* Φ 235, μ 238.

κυκεών, acc. *κυκεῶ:* a *mixed drink,* compounded of barley meal, grated cheese, and wine, Λ 624; Circe adds also honey, κ 290, 234.

κυκλέω: *wheel away, carry forth,* of corpses, Η 332†.

κύκλος, pl. *κύκλοι* and *κύκλα: ring, circle; δόλιος,* employed by hunters for capturing game, δ 792; *ἱερός,* the solemn circle of a tribunal, etc., Σ 504; *wheel,* Ψ 340, pl., τὰ κύκλα, Ε 722, Σ 375; of the *rings* on the outside of a shield, or the *layers* which, lying one above the other and gradually diminishing in size toward the boss, made up the whole disc, Λ 33, Υ 280.

κυκλόσε: *in a circle,* Δ 212 and Ρ 392.

κυκλο-τερής, ἐς (τείρω): *circular,* ρ 209; stretch or draw 'into a circle,' Δ 124.

Κύκλωψ, pl. **Κύκλωπες:** *Cyclops,* pl., the *Cyclōpes;* sing., Polyphēmus, whose single eye was blinded by Odysseus, ι 428. The Cyclōpes are in Homer a lawless race of giants, dwelling without towns, social ties, or religion, ι 166.

κύκνος: *swan.*

κυλίνδω, part. neut. *κυλίνδον,* pass. ipf. (ἐ)κυλίνδετο, aor. *κυλίσθη: roll; Βορέης κῦμα,* ε 296; fig., *πῆμά τινι,* Ρ 688; pass., *be rolled, roll,* of a stone, λ 598; of persons in violent demonstrations of grief, Χ 414, δ 541; met., Λ 347, θ 81.

Κυλλήνη: *Cyllēne,* a mountain-chain in northern Arcadia, Β 603.

Κυλλήνιος: *Cyllenian.* — (1) epith. of Hermes, from his birthplace, Mt. Cyllēne in Arcadia, ω 24. — (2) an inhabitant of the town Cyllēne in Elis, Ο 518.

κυλλο-ποδίων, voc. *-πόδιον* (κυλλός, πούς): *crook-footed,* epith. of Hephaestus. (Il.)

κῦμα (κύω): *wave, billow; κατὰ κῦμα,* 'with the current,' β 429.

κυμαίνω: only part., *πόντον κυμαίνοντα, billowy* deep. (Od.)

κύμβαχος: *head foremost,* Ε 586; as subst., *crown* or *top* of a helmet, the part in which the plume is fixed, Ο 536. (See cuts Nos. 16 and 17.)

κύμινδις: *night-hawk,* called in the older language χαλκίς, Ξ 291.

Κῡμο-δόκη and **Κυμοθόη:** Nereids, Σ 39, 41†.

κυνά-μυια: *dog-fly,* an abusive epithet applied by Ares to Athēna, Φ 394.

κυνέη: properly 'dog-skin,' a soldier's *cap,* generally of leather, *ταυρείη,* Κ 257; *κτιδέη,* Κ 335; also mounted with metal, *χαλκήρης, χαλκοπάρῃος,* and *πάγχαλκος, helmet,* σ 378; the *κυνέη αἰγείη* was a goat-skin cap for country wear (like that of the oarsmen in cut No. 38), ω 231; Ἄϊδος, the cap of Hades, rendered the wearer invisible, Ε 845.

κύνεος : dog - like, i. e. shameless, I 373†.

κυνέω, ipf. κύνεον, κύνει, aor. ἔκυσα, κύ(σ)σε, inf. κύσσαι : kiss; κύσσε δέ μιν κεφαλήν τε καί ἄμφω φάεα κᾱλὰ | χεῖ-ράς τ᾽ ἀμφοτέρᾱς (this shows the range of the word), π 15, cf. ρ 39; ἄρουραν, his native soil, ν 354.

κυν-ηγέτης (κύων, ἡγέομαι) : literally leader of dogs, i. e. hunter, pl., ι 120†.

κυνο-ραιστής (ῥαίω): literally dog-breaker (cf. 'house-breaker'), i. e. flea, pl., ρ 300†.

Κῦνος : a harbor-town of Locris, B 531†.

κύντερος, comp., sup. κύντατος: more (most) dog like, i. e. shameless, impudent, audacious, K 503.

κυν - ώπης, voc. κυνῶπα, and **κυν-ῶπις,** ιδος : literally dog-faced, i. e. impudent, shameless.

Κυπαρισσήεις: a town in Elis, B 593†.

κυπαρίσσινος : of cypress wood, ρ 340†.

κυπάρισσος : cypress, evergreen, ε 64†.

κύπειρον : fragrant marsh - grass, perhaps 'galingal,' used as food for horses, δ 603.

κύπελλον : drinking - cup, goblet, Ω 305, cf. 285, I 670.

Κύπρις : Cypris, epith. of Aphro-dīte, from the island of Cyprus, E 330.

Κύπρος : the island of Cyprus, ὁ 83.—Κυπρονδε, to Cyprus, Λ 21.

κύπτω, aor. opt. κύψει(ε), part. κύψᾱς: bend the head, bow down. (Il. and λ 585.)

κυρέω, κύρω, ipf. κῦρε, aor. inf. κυρῆ-σαι, part. κύρσᾱς, mid. pres. κύρεται: chance upon, encounter, ipf. try to hit, aim, Ψ 281 ; w. ἐπί or dat. merely, Ω 530 ; of colliding in the race, Ψ 428. Cf. τυγχάνω.

κύρμα (κυρέω): what one chances upon, hence prey, booty; usually with ἕλωρ, E 488.

κύρσᾱς: see κυρέω.

κυρτός: curved, rounded, arched. (Il.)

κυρτόω: make curved; κῦμα κυρτω-θέν, 'arched,' λ 244†.

κύστις: bladder. (Il.)

Κύτωρος: a town in Paphlagonia, B 853.

κῡφός (κύπτω): bowed, bent, β 16†.

Κύφος: a town in Perrhaebia in Thes-aly, B 748†.

κύω: see κυέω and κυνέω.

κύων, κυνός, acc. κύνα, voc. κύον, pl. dat. κύνεσσι: dog, bitch; κύνες θηρευ-ταί, τραπεζῆες, 'hunting' and 'lap-dogs,' Ἀίδᾱο, i. e. Cerberus, Θ 368, λ 623 ; 'sea-dog,' perhaps seal, μ 96 ; dog of Oriön, Sirius, X 29 ; as symbol of shamelessness, applied to women and others, N 623 ; λυσσητήρ, 'raging hound,' Θ 299.

κῶας, pl. κώεα, dat. κώεσιν: fleece, serving for seat or bedding, π 47. I 661, γ 38.

κώδεια: poppy-head, Ξ 499†.

κωκῡτός (κωκύω): wailing. As proper name **Κωκῡτός,** Cocÿtus, river of the nether world, κ 514.

κωκύω, aor. κώκῡσ(ε), part. κωκύσᾱ-σα: wail, always of women's voices ; sometimes trans., 'bewail,' τινά, ω 295.

κώληψ, ηπος: bend or hollow of the knee, Ψ 726†.

κῶμα (κοιμάω): deep sleep.

Κῶπαι: a town on lake Copäis in Boeotia, B 502†.

κώπη: handle of sword or oar, hilt, oar; of a key, φ 7. (See cut No. 68.)

κωπήεις: hilted.

κώρυκος: leather knapsack or wal-let. (Od.)

Κῶς: the island of Cos, B 677.— Κόωνδε, to Cos, O 28.

κωφός (κόπτω): blunted, Λ 390 ; 'dull - sounding,' of a wave before it breaks, Ξ 16 ; κωφὴ γαῖα, dull, 'sense-less' dust, of a dead body, Ω 54.

Λ.

λᾶας, λᾶος, dat. λᾶι, acc. λᾶαν, du. λᾶε, pl. gen. λάων, dat. λάεσσι: *stone*.

Λάας: a town in Laconia, B 585†.

λαβρ - αγόρης (λάβρος): *reckless talker*, Ψ 479†.

λαβρεύομαι: *talk rashly*, Ψ 474 and 478.

λάβρος, sup. λαβρότατος: *rapid, rushing*.

λαγχάνω, aor. ἔλαχον, λάχεν, redupl. subj. λελάχητε, perf. λέλογχεν: *obtain by lot* or *by destiny, obtain, receive*; abs., H 171; reversing the usual relation, Κῆρ λάχε γεινόμενον, 'won me to her power at my birth,' Ψ 79; w. part. gen., Ω 76, ε 311; causative, 'put in possession of,' 'honor with,' θανόντα πυρός, only with redupl. aor., H 80, etc.; intrans., 'fall by lot,' ι 160.

λαγωός (Att. λαγώς): *hare*.

Λαέρκης: (1) son of Aemon, father of Alcimedon, a Myrmidon, Π 197.— (2) a goldsmith in Pylos, γ 425.

Λαέρτης: *Laertes*, son of Arcisius, and father of Odysseus, king in Ithaca, α 430, ω 206, 270, δ 111, 555, χ 185, ω 219 ff.

Λαερτιάδης: *son of Laertes*, Odysseus.

λάζομαι (= λαμβάνω), opt. 3 pl. λαζοίατο, ipf. (ἐ)λάζετο: *take*; γαῖαν ὀδάξ, 'bite the dust,' B 418; μῦθον πάλιν, 'caught back again' the words (of joy which were on his lips), ν 254.

λαθι-κηδής, ἐς (κῆδος): *causing to forget care*, 'banishing care,' X 83†.

λάθρη: *secretly, unbeknown*, τινός, 'to one'; 'imperceptibly,' T 165.

λᾶϊγξ, ιγγος: *pebble*. (Od.)

λαῖλαψ, απος: *tempest* of wind and rain, *hurricane*.

λαιμός: *throat, gullet*. (Il.)

λάϊνεος and λάϊνος (λᾶας): *of stone, stony*; τεῖχος, in the interpolated passage, M 177.

λαισήϊον: light *shield* or *target*; λαισήϊα πτερόεντα, perhaps so called on account of the 'fluttering' apron of untanned leather (λάσιος) hanging from the shield. (See adjoining cut and esp. No. 79.)

73

Λαιστρυγόνιος: *Laestrygonian*, κ 82, ψ 318.

Λαιστρυγών, pl. Λαιστρυγόνες: *Laestrygon*, the *Laestrygons*, a tribe of savage giants, κ 106, 119, 199.

λαῖτμα: the great *gulf* or *abyss* of the sea, usually w. ἁλός or θαλάσσης. (Od. and T 267.)

λαῖφος, εος: *shabby, tattered garment*, ν 399 and υ 206.

λαιψηρός: *nimble, swift*; adv., λαιψηρὰ ἐνώμᾱ, 'plied nimbly,' O 269.

λάκε: see λάσκω.

Λακεδαίμων: *Lacedaemon*, the district whose capital was Sparta; epithets, δῖα, γ 326; ἐρατεινή, Γ 239; εὐρύχορος, ν 414; κοίλη, κητώεσσα, δ 1.

λακτίζω: *kick* with the heel, of the mortally wounded, struggling convulsively, σ 99 and χ 88.

λαμβάνω, only aor. 2 act. and mid., ἔλλαβ(ε), ἐλλάβετ(ο), inf. redupl. λελαβέσθαι: *take, receive*, mid., *take hold of*; freq. w. part. gen.; sometimes of 'seizing,' 'taking captive,' λ 4, Λ 114; in friendly sense, 'take in,' η 255; met., of feelings, χόλος, πένθος, τρόμος, etc.

Λάμος: the king of the Laestrȳgons, κ 81†.

λαμπετάω = λάμπω.

Λαμπετίδης: son of Lampus, Dolops, Ο 526†.

Λαμπετίη: a nymph, daughter of Helius, μ 132, 375.

Λάμπος: (1) son of Laomedon, father of the Trojan Dolops, Γ 147, Ο 526.—(2) name of one of the steeds of Eos, ψ 246.—(3) one of Hector's horses, Θ 185.

λαμπρός, sup. λαμπρότατος: bright, brilliant, shining. (Il. and τ 234.)

λαμπτήρ, ῆρος: fire - pan, lightstand, cresset, to hold blazing pine splinters for illuminating, σ 307, τ 63. (See cuts, after bronze originals from Pompeii.)

75

74

λάμπω, ipf. ἔλαμπ(ε), λάμφ': shine, gleam, be radiant or brilliant.

λανθάνω, λήθω, ipf. (ἐ)λάνθανον, ἔληθον, λῆθεν, iter. λήθεσκε, fut. λήσω, aor. 2 ἔλαθον, λάθον, subj. redupl. λε-

λάθῃ, mid. λήθομαι, ipf. λανθανόμην, aor. 2 λάθετο, redupl. λελάθοντο, opt. 3 pl. λαθοίατο, imp. redupl. λελαθέσθω, perf. λέλασται, part. λελασμένος: I. act., escape the notice of, τινά, the obj. of the Greek verb usually appearing as the subj. in Eng., οὐδέ σε λήθω, 'nor dost thou ever fail to mark me,' Α 561, ρ 305; the thing that one does when somebody else fails to mark him is regularly expressed by the part., ἄλλον πού τινα μᾶλλον Ἀχαιῶν χαλκοχιτώνων | λήθω μαρνάμενος, σὲ δὲ Fιδμεναι αὐτὸν ὀίω, 'another perchance is likely enough to overlook my prowess, but you know it right well,' Ν 272. The learner cannot afford to be careless about the above meaning and construction. Sometimes w. ὅτι or ὅπως, ὅτε, Ρ 626. The redupl. aor. is causative, make to forget; τινά τινος, Ο 60.—II. mid., forget; τινός, Δ 127, γ 224.

λάξ: adv., with the heel, with ποδί, Κ 158, ο 45.

Λαό-γονος: (1) a Trojan, the son of Onētor, slain by Meriones, Π 604. —(2) a Trojan, the son of Bias, slain by Achilles, Υ 460.

Λᾱόδαμας: (1) son of Antēnor, slain by Ajax, Ο 516.—(2) a Phaeacian, son of Alcinous, θ 119, 132, η 170, θ 117, 141.

Λᾱοδάμεια: daughter of Bellerophon, and mother of Sarpēdon, Ζ 198.

Λᾱοδίκη: Laodice.—(1) a daughter of Agamemnon, Ι 145, 287. — (2) a daughter of Priam, wife of Helicāon, Γ 124, Ζ 252.

Λᾱόδοκος: (1) a son of Antēnor, Δ 87.—(2) a comrade of Antilochus, Ρ 699.

Λαοθόη: daughter of Altes, mother of Lycāon, Φ 85, Χ 48.

Λᾱομεδοντιάδης: son or descendant of Laomedon.—(1) Priam, Γ 250.—(2) Lampus, Ο 527.

Λᾱομέδων: Laomedon, son of Ilus and father of Priam. He had promised his daughter Hesione to Heracles, on condition of her being delivered from the sea-monster sent by Poseidon to ravage the Troad, but proving false to his agreement was slain by Heracles, Ε 638 ff., 269, Ζ 23, Υ 237, Φ 443.

λᾱός, pl. λᾱοί: people, host, esp.

army; sometimes *crew, crews,* ξ 248; oftener the pl. than the sing., Δ 199, E 573.

λᾱο-σσόος (σεύω): *driving the people on* (to combat), *rousing the people;* epith. of Ares, Eris, Athēne (Apollo, Amphiarāus), N 128, χ 210.

λᾱο-φόρος: ὁδός, *public way,* O 682†.

λαπάρη: the soft part of the body between hips and ribs, *flank, loins.* (Il.)

Λαπίθαι: the *Lapithae,* a warlike tribe dwelling by Mts. Olympus and Pelion in Thessaly, M 128, 181, φ 297.

λάπτω, fut. part. λάψοντες: *lap up* with the tongue, Π 161†.

Λάρῑσα: a town in Asia Minor, near Cyme, B 841, P 301.

λάρναξ, ακος: *chest,* Σ 413; *vase or urn,* Ω 795.

λάρος: a sea bird, *cormorant,* with ὄρνῑς, ε 51†.

λᾱρός, sup. λᾱρώτατος: *rich, fine, well-relished,* P 572.

λάσιος: *hairy, shaggy,* epith. of στήθος, also κῆρ, as sign of manly strength and spirit; of sheep, *woolly,* ι 433.

λάσκω, aor. 2 λάκε, perf. part. w. pres. signif. λεληκώς, λελακυῖα: *give voice,* of animals, Scylla (as dog), a falcon, X 141; of things, *sound,* χαλκός, ἀσπίς, ὀστέα. (Il. and μ 85.)

λαυκανίη: *throat, gullet.* (Il.)

λαύρη: *lane, side-passage* between the house (of Odysseus) and the outer wall of the court, χ 128, 137. (See plate III., *o, n.*)

λαφύσσω: *gulp down, swallow.* (Il.)

λάχε: see λαγχάνω.

λάχεια: *with good soil* for digging, *fertile,* νῆσος, ι 116 and κ 509.

λάχνη: *woolly hair, down,* K 134; *sparse hair* or *beard,* B 219, λ 320.

λαχνήεις: *hairy, shaggy.* (Il.)

λάχνος = λάχνη, *wool,* ι 445†.

λάω, part. λάων, ipf. λάε: doubtful word, 'bury the teeth in,' of a dog strangling a fawn, τ 229 f.

λέβης, ητος: *kettle, caldron,* for warming water or for boiling food over fire, Φ 362; in the Odyssey usually, *basin, wash-basin,* held under the hands or feet while water was poured from a pitcher over them, τ 386;

called ἀνθεμόεις, from the decoration, γ 440.

76

λέγω, ipf. ἔλεγ᾽, λέγε, λέγομεν, fut. part. λέξοντες, aor. ἔλεξεν, imp. λέξον, mid. pres. subj. λεγώμεθα, ipf. λέγοντο, fut. λέξομαι, aor. λέξατο, aor. 2 ἐλέγμην, ἔλεκτο, λέκτο, imp. λέξο, λέξεο, pass. aor. ἐλέχθην. The above forms are common to two distinct roots λεγ, *gather,* and λεχ, *lay.* — I. root λεγ, *gather, collect,* Ψ 239, K 755, σ 359, ω 72, 224; *count,* δ 452; pass., Γ 188; then *enumerate, recount, tell, relate,* B 222, ε 5, λ 374; mid., *collect for oneself, count oneself in, select,* Θ 507, 547, ι 335, B 125; λέκτο ἀριθμόν, *counted over* the number (for himself), δ 451; also *talk over* (with one another), μηκέτι ταῦτα λεγώμεθα, γ 240. — II. root λεχ, act. aor. 1, *lay, put to bed* or *to rest,* Ω 635; met., Ξ 252; mid., fut. and aor. 1 and 2, *lay oneself down, lie down* to sleep, *lie,* δ 413, 453, Δ 131, Θ 519, I 67.

λειαίνω (λεῖος), fut. λειανέω, aor. 3 pl. λείηναν, part. λειήνᾱς: *make smooth, smooth, level off,* θ 260.

λείβω, ipf. λεῖβε, aor. inf. λεῖψαι: *pour* (*in drops*), *shed,* δάκρυα often; also esp., *pour a libation,* (οἶνον) τινί, or *drink-offering;* abs., Ω 285. (See cut No. 77 on next page; cf. also Nos. 21 and 95.)

λειμών, ῶνος: *meadow, mead;* λειμωνόθεν, *from the meadow,* Ω 451.

λεῖος (lēvis): *smooth, even, level;* πετράων, 'free from rocks,' ε 443.

λείπω, ipf. λεῖπ(ε), fut. λείψω, aor. 2 ἔλιπον, λίπον, perf. λέλοιπεν, mid. ipf. λείπετ(ο), aor. 2 λιπόμην, pass. perf. λέλειπται, plup. λελείμμην, fut. perf. λελείψεται, aor. 3 pl. λίπεν: *leave, forsake;* ἔλιπον ἰοί ἄνακτα, arrows 'failed' him, χ 119, cf. ξ 213; pass. and aor. mid., *be left, remain, survive,* M 14; w. gen., *be left behind* one, as in running,

77

Ψ 523, 529; λελειμμένος οἰῶν, 'remaining behind' the other sheep, ι 448; λίπεν ἅρματ' ἀνάκτων, 'had been forsaken by' their masters, Π 507.

λειριόεις, εσσα (λείριον): lily-like, lily-white, N 830; ὄψ, 'delicate,' Γ 152. (Il.)

Λειώδης: son of Oenops, a suitor of Penelope and the soothsayer of the suitors; he shares their fate, φ 144, χ 310.

Λειώκριτος: (1) son of Arisbas, slain by Aenēas, P 344.—(2) son of Euēnor, a suitor of Penelope, slain by Telemachus, β 242, χ 294.

λείουσι: see λέων.

λεϊστός: see ληϊστός.

λέκτο: see λέγω.

Λεκτόν: a promontory on the Trojan coast, opposite Lesbos, Ξ 284.

λέκτρον (root λεχ): bed, freq. the pl.; λέκτρονδε, θ 292.

λελαβέσθαι, λελάβῃσι: see λαμβάνω.

λελάθῃ, λελάθοντο: see λανθάνω.

λελακυῖα: see λάσκω.

λέλασμαι: see λανθάνω.

λελάχητε, λελάχωσι: see λαγχάνω.

Δέλεγες: a piratical tribe on the south and west coast of Asia Minor, K 429, Φ 86.

λελημώς: see λάσκω.

λελίημαι: only part., λελιημένος, as adj., eager, desirous; w. ὄφρα, Δ 465, E 690. Cf. λιλαίομαι. (Il.)

λέλογχα: see λαγχάνω.

λέξεο, λέξο: see λέγω.

Λεοντεύς: a Lapith, the son of Corōnus, a suitor of Helen, B 745, Ψ 841.

λέπαδνον, pl. λέπαδνα: breast-collar, a strap passing around the breast of the horses, and made fast to the yoke, E 730. (See g in cut No. 78 below, also cut No. 45, f.)

λεπταλέος (λεπτός): fine, delicate, Σ 571†.

λεπτός (λέπω), sup. λεπτότατος: peeled, husked, Υ 497; then thin, fine, narrow, delicate.

λέπω, aor. ἔλεψεν: peel, strip off; φύλλα, A 236†.

Δέσβος: Lesbos, the island opposite the gulf of Adramyttium, γ 169, Ω 544. — **Δεσβόθεν**, from Lesbos, I 664. — **Δεσβίς**, ίδος: Lesbian woman, I 129, 271.

λέσχη: inn, tavern, σ 329†.

λευγαλέος (cf. λυγρός, λοιγός): mournful, miserable. — Adv., λευγαλέως, N 732.

λευκαίνω: make white, with foam, μ 172†.

78

Λευκάς: πέτρη, 'White rock,' at the entrance of the nether world, on the border of Oceanus, ω 11†.

λεύκ-ασπις, ιδος: with white shield, white-shielded, Χ 294†.

Λευκοθέη: Leucothea, a sea-goddess, once Ino, the daughter of Cadmus, ε 334, 461.

λευκός: clear, i. e. transparent or full of light, as water, the surface of water, or the radiance of the sky, ε 70, κ 54, ζ 45; then white, as snow, milk, bones, barley, Κ 437, ι 246, α 161, Υ 496.

Λεῦκος: a companion of Odysseus, Δ 491†.

λευκ-ώλενος (ὠλένη, elbow, fore-arm): white-armed; epithet of god-desses and women according to the metrical convenience of their names; ἀμφίπολος, δμωαί, σ 198, τ 60.

λευρός: level, η 123†.

λεύσσω (cf. λευκός, lux), ipf. λεῦσσε: see, behold.

λεχε-ποίης (λέχος, ποίη): with grassy bed (of a river); grassy (of towns), Δ 383, Β 697.

λέχος, εος (root λεχ, λέγω): bed, bedstead, also pl. in both senses; typi-cal in connubial relations, λέχος ἀν-τιᾶν, πορσύνειν, Α 31, γ 403; funeral-couch, bier, ω 44, ψ 165; λέχοσδε, to the bed, Γ 447.

λέων, οντος, dat. pl. λείουσι and λέου-σι: lion; fig., where we should expect 'lioness,' Φ 483.

λήγω, inf. ληγέμεναι, ipf. λῆγ', fut. λήξω, aor. 3 pl. λῆξαν: leave off, cease, w. gen. or w. part., Ζ 107, Φ 224; trans., abate, μένος, Ν 424; χεῖρας φόνοιο, 'stay' my hands from slaughter, χ 63.

Λήδη: Leda, the wife of Tyndareus, mother by Zeus of Helen, Castor, and Polydeuces, and of Clytaemnestra by Tyndareus, λ 298, 300.

ληθάνω: cause to forget, τινός, η 221†.

λήθη: forgetfulness, oblivion, Β 33†.

Λῆθος: son of Teutamus, and father of Hippothous, Β 843, Ρ 288.

λήθω: see λανθάνω.

ληιάς, άδος: captive, Υ 193†.

ληι-βότειρα (λήιον, βόσκω): crop-eating, crop-destroying, σ 29†.

ληίζομαι, fut. ληίσσομαι, aor. ληίσ-σατο: carry off as booty.

λήιον: crop, grain still standing in the field, field of grain.

ληίς, ίδος: booty, prey.

ληιστήρ, ῆρος (ληίζομαι): buccaneer, rover, pl. (Od.)

ληιστός: to be plundered or taken by plundering, see ἑλετός.

ληίστωρ, ορος = ληιστήρ, Ο 427†.

ληῖτις, ιδος: booty-bringing, giver of booty, epith. of Athēna, Κ 460†.

Λήιτος: son of Alectryon, a leader of the Boeotians, Β 494, Ν 91, Ρ 601, Ζ 35.

λήκυθος: oil-flask, ζ 79 and 215.

Λῆμνος: Lemnos, the island west of the Troad, with probably in Homer's time a city of the same name, Ξ 230, 281; called ἠγαθέη, as sacred to He-phaestus (also to the Cabīri) on account of its volcano, Moschylus; now Stali-mene [(ἐ)ς τὴ(ν) Λῆμνον].

λήσω: see λανθάνω.

Λητώ: Leto (Latona), mother of Apollo and Artemis, λ 580, Α 9; epith., ἐρικυδής, ἠύκομος, καλλιπάργος.

λιάζομαι, part. λιαζόμενον, ipf. λιά-ζετο, aor. pass. (ἐ)λιάσθην : turn aside, withdraw; κύμα, 'parted,' Ω 96; εἴδω-λον, 'vanished,' δ 838; also sink down, droop; προτὶ γαίῃ πτερά, Υ 420, Ψ 879.

λιαρός: warm, lukewarm; αἷμα, ὕδωρ, Λ 477, ω 45; then mild, gentle, ε 268, Ξ 164.

Λιβύη: Libya, west of Egypt, δ 85, ξ 295.

λίγα (λιγύς): adv., clear, loudly, ἀείδειν, κωκύειν.

λιγαίνω (λιγύς): cry with clear, loud voice, Λ 685†.

λίγγω, aor. λίγξε: twang, Δ 125†.

λιγδην: adv., grazing; βάλλειν χεῖ-ρα, χ 278†.

λιγέως: see λιγύς.

λιγυ-πνείων, οντος: loudly blowing, whistling, δ 567†.

λιγυρός (λιγύς): clear-toned, whist-ling, piping; ἀοιδή, μάστιξ, πνοιαί, μ 44, Λ 532, Ε 526.

λιγύς, λίγεια, λιγύ: clear and loud of tone, said of singers, the harp, an orator, 'clear-voiced,' 'clear-toned,' ω 62, Ι 186, Α 248; of the wind, 'pip-ing,' 'whistling,' γ 176, Ν 334.—Adv., λιγέως, ἀγορεύειν, φῦσᾶν, κλαίειν, Γ 214, Ψ 218, κ 201.

λιγύ-φθογγος: *loud-voiced, clear-voiced.*

79

λιγύ-φωνος: *with loud, clear note,* of a falcon, T 350†.

λίζω: see λίγγω.

λίην: *too, excessively, greatly, very;* μή τι λίην προκαλίζεο, provoke me not 'too far,' σ 20; ουδέ τι λίην ούτω νώνυμός έστι, not so *very* unrenowned, ν 238, cf. ο 405; often καὶ λίην at the beginning of a statement, 'most certainly,' 'ay, by all means,' etc.

λίθαξ, ακος: *stony, hard,* ε 415†.

λιθάς, άδος, dat. pl. λιθάδεσσι = λίθος. (Od.)

λίθεος: *of stone.*

λίθος, usually m.: *stone, rock;* fig. as symbol of firmness, or of harshness, τ 494, Δ 510.

λικμάω (λικμός), part. gen. plur. λικμώντων: *winnow,* E 500†.

λικμητήρ, ῆρος: *winnower,* who threw the grain with his winnowing-shovel against the wind, thus separating it from the chaff, N 590†.

λικριφίς: adv., *sideways, to one side,* Ξ 463 and τ 451.

Λικύμνιος: brother of Alcmēna, slain by Tlepolemus, B 663†.

Λίλαια: a town in Phocis, at the source of the Cephissus, B 523†.

λιλαίομαι, ipf. λιλαίετο: *desire, be desirous of* or *eager for,* τινός, ν 31; freq. w. inf.; with the inf. omitted, λ 223; metaph., of the lance, λιλαιομένη χροὸς ἆσαι. Cf. λελίημαι.

λιμήν, ένος (cf. λείβω, λίμνη): *harbor;* pl. also in signif. of *inlets, bays,* Ψ 745, ν 96, δ 846.

λίμνη (cf. λείβω, λιμήν): *lake, pond,* even of a swamp or a marsh, Φ 317; also of the sea, γ 1.

Λιμνώρεια ('Harbor Ward'): a Nereid, Σ 41†.

λιμός: *hunger, famine.*

Λίνδος: a town in Rhodes, B 656†.

λινο-θώρηξ: *with linen cuirass,* B 529. (As represented in adjoining cut, No. 79; cf. also No. 12.)

λίνον: *flax,* then anything made of it, *thread, yarn,* esp. *fishing-line,* Π 408; of a fisher's net, E 487; linen cloth, *linen,* I 681; fig., of the thread of destiny, Υ 128, Ω 210, η 198. (See cuts under ἠλακάτη.)

λίνος: *lay of Linus,* the *Linus-song,* an ancient popular melody, Σ 570†.

λίπα: adv., always λίπ' ἐλαίῳ, *richly* with olive oil; but if the word is really an old dat., then *with* olive *oil,* ἐλαίῳ being adj.

λιπαρο-κρήδεμνος: *with shining head-band,* Σ 382†.

λιπαρο-πλόκαμος: *with shining locks* or *braids,* T 126†.

λιπαρός (λίπα): *sleek, shining* with ointment, ο 332; *shining* (nitidus), B 44; then fig., *rich, comfortable,* θέμιστες, γῆρας, I 156, λ 136. — Adv., λιπαρῶς, fig., δ 210.

λιπόω: *be sleek,* v. l., τ 72†.

1. λίς, acc. λῖν: *lion,* Λ 239, 480.

2. λίς (λισσός): *smooth, sheer,* πέτρη, μ 64 and 79.

3. λίς, dat. λῖτί, acc. λῖτα: *linen cloth,* used as cover for a seat, κ 353; or for a chariot when not in use, Θ 441; also as shroud for the dead, Σ 352; and to cover a cinerary urn, Ψ 254.

λίσσομαι (λιτή), ipf. (ἐ)(λ)λίσσετο, iter. λισσέσκετο, aor. 1 ἐλλισάμην, imp. λίσαι, aor. 2 ἐλιτόμην, inf. λιτέσθαι: *pray, beseech* with prayer; abs., X 91, β 68, and τινὰ εὐχῇσι, εὐχωλῇσι λιτῇσί τε, Ζηνός, 'in the name of Zeus'; πρός, ὑπέρ τινος, γούνων (λαβών, ἁψάμενος). etc.; foll. by inf., sometimes ὅπως or ἵνα, γ 19, 237, θ 344; with two accusatives, β 210, cf. δ 347.

λισσός: *smooth, sheer,* πέτρη. (Od.)

λιστρεύω (λίστρον): *dig about*, ω 227†.

λίστρον: *hoe* or *scraper*, used in cleaning the floor of a hall, χ 455†.

λῖτα: see λίς 3.

λιτανεύω (λιτή), ipf. ἐλλιτάνευε, λιτάνευε, fut. λιτανεύσομεν, aor. ἐλλιτάνευσα: *pray, implore*, abs., and w. acc., η 145, Ι 581.

λιτή: *prayer*. Plur. personified in an allegory, Ι. 502 ff.

λῖτί: see λίς 3.

λό': see λούω.

λοβός: *lobe* of the ear, pl. Ξ 182†.

λόγος (λέγω): *tale, story*, as entertaining recital, with enumeration of details, pl., Ο 393 and α 56. [λούω.

λόε, λοέσσαι, λοεσσάμενος: see **λοετρόν** (λοϜετρόν, λούω): *bathing, bath*, pl., 'Ωκεανοῖο, 'in Ocean,' ε 275.

λοετρο-χόος (χέω): *pouring* (containing) *water for the bath*, τρίπος, tripod with water-kettle, Σ 346, θ 435; subst., *bath-maid*, υ 297.

λοέω: see λούω.

λοιβή (λείβω): *libation*.

λοίγιος (λοιγός): *destructive, ruinous, deadly*; as subst., Φ 533, Ψ 310.

λοιγός: *destruction, ruin, death*, by sickness (pestilence) or war. (Π.)

λοιμός: *pestilence*, Α 61 and 97.

λοισθήιος (λοῖσθος): *for the last* in the race, only of prizes, ἄεθλον; and as subst. λοισθήια (cf. πρωτεῖα, δευτερεῖα), *prize for the last*, Ψ 751. (Il.)

λοῖσθος (λοιπός): *last*, Ψ 536†.

Λοκροί: the *Locrians*, a tribe occupying one of the divisions of Hellas, and dwelling on the Eurīpus, on both sides of Mt. Cnemis, Β 527, 535, Ν 686.

λοπός (λέπω): *peel, skin*, τ 233†.

λούω, λοέω (cf. lavo), ipf. λοῦον, λό' (λόϜε), aor. λοῦσ(εν), subj. λούσῃ, imp. λόεσον, λούσατε, inf. λοέ(σ)σαι, part. λοέσασα, mid. pres. inf. λούεσθαι, λοῦσθαι, fut. λοέσσομαι, aor. λοέσσατο, λούσαντο, etc., pass. perf. part. λελουμένος: *bathe, wash*, mid., *bathe, get washed*, Ζ 508; fig., of the rising of Sirius, λελουμένος 'Ωκεανοῖο, 'after his bath in Ocean,' Ε 6.

λοφιή (λόφος): the *bristly ridge* or *comb* of a wild boar's back, τ 446†.

λόφος: (1) *crest* or *plume* of a hel-

met, usually of horse-hair, Ε 743. (See adjoining cuts, and Nos. 3, 11, 12, 16, 17, 35, 73, 116, 122.)—(2) *back of the neck* of animals or of men, Ψ 508, Κ 573.—(3) *hill, ridge*. (Od.)

80   81

λοχάω (λόχος), aor. inf. λοχῆσαι, mid. fut. λοχήσομαι, aor. part. λοχησάμενος: act. and mid., *lie in ambush, lie in wait for, waylay*, τινά, ν 425.

λόχμη (root λεχ): *lair* of a wild beast, *thicket, jungle*, τ 439†.

λόχος (root λεχ): *place of ambush, act of lying in wait*; said of the Trojan horse, Σ 513, δ 277; also of the party forming the *ambuscade*, Θ 522; and of any armed company, υ 49; λόχος γέροντος, 'means of entrapping' the old man of the sea, δ 395.—**λόχονδε**: *upon an ambuscade, into the ambush*, Α 227, ξ 217.

λύγος: *willow-twig, osier, withe*.

λυγρός (cf. λευγαλέος): *sad, mournful, miserable*; in apparently active sense, φάρμακα, σήματα, etc., δ 230, Ζ 168; also fig., and in derogatory sense, 'sorry,' εἵματα, π 457; so of persons, Ν 119.—Adv., **λυγρῶς**.

λύθεν: see λύω.

λύθρον: properly *pollution*, then *gore* (or blood mixed with dust), with and without αἷμα.

λυκά-βᾱς, αντος (root λυκ, lux, βαίνω): *year*, ξ 161 and τ 306.

Λύκαστος: a town in the southern part of Crete, Β 647.

Λυκάων: (1) a Lycian, the father of Pandarus, Ε 197, 95. — (2) son of Priam and Laothoe, slain by Achilles, Φ 144 ff.

λυκέη: *wolf-skin*, Κ 459†.

λυκη-γενής, έος (root λυκ, lux): *light-born*, epith. of Apollo as sun-god, Δ 101, 119.

Λυκίη: *Lycia*. —(1) a division of Asia Minor, Β 877.—(2) a district on the river Aesēpus, its chief town Zeleia, Β 824, Ε 173.—**Λυκίηθεν, from**

Lycia, E 105.—Λυκίηνδε, *to Lycia*, Z 168.

Λύκιοι : the *Lycians*, inhabitants of Lycia (1). Led by Glaucus and by Sarpēdon, H 13, E 647, Ξ 426, Π 490.

Λυκομήδης : son of Creon in Boeotia, P 346, T 240.

Λυκόοργος (ΛυκοϜ.) : *Lycurgus*.—(1) son of Dryas, king of the Edonians in Thrace, banishes from his land the worship of Dionȳsus (Bacchus), Z 134.—(2) an Arcadian, slays Arithous, H 142–148.

λύκος (Ϝλύκος): *wolf;* symbol of bloodthirstiness, Δ 471, Λ 72.

Λυκοφόντης : a Trojan, slain by Teucer, Θ 275.

Λυκόφρων : son of Mastor, from Cythēra, a companion of Ajax, O 430.

Λύκτος : a city in Crete, east of Cnosus, B 647, P 611.

Λύκων : a Trojan, slain by Peneleüs, Π 335, 337.

λῦμα, pl. λύματα : anything washed away, *defilement*, Ξ 171; in symbolical and ritualistic sense, *offerings of purification*, A 314.

λυπρός : *sorry, poor*, ν 243†.

Λυρνη(σ)σός : *Lyrnessus*, a town in Mysia, under the sway of Hypoplacian Thebes, B 690, T 60, Υ 92, 191.

Λύσανδρος : a Trojan, slain by Ajax, Λ 491†.

λῦσι-μελής, ἐς (λύω, μέλος): *relaxing the limbs, ὕπνος, ν 57 (with a play upon the word in v. 56).

λύσις, ιος (λύω): *loosing, ransoming*, Ω 655; θανάτου, 'deliverance' from death, ι 421.

λύσσα : martial *rage*. (Il.)

λυσσητήρ, ῆρος : one who rages, *raging*, w. κύων, Θ 299†.

λυσσώδης (εἶδος): *raging*, N 53†.

λύχνος : *light, lamp*, τ 34†.

λύω, ipf. ἔλυον, λύε, fut. λύσω, aor. ἔλῦσα, λῦσεν, mid. aor. ἐλύσαο, inf. λύσασθαι, aor. 2, w. pass. signif., λύτο, λύντο, pass. perf. λέλυμαι, opt. λελῦτο, aor. λύθη, 3 pl. λύθεν: I. act., *loose, loosen, set free*, of undoing garments,

ropes, Δ 215, λ 245, β 415; unharnessing horses, δ 35; of freeing from bonds or captivity (said of the captor), A 20; pass., of anything giving way, coming apart, B 135, χ 186; fig., in senses answering to those enumerated, τινὰ κακότητος, 'deliver' from misery; ἀγορήν, 'dismiss'; so λύτο δ' ἀγών; and with reference to emotion, or fainting, death, λύτο γούνατα καὶ φίλον ἦτορ, 'gave way,' 'sank,' 'quaked' (sometimes the act., υ 118); of sleep 'relaxing' the limbs, or 'dissolving' cares, δ 794, Ψ 62; of 'undoing' (destroying) cities, B 118.—III. mid., *loose* or *undo oneself*, ι 463, or something of one's own, *get loosed* or *released, ransom;* λῦσόμενος θύγατρα, said of the father, A 13; cf. the act., v. 20.

λωβάομαι (λώβη), aor. imp. λωβήσασθε, opt. λωβήσαιο : *maltreat, outrage;* w. cognate acc. and obj. τινὰ λώβην, *do despite*, N 623.

λωβεύω : *mock*, ψ 15 and 26.

λώβη : *outrage, insult ; σοὶ λώβη, 'shame upon thee,' if, etc., Σ 180 ; of a person, 'object of ignominy,' Γ 42.

λωβητήρ, ῆρος : one who outrages or insults, *slanderer, scoundrel*, B 275, Λ 385. (Il.)

λωβητός : *maltreated, outraged*, Ω 531†.

λώϊον, λώϊτερον : *better, preferable;* 'more liberally,' ρ 417.

λώπη (λέπω): *mantle*, ν 224†.

λωτοῦντα (λωτός), either a part., or adj., for λωτόεντα : *full of lotus*, 'clovery,' πεδία, M 283†.

λωτός : *lotus*.—(1) a species of clover, δ 603, Ξ 348.—(2) the tree and fruit enjoyed by the Lotus-eaters, ι 91 ff. Said to be a plant with fruit the size of olives, in taste resembling dates, still prized in Tunis and Tripoli under the name of *Jujube*.

Λωτοφάγοι : the *Lotus-eaters*, ι 84 ff.

λωφάω, fut. λωφήσει, aor. opt. λωφήσειε : *rest from, cease from, retire*, ι 460, Φ 292.

M.

μ´: usually for μέ, sometimes for μοί, Z 165, κ 19, etc.

μά: *by*, in oaths, w. acc. of the divinity or of the witness invoked; mostly neg., w. ού, A 86; sometimes, w. ναί, affirmative, A 234.

Μάγνητες: a Thessalian tribe, sprung from Aeolus, B 756.

μαζός: *nipple, pap*, then *mother's breast*.

μαῖα (cf. μήτηρ): voc., used esp. in addressing the old nurse, 'good mother,' 'aunty,' v 129, ψ 11.

Μαιάς, άδος: *Maia*, daughter of Atlas, and mother of Hermes, ξ 435†.

Μαίανδρος: the *Maeander*, the river of many windings that flows into the sea near Milētus, B 869†.

Μαιμαλίδης: *son of Maemalus*, Pisander, Π 194†.

μαιμάω, μαιμώωσι, part. μαιμώωσα, aor. μαίμησα: *strive* or *desire madly, rage;* fig., αἰχμή, E 661.

μαινάς, άδος (μαίνομαι): *madwoman*, X 460†.

μαίνομαι, ipf. μαίνετο: *be mad, rave, rage*, Z 132, σ 406; often of the frenzy of battle, E 185, λ 537; fig., of the hand, weapons, fire, Π 75, Θ 111, O 606.

μαίομαι, inf. μαίεσθαι, part. μαιομένη: *seek for, explore*, ξ 356, ν 367; μάσσεται, 'will find' a wife for me (γὲ μάσσεται, Aristarchus' reading for vulg. γαμέσσεται), I 394.

Μαῖρα: (1) a Nereid, Σ 48. — (2) an attendant of Artemis, mother of Locrus, λ 326.

Μαίων: son of Haemon in Thebes, Δ 394, 398.

μάκαρ, αρος, sup. μακάρτατος: *blessed, blest*, of gods, A 339, and without θεοί, κ 299; of men, *blissful, happy*, through wealth or otherwise, λ 483, α 217.

Μάκαρ: son of Aeolus, ruling in Lesbos, Ω 544†.

μακαρίζω: *pronounce happy*. (Od.)

μακεδνός (cf. μακρός): *tall*, η 106†.

μάκελλα: *mattock*, Φ 259†.

μακρός, comp. μακρότερος and **μᾱσ-σον**, sup. μακρότατος: *long, tall*, of space and of time (κέλευθος, ήματα), and of things that are high or deep (ούρεα, δένδρα, φρείατα, Φ 197); freq. adv., **μακρόν, μακρά**, *far, afar, βοᾶν, ἀΰτειν;* μακρὰ βιβάς, 'with long strides.'

μακών: see μηκάομαι.

μάλα, comp. μᾶλλον, sup. μάλιστα: (1) positive, μάλα, *very, quite, right,* modifying adjectives and other adverbs, and sometimes placed after its word, ἦρι μάλ', I 360; occasionally with substantives, μάλα χρεώ, I 197, σ 370; also with verbs (μάλα πολεμίζειν, 'with might and main'), and esp. to strengthen an assertion as a whole, *certainly, verily*, Γ 204. μάλα admits of much variety in translating in connection with its several usages.—(2) comp., **μᾶλλον**, *more, all the more,* ε 284; 'more willingly,' 'more gladly,' E 231, α 351. — (3) sup., **μάλιστα**, *most, especially, far, by far*, with adjectives forming a superlative, Z 433; and even with superlatives themselves, B 57 f., Ω 334.

μαλακός, comp. μαλακώτερος: *soft*, and metaph., *mild, gentle; θάνατος, ύπνος*, K 2, σ 202, X 373.—Adv., **μαλακῶς**.

Μάλεια: *Malea*, southern promontory of the Peloponnesus, ι 80, τ 187, γ 287.

μαλερός: *powerful, destroying*, epith. of fire. (Il.)

μαλθακός = μαλακός, fig. *effeminate, cowardly*, P 588†.

μάλιστα, μᾶλλον: see μάλα.

μάν (= μήν): *verily, truly, indeed; ἄγρει μάν*, 'come now !' ἦ μάν, ού μάν, μὴ μάν, E 765, B 370, Δ 512, Θ 512.

μανθάνω, only aor. μάθον, ἔμμαθες: *learn, come to know*, τὶ, and w. inf., Z 444.

μαντεύομαι (μάντις), ipf. μαντεύετο, fut. μαντεύσομαι: *declare oracles, divine, prophesy*, β 170.

μαντήιον: oracle, prophecy, pl., μ 272†.

Μαντινέη: a city in Arcadia, B 607†.

Μάντιος: son of Melampus, and brother of Antiphates, o 242, 249.

μάντις, ιος (μάντηος, κ 493): seer, prophet, expounder of omens, which were drawn from the flight of birds, from dreams, and from sacrifices. Seers celebrated by Homer are Tiresias, Calchas, Melampus, Theoclymenus.

μαντοσύνη: the art or gift of divination, prophecy; pl., B 832.

μάομαι: see μαίομαι.

Μαραθών (μάραθον, 'fennel'): a village in Attica, η 80†.

μαραίνομαι, ipf. ἐμαραίνετο, aor. ἐμαράνθη: of fire, die gradually away.

μαργαίνω (μάργος): rage madly or wildly, E 882†.

μάργος: mad, raving, raging. (Od.)

Μάρις: a Lycian, son of Amisodarus, Π 319.

μαρμαίρω: sparkle, flash, glitter.

μαρμάρεος: flashing, glittering. (Il.)

μάρμαρος: doubtful word, crushing; πέτρος, Π 735; as subst., block of stone, M 380, ι 499.

μαρμαρυγή (μαρμαρύσσω = μαρμαίρω): the quick twinkling of dancers' feet, pl., θ 265†.

μάρναμαι, opt. μαρνοίμεθα, inf. μάρνασθαι, ipf. ἐμαρνάσθην: fight; also contend, wrangle, A 257.

Μάρπησσα: daughter of Euēnus, and wife of Idas, who recovered her after she had been carried off by Apollo, I 557 ff.

μάρπτω, ipf. ἔμαρπτε, μάρπτε, fut. μάρψω, aor. ἔμαρψα: seize, lay hold of, overtake; of reaching or touching with the feet, Ξ 228; inflicting a stroke (κεραυνός), Θ 405, 419; fig., of sleep, age, υ 56, ω 390.

μαρτυρίη: testimony, pl., λ 325†.

μάρτυρος: witness.

Μάρων: son of Euanthes, priest of Apollo in Ismarus, ι 197†.

μάσασθαι: see μαίομαι.

Μάσης: a town in Argolis, near Hermione, B 562†.   [ομαι.

μάσσεται: see μαίομαι. Cf. ἐπιμαίμᾶσσον: see μακρός.

μάσταξ, ακος (μαστάζω, chew): mouth; a mouthful of food, I 324.

μαστίζω: use the μάστιξ, lash, whip.

μάστιξ, ῖγος, and μάστις, dat. μάστῑ, acc. μάστῑγα, μάστιν: whip, scourge; fig., Διὸς μάστῑγι, M 37, N 812.

μαστίω = μαστίζω, mid., Υ 171.

Μαστορίδης: son of Mastor.—(1) Halitherses in Ithaca, β 158, ω 452.— (2) Lycophron, O 438, 430.

ματάω (μάτην), aor. ἐμάτησεν, subj. du. ματήσετον: do in vain, fail, Π 474; then be idle, delay, linger.

ματεύω, fut. ματεύσομεν: seek, Ξ 110†.

ματίη (μάτην): fruitless toil, κ 79†.

μάχαιρα: dagger, knife for sacrificing, broad and short in shape. (Il.) (See the cut, and No. 109.)

82

Μαχάων: Machāon, one of the sons of Asclepius, ruler in Tricca and Ithōme in Thessaly, distinguished in the art of healing, Λ 512, 613, Δ 200, B 732; wounded by Hector, Λ 506, 598, 651.

μαχειόμενος, μαχεούμενον: see μάχομαι.

μάχη: fight, battle, combat; μάχην μάχεσθαι, τίθεσθαι, στήσασθαι, ὀρνύμεν, ἐγείρειν, ὀτρύνειν, ἀρτύνειν, συμφέρεσθαι: of single combat, H 263 and Λ 255; for the field of battle, E 355.

μαχήμων: warlike, M 247†.

μαχητής: fighter, warrior.

μαχητός: that may be vanquished, μ 119†.

μαχλοσύνη (μάχλος): lust, indulgence, Ω 30†.

μάχομαι, μαχέομαι, opt. μαχέοιτο, -οίατο (A 272, 344), part. μαχειόμενος, μαχεούμενος, ipf. (ἐ)μαχόμην, iter. μαχέσκετο, fut. μαχήσομαι, μαχέσσομαι, μαχεῖται, μαχέονται, aor. inf. μαχήσασθαι, μαχέσασθαι: *fight, contend,* usually in war, including single combat, but sometimes of friendly contest, Ψ 621; and of wrangling, quarrelling with words, etc., A 304, E 875, I 32.

μάψ, μαψιδίως: *rashly* (t e m e r e), *in vain,* B 120; *wantonly,* E 759, γ 138, cf. P 120, N 627, B 214.

Μεγάδης: *son of Megas,* Perimus, Π 695†.

μεγά - θῡμος: *great - hearted, high-hearted, high-spirited,* epith. of nations, Athēna, a bull.

form prostrate upon the earth, Π 776, Σ 26, ω 40.

Μεγαπένθης ('Mournful,' from the deserted father): *Megapenthes,* son of Menelāus by a slave, ο 100, 103, δ 11.

Μεγάρη: *Megara,* daughter of Creon in Thebes, wife of Heracles, λ 269†.

μέγαρον (μέγας): properly *large room.*—(1) the men's *dining-hall,* the chief room of the Homeric house. The roof was supported by columns, the light entered through the doors, the smoke escaped by an opening overhead and through loop - holes (ὀπαῖα) just under the roof. The cut,

μεγαίρω (μέγας), aor. μέγηρε, subj. μεγήρῃς: properly, to regard something as too great, *grudge, begrudge,* hence, *refuse, object;* with acc.; also part. gen., N 563; and foll. by inf., γ 55.

μεγα-κήτης, ες (κῆτος): *with great gulf* or *hollow;* δελφίν, 'voracious,' Φ 22; νηῦς, 'wide-bellied,' Θ 222; πόντος, 'wide-yawning,' γ 158.

μεγαλ-ήτωρ (ἦτορ): *great - hearted, proud.*

μεγαλίζομαι: *exalt oneself, be proud.* (Il. and ψ 174.)

μεγάλως: see μέγας.

μεγαλωστί: μέγας μεγαλωστί, 'great in his (thy) greatness,' of a stately

combined from different ancient representations, is designed to show the back part of the μέγαρον in the house of Odysseus, cf. plate III. for ground-plan.—(2) the *women's apartment,* behind the one just described, see plate III. G. Pl., τ 16.—(3) the *housekeeper's apartment* in the upper story (ὑπερώιον), β 94. — (4) a *sleeping-apartment,* λ 374.—(5) in wider signif., in pl., *house,* A 396.

μέγας, μεγάλη, μέγα, comp. μείζων, sup. μέγιστος: *great, large,* of persons, *tall* (κᾱλός τε μέγας τε, κᾱλή τε μεγάλη τε, Φ 108, ο 418); of things with reference to any kind of dimension, and also to power, loudness, etc., ἄνεμος, ἰαχή, ὀρυμαγδός; in unfavorable sense, μέγα ἔργον (f a c i n u s), so μέγα ἔπος, μέγα φρονεῖν, εἰπεῖν, ' be proud,' ' boast,' γ 261, χ 288.—Adv., **μεγάλως**, also μέγα, μεγάλα, greatly, exceedingly, aloud, etc.

μέγεθος, εος: stature, height; see μέγας, third definition.

Μέγης: son of Phyleus and of the sister of Odysseus, chief of the inhabitants of Dulichium and the Echinades, E 69, N 692, O 520, 535, B 627, T 239.

μέγιστος: see μέγας.

μεδέων: ruling, bearing sway, only of Zeus. (Il.)

Μεδεών: a town in Boeotia, B 501†.

μέδομαι, fut. μεδήσομαι: be mindful of, bethink oneself of; δόρποιο, κοίτου, ἀλκῆς, Σ 245, Δ 418; also devise, κακά τινι, Δ 21, Θ 458.

μέδων, οντος (μέδομαι): ἁλός, ruler of the sea, α 72; pl., ἡγήτορες ἠδὲ μέδοντες, counsellors.

Μέδων: (1) son of Oïleus, step-brother of Ajax, from Phylace, chief of the warriors from Methōne in Phthia, N 693, 695 ff., B 727; slain by Aenēas, O 332.—(2) a Lycian, P 216.—(3) a herald in Ithaca, δ 677, ρ 172, χ 357, 361, ω 439.

μεθ-αιρέω: only aor. iter. μεθέλεσκε, would reach after and catch, i. e. ' on the fly,' θ 376.

μεθ-άλλομαι: only aor. part., μετάλμενος, springing after or upon a person or thing, overtaking. (Il.)

μεθείω: see μεθίημι.

μεθέλεσκε: see μεθαιρέω.

μεθέμεν: see μεθίημι.

μεθ-έπω, ipf. μέθεπε, aor. 2 part. μετασπών, mid. μετασπόμενος: move after, follow after, follow up; trans., w. two accusatives, ἵππους Τυδείδην, turn the steeds after Tydīdes, E 329; of 'visiting' a place, α 175; mid., N 567.

μέθ-ημαι: only part., μεθήμενος, sitting among, α 118†.

μεθ-ημοσύνη: remissness, N 108 and 121.

μεθ-ήμων (μεθίημι): remiss, careless.

μεθ-ίημι, μεθίεις, μεθίει (-ιεῖς, ιεῖ), inf. μεθῑέμεν(αι), subj. μεθιῇσι (-ιῇσι), ipf. μεθίεις, μεθίει (-ίης, -ίη), 3 pl. μέθιεν, μεθίεσαν, fut. μεθήσω, aor. μεθήκα, μεθῆκεν, subj. μεθείω, μεθείῃ, μεθήῃ,

μεθῶμεν, inf. μεθέμεν, μεθεῖναι: let go after or among.—(1) trans., of letting a person go away, or go free, o 212, K 449; letting a thing go (ἐς ποταμόν), ε 460; give up, give over, Γ 414, Ξ 364, and w. inf., P 418; metaph., in the above senses, μεθέμεν χόλον, ' dismiss,' O 138; εἴ με μεθείη ῥῖγος, ε 471.—(2) intrans., relax effort, be remiss, abs., Z 523, δ 372; w. gen., desist from, neglect, cease, φ 377, Λ 841; w. part. or inf., ω 48, N 234.

μεθ-ίστημι, fut. μεταστήσω, mid. ipf. μεθίστατο: substitute, i. e. exchange, δ 612; mid., stand over among, ' retire ' among, E 514.

μεθ - ομῑλέω: associate with, have dealings with, ipf., A 269†.

μεθ - ορμάομαι: only aor. part., μεθορμηθείς, starting after, 'making a dash after.'

μέθυ, υος (cf. 'mead'): strong drink, wine.

μεθύω (μέθυ): be drunken, fig., soaked, ρ 390.

μειδάω (root σμι), **μειδιάω**, part. μειδιόων, -όωσα, aor. μείδησα: smile.

μείζων: see μέγας.

μείλανι: see μέλας.

μείλια: soothing gifts, gifts of reconciliation, I 147 and 289.

μείλιγμα, ατος (μειλίσσω): that which soothes, μειλίγματα θυμοῦ, things to appease the appetite, tid - bits, κ 217†.

μείλινος: see μέλινος.

μειλίσσω, inf. μειλισσέμεν, mid. imp. μειλίσσεο: appease the dead with fire (πυρός, cf. constr. w. λαγχάνειν), H 410; mid., 'extenuate,' γ 96 ('try to make it pleasant' for me).

μειλιχίη: mildness, i. e. 'feebleness,' πολέμοιο, O 741†.

μειλίχιος and **μείλιχος**: mild, pleasant, gentle, winsome, θ 172.

μείρομαι (root μερ, μορ), ipf. 2 sing. μείρεο, perf. ἔμμορε, pass. plup. εἴμαρτο: cause to be divided, receive as a portion, ipf. w. acc., I 616; perf. w. gen., share, A 278, O 189, ε 335; pass., εἴμαρτο, it was ordained, decreed by fate, Φ 281, ε 312, ω 34.

μείς, μήν, μηνός: month, T 117.

μείων: see μῑκρός.

μελαγ - χροιής, ές: dark - skinned, swarthy, 'bronzed,' π 175†.

μέλαθρον, μελαθρόφι: beam, cross-beam of a house, supporting rafters and roof; these beams passed through the wall and projected externally, hence ἐπὶ προὔχοντι μελάθρῳ, τ 544; then roof (tectum), and in wider sense dwelling, mansion, Ι 640.

μελαίνω (μέλᾱς): only mid., become dark, grow dark, of blood-stains, and of the glebe under the plough, E 354 and Z 548.

Μελάμπους: Melampus, son of Amythāon, a famous seer in Pylus. Undertaking to fetch from Phylace in Thessaly the cattle of Iphiclus, and thus to win the hand of Pero for his brother Bias, he was taken captive, as he had himself predicted, and held prisoner for one year, when in consequence of good counsel given by him he was set free by Iphiclus, gained his end, and settled in Argos, λ 287 ff., o 225 ff.

μελάν-δετος (δέω): black-bound or mounted, i. e. with dark hilt or scabbard, O 713†.

Μελανεύς: father of Amphimedon in Ithaca, ω 103.

Μελανθεύς or Μελάνθιος: Melanthius, son of Dolius, goat-herd on the estate of Odysseus, of insolent disposition, ρ 212, υ 173, φ 181, χ 135 ff., 182.

Μελάνθιος: (1) see Μελανθεύς.— (2) a Trojan, slain by Eurypylus, Z 36.

Μελανθώ: Melantho, sister of Melanthius (1), and of the same stripe, σ 321, τ 65.

Μελάνιππος: (1) an Achaean chief, T 240.—(2) a Trojan, son of Hicetāon, slain by Antiochus, O 547-582.—(3) a Trojan, slain by Teucer, Θ 276.—(4) a Trojan, slain by Patroclus, Π 695.

μελανό-χροος and μελανό-χρως, οος: dark-skinned, black, τ 246 and N 589.

μελάν-υδρος: of dark water, κρήνη.

μελάνω: grow black, darken, H 64† (v. l. μελανεῖ).

μέλᾱς, μέλαινα, μέλαν, dat. μείλανι, comp. μελάντερος: dark, black, in the general and extensive meaning of these words, opp. λευκός, Γ 103; said of dust, steel, blood, wine, water, grapes, ships, clouds, evening, night, death. — As subst., μέλαν δρυός, i. e. the 'heart-wood,' which is always the darkest, ξ 12.

Μέλᾱς: son of Portheus, ☲ 117†.

μέλδομαι (root σμελδ): melt; λέβης κνίσην μελδόμενος, 'filled with melting fat,' Φ 363†.

Μελέαγρος (ᾧ μέλει ἄγρα): Meleager, son of Oeneus and Althaea, husband of Cleopatra, the slayer of the Calydonian boar. A quarrel arose between the Curētes of Pleuron and the Aetolians for the head and skin of the boar. The Aetolians had the upper hand until Meleager withdrew from the struggle in consequence of the curses of his mother. But he was afterwards induced by his wife to enter the conflict again, and he drove the Curētes vanquished into Acarnania, I 543 ff., B 642.

μελέδημα, ατος (μέλω): care, anxiety, only pl.

μελεδών, ῶνος (μέλω) = μελέδημα, τ 517† (v. l. μελεδῶναι).

μέλει: see μέλω.

μελεϊστί (μέλος): adv., limb-meal, limb by limb, Ω 409, ι 291, σ 339.

μέλεος: fruitless, idle, unrewarded, neut. as adv., in vain, Π 336.

μέλι, ιτος: honey; used even as a drink, mixed with wine; burned upon the funeral-pyre, Ψ 170, ω 68; mixed with milk in drink-offerings, μελίκρητον. Figuratively, A 249, Σ 109.

Μελίβοια: a town in Magnesia, B 717†.

μελί-γηρυς: honey-toned, sweet-voiced, μ 187†.

μελίη: the ash-tree, N 178, Π 767; then of the shaft of the lance, lance, freq. w. Πηλιάς, 'from Mt. Pelion'; other epithets, εὔχαλκος, χαλκογλώχῑν.

μελι-ηδής, ές: honey-sweet; fig., ὕπνος, νόστος, θῡμός.

μελί-κρητον (κεράννῡμι): honey-mixture, honey-drink, a potion compounded of milk and honey for libation to the shades of the nether world, κ 519, λ 27.

μέλινος, μείλινος (μελίη): ashen.

μέλισσα (μέλι): bee.

Μελίτη: a Nereid, Σ 42†.

μελί-φρων: honey-minded, honey-like, sweet.

μέλλω, ipf. ἔμελλον, μέλλε: be going or about to do something, foll. by fut. inf., sometimes pres., rarely aor., Ψ

772; μέλλω never means to intend, although intention is of course sometimes implied, τῇ γὰρ ἔμελλε διεξίμεναι πεδίονδε, 'for by that gate he was going to pass out,' Z 393; by destiny as it were, of something that was or was not *meant* to happen, Κύκλωψ, οὐκ ἄρ' ἔμελλες ἀνάλκιδος ἀνδρὸς ἑταίρους | ἔδμεναι, 'you were not going to eat the comrades of a man unable to defend himself after all,' i. e. he was no coward whose companions you undertook to eat, and therefore it was not *meant* that you should eat them with impunity, ι 475, and often similarly. Virtually the same is the usage that calls for *must* in paraphrasing, οὕτω που Διὶ μέλλει ὑπερμενέϊ φίλον εἶναι, such methinks 'must' be the will of Zeus; τὰ δὲ μέλλετ' ἀκουέμεν, ye 'must' have heard, Β 116, Ξ 125, δ 94, α 232; μέλλει μέν πού τις καὶ φίλτερον ἄλλον ὀλέσσαι, 'may well' have lost, Ω 46.

ψ795 **μέλος, εος**: *limb, member*, only pl.

μέλπηθρον: *plaything*, pl. *sport; κυνῶν, κυσίν*, Ν 233, Ρ 255. (Il.)

μέλπω: act., *celebrate with dance and song*, Α 474; mid., *play* (and sing), φορμίζων, on the lyre, δ 17, ν 27; *dance and sing*, ἐν χορῷ, Π 182; fig., μέλπεσθαι Ἄρηι, Η 241.

μέλω, μέλει, μέλουσι, imp. μελέτω, μελόντων, inf. μελέμεν, ipf. ἔμελε, μέλε, fut. μελήσει, inf. μελησέμεν, perf. μέμηλεν, subj. μεμήλῃ, part. μεμηλώς, plup. μεμήλει, mid. pres. imp. μελέσθω, fut. μελήσεται, perf. μέμβλεται, plup. μέμβλετο: *be an object of care or interest*; πᾶσι δόλοισι | ἀνθρώποισι μέλω, i. e. my wiles give me a world-wide 'renown,' ι 20; cf. Ἀργὼ πᾶσι μέλουσα, i. e. the Argo 'all-renowned,' μ 70; mostly only the 3d pers., μέλει μοί τις or τί, 'I care for,' 'am concerned with' or 'in' somebody or something, he, she, or it 'interests me,' 'rests' or 'weighs upon my mind'; μελήσουσί μοι ἵπποι, 'I will take care of the horses,' Ε 228; ἀνὴρ ᾧ τόσσα μέμηλεν, who has so many 'responsibilities,' Β 25; perf. part. μεμηλώς, 'interested' or 'engaged in,' 'intent on,' τινός, Ε 708, Ν 297; mid., Α 523, Τ 343, Φ 516, χ 12.

μέμαα, perf. w. pres. signif., du. μέματον, pl. μέμαμεν, μέματε, μεμάᾱσι,

imp. μεμάτω, part. μεμαώς, μεμανῖα, μεμαωῖος, μεμάότες, μεμάότε, plup. μέμασαν: *be eagerly desirous, press on hotly, go impetuously at ; ἐπί τινι*, Θ 327, Χ 326, abs. Φ 174 ; foll. by inf., even the fut., Β 544, ω 395 ; freq. the part., as adj. (or adv.), *hotly desirous* or *eager*.

μεμακυῖα: see μηκάομαι.
μέμβλωκα: see βλώσκω.
μέμβλεται, μέμβλετο: see μέλω.
μεμηκώς: see μηκάομαι.
μέμηλα: see μέλω.
μεμνέῳτο, μεμνῴμεθα: see μιμνήσκω.

Μέμνων: *Memnon*, son of Eos and Tithōnus, came to the aid of Priam after the death of Hector, and slew Antilochus, λ 522, cf. δ 188.

μέμονα, μέμονας, μέμονεν, perf. w. pres. signif.: *have in mind, be minded, be impelled* or *prompted*, w. inf., sometimes the fut., Η 36, ο 521 ; μέμονεν δ' ὅ γε ἶσα θεοῖσι (cf. φρονέειν ἶσα), 'vies with the gods,' Φ 315 ; δίχθα κραδίη μέμονε, 'yearns with a twofold wish,' in hesitation, Π 435.

μέμυκα: see μυκάομαι.

μέν (μήν): (1) the same as μήν, *in truth, indeed, certainly*, Η 89, Α 267, γ 351 ; sometimes might be written μήν, as the scansion shows, Η 389, Χ 482 ; freq. to emphasize a pronoun or another particle, and of course not always translatable, τοῦ μέν, ἦ μέν, καὶ μέν, οὐ μέν, οὐδὲ μὲν οὐδέ, ζ 13, Β 703. —(2) in correlation, μέν without losing the force above described calls attention to what follows, the following statement being introduced by δέ, αὐτάρ, or some other adversative word. μέν in correlation may sometimes be translated *to be sure* (quidem), *although*, but oftener does not admit of translation. It should be remembered that μέν is never a connective, that it always looks *forward*, never backward. Its combinations with other particles are various.

μενεαίνω, inf. μενεαινέμεν, ipf. μενεαίνομεν, aor. μενεήναμεν: *eagerly desire*, w. inf., sometimes fut., Φ 176 and φ 125 ; also *be angered, strive, contend*, Π 491, α 20, Τ 58.

μενε-δήιος (μένω): *withstanding the enemy, steadfast, brave*, Μ 247 and Ν 228.

Μενέλᾱος: *Menelāus*, son of Atreus and brother of Agamemnon, the successful suitor of Helen. King in Lacedaemon, a brave and spirited warrior, but not of the warlike temperament that distinguishes others of the Greeks before Troy above him, P 18 ff. After the war he wanders eight years before reaching home, δ 82 ff. Epithets, ἀρήιος, ἀρηίφιλος, διοτρεφής, δουρικλειτός, κυδάλιμος, ξανθός.

μενε-πτόλεμος (μένω): *steadfast in battle.* (Il.)

Μενεσθεύς: *Menestheus*, son of Peteos, leader of the Athenians, renowned as a chariot-fighter, B 552, M 331, N 195, O 331.

Μενέσθης: a Greek, slain by Hector, E 609†.

Μενέσθιος: (1) son of Areïthous, slain by Paris, H 9.—(2) a Myrmidon, son of Spercheius, Π 173.

μενε-χάρμης and **μενέ-χαρμος** (μένω, χάρμη): *steadfast* or *stanch in battle.* (Il.)

μενο-εικής, ες (μένος, Fείκω): *suiting the spirit*, i. e. *grateful, satisfying;* usually said with reference to quantity, *plenty of*, so pl. μενοεικέα, ξ 232; and w. πολλά, I 227.

μενοινάω, μενοινέω, μενοινώω, subj. μενοινάᾳ, μενοινήῃσι, aor. 1 ἐμενοίνησα: *have in mind, ponder* (M 59), *intend, devise;* φρεσί, μετὰ φρεσί, ἐνὶ θῡμῷ, ὁδόν, νόστον, κακά τινι, Λ 532.

Μενοιτιάδης: *son of Menoetius*, Patroclus, Π 554, Σ 93, I 211.

Μενοίτιος: *Menoetius*, son of Actor and father of Patroclus, an Argonaut, Λ 765, Π 14, Ψ 85 ff.

μένος, εος: *impulse, will, spirit, might, courage*, martial *fury, rage* (noble or otherwise), pl. μένεα πνείοντες, 'breathing might,' B 536. A very characteristic Homeric word, with a wide range of application; joined w. θῡμός, ἀλκή, θάρσος, ψῡχή, χεῖρες, γυῖα, and w. gen. of names as periphrases for the person, Ξ 418, η 167; said of things as well as men and animals, wind, fire, the sun, etc.

Μέντης: (1) leader of the Ciconians, P 73.—(2) son of Anchialus, king of the Taphians, under whose form Athena visits Telemachus, α 105, 180

μέντοι: *indeed, to be sure, however;* see μέν and τοί.

Μέντωρ: *Mentor.*—(1) an Ithacan, the son of Alcimus, a near friend of Odysseus, to whom Odysseus intrusts the oversight of his household during his absence. Under the form of Mentor, Athēna guides Telemachus on his travels in search of his father, and helps him to baffle the suitors; in other words she makes herself his mentor, β 225, 243, γ 22, 340, χ 206, 208, ω 446.—(2) father of Imbrius, under whose form Apollo incites Hector to battle, N 171.

μένω and **μίμνω**, ipf. iter. μένεσκον, fut. μενέω, aor. ἔμεινα, μεῖνα: *remain, wait*, and trans., *await, withstand*, π 367, Z 126; foll. by inf., O 599; εἰσόκε, I 45; freq. of standing one's ground in battle or elsewhere, Λ 317, κ 83; also w. obj., δόρυ, ἔγχος, etc.

Μένων: a Trojan, slain by Leonteus, M 193†.

Μερμερίδης: *son of Mermesus*, Ilus, α 259†.

μέρμερος: *memorable, signal;* μέρμερα ἔργα, also μέρμερα as subst. (Il.)

Μέρμερος: a Mysian, slain by Antilochus, Ξ 513†.

μερμηρίζω, aor. μερμήριξα: *ponder, wonder, reflect*, trans., *think over*, α 427; freq. w. δίχα, διάνδιχα, of a mind hesitating between two resolves, Α 189, π 73; foll. by ἤ (ἤ . . ἤ), also ὡς, ὅπως, and by inf., ω 235; 'imagine,' π 256, 261.

μέρμῑς, ῑθος: *cord*, κ 23†.

μέροψ, οπος: probably *mortal*, μέροπες ἄνθρωποι, μερόπεσσι βροτοῖσιν, Σ 288, Β 285.

Μέροψ: a seer and ruler in Percōte on the Hellespont, father of Adrastus and Amphīus, B 831, Λ 329.

μέρομαι: see μείρομαι.

μεσαι-πόλιος (μέσος, πολιός): *half-gray, grizzled*, N 361†.

Μεσαύλιος: a servant of Eumaeus, ξ 449, 455.

μεσηγύ(ς), μεσσηγύ(ς): *in the middle*, Λ 573, Ψ 521; *meantime*, η 195; elsewhere w. gen., *between, betwixt*, Z 4, χ 341.

μεσήεις (μέσος): *middling*, M 269†.

Μέσθλης: son of Talaemenes, leader of the Maeonians, B 864, P 216.

μεσόδμη (δέμω): properly something *mid-built.*—(1) *mast-block,* represented in the cut (see *a*) as a metal shoe in which the mast was firmly fastened so as to be turned backward on the pivot (*c*) to a horizontal position, until it rested upon the ἱστοδόκη, β 424. See also plate IV., where the μεσόδμη is somewhat differently represented as a three-

84

sided trough or mast-box.—(2) μεσόδμαι, small spaces or *niches,* opening into the μέγαρον of the house, and enclosed on three sides, behind by the outside wall, and on either side by the low walls which served as foundations of the columns, τ 37. (See plate III., *r*, and cut No. 83.)

μέσος, μέσσος: *in the middle of;* μέσσῃ ἀλί, *in mid-sea,* δ 844; ἥμενοι ἐν μέσσοισι, 'in the midst of them,' δ 281; of time, μέσον ἦμαρ; as subst., μέσον, *the middle;* ἐς μέσον τιθέναι, 'offer for competition,' as prize, Ψ 794; ἐς μέσον ἀμφοτέροις δικάζειν, 'impartially,' Ψ 574; as adv., μέσον, *in the middle,* Μ 167, ξ 300.

μέσσατος (sup. to μέσος): *in the very middle,* Θ 223 and Λ 6.

μέσσ-αυλος: mid-court, *court, farmyard,* P 112; *cattle-yard,* Λ 548.

Μέσση: a harbor-town near Taenarum in Laconia, B 582†.

μεσσηγύς: see μεσηγύς.

Μεσσηίς: a spring in Thessalian Hellas, Z 457†.

Μεσσήνη: a district about Pherae in what was afterward Messenia, φ 15.

Μεσσήνιοι: the *Messenians,* inhabitants of Messēne, φ 18.

μεσσο - παγής, ές (πήγνυμι): *fixed up to the middle;* ἔθηκεν ἔγχος, drove the spear *half its length firm* into the bank, Φ 172 (v. l. μεσσοπαλές, 'vibrating to the middle').

μέσφα (=Att. μέχρι): *till, until,* w. gen., Θ 508†.

μετά: *amid, among, after.*—I. adv. (here belong all instances of 'tmesis'), μετὰ δ' ἰὸν ἔηκεν, let fly an arrow *among* them (the ships), Α 48, σ 2; πρῶτος ἐγώ, μετὰ δ' ὔμμες, *afterward,* φ 231, and so of time, o 400: denoting *change* of position, μετὰ δ' ἄστρα βεβήκει, 'had passed over the meridian'; μετὰ δ' ἐτράπετ', 'turned around'; μετὰ νῶτα βαλών, μ 312, Α 199, Θ 94. The relation of the adv. may be specified by a case of a subst., thus showing the transition to the true prepositional use, μετὰ καὶ τόδε τοῖσι γενέσθω, 'let this be added to those and be *among* them,' ε 224. — II. prep., (1) w. gen., *along with;* μετ' ἄλλων λέξο ἑταίρων, μάχεσθαι μετά τινος, 'in league with,' κ 320, N 700.—(2) w. dat., *amid, among, between, in;* μετὰ χερσὶν ἔχειν, 'in the hands,' Λ 184, γ 281; μετὰ γένυσσι, ποσσί, 'between,' Λ 416, Τ 110; μετὰ πνοιῇς ἀνέμοιο πέτεσθαι, i. e. as fast as the winds, β 148; Οὗτιν ἐγὼ πύματον ἔδομαι μετὰ οἷς ἑτάροισιν, the last 'among' his mates, the position of honor in being eaten, ι 369. — (3) w. acc., denoting motion, *among, towards, to, after,* μετ' Αἰθιοπῆας ἔβη, μετὰ μῶλον Ἄρηος, σφαῖραν ἔρριψε μετ' ἀμφίπολον, βῆναι μετά τινα, Α 423, Η 147, ζ 115, E 152, and sometimes of course in a hostile sense; so fig., βάλλειν τινὰ μετ' ἔριδας, 'plunge in,' 'involve in,' Β 376; sometimes only position, without motion, is denoted, Β 143; of succession, *after, next to,* whether locally or of rank and worth, μετὰ κτίλον ἕσπετο μῆλα, N 492; κάλλιστος ἀνὴρ μετὰ Πηλείωνα, B 674; then of time, purpose, conformity, or adaptation, μετὰ Πάτροκλόν γε θανόντα, 'after the death of P.'; πλεῖν μετὰ χαλκόν, 'after,' i. e. to get bronze; μετὰ σὸν κῆρ, 'after,' i. e. to suit thy heart, Ω 575, α 184, Ο

52, Σ 552, β 406, Λ 227. — μέτα = μέ-τεστι, φ 93.

μετα-βαίνω, aor. imp. μετάβηθι: pass over to a new subject, θ 492†.

μετα-βουλεύω: only aor. μετεβού-λευσαν, have changed their purpose (cf. μεταφράζομαι), ε 286†.

μετ-άγγελος: messenger between two parties (internuntius, internun-tia). Also written as two words, O 144 and Ψ 199.

μετα-δαίνυμαι, fut. μεταδαίσεται, aor. subj. μεταδαίσομαι: feast with, have a share in the feast, ἱρῶν, Ψ 207.

μετα-δήμιος (δῆμος): among the peo-ple, in the community, ν 46 ; at home, θ 293.

μετα-δόρπιος (δόρπος): during sup-per, δ 194† (cf. 213, 218).

μετα-δρομάδην : adv., running after, Ε 80†.

μετα-ΐζω : sit among, Π 362†.

μετ-αΐσσω, aor. part. μεταΐξᾱς : dart or spring after.

μετα-κιάθω, only ipf. μετεκίαθον: go after, pursue, pass over to, traverse, Λ 714.

μετα-κλαίω, fut. inf. μετακλαύσε-σθαι: weep afterward, lament hereafter, Λ 764†.

μετα-κλίνω: only pass. aor. part. πολέμοιο μετακλινθέντος, should the tide of battle turn the other way, Λ 509†.

μετα-λήγω, aor. opt. μεταλλήξειε, part. -λλήξαντι: cease from. (Il.)

μεταλλάω, μεταλλῶ, -ᾱς, -ᾱ, imp. μετάλλᾱ, aor. μετάλλησαν, inf. -ῆσαι: search after, investigate, inquire about, question ; τὶ or τινά, also τινά τι or ἀμφί τινι, ρ 554 ; coupled w. verbs of similar meaning, Α 550, γ 69, ψ 99, η 243.

μεταλλήγω : see μεταλήγω.

μετάλμενος : see μεθάλλομαι.

μετα-μάζιος : between the paps, μαζοί, Ε 19†.

μετα-μίγνυμι and μετα-μίσγω, fut. μεταμίξομεν: mix among, intersperse, place in the midst, σ 310; 'we will merge thy possessions with those of Odysseus' (for subsequent division among us), χ 221.

μεταμώνιος : vain, fruitless, only neut. pl. (v. l. μεταμώλια).

μετα-νάστης (ναίω): new-comer, in-terloper, immigrant. (Il.)

μετα-νίσσομαι : pass over (the me-ridian), of the sun, only w. βουλῡτόνδε.

μεταξύ : between, A 156†.

μετα-παύομαι : cease or rest between whiles, P 373.

μετα-παυσωλή : pause between, rest, respite, T 201†.

μετα-πρεπής, ἐς (πρέπω): conspicu-ous among, τισίν, Σ 370†.

μετα-πρέπω: be conspicuous or prom-inent among, τισίν.

μετα-σεύομαι, ipf. μετεσσεύοντο, aor. μετέσσυντο : rush or hurry after, τινά, Ψ 389.

μετασπόμενος, μετασπών : see με-θέπω.

μέτασσαι (μετά): of lambs, 'mid-dlings,' i. e. yearlings, summer-lambs, those born in the second of the three bearings of the year, ι 221, see δ 86.

μετασσεύομαι: see μετασεύομαι.

μετα-στένω: lament afterwards, rue, δ 261†.

μετα-στοιχί (στοῖχος): in a line, in a row, side by side, Ψ 358 and 757.

μετα-στρέφω, fut. μεταστρέψεις, aor. subj. -ψῃ, opt. -ψειε, pass. aor. part. με-ταστρεφθείς : turn about or away, change, fig., ἦτορ ἐκ χόλου, νόον, Κ 107, Ο 52 ; 'cause a reverse of fortune,' β 67 ; intr., Ο 203 ; so the aor. pass., Λ 447, 595.

μετα-τίθημι, aor. μετέθηκεν : cause among, σ 402†.

μετα-τρέπομαι : turn oneself tow-ards, met., regard, consider, τινός, al-ways w. neg.

μετα-τροπαλίζομαι (τρέπω): turn about to look behind (in flight), Υ 190†.

μετ-αυδάω, ipf. μετηύδων, μετηύδᾱ : speak among, ἔπεα τισί. See αὐδάω.

μετά-φημι, ipf. μετέφη : speak among or to, τισί, also w. acc., Β 795. See φημί.

μετα-φράζομαι, fut. μεταφρασόμε-σθα : consider afterward or by and by, Α 140†.

μετά-φρενον (φρένες): the part be-hind the diaphragm, upper part of the back ; also pl., M 428.

μετα-φωνέω (φωνή): speak among, make one's voice heard among, κ 67 (sc. τοῖσι).

μετέᾱσι : see μέτειμι 1.

1. μέτ-ειμι (εἰμί), subj. μετείω, μετέω,

inf. μετεῖναι, μετέμμεναι, fut. μετέσσομαι : be among (τισίν), intervene, B 386.

2. μέτ-ειμι (εῖμι), μέτεισιν, mid. aor. part. μετεισάμενος : go among, go after, go or march forth ; πόλεμόνδε, N 298.

μετ-εῖπον, μετέειπον : spoke among or to, τισί. See εῖπον.

μετεισάμενος : see μέτειμι 2.

μετείω, μετέμμεναι : see μέτειμι 1.

μετ-έπειτα : afterward.

μετ-έρχομαι, part. μετερχόμενος, fut. μετελεύσομαι, aor. 2 opt. μετέλθοι, imp. μέτελθε, part. μετελθών : come or go among (τισί), to, or after (τινά or τί) ; of seeking or pursuing, Z 280, Φ 422 ; πατρὸς κλέος, γ 83 ; of 'attending to' or 'caring for' something, ἔργα, ἔργα γάμοιο, π 314, ε 429.

μετέσσυτο : see μετασεύομαι.

μετέω : see μέτειμι 1.

μετ-ήορος (ἀείρω, the later μετέωρος): raised aloft, into the air, Θ 26, Ψ 369.

μετ-οίχομαι, imp. μετοίχεο, part. μετοιχόμενος, ipf. μετῴχετο : go away with or after, in friendly or hostile sense, τ 24, θ 47, E 148.

μετ-οκλάζω : keep changing the position (from one knee to the other), N 281†.

μετ - όπισθε(ν) : behind, in the rear, toward the west, ν 241 ; afterwards, λ 382 ; w. gen., ε 539.

μετ-οχλίζω, aor. opt. μετοχλίσσειε : pry or push back or away.

μετρέω, aor. part. μετρήσαντες : measure, fig. πέλαγος, of traversing its extent, γ 179†.

μέτρον : measure, measuring-rod, M 422 ; then of any vessel and its contents, H 471 ; ὅρμου μέτρον, of the proper point for mooring, ν 101 ; μέτρα κελεύθου, periphrasis for κέλευθος, κέλευθα ; fig., ἥβης, 'full measure,' 'prime.'

μετ - ώπιον : on the forehead, Λ 95 and Π 739.

μέτ-ωπον (ὤψ) : forehead, also front of a helmet, Π 70.

μεῦ : see ἐγώ.

μέχρι(s) : as far as, τινός. τέο μέχρις ; how long ? Ω 128.

μή : not, lest.—(1) adv., not, differing from οὐκ in expressing a negation subjectively. μή is the regular neg. particle with the inf., in conditions

and cond. rel. clauses, in prohibitions and exhortations, in wishes, and in final clauses introduced by ἵνα, ὡς, etc. μή σε παρὰ νηυσί κιχείω, 'let me not catch thee near the ships !' A 26 ; ἴστω νῦν Ζεὺς . . μὴ μὲν τοῖς ἵπποισιν ἀνὴρ ἐποχήσεται ἄλλος (μή, and not οὐ, because the statement is in sense dependent on ἴστω, though grammatically the ind. is allowed to stand instead of being changed to the inf.), K 330, cf. O 41.—(2) conj., that not, lest (n e), introducing final clauses and object clauses after verbs of fearing, ἀπόστιχε, μή τι νοήσῃ | Ἥρη, 'in order that Hera may not take note of anything,' A 522 ; δείδω μὴ δὴ πάντα θεὰ νημερτέα Fεῖπεν, 'lest all the goddess said was true,' ε 300.—μή is combined variously with other particles, μὴ δή, μὴ μάν, μή που, μή ποτε, μή πως, etc. It is joined to interrogative words only when the question expects a negative answer, ἦ μή (num), ι 405, 406, ζ 200.

μηδέ : but not, and not, nor, not even, not at all ; μηδέ always introduces an additional negation, after some negative idea has already been expressed or implied. It is never a correlative word ; if more than one μηδέ occurs at the beginning of successive clauses, the first μηδέ refers to some previous negative idea just as much as the second one or the third one does ; μηδέ τις . . οῖος μεμάτω μάχεσθαι, μηδ' ἀναχωρείτω, Δ 303 ; here the first μηδέ means and not, nor, the direct quotation being regarded as a continuation of what precedes in the indirect form. Usually μηδέ at the beginning of a sentence means not even or not at all. For the difference between μηδέ and οὐδέ, see μή. See also οὐδέ, fin.

μηδέν : nothing, Σ 500†.

Μηδεσικάστη : a natural daughter of Priam, wife of Imbrius, N 173†.

μήδομαι, fut. μήσεαι, aor. μήσαο, (ἐ)μήσατο : take counsel for oneself, B 360 ; devise (τινί τι), esp. in bad sense : decide upon (τί), γ 160.

1. μῆδος, εος : only pl., μήδεα, plans, counsels.

2. μῆδος, εος : pl., privy parts. (Od.)

Μηθώνη : a city in Magnesia, the home of Philoctētes, B 716.

μηκάομαι, aor. part. μακών, perf., w. pres. signif., μεμηκώς, μεμακυῖαι, ipf., formed on perf. stem., (ἐ)μέμηκον: of sheep, *bleat;* of wounded animals, or game hard-pressed, *cry, shriek,* K 362; once of a man, σ 98.

μηκάς, άδος (μηκάομαι): *bleating* (of goats).

μηκ-έτι: *no longer, no more.*

Μηκιστεύς: (1) son of Talaus, brother of Adrastus, and father of Euryalus, B 566, Ψ 678.—(2) son of Echius, companion of Antilochus, slain by Polydamas, O 339, Θ 333, N 422.

Μηκιστηϊάδης: *son of Mecisteus,* Euryalus, Z 28.

μήκιστος: *tallest;* as adv., μήκιστα, *finally,* ε 299.

μῆκος: *length, lofty stature,* υ 71.

μήκων, ωνος: *poppy,* Θ 306†.

μηλέη (μῆλον): *apple-tree.* (Od.)

μηλο-βοτήρ, ῆρος: *shepherd,* pl., Σ 529†.

1. μῆλον: *apple* (mālum).

2. μῆλον: *sheep* or *goat,* μ 301, ξ 305; mostly pl., μῆλα, *small cattle, flocks.*

μήλοψ, οπος: probably *shining,* η 104†.

μήν: asseverative particle, *indeed, in truth, verily,* cf. μάν and μέν (2). μήν regularly stands in combination with another particle (καὶ μήν, ἦ μήν, οὐ μήν), or with an imperative like ἄγε, A 302.

μήν, μηνός: see μείς.

μήνη: *moon,* Ψ 455 and T 374.

μηνιθμός (μηνίω): *wrath.* (Π)

μήνῑμα, ατος: *cause of wrath.*

μῆνις, ιος: *wrath,* i. e. enduring anger, usually of gods, A 75, γ 135; but also of the wrath of Achilles.

μηνίω, aor. part. μηνίσας: *be wroth,* abs., and w. dat. of pers., also causal gen. of thing. μήνῑεν, B 769.

Μῄονες: the *Maeonians,* i. e. the Lydians, B 864, K 431.

Μῃονίη: *Maeonia,* ancient name of Lydia, Γ 401.

Μῃονίς, ίδος: *Maeonian woman,* Δ 142.

μήποτε, μήπου, μήπω, μήπως: see μή and ποτέ, πού, πώ, πώς.

μῆρα: see μηρίον.

μήρινθος (μηρύω): *cord.* (Ψ)

μηρίον: only pl., μηρία and μῆρα,

pieces of meat from the thighs (μηροί) of victims, *thigh - pieces,* which were burned upon the altar, wrapped in a double layer of fat, A 40, γ 456.

Μηριόνης: *Meriones* or *Merion,* the son of Molus, a Cretan, charioteer of Idomeneus, N 246, 249, 528, 566, 650, K 270, H 166, Ξ 514, Π 342, 603.

μηρός: *ham,* upper part of the *thigh;* μηρὼ πλήσσεσθαι, to 'smite the thighs,' a gesture indicative of surprise or other excitement, M 162, Π 125; of victims, μηροὺς ἐξέταμον, i. e. cut out the μηρία from the μηροί, A 460, μ 360.

μηρύομαι, aor. μηρύσαντο: *draw up, furl* by brailing up; ἱστία, μ 170†. (See cut No. 5, an Egyptian representation of a Phoenician ship.)

μήστωρ, ωρος (μήδομαι): *counsellor, deviser;* ὕπατος μήστωρ, Zeus, Θ 22; θεόφιν μ. ἀτάλαντος, of heroes with reference to their wisdom, γ 110, 409; w. ref. to prowess, ἀϋτῆς, φόβοιο, 'raiser' of the battle-cry, 'author' of flight, Δ 328, Z 97.

Μήστωρ: a son of Priam, Ω 257†.

μήτε (μή τε): regularly correlative, μήτε .. μήτε, *neither .. nor, (not) either .. or,* dividing a single neg. statement. μήτε .. τε, N 230. For the difference between μήτε and οὔτε, see μή.

μήτηρ, μητέρος and μητρός: *mother;* epithets, πότνια, αἰδοίη, κεδνή; fig., μήτηρ μήλων, θηρῶν, of regions abounding in sheep, game, etc., B 696, ο 226.

μήτι: see μήτις.

μήτῑ: see μῆτις.

μητιάω (μῆτις), 3 pl. μητιόωσι, part. μητιόωσα, μητιόωντες, mid. pres. μητιάασθε, ipf. μητιόωντο: *deliberate, conclude, devise,* abs., and w. acc., βουλάς, νόστον, κακά τινι, Υ 153, ζ 14; mid., *debate with oneself, consider,* X 174, M 17.

μητίετα (μητίομαι), nom., for -της: *counselling,* 'all-wise,' epith. of Zeus.

μητιόεις, pl. -εντα (μῆτις): *full of device, helpful,* φάρμακα, δ 227†.

μητίομαι (μῆτις), fut. μητίσομαι, aor. subj. μητίσομαι, opt. μητισαίμην, inf. μητίσασθαι: *devise, perpetrate upon,* τινί τι, and τινά τι, σ 27.

μητιόωσα, μητιόωσι: see μητιάω.

μῆτις, ιος, dat. μήτῑ: *counsel, wis-*

dom, B 169, ψ 125; concretely, *plan*, *device*, μῆτιν ὑφαίνειν, τεκταίνεσθαι, Η 324, δ 678.

μῆτις, μήτι (μή τις, μή τι): *no one*, *not anything*, adv., μήτι, *not at all*, *by no means;* for the difference between μῆτις and οὖτις, see μή. In ι 410, εἰ μὲν δὴ μῆτις σε βιάζεται, μῆτις shows that the other Cyclōpes understood Polyphēmus to say οὖτις in v. 408 instead of Οὖτις (he said 'Noman,' but they thought he said *no man*).

μητρο-πάτωρ: *mother's father*, *maternal grandfather*, Λ 224†.

μητρυιή: *step-mother*. (Il.)

μητρώιος: *of a mother*, *maternal*, δῶμα, τ 410†.

μήτρως, ωος: *maternal uncle*. (Il.)

μηχανάω, μηχανάομαι (μηχανή), part. μηχανόωντας, ind. 3 pl. μηχανόωνται, opt. μηχανόῳτο, ipf. μηχανόωντο: *contrive*, *set at work*, *perpetrate*, freq. in unfavorable sense.

μῆχος, εος: *help*, *remedy*.

Μήων: see Μῄονες.

μία: see εἷς.

μιαίνω, aor. subj. μιήνῃ, pass. pres. inf. μιαίνεσθαι, ipf. ἐμιαίνετο, aor. 3 pl. ἐμίανθεν: *dye*, *stain*, *soil*. (Il.)

μιαι-φόνος: *blood-stained*, epith. of Ares. (Il.)

μιαρός: *stained* (with blood), Ω 420†.

μιγάζομαι = μίγνυμαι, part., θ 271†.

μίγδα: *promiscuously*, *together*, Θ 437, ω 77.

μίγνῡμι and μίσγω, inf. μισγέμεναι, aor. inf. μῖξαι, mid. ipf. iter. μισγέσκετο, ἐμισγέσκοντο, fut. μίξεσθαι, μισγήσεσθαι, aor. 2 ἔμικτο, μίκτο, pass. perf. part. μεμῑγμένος, ἐμέμικτο, aor. 3 pl. ἔμιχθεν, aor. 2 ἐμίγην, μίγη, 3 pl. μίγεν: I. act., *mix*, *mingle;* οἶνον καὶ ὕδωρ, α 110; pass., ἄλεσσι μεμῑγμένον εἶδαρ, λ 123; φάρμακα, δ 230; met., of bringing together, or one thing in contact with another, χεῖρας τε μένος τε (manus conserere), Ο 510; ἄνδρας κακότητι καὶ ἄλγεσι, υ 203; γλῶσσ' ἐμέμικτο, Δ 438, cf. τ 175.—II. mid., *mingle*, *come in contact* with something, B 475, ε 517, K 457; freq. of intercourse, *have relations with*, friendly or hostile, ω 314, E 143, and esp. of sexual union, in various phrases; ἣν ἐμίγης, 'that you had' (cognate acc.), O 33.

Μίδεια: a town in Boeotia on Lake Copāis, B 507†.

μῑκρός, comp. μείων: *small*, *little;* of stature, δέμας, E 801, γ 296; comp. (Il.)

μίκτο: see μίγνῡμι.

Μίλητος: *Milētus*.—(1) an Ionian city in Caria, B 868.—(2) in Crete, mother-city of the foregoing, B 647.

μιλτο-πάρῃος (μίλτος, 'vermilion'): *red-cheeked*, epith. of ships painted red, B 637, ι 125.

Μίμᾱς: a promontory in Asia Minor, opposite Chios, γ 172†.

μιμνάζω (μίμνω): *remain*, B 392 and K 549.

μιμνήσκω and μνάομαι, act. pres. imp. μίμνησκ᾽, fut. μνήσω, aor. ἔμνησας, subj. μνήσῃ, part. μνήσᾱσα, mid. μιμνήσκομαι, part. μνωομένω, ipf. μνώοντο, fut. μνήσομαι, aor. ἐμνήσατο, μνήσαντο, imp. μνῆσαι, perf. μέμνημαι, μέμνηαι and μέμνῃ, subj. μεμνώμεθα, opt. μεμνῄμην, μεμνῇῳτο, fut. perf. μεμνήσομαι, inf. -εσθαι, pass. aor. inf. μνησθῆναι: act., *remind*, τινά (τινος), μ 38, A 407; mid., *call to mind*, *remember*, and in words, *mention*, τινός, also τινά or τὶ, περί τινος, η 192; φύγαδε, 'think on flight,' Π 697; the perf. has pres. signif., 'remember,' implying solicitude, mindfulness, σ 267.

μίμνω: see μένω.

μίν: enclitic personal pronoun, acc. sing., *him*, *her*, *it;* it is sing., as always, in ρ 268, κ 212, M 585; αὐτόν μιν together form a reflexive, δ 244, not elsewhere.

Μινύειος, Μινύήιος: *Minyeian*, belonging to the ancient stock of the Minyae in Orchomenus, λ 284 and B 511.

Μινυήιος: a river in Elis, Λ 722.

μινύθω, ipf. iter. μινύθεσκον: trans., *lessen*, *diminish*, O 492, ξ 17; intr., *decrease*, *fall* or *waste away*, δ 467, μ 46.

μίνυνθα: *for a little*, *a little while*.

μινυνθάδιος, comp. -διώτερος: *lasting but a little while*, *brief*, X 54, O 612.

μινυρίζω, ipf. μινύριζον: *whimper*, *whine*, *moan*, E 889 and δ 719.

Μίνως: *Minos*, son of Zeus and Εὐρώπα, father of Deucalion and Ariadne, ruler of Crete, and after his death a ruler in the nether world, λ 322, 568 ff.

μισγ-άγκεια (ἄγκος): meeting of mountain glens, basin, Δ 453†.

μισγω: see μίγνῡμι.

μῑσέω, aor. μίσησε: hate, 'the thought was abominable to him that, etc.,' P 272†.

μισθός: pay, wages, also pl.

μιστύλλω: cut in bits or small pieces, preparatory to roasting the meat on spits, A 465.

μίτος: thread of the warp, warp, Ψ 762†. (See cuts Nos. 59, 123.)

μίτρη: a band or girdle round the waist and abdomen, below the στατὸς θώρηξ, the exterior of metal plates, the interior lined with wool (see cut No. 33), shorter than the ζῶμα, which covered it, while over both and the θώρηξ passed the ζωστήρ. (See cut No. 3.)

μῑχθείς: see μίγνῡμι.

1. μνάομαι: see μιμνήσκω.

2. μνάομαι, 2 sing. μνάᾷ, μνῶνται, inf. μνάασθαι, μνᾶσθαι, part. μνώμενος, ipf. μνώμεθα, μνώοντο, iter. μνάσκετο: woo, court, win by wooing; γυναῖκα, ἄκοιτιν, δάμαρτα, ω 125; abs., π 77, τ 529.

μνῆμα, ατος (μιμνήσκω): memorial.

μνημοσύνη (μνήμων): remembrance, w. γενέσθω, a periphr. for a pass. of μέμνημαι, Θ 181†.

μνήμων (μιμνήσκω): mindful, remembering, 'bent on,' τινός, θ 163.

μνῆσαι, μνησάσκετο: see μιμνήσκω.

Μνῆσος: a Paeonian, slain by Achilles, Φ 210†.

μνηστεύω (μνηστός), aor. part. μνηστεύσαντες: woo, δ 684 and σ 277.

μνηστήρ, ῆρος (μνάομαι 2): only pl., suitors, of whom Penelope had 108, and they had 10 servants, π 247.

μνῆστις (μιμνήσκω): remembrance, ν 280†.

μνηστός, only fem. μνηστή: wooed and won, wedded, ἄλοχος. Opp. παλλακίς, δουρικτήτη, etc., Z 246, α 36.

μνηστύς, υος: wooing, courting. (Od.)

μνωόμενος, μνώμενος, μνώοντο: see μιμνήσκω.

μογέω (μόγος), aor. (ἐ)μόγησα: toil, labor, suffer, in the last sense often w. acc., ἄλγεα, πολλά, β 343, Ψ 607; freq. the part. w. another verb, 'hard-

ly,' λ 636; ἐξ ἔργων μογέοντες, 'weary after their work,' ω 388.

μόγῑς: with toil, scarcely.

μόγος: toil, Δ 27†.

μογοσ-τόκος (τίκτω): travail-producing, epith. of the Eilithyiae. (Il.)

μόθος: tumult of battle, of warchariots (ἵππιον). (Il.)

μοῖρα (μείρομαι): part, portion, share, in booty, of the feast, etc., Κ 252, Ο 195, δ 97; οὐδ᾽ αἰδοῦς μοῖραν, 'not a particle,' ν 171; significant of a proper share, hence ἐν μοίρῃ, κατὰ (παρὰ) μοῖραν, 'properly,' 'duly,' 'rightly,' etc.; then of one's lot, fortune, fate, doom; μοῖρα βιότοιο, θανάτου, Δ 170, β 100; w. acc. and inf., εἰ μοῖρα (sc. ἐστί) δαμῆναι πάντας ὁμῶς, P 421.—Personified, Μοῖρα, Fate; pl., Ω 49, cf. η 197.

μοιρη-γενής, voc. -ές: child of destiny, Fortune's child, Γ 182†.

μοιχ-άγρια (μοιχός, ἄγρη): the fine imposed upon one taken in adultery, θ 332†.

μολεῖν: see βλώσκω.

μόλιβος: lead, Λ 237†.

Μολίων: (1) son of Molione, the wife of Actor, dual Μολίονε, see Ἀκτορίωνε.—(2) a Trojan, companion of Thymbraeus, slain by Odysseus, Λ 322.

μολοβρός: glutton, gormandizer, ρ 219 and σ 26.

Μόλος: father of Meriones, Κ 269, Ν 249.

μολοῦσα, μολών: see βλώσκω.

μολπή (μέλπω): play, entertainment with music and dancing, ζ 101, Α 472; music, singing and dancing, Σ 572.

μολύβδαινα: lead attached to a fishing-line, sinker, Ω 80†.

μονόω, μουνόω, aor. μούνωσε, pass. part. μονωθείς, μουνωθέντα: make lone or single, so propagate a race that there shall always be but one solitary heir, π 117; pass. part., left alone.

μόριμος (μόρος)= μόρσιμος, Υ 302†.

μορμύρω: only part., of water, murmuring, dashing; ἀφρῷ, E 599, Σ 403.

μορόεις, εσσα, εν: doubtful word, mulberry-colored, dark-hued.

μόρος (μείρομαι, cf. mors): lot, fate, doom; ὑπὲρ μόρον, Φ 517, α 34; esp. in bad sense, κακός, αἰνὸς μόρος,

Σ 465; hence *death* (abstract noun answering to the adj. βροτός).

μόρσιμος (μόρος): *fated*, ordained by fate, w. inf., T 417, E 674; of persons, *destined* to death, *doomed*, X 13; to marriage, π 392; μόρσιμον ἦμαρ, 'day of death,' O 613.

Μόρυς: a Mysian, the son of Hippotion, slain by Meriones, N 792, Ξ 514.

μορύσσω: only pass. perf. part., μεμορυγμένα (-χμένα), *stained*, ν 435†.

μορφή: *form*, fig., *grace*; ἐπέων, λ 367, θ 170. (Od.)

μόρφνος: a species of eagle, *swamp-eagle*, Ω 316†.

μόσχος: as adj. w. λύγοισι, *young, tender, pliant*, Λ 105†.

Μούλιος: (1) an Epeian, slain by Nestor, Λ 739.—(2) a Trojan, slain by Patroclus, Π 696.—(3) a Trojan, slain by Achilles, Υ 472.—(4) a native of Dulichium, herald of Amphinomus, σ 423.

μούναξ: *singly*. (Od.)

μοῦνος (Att. μόνος): *alone*, 'single,' 'desolate,' 'forsaken,' β 365, κ 157.

Μοῦσα, pl. **Μοῦσαι**: *Muse*, the Muses, nine in number, daughters of Zeus and Mnemosyne, θ 488, B 598, ω 60; they sing for the gods, and inspire the bard, A 604, A 1, α 1, B 484.

μοχθέω (μόχθος), fut. inf. μοχθήσειν: *toil, suffer*, 'be worn with suffering,' K 106†.

μοχθίζω = μοχθέω, B 723†.

μοχλέω: *pry* or *heave up* (with levers, μοχλοί), M 259†.

μοχλός: *lever, crow, hand-spike* (not roller), ε 261; in ι, of a stake.

Μύγδων: a king of Phrygia, Γ 186†.

μυδαλέος: *wet, dripping* (with blood), Λ 54†.

Μύδων: (1) son of Atymnius, charioteer of Pylaemenes, slain by Antilochus, E 580.—(2) a Paeonian, slain by Achilles, Φ 209.

μυελόεις, εσσα, εν (μυελός): *full of marrow, marrowy*, ι 293†.

μυελός: *marrow*; fig., of nourishing food, μυελὸς ἀνδρῶν, β 290.

μυθέομαι (μῦθος), 2 sing. μυθέαι and μυθεῖαι, ipf. iter. μυθέσκοντο, fut. μυθήσομαι, aor. μυθησάμην: *speak* or *talk of, describe, explain, relate*, strictly with reference to the subject-matter of dis-

course (see μῦθος), ἕκαστα, πάντα κατὰ θυμόν, νημερτέα, μῆνιν Ἀπόλλωνος, ν 191, I 645, Z 382, A 74; w. pred. adj., πόλιν πολύχρυσον, 'spoke of it as rich in gold,' Σ 289.

μῦθο-λογεύω: *relate*. (Od.)

μῦθος: *speech* with reference to the subject-matter, like the later λόγος, hence to be paraphrased in Eng. by various more specific words, 'conversation,' 'recital,' 'subject,' 'request,' 'counsel,' 'command,' etc., δ 214, 597, ο 196, A 545.

μυῖα: *fly*, house-fly or horse-fly; as symbol of audacity, P 570. (Il.)

Μυκάλη: *Mycale*, a promontory in Asia Minor, opposite Samos, B 869†.

Μυκαλησσός: a town in Boeotia, B 498†.

μυκάομαι, part. μυκώμεναι, aor. 2 μύκον, μύκε, perf. part. μεμυκώς, plup. ἐμεμύκει: *low, bellow*, of cattle; of the river-god Scamander, μεμυκὼς ἠύτε ταῦρος, Φ 237; then of things, as of gates 'groaning,' a shield 'resounding,' M 460, Υ 260.

μυκηθμός: *lowing, bellowing*, Σ 575 and μ 265.

Μυκήνη: *Mycēne*, daughter of Inachus, β 120; eponymous heroine of the city **Μυκήνη** or **Μυκῆναι**, *Mycēnae*, the residence of Agamemnon.—**Μυκήνηθεν**, *from Mycēnae*. — **Μυκηναῖος**, *of Mycēnae*.

μύκον: see μυκάομαι.

μύλαξ, ακος: *mill-stone*, then of any large round *stone*, pl., M 161†.

μύλη: *mill*, hand-mill. (Od.) (Probably similar to the Roman hand-mills found in Switzerland, and represented in the cut.)

85

μυλή-φατος (φένω): crushed in a mill, ground, β 355†.

μυλο-ειδής, ές (εἶδος): like a millstone, H 270†.

μύνη: excuse, pl., φ 111†.

Μύνης: son of Evēnus, slain by Achilles, B 692 and T 296.

μυρῖκη: tamarisk. (Il.)

μυρῖκινος: of tamarisk, ὄζος, 'tamarisk-shoot,' Z 39†.

Μυρίνη: an Amazon, whose funeral-mound was called 'Thorn - hill,' Βατίεια, B 814†.

μύριος: countless, 'myriad,' often in pl., μάλα μύριοι, 'infinite in number,' ο 556, etc.; μύριον, w. gen., 'a vast quantity,' Φ 320.

Μυρμιδόνες: the Myrmidons, a Thracian tribe in Phthiōtis, the followers of Achilles; their chief centres were Phthia and Hellas, Π 269, B 684, A 180, λ 495.

μύρομαι, ipf. μύρονθ': flow, dissolve in tears, weep, lament.

Μύρσινος: a village in Elis, later τὸ Μυρτούντιον, B 616†.

Μῦσοί: (1) a tribe on the Danube, N 5.—(2) kindred with the foregoing, the Mysians of Asia Minor, occupying territory from the river Aesēpus to Mt. Olympus, B 858, K 430, Ξ 512, Ω 278.

μυχμός (μύζω): moaning, ω 416†.

μυχοίτατος, sup. formed from the locative of μυχός: inmost (in the men's hall), farthest away (from the rest and from the entrance), φ 146†.

μυχόνδε : to the inmost part, χ 270†.

μυχός: inmost or farthest part, corner, of house, hall, harbor, cave, etc. Freq. μυχῷ w. gen., 'in the farthest corner,' Z 152, γ 263.

μύω, aor. 3 pl. μύσαν, perf. μέμυκεν: close, said of the eyes, wounds, Ω 637, 420. (Il.)

μυῶν, ῶνος: mass of muscle, muscles, Π 315, 324. (Il.)

μῶλος: toil and moil of battle, freq. w. Ἄρηος, H 147, P 397.

μῶλυ: moly, an herb given by Hermes to Odysseus to afford protection against the spells of Circe, κ 305†, described v. 304.

μωμάομαι, fut. μωμήσονται: censure, reproach, Γ 412†.

μωμεύω = μωμάομαι, ζ 274†.

μῶμος: blame, censure; μῶμον ἀνάψαι, 'set a brand of shame upon us,' β 86†.

μῶνυξ, υχος: according to the ancients, single-hoofed, solid-hoofed (μόνος, ὄνυξ), epith. of horses (as opp. to the cloven-footed cattle). (Il. and ο 46.)

N.

ν: νῦ ἐφελκυστικόν, or nu euphonic, affixed to the pl. case - ending -σι, to εἴκοσι, -φι, νόσφι, κέ, and to forms of the verb ending in -ε and -ι of the 3d person.

ναί (cf. ναε): yea, verily, always affirmative; w. μά, A 234.

ναιετάω (ναίω), part. ναιετάων, -άωσα, ipf. iter. ναιετάασκον: dwell, inhabit, Γ 387; and of localities, be situated, be inhabited, often w. εὖ, so of houses, etc., 'comfortable,' B 648, β 400; significant of the very existence of a place, α 404; trans., B 539, P 172, ι 21.

ναίω, inf. ναιέμεν, ipf. iter. ναίεσκον, aor. νάσσα, pass. aor. νάσθη, mid. pres. part. (εὖ) ναιόμενος: dwell, inhabit, be situated, B 626; the aor. is causative, καί κέ οἱ Ἄργεϊ νάσσα πόλιν, 'would have assigned him a town to dwell in,' δ 174; pass., νάσθη, settled in, Ξ 119.

νάκη: hairy skin; αἰγός, ξ 530†.

νάπη: forest glen, woody dell, Θ 558 and Π 300.

ναρκάω: only aor., νάρκησε, was palsied, Ο 328†.

νάσθη, νάσσα: see ναίω.

νάσσω: only aor. ἔναξε, stamped down; γαῖαν, φ 122†.

Νάστης: son of Nomion, leader of the Carians, slain by Achilles, B 867 ff.

Ναυβολίδης: *son of Naubolus.*—(1) Iphitus, B 518.—(2) a Phaeacian, θ 116.

ναύ-λοχος (root λεχ): *for ships to lie in,* 'safe for ships,' of harbors, δ 846 and κ 141.

ναύ-μαχος: *for naval combat;* ξυστά, O 389 and 677.

ναῦς: see νηῦς.

Ναυσίθοος: a son of Poseidon, the father of Alcinous, colonizes the Phaeacians in Scheria, η 56 ff.

Ναυσικάα: *Nausicaa,* the Phaeacian princess, daughter of Alcinous and Arēte, ζ 17 ff., η 12, θ 457, 464.

ναυσι-κλειτός: *renowned for ships,* ζ 22†.

ναυσι - κλυτός = ναυσικλειτός, pl., epith. of the Phaeacians and the Phoenicians, o 415.

Ναυτεύς: a Phaeacian, θ 112†.

ναύτης: *seaman, sailor,* only pl.

ναυτιλίη: *seamanship,* θ 253†.

ναυτίλλομαι: *sail,* δ 672 and ξ 246.

ναῦφι(ν): see νηῦς.

νάω, ναίω (σνάϝω), ipf. ναῖον (v. l. νᾶον): *flow;* ὀρῷ, 'ran over' with whey, ι 222.

Νέαιρα: a nymph, the mother of Lampetie and Phaethūsa by Helius, μ 133†.

νεαρός (νέος): *youthful,* B 289†.

νέατος, νείατος (νέος): *newest,* but always of position, *extremest, last, lowest,* Z 295, o 108; apparently, 'topmost,' Ξ 466.

νεβρός: *fawn;* as symbol of timorousness, Δ 243.

νέες, νέεσσι: see νηῦς.

νέηαι: see νέομαι.

νεη-γενής, ές: *new-born,* δ 336 and ρ 127.

νε-ηκής, ές (ἀκή): *freshly whetted,* N 391 and Π 484.

νέ-ηλυς (ἤλυθον): *newly come,* K 434 and 558.

νεηνίης (Att. νεᾱνίᾱς): *young* (man), *youth,* always w. ἀνήρ. (Od.)

νεῆνις, ιδος: *maiden.*

νεῖαι: see νέομαι.

νείαιρα (νέος, cf. νέατος): *lower;* γαστήρ, the lower part of the belly, abdomen, E 539. (Il.)

νείατος: see νέατος.

νεικέω, νεικείω (νεῖκος), νεικῶσι, subj. νεικείῃ(σι), inf. νεικείειν, part. νεικείων, ipf. νείκειον, iter. νεικείεσκε, fut. νεικέσω, aor. (ἐ)νείκε(σ)σα: *strive, quarrel;* ἔριδας καὶ νείκεα ἀλλήλοις, 'contend in railing and strife,' Υ 252; *upbraid, reprove,* opp. αἰνεῖν, K 249, Ω 29; μάλα, 'angrily'; ἄντην, 'outright,' ρ 239.

νεῖκος, εος: *contention, strife, quarrel,* esp. in words; *dispute, dissension,* often pl.; at law, Σ 497, μ 440; also of war and battle, πολέμοιο, φυλόπιδος, ἔριδος, N 271, P 384, Υ 140; *reproof, taunt,* I 448, H 95.

νεῖμα: see νέμω.

νειόθεν (νέος): *from below; ἐκ κραδίης,* 'from the depths of his heart,' K 10†.

νειόθι (νέος): *below; λίμνης,* 'down in the depths of the sea,' Φ 317†.

νειός (νέος): sc. γῆ, *new land, fallow land,* newly ploughed after having lain fallow; thrice ploughed, after such rest, in Σ 541, ε 137.

νεῖται: see νέομαι.

νείφω: see νίφω.

νεκάς, άδος (νέκυς): *heap of slain,* E 886†.

νεκρός: *dead body, corpse;* with τεθνηῶτα, μ 10; also νεκρῶν κατατεθνηώτων,* see καταθνήσκω. Said of the inhabitants of the nether world, *the dead,* Ψ 51, λ 34.

νέκταρ, αρος: *nectar,* the drink of the gods, as ambrosia is their food, A 598, Δ 3, applied as a preservative against decay, T 38. Why the lexicons say that νέκταρ means wine when the Cyclops speaks of a 'sample of nectar and ambrosia,' we do not know, ι 359.

νεκτάρεος: *nectar-like, fragrant as nectar.* (Il.)

νέκυς, υος = νεκρός.

νεμέθομαι = νέμομαι, *feed,* Λ 635†.

νεμεσάω, νεμεσσάω (νέμεσις), fut. νεμεσήσω, aor. νεμέσησα, mid. fut. νεμεσήσομαι, pass. aor. 3 pl. νεμέσσηθεν: *be indignant* or justly *angry* with one (at anything), τινί (τι), *take it ill,* ζ 286, Ψ 494; also w. part., or οὔνεκα, φ 169, ψ 213; mid., like active, also *shrink from, be ashamed,* w. inf., δ 158.

νεμεσητός, νεμεσσητός: *causing indignation, reprehensible, wrong,* usually

neut. as pred., Γ 310; w. neg., 'no
wonder,' I 523, χ 59; *to be dreaded*, Λ
649.

νεμεσίζομαι (νέμεσις), ipf. νεμεσίζε-
το: *be angry* with one (for something),
τινί (τι), E 757; *be ashamed*, foll. by
acc. and inf., P 254; *dread, fear*, θεούς,
α 263.

νέμεσις, dat. νεμέσσῑ (-ει),(νέμω, 'dis-
pensation'): just *indignation, anger,
censure;* οὐ νέμεσις, 'no wonder,' Γ
156; ἐν φρεσὶ θέσθε αἰδῶ καὶ νέμεσιν,
self-respect and a 'regard for men's
indignant blame,' N 122, Z 351.

νεμεσσάω, νεμεσσητός : see νεμε-
σάω, νεμεσητός.

νεμέσσει, νεμέσσῑ see νέμεσις.

νέμος, εος (νέμεσθαι, cf. n e m u s):
wood-pasture, glade, Λ 480†.

νέμω, aor. ἔνειμα, νεῖμεν, imp. νεῖ-
μον: I. act., *dispense, divide, assign,*
μοίρᾱς, κρέα, etc. ; τινί τι, Γ 274, ζ
188; then *pasture* or *tend flocks*, ι
233; pass., *be consumed* (cf. the mid.),
πυρί, Β 780.—II. mid., *have to oneself,
possess, enjoy*, πατρώια, τέμενος, υ 336,
Μ 313; *inhabit*, β 167; then *feed
(upon)*, esp. of flocks and herds, *graze*,
E 777, ν 407, ι 449.

νένιπται: see νίζω.

νεο-αρδής, ές (ἄρδω): *freshly wa-
tered*, Φ 346†.

νεο - γῑλός: *new - born, young;* σκύ-
λαξ, μ 86†.

νεό - δαρτος (δέρω): *newly - flayed.*
(Od.)

νεο-θηλής, ές (θάλλω): *fresh-sprout-
ing*, Ξ 347†.

νεοίη : *youthfulness,* youthful
thoughtlessness, Ψ 604†.

νέομαι, νεύμαι, νεῖαι, νεῖται, subj. 2
sing. νέηαι, inf. νεῖσθαι, ipf. νεόμην,
νέοντο pres., usually w. fut. signif.,
go or *come* somewhere (as specified),
esp. *return*, abs., β 238, λ 114, μ 188.

νέον : see νέος.

νεο-πενθής, ές: *new to sorrow*, λ 39†.

νεό-πλυτος (πλύνω): *newly washed*,
ζ 64†

νεό-πριστος (πρίω): *fresh - sawn*, θ
404†

Νεοπτόλεμος : *Neoptolemus*, the son
of Achilles, reared in Scyros, conducts
the Myrmidons home from Troy, and
weds Hermione, the daughter of Mene-
lāus, Τ 327, γ 189, δ 5, λ 520.

νέος, comp. **νεώτερος:** *new, fresh,
young;* opp. παλαιός, δ 720, θ 58; as
subst., τ 433, I 36, θ 202; adv., **νέον,**
just now, lately, π 181, 199.

νεός: see νηῦς.

νεό - σμηκτος (σμάω): *freshly pol-
ished*, N 342†.

νεοσσός (νέος): *young* (*bird*)*, fledg-
ling*. (Il.)

νεό-στροφος (στρέφω): *newly twist-
ed;* νευρή, O 469†.

νεό-τευκτος (τεύχω): *newly wrought*,
Φ 592†.

νεο-τευχής, ές (τεύχω): *newly made*,
E 194†.

νεότης, ητος (νέος): *youth*. (Il.)

νε-ούτατος (οὐτάω): *lately wounded.*
(Il.)

νε-πόδες (νέω): 'swim-footed,' *web-
footed*, δ 404†. According to a mod-
ern interpretation (and an Alexan-
drian usage) the word = n e p o t e s,
'offspring.'

νέρθε(ν) (ἔνερθεν, ἔνερος): *below,
under*, w. gen., λ 302.

Νεστόρεος : *of Nestor.*

Νεστορίδαι, the *sons of Nestor*, An-
tilochus and Thrasymēdes, Π 317.

Νεστορίδης: *son of Nestor.* — (1)
Antilochus, Z 33, O 589, Ψ 353.—(2)
Pisistratus, γ 482, δ 71, 155, etc.

Νέστωρ: *Nestor*, the aged king of
Pylos, son of Neleus and Chloris, was
ruling over the 3d generation of men
when he joined the expedition against
Troy, A 247 ff. His youthful exploits,
Δ 319, Λ 669 ff., Α 262 ff., Ψ 630 ff.
In the Odyssey he is at home again in
Pylos, γ 17, cf. 412 ff.

νεῦμαι: see νέομαι.

νευρή: sinew, only as *bow-string.*

νεῦρον: *sinew, tendon;* as bow-
string, Δ 122; also for a cord to bind
the arrow-head to the shaft, Δ 151.

νευστάζω (νεύω): *keep nodding,
nod* κεφαλῇ, bending down the head,
σ 154; ὄφρυσι, of giving a sign, μ
194.

νεύω (cf. n u o), fut. νεύσω, aor. νεῦ-
σα: *nod*, often of giving assent or a
promise, Θ 246; freq. said of the hel-
met and its plume, Γ 337, χ 124; κε-
φαλάς, 'let their heads hang down,' σ
237.

νεφέλη: *cloud;* fig., of death, grief,
Υ 417, P 591, ω 315.

νεφελ‑ηγερέτα (ἀγείρω), nom. for ‑τῃς: cloud‑gathering, the cloud‑compeller, Zeus.

νέφος, εος : cloud, often in pl., Ο 588; fig., νέφος θανάτοιο, Π 350, δ 180; also of dense numbers, Τρώων, πολέμοιο, Π 66, Ρ 243.

1. νέω (σνέϜω), ipf. ἔννεον: swim.

2. νέω (cf. n e o), mid. aor. νήσαντο: spin, η 198†.

νη‑: inseparable neg. prefix.

νῆα, νηάδε: see νηῦς.

νηγάτεος: doubtful word, new‑made, Β 43 and Ξ 185.

νήγρετος (νη‑, ἐγείρω): sound, deep sleep; neut., as adv., εὕδειν, without waking. (Od.)

νήδυια (νηδύς), pl.: bowels, Ρ 524†.

νήδυμος: doubtful word, epith. of sleep, sweet, balmy.

νηδύς, ύος: belly, stomach; ' womb,' Ω 496.

νῆες, νήεσσι: see νηῦς.

νηέω (Att. νέω), ipf. νήεον, νήει, aor. νήησα, mid. aor. inf. νηήσασθαι, imp. ‑άσθω: heap or pile up; also load, fill with cargo; νῆας, Ι 359; mid., one's own ship, Ι 137, 279.

Νηιάς, άδος: Naiad, water‑nymph, pl. (Od.)

Νήιον: Mt. Neium, in Ithaca, α 186†.

νήιος (νηῦς): for ships; δόρυ νήιον, ship‑timber, also without δόρυ, Ν 391, Π 484.

Νηίς, ίδος = Νηιάς. (Il.)

νῆϊς, ιδος (νη‑, root Ϝιδ), θ 79; abs., inexperienced, Η 198.

νη‑κερδής, ές (κέρδος): profitless, useless.

νηκουστέω (ἀκούω), aor. νηκούστησα: fail to hearken, disobey, w. gen., Υ 14†.

νηλεής, νηλής (νη‑, ἔλεος): pitiless, ruthless, relentless ; of persons, and often fig., θυμός, ἦτορ, δεσμός, νηλεὲς ἦμαρ, 'day of death'; ὕπνος, of a sleep productive of disastrous consequences, μ 372.

Νηλείδης = Νηληιάδης, Ψ 652.

νήλειτις, ιδος (νη‑, ἀλιταίνω): guiltless, innocent. V. l. νηλῑτεῖς. (Od.)

Νηλεύς: Neleus, son of Poseidon and Tyro, husband of Chloris, and father of Pero and Nestor, λ 254, 281, o

233; driven from Iolcus in Thessaly by his brother Pelias, he wanders to Messenia and founds Pylos, γ 4; all of his sons except Nestor were slain in a war with Heracles, Λ 692.

Νηληιάδης: son of Neleus, Nestor.

Νηλήιος: of Neleus, Neleian.

νηλής: see νηλεής.

νηλῑτής, νηλῑτεῖς: see νήλειτις.

νῆμα, ατος (νέω 2): that which is spun, yarn. (Od.)

νημερτής, ές (ἁμαρτάνω): unerring, infallible ; freq., νημερτές, νημερτέα εἰπεῖν, truthfully, truly, γ 19, δ 314.— Adv., νημερτέως, ε 98, τ 296.

Νημερτής: a Nereid, Σ 46†.

νηνεμίη (νήνεμος): windless calm, Ε 523; as adj. (or appositive), w. γαλήνη, ε 392, μ 169.

νήνεμος (νη‑, ἄνεμος): windless, breathless; αἰθήρ, Θ 556†.

νηός (ναίω): dwelling of a god, temple, fane. (For an idea of the interior of the cella of a temple, cf. cut under βωμός, with statue of Aphrodite and altar.)

νηός: see νηῦς.

νη‑πενθής, ές (πένθος): ' without sorrow,' soothing sorrow; φάρμακον, an Egyptian magic drug,' δ 221†.

νηπιάᾱς: see νηπίη.

νηπιαχεύω: play like a child, part., Χ 502†.

νηπίαχος = νήπιος. (Il.)

νηπίη (νήπιος), acc. pl. νηπιάᾱς: infancy, childhood, helplessness of childhood, Ι 491; pl., childish thoughts.

νήπιος: epith. of little children or young animals, 'infant,' 'helpless,' νήπια τέκνα, Ι 440, Β 311, Λ 113; often fig., indicating the blind unconsciousness on the part of men that suggests an analogy between the relation of men to higher powers and that of infants to adults, 'helpless,' 'unwitting,' and sometimes disparagingly, ' simple,' ' childish,' Λ 561, Χ 445.

νή‑ποινος (ποινή): without compensation, unavenged ; adv., νήποινον, with impunity, α 160.

νηπύτιος = νήπιος. (Il.)

Νηρηίς, ίδος: Nereid, i. e. daughter of Nereus, who is himself not named by Homer, but is only called ἅλιος γέρων, Λ 538; pl., Σ 38, 49, 52.

Νήρικος: originally a promontory

on the coast of Acarnania, later converted into the island of Leucas; subjugated by Laertes, ω 377†.

Νήριτον: Mt. *Neritum*, in Ithaca, ν 351, Β 632, ι 22.

Νήριτος: an Ithacan, ρ 207†.

νήριτος: see εἰκοσινήριτος.

Νησαίη: a Nereid, Σ 40†.

νῆσος (νέω 1): *island*.

νῆστις, ιος (νη-, ἔδω): *not eating, without food, fasting*.

νητός (νέω, νηέω): *piled up*, β 338†.

νηῦς (νέω 1), gen. νηός and νεός, dat. νηί, acc. νῆα and νέα, pl. νῆες, νέες, gen. νηῶν, νεῶν, ναῦφιν, dat. νηυσί, νήεσσι, νέεσσιν, ναῦφιν, acc. νῆας, νέας: *ship, vessel*. The parts of a ship, as named in Homer (see cut under ἔδαφος), are as follows: of the hull, τρόπις, πρῷρη, πρύμνη, ἐπηγκενίδες, πηδάλιον, οἴηια, ἱστός, ἱστοπέδη, ἱστοδόκη, ζυγά, κληῖδες, τροπός. Of the rigging, ἱστία, πείσματα, πόδες, ἐπίτονος, πρότονος. Oar, ἐρετμός, κώπη. Homer mentions ships of burden, φορτίδες, ι 323; otherwise ships of war are meant. Pl., νῆες, *the ships*, often in the Iliad of the *camp* of the Greeks, which included νῆες and κλισίαι, Β 688. (See plate IV., at end of volume.)—**νηάδε**, *to the ship*, ν 19.

νήχω (σνήχω) and **νήχομαι**, inf. νηχέμεναι, part. νηχόμενος, ipf. νῆχον, fut. νήξομαι: *swim*. (Od.)

νίζω, imp. νίζ(ε), ipf. νίζον, fut. νίψω, aor. νίψα, mid. ipf. νίζετο, aor. νιψάμην, pass. perf. νένιπται: *wash, wash off*, mid., oneself or a part of oneself; w. two accusatives, νίψαι τινὰ πόδας, τ 376; mid., χρόα ἄλμην, 'the brine from his person,' ζ 224; ἁλός, 'with water from the sea,' β 261; pass., Ω 419.

νϊκάω, ipf. (ἐ)νίκων, iter. νῑκάσκομεν, fut. νῑκήσω, aor. (ἐ)νίκησα, pass. aor. part. νῑκηθείς: *be victorious* or *victor*, and trans., *conquer, vanquish*, in games, battle, or legal dispute (w. cognate acc., λ 545), of 'surpassing' or 'excelling' in anything (τινί), and of things, 'prevail,' Α 576, κ 46.

νίκη: *victory*, in battle or before the tribunal, λ 544.

Νιόβη: *Niobe*, daughter of Tantalus and wife of Amphīon, king of Thebes. Her six sons were slain by the

arrows of Apollo, and her six daughters by the arrows of Artemis, because she had presumed to compare her children with those of Leto. Niobe in grief was changed into stone, a legend that connects itself with a natural conformation in the rock of Mt. Sipylus, which resembles a woman in a sitting posture, Ω 602, 606.

νίπτω: see νίζω.

Νῑρεύς: *Nireus*, son of Charopus and Aglaïa, of Syme, the handsomest of the Greeks before Troy, next to Achilles, Β 671 ff.

Νῖσα: a village on Mt. Helicon in Boeotia, Β 508†.

Νῖσος: son of Arētus, father of Amphinomus of Dulichium, π 395, σ 127, 413.

νίσσομαι, fut. νίσομαι, ipf. νίσσοντο = νέομαι.

Νίσυρος: a small island, one of the Sporades, Β 676†.

νιφάς, άδος (σν.): *snow-flake, snow*, mostly pl.; w. χιόνος, Μ 278. (Il.)

νιφετός (σν.): *snow-storm, snows*, Κ 7 and δ 566.

νιφόεις, εσσα, εν (σν.): *snowy, snow-clad*, epith. of mountains.

νίφω (σν.), inf. νῑφέμεν: *snow*, Μ 280†. (V. l. νειφέμεν.)

νίψα, νιψάμενος: see νίζω.

νοέω (νόος), imp. νόει, fut. νοήσω, aor. (ἐ)νόησα, mid. νοήσατο: *think, be thoughtful* or *sensible, have in mind, intend, be* (aor. *become*) *aware, perceive*; οὕτω νῦν καὶ ἐγὼ νοέω, 'I think so too,' δ 148; τοῦτό γ' ἐναίσιμον οὐκ ἐνόησεν, 'that was not a right thought of hers,' η 299; νοῆσαι ἅμα πρόσσω καὶ ὀπίσσω, 'to direct his mind forward and backward,' 'take thought at once of the present and the future,' Α 343; μητοὶ ἐγὼ παράφημι, καὶ αὐτῇ περ νοεούσῃ, 'though she has a good mind of her own,' Α 577; καὶ μᾶλλον νοέω φρεσὶ τῑμήσασθαι, 'I mean to prize thee still more,' Χ 235; freq. ὀξὺ νοῆσαι, of 'keenly noting' an occurrence, often w. part., Β 391, Γ 21, 30; common transitional phrase, ἀλλ(ο) ἐνόησεν, 'had another idea,' 'thought again,' 'passed to a new plan.' Mid., 'thought to,' w. inf., only Κ 501. Cf. νόος.

νόημα, ατος (νοέω): *thought, idea,*

plan, mind (more concrete than νόος), υ 82; as symbol of swiftness, νέες ὠκεῖαι ὡς εἰ πτερὸν ἠὲ νόημα, η 36.

νοήμων, ονος : thoughtful, discreet. (Od.)

Νοήμων: (1) a Lycian, slain by Odysseus, E 678.—(2) son of Phronius in Ithaca, δ 630, β 386.—(3) a Pylian, Ψ 612.

νόθος: illegitimate or natural son, opp. γνήσιος, Λ 102, 490; daughter (νόθη), N 173.

νομεύς, ῆος (νέμω): shepherd; w. ἄνδρες, P 65.

νομεύω, ipf. ἐνόμευε: pasture, μῆλα. (Od.)

Νομίων· father of Nastes and Amphimacus of Caria, B 871†.

νομός (νέμω): pasture; fig., ἐπέων, 'range,' Υ 249.

νόος: mind, understanding, thought; οὐ γάρ τις νόον ἄλλον ἀμείνονα τοῦδε νοήσει, | οἷον ἐγὼ νοέω, a better 'view' than mine,' Ι 104. The word is somewhat flexible in its application, but needs no special illustration. Cf. νοέω.

νόσος: see νοῦσος.

νοστέω (νόστος), fut. νοστήσω, aor. νόστησα: return, often with the implication of a happy escape, K 247, P 239, κεῖσέ με νοστήσαντα, 'when I came there on my way home,' δ 619, ο 119.

νόστιμος (νόστος): νόστιμον ἦμαρ, day of return; of a person, destined to return, υ 333, δ 806.

νόστος (νέομαι): return, return home; νόστου γαίης Φαιήκων, a reaching the land of the Phaeacians (γαίης, obj. gen.), without the notion of 'returning,' except in so far as a man who had been swimming as long as Odysseus had to swim would feel as if he had got back somewhere when he touched dry land, ε 344.

νόσφ(ιν): apart, away, aloof from, except, w. gen., A 349, B 346.

νοσφίζομαι, aor. νοσφισάμην, pass. aor. part. νοσφισθείς: depart from (τινός), hold aloof from, 'disregard,' B 81, Ω 222; w. acc., abandon. (Od.)

νοτίη: moisture, pl., rain, showers, Θ 307†.

νότιος: moist, wet : neut. as subst., water of a harbor, δ 785.

Νότος: south (west) wind, bringing

rain, B 145, γ 295; ἀργεστής, Λ 306, Φ 334; πρὸς Νότου, from the South, ν 111.

νοῦς: see νόος.

νοῦσος: sickness, illness, disease.

νύ(ν): now, enclitic particle, perhaps sometimes temporal, but as a rule differing from the temporal νῦν as the logical and temporal uses of 'now' differ in Eng. The context in each case must decide whether the word admits of paraphrasing or not. Often τί νυ; and οὔ νυ.

νυκτερίς, ίδος (νύξ): bat, μ 433 and ω 6.

νύμφη, voc. νύμφα (cf. n u b o): bride, lady; after as well as at the time of marriage, I 560, λ 447, Γ 130, δ 743.

Νύμφη: nymph, goddess of secondary rank, as the Naiads, mountain nymphs, etc., Z 420, ζ 123; offerings were made to them, ρ 211, μ 318; Calypso and Circe are termed nymphs, ε 153, κ 543.

νύμφιος (νύμφη): newly-married, η 65 and Ψ 223.

νῦν: now, freq. νῦν δή, νῦν αὖ, and esp. νῦν δέ, 'as it is,' 'as it was,' contrasting the real state of the case with a supposed one, A 417. In the uses that are not strictly temporal νῦν differs from νύν only in form (quantity), not in meaning, K 175.

νύξ, νυκτός, acc. νύκτα, νύχθ': night, fig., of death, E 310. — Personified, **Νύξ**, Night, Ξ 259.

νυός: daughter-in-law or sister-in-law, Γ 49.

Νῡσήιον: Nysaeum, the region about Nysa, where the god Dionȳsus was reared, Z 133†.

νύσσα: turning-post (m e t a), in the hippodrome, Ψ 332; elsewhere, starting-point or line.

νύσσω, part. νύσσων, -οντες, pass. pres. part. νυσσομένων: prick, pierce. (Il. and ξ 485.)

νῶ: see νώι.

νωθής, ές: lazy, sluggish, Λ 559†.

νῶι (cf. n o s), nom. dual, gen. and dat. νῶιν, acc. νῶι and νώ: we two, both of us.

νωίτερος: of us two, of us both, Ο 39 and μ 185.

νωλεμές: continually, unceasingly, Ξ 58; usually with αἰεί.

νωλεμέως: *unceasingly, firmly,* Δ 428.

νωμάω (*νέμω*), aor. *νώμησα*: *deal out, distribute,* A 471, γ 340; *handle, wield, control;* ἔγχος, σκῆπτρον, πόδα νηός, E 594, Γ 218, κ 32; *ply* the limbs, *πόδας καὶ γούνατα,* K 358; met., 'revolve' (versare), *νόον, κέρδεα, ν* 255, σ 216.

νώνυμος and **νώνυμνος** (*νη-, ὄνομα*): *nameless, inglorious.*

νῶροψ, *οπος*: epithet of *χαλκός, shining, glittering.* (Il. and ω 467, 500.)

νῶτον: *back,* of meat, *back - piece, chine,* I 207, pl., H 321; fig., *εὐρέα νῶτα θαλάσσης.*

νωχελίη: *sloth, sluggishness,* T 411†.

Ξ.

ξαίνω (cf. *ξέω*) : *comb* or *card* wool, χ 423†.

ξανθός: *reddish - yellow, blond* or *auburn* (flavus); of horses, *sorrel* or *cream-colored,* Λ 680.

Ξάνθος: *Xanthus.* — (1) son of Phaenops, a Trojan, slain by Diomed, E 152. — (2) name of one of the horses of Achilles (see *ξανθός*), Π 149. — (3) name of one of Hector's horses, Θ 185. — (4) another name of the river Scamander, and, personified, the river-god, Υ 40, 74, Φ 146. — (5) a river in Lycia, flowing from Mt. Taurus into the Mediterranean, B 877.

ξεινήιον: *token of guest-friendship,* or *hospitality,* a *present* given in honor of this relation, K 269, Z 218, or *enter-tainment,* Σ 408; iron-ically, ι 370; as adj., w. δῶρα, ω 273.

ξεινίζω: *entertain* (a stranger or guest-friend), Γ 207, γ 355.

ξείνιος and **ξένιος**: per-taining to hospitality or guest - friendship, *Ζεύς, protector of guests* (stran-gers), N 625, ι 271; *τρά-πεζα, hospitable* board, ξ 158; neut. as subst. = *ξεινήιον,* pl., sc. *δῶρα.*

ξεινο - δόκος (*δέχομαι*): *guest-receiving, hospitable;* as subst., *host,* σ 64.

ξεῖνος: *strange, foreign,* Ω 302, η 32; *ξεῖνε πάτερ,* 'sir stranger'; *stranger, guest, guest - friend;* the relation of guest - friend existed from the time when *ξεινήια* were ex-changed as tokens and pledges; hence *πατρώιος ξεῖνος,* 'hereditary friend,' Z 215.

ξεινοσύνη: *hospitality,* φ 35†.

86

7*

ξενίη: *hospitality, entertainment* as guest, *guest-friendship.* (Od.)

ξένιος: see ξείνιος.

ξερός: *dry; ξερὸν ἠπείροιο,* 'dry land,' ε 402†.

ξέσσε: see ξέω.

ξεστός (ξέω): *scraped, hewn* smooth, *polished;* of wood, stone, horn, etc.

ξέω, aor. ἔξεσε, ξέσσε: *scrape, hew* smooth, *polish; ἀπὸ* (adv.) *δ' ἔξεσε χεῖρα,* 'cut clean off,' E 81.

ξηραίνω: only pass. aor., ἐξηράνθη, *was dried up.* (Il.)

ξίφος, εος: *sword.* The ξίφος had a two-edged blade, joined to the hilt (κώπη) by bands of dark metal (μελάνδετον). It was worn in a sheath (κουλεόν), suspended by a baldric (τελαμών) that passed over the shoulder. (See cut on preceding page.)

ξύλον (ξύω): mostly pl., *wood,* not standing, but cut; sing., *trunk* of a tree, Ψ 327.

ξύλοχος: *thicket, jungle.*

ξυμ- and ξυν-: the former is used in compounds of βάλλω and πᾶς, the latter in comp. w. ἀγείρω, ἄγνυμι, ἄγω, δέω, ἐλαύνω, ἔσεσθαι, ἔχω, ἰέναι, ἰέναι, and in ξύνεσις and ξυνοχή. See under συμ-, συν-.

ξυν-εείκοσι: *twenty together,* ξ 98†.

ξυνέηκε, ξυνέηχ': see συνίημι.

ξυνήϊος (ξῦνός): *common, as common property.*

ξυνίει, ξύνιον: see συνίημι.

ξυνιόντος, ξύνισαν: see σύνειμι.

ξῦνός (= κοινός): *common;* 'Ενυάλιος, 'even-handed,' 'shifting,' Σ 309.

ξυρόν (ξύω): *razor;* proverb 'on the razor's edge,' see ἀκμή, K 173†.

ξυστόν (ξύω): the polished *shaft* of a spear, *spear; ναύμαχον,* 'ship-pike,' O 388, 677.

ξύω (cf. ξέω), ipf. ξῦον, aor. ἔξυσε: *shave, scrape* smooth, *smooth,* Ξ 179.

Ο.

ο: 'prothetic,' as in ὄβριμος, ὀμίχλη, ὄνομα; 'copulative,' as in ὄπατρος, οἰέτης.

ὁ, ἡ, τό, epic forms, gen. τοῖο, du. τοῖιν, pl. τοί, ταί, gen. τάων, dat. τοῖσι, τῇς(ι): (1) as demonstrative pronoun, *that, those,* often merely an emphatic *he, she, it,* pl. *they, them; οὐδὲ παλαιῶν (γυναικῶν),* | *τάων αἳ πάρος ἦσαν,* 'those ancient,' β 119; the emphatic after-position being common when the word is adjectival, cf. E 320, 332; the pron. is often foll. by a name in apposition, *αὐτὰρ ὃ μήνιε . . Ἀχιλλεύς,* 'he, namely Achilles,' A 488; *ἢ δ' ἔσπετο Παλλὰς Ἀθήνη, α* 125; freq. ὃ μὲν . . ὃ δέ, τὸ μὲν . . τὸ δέ, etc., *the one . . the other, this . . that,* etc. The word should be accented when used as a demonstrative.—(2) as definite article, *the,* a use denied by some to Homer, but the sense imperatively demands the later weakened force in many passages, and does not admit the stronger,

Αἴας δ' ὁ μέγας, Π 358; αἰὲν ἀποκτείνων τὸν ὀπίστατον, Θ 342; τά τ' ἐόντα τά τ' ἐσσόμενα, A 70, and oftenest w. adjectives.—(3) as relative pronoun, *who, which,* esp., but not exclusively, the forms beginning with τ. The masc. sing. as rel. occurs, Π 835, Φ 59, 230, α 254, β 262, δ 777; πατρὸς, ὅ σ' ἔτρεφε τυτθὸν ἐόντα, λ 67. τέ is often appended to the word when used relatively, ταί τε, ὅ τε, μ 40.—For ὅ γε, see ὅγε.

ὅ: neuter, see ὅς.

ὄαρ, αρος, dat. pl. ὤρεσσιν: *wife.* (Il.)

ὀαρίζω, inf. ὀαριζέμεναι, ipf. ὀάριζε: *converse familiarly, chat.* (Il.)

ὀαριστής (ὀαρίζω): *bosom friend,* τ 179†.

ὀαριστύς, ύος (ὀαρίζω): *familiar converse; πάρφασις,* 'fond beguilement,' Ξ 216; iron., πολέμου, προμάχων, P 228, N 291.

ὀβελός: *spit.* (See cuts under πεμπώβολον.)

ὀβριμο-εργός (Ϝέργον): *worker of grave* or *monstrous deeds*, E 403 and X 418.

ὀβριμο-πάτρη : *daughter of a mighty father*, Athēna.

ὄβριμος (βρίθω): *heavy, ponderous;* ἄχθος, θυρεόν, ι 233, 241 ; then of persons, *stout, mighty*, O 112, T 408.

ὀγδόατος and ὄγδοος: *eighth.*

ὀγδώκοντα : *eighty.*

ὅγε, ἥγε, τόγε (ὅ γε, etc.): the demonstr. ὅ, ἥ, τό intensified, and yet often employed where we should not only expect no emphasis, but not even any pronoun at all, as in the second of two alternatives, Γ 409, M 240, β 327. ὅ γε serves, however, to keep before the mind a person once mentioned (and perhaps returned to after an interruption), thus usually the very opp. of ὅ δέ, which introduces a new person in antithesis.

ὄγκιον (ὄγκος): *basket* or *box* to hold arrow‑heads or other things of iron, φ 61†.

ὄγκος : *barb* of an arrow, pl. (Il.)

ὄγμος (ἄγω): *furrow,* also *swath* made by the mower or reaper, Σ 552, 557.

Ὀγχηστός : *Onchestus,* a town on Lake Copāis in Boeotia, with a grove of Poseidon, B 506.

ὄγχνη : *pear‑tree, pear.* (Od.)

ὁδαῖος (ὁδός): *belonging to a journey*, pl. ὁδαῖα, *freight, cargo,* θ 163 and ο 445.

ὀδάξ (δάκνω): adv., *with the teeth, biting;* λάζεσθαι, ἑλεῖν, γαῖαν, οὔδας, ‘bite the dust,’ X 17; ὀδὰξ ἐν χείλεσι φύντο, ‘bit their lips,’ in vexation, α 381.

ὅδε, ἥδε, τόδε, pl. dat. τοῖσδε and τοίσδεσ(σ)ι: demonstr. pron., *this* here, ‘he, she, it *here*,’ pointing out a person or thing that is either actually (locally) present, or is a subject of present consideration or interest; hence the word is often ‘deictic,’ i. e. appropriately accompanied by a gesture, καί ποτέ τις εἴπῃσιν . . ‘Έκτορος ἥδε γυνή, see, ‘this’ is the wife of Hector, Z 460; νηῦς μοι ἥδ’ ἕστηκεν ἐπ’ ἀγροῦ, is stationed ‘here,’ just outside the town, α 185; ἡμεῖς οἵδε, ‘we here,’ α 76 ; freq. referring to what follows, A 41, ο 211 ; and sometimes anticipating a relative, B 346.

ὁδεύω (ὁδός): *travel, go*, Λ 569†.

Ὀδίος : (1) leader of the Halizonians, slain by Agamemnon, B 856, E 39.—(2) a herald of the Greeks, I 170.

ὁδίτης (ὁδός): *traveller, wayfarer;* w. ἄνθρωπος, Π 263, ν 123.

ὀδμή (root ὀδ): *smell, fragrance.*

ὁδοι-πόριον: *reward for the journey,* ο 506†.

ὁδοί - πορος : *travelling,* as subst., *wayfarer,* Ω 375†.

ὁδός, οὑδός : *way, path, road, journey,* ρ 196 ; even by sea, β 273 ; πρὸ ὁδοῦ γενέσθαι, ‘progress on one’s way,’ Δ 382.

ὀδούς, ὀδόντος: *tooth.*

ὀδύνη: *pain,* sometimes of the mind; sing., Ἡρᾱκλῆος, ‘for Heracles,’ O 25 ; elsewhere pl.

ὀδυνή-φατος (φένω)· *pain‑killing, relieving pain.* (Il.)

ὀδύρομαι, aor. part. ὀδυράμενος: *grieve, lament;* abs., or w. causal gen., or trans., τινά or τὶ, α 243, ε 153.

Ὀδυσήιος : *of Odysseus,* σ 353.

Ὀδυσσεύς, Ὀδυσεύς, gen. Ὀδυσσῆος, Ὀδυσῆος, Ὀδυσεύς, ω 398; dat. Ὀδυσῆι, Ὀδυσεῖ, acc. Ὀδυσσῆα, Ὀδυσέα, Ὀδυσῆ, τ 136: *Odysseus* (U l y s s e s, U l i x e s), son of Laertes and Anticlēa, resident in the island of Ithaca and king of the Cephallenians, who inhabited Ithaca, Same, Zacynthus, Aegilops, Crocyleia, and a strip of the opposite mainland. Odysseus is the hero of the Odyssey, but figures very prominently in the Iliad also. He inherited his *craft* from his maternal grandfather Autolycus, see τ 394 ff. Homer indicates the origin of Odysseus’ name in τ 406 ff., and plays upon the name also in α 62.

ὀδύσσομαι, aor. ὠδύσαο, -ατο, ὀδύσαντο, part. ὀδυσσάμενος, perf. ὀδώδυσται: *be incensed with, hate,* τινί, mostly of gods; w. reciprocal meaning, τ 407 ; pass., ε 423.

ὀδώδει: see ὄζω.

ὀδώδυσται : see ὀδύσσομαι.

ὄεσσι: see ὄις.

ὄζος: *shoot, twig;* fig., Ἄρηος, ‘scion of Ares,’ B 540, 745.

ὄζω (root ὀδ), plup. ὀδώδει: *be fragrant* or *redolent;* ὀδμὴ ὀδώδει, ‘was exhaled,’ ε 60 and ι 210.

ὅθεν (ὅς): *whence;* with pers. ante‑

cedent when place or source is meant, γ 319.

ὄθ(ι) (ὅς): *where, there where; ὅθι περ,* 'even where,' ξ 532.

ὄθομαι, ὄθεται, ipf. ὄθετ(ο): always w. neg., *not to heed, trouble oneself* or *care about, τινός,* also abs., and w. inf. or part., E 403.

ὀθόνη: only pl., *fine linen, linen garments,* Σ 595.

'Οθρυονεύς: an ally of the Trojans from Cabēsus, N 363, 370, 374, 772.

οἰ: see οὖ.

οἰα: see οἶος.

οἴγνῡμι, aor. ᾧιξε, ᾧξε, ᾧιξαν, part. οἰξᾱσα, pass. ipf. ᾠίγνυντο: *open* doors or gates, *broach* wine, γ 392.

οἶδα, οἶδας, οἶδε: see εἴδω, II.

οἰδάνω (οἰδέω): *cause to swell,* met., *νόον* (with rage), I 554; pass., also met., *swell,* I 646.

οἰδέω, ipf. ᾤδεε: *swell, be swollen,* ε 455†.

Οἰδιπόδης: *Oedipus,* king of Thebes, son of Laius and Epicaste, and father of Eteocles, Polynīces, and Antigone, Ψ 679, λ 271.

οἶδμα, ατος: *swell* of the sea, *billow,* Φ 234 and Ψ 230.

οἰέτης (ὀϜέτης, Ϝέτος): *of equal age,* pl., B 765†.

ὀιζυρός, comp. -ώτερος, sup. -ώτατος: *full of woe, wretched,* P 446, ε 105.

ὀιζύς, ύος (οἴ, 'alas!'): *woe, misery.*

ὀιζύω, ipf. ὀίζυε, ὀιζύομεν, aor. part. ὀιζύσᾱς: *suffer woe, be miserable, suffer; κακά,* Ξ 89.

οἰήιον: *tiller,* then *helm, rudder,* ι 483; usually pl., because a Homeric ship had two rudders or steering-oars, μ 218. (See foll. cuts and No. 60.)

87

88

οἴηξ, ηκος: pl., *yoke-rings,* through which the reins passed, Ω 269†. (Cf. cuts Nos. 45 *h,* 10, 78 *f.*)

οἴκαδε (old acc. Ϝοῖκα): adv., *homeward, home.*

οἰκεύς, ῆος (Ϝοῖκος): *inmate* of a house, then *servant,* mostly pl., δ 245, ξ 4.

οἰκέω (Ϝοῖκος), ipf. ᾤκεον, ᾤκει, pass. pres. opt. οἰκέοιτο, aor. 3 pl., ᾤκηθεν: *dwell, inhabit;* aor. pass., 'were settled,' 'came to dwell,' B 668.

οἰκίον, pl. οἰκία (Ϝοῖκος, dim. in form only): only pl., *abode, habitation;* of the nest of a bird, bees, etc., M 167, 221, Π 261.

Οἰκλείης: *Oecles,* son of Antiphates and father of Amphiarāus, o 244.

οἰκόθεν: *from the house, from home,* 'from one's own store' or 'possessions,' H 364.

οἴκοθι and οἴκοι: *at home.*

οἴκόνδε: *home, homeward, into the house, to the women's apartment,* α 360, φ 354.

οἶκος (Ϝοῖκος, cf. v i c u s): *house* as *home,* including the family, and other inmates and belongings, β 45, 48; said of the tent of Achilles, the cave of Polyphemus, Ω 471, 572; the *women's apartment,* α 356, cf. 360.

οἰκτείρω (οἶκτος), aor. ᾤκτειρε: *pity.* (Il.)

οἴκτιστος: see οἰκτρός.

οἶκτος (οἴ, 'alas!'): exclamation of pity, *pity, compassion.*

οἰκτρός (οἶκτος), comp. -ότερος, sup. -ότατος and οἴκτιστος: *pitiable, pitiful, miserable;* adv., οἰκτρά, οἴκτιστα, *pitifully, most miserably,* κ 409, χ 472.

οἰκ-ωφελίη (*Φοῖκος*, ὀφέλλω): *bettering one's estate, thrift*, ξ 223†.

Ὀϊλεύς: *Oïleus.*—(1) king of Locris, father of the lesser Ajax and of Medon, N 697, O 333, B 727, see Αἴᾱς. —(1) charioteer of Biēnor, slain by Agamemnon, Λ 93.

Ὀϊλιάδης: *son of Oïleus*, Ajax, M 365, N 712, Ξ 446, Π 330, Ψ 759.

οἶμα, ατος (οἶσω, φέρω): *spring, swoop.* (Il.)

οἰμάω (οἶμα), aor. οἴμησε: *dart upon, swoop after*, X 308, 140, ω 538.

οἴμη: *song, lay.* (Od.)

οἶμος: *course, stripe, band*, pl., Λ 24†.

οἰμωγή (οἰμώζω): *cry of grief, lamentation.*

οἰμώζω (οἴμοι, ' woe me !'), aor. ᾤμωξα, part. οἰμώξᾱς: *cry out in grief* (or pain), *lament*, ἐλεεινά, σμερδαλέον, μέγα.

Οἰνείδης: *son of Oeneus*, Tydeus, E 813, K 497.

Οἰνεύς (*Φοιν.*): *Oeneus*, son of Portheus, king of Calydon in Aetolia, the husband of Althaea, and father of Tydeus and Meleāger, a guest-friend of Bellerophon. The Calydonian boar was sent upon his territory through the anger of Artemis, B 641, Z 216, I 535, Ξ 117.

οἰνίζομαι (*Φοῖνος*), ipf. οἰνίζοντο: *supply oneself with wine.* (Il.)

οἰνο-βαρείων (βαρύς), part.: *heavy with wine.* (Od.)

οἰνο - βαρής, voc. -ές = foregoing, ' wine-bibber,' A 225†.

Οἰνόμαος: (1) an Aetolian, slain by Hector, E 706.—(2) a Trojan, M 140, N 506.

οἰνό-πεδος (πέδον): *consisting of wine-land, wine-yielding;* subst., **οἰνό-πεδον**, *vineyard*, I 579.

Οἰνοπίδης: *son of Oenops*, Helenus, E 707†.

οἰνο-πληθής: *abounding in wine*, o 406†.

οἰνο-ποτάζω: *quaff wine.*

οἰνο - ποτήρ, ῆρος: *wine - drinker*, θ 456†.

οἶνος (*Φοῖνος*, cf. v i n u m): *wine.* It was regularly mixed with water before drinking, see κρητήρ, ἀμφιφορεύς; ἀσκός, πίθος, πρόχοος, νέμειν.· Epithets, αἴθοψ, ἐρυθρός, μελιηδής, μελί-

φρων, ἡδύς, ἡδύποτος, εὐήνωρ. γερούσιος οἶνος, typical of the dignity of the council of elders. Places famed for the quality of wine produced were Epidaurus, Phrygia, Pedasus, Arne, Histiaea, Lemnos, Thrace, Pramne, and the land of the Ciconians.

οἰνο-χοέω and **οἰνοχοεύω**, ipf. ᾠνοχόει (οἰνοχόει), ἐῳνοχόει, aor. inf. οἰνοχοῆσαι: *be cup-bearer, pour wine*, nectar, Δ 3.

οἰνο-χόος (χέω): *wine-pourer, cupbearer.*

οἶνοψ, οπος: *winy, wine-colored*, epithet of the sea and of cattle, ν 32.

Οἶνοψ: an Ithacan, the father of Liōdes, φ 144†.

οἰνόω: only pass. aor. part., οἰνωθέντες, *overcome by wine, drunken*, π 292 and τ 11.

οἴξᾱσα: see οἴγνῡμι.

οἰο: see ὅς 2.

οἰόθεν: adv., used for an emphatic doubling, οἰόθεν οἶος, *all alone* (cf. αἰνόθεν αἰνῶς). (Il.)

οἴομαι: see ὀΐω.

οἰο-πόλος (πέλομαι): *lonely.*

οἶος: *alone; μί' οἴη, δύ' οἴω, δύο οἴους,* γ 424 ; *οἶος ἄνευθε* or *ἀπό τινος*, X 39, ι 192 ; 'alone of its kind,' i. e. best, Ω 499.

οἶος, οἴη, οἶον: relative word, (such) *as, of what sort* (q u a l i s), with antecedent τοῖος expressed or implied. It may be causal in effect, also exclamatory, *αἵματος εἰς ἀγαθοῖο, φίλον τέκος,* οἷ' ἀγορεύεις, ' such words you speak,' = ὅτι τοῖα, δ 611 ; *οἷον δή νυ θεοὺς βροτοὶ αἰτιόωνται*, 'how mortals do, etc. !' α 32; foll. by inf., as implying capability, *οἷος ἐκεῖνος ἔην βουλευέμεν,* ' such a man was he to plan,' ξ 491 ; freq. the neut. **οἶον, οἶα**, as adv., *as, how, what* (sort), etc. *οἷα τε* in comparisons, *οἷον δή* exclamatory and causal, ι 128, λ 429.

οἱός and **ὅιος**: see ὅις.

οἰο-χίτων, ωνος: *with tunic only*, ξ 489†.

οἰόω (οἶος), pass. aor. οἰώθη: *leave alone, abandon.* (Il.)

ὄις (ὄϊς, cf. o v i s), gen. ὄιος, οἰός, acc. ὄιν, pl. ὄιες (οἴιες, ι 425), gen. ὀίων, οἰῶν, dat. οἴεσι, ὀίεσσι, ὄεσσι, acc. ὄις: *sheep;* with ἀρνειός, ἄρσην, θήλεια.

ὄϊσατο: see ὀΐω.

οἴσετε: see φέρω.

οἶσθα: see εἴδω, II.

ὀισθείς: see ὀίω.

ὀιστεύω (ὀιστός), aor. imp. ὀίστευσον, part. ὀιστεύσᾱς: discharge an arrow, shoot arrows; τόξῳ, μ 84. (The foll. cuts, from Assyrian reliefs, illustrate the manner of drawing the bow and holding the arrow. See also cut under πῶμα.)

89

90

ὀιστός (οἴσω, φέρω): arrow. Made of wood, or a reed, with barbed metal point, the lower end feathered and notched (γλυφίδες), or with projections, enabling the fingers to take a firm hold on the arrow in drawing. Poisoned arrows are mentioned only exceptionally, α 261, Δ 213.

οἶστρος: gadfly, χ 300†.

οἰσύινος: of willow, willow, ε 256†.

οἴσω: see φέρω.

οἶτος: fate, mostly in bad sense, and usually with κακός. Without κακός, Ι 563, Ω 388, θ 489, 578.

Οἴτυλος: a town on the coast of Laconia, Β 585†.

Οἰχαλίη: a town on the river Peneius, the home of Eurytus, Β 730.—
Οἰχαλίηθεν: from Oechalia, Β 596.—
Οἰχαλιεύς: the Oechalian, Eurytus, Β 596, θ 224.

οἰχνέω (οἴχομαι), οἰχνεῦσιν, ipf. iter. οἴχνεσκον: go or come (frequently), Ε 790, Ο 640, γ 322.

οἴχομαι, ipf. ᾠχόμην: go, depart, and freq. w. perf. signif., ἤδη .. οἴχεται εἰς ἅλα δῖαν, is gone, Ο 223, Ε 472; so the part., Ὀδυσσῆος πόθος οἰχομένοιο, the 'absent,' perhaps the 'departed' Odysseus, ξ 144. The verb is common

with a supplementary part., the more specific part of the predication being contained in this participle, ᾤχετ' ἀποπτάμενος, 'sped on wings away,' flew away, Β 71.

ὀίω, οἴω, ὀίομαι, οἴομαι, opt. ὀίοιτο, ipf. ὠίετο, aor. ὀίσατο, pass. aor. ὠίσθην, part. ὀισθείς: verb of subjective view or opinion, think, believe, fancy, regularly foll. by inf.; often iron. in litotes, ὀίω, methinks, θ 180, Ν 263; likewise parenthetically (o p i n o r), π 309; sometimes to be paraphrased, 'suspect,' or when the reference is to the future, 'expect'; implying apprehension, τ 390. γόον δ' ὠίετο θῡμός, was 'bent on,' or 'engrossed with' lamentation, κ 248; once impers., like δοκεῖ, τ 312.

οἰωνιστής: (bird) seer; as adj., Ν 70.

οἰωνο-πόλος (πολέω): versed in omens drawn from birds, seer, pl., Α 69 and Ζ 76.

οἰωνός (cf. a v i s): bird of prey, bird of omen; εἷς οἰωνὸς ἄριστος, ἀμύνεσθαι περὶ πάτρης, Ν 243. (Said by Hector. A fine example of an early protest for free-thought.)

ὀκνέω, ὀκνείω, ipf. ὤκνεον: shrink from doing something, hesitate through some sort of dread, Ε 255 and Υ 155.

ὄκνος: shrinking, hesitancy through dread. (Il.)

ὀκριάω (ὄκρις, ἄκρος): only pass. ipf. ὀκριόωντο, met., were becoming incensed, furious, σ 33†.

ὀκριόεις, εσσα, εν (ὄκρις, ἄκρος): having sharp points, jagged, rugged.

ὀκρυόεις, εσσα, εν (κρύος): chilling, horrible, Ι 64 and Ζ 344.

ὀκτά-κνημος (κνήμη): eight-spoked, of wheels, Ε 723†. (See cut, from a

91

painting on a Panathenaic amphora found at Volsci.)

ὀκτώ: *eight*.

ὀκτω-και-δέκατος: *eighteenth*.

ὀλβιο-δαίμων: *blessed by the deity*, Γ 182†.

ὄλβιος (ὄλβος): *happy, blessed*, esp. with riches, σ 138; (δῶρα) ὄλβια ποιήσειαν, 'may they bless' them, ν 42; pl., ὄλβια, *blessings*.

ὄλβος: *happiness, fortune, riches*.

ὀλέεσθαι, ὀλέεσκε: see ὄλλῡμι.

ὀλέθριος: ὀλέθριον ἦμαρ: *day of destruction*, T 294 and 409.

ὄλεθρος (ὄλλῡμι): *destruction, ruin, death*; αἰπύς, λυγρός, ἀδευκής, οἴκτιστος.

ὀλεῖται: see ὄλλῡμι.

ὀλέκω, ipf. iter. ὀλέκεσκεν, pass. ὀλέκοντο: = ὄλλῡμι.

ὀλέσαι, ὀλέσᾱς, ὀλέσσαι, ὀλέσσᾶς, ὀλέσθαι: see ὄλλῡμι.

ὀλετήρ, ῆρος: *destroyer*, Σ 114†.

ὀλιγη-πελέω: *be weak, faint, swooning*, only part.

ὀλιγη-πελίη: *weakness, faintness*, ε 468.

ὀλίγιστος: see ὀλίγος.

ὀλιγο-δρανέω: only part., *able to do little, feeble*. (Il.)

ὀλίγος, sup. ὀλίγιστος: *little, small*; of a 'short' time (ὀλίγος χρόνος), a 'thin' voice (ὀλίγη ὀπί), a 'feebly-flowing' spring (πῖδακος ὀλίγης), 'little' fishes (ὀλίγοι ἰχθύες). Neut. as adv., ὀλίγον, *a little*, also ὀλίγου, *almost*, ξ 37. Sup., T 223, 'scanty shall be the reaping.'

ὀλίζονες: see ὑπολίζονες.

'Ολιζών: a town in Magnesia in Thessaly, B 717†.

ὀλισθάνω, aor. 2 ὄλισθε: *slip, slip and fall, fall*. (Il.)

ὄλλῡμι, part. ὀλλύς, -ύντα, pl. fem. ὀλλῦσαι, ipf. iter. ὀλέεσκε, fut. ὀλέσω, ὀλέσσεις, aor. ὤλεσα, ὄλεσ(σ)ε, inf. ὀλέ(σ)σαι, part. ὀλέ(σ)σᾶς, part. ὄλωλα, plup. ὀλώλει, mid. pres. part. ὀλλύμενοι, fut. ὀλεῖται, inf. ὀλέεσθαι, aor. 2 ὤλεο, ὄλοντο, inf. ὀλέσθαι (see οὐλόμενος): act., *lose, destroy*, mid., *be lost, perish*; perf. and plup. mid. in sense, Ω 729, K 187.

ὄλμος: *smooth round stone, quoit*, Λ 147†.

ὀλοιός = ὀλοός, A 342, X 5.

ὀλολυγή: *outcry* of women's voices, Z 301†.

ὀλολύζω, aor. ὀλόλυξα: *cry out aloud*, only of women, either with jubilant voice or in lamentation, χ 408, 411, δ 767.

ὀλόμην: see ὄλλῡμι.

ὀλοοί-τροχος (Fol., cf. volvo): *rolling stone, round rock*, N 137†.

ὀλοός (ὄλλῡμι), comp. -οώτερος, sup. -οώτατος: *destroying, destructive, deadly*.

'Ολοοσσών: a town on the river Eurōtas in Thessaly, situated on white cliffs, B 739†.

ὀλοό-φρων: *destructive-minded, baleful*.

ὀλοφυδνός: *doleful, pitiful*.

ὀλοφύρομαι, aor. ὀλοφύράμην: *lament, mourn, bewail, commiserate*; freq. abs., esp. in part., also w. gen. of the person mourned for, Θ 33; and trans., τινά, Ω 328, κ 157, τ 522; w. inf., 'bewail that thou must be brave before the suitors,' χ 232.

ὀλοφώιος: *pernicious, baleful*; ὀλοφώια εἰδώς = ὀλοόφρων, δ 460. (Od.)

'Ολυμπιάς, pl. 'Ολυμπιάδες: *Olympian*, epith. of the Muses, B 491†.

'Ολύμπιος: *Olympian*, dwelling on Olympus, epith. of the gods and their homes, and as subst. = Zeus, *the Olympian*.

"Ολυμπος, Οὔλυμπος: *Olympus*, a mountain in Thessaly, not less than nine thousand feet in height, penetrating with snow-capped peaks through the clouds to the sky, and conceived by Homer as the abode of the gods. Epithets, ἀγάννιφος, αἰγλήεις, αἰπύς, μακρός, πολύπτυχος.

ὄλῡραι, pl.: a kind of grain similar to *barley*, E 196 and Θ 564.

ὄλωλα: see ὄλλῡμι.

ὁμαδέω (ὅμαδος): only aor. ὁμάδησαν, they *raised a din*. (Od.)

ὅμαδος (ὁμός): *din*, properly of many voices together. (Il. and κ 556.)

ὁμαλός (ὁμός): *even, smooth*, ι 327†.

ὀμ-αρτέω (ὁμός, root ἀρ), part. ὁμαρτέων, aor. opt. ὁμαρτήσειεν, part. ὁμαρτήσᾶς: *accompany* or *attend, keep pace with, meet, encounter*, Ω 438, ν 87, M 400.

ὁμαρτῆ: see ἁμαρτῇ.

ὀμβριμοπάτρη, ὄμβριμος: see ὀβριμ.

ὄμβρος (cf. imber): rain, rain-storm; also of a heavy fall of snow, M 286.

ὁμεῖται: see ὄμνῡμι.

ὁμ-ηγερής, ές (ὁμός, ἀγείρω): assembled together.

ὁμ-ηγυρίζομαι, aor. inf. ὁμηγυρίσασθαι: assemble, convoke, π 376†.

ὁμ-ήγυρις: assembly, Υ 142†.

ὁμ-ηλικίη: equal age, Υ 465; for the concrete, person of like age, mate, companion.

ὁμ-ῆλιξ, ικος: of like age; τινός, 'with' one, τ 358.

ὁμ-ηρέω (root ἀρ), aor. ὡμήρησε: meet, π 468†.

ὁμῑλαδόν: adv., in crowds. (Il.)

ὁμῑλέω, ipf. ὡμίλευν, ὁμίλεον, ὁμίλει, aor. ὡμίλησα: be in a throng, throng about, associate with, τινί, so μετά, ἐνί, παρά τισι, περί τινα, Π 641, 644; of meeting in battle, Λ 523, α 265.

ὅμῑλος: throng, crowd; in the Iliad freq. of the crowd and tumult of battle, Ε 553, Κ 499. [Ν 336. (Il.)

ὀμίχλη: mist, cloud; fig., of dust, ὄμμα, ατος (root ὀπ, cf. oculus): eye, only pl.

ὄμνῡμι, ὀμνύω, imp. ὄμνυθι, ὀμνυέτω, ipf. ὤμνυε, fut. ὀμοῦμαι, -εῖται, aor. ὤμοσα, ὄμο(σ)σα: take oath, swear; ὅρκον (τινί, or πρός τινα), Γ 279, ξ 331; foll. by inf., also w. acc. of the person or thing in whose name, or by whom or which, the oath is taken, Ξ 271, Ο 40.

ὁμο-γάστριος (γαστήρ): κασίγνητος, own brother, by the same mother. (Il.)

ὁμόθεν: from the same place (root), ε 477†.

ὅμοιος, ὁμοῖος: like, similar, equal; τὸν ὁμοῖον, 'his peer,' Π 53; prov., τὸν ὁμοῖον ἄγει θεὸς ὡς τὸν ὁμοῖον, 'birds of a feather,' ρ 218; as epith. of πόλεμος (ὁμοίου πολέμοιο), θάνατος, etc., common, impartial, levelling all alike, ω 543.

ὁμοιόω: make like; ὁμοιωθήμεναι, 'to liken,' 'compare oneself,' Α 187, γ 120.

ὁμοκλέω and ὁμοκλάω (ὁμοκλή), ipf. ὁμόκλεον, ὁμόκλᾱ, aor. ὁμόκλησα, iter. ὁμοκλήσασκε: shout together, call out to, command sharply; abs., and w. dat., Ω 248; w. (acc. and) inf., ω 173, Π 714.

ὁμο-κλή (ὁμός, καλέω): call of many, together, loud, sharp call or command.

ὁμο-κλητήρ, ῆρος: one who shouts or calls loudly and sharply, Μ 273 and Ψ 452.

ὁμόργνῡμι, ipf. ὁμόργνῡ, mid. ὡμόργνυντο, aor. part. ὀμορξάμενος: wipe, wipe away, mid., one's own tears, etc., Σ 124.

ὁμός (cf. ἅμα): like, common.

ὁμόσᾱς: see ὄμνῡμι.

ὁμόσε: to the place, together, Μ 24 and Ν 337.

ὁμο-στιχάω (στείχω): march along with, keep pace with, Ο 635†.

ὁμό-τῑμος: like - honored, entitled to equal honor, Ο 186†.

ὁμοῦ: in the same place with, together, at once, alike.

ὁμο-φρονέω: be like-minded, of one mind. (Od.)

ὁμο - φροσύνη: harmony of mind, congeniality. (Od.)

ὁμό-φρων: like-minded, harmonious, congenial, Χ 263†.

ὁμόω: only pass. aor. inf., ὁμωθῆναι, to be united; φιλότητι, Ξ 209†.

ὀμφαλόεις, εσσα, εν: furnished with an ὀμφαλός or ὀμφαλοί, bossy, studded, epith. of shield, yoke. (Il.)

ὀμφαλός (cf. umbilicus): navel, Δ 525, Φ 180; fig., θαλάσσης, α 50; then (1) of a shield, boss, the projection in the centre ending in a button or point; pl., studs, serving as ornaments, Λ 34.—(2) of a yoke, knob, or pin, on the centre (see cut No. 45 a), Ω 273. The Assyrians had the same (see cut No. 51), while the Egyptians ornamented the ends of the yoke with a ball of brass. (See cut No. 92 on next page.)

ὄμφαξ, ακος: pl., unripe grapes, η 125†.

ὀμφή: divine or prophetic voice, conveyed by a dream or through omens of birds, etc. See πανομφαῖος.

ὀμ-ώνυμος (ὄνομα): having the same name, Ρ 720†.

ὁμῶς (ὁμός): together, alike, likewise, equally as, just as.

ὅμως (ὁμός): yet, Μ 393†.

ὄναρ: dream, vision; opp. ὕπαρ, 'reality,' τ 547, υ 90.

ὄνειαρ, ατος (ὀνίνημι): anything that is helpful, help, relief, refresh-

92

ment; of a person, X 433; pl., ὀνεία-
τα, viands, once of treasures, Ω 367.

ὀνείδειος (ὄνειδος): reproachful;
μῦθος, ἔπεα, and without ἔπος, X 497.

ὀνειδίζω (ὄνειδος), aor. ὀνείδισας,
imp. ὀνείδισον: reproach, 'cast in one's
teeth,' τινί τι, I 34, σ 380.

ὄνειδος, εος: reproach, often pl.,
ὀνείδεα μυθεῖσθαι, λέγειν, προφέρειν,
βάζειν, κατ' ὀνείδεα χεύαί τινι, 'over-
whelm one with reproach,' χ 463; then
matter of reproach, disgrace, Π 489.

ὀνείρατα: see ὄνειρος.

ὀνείρειος: ἐν ὀνειρείῃσι πύλῃσιν, at
the gates of dreams, δ 809†.

ὀνειρο-πόλος (πέλω): versed in
dreams, interpreter of dreams.

ὄνειρος, ὄνειρον, pl. ὄνειροι and ὀνεί-
ρατα: dream; personified, B 6, Π 22;
as a people dwelling hard by the way
to the nether world, ω 12; a dream-
allegory, τ 562, cf. δ 809†.

ὀνήμενος, ὄνησα: see ὀνίνημι.

ὄνησις (ὀνίνημι): benefit, luck, pros-
perity, φ 402†.   [tis, γ 282.

Ὀνητορίδης: son of Onētor, Phron-
Ὀνήτωρ: a Trojan, father of Lao-
gonus, Π 604†.

ὄνθος: dung. (Ψ)

ὀνίνημι, fut. ὀνήσω, aor. ὤνησα, ὀνη-
σα, mid. fut. ὀνήσομαι, aor. 2 imp. ὄνη-
σο, part. ὀνήμενος: act., benefit, help
(τινά), mid., derive benefit or advantage
from, enjoy, τινός, Π 31; ἐσθλός μοι
δοκεῖ εἶναι, ὀνήμενος, 'bless him!' β
33.

ὄνομα, οὔνομα, ατος (for ὄ-γνομα,

γνῶναι, cf. nomen): name; for
'fame,' 'glory,' ν 248, ω 93.

ὀνομάζω, ipf. ὀνόμαζον, aor. ὠνόμα-
σα: call or address by name (X 415, K
68), name, mention; the phrase ἔπος
τ' ἔφατ' ἔκ (adv.) τ' ὀνόμαζεν (and
'familiarly addressed' him) is always
followed either by the name of the
person addressed or by some substan-
tial equivalent for the name.

ὄνομαι, ὄνοσαι, ὄνονται, opt. ὄνοιτο,
fut. ὀνόσσομαι, aor. 1 ὠνοσάμην, ὀνό-
σασθ(ε), -ντ(ο), part. ὀνοσσάμενος, aor.
2 ὤνατο, P 25: find fault with, scorn,
τινά or τὶ, usually w. neg. expressed or
implied, Δ 539, P 399; once w. gen.,
κακότητος, 'esteem lightly,' ε 379.

ὀνομαίνω (parallel form to ὀνομάζω),
aor. ὀνόμηνας: call by name, name,
name over, mention; in the sense of
'appointing' or 'constituting,' Ψ 90.

ὀνομα-κλήδην: adv., calling the
name, by name.

ὀνομά-κλυτος: of famous name, re-
nowned, X 51†.

ὀνομαστός: to be named, w. neg., of
a name not to be uttered for the ill-
omen it contains. (Od.)

ὄνος: ass, Λ 558†.

ὀνόσασθε, ὀνοσσάμενος, ὀνόσσε-
σθαι: see ὄνομαι.

ὀνοστός (ὄνομαι): w. neg., not to be
despised, not contemptible, I 164†.

ὄνυξ, υχος: pl., claws, talons, of the
eagle.

ὀξυ-βελής, ές (βέλος): sharp-point-
ed, Δ 126†.

ὀξυ-όεις, -εσσα, εν : *sharp-pointed.*

ὀξύς, εια, ύ, sup. ὀξύτατος: *sharp,* of weapons and other implements, crags, hill-tops, ε 411, μ 74 ; metaph., of light, pains, sounds, etc., 'keen,' 'piercing,' P 372, λ 208 ; 'fierce' Ares, Λ 836 ; neut. as adv., ὀξύ and ὀξέα, met. as above, προϊδεῖν, νοεῖν, βοᾶν, ε 393, Γ 374, P 89.

ὄο and ὄου: see ὅς 1.

ὀπάζω (cf. ἕπω), fut. ὀπάσσω, aor. ὤπασα, ὄπα(σ)σα, mid. pres. part. ὀπα-ζόμενος, fut. ὀπάσσεαι, aor. ὀπάσσατο, part. ὀπασσάμενος : I. act., *join as companion (guide, escort),* τινά τινι (ἅμα, μετά), *cause to follow* or *accompany,* N 416, ο 310, Ω 153, 461, κ 204 ; then of things, *bestow, lend, confer;* κῦδός τινι, χάριν καὶ κῦδος ἔργοις, γ 57, ο 320, w. inf., Ψ 151 ; also *follow hard upon, press upon.* τινά, Θ 341 ; fig., γῆρας, Δ 321 ; pass., Λ 493.—II. mid., *take with one* (as companion, guide, escort), τινά, K 238, T 238, κ 59.

ὀπαῖος (ὀπή): *with an opening ;* neut. pl. as subst., ἀν' ὀπαῖα (v. l. ἀνοπαῖα, q. v.), *through the loop-holes,* i. e. between the rafters under the eaves, α 320†. These spaces were in later times closed, and termed specifically μετόπαι. (See cut No. 83.)

ὄ-πατρος : *of the same father,* Λ 257 and M 371.

ὀπάων, ονος (cf. ἕπω, ὀπάζω): *attendant,* 'armor-bearer,' 'esquire.' (Il.)

ὅπερ : see ὅσπερ.

ὅπῃ, ὅππῃ : adv. of place or manner, *where* (whither), ας, κ 190, M 48, θ 45.

ὀπηδέω (ὀπηδός, ὀπάζω), ipf. ὀπήδει: *accompany, attend, follow,* τινί (ἅμα τινί); said of things as well as persons, τόξα, ἀρετή, τίμή, E 216, θ 237, P 251.

ὀπίζομαι (ὄπις), ipf. ὀπίζεο, ὠπίζετο: *have regard to* with awe, *reverence, dread ; Διὸς μῆνιν, μητρὸς ἐφετμήν,* τινά, ξ 283, Σ 216, X 332.

ὄπιθεν : see ὄπισθεν.

ὀπιπτεύω and ὀπιπεύω (root ὀπ), aor. part. -εύσας: *peer after, watch* (timorously, or in lurking for one), Δ 371, H 243 ; γυναῖκας, *ogle,* τ 67 (cf. παρθενοπίπης).

ὄπις, acc. ὄπιδα and ὄπιν (root ὀπ): *jealous and vengeful regard, divine*

vengeance, always w. θεῶν exc. ξ 82. 88. (Od. and Π 388.)

ὄπισθε(ν), ὄπιθε(ν) : *from behind, behind, afterward, hereafter;* w. gen., N 536.

ὀπί(σ)σω : *backward, behind, hereafter, in*(to) *the future.*

ὀπίστατος : *hindmost,* Θ 432 and Λ 178.

'Οπίτης : a Greek, slain by Hector, Λ 301†.

ὀπλέω (= ὁπλίζω): only ipf., ὥπλεον (ὅπλεον), *were getting ready,* ζ 73†.

ὁπλή : *hoof,* pl., Λ 536 and Υ 501.

ὁπλίζω (ὅπλον), aor. ὥπλισσε, imp. ὥπλισσον, inf. ὁπλίσαι, mid. aor. ὁπλί(σ)σατο : *equip, make ready,* as a chariot, a ship for sailing, *prepare a meal ;* mid., *equip* or *arm oneself, prepare for oneself,* ξ 526, π 453 ; aor. pass., ὥπλισθεν γυναῖκες, 'arrayed' themselves' for the dance, ψ 143.

ὅπλον : mostly pl., ὅπλα, *implements, arms (armor), rigging* of a ship, Σ 409, γ 433, κ 254, β 390 ; sing., *rope, cable,* φ 390, ξ 346.

ὅπλομαι : *prepare,* inf. (Il.)

ὁπλότερος comp., sup. ὁπλοτάτη : *younger, youngest ;* γενιῇ, γενεῆφιν, B 707, I 58 ; sup., γ 465, η 58, λ 283, ο 364.

'Οπόεις : *Opūs,* a city in Locris, the home of Menoetius, father of Patroclus, Ψ 85, Σ 326, B 531.

ὁποῖος, ὁπποῖος : indirect interrog., *of what sort,* α 171 ; ὁποῖ' ἄσσα (ὁποῖά τινα), 'about what sort' of garments, τ 218 ; also rel., like οἷος, correl. to τοῖος, Υ 250, ρ 421.

ὀπός : *sap of the wild fig-tree,* used for curdling milk, E 902†.

ὀπός : see ὄψ.

ὁπόσος, ὁπόσσος, ὁππόσος : *how great, how much, how many.*

ὁπότε, ὁππότε : *whenever, when ;* w. the same constructions as other rel. words, see ἄν, κέν.

ὅπου : *where.* (Od.)

ὁππόθεν : *whence.* (Od.)

ὁππόθ(ι) : *where.*

ὁππόσε : *whithersoever,* ξ 139†.

ὁππότερος : *whichever* (of two).

ὁπποτέρωθεν : *from* or *on which side* (of two), Ξ 59†.

ὀπταλέος (ὀπτός): *roasted.*

ὀπτάω (ὀπτός), ipf. ὄπτων (ὤπτων),

aor. ὤπτησα, ὅπτησα, pass. aor. inf.
ὀπτηθῆναι: *roast* on the spit; w. part.
gen., κρεῶν, ο 98.

ὀπτήρ, ῆρος (root ὀπ): *scout, spy*,
pl., ξ 261 and ρ 430.

ὀπτός (root πεπ, πέσσω): *roasted,
broiled.* (Od.)

ὀπυίω, inf. ὀπυιέμεν(αι), ipf. ὤπυιε,
ὅπυιε, pass. part. ὀπυιομένη: *wed, take
to wife;* part., *married,* act. of man,
pass. of woman, ζ 63, Θ 304.

ὅπωπα: see ὁράω.

ὀπωπή (ὅπωπα): *sight, power of
vision,* ι 512; ἤντησας ὀπωπῆς, 'hast
met the view,' 'thine eyes have seen,'
γ 97.

ὀπώρη (ὥρη): *late summer* (or early
autumn), *harvest-tide;* the season ex-
tended from the rising of Sirius (end
of July) to the setting of the Pleiades,
thus corresponding nearly to our ' dog-
days,' τεθαλυῖα, 'luxuriant,' 'exuber-
ant,' fruit-time, λ 192.

ὀπωρινός: *of late summer; ἀστήρ,*
Sirius, E 5.

ὅπως, ὅππως: *how, in order that,
as.*—(1) indirect interrog., οὐδέ τί πω
σάφα ῬΙδμεν ὅπως ἔσται τάδε Ῥέργα,
'how these things will be,' B 250;
then implying purpose, φράζεο νῦν
ὅππως κε πόλιν καὶ Ῥάστυ σαώσεις,
'how you are to save,' P 144; and
purely final, λίσσεσθαι δέ μιν αὐτός,
ὅπως νημερτέα Ῥείπῃ, 'that he speak
the truth,' γ 19.—(2) rel., *as; ἔρξον
ὅπως ἐθέλεις,* Δ 37; θαύμαζεν δ' ὁ γε-
ραιός, ὅπως ἴδεν ὀφθαλμοῖσιν, γ 373;
causal, δ 109.

ὁράω, ὁρόω (root Ῥορ), ipf. ὅρα, ὁρῶ-
μεν, mid. ὁρῶμαι, 2 sing. ὅρηαι, ipf.
ὁρᾶτο, ὁρῶντο (from root ὀπ, perf.
ὅπωπα, plup. ὀπώπει, mid. fut. ὅψεαι,
ὅψει, 2 pl. [or aor. imp.] ὅψεσθε; from
root Ῥιδ, see εἴδω I.): act. and mid.,
see, behold, look on; freq. phrases, (ἐν)
ὀφθαλμοῖσιν ὁρᾶν, ὁρᾶσθαι, ὁρᾶν φαος
ἠελίοιο (= ζῆν).

ὄργυια (ὀρέγω): *distance spanned
by the outstretched arms, fathom.*

ὀρέγνυμι, ὀρέγω, part. ὀρέγων, ὀρε-
γνύς, fut. ὀρέξω, aor. ὤρεξα, mid. pres.
inf. ὀρέγεσθαι, aor. ὠρέξατ(ο), ὀρέξατ(ο),
perf. 3 pl. ὀρωρέχαται, plup. 3 pl. ὀρω-
ρέχατο: *reach, extend,* mid., *stretch
out* oneself, or one's own hands, etc.,
reach for, τινός, sometimes τί, Π 314,

322, Ψ 805; of 'reaching and giving'
something, Ω 102; and metaph., ὀππο-
τέροισι πατὴρ Ζεὺς κῦδος ὀρέξῃ, 'may
bestow,' E 33; mid., of trying to hit,
'lunging' at one with the spear, Δ
307; of horses 'laying themselves
out,' to exert their speed (perf. and
plup.), Π 834; so δράκοντες, 'out-
stretched,' Λ 26.

ὀρεκτός (ὀρέγω): *extended, thrust
out,* B 543†.

ὀρέομαι = ὄρνυμαι, only ipf., ὀρέον-
το, *rushed forth,* B 398 and Ψ 212.

'Ορέσβιος: a Boeotian from Hyle,
slain by Hector, E 707†.

ὀρεσί-τροφος: *mountain-bred.*

ὀρεσ-κῷος (κεῖμαι): *having moun-
tain-lairs,* A 268 and ι 155.

ὀρέστερος (ὄρος, cf. ἀγρότερος):
of the mountains, mountain-, dragon,
wolves, X 93, κ 212.

'Ορέστης: *Orestes.*—(1) the son of
Agamemnon, who having been reared
at Athens returns to Mycēnae and
slays Aegisthus, after the latter had
reigned eight years. Clytaemnestra
was slain at the same time. (See cut
under ἔδρη, from a painting on an
ancient Greek vase.) The murder of
Agamemnon was thus avenged, and
the throne restored to its rightful heir,
γ 306, λ 461, α 30, 40, 298, δ 546, Ι
142, 284.—(2) a Greek slain by Hec-
tor, E 705.—(3) a Trojan, slain by
Leonteus, M 139, 193.

ὀρεστιάς, άδος: *mountain - nymph,*
pl., Z 420†.

ὄρεσφι: see ὄρος.

ὀρεχθέω: doubtful word, *bellow* in
last agonies, *rattle in the throat,* Ψ 30†.

ὅρθαι: see ὄρνῡμι.

'Ορθαῖος: a Trojan, N 791†.

"Ορθη: a town in Thessaly, B 739†.

ὄρθιος: *of the voice, high;* adv.,
ὄρθια, 'with shrill voice,' Λ 11†.

ὀρθό-κραιρος (κέρας), only gen. pl.
fem. ὀρθοκραιράων: *straight - horned,
high - horned; βοῶν, μ* 348, Θ 231;
then of ships, either with reference to
the pointed bow and stern, or perhaps
to the yards (κεραιᾱ).

ὀρθός: *upright, erect.*

ὀρθόω, aor. ὤρθωσε, pass. aor. part.
ὀρθωθείς: *raise up* straight, pass., *rise
up.* (Il.)

ὀρίνω (parallel form of ὄρνῡμι), aor.

ὠρῑνα, ὀρῑνα, pass. ipf. ὠρίνετο, aor.
ὠρίνθην, ὀρίνθη: stir, rouse, arouse,
move, wind, waves, etc.; metaph., of
anger and other passions, θῡμόν τινι,
Ω 467, pass. σ 75; γόον, κῆρ, ἦτορ;
ὀρινθέντες κατὰ δῶμα, 'stirred with
dismay,' χ 23.

ὅρκιον (ὅρκος): (1) oath, Δ 158,
elsewhere pl.—(2) pledges of the cov-
enant, hence victims, Γ 245, 269.—(3)
the covenant or treaty itself; ὅρκια
πιστὰ ταμεῖν (foedus ferire), be-
cause victims were slaughtered as a
part of the ceremony, B 124, Γ 73, ω
483.

ὅρκος: (1) that by which one
swears, witness of an oath, for the
gods the Styx; for men Zeus, Earth,
the Erinnyes, etc., B 755, O 38, Γ 276
ff., T 258 ff., ξ 394; Achilles swears
by his sceptre, A 234.—(2) oath; ἑλέ-
σθαι τινός or τινί, 'take an oath from
one,' X 119, δ 746; ὅρκος θεῶν, 'by
the gods,' cf. Υ 313; γερούσιος ὅρκος,
X 119; ὅρκῳ πιστωθῆναι, ο 436.

ὁρμαθός (ὅρμος): chain, cluster of
bats hanging together, ω 8†.

ὁρμαίνω (ὁρμάω), ipf. ὥρμαινε, aor.
ὥρμηνε: turn over in the mind, debate,
ponder; κατὰ φρένα καὶ κατὰ θῡμόν,
ἀνὰ θῡμόν (ἐνὶ) φρεσίν, K 4, γ 169;
foll. by acc., πόλεμον, πλόον, χαλεπὰ
ἀλλήλοις, γ 151; and by ὅπως, ἦ . . ῆ,
etc., Ξ 20, Φ 137.

ὁρμάω (ὁρμή), aor. ὥρμησα, mid. ipf.
ὡρμᾶτο, aor. ὡρμήσατο, subj. ὁρμήσων-
ται, pass. aor. ὡρμήθην, ὁρμηθήτην: I.
act., set in motion, impel, move; πόλε-
μον, τινὰ ἐς πόλεμον, σ 376, Z 338;
pass. (met.), ὁρμηθεὶς θεοῦ, 'inspired of
heaven,' θ 499; intrans., start, rush;
τινός, 'at one,' Δ 335; w. inf., Φ 265
(cf. X 194), N 64.—II. mid., be moved,
set out, start, rush, esp. in hostile sense,
charge upon; ἔγχεϊ, ξιφέεσσι, E 855, P
530; τινός, 'at one,' Ξ 488; freq. w.
inf., and met., ἦτορ ὡρμᾶτο πολεμίζειν,
Φ 572.

Ὀρμενίδης: son of Ormenus.—(1)
Amyntor, I 448.—(2) Ctesius, ο 414.

Ὀρμένιον: a town in Magnesia, B
734†.

Ὄρμενος: (1) a Trojan slain by
Teucer, Θ 274.—(2) a Trojan slain by
Polypoetes, M 187.—(3) and (4), see
Ὀρμενίδης.

ὅρμενος: see ὄρνῡμι.

ὁρμή: start, impetus, rush, attack,
effort; of things as well as persons,
κύματος, πυρός, ἐς ὁρμὴν ἔγχεος ἐλθεῖν,
within the 'cast' of a spear, E 118;
'departure,' β 403; ἐμὴν ὁρμήν,
'prompting from me,' K 123.

ὅρμημα, ατος (ὁρμάω): pl., met.,
struggles, i. e. agonies and sorrows, B
356†.

ὁρμίζω, aor. ὡρμίσαμεν, subj. ὁρμίσ-
σομεν: bring to anchor, moor, νῆα.

1. ὅρμος: anchorage, mooring-place.

2. ὅρμος (root σερ, εἴρω): necklace.
(See cut, also Nos. 40, 41.)

93

Ὀρνειαί: Orneae, a town in Argo-
lis, B 571†.

ὄρνεον: bird, N 64†.

ὄρνῑς, ῑθος, pl. dat. ὀρνίθεσσι: bird,
freq. w. specific name added, ὄρνῑσιν
ἐοικότες αἰγυπιοῖσιν, H 59, ε 51; then
like οἰωνός, bird of omen, Ω 219.

ὄρνῡμι, ὀρνύω, inf. ὀρνύμεν(αι), ipf.
ὤρνυον, fut. ὄρσομεν, part. ὄρσουσα,
aor. ὦρσα, iter. ὄρσασκε, aor. 2 ὥρο-
ρε(ν), perf. ὄρωρεν, subj. ὀρώρῃ, plup.
ὀρώρει (see also ὄρομαι), ὠρώρει, mid.
ὄρνυμαι, ὄρνυται, ipf. ὤρνυτο, fut. ὀρεῖ-
ται, aor. ὦρτο, ὦρτο, ὄροντο, subj.
ὄρηται, opt. ὄροιτο, imp. ὄρσο, ὄρσεο,
ὄρσεν, inf. ὄρθαι, part. ὄρμενος, perf.
ὀρώρεται, subj. ὀρώρηται: I. trans.
(act., exc. perf.), arouse, awake, excite;
λᾱόν, αἶγας, νεβρὸν ἐξ εὐνῆς, O 475,
ι 154, X 190; freq. of the mind, E 105,
δ 712; w. inf., M 142, ψ 222; γόον,

φόβον, σθένος, B 451; so of things, ἄνεμον, κύματα, etc. — II. intrans. (mid., and perf.), *rouse oneself, arise, spring up*, w. inf., β 397, part., θ 342; in hostile sense, χαλκῷ, Γ 349; freq. of 'beginning' to do something, M 279, θ 539; εἰσόκε μοι φίλα γούνατ' ὀρώρῃ, 'have strength to move.'

ὀροθύνω, aor. ὀρόθυνον = ὄρνῦμι, ἐναύλους, 'cause all the river-beds to swell,' Φ 312.

ὅρομαι (root ϝορ, ὀράω), ὅρονται, ipf. ὅροντο, plup. ὀρώρει: *keep watch or ward*, ἐπί (adv., 'over') δ' ἀνὴρ ἐσθλὸς ὀρώρει, Ψ 112, ξ 104, γ 471.

ὄρος, οὖρος, εος, pl. dat. ὔρεσφι: *mountain.*

ὀρός: *whey*, ι 222 and ρ 225.

ὀρούω (ὄρνῦμι), aor. ὄρουσα: *rush, spring;* of persons and things, αἰχμή, ἄνεμοι δ' ἐκ ('forth') πάντες ὄρουσαν, ἐκ κλῆρος ὄρουσεν, Γ 325.

ὀροφή (ἐρέφω): *roof, ceiling*, χ 298†.

ὄροφος (ἐρέφω): *reeds* for thatching, Ω 451†.

ὀρόω: see ὀράω.

ὄρπηξ, ηκος: *shoot, sapling*, pl., Φ 38†.

ὅρσ', ὅρσεο, ὅρσευ, ὅρσᾶς, ὅρσασκε: see ὄρνῦμι.

Ὀρσίλοχος: *Orsilochus.*—(1) son of Alpheius, E 547, = Ὀρτίλοχος, father of Diocles, γ 489, ο 187, cf. φ 16.—(2) son of Diocles from Pherae, grandson of the foregoing, E 549.—(3) a Trojan, slain by Teucer, Θ 274. — (4) a fabled son of Idomeneus, ν 260.

ὀρσο - θύρη (ὅρρος): *back door*, in the side wall of the men's hall (μέγαρον) of the house of Odysseus, leading into the passage (λαύρη), χ 126, 132, 333. (See cut No. 83, and plate III., *h*, at end of vol.)

Ὀρτίλοχος: see Ὀρσίλοχος (1).

Ὀρτυγίη (ὄρτυξ): *Ortygia* ('Quailland '), a fabulous place, ο 404, ε 123.

ὀρυκτός (ὀρύσσω): *dug.* (Il.)

ὀρυμαγδός: loud *noise, din, crash;* often of crowds of men, esp. in battle, ω 70, B 810, P 740, ι 133; also of trees felled, wood thrown down, a torrent, stones, Π 633, ι 235, Φ 256, 313.

ὀρύσσω, inf. ὀρύσσειν, aor. ὄρυξα: *dig, dig up*, κ 305.

ὀρφανικός: *bereft, orphaned, father-*

---

less; ἦμαρ, 'day of orphanhood,' the day that makes one an orphan, X 490.

ὀρφανός: *bereft, orphaned;* ὀρφαναί, as ' orphans,' ν 68†.

ὀρφναῖος (ὄρφνη, ἔρεβος) : *dark, gloomy, murky,* νύξ. (Il. and ι 143.)

ὄρχαμος (ἄρχω): the first of a row, *leader, chief;* always w. ἀνδρῶν or λαῶν, said of heroes, and of Eumaeus and Philoetius, ξ 22, υ 185.

ὄρχατος (ὄρχος): trees planted in rows, *orchard.* (The resemblance between the Eng. and Greek words is accidental.)

ὀρχέομαι, ipf. du. ὠρχείσθην, 3 pl. ὠρχεῦντο, aor. inf. ὀρχήσασθαι: *dance.*

ὀρχηθμός: *dancing,* choral *dance.*

ὀρχηστήρ, ῆρος, and ὀρχηστής : *dancer.*

ὀρχηστύς, ύος, dat. -ῦϊ: *dancing, dance.*

Ὀρχομενός: *Orchomenus.*—(1) Μινύειος, *Minyian*, a very ancient city on Lake Copāis in Boeotia, seat of the treasure - house of Minyas, B 511, λ 284.—(2) a city in Arcadia, B 605.

ὄρχος: *row* of vines, η 127 and ω 341.

ὄρωρε, ὀρώρεται: see ὄρνῦμι.

ὀρώρει: see (1) ὄρνῦμι.—(2) ὅρομαι.

ὀρωρέχαται, ὀρωρέχατο: see ὀρέγνῦμι.

1. ὅς, ἥ, ὅ, gen. ὅου (ὅο), B 325, α 70, ἕης, pl. dat. ᾖσ(ιν): demonstrative and relative pronoun.—(1) dem., *he, this, that;* ὅς (as antecedent to ὅντινα), Z 59; ὅ, M 344; and so both forms elsewhere.—(2) rel., *who, that, which.* The rel. pron. in Homer is either definite or conditional (see ἄν, κέν), and exhibits in the main the same peculiarities as regards position, agreement (attraction, assimilation), and syntactical construction as in prose. To express purpose it is not foll. by the fut. ind. as in Att., but by the subj., with or without κέ, or by a potential optative, Γ 287, ο 311, Λ 64.—δ, conj., like q u o d (ὅτι), *that*, Σ 197, δ 206, etc.

2. ὅς, ἥ, ὅν (σϝός, cf. s u u s), gen. οἷο (ϝοῖο), dat. ᾗφι, X 107, see ἑός: poss. pron. of the third person, *own, (his) own, (her) own;* placed before or after the subst., with or without article, θυγατέρα σϝήν, τὰ ϝὰ κῆλα, M

280; the word is not always directly reflexive, α 218, ι 369, etc. Some passages in which ὅς appears to be of the 1st or 2d pers. are doubtful as regards the text.

ὁσίη: *divine* or *natural right*, οὐχ ὁσίη, w. inf. (non fas est), 'it is contrary to divine law.' (Od.)

ὅσος, ὅσσος: *how great, how much*, pl. *how many*, w. τόσσος expressed or implied as antec., (*as great*) *as*, (*as much*) *as*, pl. (*as many*) *as* (quantus, quot); very often the appropriate form of πᾶς precedes (or is implied) as antecedent, Τρώων ὅσσοι ἄριστοι, *all the bravest of the Trojans*, M 13, B 125, λ 388, etc.—Neut. as adv., ὅσον, ὅσσον, ὅσον ἔπι, ὅσσον τ᾽ ἔπι, *as far as*, B 616, Ψ 251; ὅσον ἐς Σκαιὰς πύλας, 'only as far as,' Ι 354; so ὅσον τε, 'about,' ι 322; w. comp. and sup., 'by how much,' 'how far,' Ι 160, A 516.

ὅσπερ (ὅπερ, Η 114), ἥπερ, ὅπερ: *just who (which), who (which) however*, B 286; adv., ἧπερ, *just where (whither), just as*. See πέρ.

ὄσσα (root Fεπ, cf. vox): *rumor.*—Personified, Ὄσσα, daughter of Zeus, B 93, ω 413.

Ὄσσα: *Ossa, a mountain in Thessaly*, λ 315.

ὄσσα: see ὅσος.

ὁσσάκι: *as often as*.

ὁσσάτιος: *how great*, E 758†.

ὄσσε (root ὀπ, cf. oculus), du.: the (two) *eyes*, with attributes in du. or pl., and verb in all three numbers.

ὄσσομαι (ὄσσε), ipf. ὄσσετο, ὄσσοντο: *see*, esp. in spirit, 'with the mind's eye,' *forebode*, υ 81, κ 374, Σ 224; causative, *give to foresee, forebode, threaten*, β 112, Ξ 17.

ὅσσος: see ὅσος.

ὅστε (ὅ τε, μ 40, etc.), ἥτε, ὅ τε: rel. pron., rarely to be distinguished in translating from the simple word. See τέ.

ὀστέον, pl. gen. and dat. ὀστεόφιν: *bone*.

ὅστις, ἥτις, ὅ τι (ὅ ττι), gen. οὔτινος, ἧστινος, and ὅτ τεο, ὅ(τ)τευ, dat. ὅτεῳ, acc. ὅτινα, pl. neut. ὅτινα, ἅσσα, gen. ὅτεων, dat. ὁτέοισι, acc. ὅτινας: *who(so)ever, which(so)ever, what(so)ever*, both relative and indirect interroga-

tive; ξεῖνος ὅδ᾽, οὐκ οἶδ᾽ ὅστις, 'unknown to me,' θ 28. See ὅτι.

ὅτ᾽: = (1) ὅτε.—(2) ὅ τε, i. e. ὅτι τε. Never = ὅτι, which does not suffer elision.

ὅταν: = ὅτ᾽ ἄν, see ὅτε and ἄν.

ὅ τε: see ὅστε.

ὅτε: *when, since.*—(1) temporal, w. the same constructions as other relative words, see ἄν, κέν. Freq. in similes, ὡς δ᾽ ὅτε, ὡς δ᾽ ὅτ᾽ ἄν, and without verb, ὡς ὅτε, *just like;* there is nothing peculiar in such a usage. — (2) less often causal, A 244.

ὁτέ: regularly found in correlation, ὁτὲ μὲν . . ὁτὲ δέ, *now . . now;* ἄλλοτε (μέν or δέ) may replace one of the terms, *now (at one time) . . at another*, Υ 49, Λ 566.

ὁτέοισι, ὅτευ, ὅτεῳ: see ὅστις.

ὅτι, ὅττι (neut. of ὅστις): (1) conj., *that because* (quod). — (2) adv., strengthening superlatives, ὅττι τάχιστα, *as quickly as possible*, Δ 193.

ὅ τι, ὅ ττι: see ὅστις.

ὀτραλέως (cf. ὀτρηρός): *busily, nimbly, quickly*.

Ὀτρεύς: son of Dymas, king of Phrygia, Γ 186†.

ὀτρηρός (cf. ὀτραλέως): *busy, nimble, ready*.

ὅ-τριχες (θρίξ), pl.: with *like hair, like-colored*, B 765†.

Ὀτρυντείδης: *son of Otrynteus*, Iphition, Υ 383, 389.

Ὀτρυντεύς: king of Hydē, Υ 384.

ὀτρυντύς, ύος (ὀτρύνω): *encouragement*. (Il.)

ὀτρύνω, inf. ὀτρῦνέμεν, ipf. iter. ὀτρύνεσκον, fut. ὀτρυνέω, aor. ὤτρυνα, subj. ὀτρύνῃσι, inf. ὀτρῦναι: *urge on, send forth, hasten, speed, encourage*, mid., *make haste*, mostly foll. by inf., in both act. and mid., κ 425; the obj. is usually a person, rarely animals or things, ἵππους, κύνας, ὁδόν τινι, β 253.

ὅττι: see ὅτι.

ὅ ττι: see ὅστις.

οὐ, οὐχί, οὐκί (q. v.), before vowels οὐκ, or, if aspirated, οὐχ: *not, no*, the adv. of objective negation, see μή. οὐ may be used w. the inf. in indirect discourse, P 174; in a condition, when the neg. applies to a single word or phrase and not to the whole clause, εἰ δέ τοι οὐ δώσει, 'shall *fail to grant*,' Ω 296. οὐ (like n o n n e) is found in questions that expect an affirmative answer. οὔτι, 'not a whit,' 'not at all,' ' by no means,' so οὐ πάμπαν, οὐ πάγχυ, etc. οὐ may be doubled for emphasis, γ 27 f.

οὗ (σF., cf. s u i), dat. οἷ, acc. ἕ, other forms, gen. εὗ, εἷο, ἕο, ἕθεν, dat. ἑοῖ, acc. ἑέ: (1) simple personal pron. of 3d pers., (*of, to*) *him, her*, rarely *it*, A 236; in this sense enclitic, except ἑέ. —(2) reflexive pron., not enclitic, (*of, to*) *himself, herself* (*itself*), η 217; usually with αὐτῷ, αὐτῇ, αὐτόν, αὐτήν, δ 38, Ξ 162.

οὔασι, οὔατα: see οὖς.

οὖδας, εος: *ground, earth, floor*, ψ 46; ἄσπετον οὖδας, see ἄσπετος. ὀδὰξ ἑλεῖν, see ὀδάξ.—οὖδάσδε, *to the ground*.

οὐδέ: (*but not*), *and not, nor, not even;* never a correlative word, but always (except when meaning ' but not ') adding a new negation after a previous one expressed or implied; if οὐδέ occurs at the beginning of several successive clauses, the first one refers to some previous negation just as much as the 2d or the 3d, Τηλέμαχ', οὐδ' ὄπιθεν κακός ἔσσεαι οὐδ' ἀνοήμων, *not even* in the future, i. e. even as not in the past, β 270. οὐδὲ γὰρ οὐδέ, doubled for emphasis, *no, not at all*, E 22, etc. (When the meaning is 'but not,' it would be well to write οὐ δέ separately, as this usage is essentially different from the other one. See μηδέ.)

οὐδείς, οὐδέν: *no one, nothing*, in Homer only the neut. as adv., and the dat. masc., τὸ ὃν μένος οὐδενὶ εἴκων, Χ 459, λ 515.

οὐδενόσ-ωρος (ὥρα): *not to be regarded, worthy of no notice*, Θ 178†.

οὐδέπῃ: *in no way, by no means*.

οὐδέποτε: *never*.

οὐδέπω: *not yet, not at all*.

οὐδετέρωσε: *in neither direction*, Ξ 18†.

1. οὐδός: *threshold;* fig., γήραος, 'threshold of old age,' a poetic periphrasis for old age itself (of course not meaning the 'beginning' of old age), ο 246, 348.

2. οὐδός: see ὁδός.

οὔθαρ, ατος: *udder;* met., ἀρούρης, of fat land, I 141.

οὐκ: see οὐ.

Οὐκαλέγων: *Ucalegon*, a Trojan elder, Γ 148†.

οὐκ-έτι: *no longer, no more*.

οὐκί: = οὔκ, only καί οὐκί at the close of a verse and a sentence.

οὐλαί: *barley-corns*, roasted, mixed with salt and sprinkled between the horns of the victim to be sacrificed, γ 441†.

οὐλαμός (εἴλω): ἀνδρῶν, dense *throng, crowd* of men. (Il.)

οὖλε (cf. οὖλος 1): imp. (s a l v e), *hail!* ω 402†.

οὐλή: *scar*. (Od.)

οὔλιος (οὖλος 3): *baleful, deadly*, Λ 62†.

οὐλο-κάρηνος (οὖλος 2): *with thick, curly hair*, τ 246†.

οὐλόμενος (ὄλλῡμι): *accursed, cursed*, properly designating that upon which the imprecation ὄλοιο has been pronounced.

1. οὖλος (Att. ὅλος): *whole*, ρ 343 and ω 118.

2. οὖλος: *thick, woolly, woollen;* of fabrics and of hair; fig., of the cry of many voices; neut. as adv., οὖλον, *loudly, incessantly*, P 756.

3. οὖλος (ὀλοός, ὄλλῡμι): *destructive, murderous*, E 461; *baneful* Dream, B 6, 8.

οὐλό-χυται (οὐλαί, χέω): *sprinkled barley*, poured or scattered from baskets, δ 761; οὐλοχύτᾱς κατάρχεσθαι, to begin the solemn rites by sprinkling the barley between the horns of the victim, γ 445, A 458.

Οὔλυμπος: see Ὄλυμπος.

οὐμός: = ὁ ἐμός, Θ 360†.

οὖν: inferential or resumptive particle, *now, then*, in Homer regularly found in connection with some other particle, γὰρ οὖν, ἐπεὶ οὖν, ὡς οὖν, μὲν οὖν, and as in the 1st or 2d of a pair of correlative clauses, οὔτ' οὖν . . οὔτε, α 414; εἴ γ' οὖν ἕτερός γε φύγῃσιν, if 'for that matter,' etc., E 258. The various shades of meaning assumed by οὖν must be learned from the context of the passages in which it occurs.

οὔνεκα (οὗ ἕνεκα): (1) *wherefore*, (q u a m o b r e m), corresponding to τοῦ-

νεκα, Γ 403.—(2) *because,* A 11, δ 569.
—(3) *that,* like ὅτι. (Od.)

οὔνεσθε: v. l. for ὀνόσασθε, see ὄνο-
μαι.

οὔνομα: see ὄνομα.

οὔπερ: *not at all.*

οὔπη: *nowhere, in no way.*

οὔποθε: *nowhere.*

οὔποτε: *never.*

οὔπω: *not yet, by no means.*

οὔπως: *nohow, on no terms.*

οὔρα: see οὖρον.

οὐραῖος (οὐρή): *of the tail; τρίχες,*
Ψ 520†.

οὐρανίων, ωνος: *heavenly;* as subst.,
Οὐρανίωνες, the *Celestials,* i. e. the gods,
E 373, 898.

οὐρανόθεν: *from heaven;* also with
ἐξ and ἀπό, Θ 19, Φ 199.

οὐρανόθι: *in the heavens* (see πρό),
Γ 3†.

οὐρανο - μήκης (μῆκος): *high as
heaven,* ε 239†.

οὐρανός: *heaven,* i. e. the skies,
above and beyond the αἰθήρ, B 458;
and penetrated by the peaks of Mt.
Olympus, the home of the gods, hence
(θεοὶ ἀθάνατοι) τοὶ οὐρανὸν εὐρὺν
ἔχουσιν, α 67, etc. The epithets χάλ-
κεος, σιδήρεος, etc., are figurative, P
425, ο 329.

οὔρεα: see ὄρος.

οὐρεύς, ῆος (ὄρος): *mule,* as moun-
tain animal, cf. ἡμίονος. [For οὖρος
3, in K 84.] (Il.)

οὐρή: *tail.*

οὐρίαχος: *butt end* of a spear. (Il.)
(See cut under ἀμφίγυος.)

οὖρον (cf. ὄρνυμι): *range, stretch;*
of the extent of a discus - throw (cf.
δίσκουρα), Ψ 431, and of a furrow's
length, as ploughed by mules, K 351,
θ 124.

1. οὖρος: *fair wind* (s e c u n d u s
v e n t u s), ἴκμενος, κάλλιμος, ἀπήμων,
λιγύς, Διὸς οὖρος.

2. οὖρος (Att. ὅρος): *land - mark,
boundary.* (Il.)

3. οὖρος (root Fορ, ὀράω): *guard,
watch, warder;* often of Nestor, οὖρος
Ἀχαιῶν.

4. οὖρος: see ὄρος.

οὐρός (ὀρύσσω): *ditch, channel,* serv-
ing as ways for ships in drawing them
down into the sea, B 153†.

οὖς, gen. οὔατος, pl. dat. ὠσίν: *ear;*

ἀπ' οὔατος, 'far from the ear,' i. e. un-
heard, Σ 272, X 445 ; of the *handles* of
a tankard, Λ 633.

οὐτάζω, οὐτάω, οὔτημι, imp. οὔταε,
ipf. οὔταζον, aor. οὔτασα, οὔτησα, iter.
οὐτήσασκε, aor. 2 οὖτα, iter. οὔτασκε,
inf. οὐτάμεν(αι), pass. ipf. οὐτάζοντο,
perf. οὔτασται, part. οὐτασμένος and,
with irreg. accent, οὐτάμενος: *stab,
wound* by cutting or thrusting (αὐτο-
σχεδίην, αὐτοσχεδόν), thus opp. to βάλ-
λειν, hit with a missile, Λ 659, 826 ;
ἕλκος, 'inflict' a wound, E 361 ; hence
οὐταμένη ὠτειλή, Ξ 518, P 86.

οὔτε: negative particle, regularly
correlative, οὔτε . . οὔτε, *neither . . nor,
(not) either . . or,* dividing a negation
already expressed or implied ; but the
correlation is often irregular as a dif-
ferent word (τέ, καί, δέ) replaces one
or the other οἴτε, e. g. Z 450, θ 563, Ω
156, H 433.

οὐτήσασκε: see οὐτάζω.

οὔτι: see οὔτις.

οὐτιδανός: *good-for-nothing, worth-
less,* only of persons.

οὔτις, οὔτι: *no one, not anything;*
the neut. as adv., *not at all, by no
means.*

Οὖτις: *Noman,* a feigned name
assumed by Odysseus to delude the
Cyclōpes. (ι)

οὔτοι: *certainly not.*

οὗτος, αὕτη, τοῦτο: demonstrative
pronoun, *this,* (*ke*), sometimes however
to be translated *that,* as when it antici-
pates a following relative, ζ 201 f.
Sometimes deictic and local, 'here'
like ὅδε, K 82, 341, Λ 612. The article,
required with οὗτος in prose, occurs
in Homer once, τοῦτον τὸν ἄναλτον, σ
114.

οὕτω(ς): *this way, thus, so,* adv. an-
swering to the usage of οὗτος. In
wishes, 'so surely (as),' N 825.

οὐχ, οὐχί : see οὐ.

ὀφείλω, ὀφέλλω, ipf. ὄφειλον, ὤφελ-
λον, ὄφελλον, aor. 2 ὄφελον, ὤφελες,
pass. ὀφείλεται, ipf. ὀφείλετο : *owe,
ought; χρεῖος ὄφειλον,* 'they were ow-
ing' a debt; pass. χρεῖος ὀφείλεταί
μοι,* 'is due' me, Λ 688, 686, γ 367;
then of obligation (ipf. and aor. 2),
τῑμήν πέρ μοι ὄφελλεν Ὀλύμπιος ἐγγυ-
αλίξαι, honor at all events 'he ought
to have bestowed' upon me, A 353;

hence the use in wishes impossible of realization (past or present), explained in the grammars, αἴθ' ὄφελες παρὰ νηυσὶν ἀδάκρυτος καὶ ἀπήμων | ἧσθαι, 'would that thou wert sitting, etc.,' A 415.

'Οφελέστης : (1) a Trojan, slain by Teucer, Θ 274.—(2) a Paeonian, slain by Achilles, Φ 210.

1. ὀφέλλω : see ὀφείλω.

2. ὀφέλλω, ipf. ὤφελλον, ὄφελλε(ν), aor. opt. ὀφέλλειεν, pass. ipf. ὀφέλλετο : augment, increase; οἶκον, οἶκος, ὀφέλλετο, in riches, ο 21, ξ 233 ; μῦθον, 'multiply words,' Π 631.

ὄφελος, εος: advantage, profit; w. neg., 'no good,' X 513. (Il.)

'Οφέλτιος : (1) a Greek, slain by Hector, Λ 302.—(2) a Trojan, slain by Euryalus, Z 20.

ὀφθαλμός (root ὀπ, cf. o c u l u s): eye; freq., (ἐν) ὀφθαλμοῖσιν ὁρᾶσθαι, 'see with one's eyes' ; ἐς ὀφθαλμοὺς ἐλθεῖν, 'into one's sight,' Ω 204.

ὄφις, ιος : snake, serpent, M 208†.

ὄφρα : while, until, in order that.—(1) temporal ; once as adv., for a while, some time; ὄφρα μέν, O 547 ; elsewhere conj., as long as, while, freq. w. correl. τόφρα, Δ 220 ; then until, with ref. to the past or the fut., and with the appropriate constructions, E 557, A 82. — (2) final conj., in order that, that, A 147, α 85, ω 334.

ὀφρυόεις, εσσα, εν (ὀφρύς): with beetling brows, beetling, X 411†.

ὀφρύς, ύος, pl. acc. ὀφρῦς: brow, I 620 ; fig., of a hill, Υ 151.

ὄχα (cf. ἔξοχα): by far, always ὄχ' ἄριστος.

ὄχεσφι : see ὄχος.

ὀχετ-ηγός (ἄγω): laying out a ditch, Φ 257†.

ὀχεύς, ῆος (ἔχω): holder; the chin-strap of a helmet, Γ 372 ; clasps on a belt, Δ 132 ; bolt of a door, M 121. (See cut No. 29.)

ὀχέω (root Ϝεχ, cf. v e h o), ipf. iter.

ὀχέεσκον, pass. pr. inf. ὀχέεσθαι, ipf. ὀχεῖτο, mid. fut. ὀχήσονται, aor. ὀχήσατο : bear, endure, μόρον, ἄτην; fig., νηπιάᾱς ὀχέειν, 'put up with,' 'be willing to exhibit,' α 297 ; pass. and mid., be borne, ride, sail, P 77, ε 54.

'Οχήσιος : an Aetolian, father of Periphas, E 843.

ὀχθέω, aor. ὤχθησαν : be moved with indignation, grief, anger, be vexed, Λ 570, O 101 ; usually the part., ὀχθήσᾱς.

ὄχθη (ἔχω): bank of a river, the sea, a trench, O 356 ; mostly pl., sing., Φ 17, 171 f.

ὀχλέω (ὄχλος): only pass., ὀχλεῦνται, are swept away, Φ 261†.

ὀχλίζω (ὄχλος): only aor. opt., ὀχλίσσειαν, would heave from its place, raise, M 448, ι 242.

1. ὄχος, εος (root Ϝεχ, cf. v e h o), pl. dat. ὀχέεσσιν and ὄχεσφιν : only pl., car, chariot.

2. ὄχος (ἔχω): only pl., νηῶν ὄχοι, places of shelter for ships, ε 404†.

ὄψ, ὀπός (Ϝόψ, root Ϝεπ): voice, properly the human voice with its varied expressiveness; then applied to the cicada, lambs, Γ 152, Δ 435.

ὀψέ (cf. ὄπισθε): late, long afterward, in the evening, Δ 161, Φ 232, ε 272.

ὀψείω (ὄψομαι): only part., ὀψείοντες, desiring to see, Ξ 37.

ὀψί - γονος : late - born, born afterward, posterity.

ὄψιμος : late, B 325†.

ὄψις, ιος (root ὀπ): power of sight; ὄψεϊ ἰδεῖν, 'with one's eyes,' Υ 205, ψ 94 ; appearance, looks, Z 468, Ω 632.

ὀψι - τέλεστος : late - fulfilled, B 325†.

ὄψομαι : see ὁράω.

ὄψον (ἔψω): properly that which is cooked (boiled), said of anything that is eaten with bread, relish, sauce, of an onion as a relish with wine, Λ 630 ; of meat, γ 480.

Π.

πάγεν, πάγη: see πήγνυμι.

πάγος (πηγνύμι): pl., cliffs, ε 405 and 411.

παγ-χάλκεος and πάγχαλκος: all of bronze; fig., of a man, Υ 102.

παγ-χρύσεος: all of gold, B 448†.

πάγχυ: altogether, entirely; w. μάλα, λίην, Ξ 143, ξ 367, δ 825.

πάθε, παθέειν: see πάσχω.

παιδνός (παῖς): of childish age, a lad, φ 21 and ω 338.

παιδο-φόνος: slayer of one's children, Ω 506†.

παίζω (παῖς), ipf. παίζομεν, aor. imp. παίσατε: play (as a child); of dancing, θ 251; a game at ball, ζ 100.

Παιήων, ονος: Paean, the physician of the gods, E 401, 899; from him the Egyptian physicians traced their descent, δ 232.

παιήων, ονος: paean, song of triumph or thanksgiving (addressed to Apollo), A 473, X 391.

Παίων, ονος: Paeonian, pl. the Paeonians, a tribe in Macedonia and Thrace, on the river Axius, allies of the Trojans, K 428, Π 287, 291, Φ 155.

Παιονίδης: son of Paeon, Agastrophus, Λ 339, 368.

Παιονίη: Paeonia (see Παίων), P 350, Φ 154.

παιπαλόεις, εσσα, εν: doubtful word, rugged, rough, epith. of mountains and roads.

παῖς or πάϊς, παιδός, voc. πάϊ: child, boy or girl, hence sometimes son, daughter; as adj., Φ 282.

Παισός: a town on the Propontis (see Ἀπαισός), E 612.

παιφάσσω: only part., παιφάσσουσα, darting gleams, 'like lightning,' B 450†.

πάλαι: long ago, long, all along.

παλαι-γενής, ές: ancient - born, full of years.

παλαιός, comp. παλαίτερος a d -ότερος: ancient, old, aged.

παλαισμοσύνη (παλαίω): wrestling, wrestling-match.

παλαιστής (παλαίω): wrestler, pl., Θ 246†.

παλαί-φατος (φημί): uttered long ago; θέσφατα, ι 507, ν 172; δρυός, 'of ancient fable,' τ 163.

παλαίω (πάλη), fut. παλαίσεις, aor. ἐπάλαισεν: wrestle.

παλάμη: palm of the hand, hand.

παλάσσω (cf. πάλλω), fut. inf. παλαξέμεν, pass. perf. part. πεπαλαγμένος, plup. πεπάλακτο, also mid., perf. imp. πεπάλαχθε, inf. πεπαλάχθαι (or -ασθε, -άσθαι): sprinkle, hence stain, defile; αἵματι, ἱδρῷ, ν 395, χ 402, 184; mid. (perf. w. pres. signif.), 'select among themselves by lot,' the lots being shaken in a helmet, H 171 and ι 331.

πάλη: wrestling, Ψ 635 and θ 206.

παλίλ-λογος (πάλιν, λέγω): gathered together again, Α 126†.

παλιμ-πετής, ές (πίπτω): neut. as adv., (falling) back again, back, Π 395, ε 27.

παλιμ-πλάζομαι (πλάζω), aor. part. παλιμπλαγχθείς: be driven vainly (drifting) back, ν 5, Α 59.

πάλιν: back again, back, again; πάλιν ποίησε γέροντα, made him an old man 'again' (as he had been before), π 456; also of contradiction, πάλιν ἐρέει, I 56; of taking back a word, speech, Δ 357, ν 254; joined w. αὖτις, ἄψ, ὀπίσσω.

παλιν-άγρετος (ἀγρέω = αἱρέω): to be taken back, revocable, Α 526†.

παλιν-όρμενος: rushing back, Λ 326†. Better written as two words.

παλίν-ορσος (ὄρνυμι): springing back, recoiling, Γ 33†.

παλίν-τιτος (τίνω): paid back, avenged; ἔργα, 'works of retribution,' α 379 and β 144.

παλίν-τονος (τείνω): stretched or bending back, 'elastic,' epith. of the bow.

παλιρρόθιος (ῥόθος): surging back, refluent, ε 430 and ι 485.

παλίωξις (ἰωξις, διώκω): pursuit back again, rally. (Il.)

παλλακίς, ίδος: *concubine.*

Παλλάς, άδος: *Pallas* Athena, an epithet explained by the ancients as from πάλλω, i. e. she who ' brandishes,' the spear and the aegis.

πάλλω, aor. 1 πῆλε, inf. πῆλαι, mid. aor. 2 πάλτο, pass. pres. πάλλεται, part. παλλόμενος: a⸗t. *brandish, swing, shake* lots (κλήρους), Γ 316, 324, and without κλήρους, Η 181, Ψ 353; mid., *brandish* or *hurl* for oneself, *cast lot* for oneself (or, of several, among one another), Ο 191, Ω 400; ἐν ἀσπίδος ἄντυγι πάλτο, ' struck,' ' stumbled ' against the rim, Ο 645; fig., of the heart, ' throb,' ' palpitate,' Χ 452, 461.

Παλμύς: a Trojan chief, Ν 792.

πάλτο: see πάλλω.

παλύνω, ipf. (ἐ)πάλῦνε, aor. part. παλῡνᾱς: *strew, sprinkle;* ἄλφιτα, ἀλφίτου ἀκτῇ τι, ξ 429; of snow, Κ 7.

παμ-μέλᾱς, αινα, αν: *all black, jet black.* (Od.)

Πάμμων: a son of Priam, Ω 250†.

πάμπαν: *altogether, entirely;* with neg., *not at all,* ' by no means.'

παμ-ποίκιλος: *all variegated, embroidered all over,* Ζ 289 and ο 105.

πάμ-πρωτος: *very first, first of all;* adv., **πάμπρωτον** (Od.), **πάμπρωτα** (Il.)

παμφαίνω (redup. from φαίνω), subj. παμφαίνῃσι, ipf. πάμφαινον: *shine* or *gleam brightly;* στήθεσι, ' with white shining breasts ' (bare), Λ 100.

παμφανόων, ωσα: variant form of present partic. from παμφαίνω, q. v.

πάν-αγρος (ἀγρέω = αἱρέω): *all-taking, all-catching,* Ε 487†.

πάν-αιθος (αἴθω): *all-glowing, burnished,* Ξ 372†.

παν-αίολος: *all-gleaming, glancing.* (Il.)

παν-άπαλος: *all-tender, delicate,* ν 223.

παν-ά-ποτμος: *all-hapless,* Ω 255 and 493.

παν-άργυρος: *all of silver, solid silver,* ι 203 and ω 275.

παν-αφ-ῆλιξ, ικος: *deprived of all playmates,* Χ 490†.

Παν-αχαιοί: *all the Achaeans,* ' the Pan-achaean host.'

παν-α-ώριος (ὥρη): *all-untimely,* ' to die an untimely death,' Ω 540†.

παν-δαμάτωρ: *all-subduing,* Ω 5 and ι 373.

Πανδάρεος: *Pandareüs,* a friend of Tantalus, father of Aëdon and other daughters, τ 518, υ 66.

Πάνδαρος: *Pandarus,* the Lycian archer, who by an arrow-shot violates the truce between Trojans and Greeks, and is afterwards slain by Diomed, Β 827, Δ 88, Ε 168, 171, 294, 795.

παν-δήμιος: *belonging to all the people* (*the town*), *public, common,* σ 1†.

Πανδίων: a Greek, Μ 372†.

Πάνδοκος: a Trojan, wounded by Ajax, Λ 490†.

Παν-έλληνες: the *Panhellēnes,* the united Greeks, Β 530.

παν-ῆμαρ: adv., *all day long,* ν 31†.

παν-ημέριος: *all day long, from morn till eve.*

Πανθοΐδης: *son of Panthoüs.*—(1) Euphorbus, Ρ 70.—(2) Polydamas, Ξ 454.

Πάνθοος: *Panthous,* son of Othrys, father of Euphorbus and Polydamas, a priest of Apollo at Delphi, afterward a priest and an elder at Troy, Γ 146, Ρ 9, 23, 40, 59, Ο 522.

παν-θῡμαδόν: *all in wrath, in full wrath,* σ 33†.

παν-νύχιος and **πάννυχος**: *all night long, the night through.*

παν-ομφαῖος (ὀμφή): *author of all omens, all-disclosing,* Θ 250†.

Πανοπεύς: (1) a Greek, the father Epeius, Ψ 665.—(2) a city in Phocis, on the Cephissus, Β 520, Ρ 307, λ 581.

Πανόπη: a Nereid, Σ 45†.

πάν-ορμος: *offering moorage at all points,* ' convenient for landing,' ν 195†.

παν-όψιος (ὄψις): *before the eyes of all,* Φ 397†.

παν-συδίῃ (σεύω): *with all haste.*

πάντη or **πάντῃ**: *on all sides, in all directions.*

πάντοθεν: *from every side.*

παντοῖος: *of all sorts, of every kind;* ' in various guise,' ρ 486.

πάντοσε: *on every side, in every direction;* πάντοσ' ἐίσην, denoting a circular form.

πάντως: *by all means,* and w. neg. ' by no means.'

παν-υπέρτατος: *quite the highest,*

i. e. above or farther off than the rest, ι 25†.

παν-ύστατος: *the very last.*

παππάζω: *say papa, call one father,* E 408†.

πάππας, voc. πάππα: *papa, father,* ζ 57†.

παπταίνω, du. παπταίνετον, aor. πάπτηνε, part. παπτήνᾱς: *peer around, look about* cautiously, *look* in quest of something, N 551, ρ 330, Λ 546, Δ 200; δεινόν, 'glancing terribly about him,' λ 608.

πάρ: (1) an abbreviated form of παρά before certain consonants.—(2) for πάρεστι or πάρεισι, I 43, A 174, γ 325.

παρά, παραί, πάρ: *beside, by.* — I. adv. (here belong all instances of the so-called 'tmesis'), written πάρα ('anastrophe') when placed after the verb it modifies, or when the verb is not expressed; ἐτίθει πάρα πᾶσαν ἐδωδήν, placed food 'beside' (we should say 'before') him, ε 196; πάρ ῥ' ἄκυλον βάλεν, threw 'down,' we should say, κ 242; παρά μ' ἤπαφε δαίμων, deceived and led me 'astray' (cf. our 'beside oneself'), ξ 488. The relation of the adv. may be made more specific by the addition of an appropriate case of a subst. in the same sentence, thus showing the transition to the true prepositional usage, πὰρ δ' ἴσαν Ὠκεανοῦ ῥοάς (acc. of extent of space), ω 11. — II. prep. (1) w. gen., *from beside, from;* φάσγανον πὰρα μηροῦ ἐρύσσασθαι, παρά τινος ἔρχεσθαι, often 'from one's house,' Φ 444; then to denote the giver, author, ζ 290, Λ 795.—(2) w. dat., of rest or position beside, but also where a certain amount of motion is meant, as with verbs of placing, sitting, falling, θεῖναι, πεσεῖν παρά τινι, N 617, ο 285; then of possession, keeping, πὰρ κεινοῖσιν ἐμὸν γέρας, 'in their hands,' λ 175. — (3) w. acc., *to the side of, unto, along by, beyond,* implying motion, though sometimes very faintly, A 463; τύψε κατὰ κληῖδα παρ' αὐχένα, motion implied in the mere act of striking, Φ 117; βῆναι παρὰ θῖνα, 'along the shore'; στῆναι παρά τινα, 'come and stand by one'; then the thought of over-passing, over-stepping, transgres-

sing, πὰρ δύναμιν, παρὰ μοῖραν, 'contrary to right,' ξ 509.—Ἀς a prep. also πάρα is written with anastrophe when standing after its case, unless there is elision, σ 315.—In composition παρά has the meanings above given, but that of winning over (persuading from one side to the other), leading 'astray,' 'amiss' (also in good sense) by words, etc., is particularly to be noted.

παρα-βαίνω: only perf. part. παρβεβαώς, -ῶτε, *standing by* one in the chariot. (Il.)

παρα-βάλλομαι: only part. (fig.) *risking, staking,* I 322†.

παρα-βάσκω, ipf. παρέβασκε: *stand beside* one in the chariot (as παραιβάτης, q. v.), Λ 104†.

παρα-βλήδην: *with comparisons, insinuatingly,* Δ 6.

παρα-βλώσκω, perf. παρμέμβλωκε: *go (with help) to the side of,* Δ 11 and Ω 73.

παρα-βλώψ, ωπος (παραβλέπω): *looking askance,* I 503†.

παρα-γίγνομαι: *be present at,* ipf., ρ 173†.

παρα-δαρθάνω, aor. 2 παρέδραθον, inf. παραδραθέειν: *sleep beside, lie with.*

παρα-δέχομαι, aor. παρεδέξατο: *receive from,* or 'at the hands of,' Z 178†.

παραδραθέειν: see παραδαρθάνω.

παραδραμέτην: see παρατρέχω.

παρα-δράω, 3 pl. παραδρώωσι: *perform in the service of;* τινί, ο 324†.

παρα-δύω, aor. inf. παραδύμεναι: *slip past, steal past,* Ψ 416†.

παρ-αείδω: *sing beside* or *before;* τινί, χ 348†.

παρ-αείρω: only aor. pass., παρηέρθη, *hung down,* Π 341†.

παραι-βάτης (βαίνω): *one who stands beside the charioteer and fights,* 'chariot-fighter,' pl., Ψ 132†.

παραιπεπίθησι, -θών: see παραπείθω.

παρ-αίσιος (αἶσα): *unlucky, adverse,* Δ 381†.

παρ-αΐσσω, part. παραΐσσοντος, aor. παρηΐξειν: *dart by, spring by.* (Il.)

παραιφάμενος: see παράφημι.

παραί-φασις: *persuasion, encouragement,* Λ 793 and O 404.

παρακάββαλε: see the foll. word.

παρα-κατα-βάλλω, aor. 2 παρακάββαλον: *throw down beside* one, 'lay in one's reach,' Ψ 167 and 683.

παρα-κατα-λέγομαι, aor. 2 παρακατέλεκτο: *lie down beside;* τινί, I 565†.

παρά - κειμαι, ipf. παρέκειτο, iter. παρεκέσκετο: *lie by* or *near, be placed* or *stand by* or *before,* φ 416, ξ 521; met., ὑμῖν παράκειται, 'ye have the choice,' χ 65.

παρα - κλιδόν (κλίνω): adv., *turning to one side, evasively,* δ 348 and ρ 139.

παρα-κλίνω, aor. part. παρακλίνᾱς: *incline to one side, turn aside,* Ψ 424, υ 301.

παρα - κοίτης: *bed - fellow, spouse, husband,* Z 430 and Θ 156.

παρά-κοιτις, dat. παρακοιτῖ: *wife.*

παρα - κρεμάννῡμι, aor. part. παρακρεμάσᾱς: *let hang by the side* or *down,* N 597†.

παρα - λέγομαι, aor. παρελέξατο, subj. παραλέξομαι: *lie down to sleep beside, lie with.*

παρ-αμείβομαι, aor. part. παραμειψάμενος: *pass by, drive past;* τινά, ζ 310†.

παρα-μένω, παρμένω, inf. παρμενέμεν, aor. 1 παρέμεινε: *remain with, stay by, hold out.* (Il.)

παρα-μίμνω: = παραμένω. (Od.)

παρα - μῡθέομαι (μῦθος), aor. opt. παραμυθησαίμην: *exhort, encourage;* τινί, and w. inf. (Il.)

παρα-νηέω, intens. ipf. παρενήνεεν: *heap up,* α 147 and π 51.

παρα - νήχομαι, fut. παρανήξομαι: *swim along near* the shore, ε 417†.

πάρ - αντα (ἄντα): *sideways,* Ψ 116†.

παρ-απαφίσκω, aor. 2 παρήπαφεν: *deceive, cheat, beguile,* w. inf., Ξ 360†.

παρα-πείθω, παραιπείθω, aor. 1 παρέπεισε, aor. 2 redup. subj. παραιπεπίθῃσι, part. -θοῦσα, sync. παρπεπιθών: *win over by persuasion, gain over, coax, wheedle,* H 120; w. inf., χ 213.

παρα-πέμπω, aor. παρέπεμψε: *send past, guide past,* μ 72†.

παρα-πλάζω, aor. παρέπλαγξε, part. fem. παραπλάγξᾱσα, pass. aor. παρεπλάγχθη: *cause to drift past, drive by* or *away from,* ι 81, τ 187; pass., *swerve away* from the mark, O 464; met., *confuse, perplex,* υ 346.

παρα-πλήξ, ῆγος (πλήσσω): *beaten* on the side by waves, hence *shelving, sloping;* ἠιόνες, ε 418, 440.

παρα-πλώω, aor. 2 παρέπλω: *sail by,* μ 69†.

παρα-πνέω, aor. subj. παραπνεύσῃ: *blow out by the side, breathe off, escape,* κ 24†.

παρα-ρρητός (ῥηθῆναι): *to be prevailed upon, placable;* neut. pl. as subst., *words of persuasion,* N 726.

παρα - σταδόν: adv., *standing by, going up to.* (Od.)

παρα - σφάλλω, aor. 1 παρέσφηλεν: *cause to glance away;* ὀιστόν, Θ 311†.

παρα-σχέμεν: see παρέχω.

παρα - τεκταίνομαι, aor. opt. παρατεκτηναίμην: *alter in building, make over,* Ξ 54; ἔπος, *invent,* 'fix up a story,' ξ 131.

παρα-τίθημι, παρτιθεῖ, fut. παραθήσομεν, aor. παρέθηκα, 3 pl. παρέθεσαν, subj. παραθείω, opt. παραθεῖεν, imp. παράθες, mid. aor. 2 cpt. παραθείμην, part. παρθέμενοι: *place* or *set by* or *before* one, esp. food and drink; then in general, *afford, give;* δύναμιν, ξεινία τινι, Λ 779; mid., *set before oneself, have set before one;* fg., *put up as a* stake, wager, *risk, stake;* κεφαλᾱς, ψῡχᾱς, β 237, γ 74.

παρα-τρέπω, aor. part. παρατρέψᾱς. *turn aside.* (Il.)

παρα-τρέχω, aor. 2 παρέδοαμον, παραδραμέτην, opt. παραδράμοι: *run by, outrun, overtake,* Ψ 636.

παρα-τρέω, aor. παρέτρεσσαν *spring to one side, shy,* E 295†

παρα-τροπέω (= παρατρεπω)· *met., mislead,* δ 465†.

παρα-τρωπάω (τρέπω): fig., *change in purpose, move, propitiate.* θεοὺς θύεσσι, I 500†.

παρα-τυγχάνω: *chance to be at* hand, Λ 74†.

παρ-αυδάω, imp. παραύδᾱ, aor. part. παραυδήσᾱς: *try to win over by address, persuade, urge;* θάνατόν τινι, 'speak consolingly of,' 'extenuate,' λ 488. (Od.)

παρ - αυτόθι: *in that very place,* M 302†.

παρα - φεύγω, aor. inf. παρφυγέειν: *flee past, slip by,* μ 99†.

παρά-φημι, mid. aor. inf. παρφάσθαι, part. παρφάμενος. παραιφάμενος: *ad-*

vise, Α 577; mid., *mislead, delude; appease*, Ω 771.

παρα-φθάνω, aor. 2 opt. *παραφθαίησι*, part. *παραφθάς*, mid. *παραφθάμενος*: *overtake, pass by*. (Il.)

παρβεβαώς: see *παραβαίνω*.

παρδαλέη: *leopard-skin*, Γ 17 and Κ 29.

πάρδαλις: see *πόρδαλις*.

παρ-έζομαι, imp. *παρέζεο*, part. -*όμενος*, ipf. *παρέζετο*: *sit by, take a seat near* or *by*, *τινί*.

παρειαί, pl.: *cheeks;* of eagles, β 153.

παρείθη: see *παρίημι*.

1. πάρ-ειμι (*εἰμί*), *πάρεστι, πάρεστε, παρέασι*, opt. *παρείη*, inf. *παρεῖναι, παρέμμεναι*, part. *παρεών*, ipf. *παρῆσθα, παρῆν, πάρεσαν*, fut. *παρέσσομαι*, -*έσσεται, πάρεσται*: *be present, at hand, ready*, e. g., to help one (*τινί*); also 'stay with' one, and of things, *μάχῃ, ἐν δαίτῃσι*, Κ 217; w. a thing as subject, *εἴ μοι δύναμίς γε παρείη*, 'were at my command,' β 62; *παρεόντων*, 'of her store,' α 140.

2. πάρ-ειμι (*εἶμι*), part. *παριών, παριοῦσι*: *go* or *pass by*.

παρ-εῖπον, def. aor. 2, subj. *παρείπῃ*, part. *πάρειπών*, -*οῦσα*: *persuade, win over*.

παρ-έκ, παρέξ: *along past, close by*, ε 439, Λ 486; met., *εἰπεῖν, ἀγορεύειν, away from* the point, *evasively;* 'different from this,' ξ 168; as prep. w. gen., *outside of;* w. acc., *beyond, away from, along beyond*, μ 276; *παρὲκ νόον*, 'contrary to reason,' 'foolishly,' Υ 133, Κ 391; *παρὲξ Ἀχιλῆα*, 'without the knowledge of Achilles,' Ω 434.

παρεκέσκετο: see *παράκειμαι*.

παρ-εκ-προ-φεύγω, aor. subj. -*φύγῃσιν*: fig., *elude the grasp*, Ψ 314†.

παρ-ελαύνω, fut. *παρελάσσεις*, aor. *παρέλασσε*, -*ήλασαν*: *drive by, sail by; τινὰ ἵπποισιν, νηί*, Ψ 638, μ 186, 197.

παρ-έλκω, imp. *παρέλκετε*, mid. ipf. *παρέλκετο*: *draw along*, fig., *prolong, put off*, φ 111; mid., *draw aside to oneself, get hold of*, σ 282.

παρέμμεναι: see *πάρειμι* 1.

παρενήνεεν: see *παρανηέω*.

παρέξ: see *παρέκ*.

παρ-εξ-ελαύνω, -*ελάω*, inf. *παρεξελάαν*, aor. subj. *παρεξελάσῃσθα*: *drive* or *row past* (*νῆα*), and intrans., μ 109.

παρ-εξ-έρχομαι, aor. inf. *παρεξελθεῖν*, part. -*οῦσα*: *come* or *go* (*out*) *by, slip by*, κ 573; fig., *elude*, ε 104, 138.

παρέπλω: see *παραπλώω*.

παρ-έρχομαι, fut. *παρελεύσεαι*, aor. *παρῆλθε*, inf. *παρελθέμεν*: *come* or *go by, pass by, outstrip*, θ 230; fig., *evade, overreach*, Α 132.

πάρεσαν: see *πάρειμι* 1.

παρ-ευνάζομαι: *lie beside*, χ 37†.

παρ-έχω, fut. *παρέξω*, aor. 2 *παρέσχον, παρέσχεθον*, subj. *παράσχῃ*, inf. *παρασχεῖν, παρασχέμεν*: *hold* or *hand to, hold ready*, Σ 556; *supply, furnish, provide, δῶρα, σῖτον, ἀρετήν*; also with a thing as subject, *θάλασσα δὲ πάρέχει* (i. e. *παρ(σ)έχει*) *ἰχθῦς*, τ 113; w. inf., δ 89.

παρηέρθη: see *παραείρω*.

παρήιον (*παρειά*): *cheek, jaw; cheek-piece* of a bridle, Δ 142.

παρήλασε: see *παρελαύνω*.

πάρ-ημαι, part. *παρήμενος*: *sit down at* or *near, remain* or *dwell near*, ν 407; implying annoyance, Ι 311.

παρ-ηορία: *gear of the παρήορος* or extra horse, his *head-gear*, bridle and reins (represented in plate I. as hanging from the *ζυγόν*), Θ 87, Π 152.

παρ-ήορος (*ἀείρω*): *hanging* or *floating beside; stretched out, sprawling*, Η 156; met., *flighty, foolish*, Ψ 603; esp. *παρήορος* (*ἵππος*), a third or extra horse, harnessed by the side of the pair drawing the chariot, but not attached to the yoke, and serving to take the place of either of the others in case of need, Π 471, 474. (Plate I. represents the *παρήορος* in the background as he is led to his place. See also the adj. cut, the first horse.)

94

παρήπαφε: see *παραπαφίσκω*.

παρθέμενος: see *παρατίθημι*.

παρθενική = *παρθένος*.

παρθένιος: adj., *virgin, ζώνη*, λ 245; as subst., *virgin's child*, *born out of wedlock*, Π 180.

Παρθένιος: a river in Paphlagonia, B 854†.

παρθεν-οπῖπης, voc. -ῖπα (ὀπιπτεύω): ogler of girls, Λ 385†.

παρθένος: virgin, maiden.

πάρθεσαν· see παρατίθημι.

παρ-ιαύω· sleep by, I 336†.

παρ-ίζω, ipf. παρῖζεν: sit down by, δ 311†.

παρ-ίημι: let go by the side, only aor. pass., παρείθη, hung down, Ψ 868†.

Πάρις: Paris, son of Priam, who by the help of Aphrodīte carried off Helen from Sparta and thus brought on the war with Troy, Ω 28 ff. The name Paris is supposed to mean 'Fighter' (rendered in the Greek Ἀλέξανδρος), and he is represented by Homer as not without warlike prowess, though naturally uxorious and averse to fighting, Γ 39 ff, Z 350.

παρ-ίστημι, aor. 2 παρέστην, subj. du. παρστήετον, opt. παρσταίη, part. παρστάς, perf. παρέστηκε, inf. παρεστάμεναι, plup. 3 pl. παρέστασαν, mid. pres. παρίσταμαι, imp. παρίστασο, ipf. παρίστατο, fut. inf. παραστήσεσθαι: only intrans. forms in Homer (aor. 2 and mid.), come and stand by or near (esp. the part. παραστάς), come up to, draw near, (perf.) stand by or near; the approach may be with either friendly or hostile intent, and the subj. may be a thing (lit. or fig.), νῆες, θάνατος, μοῖρα, Η 467, Π 853, ω 28.

παρ-ίσχω (parallel form of παρέχω), inf. παρισχέμεν: hold by or ready, offer; τινί τι, Δ 229, I 638.

παρκατέλεκτο: see παρακαταλέγομαι.

παρμέμβλωκε: see παραβλώσκω.

παρμένω: see παραμένω.

Παρνησός: Parnassus, the double-peaked mountain in Phocis, north of the ravine in which lies Delphi, τ 394, φ 220, ω 332.

πάροιθ(εν): in front, Υ 437; heretofore, beforehand, Ψ 20; τὸ πάροιθεν, α 322; w. gen., 'in the presence of,' 'before,' Α 360, O 154.

παροίτερος: one in front, pl., Ψ 459, 480.

παρ-οίχομαι, ipf. παρῴχετο, perf. παρῴχηκε: pass by, Δ 272, Κ 252.

πάρος: before, formerly; Τυδείδαο πάρος, 'in advance of,' Θ 254; correl.,

οὐ πάρος . . πρίν γε, Ε 218; freq. w. τό, and foll. by πέρ, γέ.

παρπεπιθών: see παραπείθω.

Παρρασίη: a town in Arcadia, B 608†.

παρσταίην, παρστάς, παρστήετον: see παρίστημι.

παρτιθεῖ: see παρατίθημι.

παρφάμενος, παρφάσθαι: see παράφημι.

πάρ-φασις (παράφημι): persuasion, allurement, Ξ 317†.

παρφυγέειν: see παραφεύγω.

παρῴχηκα: see παροίχομαι.

πᾶς, πᾶσα, πᾶν, pl. gen. fem. πᾱσέων, πᾱσάων, dat. πάντεσσι: sing., every (one), Π 265, ν 313; pl., all, ἐννέα πάντες, nine 'in all,' Η 161, θ 258; whole, entire, B 809, ρ 549; all sorts, all kinds, in pl., Α 5, etc.—Neut. pl. as adv., πάντα, in all respects, in the Iliad mostly in comparisons, but in the Odyssey only so in ω 446; all over, π 21, ρ 480.

Πᾱσιθέη: the name of one of the Graces, Ξ 276.

πᾱσι-μέλουσα: 'world-renowned,' μ 70. Better written in two words, see μέλω.

πάσσαλος, gen. πασσαλόφιν· wooden nail or pin, peg, used to hang things upon, as the harp, Ω 268, α 440, θ 67, 105.

πάσσασθαι: see πατέομαι.

πάσσω, ipf. ἔπασσε, πάσσε: strew, sprinkle; fig., of weaving, ἐν (adv.) δὲ θρόνα ποικίλ' ἔπασσεν, 'worked in,' Χ 441.

πάσσων: see παχύς.

πασσυδίη: see πανσυδίη.

πάσχω, fut. πείσομαι, aor. 2 ἔπαθον, πάθον, inf. παθέειν, perf. πέπονθα, 2 pl. πέποσθε, part. fem. πεπαθυῖα, plup. ἐπεπόνθει: the verb of passivity, meaning to be affected in any way, in Homer regularly in a bad sense, suffer, κακόν, κακά, πήματα, ἄλγεα θυμῷ, so κακῶς, 'be maltreated,' π 275; μή τ. πάθω, 'lest anything should happen to me' (euphem. for μὴ θάνω); τί παθών, 'by what mischance'; οὐλὴν ὅ ττι πάθοι, 'how he came by it,' τ 464; τί πάθω; 'what am I to do?' Λ 404, ε 465; the same in participle Λ 313; cf. ω 106.

πάταγος: any loud sound of things

striking together, *crash* of falling trees, *chattering* of teeth, *dashing* of waves, *din* of combat, Π 769, N 283, Φ 9, 387.

πατάσσω: *beat; κραδίη, θυμός,* N 282, H 216, cf. Ψ 370.

πατέομαι, aor. (ἐ)πα(σ)σάμην, plup. πεπάσμην: *taste, eat, partake of, enjoy,* usually *τινός,* acc. σπλάγχνα, ἀκτήν, Α 464, Φ 76.

πατέω: *tread;* fig., *κατὰ* (adv.) δ' ὄρκια πάτησαν, 'trampled under foot,' Δ 157†.

πατήρ, gen. πατρός and πατέρος, pl. gen. πατέρων and πατρῶν: *father;* pl. πατέρες, *forefathers,* Δ 405, θ 245.

πάτος: *treading, step,* ι 119 ; meaning ' the society' of men, Z 602 ; *trodden way, path,* Υ 137.

πάτρη (πατήρ): *native country, native land, home,* N 354.

πατρίς, ίδος: *of one's fathers, native; γαῖα, ἄρουρα,* α 407 ; as subst. = *πάτρη.*

πατρο-κασίγνητος: *father's brother, uncle.* (Od. and Φ 469.)

Πάτροκλος, also gen. Πατροκλῆος, acc. -κλῆα, voc. Πατρόκλεις: *Patroclus,* son of Menoetius of Opus, the bosom friend of Achilles. He had fled as a youth to Peleus on account of an involuntary homicide, Λ 765 ff. Wearing Achilles' armor at the head of the Myrmidons, he repulsed the Trojans from the ships, but was slain by Hector, and his death was the means of bringing Achilles again into the battlefield, Π. The funeral games in honor of Patroclus, Ψ.

πατρο-φονεύς, ῆος: *murderer of a father.* (Od.)

πατρο-φόνος: *murderer of a father, parricide,* Ι 461†.

πατρώιος: *from one's father, paternal, hereditary;* neut. pl. as subst., *patrimony,* π 388, χ 61.

παῦρος, comp. παυρότερος: *little, feeble;* pl., *few,* opp. πολλοί, Ι 333.

παυσωλή: *cessation, rest,* Β 386†.

παύω, inf. παυέμεναι, ipf. iter. παύεσκον, fut. part. παύσουσα, aor. ἔπαυσα, παῦσε, mid. παύομαι, ipf. iter. παυέσκετο, aor. ἐπαύσατο, perf. πέπαυμαι, plup. ἐπέπαυτο : *cause to cease* or *leave off, stop (τινὰ τινος),* mid., *cease, stop, leave off, rest from* (*τινός*), also w. part., Λ 506 ; inf., Λ 442.

Παφλαγών, pl. Παφλαγόνες: *Paphlagonian,* inhabitant of the district south of the Euxine, and bounded by the rivers Halys and Parthenius, and by Phrygia, Β 851, Ε 577, N 656, 661.

παφλάζω: only part., *bubbling, foaming,* Ν 798†.

Πάφος: *Paphos,* a city in Cyprus, θ 363†.

πάχετος = παχύς. (Od.)

πάχιστος: see παχύς.

πάχνη (πήγνῡμι): *hoar frost,* ξ 476†

παχνόω: *congeal,* only pass. (fig.) παχνοῦνται, 'is chilled with dread,' Ρ 112†.

πάχος, εος: *thickness,* ι 324†.

παχύς, εῖα, ύ (πήγνῡμι), comp. **πάσσων,** sup. **πάχιστος**: *thick, stout,* as of a thick jet of blood, χ 18 ; or to indicate strength or fulness, so with χείρ. Usually of men, but of Athēna, Penelope, Φ 403, φ 6.

πεδάω (πέδη), πεδάᾳ, ipf. iter. πεδάασκον, aor. (ἐ)πέδησε, inf. πεδῆσαι: *fetter, bind fast,* ψ 17, ν 168 ; often fig., *constrain, detain, entangle; θεοῦ κατὰ* (adv.) μοῖρα πέδησεν, λ 292 ; ἀπὸ πατρίδος αἴης, ψ 353 ; w. inf., Χ 5, γ 269, σ 155.

πέδη (πούς): *fetter,* pl., Ν 36†.

πέδῑλον: *sandal,* only pl. ; the gods wear golden sandals that bear them over land and sea, Ω 340.

πεδίον (πέδον): *plain;* the freq. gen. πεδίοιο with verbs of motion is *local, on, over,* or *through the plain.*

πεδίονδε: *to the plain, earthward* (opp. οὐρανόθεν), Θ 21.

πεδόθεν: *from the ground;* fig., ' to thy very heart,' ν 295†.

πέδονδε: *to the ground, earthward.*

πέζα (πούς): a metallic *end-piece* or *cap* (shoe) at the end of a chariot-pole, Ω 272†. (See cut No. 42.)

πεζός: *on foot,* pl. *foot-*forces, opp. ἱππῆες or ἵπποι, Θ 59, ρ 436 ; *on land,* opp. ἐν νηί, Ω 438, λ 58.

πείθω, ipf. ἔπειθον, πεῖθε, fut. inf. πεισέμεν, aor. inf. πεῖσαι, aor. 2 red. πέπιθον, fut. πεπιθήσω, mid. opt. 3 pl. πειθοίατο, ipf. (ἐ)πείθετο, fut. πείσομαι, aor. 2 (ἐ)πιθόμην, red. opt. πεπίθοιτο, perf. πέποιθα, subj. πεποίθω, plup. πεποίθει, 1 pl. ἐπέπιθμεν: I. act., *make to believe, convince, persuade, prevail* *upon*, τινά, φρένας τινός or τινί, and w. inf.; the persuasion may be for better or for worse, 'talk over,' A 132; 'mollify,' A 100.—II. (1) mid., allow oneself to *be prevailed upon, obey, mind;* μύθῳ, τινὶ μύθοις, Ψ 157; τεράεσσι, Δ 408; ἅ τιν' οὐ πείσεσθαι ὀίω, 'wherein methinks many a one will not comply,' A 289.—(2) perf., πέποιθα and plup., *put trust in, depend upon;* τινί, ἀλκί, etc., κ 335, π 98.

πείκετε: see πέκω.

πεινάω, inf. πεινήμεναι, part. πεινάων: *be hungry, hunger after;* τινός, υ 137.

πείνη: *hunger, famine,* ο 407†.

πειράζω (πειράω): *make trial of, test;* τινός, π 319.

Πειραΐδης: *son of Piraeus,* Ptolemaeus, Δ 228†.

Πείραιος: *Piraeus,* a comrade of Telemachus, son of Clytius, ο 544, ρ 55.

πειραίνω, aor. part. πειρήνᾱς, pass. perf. 3 sing. πεπείρανται: (1) *bring to an end, accomplish,* pass., μ 37.—(2) *bind to,* χ 175, 192.

πείραρ, ατος: (1) pl. πείρατα, *ends, limits;* γαίης καὶ πόντοιο, Θ 478; τέχνης, 'tools,' 'implements,' which bring to completion, γ 433; 'chief points' in each matter, Ψ 350; sing., *decision,* Σ 501, cf. ψ 248.—(2) *cord, rope;* fig., ὀλέθρου πείρατα, 'snares' or 'cords' of destruction, cf. Psalm xviii. 5, 2 Sam. xxii. 6; ὀιζύος, 'net' of woe, ε 289; so πολέμοιο, νίκης, N 358.

πειράω (πείρα), inf. πειρᾶν, fut. πειρήσω, mid. 2 sing. πειρᾷ, πειρᾶται, ipf. (ἐ)πειρώμην, fut. πειρήσομαι, aor. (ἐ)πειρησάμην, perf. πεπείρημαι: *make trial of, test, put to proof* (τινός), *try, attempt,* abs. and w. inf., also w. εἰ, ὡς, or ὅπως, mid., the same subjectively; in hostile sense, *attack,* M 301, ζ 134; rarely w. acc., Σ 601, δ 119, ω 238.

πειρητίζω (πειράω): *make trial of, test, sound;* τινός, ο 304; 'measure one's strength' in contest, H 235; w. acc., M 47.

Πειρίθοος: *Pirithous,* son of Ixīon (or Zeus) and Dia, king of the Lapithae, a friend of Theseus; at his wedding with Hippodamīa arose the quarrel between the Centaurs and the Lapithae, M 129, 182, φ 298, Ξ 318, A 263.

πείρινς, acc. πείρινθα: *wagon-box* or *body,* perhaps of wicker-work, ο 131.

Πείροος: *son of Imbrasus,* a chief of the Thracians, slain by Thoas, Δ 520, 525.

πείρω, ipf. ἔπειρον, πεῖρε, pass. perf. part. πεπαρμένος, plup. πέπαρτο: *pierce through, pierce, transfix,* Π 405; of piercing meat with spits (κρέα ὀβελοῖσιν), and pass., ἤλοισι πεπαρμένος, 'studded,' A 246; fig., ὀδύνῃσι, E 399; also fig., κέλευθον, κύματα, 'cleave' one's way, 'plow' the waves, β 434, θ 183.

πεῖσα (πείθω): *obedience,* 'subjection,' υ 23†.

Πείσανδρος: *Pisander.*—(1) a Trojan, son of Antimachus, slain by Agamemnon, Λ 122, 143. — (2) a Trojan, slain by Menelāus, N 601–619.—(3) a Greek, son of Maemalus, a chief of the Myrmidons, Π 193. — (4) a suitor of Penelope, son of Polyctor, slain by Philoetius, σ 299, χ 268.

Πεισηνορίδης: *son of Pisēnor,* Ops, α 429, β 347, υ 148.

Πεισήνωρ: (1) father of Clitus, Ο 445.—(2) father of Ops.—(3) a herald in Ithaca, β 38.

Πεισίστρατος: *Pisistratus,* the youngest son of Nestor, Telemachus's companion on his journey to Pherae and Sparta, γ 36, δ 155, ο 46, 48, 131, 166.

πεῖσμα, ατος: *rope, cable,* esp. the stern-cable or hawser used to make the ship fast to land, ζ 269, κ 96, ν 77; also a cord plaited of willow withes, κ 167. (Od.)

πείσομαι: see (1) πάσχω.—(2) πείθω.

πέκω, πείκω, imp. πείκετε, mid. aor. part. πεξαμένη: *comb* or *card* wool; mid., *comb one's own hair,* Ξ 176.

πέλαγος, εος: the open, high *sea;* pl., ἁλὸς ἐν πελάγεσσιν, 'in the briny deep,' ε 335.

Πελάγων: (1) a chief of the Pylians, Δ 295. — (2) an attendant of Sarpēdon, E 695.

πελάζω (πέλας), aor. (ἐ)πέλα(σ)σα, imp. du. πελάσσετον, mid. aor. 1 opt. 3 pl. πελασαίατο, aor. 2 ἐπλήμην, πλῆτο, ἔπληντο, πλῆντο, pass. perf. πεπλημένος, aor. 3 pl. πέλασθεν: *bring near, make to approach* (τινί τινα or τὶ);

mid. (aor. 2) and pass., *draw near, approach*, (τινί); of bringing the mast down into the mast - crutch, A 434; fig., τινὰ ὀδύνῃσι, E 766; aor. mid., causative, *bring near*, P 341.

πέλας : *near, hard by ;* w. gen., ο 257. (Od.)

Πελασγικός : *Pelasgic*, epithet of Zeus in Dodōna, Π 233; see also Ἄργος.

Πελασγός, pl. Πελασγοί : *Pelasgian*, the Pelasgians, the early population of Greece, first mentioned in the region about Dodōna; then in Thessaly, B 840; Boeotia, Attica, and the Peloponnēsus, P 288; Homer mentions other Pelasgians from Cyme, on the side of the Trojans, K 429; and still others in Crete, τ 177.

πέλεθρον : *plethron*, a measure of surface 100 ft. square, about ¼ of an acre.

πέλεια : *wild dove, wild pigeon.*

πελειάς, άδος : = πέλεια, only pl. (Il.)

πελεκάω, aor. πελέκκησεν : *hew*, shape with an axe, ε 244†.

πέλεκκος : *axe-helve*, N 612†.

πέλεκυς, εος, pl. dat. πελέκεσσι : *axe* or *hatchet*, for felling trees, Ψ 114, P 520; double-edged, ε 234; see ἧι·πέλεκκα. A sacrificial instrument in γ 449. In the contest with the bow of Odysseus the 'axes' were either axheads without the handles, arranged in line, or iron blocks resembling axes, made for the purpose of target-shooting, τ 573.

πελεμίζω, aor. inf. πελεμίξαι, pass. ipf. πελεμίζετο, aor. πελεμίχθη : *shake, brandish, make to quiver* or *quake; σάκος, ὕλην, τόξον*, φ 125; pass., *quake, quiver*, Θ 443; esp. and often in aor., *be forced back*, Δ 535.

πελέσκεο, πέλευ : see πέλω.

Πελίης : *Pelias*, son of Poseidon and Tyro, king of Iolcus, drove his brother Neleus into exile, and forced Jason, the son of his other brother Aeson, into the Argonautic expedition, λ 254. Pelias was the father of Alcestis, B 715.

πέλλα : *milk - pail, milk - bowl*, Π 642†.

Πελλήνη : a town in Achaea, B 574†.

Πέλοψ : *Pelops*, son of Tantalus, father of Atreus and Thyestes, gained with his wife Hippodamīa, the daughter of Oenomaus, the throne of Elis, B 104 ff.

πέλω, πέλει, ipf. πέλεν, aor. ἔπλε, and πέλομαι, imp. πέλευ, ipf. πέλοντο, iter. 2 sing. πελέσκεο, aor. ἔπλεο, ἔπλευ, ἔπλετο: a poetic synonym of εἶναι, γίγνεσθαι, perhaps originally containing some idea of motion (versari), but in Homer simply *to be*, Γ 3, M 271, ν 60, E 729; the aor. has pres. signif. (like ἔφυ in Attic), εἰ δή ῥ᾽ ἐθέλεις καί τοι φίλον ἔπλετο θῡμῷ, 'and it pleases thee,' Ξ 337, ν 145, etc.

πέλωρ : *monster ;* the Cyclops, ι 428 ; Scylla, μ 87 ; Hephaestus, Σ 410.

πελώριος : *monstrous, huge;* Ares, Polyphēmus, Hector, etc. ; also of things, ἔγχος, λᾶας, θαῦμα, ι 190.

πέλωρον = πέλωρ, also pl.

πέλωρος = πελώριος.

πεμπάζομαι (πέντε), aor. subj. πεμπάσσεται : *reckon up* on the five fingers, δ 412†.

πεμπταῖος : *on the fifth day*, pl., ξ 257†.

πέμπτος : *fifth.*

πέμπω, fut. πέμψω, aor. ἔπεμψα, πέμψεν: *send, dismiss, send* or *convey home, escort;* the last meaning constitutes a characteristic difference between the Greek verb and the Eng. 'send,' A 390, λ 626 ; freq. of the Phaeacians in Od.

πεμπ-ώβολον (πέντε, ὀβελός) : *fivetined fork*, used at sacrificial burnings, A 463. (Cf. cut No. 95, combined from several ancient representations.)

πενθερός : *father-in-law*, θ 582 and Z 170.

πενθέω, πενθείω, du. πενθείετον, inf. πενθήμεναι, aor. inf. πενθῆσαι : *mourn, mourn for;* τινά, Ψ 283 ; γαστέρι, 'by fasting,' T 225.

πένθος, εος : *mourning, grief.*

πενίη : *poverty*, ξ 157†.

πενιχρός : *poor, needy*, γ 348†.

πένομαι, ipf. (ἐ)πένοντο : *labor, be at work* or *busy upon* (περί τι), *prepare* (τι), δ 624, ξ 251.

πεντα-έτηρος (Ϝέτος) : *five years old.*

πεντα-ετής (Ϝέτος) : only neut. as adv., πεντάετες, *five years long*, γ 115†.

πένταχα : *in five divisions*, M 87†.

95

πέντε: *five.*

πεντήκοντα: *fifty.*

πεντηκοντό-γυος: *of fifty acres,* I 579†.

πεντηκόσιοι: *five hundred,* γ 7†.

πεπαθυῖα: see πάσχω.

πεπάλαγμαι: see παλάσσω.

πεπάλασθε, πεπαλάσθαι: see παλάσσω.

πεπαρμένος: see πείρω.

πεπάσμην: see πατέομαι.

πεπερημένος: see περάω.

πέπηγε: see πήγνυμι.

πεπιθεῖν, πέπιθμεν, πεπιθήσω: see πείθω.

πέπληγον, πεπληγώς: see πλήσσω.

πεπλημένος: see πελάζω.

πέπλος: *robe,* used as a cover for a chariot, E 194; for chairs, η 96; for funeral-urns, Ω 796; and esp. of a woman's over-garment, E 315, Z 90, σ 292. (See adjoining cut, and No. 2.)

96

πεπνυμένος: see πνέω.

πέποιθα: see πείθω.

πέπονθα, πέποσθε: see πάσχω.

πεποτήαται: see ποτάομαι.

πεπρωμένος, πέπρωτο: see πορ-.

πέπταμαι: see πετάννυμι.

πεπτεῶτα: see πίπτω.

πεπτηώς: see πτήσσω.

πεπύθοιτο, πέπυσμαι: see πυνθάνομαι.

πέπων, ονος, voc. πέπον (πέσσω): cooked by the sun, *ripe, mellow;* in Homer only fig., (1) as term of endearment, *dear, pet,* Z 35, P 120, ι 447.—(2) in bad sense, *coward, weakling,* B 235, N 120.

πέρ: enclitic particle, giving emphasis or prominence to an idea, usually to what immediately precedes it, *very, at least, even, just,* etc. ἐπεί μ' ἔτεκές γε μινυνθάδιόν περ ἐόντα, 'for a very short life,' A 352, 416, Γ 201; here belongs the use with participles denoting opposition (concession), so καίπερ, where πέρ itself of course does not mean 'although,' but the logical relation of the part. is emphasized, οὔ τι δυνήσεαι ἀχνύμενός περ | χραισμεῖν, 'however distressed,' 'distressed tho' you be,' i. e. though *very* distressed, A 241. πέρ is freq. appended to other particles, conditional, temporal, etc., and to all relative words, ὥς ἔσεταί περ (ὥσπερ), 'just as,' τ 312 ; ἔνθα περ, εἴ περ, 'that is if'; ἐπεί περ, ὅσπερ.

περάαν: see περάω.

Περαιβοί: the *Perrhaebians,* a Pelasgian tribe about Dodōna and the river Titaresius, B 749†.

περαιός: only aor. pass. part., περαιωθέντες, *crossing over,* ω 437†.

περάτη: *farthest border, horizon,* implying the west side, ψ 243†.

1. περάω (πέρας, 'end'), 3 pl. περόωσι, inf. περάαν, part. περῶντα, ipf. πέραον, iter. περάασκε, fut. inf. περησέμεναι, aor. ἐπέρησα, πέρησε, inf. περῆσαι: go from one end to the other, *pass through, penetrate, traverse;* τὶ, διά τινος, also ἐπὶ πόντον, etc., B 613, δ 709.

2. περάω (πέρην, πιπράσκω), inf. περάαν, aor. ἐπέρασσα, πέρασαν, pass. perf. πεπερημένος: *export for sale, sell;* ἐς Λῆμνον, κατ' ἀλλοθρόους ἀνθρώπους, Φ 40, ο 453.

Πέργαμος: *Pergamus,* the citadel of Ilium, Δ 508, E 446, Z 512, H 21.

Περγασίδης: *son of Pergasus,* Dēïcoön, E 535†.

πέρην: *on the other side, beyond, opposite;* τινός, B 626, 535.

περησέμεναι: see περάω 1.

πέρθω, fut. inf. πέρσειν, aor. ἔπερσα, πέρσε, aor. 2 ἔπραθον, pass. pres. part. περθομένη, ipf. πέρθετο, mid. (w. pass. signif.), fut. πέρσεται, aor. 2 inf. πέρθαι: sack, plunder, lay waste, regularly of cities, ἄστεα, πόλιν, B 660; pass., Π 708, Ω 729.

περί: around, see ἀμφί. — I. adv. (including the so - called ‘tmesis’).— (1) around, all round; περὶ γάρ ῥά ἑ χαλκὸς ἔλεψεν | φύλλα τε καὶ φλοιόν, i. e. the leaves and bark that encircled it, A 236; so of throwing a cloak about one, standing around in crowds, being enveloped by the shades of night, Γ 384, Κ 201. — (2) over and above others, in an extraordinary degree, very; περί τοι μένος, ‘thou hast exceeding strength,’ μ 279; περὶ μὲν θείειν ταχύν, Π 186; τὸν περὶ Μοῦσα φίλησε, ‘above others,’ ‘extraordinarily,’ θ 63.—A subst. in the appropriate case may specify the relation of the adv., περὶ δὲ ζώνην βάλετ' ἰξῡῖ (dat. of place), ε 231 ; ἤ σε περὶ Ζεὺς ἀνθρώπων ἤχθηρε (partitive gen.), τ 363, in the phrase περὶ κῆρι, περὶ θῡμῷ, περί is adv., and the dat. local.—II. prep., (1) w. gen., rare of place, περὶ τρόπιος βεβαώς, i. e. bestriding it, ε 130, 68 ; usually met., about, for, in behalf of, of the obj. of contention or the thing defended, μάχεσθαι περὶ νηός, ἀμύνεσθαι περὶ νηῶν, Π 1, Μ 142 ; then with verbs of saying, inquiring, about, concerning, of (d e), μνήσασθαι περὶ πομπῆς, η 191 ; rarely causal, περὶ ἔριδος μάρνασθαι, Η 301 ; denoting superiority, above, περὶ πάντων ἔμμεναι ἄλλων, Α 287; so with adjectives, περὶ πάντων κρατερός, ὀιζυρός. — (2) w. dat., local, around, on, as of something transfixed on a spit or a weapon, περὶ δουρὶ πεπαρμένη, Φ 577; so of clothing on the person, περὶ χροῒ εἵματα ἔχειν, χαλκὸς περὶ στήθεσσι, κνίση ἐλισσομένη περὶ καπνῷ, curling ‘around in’ the smoke, A 317; then sometimes w. verbs of contending, like the gen., about, for, β 245, ρ 471, Π 568, and w. a verb of fearing, Κ 240. Often the dat. is to be explained independently, περί being adverbial, see above (I).— (3) w. acc., local implying motion, στῆσαι (τὶ) περὶ βωμόν, φυλάσσειν περὶ

μῆλα, and esp. of sounds, fumes floating around, coming over the senses, stealing over one, περὶ δέ σφεας ἤλυθ' ἰωή, Κύκλωπα περὶ φρένας ἤλυθεν οἶνος, ‘went to his head,’ we should say, ρ 261, ι 362 ; met., of that in which one is interested, πονεῖν περί τι, ‘about,’ ‘over,’ ‘with,’ Ω 444, δ 624.

πέρι: (1) = περίεστι, Κ 244, μ 279. —(2) thus written by ‘anastrophe’ for περί, when the prep. follows its case.

περι-άγνῡμι (Fάγνῡμι): only pass., and fig., (ὄψ) περιάγνυνται, breaks around, spreads around, Π 78†.

περι-βαίνω, aor. 2 περίβη, -ησαν, inf. περιβῆναι, part. -βάς: go around (as to bestride) or in front of a fallen man, to protect the body, as animals stand over and protect their young, τινός, Ε 21, also τινί, Ρ 80, 313.

περι-βάλλω, aor. 2 περιέβαλον: throw about or around; πεῖσμά τινος, χ 466; met., excel, surpass, Ψ 276, ο 17; mid., of putting on armor, ψ 148.

Περίβοια: Periboea.—(1) daughter of Acessamenus, mother of Pelagon, Φ 142.—(2) daughter of Eurymedon, mother of Nausithous by Poseidon, η 57.

περι-γίγνομαι: be superior, surpass; τινός, Ψ 318, θ 102.

περι-γλαγής, ές (γλάγος): filled with milk, Π 642†.

περι-γνάμπτω: double a cape, in nautical sense, part., ι 80†.

περι-δείδω, aor. περίδFεισα, part. περιδFείσᾱς, perf. περιδείδια : fear for, be afraid for; τινός, also τινί, and w. μή, Ρ 240, 242, Ο 123.

περι-δέξιος: ambidextrous, skilful in both hands, or very skilful, expert, Φ 163†.

περι-δίδωμι, only mid. fut. and aor. subj. 1 du. περιδώμεθον: mid., stake, wager, w. gen. of the thing risked, Ψ 485 ; ἐμέθεν περιδώσομαι αὐτῆς, ‘will stake my life,’ ψ 78.

περι-δῑνέω: only pass. aor. du., περιδῑνηθήτην, ran round and round, Χ 165†.

περίδραμον: see περιτρέχω.

περί-δρομος: running round, round, circular ; κολώνη, αὐλή, that can be run around, hence ‘detached,’ ‘alone,’ Β 812, ξ 7.

περι-δρύπτω: only pass. aor., περιδρύφθη, had the skin all torn off from his elbows, Ψ 395†.

περι - δύω: only aor. 1 περίδῦσε, stripped off, Λ 100†.

περιδώμεθον: see περιδίδωμι.

περί-ειμι (εἰμί): be superior, excel one in something; τινός τι, σ 248, τ 326.

περι-έχω, mid. aor. 2 περισχόμην, imp. περίσχεο: mid., surround to protect, w. gen., Α 393 ; acc., ι 199.

περιήδη: see περίοιδα.

Περιήρης: the father of Borus, Π 177†.

περι-ηχέω: only aor., περιήχησεν, rang all over, Η 267†.

περίδμεναι: see περίοιδα.

περι-ίστημι, aor. 2 περίστησαν, subj. περιστήωσι, opt. περισταῖεν, pass. ipf. περιίστατο, aor. περιστάθη : only intrans. forms, station oneself about, rise and stand around, w. acc.

περι-καλλής, ές : very beautiful, often of things, rarely of persons, Ε 389, Π 85, λ 281.

περί-κειμαι, ipf. περίκειτο: lie or be placed (pass. of περιτίθημι) around, as a covering, φ 54 ; in embrace, Τ 4 ; fig., remain over; οὐδέ τί μοι περίκειται, 'I have won nothing by it,' Ι 321.

περι-κήδομαι, ipf. περικήδετο: care greatly for, take good care of; τινός, γ 219, ξ 527.

περί-κηλος: very dry, well seasoned, ε 240 and σ 309.

Περικλύμενος: son of Neleus and Pero, λ 286†.

περι-κλυτός: highly renowned or famous.

περι-κτείνω: kill round about, pass., Δ 538 and Μ 245.

περι-κτίονες (κτίζω), pl. : dwellers around, neighbors.

περι-κτίται = περικτίονες, λ 288.

περι-μαιμάω: only part. περιμαιμώωσα, feeling or groping about for, w. acc., μ 95†.

περι-μάρναμαι, ipf. 2 sing. περιμάρναο: fight for; τινός, Π 497†.

περί-μετρος: beyond measure, exceedingly large. (Od.)

Περιμήδης: (1) a companion of Odysseus, λ 23, μ 195.—(2) father of Schedius, Ο 515.

περι-μήκετος = περιμήκης.

περι-μήκης (μῆκος), neut. περίμηκες: very long, very tall or high.

περι - μηχανάομαι, 3 pl. -νόωνται, ipf. -νόωντο: cunningly devise; τινί, 'against one,' ξ 340 and η 200.

Πέριμος: a Trojan, son of Meges, slain by Patroclus, Π 695†.

περι-ναιετάω, 3 pl. -άουσι: of persons, dwell about, β 66 ; of places, be inhabited, lie round about, δ 177.

περι-ναιέτης: neighbor, pl., Ω 488†.

περί-ξεστος: polished on every side, μ 79†.

περί-οιδα (Ϝοῖδα), περίοιδε, inf. περιδμεναι, plup. περιῄδη: know or be skilled above others, understand or know better; τινός τινι or τί, and with inf., Ν 728, γ 244, Κ 247.

περι-πέλομαι (πέλω), aor. part. περιπλόμενος : be or go around, surround, Σ 220 ; revolve (ἐνιαυτοί).

περι - πευκής, ές : very sharp, Λ 845†.

περι-πλέκω, pass. aor. περιπλέχθην : pass., embrace ; τινί, ξ 313 and ψ 33.

περι - πληθής, ές: very full, populous, ο 405†.

περιπλόμενος: see περιπέλομαι.

περι-πρό: around and before, Λ 180 and Π 699.

περι-προ-χέω: only pass. aor. part. περιπροχυθείς, pouring in a flood over, Ξ 316†.

περι - ρρέω (σρέω), ipf. περίρρεε: stream around, w. acc., ι 388†.

περι-ρρηδής, ές : tumbling across; τραπέζῃ, χ 84†.

περί-ρρυτος (σρέω): flowed around, sea-girt, τ 173†.

περι - σαίνω, περισσαίνω: wag the tail about one, fawn upon ; τινά (οὐρῇσιν), 'with their tails,' i. e. wagging them, κ 215. (Od.)

περι-σείω, περισσείω: only pass., be tossed about, float in the air, Τ 382 and Χ 315.

περι - σθενέω (σθένος): only part., exulting in his might, χ 368†.

περί-σκεπτος: (if from σκέπτομαι) conspicuous from every side, or (if from σκέπω) covered, shut in on all sides. (Od.)

περισσαίνω, **περισσείω**: see περισαίνω, περισείω.

περι - σταδόν: standing around, drawing near from every side, Ν 551†.

περιστάθη : see περιίστημι.

περι-στείχω, aor. περίστειξας : *walk around*, δ 277†.

περι-στέλλω, aor. part. περιστείλᾱς : *enwrap*, as in funeral clothes, ω 293†.

περι-στεναχίζομαι : *moan, ring*, or *echo around ;* ποσσίν, 'with the tread of feet,' ψ 146, κ 10.

περι-στένω (στενός): *make narrow* or *close all round*, only pass., 'be stuffed full,' Π 163†.

περι-στέφω : *set closely around, surround*, ε 303 ; pass., fig., his words are not 'crowned' with grace, θ 175.

περίστησαν : see περιίστημι.

περι-στρέφω, aor. part. περιστρέψᾱς : *whirl around*.

περίσχεο : see περιέχω.

περι-τάμνομαι (τάμνω, τέμνω): *cut off* for oneself, *intercept*, of driving away cattle as booty. (Od.)

περι-τέλλομαι : *roll around, revolve, recur*.

περι-τίθημι, aor. opt. περιθεῖεν : *place around ;* fig., δύναμίν τινι, 'bestow,' 'invest with,' γ 205†.

περι-τρέφω : *make thick around ;* pass., of milk, *curdle*, E 903 ; of ice, *congeal*, 'form around,' ξ 477.

περι-τρέχω, aor. περίδραμον : *run up from every side*, Λ 676†.

περι-τρομέομαι : *quiver (around)* with fear, σ 77†.

περι-τροπέω : only part., intrans., *revolving*, Β 295 ; *turning often about*, ι 465.

περί-τροχος : *round*, Ψ 455†.

περι-φαίνομαι : only part., *visible from every side*, N 179 ; as subst., a *conspicuous (place)*, ε 476.

Περίφᾱς: (1) an Aetolian, son of Ochesius, slain by Ares, E 842, 847.— (2) a Trojan herald, the son of Epytus, P 323.

Περιφήτης : (1) a Mysian, slain by Teucer, Ξ 515.—(2) a Greek from Mycēnae, the son of Copreus, slain by Hector, O 638.

περι-φραδέως : *circumspectly, carefully*.

περι-φράζομαι : *consider on all sides* or *carefully*, α 76†.

περί-φρων, ον : *very thoughtful* or *prudent*.

περι-φύω, aor. 2 inf. περιφῦναι, part.

περιφύς : aor. 2, *grow around, embrace*, τινί. (Od.)

περι-χέω, aor. 1 περιχεῦα (περίχευα), mid. aor. 1 subj. περιχεύεται : *pour* or *shed around* or *over*, mid. for oneself, ζ 232, ψ 159 ; fig., χάριν τινί, ψ 162.

περι - χώομαι, aor. περιχώσατο : *be very wroth ;* τινί τινος (causal gen.), Ι 449, Ξ 266.

περι-ωπή (root ὀπ): *look-out place*.

περι - ώσιος (περιούσιος, περίειμι): *beyond measure, exceeding great ;* neut. as adv., περιώσιον, *exceedingly, too greatly*.

περκνός : *dappled*, as specific name of a kind of eagle, Ω 316†.

Περκώσιος : *of Percōte*.

Περκώτη : a town in the Troad, Λ 229, Ο 548, Β 835.

πέρνημι (parallel form of περάω 2), part. περνάς, ipf. iter. πέρνασκε, pass. pres. part. περνάμενα : *sell*. (Il.)

περονάω (περόνη), aor. περόνησε, mid. ipf. περονᾶτο, aor. περονήσατο : *pierce, transfix ;* mid., *fasten* with a buckle about one, Κ 133, Ξ 180. (Il.)

περόνη (πείρω): *brooch-pin, buckle, clasp*, E 425, σ 293. (See the cut, which though of modern form is from an ancient original.)

περόωσι : see περάω 1.

πέρσα : see πέρθω.

Περσεύς : *Perseus*.—(1) the son of Zeus and Danāē, daughter of king Acrisius of Argos, Ξ 320.—(2) a son of Nestor, γ 414, 444.

Περσεφόνεια : *Persephone* (P r o - s e r p i n a), daughter of Zeus and Demēter, wife of Hades and queen of the nether world, often termed ἐπαινή in Homer, Ι 457, κ 494, 509, λ 213, 217.

Πέρση : daughter of Oceanus, wife of Helius, mother of Aeētes and Circe, κ 139†.

Περσηιάδης : *descendant of Perseus*, Sthenelus, Τ 116†.

πεσέειν, πεσέεσθαι : see πίπτω.

πεσσός : only pl., *draughts, checkers*, the game played with them, the nature of which is unknown. (The following cut represents an Egyptian game of this character.)

98

πέσσω, inf. πεσσέμεν: *make mellow,
ripen,* η 119; fig., *digest,* then met.,
χόλον, 'brood over,' 'coddle,' Δ 513,
Ι 565; κήδεα, 'swallow,' Ω 617, 639;
γέρᾱ, 'enjoy,' Β 237; βέλος, 'chew
on,' 'nurse' the wound, Θ 513.

πεσών: see πίπτω.

πέταλον: *leaf,* mostly pl.

πετάννῡμι, aor. πέτα(σ)σα, pass.
perf. πέπταμαι, part. πεπταμένος, plup.
πέπτατο, aor. πετάσθην: *spread out,
spread wide;* as of sails, the arms (in
supplication, or as a sign of joy), Α
480, Ξ 495, ω 397; of doors, *open
wide,* often in perf. pass., fig., αἴθρη,
αὐγή, θῡμόν, ζ 45, Ρ 371, σ 160.

πετεηνός (πέτομαι): *flying, winged,
fledged,* π 218; as subst., πετεηνά, *fly-
ing things, birds.*

Πετεών: a village in Boeotia, Β
500†.

Πετεώς, ῶο: son of Orneus, father
of Menestheus, Δ 338, Μ 355.

πέτομαι, aor. ἔπτατο, subj. πτῆται,
part. πταμένη: *fly,* of birds and in-
sects; then often fig., of gods and men
running, horses, missiles, snow and
hail, Ε 99, Ο 170; the oars 'fly' from
the hands of the rowers as they drop
them, μ 203; at death the life 'flies'
from the body, Ψ 880, Π 469.

πετραῖος: *of a rock, inhabiting a
rock,* μ 231†.

πέτρη: *rock, cliff, reef,* Ν 137, γ
293, κ 4; symbol of firmness, of hard-
heartedness, Ο 618, Π 35.

πετρήεις, εσσα, εν: *rocky.*

πέτρος: *piece of rock, stone.* (Il.)

πεύθομαι: see πυνθάνομαι.

πευκάλιμος: *prudent, sagacious,*
φρένες. (Il.)

πευκεδανός: *destructive,* Κ 8†.

πεύκη: *pine, fir.* (Il.)

πεύσομαι: see πυνθάνομαι.

πέφανται: see (1) φαίνω.—(2) φεν-.

πεφάσθαι: see φεν-.

πεφασμένος: see φαίνω.

πεφήσομαι: see (1) φαίνω.—(2)
φεν-.

πεφιδέσθαι, πεφιδήσομαι: see φεί-
δομαι.

πέφνον: see φεν-.

πέφραδον, πεφραδέειν: see φράζω.

πέφρικα: see φρίσσω.

πεφύᾱσι: see φύω.

πεφυγμένος, πεφυζότες: see φεύγω.

πεφυλαγμένος: see φυλάσσω.

πεφυυῖα: see φύω.

πέφυρμαι: see φύρω.

πῆ or πῇ: interrogative adv., *whith-
er? in what way? how?*

πή or πή: enclitic adv., *anywhere,
somewhere, in any way.*

πηγεσί-μαλλος (πήγνῡμι): *thick-
fleeced,* Γ 197†.

πηγή: only pl., *sources.*

πήγνῡμι (cf. pango, pax), fut.
πήξεις, aor. ἔπηξα, πῆξε, perf. πέπηγε,
plup. (ἐ)πεπήγει, pass. aor. ἐπάγην,
πάγη, 3 pl. πάγεν, aor. 1 3 pl. πῆχθεν:
fix, both in the sense *make stiff* or
compact, and *plant firmly;* of fixing or
sticking a spear ἔν τινι, an oar upon
a mound (ἐπὶ τύμβῳ), impaling a head
(ἀνὰ σκολόπεσσι), Δ 460, λ 77, Σ 177;
hence *build,* νῆας, Β 664; mid., for
oneself, ε 163; fig., 'fix' the eyes upon
the ground, Γ 217; pass., and perf.
act., *stiffen, stick fast, stick in,* X 453,
Ν 442.

πηγός (πήγνῡμι): *stout, thick, tough,*
Ι 124; κῦμα, *big wave,* ε 388.

πηγυλίς, ίδος (πήγνῡμι): *frosty, ice-
cold,* ξ 476†.

Πήδαιον: a place in Troy, Ν 172†.

Πήδαιος: son of Antēnor and The-
āno, slain by Meges, Ε 69†.

πηδάλιον (πηδόν): *steering-oar* or
rudder, γ 281, ε 255. (Strictly, the
word probably denotes the handle or

99

bar connecting the two rudders, and
serving to move them. See cuts Nos.
87, 88, and cf. Nos. 37, 38, 60. The
adjoining cuts represent the rudders
of Egyptian ships; in the first cut
both rudders are depicted as on one
side of the vessel.)

100

Πήδασος: (1) a town of the Lele-
ges in the Troad, on the Satnioeis, de-
stroyed by Achilles, Z 35, Υ 92, Φ 87.
—(2) a town in the realm of Aga-
memnon, I 152, 294.

Πήδασος: (1) a Trojan, the son of
Bucolion, slain by Euryalus, Z 21.—
(2) name of a horse of Achilles, Π
152, 467.

πηδάω, ipf. *ἐπήδᾱ,* aor. *ἐπήδησα:*
jump, bound, leap. (Il.)

πηδόν: *oar-blade.* (Od.)

πηκτός (*πήγνῡμι*): *compact, firm.*

πῆλαι, πῆλε: see *πάλλω.*

Πηλεγών: son of the river-god
Axius, and father of Asteropaeus, Φ
141, 152, 159.

Πηλείδης and **Πηληϊάδης:** *son of
Peleus,* Achilles.

Πηλείων=Πηλείδης.—**Πηλείωνάδε,**
to Peleus' son, Ω 338†.

Πηλεύς: *Peleus,* son of Aeacus, fled
from his native island Aegīna to
Phthia, and married Antigone, daugh-
ter of Eurytion, king of the Myrmi-
dons. His daughter by this marriage,
Polydōra is mentioned, Π 175 ff. He
afterwards married the Nereid Thetis,
who became the mother of Achilles, I
147, 252, 289, Σ 87, Ω 61, Φ 188.

Πηλήϊος: *of Peleus,* Σ 60.

Πηληϊάδης: see Πηλείδης.

πήληξ, ηκος: *helmet.* (Il.)

Πηλιάς, άδος: *Pelian,* i. e. from Mt.
Pelion, epithet of the ashen spear (*με-
λίη*), a gift of the Centaur Chiron to
Peleus, Υ 277, Π 143. (Il.)

Πήλιον: *Pelion,* a mountain in
Thessaly, Β 757, Π 144, λ 316.

πῆμα, ατος (*πάσχω*): *suffering, woe,
harm;* common periphrasis, *πῆμα κα-
κοῖο,* also *δύης πῆμα,* ξ 338; of per-
sons, *bane, nuisance,* ρ 446.

πημαίνω, fut. *πημανέει,* inf. *-έειν,*
aor. 1 opt. *πημήνειαν,* pass. aor. *πη-
μάνθη,* inf. *-ῆναι: harm, hurt; ὑπὲρ
ὅρκια,* 'work mischief' by violating
the oaths, Γ 299; pass., θ 563.

Πηνειός: *Penēus,* a river in Thes-
saly, flowing through the vale of
Tempe into the Thermaic gulf, Β 752,
757.

Πηνέλεως: a leader of the Boeo-
tians, Β 494, Ξ 496, 487, 489, Π 340,
Ρ 597.

Πηνελόπεια: *Penelope,* the daugh-
ter of Icarius, and wife of Odysseus, α
329, etc.

πηνίον: *thread of the woof,* passed
from one side to the other, in and out
through the upright threads of the
warp, before which the weaver stood,
Ψ 762†.

πηός: *brother-in-law.*

Πηρείη: a region in Thessaly, Β
766†.

πήρη: *knapsack,* beggar's *wallet.*
(Od.)

πηρός: *lame, mutilated; blind* in Β
599†.

Πηρώ: *Pero,* daughter of Neleus
and Chloris, sister of Nestor, and wife
of Bias, λ 287†.

πῆχυς, εος: *elbow,* then *fore-arm,
arm,* Φ 166, ρ 38. Also *centre-piece* of
a bow, joining the arms (horns) of the
weapon, being the part grasped by the
left hand in shooting, Λ 375, φ 419.
(For the manner of holding, see cuts
Nos. 104, Heracles; 127, Paris; 63,
89, 90, Assyrians.)

πῖαρ (*πῖϜαρ, πίων*): *fat,* Α 550;
fig., *fatness,* of land, ι 135.

πῖδαξ, ακος: *spring, fount,* Π 825†.

πιδήεις, εσσα, εν: *rich in springs,* Λ
183†.

Πῐδύτης: a Trojan from Percōte, slain by Odysseus, Z 30†.

πίε, πιέειν: see πίνω.

πιέζω, ipf. ἐπίεζον, πίεζε, pass. aor. part. πιεσθείς: *squeeze, press, pinch;* fig., ἐν δεσμοῖς, 'load with fetters,' μ 164; pass., θ 336.

πίειρα: see πίων.

Πῑερίη: *Pieria,* a region in Macedonia, on the borders of Thessaly, by the sea, near Mt. Olympus, Ξ 226, 250.

πιθέσθαι: see πείθω.

πιθέω, assumed pres. for the foll. forms, fut. πιθήσεις, aor. part. πιθήσᾱς (for πεπιθήσω see πείθω): *obey,* φ 369; *rely on,* part.

πίθος: large earthen *jar,* for wine or oil, ψ 305, β 340. (Sometimes half buried in the earth, as seen in cut No. 64.)

πικρό-γαμος: *having a bitter marriage;* pl., of the suitors of Penelope, ironically meaning that they would not live to be married at all. (Od.)

πικρός: *sharp;* ὀιστός, βέλεμνα, Χ 206; then of taste and smell, *bitter,* pungent, Λ 846, δ 406; and met., of feelings, 'bitter,' 'hateful,' ρ 448.

πίλναμαι (parallel form to πελάζω), πίλναται, ipf. πίλνατο: *draw near, near, approach,* Τ 93, Ψ 368.

πῖλος: *felt,* Κ 265†.

πιμπλάνω = πίμπλημι, only mid., πιμπλάνεται, *is filled,* with wrath, Ι 679†.

πίμπλημι, 3 pl. πιμπλᾶσι, aor. πλῆσε, opt. πλήσειαν, part. πλήσᾱσα, mid. ipf. πίμπλαντο, aor. opt. 3 pl. πλησαίατο, aor. 2 πλῆτο, -ντο, pass. aor. 3 pl. πλῆσθεν: *make full, fill,* τινά (τὶ) τινος, less often τινί, Π 374; mid. (aor. 1), *fill for oneself,* δέπας οἴνοιο, Ι 224; fig., θῡμόν, *satisfy,* ρ 603; pass. and aor. 2 mid., *be filled, get full, fill up,* Α 104, θ 57.

πίναξ, ακος: *board,* ship's timbers, planks, μ 67; *tablet,* Ζ 169; wooden plate or *trencher* for meat, α 141.

πινύσσω (πινυτός, πνέω), ipf. ἐπίνυσσε: *make shrewd,* 'sharpen the wits,' Ξ 249†.

πινυτή: *prudence, understanding.*

πινυτός (πινύσσω, πνέω): *prudent, discreet.* (Od.)

πίνω, inf. πινέμεναι, ipf. iter. πίνεσκε, fut. part. πῑόμενος, aor. 2 ἔπιον,

πίον, subj. 2 sing. πίῃσθα, opt. πίοιμι, imp. πίε, inf. πιεῖν, πιέειν, πιέμεν, part. πιών, -οῦσα, pass. pres. πίνεται, ipf. πίνετο: *drink;* κρητῆρας, κύπελλα, *drain, quaff,* Θ 232, Δ 346; also w. dat. of the cup, ξ 112; freq. w. part. gen. of the drink.

πίομαι: see πίνω.

πιότατος: see πίων.

πίπτω (root πετ, for πιπέτω), ipf. ἔπῑπτον, πῖπτε, fut. πεσέονται, inf. πεσέεσθαι, aor. 2 πέσον, inf. πεσέειν, perf. part. πεπτεῶτα: *fall;* fig., ἐκ θῡμοῦ τινι, out of one's favor, Ψ 595; freq. of falling in battle, and from the pass. sense of being killed, w. ὑπό ('at the hands of') τινος, also ὑπό τινι, Ζ 453, Ρ 428; in hostile sense, *fall* upon, ἐν νηυσί, Λ 311; upon each other (σύν, adv.), Η 256; fig. (ἐν, adv.), Φ 385; of the wind 'falling,' 'abating,' 'subsiding,' ξ 475, ρ 202.

πῖσος, εος (πίνω): *meadow, dell.*

πίσσα: *pitch.*

πιστός, sup. πιστότατος: *trusty, faithful;* w. inf., Π 147; neut. pl. as subst., πιστὰ γυναιξίν, 'faith,' 'confidence,' in, λ 456.

πιστόω, mid. aor. (ἐ)πιστώσαντο, pass. aor. subj. du. πιστωθῆτον, inf. -ῆναι: mid., *bind oneself or each other mutually* by oath, pledges, Ζ 283; pass., *be pledged, trust,* φ 218.

πίσυνος (πείθω): *trusting in, relying upon,* τινί.

πίσυρες (Aeolic for τέσσαρες): *four.*

Πιτθεύς: son of Pelops, king in Troezen, father of Aethra, Γ 144†.

πιτνάω and **πίτνημι** (parallel forms to πετάννῡμι), part. πιτνάς, ipf. πίτνᾱ, pass. ipf. πίτναντο: *spread out, extend;* mid., 'float,' flutter,' Χ 402.

Πιτύεια: a town in Mysia, Β 829†.

πίτυς, ύος: *pine* or *fir.*

πῐφαύσκω, πῐφαύσκομαι (πι-φάϝσκω, φάος): *make to shine, make manifest, make known;* in the physical sense, φλόγα, κῆλα, Φ 333, Μ 280; then met., ἔπος, ἔπεα, φῶτα, Κ 202, ο 518.

πίων, ονος, fem. πίειρα, sup. πιότατος: *fat, fertile, rich,* Ι 577, Ε 512.

Πλαγκταί (πλάζω): πέτραι, the *Planctae,* or Clashing Rocks, against which everything that approached was dashed to pieces, μ 61, ψ 327.

πλαγκτός (πλάζω): crazy, or, according to others, vagabond, φ 363†.

πλαγκτοσύνη : roving, roaming, ο 343†.

πλάγχθη : see πλάζω.

πλάζω (cf. πλήσσω), aor. πλάγξε, mid. fut. πλάγξομαι, pass. aor. πλάγχθη, part. πλαγχθείς: I. act., strike, Φ 269 ; esp., strike or drive back, cause to drift; ῥόον, τινὰ ἀπὸ πατρίδος, P 751, α 75, ω 307 ; met., of the mind, 'make to wander,' 'confuse,' β 396.— II. mid. and pass., be driven, drift, wander; 'be struck away,' 'rebound,' Λ 351.

Πλάκος: a mountain above the city of Thebe, in Mysia, Ζ 396, 425, Χ 479.

πλανάομαι, πλανόωνται : rove, Ψ 321†.

Πλάταια : Plataea, a town in Boeotia, Β 504†.

πλατάνιστος : plane-tree, not unlike our maple, Β 307.

πλατύς, εῖα, ύ: broad, wide ; αἰπόλια αἰγῶν, 'wide - roaming,' because goats do not keep close together in the herd as sheep do in the flock, Β 274, ξ 101, 103.

πλέες : see πλείων.

πλεῖος, πλέος, comp. πλειότερος : full.

πλεῖστος (sup. of πολύς): most, a great many. — Adv., πλεῖστον, most, especially.

πλείω : see πλέω.

πλείων, πλεῖον, and πλέων, πλέον (comp. of πολύς), pl. nom. πλέες (Hdt. πλεῦνες), σ 247, πλείους, πλέες, dat. πλείοσιν, πλεόνεσσιν, acc. πλέας : more, greater, the greater part.

πλεκτός (πλέκω) : braided, twisted.

πλέκω, aor. ἔπλεξα, mid. aor. part. πλεξάμενος : plait, twist.

πλευρή : only pl., side, ribs, flank.

πλευρόν = πλευρή, pl., Δ 468†.

Πλευρών : Pleuron, a town in Aetolia, Β 639, Ν 217, Ξ 116. — Πλευρώνιος : inhabitant of Pleuron, Ψ 635.

πλέω, πλείω (πλέϝω), inf. πλείειν, part. πλέων (α 183), πλείοντες, ipf. ἔπλεον, πλέεν, fut. πλεύσεσθε : sail; as if trans., ὑγρὰ κέλευθα, γ 71.

πλέων, πλέον : see πλείων.

πληγή (πλήσσω): blow, stroke, from a stick, a whip, a thong, Ο 17, δ 244 ; Διός, the lightning-stroke, Ξ 414.

πλῆθ'= πλῆτο, see πίμπλημι.

πλῆθος, εος (πλήθω) : multitude, mass of men. (Il.)

πληθύς, ύος = πλῆθος, esp. of the masses, the commons, as opp. to the chiefs, Β 143, 278.

πλήθω, ipf. πλῆθε : be or become full, w. gen. ; said of rivers 'swelling,' the full moon, Π 389, Σ 484.

Πληιάδες : the Pleiads, the 'Seven Sisters' in the constellation Taurus, ε 272, μ 62.

πληκτίζομαι (πλήσσω) : contend with, inf., Φ 499†.

πλήμνη (πλήθω): hub or nave of a wheel. (Il.)

πλημυρίς, ίδος : rise of the sea, swell, flood, ι 486†.

πλήν : except, w. gen., θ 207†.

πλῆντο : see (1) πίμπλημι.—(2) πελάζω.

πλῆξα : see πλήσσω.

πλήξ-ιππος : lasher of horses. (Il.)

πλησίος (πέλας) : near, neighboring, τινός, sometimes τινί, β 149 ; a subst., neighbor, Β 271, κ 35.—Adv., πλησίον, near, hard by.

πλησ-ίστιος (ἱστίον) : filling the sail, λ 7 and μ 149.

πλήσσω, aor. πλῆξα, aor. 2 redup. (ἐ)πέπληγον, inf. πεπληγέμεν, perf. πέπληγα, part. -γώς, -γυῖα, mid. aor. part. πληξάμενος, aor. 2 πεπλήγετο, -οντο, pass. aor. πλήγη, πληγείς : strike, smite; mid., subjectively, Π 125 ; χορὸν ποσίν, in dancing, θ 264 ; of the bolt struck (shot) by the key, φ 50 ; freq. of wounding, Λ 240, Π 332 ; metaph., ἐκ γάρ με πλήσσουσι, 'distract,' σ 231, Ν 394.

πλῆτο : see (1) πίμπλημι.—(2) πελάζω.

πλίσσομαι : only ipf., strode out, ζ 318†.

πλόκαμος (πλέκω): lock of hair, pl., Ξ 176†.

πλόος (πλέω) : voyage, γ 169†.

πλοῦτος (πλέος, πλήθω) : wealth, riches.

πλοχμός = πλόκαμος, pl., Ρ 52†.

πλυνός (πλύνω) : washing - pit, pl., tanks or basins in the earth, lined with stone.

πλύνω, part. πλῦνούσῃ, ipf. iter. πλύνεσκον, fut. part. πλυνέουσα, aor. 3 pl. πλῦναν, part. -ᾱσα : wash, clean, cleanse.

πλωτός : *floating*, κ 3†.

πλώω (πλώΓω, parallel form to πλέω), ipf. πλῶον : *swim, float.*

πνεύμων, ονος : *lung.* (Il.)

πνέω, πνείω (πνέΓω), πνέει, πνείει, aor. subj. πνεύσῃ, mid. perf. 2 sing. πέπνῦσαι, inf. πεπνῦσθαι, part. πεπνῦμένος, plup. 2 sing. πέπνῦσο : (1) *breathe*, sometimes synonymous with *live*, P 447, σ 131 ; of the wind and air, odors, δ 446 ; fig., μένεα πνείοντες, ' breathing might ' ; ἐν (adv.) δὲ θεὸς πνεύσῃ μένος ἀμφοτέροιιν, ' inspire,' Τ 159. — (2) the perf. mid. comes to mean, *be prudent, discreet*, Ω 377, κ 495 ; esp. freq. the part. πεπνῦμένος, *sensible.*

πνοιή (πνέω): *breathing, breath ;* freq. of the air, winds, esp. the pl., πνοιαὶ λιγυραί, *blasts*, Ε 526 ; of fire, Φ 355.

Ποδαλείριος : *Podalirius*, son of Asclepius, and brother of Machāon, Β 732, Λ 833.

ποδά-νιπτρον (νίπτω): *water for washing the feet*, τ 343 and 504.

Ποδάργη : name of a Harpy, the dam of Achilles' horses, Π 150, Τ 400.

Πόδαργος : name of a horse of Hector, and of one of Menelāus, Θ 185, Ψ 295.

ποδ-άρκης (ἀρκέω): *strong of foot, swift-footed.* (Il.)

Ποδάρκης : son of Iphiclus, brother of Protesilāus, chief of the contingent from Phylace and Pyrasus, Β 704, Ν 693.

ποδ-ηνεκής, ές (ἠνεκής, φέρω): *extending to the feet.* (Il.)

ποδ-ήνεμος (ἄνεμος): *wind - swift*, epith. of Iris. (Il.)

Ποδῆς : son of Eëtion, slain by Menelāus, Ρ 575, 590.

ποδ-ώκεια : *swiftness of foot*, pl., Β 792†.

ποδ-ώκης, ες (ὠκύς): *swift of foot, fleet-footed.*

ποθέεσκε : see ποθέω.

πόθεν : interrog. adv., *whence ?* Of origin and parentage, τίς πόθεν εἰς ἀνδρῶν ; Φ 150, α 170.

ποθέν : enclitic indef. adv., *from somewhere*, ω 149 ; freq. w. εἰ.

ποθέω, inf. ποθήμεναι, part. ποθέων, -ουσα, ipf. πόθεον, πόθει, iter. ποθέεσκε,

aor. πόθεσαν, inf. ποθέσαι : *miss one that is absent, yearn for, desire*, β 375, λ 196.

ποθή : *missing, yearning for, desire, lack*, κ 505.

πόθι : interrog. adv., *where ?* (Od.)

ποθί : enclitic indef. adv., *somewhere, anywhere ; somehow ;* so esp. w. αἴ κε, 'if in any case,' 'if at all,' etc., α 379, β 144.

πόθος = ποθή, σὸς πόθος, 'yearning for thee,' λ 202.

Ποιάντιος : υἱός, son *of Poeas*, Philoctētes, γ 190†.

ποιέω, imp. ποίει, ipf. (ἐ)ποίει, ποίεον, aor. (ἐ)ποίησα, fut. inf. ποιησέμεν, mid. pres. ποιεῖται, ipf. ποιεύμην, fut. ποιήσομαι, aor. ποιήσατο, pass. perf. πεποίηται : I. act., *make*, i. e. construct, build, δῶμά τινι, σάκος ταύρων, Α 608, Η 222 ; as an artist, Σ 490 ; then met., *make, cause, do*, of actions and results, ποιῆσαί τινα βασιλῆα, λαοὺς λίθους, 'change to stones,' Ω 611 ; w. prep., νόημα ἐνὶ φρεσί, 'cause,' ' put ' in one's thoughts, Ν 55 ; and w. inf., σὲ ἱκέσθαι ἐς οἶκον, ψ 258.—II. mid., *make* (construct) *for oneself ;* οἰκία, σχεδίην, Μ 168, ε 251 ; less literally, ἀγορήν, 'bring about,' θ 2 ; κλέος αὐτῇ, 'procure,' ' win,' β 126 ; ῥήτρην, of binding oneself by an agreement, ξ 393 ; w. two accusatives, τινά ἄλοχον, 'make her his ' wife, Γ 409.

ποίη : *grass.*

ποιήεις, εσσα, εν : *grassy.*

ποιητός : (well) *made* or *built*, with and without εὖ.

ποικίλλω (ποικίλος): only ipf., ποίκιλλε, *wrought with skill*, Σ 590†.

ποίκιλμα, ατος (ποικίλλω): any variegated work, *broidery*, Ζ 294 and ο 107. (The cut represents a woman embroidering.)

101

ποικιλο-μήτης (μῆτις): *with versatile mind, fertile in device, inventive, cunning.*

ποικίλος : *variegated, motley, spotted,* as the leopard or a fawn, K 30, τ 228; also of stuffs embroidered in various colors, and of metal or wood artistically wrought, E 735, σ 293, X 441, Δ 226, K 501.

ποιμαίνω, ipf. iter. *ποιμαίνεσκε,* mid. ipf. *ποιμαίνοντο* : act., *tend* as a shepherd, Z 25, ι 188; mid. or pass., *be tended, pasture, feed.*

ποιμήν, ένος (πῶυ): *shepherd;* fig., λᾱῶν, 'shepherd of the people,' said of rulers.

ποίμνη : *flock,* pl., ι 122†.

ποιμνήιος : *of the flock;* σταθμός, 'sheep-fold,' B 470†.

ποινή (cf. poena): price paid for purification or *expiation, satisfaction, penalty,* w. gen. of the person whose death is atoned for by the quittance, I 633; also w. gen. of a thing, *price,* Γ 290, E 266, P 217.

ποῖος : interrog. adj. pron., *of what sort?* (qualis). Freq. rather exclamatory than interrogative, as in the phrase, ποῖόν σε ϝέπος φύγεν ἕρκος ὀδόντων; 'what a speech!'

ποιπνύω (redup. from πνέω), part. ποιπνύων, ipf. ποίπνυον, aor. part. ποιπνύσᾱς: *puff, pant,* 'bestir oneself,' 'make haste,' Θ 219, υ 149.

πόκος (πέκω): shorn *wool, fleece,* M 451†.

πολέες : see πολύς.

πολεμήιος : *of* or *pertaining to war* or *battle, warlike.*

πολεμίζω, πτολεμίζω, fut. -ίξομεν: *fight, war;* πόλεμον, B 121; 'to fight with,' Σ 258.

πολεμιστής, πτολεμιστής : *warrior.* (Il. and ω 499.)

πόλεμος, πτόλεμος : *fighting, war, battle.*—π(τ)όλεμόνδε, *into the fight, to the war.*

πολεύω : *move* or *live in,* inf., χ 223†.

πολέων : see πολύς.

πόληας, πόληες : see πόλις.

πολίζω (πόλις), aor. πολίσσαμεν, pass. plup. πεπόλιστο : *found a city, build,* H 453 and Υ 217.

πολιήτης = πολίτης, pl., B 806†.

πόλινδε : *to the city.*

πολιο-κρόταφος : *with hoary temples,* gray with age, Θ 518†.

πολιός : *gray, hoary;* of hair, iron, the sea, I 366, A 350.

πόλις, πτόλις, ιος, πόληος, dat. πόληι, pl. πόληες, πόλιες, gen. πολίων, dat. πολίεσσι, acc. πόλιας, πόληας: *city,* the whole district and community ; hence with the name in apposition (not gen.); or as a part, ἄκρη πόλις, 'acropolis,' 'citadel;' see ἄστυ.

πολίτης : *citizen,* only pl.

Πολίτης : (1) a son of Priam, B 791, N 533, O 339, Ω 250.—(2) a companion of Odysseus, κ 224.

πολλάκι(ς) : *many times, often.*

πολλός, πολλόν : see πολύς.

Πολυαιμονίδης : *son of Polyaemon,* Amopāon, Θ 276†.

πολύ-αινος (αἰνέω): *much-praised, illustrious,* epith. of Odysseus.

πολυ-άιξ, ῑκος (ἀίσσω): *much-darting* or *rushing, impetuous; κάματος,* weariness 'caused by impetuosity in fighting,' E 811.

πολυ-ανθής, ές (ἄνθος): *much* or *luxuriantly blooming,* ξ 353†.

πολυ-άρητος (ἀράομαι): *much-prayed-to, much-desired,* ζ 280 and τ 404.

πολύ-αρνι, dat., cf. πολύρρην: *rich in lambs* or *flocks,* B 106†.

πολυ-βενθής, ές (βένθος): *very deep;* λιμήν, A 432. Elsewhere of the sea, and in Od.

Πόλυβος : *Polybus.*—(1) a son of Antēnor, Λ 59.—(2) an Egyptian, δ 126.—(3) an Ithacan, the father of Eurymachus, ο 519.—(4) a suitor of Penelope, χ 243, 284.—(5) a Phaeacian, θ 373.

πολυ-βότειρα, πουλυβότειρα (βόσκω): *much-* or *all-nourishing,* epith. of the earth, Ἀχαιίς, Λ 770.

πολύ-βουλος (βουλή): *full of counsel, exceeding wise,* epith. of Athēna.

πολυ-βούτης (βοῦς): *rich in cattle,* I 154 and 296.

πολυ-γηθής, ές (γηθέω): *much-rejoicing,* 'ever gay,' epith. of the Horae, conceived as never ceasing from the choral dance, Φ 450†.

πολυ-δαίδαλος : *highly* or *cunningly wrought,* of works of art ; of men, *artistic, skilful,* Ψ 743.

πολύ-δακρυς and **πολυδάκρυος** : *of*

many tears, tearful, deplorable, epith. of war, battle, etc., P 192.

πολυ-δάκρυτος: much wept or lamented, tearful, γόος, Ω 620, τ 213.

Πολύδαμνα: wife of the Egyptian Thon, δ 228†.

πολυ-δειράς, άδος (δειρή): many-ridged, epith. of Mt. Olympus. (Il.)

πολυ-δένδρεος (δένδρον): with many trees, full of trees. (Od.)

πολύ-δεσμος: much or firmly bound together, ε 33 and 338.

Πολυδεύκης: Polydeuces (Pollux), son of Zeus and Leda, twin brother of Castor, Γ 237, λ 300.

πολυ-δίψιος (δίψα): very thirsty, dry, epith. of Argos, Δ 171†.

Πολυδώρη: daughter of Peleus, wife of Spercheius, and mother of Menestheus, Π 175†.

πολύ-δωρος (δῶρον): richly dowered.

Πολύδωρος: (1) the youngest son of Priam by Laothoe, slain by Achilles, Υ 407, 419, Φ 91, X 46.—(2) a Greek, Ψ 637.

Πολύειδος: see Πολύϊδος.

πολύ-ζυγος (ζυγόν): with many rowers' benches, B 293†.

πολυ-ηγερής, ές (ἀγείρω): numerously assembled, reading of Aristarchus in Λ 564†.

πολυ-ήρατος (ἔραμαι): greatly loved or desired, lovely. (Od.)

πολυ-ηχής, ές: many-toned, nightingale, τ 521; echoing, resounding, Δ 422.

πολυ-θαρσής, ές (θάρσος): bold, intrepid.

Πολυθερσείδης: son of Polytherses, Ctesippus, χ 287†.

Πολύϊδος: (1) son of Eurydamas, slain by Diomed, E 148.—(2) a seer in Corinth, father of Euchēnor, N 663, 666.

πολυ-ϊδρείη: much knowledge, shrewdness, β 346 and ψ 77.

πολύ-ιδρις (Ϝίδρις): very knowing, shrewd, subtle, o 459 and ψ 82.

πολύ-ιππος: rich in horses, N 171†.

πολυ-καγκής, ές (κάγκανος): very dry, parching, Λ 642†.

πολύ-καρπος (καρπός): fruitful, η 122 and ω 221.

Πολυκάστη: the youngest daughter of Nestor, γ 464†.

πολυ-κερδείη: great craft, ω 167†.

πολυ-κερδής, ές (κέρδος): very crafty, cunning, ν 255†.

πολύ-κεστος (κεντέω): much or richly embroidered, Γ 371†.

πολυ-κηδής, ές (κῆδος): full of sorrows, woful, ι 37 and ψ 351.

πολυ-κληΐς, ῖδος (κληΐς): with many thole-pins, many-oared.

πολύ-κληρος: of large estate, wealthy, ξ 211†.

πολύ-κλητος (καλέω): called together in large numbers, i. e. from many a land, Δ 438 and K 420.

πολύ-κλυστος (κλύζω): much or loudly surging. (Od.)

πολύ-κμητος (κάμνω): wrought with much labor, well wrought, firmly built.

πολύ-κνημος (κνήμη): with many glens or ravines, B 497†.

πολυ-κοιρανίη (κοίρανος): rule or sovereignty of many, B 204†.

πολυ-κτήμων: with much possessions, E 613†.

Πολυκτορίδης: son of Polyctor, Pisander, σ 299†.

Πολύκτωρ: Polyctor.—(1) a fabled name, Ω 397.—(2) name of an ancient hero in Ithaca, ρ 207.—(3) the father of Pisander.

πολυ-λήϊος (λήϊον): rich in harvests, E 613†.

πολύ-λλιστος (λίσσομαι): object of many prayers, ε 445†.

Πολυμήλη: daughter of Phylas, mother of Eudōrus, Π 180†.

πολύ-μηλος: rich in sheep or flocks. (Il.)

Πολύμηλος: a Lycian, son of Argeas, slain by Patroclus, Π 417†.

πολύ-μητις: of many devices, crafty, shrewd, epith. of Odysseus; of Hephaestus, Φ 355.

πολυ-μηχανίη: manifold cunning, ψ 321†.

πολυ-μήχανος: much contriving, full of device; ever ready, epith. of Odysseus.

πολυ-μνήστη (μνάομαι): much wooed. (Od.)

πολύ-μῦθος: of many words, fluent, Γ 214 and β 200.

Πολυνείκης: Polynices, son of Oedipus, king of Thebes, and brother of Eteocles, mover of the expedition of the Seven against Thebes, Δ 377†.

Πολύνηος: a Phaeacian, the father of Amphialus, θ 114†.

Πολύξεινος: son of Agasthenes, a chief of the Epeians, B 623†.

πολυ - παίπαλος (παιπάλη, 'fine meal'): very artful, sly, o 419†.

πολυ-πάμων, ονος (πέπαμαι): much possessing, exceeding wealthy, Δ 433†.

πολυ - πενθής, ἐς: much - mourning, deeply mournful, I 563, ψ 15.

Πολυπημονίδης: son of Polypēmon ('Great Possessor' or 'Sufferer'), a feigned name, ω 305†.

πολυ-πίδαξ, ακος: rich in springs. (Il.)

πολύ-πικρος: neut. pl. as adv., very bitterly, π 255†.

πολύ - πλαγκτος (πλάζω): much-wandering, far-roving; ἄνεμος, driving far from the course, baffling, Λ 308.

Πολυποίτης: a Lapith, the son of Pirithous, B 740, Z 29, M 129, 182, Ψ 836, 844.

πολύ-πτυχος (πτύσσω): with many folds, many-furrowed. (Il.)

πολύ-πῡρος: abounding in wheat.

πολύ-ρρην and **πολύρρηνος** (Ϝρην, Ϝάρνα): rich in sheep, I 154 and 296.

πολύς, πολλή, πολύ, peculiar forms, **πολλός, πολλόν, πουλύς** (also fem.), **πουλύ**, gen. πολέος (v 25), acc. πουλύν, pl. nom. πολέες, πολείς, gen. πολέων (Π 655), πολλάων, πολλέων, dat. πολέσι, πολέεσσι, acc. πολέας, for comp. and sup. see πλείων, πλεῖστος: much, many, with numerous applications that call for more specific words in Eng., as 'long,' of time, 'wide,' 'broad,' of space, 'loud,' 'heavy,' of a noise or of rain, etc. πολλοί (Att. οἱ πολλοί), the many, the most, the greater part, B 483, and w. part. gen., πολλοὶ Τρώων, etc. Freq. as subst., πολλοί, πολλά, 'many men,' 'many things,' but predicative in β 58, ρ 537; often with other adjectives, πολέες τε καὶ ἐσθλοί, πολλὰ καὶ ἐσθλά, 'many fine things,' β 312. —Neut. as adv., **πολύ, πολλόν, πολλά**, much, far, by far, very; πολλὰ ἠρᾶτο, prayed 'earnestly,' 'fervently,' A 35; w. comp. and sup., πολὺ μᾶλλον, πολλὸν ἀμείνων, ἄριστος, so πολὺ πρίν, πολλὸν ἐπελθών, Υ 180.

πολύ-σκαρθμος (σκαίρω): much or far - springing, bounding, agile, epith. of the Amazon Myrīne, B 814†.

πολυ - σπερής, ἐς (σπείρω). widestrewn, wide-spread, over the earth.

πολυ - στάφυλος (σταφυλή): with many clusters, rich in grapes, B 507 and 537.

πολύ-στονος: much-sighing, mournful, τ 118; grievous, O 451.

πολύ-τλᾱς (τλῆναι): much-suffering or enduring, epith. of Odysseus.

πολυ-τλήμων = πολύτλᾱς.

πολύ - τλητος: having endured or suffered much, λ 38†.

πολυ-τρήρων, ωνος: abounding in doves, B 502 and 582.

πολύ - τρητος: pierced with many holes, porous. (Od.)

πολύ-τροπος (τρέπω): of many shifts, versatile, epith. of Odysseus, a 1 and κ 330.

πολυ - φάρμακος: skilled in drugs, Π 28, κ 276.

Πολυφείδης: son of Mantius, grandson of Melampus, o 249 and 252.

πολύ-φημος (φήμη): of many songs; ἀοιδός, χ 376 ; of many voices, buzzing; ἀγορή, β 150.

Πολύφημος: Polyphēmus.—(1) son of Poseidon and the nymph Thoösa, one of the Cyclōpes, a man-eater, α 70, ι 371 ff.—(2) one of the Lapithae, A 264.

πολύ - φλοισβος (φλοῖσβος): loud-roaring, always πολυφλοίσβοιο θαλάσσης.

Πολυφήτης: chief of the Trojan allies from Ascania, N 791†.

Πολυφόντης: son of Autophonus, slain by Tydeus before Thebes, Δ 395†.

πολύ-φορβος (φορβή): much-nourishing, bountiful. (Il.)

πολύ-φρων, ονος: very sagacious.

πολύ-χαλκος: rich in bronze; οὐρανός, all-brazen, fig. epithet, E 504, γ 2.

πολύ-χρῡσος: rich in gold.

πολυ-ωπός (ὀπή): with many holes, meshy, χ 386†.

πομπεύς, ῆος: = πομπός, only pl. ; πομπῆες νηῶν, δ 362.

πομπεύω (πομπεύς): be escort, conduct, escort, ν 422†.

πομπή (πέμπω): sending away, dismissal, escort.

πομπός (πέμπω): conductor, escort; fem., δ 826.

πονέομαι (πόνος), part. πονεύμενος,

ipf. (ἐ)πονεῖτο, πονέοντο, fut. πονησό-
μεθα, aor. πονήσατο, plup. πεπόνητο:
be engaged in toil, toil, labor, be busy,
περί τι, κατὰ δῶμα, ὑσμίνην, and abs.,
ρ 258; trans., work upon, make with
care, Σ 380, ι 310.

πόνος: labor, toil, esp. of the toil
of battle, Z 77; frequently implying
suffering, grievousness, 'a grievous
thing,' B 291; hence joined with ὀιζύς,
κήδεα, ἀνίη, N 2, Φ 525, η 192.

Ποντεύς: a Phaeacian, θ 113†.

ποντόθεν: from the sea, Ξ 395†.

πόντονδε: into the sea, ι 495 and κ 48.

Ποντόνοος: a herald of Alcinous, η
182, θ 65, ν 50, 53.

ποντο - πορεύω and ποντοπορέω:
traverse the sea. (Od.)

ποντο-πόρος: 'sea-faring,' sea-tra-
versing.

πόντος, gen. ποντόφιν: the deep
sea, deep; w. specific adj., Θρηίκιος,
Ἰκάριος; πόντος ἁλός, the 'briny
deep' (cf. ἁλὸς ἐν πελάγεσσιν), Φ 59.

πόποι (cf. παπαί): interjection, al-
ways ὦ πόποι, alas! alack! well-a-day!
B 272. Usually of grief or displeas-
ure, except in the passage cited.

πορ-, aor. ἔπορον, πόρον, part. πο-
ρών, pass. perf. πέπρωται, πεπρωμένος:
bring to pass, give, grant, of things,
both good and evil (τινί τι), and of
circumstances and events, w. acc. and
inf., I 513; pass. perf. πέπρωται, it is
decreed by fate, ordained, destined, Σ
329; mostly the part. πεπρωμένος, Ο
209, Γ 309.

πόρδαλις, ιος, also πάρδαλις: pan-
ther. leopard.

Πορθεύς: king of Calydon, father
of Oeneus, Ξ 115†.

πορθέω (πέρθω), ipf. (ἐ)πόρθεον, fut.
πορθήσω: lay waste, devastate.

πορθμεύς, ῆος (πόρος): ferryman,
pl., υ 187†.

πορθμός (πόρος): strait, sound, δ 67
and ο 29.

πόρις: see πόρτις.

πόρκης: an iron ring, around the
shaft of a spear to hold the head firm,
Z 320 and Θ 495. (See cut No. 4.)

πόρος (cf. πείρω): passage - way,
ford; πόροι ἁλός, 'paths of the sea,'
μ 259.

πόρπη (πείρω): buckle, brooch, Σ
401†. (See cut No. 97.)

πορσύνω, πορσαίνω (root πορ), ipf.
πόρσυνε, fut. part. πορσανέουσα (v. l.
πορσυν.): make ready, prepare, tend;
λέχος καὶ εὐνήν, euphemistic for shar-
ing the bed.

πόρταξ, ακος = πόρτις, Ρ 4†.

πόρτις and πόρις, ιος: calf or
heifer.

πορφύρεος: purple; φᾶρος, τάπητες,
αἷμα, Θ 221, Ι 200, Ρ 361; of the sea,
with reference to its dark - gleaming,
changeable hues, likewise of a swollen
river, Α 482, Φ 326; also of the rain-
bow, a cloud, Ρ 547, 551. Met., θάνα-
τος, probably with reference to the
optical sensations of dissolution, Ε 83.

πορφύρω (φύρω): boil or surge up,
of waves, Ξ 16; met., of mental dis-
quiet, be troubled, brood, δ 427, etc.

πόσε: interrog. adv., whether?

Ποσειδάων: Poseidon (Neptū-
nus), son of Cronus and Rhea, broth-
er of Zeus, Hades, etc., and husband
of Amphitrīte. As god of the sea, the
element assigned to him by lot (Ο 189),
he sends winds and storms, moves the
waters with his trident, and causes
earthquakes, ἐνοσίχθων, ἐννοσίγαιος,
γαιήοχος. To him, as to Hades, black
bulls were sacrificed, γ 6; cf. the epi-
thet κῡανοχαίτης. Poseidon is the
enemy of the Trojans in consequence
of the faithlessness of Laomedon, Φ
443 ff.; and of Odysseus, because of
the blinding of Polyphēmus, his son, α
20. His dwelling is in the depths of
the sea near Aegae, N 21, ε 381; but
he attends the assembly of the gods
on Olympus, Θ 440, Ο 161.

Ποσιδήιος: sacred to Poseidon, B
506; as subst., Ποσιδήιον, temple of
Poseidon, ζ 266.

1. πόσις, ιος (πίνω): drink.

2. πόσις, ιος (cf. δεσπότης, po-
tens): husband, spouse.

ποσσ-ῆμαρ: how many days? Ω
657†.

πόστος: the 'how - manyeth?' πό-
στον δὴ ἔτος ἐστίν, ὅτε, 'how many
years is it, since, etc.?' ω 288†.

ποταμόνδε: into or to the river.

ποταμός: river; freq. personified as
river-god, Ε 544, Ξ 245.

ποτάομαι and ποτέομαι (frequenta-
tive of πέτομαι), ποτῶνται, ποτέονται,
perf. πεπότηται, 3 pl. πεποτήαται: flit,

fly; said of the souls of the departed, λ 222.

πότε: interrog. adv., *when? at what time?*

ποτέ: enclitic indef. adv., *at some time, once, some day.*

ποτέομαι: see ποτάομαι.

πότερος: *which* (of two)? Pl., *which party?*

ποτή (πέτομαι): *flying, flight,* ε 337†.

ποτής, ῆτος : *drink.*

ποτητός (ποτάομαι): *flying;* subst. *ποτητά, birds,* μ 62†.

ποτί: see πρός. Compounds beginning with ποτι- must be looked for under προσ-.

ποτιδέγμενος: see προσδέχομαι.

ποτικέκλιται: see προσκλίνω.

ποτιπεπτηυῖα: see προσπτήσσω.

ποτιφωνήεις: see προσφωνήεις.

πότμος (πετ, πίπτω): that which befalls one, *fate, death,* always in bad sense in Homer, *ἀεικέα πότμον ἐφιέναι τινί, πότμον ἀναπλῆσαι, θάνατον καὶ πότμον ἐπισπεῖν,* Δ 396, Λ 263.

πότνια, voc. **πότνα** (cf. πύσις 2, δέσποινα): *mistress, queen,* θηρῶν, Artemis, Φ 470; freq. as honorable title or epith. of goddesses and women, *πότνα θεά,* 'mighty' goddess (cf. ' our Lady'), *πότνια μήτηρ,* 'revered,' 'honored,' σ 5.

ποτόν (πίνω): *drink.*

ποῦ: interrog. adv., *where? whither?*

πού: enclitic indef. adv., *somewhere, anywhere; methinks, doubtless, perhaps.*

πουλυβότειρα: see πολυβότειρα.

Πουλυδάμᾱς: *Polydamas,* a Trojan, son of Panthoüs, Ξ 449, 453, O 339, 518, 521, Π 535, Σ 249.

πουλύπος, ποδος : *polypus,* cuttle-fish, ε 432.

πουλύς, **πουλύ**: see πολύς.

πούς, ποδός, pl. dat. ποσσί, πόδεσσι, du. ποδοῖιν : *foot;* said also of the 'talons' of birds, o 526; designating swiftness of foot, in the race, N 325; fig., of the base of a mountain, Υ 59; technically, *νηός, sheet,* a rope fastened to the lower corners of a sail to control it (see plate IV.), ε 260, κ 32.

Πράκτιος: a river in the Troad, north of Abỹdus, B 835†.

Πράμνειος: *οἶνος, Pramnian* wine, of dark color and fiery quality.

πραπίδες = φρένες, *diaphragm, midriff,* Λ 579; then for *heart, mind, thoughts,* X 43, Σ 380, η 92.

πρασιή: *garden-bed,* ω 247 and η 127.

πρέπω, ipf. *ἔπρεπε* : *be conspicuous* or *distinguished,* M 104, θ 172, σ 2.

πρέσβα: see πρέσβυς.

πρεσβήιον (πρέσβυς): *gift of honor,* Θ 289†.

πρεσβυ-γενής: *first-born,* Λ 249†.

πρέσβυς, in Hom. only fem. **πρέσβα**, comp. *πρεσβύτερος,* sup. *πρεσβύτατος: aged, venerable, honored,* comp. *older,* sup. *oldest;* Ἥρη πρέσβα θεά, not with reference to age (although of course it never made any difference how old a goddess was), E 721; cf. δ 59.

πρήθω, aor. *ἔπρησα, πρῆσε,* inf. *πρῆσαι:* a verb combining the notions, *blow, stream, burn; ἔπρησεν δ᾿ ἄνεμος μέσον ἱστίον,* 'swelled,' ' filled,' β 427; with ἐν, Λ 481; (αἷμα) *ἀνὰ στόμα καὶ κατὰ ῥῖνας* | *πρῆσε χανών,* 'spirted,' Π 350; *πυρί* and *πυρός,* Η 429, 432, B 415.

πρηκτήρ, ῆρος (πρήσσω): *doer; ἔργων,* I 433; pl., *traders,* θ 162.

πρηνής, ές (πρό, cf. pronus): *forward, on the face, head-foremost,* Z 43, Π 310; opp. ὕπτιος, Ω 11.

πρῆξις, ιος (πρήσσω): *accomplishment, result; οὔ τις πρῆξις ἐγίγνετο μυρομένοισιν,* 'they gained nothing' by weeping, κ 202, 568; *business, enterprise,* γ 82; κατὰ πρῆξιν, 'on business,' γ 72.

πρήσσω (πέρην), ipf. iter. *πρήσσεσκον,* fut. *πρήξω,* aor. *ἔπρηξα: fare, pass over, ἅλα,* ι 491; *complete* a journey, *κέλευθον, ὁδοῖο* (part. gen.), Ξ 282, Ω 264, γ 476; then in general, *do, accomplish, ἔργον, οὔ τι,* τ 324, Ω 550, Λ 562.

πρίατο, defective aor.: *bought, purchased.* (Od.)

Πριαμίδης: *son of Priam.* (Il.)

Πρίαμος: *Priam,* son of Laomedon, and king of Troy. He was already an aged man at the time of the war, and took no part in the fighting, Ω 487. Homer says that Priam was the father of fifty sons, of whom his wife Hecuba bore him nineteen. Besides Hector, Paris, Helenus, and Cassandra, the following children are named: Echemmon, Chromius, Lycāon, Polītes, Gorgythion, Democoön, Deïphobus, Isus, Antiphus, Laodice.

πρῖν (πρό): (1) adv., before, formerly, first; πρίν μιν καὶ γῆρας ἔπεισιν, 'sooner' shall old age come upon her, A 29, Ω 551, γ 117; freq. τὸ πρίν, πολὺ πρίν, β 167.—(2) conj., before, with some peculiarities of construction which may be learned from the grammars; the inf. is used more freely with πρίν in Homer than in other authors. Freq. doubled in correlation, πρὶν . . πρίν, Θ 452, A 97; so πάρος . . πρίν, πρόσθεν . . πρίν, πρίν γ' ὅτε, πρίν γ' ἤ (priusquam), E 288. Without verb, πρὶν ὥρη, 'before it is time,' o 394.

πριστός (πρίω): sawn, ivory, σ 196 and τ 564.

πρό : before, forward, forth. — I. adv., (κύματα) πρὸ μέν τ' ἄλλ', αὐτὰρ ἐπ' ἄλλα, some 'before,' others after, N 799, cf. 800; πρὸ γὰρ ἧκε, sent 'forth,' A 195 ; ²Ἰλιόθι πρό, οὐρανόθι πρό, 'before Ilium,' 'athwart the sky' (at Ilium, in the sky, 'in front'), Γ 3; of time, ἠῶθι πρό, in the morning 'early'; πρό τ' ἐόντα, 'things past'; πρό οἱ εἴπομεν, 'beforehand,' A 70, α 37; a subst. in the gen. may specify the relation of the adv., πρὸ δ' ἀρ' οὐρῆες κίον αὐτῶν (gen. of comparison), Ψ 115.—II. prep. w. gen., (1) of space, πρὸ πυλάων, πρὸ ἄνακτος, before the gates, in the presence of the master, Ω 734 ; πρὸ ὁδοῦ, well forward on the way, Δ 382.—(2) of time, o 524, K 224. — (3) fig., in behalf of, for; μάχεσθαι, ὀλέσθαι πρὸ πόληος (pro patria mori), X 110; causal, πρὸ φόβοιο, for, P 667.

προ-αλής, ές (ἄλλομαι): springing forward, sloping, Φ 262†.

προ-βαίνω, part. προβιβάς, προβιβῶντι, -α, perf. προβέβηκα, plup. προβεβήκει: go forward, advance, and fig., surpass, τινός, Z 125 ; ἄστρα προβέβηκε, are 'verging low,' 'forward' toward their setting, K 252.

προ-βάλλω, aor. 2 iter. προβάλεσκε, part. προβαλόντες, mid. aor. 2 προβάλοντο, opt. προβαλοίμην: act., throw forth, 'tossed it over,' of the winds playing ball with Odysseus's raft, ε 331; met., ἔριδα, ' begin ' strife, Λ 529 ;

mid., cast down before, subjectively, A 458 ; met., excel, τινός, T 218.

πρό-βασις (προβαίνω): live - stock, as opp. to κειμήλια (κεῖμαι), β 75†. Cf. the foll.

πρό - βατον (προβαίνω): only pl., cattle, droves or flocks, Ξ 124 and Ψ 550.

προ-βέβουλα (βούλομαι), def. pf. : prefer before; τινά τινος, A 113†.

προβιβάς, προβιβῶν : see προβαίνω.

προ-βλής, ῆτος (προβάλλω): projecting.

προ - βλώσκω, inf. προβλωσκέμεν, aor. 2 πρόμολον, imp. πρόμολε, part. -ών, -οῦσα: come or go forward or forth.

προ-βοάω, part. προβοῶντε: shout loudly (above the rest), M 277†.

πρό - βολος (προβάλλω): jutting rock, μ 251†.

προ-γενέστερος : born before, older, comp. of προγενής.

προ - γίγνομαι, aor. 2 προγένοντο: get on, advance, Σ 525†.

πρό-γονος : pl., earlier-born lambs, 'spring lambs,' 'firstlings,' ι 221†.

προ - δαείς (root δα): aor. part., learning beforehand, δ 396†.

προ - δοκή (προδέχομαι): lurking-place, ambush, pl., Δ 107†.

πρό-δομος : vestibule, a portico before the house, supported by pillars (see plate III. D D, at end of volume), I 473, δ 302, cf. θ 57.

προ - εέργω (Ϝέργω): hinder (by standing before), w. inf., ipf., Λ 569†.

προέηκα : see προΐημι.

προ - εἶδον, subj. προΐδωσιν, part. προϊδών, mid. subj. προΐδωνται: look forward, catch sight of in front, mid., ν 155.

προέμεν : see προΐημι.

προ - ερέσσω, aor. προέρεσσα : row forward.

προ - ερύω, aor. προέρυσσεν, subj. προερύσσω : draw forward, launch.

πρόες : see προΐημι.

προ-έχω, προὔχω, προὔχουσιν, part. προὔχων, ipf. πρόεχε; mid. ipf. προὔχοντο: be ahead, Ψ 325, 453 ; jut forward, μ 11, τ 544 ; mid., hold or have before oneself, γ 8.

προ-ήκης, ες (ἀκή): sharp in front, with sharp blades, μ 205†.

προ-θέλυμνος (θέλυμνον): *with the root, roots and all,* K 15, I 541; *overlapping,* of the layers of ox-hide forming a shield, N 130.

προθέουσι: see προτίθημι.

προ - θέω, ipf. iter. προθέεσκε, subj. προθέῃσι: *run before, outstrip.*

Προθοήνωρ: son of Areïlycus, a chief of the Boeotians, B 495, Ξ 450, 471.

Πρόθοος: son of Tenthrēdon, a leader of the Magnesians, B 756, 758.

προθορών: see προθρώσκω.

Προθόων: a Trojan, slain by Teucer, Ξ 515†.

προ - θρώσκω, aor. part. προθορών: *spring forward.* (Il.)

προ-θῡμίη (πρόθῡμος): *zeal, courage,* pl., B 588†. The ῑ is due to the necessities of the rhythm.

πρό-θυρον (θύρη): *front gateway, α* 103, γ 493; front *doorway* (see plate III. *t*), θ 304, σ 10; *porch* at the entrance of the court, with pillars (see plate III. A).

προ - ΐάλλω, ipf. προΐαλλεν: *send forth.*

προ-ιάπτω, fut. προϊάψει, aor. προΐαψεν: *hurl (forth),* Ἄϊδι, Ἀϊδωνῆϊ, A 3, E 190. The προ- is merely for emphasis. (Il.)

προ - ΐημι, προΐησι, 3 pl. προΐεῖσι, imp. προΐει, part. προΐεῖσα, ipf. προΐειν, -εις, -ει (-ην, -ης, -η), aor. προέηκε, προῆκε, 3 pl. πρόεσαν, imp. πρόες, -έτω, inf. προέμεν: *let go forth, send forth,* τινά, w. inf. of purpose, K 125, κ 25 ; so of missiles, water, 'pour,' etc., θ 297, B 752 ; 'let drop,' 'let fall,' ε 316, τ 468 ; fig., φήμην, ἔπος, υ 105, ξ 466 ; κῦδός τινι, 'bestow,' Π 241.

προ - ΐκτης: *beggar, mendicant.* (Od.)

προΐξ, προικός: *gift, present;* προικός, 'for nothing,' i. e. without compensation, ν 15.

προ-ΐστημι: only aor. 1 part., προστήσᾱς, *having put forward* (in the front), w. inf., Δ 156†.

Προῖτος: *Proetus,* king of Tiryns, son of Abas, and husband of Anteia, Z 157 ff.

προ-καθ-ίζω: alight after flying forward, *settle down,* part., B 463†.

προ - καλέομαι, aor. προκαλέσσατο, imp. προκάλεσσαι, subj. προκαλέσσεται:

challenge; χάρμῃ, μαχέσασθαι, H 218, Γ 432.

προ-καλίζομαι = προκαλέομαι.

πρό-κειμαι: *lie before,* only part.

πρό - κλυτος (κλύω): *heard of old, ancient* and *celebrated;* ἔπεα, Υ 204†.

Πρόκρις: daughter of Erechtheus, king of Athens, λ 321†.

πρό-κροσσος (κρόσσαι): *in rows, in tiers,* pl., Ξ 35†.

προ - κυλίνδομαι: *roll forward,* Ξ 18†.

προ - λέγω: only pass. perf. part., προλελεγμένοι, *chosen, picked,* N 689†.

προ-λείπω, aor. part. προλιπών, inf. προλιπεῖν, perf. προλέλοιπεν: *leave behind,* met., *forsake, β* 279.

προ-μαχίζω (πρόμαχος): *be a champion, fight in the front rank,* Τρωσί (among the Trojans), τινί (with some one), Γ 16 and Υ 376.

προ - μάχομαι: *fight before* one, Λ 217 and Ρ 358.

πρό - μαχος : *champion, foremost fighter.*

Πρόμαχος: son of Alegēnor, a Boeotian chief, Ξ 476, 482, 503.

προ-μίγνῡμι: only pass. aor. 2 inf., προμιγῆναι, *to have intercourse with* (τινί) *before* one, I 452†.

προ - μνηστῖνοι: *one before (after) another, successively,* opp. ἅμα πάντες, φ 230 and λ 233.

προμολών: see προβλώσκω.

πρόμος (πρό): *foremost (man), foremost fighter.*

προ-νοέω, aor. προνόησαν, inf. προνοῆσαι: *think* or *devise beforehand, suspect,* ε 264, Σ 526.

Πρόνοος: a Trojan, slain by Patroclus, Π 399†.

πρόξ, προκός (cf. περκνός): *deer, roe,* ρ 295†.

προ-πάροιθε(ν): *before, formerly,* of space and of time; w. gen. of place, *before, along;* ἠϊόνος προπάροιθε, B 92.

πρό-πᾱς, -ᾱσα, -αν: *all* (day) *long, all* (the ships) *together,* ι 161.

προ-πέμπω, aor. προὔπεμψα: *send before* or *forth.*

προπέφανται: see προφαίνω.

προ - πίπτω, aor. part. προπεσών: *fall forward,* 'lay to,' in rowing, ι 490 and μ 194.

προ - ποδίζω: only part., *striding forward,* N 158 and 806.

προ‑πρηνής, ές: *leaning forward, bent (forward)*, Γ 218, χ 98.

προ‑προ‑κυλίνδομαι: *roll* (as suppliant) *before*, Διός, Χ 221; 'wander from place to place,' ρ 525.

προ‑ρέω, προρέει, -έουσι, inf. -έειν, part. -έοντος: *flow forth, flow on.*

πρό‑ρριζος (ρίζα): *with the roots,* 'root and branch,' Λ 157 and Ξ 415.

πρός, προτί, ποτί: I. adv., *thereto, in addition;* πρὸς δ' ἄρα πηδάλιον ποιήσατο, 'to it,' 'for it,' ε 255; ποτὶ δ' αὖ καὶ ἐγείρομεν ἄλλους, *besides,* Κ 108; with a specifying case of a subst. in the same clause, ποτὶ δὲ σκῆπτρον βάλε γαίῃ (local gen.), threw it *to* ('down,' we should say) on the ground, Α 245. — II. prep., (1) w. gen., with reference to motion either *toward* or *from* some direction, (ἵκετο) ἠὲ πρὸς ἠοίων ἦ ἑσπερίων ἀνθρώπων, 'from,' θ 29; προτὶ πτόλιος πέτετ' ἀεί, 'toward,' Χ 198; as of origin, source, ἀκούειν τι πρός τινος, Ζ 525; hence to denote mastery, authority, διδάσκεσθαι πρός τινος, Λ 831; πρὸς ἄλλης ὑφαίνειν, 'at the command of,' Ζ 456; πρὸς Διός εἰσι ξεῖνοι, 'under the protection of,' ζ 207; 'in the eyes of,' 'before,' 'by,' in oaths and entreaties, Α 399, Τ 188, ν 324.—(2) w. dat., *to, at, on, besides,* κ 68.—(3) w. acc., *to, toward, at, upon,* with verbs of motion, and very freq. w. verbs of saying, so ὀμνύναι πρός τινα, ξ 331; of hostile action, μάχεσθαι πρὸς Τρῶας, *with, against,* Ρ 471; πρὸς ῥόον, up stream, Φ 303; fig., πρὸς δαίμονα, Ρ 98, 104. — Of time, ποτὶ ἕσπερα, 'towards evening,' ρ 191.

προσ‑άγω, aor. 2 προσήγαγε: *bring upon,* ρ 446†.

προσ‑αΐσσω, aor. part. προσαΐξᾱς: *spring to, dart to,* χ 337, 342, 365.

προσ‑αλείφω: *anoint, apply as ointment;* φάρμακόν τινι, κ 392†.

προσ‑αμύνω, aor. inf. προσαμῦναι: *ward off* from one (τινί), *bring help or aid to.* (Il.)

προσ‑άπτω, προτιάπτω: *attach to, accord,* Ω 110†.

προσ‑αρηρώς (ἀραρίσκω), part.: *closely fitted,* Ε 725†.

προσ‑αυδάω, imp. προσαυδάτω, ipf. προσηύδων, προσηύδᾱ, du. προσαυδή‑την: *speak to, address,* abs., or w. acc.,

and freq. w. two accusatives, τινὰ ἔπεα, Α 201. See αὐδάω and αὐδή.

προσ‑βαίνω, aor. 2 προσέβην, 3 pl. προσέβαν, mid. aor. προσεβήσετο: *go to, arrive at, step upon.*

προσ‑βάλλω, mid. 2 sing. προτιβάλλεαι: *cast upon, strike;* Ἥλιος ἀρούρᾱς, Η 421; mid., met., *reprove,* Ε 879.

προσ‑δέρκομαι, ποτιδέρκεται, ipf. προσεδέρκετο: *look upon.*

προσ‑δέχομαι, aor. part. ποτιδέγμενος: *expect, await, wait.*

προσ‑δόρπιος, ποτιδόρπιος: *for supper,* ι 234 and 249.

προσ‑ειλέω, προτιειλέω (Ϝειλέω), inf. προτιειλεῖν: *press forward,* Κ 347†.

προσ‑εῖπον, προτιεῖπον (Ϝεῖπον), προσέειπον, opt. προτιείποι: *speak to, address, accost.*

προσ‑ερεύγομαι: *belch at;* προσερεύγεται πέτρην, 'breaks foaming against the rock,' Ο 621†.

πρόσθε(ν): *in front, before, formerly,* of place and of time; (the Chimaera), πρόσθε λέων, ὄπιθεν δὲ δράκων, Ζ 181; οἱ πρόσθεν, 'the men of old,' Ι 524; as prep., w. gen., often of place, also to denote protection, like πρό or ὑπέρ, Φ 587, θ 524; local and temporal, Β 359.

πρόσ‑κειμαι: *be attached to* (pass. of προστίθημι), ipf., Σ 379†.

προσ‑κηδής, ές (κῆδος): *solicitous, affectionate,* φ 35†.

προσ‑κλίνω, ποτικλίνω, ipf. προσέκλῑνε, pass. perf. ποτικέκλιται: *lean against,* τινί τι; perf. pass., *is placed* or *stands near.* (Od.)

προσ‑λέγομαι, aor. 2 προσέλεκτο: *lie* or *recline beside,* μ 34†.

προσ‑μῡθέομαι, προτιμῡθέομαι, aor. inf. προτιμῡθήσασθαι: *speak to,* λ 143†.

προσ‑νίσσομαι, ποτινίσσομαι: *go* or *come in;* εἴς τι, Ι 381†.

προσ‑πελάζω, aor. part. προσπελάσᾱς: *bring in contact with, drive upon,* ι 285†.

προσ‑πίλναμαι: *draw near,* ipf., ν 95†.

προσ‑πλάζω, part. προσπλάζον: *strike upon, reach to,* Μ 285 and λ 583.

προσ‑πτήσσω, ποτιπτήσσω, perf. part. ποτιπεπτηυῖαι: *sink down towards,* τινός, ν 98†.

προσ - πτύσσομαι, ποτιπτύσσομαι,
opt. ποτιπτυσσοίμεθα, fut. προσπτύξε-
ται, aor. προσπτύξατο, subj. προσπτύ-
ξομαι : *fold to oneself, embrace, receive*
or *greet warmly,* λ 451, θ 478, γ 22 ;
μύθῳ, in entreaty, 'entreat,' β 77.

πρόσσοθεν: *before* him, Ψ 533†.

πρόσσω : see πρόσω.

προσ - στείχω, aor. 2 προσέστιχε :
ascend, ν 73†.

προσ - τέρπω : ποτιτερπέτω ; 'let
him please,' 'entertain' thee, O 401†.

προσ-τίθημι, aor.1 προσέθηκε : *place
at* (the entrance), ι 305†.

προσφάσθαι : see πρόσφημι.

πρόσ- φατος : usually interpreted,
freshly slain (φένω) : according to
others, *that may be addressed* (φημί),
i. e. with lifelike countenance, Ω 757†.

πρόσ- φημι, ipf. (aor.) προσέφην,
mid. inf. προσφάσθαι : *speak to, ad-
dress.*

προσ-φυής, ές : *grown upon,* i. e.
fastened to, τ 58†. (See cut No. 105.)

προσ - φύω, aor. 2 part. προσφύς,
-ῦσα : aor. 2 intrans., *grow to, cling,* μ
433 and Ω 213.

προσ - φωνέω, ipf. προσεφώνεον :
speak to, address, accost ; in χ 69, μετε-
φώνεε is the better reading. See φω-
νέω and φωνή.

προσ - φωνήεις, ποτιφωνήεις, εσσα,
εν : *capable of addressing, endued with
speech,* ι 456†.

πρό(σ)σω: *forward, in the future,*
Π 265, A 343.

πρόσ - ωπον (ὤψ), pl. πρόσωπα and
προσώπατα : *face, visage, countenance,*
usually pl. ; sing., Σ 24.

προ - τάμνω, aor. part. προταμών,
mid. aor. opt. προταμοίμην : *cut before*
one (forward, from the root toward the
top), ψ 196 ; *cut up,* I 489 ; mid., *cut
straight before* me, 'draw straight be-
fore me,' σ 375.

πρότερος (comp. to πρό): *fore,
former;* πόδες, τ 228 ; usually of time,
(οἱ) πρότεροι, 'men of former time,' Δ
308 ; τῇ προτέρῃ (sc. ἡμέρῃ), π 50 ;
γενέῃ, 'elder,' O 166.

προτέρω: *forward, further.*

προ-τεύχω, pass. perf. inf. προτετύ-
χθαι : perf. pass., *be past and done,* let
'by-gones be by-gones.' (Il.)

προτί: see πρός. For compounds
with προτι-, see under προς-.

Προτιάων: a Trojan, the father of
Astynous, O 455†.

προτιβάλλεαι, προτιειλεῖν : see
προσβάλλω, προσειλέω.

προτιείποι: see προσεῖπον.

προ-τίθημι, 3 pl., προθέουσιν, ipf. 3
pl. πρότιθεν, aor. προὔθηκεν : *place be-
fore,* 'throw before' dogs, Ω 409 ; fig.,
'permit,' A 291.

προτιμυθήσασθαι: see προσμυθέο-
μαι.

προτι-όσσομαι, imp. προτιόσσεο, ipf.
-ετο : *look upon* or *toward,* and, with
the eyes of the mind, *forbode;* 'recog-
nize thee for what I had foreboded,'
X 356.

πρό - τμησις (τέμνω): *parts about
the navel,* Λ 424†.

πρό'- τονος (τείνω): only pl., *fore-
stays* of a ship, ropes extending from
the mast to the inner portion of the
bows, A 434, β 425. (See cut under
Σειρήν.)

προ-τρέπομαι (τρέπω), ipf. προτρέ-
ποντο, aor. 2 subj. προτράπηται, opt.
-οίμην, inf. -έσθαι : *turn* (in flight) *to,*
fig., *give oneself to,* ἀχεΐ, Z 336.

προ - τροπάδην : adv., *in headlong
flight,* Π 304†.

προ- τύπτω, aor. προὔτυψα: *strike
forward,* intrans., *press forward; ἀνὰ
ῥῖνας δριμὺ μένος,* 'forced itself for-
ward' (rose quickly in spite of him),
ω 319.

προὔθηκε: see προτίθημι.

προὔπεμψε: see προπέμπω.

προὔχοντα, προυχούσῃ: see προέ-
χω.

προ - φαίνω, ipf. προὔφαινον, mid.
ipf. προυφαίνετο, pass. perf. 3 sing.
προπέφανται, aor. part. προφανείς :
show forth, reveal, and intrans., *shine
forth,* ι 145 ; mid., *shine forth, be visi-
ble, appear;* οὐδὲ προὔφαίνετ' ἰδέσθαι,
'it was not light enough to see,' ι 143.

πρό-φασις (φημί): *pretext;* acc. as
adv., *ostensibly,* T 262 and 302.

προ - φερής, ές, comp. **προφερέστε-
ρος,** sup. **-έστατος:** *preferred, τινός,*
'above' some one, *superior* in, τινί, φ
134 ; w. inf., 'better in drawing,' K
352.

προ-φέρω, subj. προφέρῃσι, opt. -οις,
imp. -ε, part. -ων, mid. pres. προφέρον-
ται, subj. -ηται : *bear forth* or *away,
proffer,* fig., ὀνείδεα τινί, B 251 ; 'dis-

play,' μένος, Κ 479; mid., ἐριδά τινι, 'challenge,' θ 210; 'begin' combat, Γ 7.

προ - φεύγω, aor. 2 subj. προφύγῃ, opt. 2 sing. προφύγοισθα, inf. προφυγεῖν, part. -ών: flee away, escape, abs., and w. acc.

πρό - φρασσα, fem. of πρόφρων: cheerful(ly), serious(ly), in earnest, κ 386.

πρό-φρων, ονος (φρήν): adj., regularly used not as attributive but as adverb, cheerful(ly), gracious(ly), kind-(ly), zealous(ly), earnest(ly); ironical, πρόφρων κεν δὴ ἔπειτα Δία λιτοίμην, 'in good earnest,' i. e. I could not do it, ξ 406; as adj., θυμῷ πρόφρονι, Θ 40.—Adv., προφρονέως (Il.).

προ-χέω, pass. ipf. προχέοντο: pour forth; met., Β 465, etc. (Il.)

πρό-χνυ (γόνυ): (forward) on the knee, 'on her knees,' Ι 570; fig., ἀπολέσθαι, laid 'low,' 'utterly' destroyed, Φ 460.

προ-χοή (χέω): only pl., out-pourings, mouth of a river, stream, v 65.

πρό-χοος (χέω): vessel for pouring, pitcher, vase (for the form see cut No. 26). Used for wine, σ 397, and for water in ablutions (see cut No. 76).

πρυλέες, dat. πρυλέεσσι: heavy-armed foot-soldiers (= ὁπλῖται), Λ 49, Μ 77, Ο 517, Ε 744.

Πρυμνεύς: a Phaeacian, θ 112†.

πρύμνη: stern of a ship; for πρυμνὴ νηύς, see πρυμνός.

πρύμνηθεν: at the stern; λαμβάνειν, 'by the stern-post,' Ο 716†.

πρυμνήσια: neut. adj. as subst., sc. πείσματα, stern-cables, by means of which the ship was made fast to the shore; πρυμνήσια καταδῆσαι, ἀνάψαι, λῦσαι, β 418.

πρυμνός, sup. πρυμνότατος (ρ 463): at the extreme end, usually the lower or hinder part; βραχίων, 'end' of the arm near the shoulder, Ν 532; γλῶσσα, 'root' of the tongue, Ε 292; so κέρας, Ν 705; νηῦς πρυμνή, at the stern, 'aft,' 'after part,' cf. πρύμνη, β 417; δόρυ, here apparently the upper end, 'by the point,' Π 618; of a stone, πρυμνὸς παχύς, thick 'at the base,' Μ 446; ὕλην πρυμνήν, wood 'at the root,' Μ 149.—Neut. as subst., πρυμ-

νὸν θέναρος, 'end of the palm,' just below the fingers, Ε 339.

πρυμν-ωρείη (ὄρος): foot of a mountain, Ξ 307†.

Πρύτανις: a Lycian, slain by Odysseus, Ε 678†.

πρῴην (πρό): lately, recently. (Il.)

πρωθ-ήβης (πρῶτος, ἥβη): in the prime or 'bloom' of youth.

πρωΐ (πρό): early, in the morning; 'untimely,' v. l. for πρῶτα, ω 28.

πρωΐζ(α), πρωιζά: day before yesterday, Β 303†.

πρώιον, neut. adj. as adv., early in the morning, Ο 470†.

πρών, πρώνος, pl. πρώονες: foreland, headland. (Il.)

Πρωρεύς: a Phaeacian, θ 113†.

πρώρη (πρό): fem. adj. as subst., prow, μ 230†.

Πρωτεσίλᾱος: Protesilāus, son of Iphiclus, a leader of the Thessalians, the first Greek to tread on Trojan soil, and the first to fall, Β 698, 706, Ο 705, Ν 681, Π 286.

Πρωτεύς: Proteus, the prophetic old man of the sea, changing himself into many shapes, δ 365, 385.

πρώτιστος, sup. to πρῶτος: first of all, chiefest.—Adv., πρώτιστον, πρώτιστα (πρώτισθ'), λ 168.

πρωτό - γονος: first - born, ἄρνες, 'firstlings.' (Il.)

πρωτο-παγής, ές (πήγνῡμι): new-made, Ε 194 and Ω 267.

πρωτο - πλόος (πλέω): sailing or going to sea for the first time, θ 35†.

πρῶτος (sup. from πρό): first, of position, rank, or time, opp. ὕστατος, Β 281; ἐν πρωτῃ ἀγορῇ, 'front' of the assembly, Τ 50; ἐνὶ πρώτῃσι θύρῃσι (cf. πρόθυρα), 'at the first entrance,' α 255; πρῶτοι for πρόμαχοι, Ε 536, σ 379; τὰ πρῶτα (sc. ἆθλα), Ψ 275.— Adv., πρῶτον, πρῶτα, τὸ πρῶτον, τὰ πρῶτα, Δ 267, Α 6; w. ἐπειδή (cum primum), 'as soon as.'

πρωτο-τόκος (τίκτω): having borne ('come in') for the first time, of a heifer, Ρ 5†.

Πρωτώ: a Nereid, Σ 43†.

πρώονες: see πρών.

πταίρω, aor. 2 ἔπταρεν: sneeze, ρ 541†.

πτάμενος, πτάτο: see πέτομαι.

πτελέη: elm. (Il.)

Πτελεός: (1) a harbor-town in Thessaly, B 697.—(2) in Elis, a colony of the Thessalian Pteleus, B 594.

πτέρνη: *heel*, X 397†.

πτερόεις, εσσα, εν: *winged*, epith. of the feathered arrow; also of targes (λαισήια), because of the fluttering apron attached to them, E 453 (see cuts Nos. 73 and 79); met., ἔπεα πτερόεντα, 'winged words.'

πτερόν (πέτομαι): *feather, wing; πτερὰ βάλλειν*, 'ply,' *τινάσσεσθαι*, Λ 454, β 151; symbol of lightness, swiftness, T 386, η 36; fig., of oars, *πτερὰ νηυσίν*, λ 125.

πτέρυξ, υγος, pl. dat. πτερύγεσσιν: *wing, pinion.*

πτήσσω, aor. πτῆξε, perf. part. πεπτηώς: *cower, crouch*, perf.; aor. trans. in an interpolated verse, 'make to cower, 'terrify,' Ξ 40.

πτοιέω: only pass. aor. 3 pl., ἐπτοίηθεν, *were dismayed*, χ 298†.

Πτολεμαῖος: son of Piraeus, father of Eurymedon, Δ 228†.

πτολεμίζω, πτολεμιστής, πτόλεμος: see πολεμίζω, etc.

πτολίεθρον: *town, city*, but often in a more restricted sense than πόλις, hence w. gen., Τροίης ἱερὸν πτολίεθρον, Πύλου αἰπὺ πτολίεθρον, α 2, γ 485.

πτολι-πόρθιος, πτολίπορθος (πέρθω): *sacker of cities*, epith. of gods and heroes (in the Od. only of Odysseus).

πτόλις: see πόλις.

πτόρθος: *sapling*, ζ 128†.

πτύγμα (πτύσσω): *fold*, E 315†.

πτυκτός (πτύσσω): *folded*, Z 169†.

πτύξ, πτυχός (πτύσσω): *fold, layer*, of the layers of a shield, Σ 481 (see cut No. 130); fig., of mountains, *cleft, vale, ravine*, Λ 77, Υ 22, τ 432.

πτύον, gen. πτυόφιν: *winnowing shovel* or *fan*, used to throw up grain and chaff against the wind, N 588†.

πτύσσω, aor. part. πτύξασα, mid. ipf. ἐπτύσσοντο: *fold, fold together;* pass., 'were bent,' N 134.

πτύω: *spit* forth, part., Ψ 697†.

πτώξ, πτωκός (πτώσσω): *timid*, epith. of the hare, X 310; as subst., *hare*, P 676.

πτωσκάζω, inf. -έμεν: *crouch in fear*, Δ 372†.

πτώσσω (cf. πτήσσω, πτώξ), ipf.

πτώσσον: *cower, hide; ὑπό τινι*, 'before' one, H 129; of a beggar, 'go cringing about,' *κατὰ δῆμον*, ρ 227, σ 363; trans., ὄρνῖθες νέφεα, 'flee' the clouds, χ 304.

πτωχεύω (πτωχός), ipf. iter. πτωχεύεσκε, fut. part. πτωχεύσων: *be a beggar, beg;* trans., δαῖτα, ρ 11, 19.

πτωχός (πτώσσω): *beggar*-(man), ἀνήρ, φ 327, ξ 400. (Od.)

Πυγμαῖοι (πυγμή, 'Fistlings,' cf. Tom 'Thumb,' 'Thumbkin'): the *Pygmies*, a fabulous race of dwarfs or manikins, Γ 6†.

πυγ-μαχίη: *boxing*, Ψ 653 and 665.

πυγ-μάχος: *boxer*, pl., θ 246†. (Cf. cut.)

πυγμή (πύξ, cf. p u g n u s): *fist*, then *boxing, boxing-match*, Ψ 669†.

102

πυγούσιος (πυγών): *a cubit long; ἔνθα καὶ ἔνθα*, i. e. a cubit square, κ 517 and λ 25.

πύελος: *feeding-trough*, τ 553†.

πυθέσθαι: see πυνθάνομαι.

πυθμήν, ένος: *bottom* of a vase, *trunk, butt* of a tree, Λ 635, ν 122, 372.

πύθω, fut. πύσει, pass. pres. πύθεται: *cause to rot*, pass., *rot, decay*.

Πϋθώ, Πῦθώ, dat. Πῦθοῖ, acc. Πϋθώ and Πῦθῶνα: *Pytho*, the most ancient name of the oracle of Apollo on Mt. Parnassus near Delphi in Phocis, B 519, I 405, θ 80.

Πϋθῶδε: *to Pytho*, λ 581.

πύκα: *thickly, strongly*, I 588; met., *wisely, carefully; φρονεῖν, τρέφειν*, E 70.

πυκάζω (πύκα), opt. πυκάζοιεν, aor. πύκασα, pass. perf. part. πεπυκασμένος: *cover closely* or *thickly, wrap up; τινὰ νεφέλῃ*, P 551; of a helmet, *πύκασε κάρη*, K 271; σφέας αὐτούς, 'crowd' themselves, μ 225; pass., of chariots 'overlaid' with gold, etc., Ψ 503; met., of grief, τινὰ φρένας, 'overshadow' the soul, Θ 124.

πυκι-μηδής, ές (μῆδος): *deep-counselled*, α 438†.

πυκινός, πυκνός (πύκα): *close, thick, compact; θώρηξ, ἀσπίς, χλαῖνα*, ξ 521; with reference to the particles or parts

οΐ anything, νέφος, φάλαγγες, στίχες; of a bed with several coverings, 'closely spread,' I 621; πυκινὰ πτερά, perhaps to be taken adverbially, of the movements in close succession (see below), β 151, etc.; of thick foliage, ὄζος, θάμνος, ὕλη; 'closely shut,' 'packed,' θύρη, χηλός, Ξ 167, ν 68; metaph., 'strong,' 'sore,' ἄχος, ἄτη, Π 599, Ω 480; wise, prudent, sagacious, φρένες, μήδεα, ἔπος, etc.—Adv., πυκ(ι)-νόν, πυκ(ι)νά, πυκινῶς, close, fast, rapidly, often; also deeply, wisely.

Πυλαιμένης: king of the Paphlagonians, an ally of the Trojans, father of Harpalion, B 851, N 643. He is slain by Menelāus, E 576, but appears later as still living, N 658.

Πυλαῖος: son of Lethus, a chief of the Pelasgians, B 842†.

πυλ-άρτης, ᾱο: gate - closer, doorkeeper of the nether world, w. κρατερός, epith. of Hades, Θ 367, λ 277.

Πυλάρτης: the name of two Trojans, one overcome by Ajax, Λ 491; the other by Patroclus, Π 696.

πυλα-ωρός (root Ϝορ, ὁράω): gatekeeper, pl. (Il.)

πύλη: gate, gates, always pl., with reference to the two wings. Poetically 'Αἴδαο (periphrasis for death), οὐρανοῦ, 'Ολύμπου, 'Ηελίοιο, ὀνείρειαι, ὀνείρων, δ 809, τ 562, E 646, ξ 156.

Πυληγενής: see Πυλοιγενής.

Πυλήνη: a town in Aetolia, B 639†.

Πύλιος: of Pylus; Πύλιοι, the Pylians, Η 134, Λ 753, Ψ 633, ο 216.

Πυλοιγενής, ές: born in Pylos, bred in Pylus, Nestor, ἵπποι, B 54, Ψ 303.

Πυλόθεν: from Pylos, π 323†.

Πυλόνδε: to Pylos.

Πύλος: Pylos.—(1) a city in Messenian Elis, on the coast opposite the southern extremity of the island of Sphacteria; the home of Neleus and Nestor. Under the epith. 'sandy' Pylos the entire region is designated, B 77, γ 4.—(2) a city in Triphylia of Elis, south of the Alphēus, Λ 671 ff. —(3) see πέλος.

πύλος: ἐν πύλῳ, E 397†, explained by those who prefer not to read ἐν Πύλῳ as in the gateway, i. e. at the gates of Hades.

Πύλων: a Trojan, slain by Polypoetes, M 187†.

πύματος: last, of time or place; ἄντυξ ἀσπίδος, 'outermost,' Z 118, ci Σ 608; 'root' of the nose, N 616.— Adv., πύματον, πύματα, joined wit ὕστατον, ὕστατα, X 203, δ 685.

πυνθάνομαι, πεύθομαι, opt. 3 pi πευθοίατο, ipf. πυνθανόμην, (ἐ)πεύθε το, fut. πεύσομαι, aor. 2 (ἐ)πυθόμην, opt. redup. πεπύθοιτο, perf. πέπυσμαι, πέπυσσαι, plup. (ἐ)πέπυστο, du. πεπύσθην: learn by inquiry, ascertain, hear tell of; w. gen. (or ἐκ) of the person giving the information, also gen. of the person or thing learned about, ν 256, ξ 321; βοῆς, 'hear,' Z 465; freq. w. part., 'hear of all this wrangling on your part,' A 257.

πύξ (cf. πύκα, πυκνός, πυγμή): adv., with the fist, at boxing.

πύξινος (πύξος): of box-wood, Ω 269†.

πῦρ, πυρός: fire; pl. πυρά, watchfires, Θ 509, 554.

πυρ-άγρη (ἀγρέω = αἱρέω): firetongs, γ 434 and Σ 477.

Πυραίχμης: a chief of the Paeonians, an ally of the Trojans, slain by Patroclus, B 848, Π 287.

πυρακτέω: only ipf. ἐπυράκτεον, I brought to a glow, ι 328†.

Πύρασος: (1) a Trojan, slain by Ajax, Λ 491.—(2) name of a town in Thessaly, B 695.

πυργηδόν: adv., like a tower, 'in solid masses.' (Il.)

πύργος: tower, turreted wall; fig., of Ajax, πύργος 'Αχαιῶν, Λ 556; his shield also is compared to a tower, H 219, Λ 485; of a 'column,' 'compact body' of troops, Δ 334.

πυργόω, aor. πύργωσαν: surround with towers, fortify, λ 264†.

πυρετός: fever, X 31†.

πυρή (πῦρ): pyre, funeral - pile, Ψ 110–177, 192–258, Ω 786–799. (Cf. cut No. 103, on following page.)

πυρηφόρος: see πυροφόρος.

πυρι-ήκης, ες (ἄκη): fire - pointed, with blazing point, ι 387†.

πυρί - καυστος (καίω): charred, N 564†.

Πύρις: a Lycian, slain by Patroclus, Π 416†.

Πυριφλεγέθων: Pyriphlegethon, a river of the nether world, κ 513†.

103

πυρ-καϊή (καίω): place where fire is kindled, *funeral-pile*. (Il.)

πύρνον: *wheaten loaf.* (Od.)

πῡρός: *wheat*, often pl.; mentioned only once as food for men, *v* 109, but cf. *πύρνον.*

πῡρο-φόρος and **πῡρηφόρος**: *wheat-bearing*, γ 495.

πυρ-πολέω: *tend fires* (watch-fires), part., κ 30†.

πυρσός (πῦρ): *torch, beacon, signal-light*, pl., Σ 211†.

πώ: enclitic adv., always w. neg., οὔ πω, not *yet*, (n)*ever*, οὐ γάρ πω, μή δή πω, etc.; also like πώς, οὔ (μή) πω, 'in no wise,' 'by no means.'

πωλέομαι (frequentative of πέλομαι), πώλε(αι), part. πωλεύμενοι, ipf. πωλεύμην, -ειτο, iter. πωλέσκετο, fut.

πωλήσομαι: *frequent* a place, *go and come* to or among, *consort with.*

πῶλος: *foal.*

πῶμα, *ατος*: *lid, cover*, of a chest, a vase, a quiver, Π 221, β 353, Δ 116. (See the quiver of Heracles in cut.)

104

πώ-ποτε: *ever yet*, always after οὐ, referring to past time.

πῶς: interrog. adv., *how? in what way?* Also with merely exclamatory effect. κ 337. Combined, πῶς γάρ, πῶς δή, πῶς τ᾽ ἄρα, etc.

πώς: enclitic indef. adv., *somehow, in some way;* if *in any way, perchance, perhaps;* w. neg., *by no means.*

πωτάομαι (πέτομαι), ipf. πωτῶντο: *fly*, M 287†.

πῶυ, *εος*, pl. dat. **πώεσι**: *flock*, ὀίων, μήλων.

P.

P. Many words beginning with ρ originally began with two consonants, esp. Ϝρ or σρ (Ϝρήγνῡμι, σρέω), and the quantitative (metrical) effect of the two letters has been preserved in the frequent doubling of ρ (ἔρρεον). What the initial consonant was cannot always be determined.

ῥά, ῥ᾽: see ἄρα.

ῥάβδος: *rod, wand*, esp. the magic wand of Hermes, Circe, Athēna, Ω 343, κ 238, ν 429; of a fishing-rod, μ 251; pins, M 297.

ῥαδαλός: see ῥοδανός.

Ῥαδάμανθυς: *Rhadamanthys*, son of Zeus and brother of Minos, a ruler in Elysium, M 322, η 323, δ 564.

ῥαδινός (Ϝρ.): *slender, pliant*, Ψ 583†.

ῥαθάμιγξ, *ιγγος*: pl., *drops;* fig., κονίης, 'particles' of dust, Ψ 502. (Il.)

ῥαίνω, aor. imp. ῥάσσατε, pass. ipf. ῥαίνοντο, perf. 3 pl. ἐρράδαται, plup. ἐρράδατο: *sprinkle, besprinkle.*

ῥαιστήρ, *ῆρος* (ῥαίω): *hammer*, Σ 477†.

ῥαίω, fut. inf. ῥαισέμεναι, aor. subj. ῥαίσῃ, inf. ῥαῖσαι, pass. pres. opt. ῥαίοιτο, aor. ἐρραίσθη : *shatter, dash* (in pieces), πρὸς οὐδεῖ, ι 459 ; 'wreck,' ζ 326, ε 221.

ῥάκος, εος (*Fρ.*) : *ragged garment, tatters.* (Od.)

ῥαπτός : *sewed, patched*, ω 228 and 229.

ῥάπτω, ipf. ῥάπτομεν, aor. ῥάψε, inf. ῥάψαι : *sew, stitch*, or *rivet together*, M 296 ; met., 'devise,' 'contrive,' Σ 367, γ 118, π 379, 422.

ῥάσσατε : see ῥαίνω.

ῥαφή (ῥάπτω) : *seam*, pl., χ 186†.

ῥάχις, ιος : *chine*, back - piece, cut lengthwise along the spine, I 208†.

Ῥέᾱ, Ῥείη : *Rhea*, daughter of Uranus, sister and consort of Cronus, mother of Zeus, Poseidon, Hades, Hera, Demēter, Hestia.

ῥέα, ῥεῖα : *easily;* θεοὶ ῥεῖα ζώοντες, i. e. without the effort entailed by care and trouble, ε 122.

ῥέεθρον (ῥέω) : pl., *streams, stream, current;* ποταμοῖο ῥέεθρα, periphrasis for ποταμός.

ῥέζω (*Fρ.*, *Fέργον*), ipf. iter. ῥέζεσκον, fut. ῥέξω, aor. ἔρεξα, ἔρρεξε, ῥέξε, subj. ῥέξομεν, pass. aor. inf. ῥεχθῆναι, part. ῥεχθείς, cf. ἔρδω : *do, work, act*, μέγα ἔργον, εὖ or κακῶς τινά, ψ 56 ; οὐ κατὰ μοῖραν ἔρεξας, ι 352 ; pass., ῥεχθέν δέ τε νήπιος ἔγνω, 'a thing once done,' P 32 ; esp., 'do' sacrifice, 'perform,' 'offer,' 'sacrifice,' ἑκατόμβην, θαλύσια, abs. θεῷ, I 535, Θ 250.

ῥέθος, εος : pl., *limbs.* (Il.)

ῥεῖα : see ῥέα.

Ῥείη : see Ῥέᾱ.

Ῥείθρον : name of a harbor in Ithaca, α 186†.

ῥέπω (*Fρ.*) : *sink* in the scale, used figuratively of the balances of fate, ῥέπε δ' αἴσιμον ἦμαρ Ἀχαιῶν (meaning that their fate was sealed, an expression the converse in form, for the counterpart in sense, of our ' kick the beam '), Θ 72, Χ 212. (Il.)

ῥερυπωμένος : see ῥυπόω.

ῥεχθείς : see ῥέζω.

ῥέω (σρέFω), ipf. ἔρρεον, ῥέε, aor. ἐρρύην, ῥύη : *flow, stream;* met., of speech, missiles, hair, A 249, M 159, κ 393.

ῥηγμίν, ῖνος (*Fρήγνυμι*) : *surf, breakers.*

ῥήγνῡμι (*Fρ.*, cf. f r a n g o), 3 pl.

ῥηγνῦσι, ipf. iter. ῥήγνυσκε, fut. ῥήξω, aor. ἔρρηξα, ῥῆξε, mid. pres. imp. ῥήγνυσθε, aor. (ἐρ)ρήξαντο : *break, burst, rend in twain*, different from ἄγνῡμι. Freq. of breaking the ranks of the enemy in battle, φάλαγγας, ὅμῑλον, στίχας, Z 6, Λ 538, O 615. — Mid., *break* for oneself, Λ 90, M 90 ; *break intrans.*, as waves, and fig., 'let break out,' 'let loose,' ἔριδα, Υ 55.

ῥῆγος, εος (*Fρ.*) : *rug, blanket*, probably of wool, opp. λίνον, ν 73 ; often pl., mentioned as covers, cushions, for bed or chairs. (Od. and I 661, Ω 664.) (Cf. the Assyrian and Greek θρόνος with θρῆνυς attached.)

105

ῥηθείς : see εἴρω 1.

ῥηίδιος (Att. ῥάδιος), comp. ῥηίτερος, sup. ῥηίτατος and ῥήιστος : *easy;* w. dat., also foll. by inf. ; pers. for impers., ῥηίτεροι πολεμίζειν ἦσαν Ἀχαιοί, Σ 258.—Adv., ῥηιδίως, sup. ῥηίτατα, Δ 390, τ 577.

ῥηκτός (*Fρήγνῡμι*) : *breakable, penetrable, vulnerable*, N 323†.

Ῥήνη : concubine of Oïleus, mother of Medon, B 728†.

ῥηξ-ηνορίη : *might to break* hostile ranks of men, ξ 217†.

ῥηξ - ήνωρ, ορος (*Fρήγνῡμι*, ἀνήρ) :

106

bursting ranks of *men*, epith. of Achilles.

Ῥηξήνωρ: son of Nausithous, and brother of Alcinous, η 63 and 146.

ῥῆσις, ιος (root Ϝερ, εἴρω 1): *speaking, speech,* φ 291†.

Ῥῆσος: *Rhesus*, king of the Thracians, slain by Odysseus and Diomed, K 474, 519.

ῥήσσω (cf. ῥήγνῡμι): *stamp,* part., Σ 571†.

ῥητήρ, ῆρος (root Ϝερ, εἴρω 1): *speaker,* I 443†.

ῥητός: *spoken, stipulated,* Φ 445†.

ῥήτρη: *stipulation, bargain,* ξ 393†.

ῥῑγεδανός (Ϝρῑγέω): *horrible,* T 325†.

ῥῑγέω (Ϝρῖγος), fut. inf. ῥῑγήσειν, aor. (ἐρ)ρίγησα, perf., w. pres. signif., ἔρρῑγα, subj. ἐρρίγησι, plup. ἐρρίγει: properly, to shudder with cold, but in Homer always met., *shudder* (*at*) with fear, *be horrified,* abs., also w. acc., inf., Γ 353; part., Δ 279; μή, ψ 216.

ῥίγιον (Ϝρῖγος), comp.: *colder,* ρ 191; met., *more horrible, more terrible,* cf. ἄλγιον.—Sup., ῥίγιστος, ῥίγιστα, E 873†.

Ῥῖγμος: son of Piroüs, from Thrace, an ally of the Trojans, Υ 485†.

ῥῖγος, εος (cf. f r i g u s): *cold,* ε 472†.

ῥῑγόω, fut. inf. ῥῑγωσέμεν: *be cold,* ξ 481†.

ῥίζα: *root;* fig., of the eye, ι 390.

ῥιζόω, aor. ἐρρίζωσε, pass. perf. ἐρρίζωται: cause to take root, *plant, plant out,* pass., η 122; fig., 'fix firmly,' ν 163. (Od.)

ῥίμφα (Ϝρίπτω): *swiftly.*

ῥίν: see ῥίς.

ῥῑνόν and ῥῑνός (Ϝρ.): *skin* of men, or *hide* of animals, then *shield* of oxhide (with and without βοῶν), Δ 447, M 263; reading and sense doubtful in ε 281 (v. l. ἐρῑνόν, 'cloud'?).

ῥῑνο-τόρος (τορέω): *shield-piercing,* Φ 392†.

ῥίον: *peak, crag, headland,* γ 295.

ῥῑπή (Ϝρίπτω): *impulse, flight, rush,* of a stone thrown, a spear, wind and fire, θ 192, Π 589, Φ 12.

Ῥίπη: a town in Arcadia, B 606†.

ῥῑπτάζω (frequentative of Ϝρίπτω): *hurl about,* part., Ξ 257†.

ῥίπτω (Ϝρ.), ipf. iter. ῥίπτασκον, fut. ῥίψω, aor. ἔρριψεν, ῥῖψα: *fling, hurl;* τὶ μετά τινα, 'toss into the hands of,' Γ 378.

ῥίς, ῥῑνός (Ϝρ.): *nose,* pl. *nostrils.*

ῥοδανός: *waving, swaying,* Σ 576† (v. l. ῥαδαλόν).

Ῥόδιος: see Ῥόδος.

Ῥοδίος: a river in the Troad, rising in Mt. Ida, M 20†.

ῥοδο-δάκτυλος: *rosy-fingered,* epith. of Eos, goddess of the dawn.

ῥοδόεις, εσσα, εν (Ϝρόδον): *rosy,* 'fragrant with roses,' Ψ 186†.

Ῥόδος: *Rhodes,* the celebrated island southwest of Asia Minor, B 654 ff., 667.—Ῥόδιος, *of Rhodes,* pl. Ῥόδιοι, the *Rhodians,* B 654.

ῥοή (σρέω): pl., *flood, stream, streams.*

ῥόθιος: *plashing, dashing, surging,* ε 412†.

ῥοιβδέω (ῥοῖβδος, ῥοῖζος), aor. opt. ῥοιβδήσειεν: *gulp, suck in,* μ 106†.

ῥοιζέω, aor. ῥοίζησε: *whistle,* K 502†.

ῥοῖζος (cf. ῥοῖβδος, ῥοιβδέω): *whistling, whizzing,* of arrows, Π 361; of the shepherd's call, ι 315.

ῥοιή: *pomegranate,* tree and fruit, pl., η 115 and λ 589.

ῥόος (σρέω): *flow, stream, current.*

ῥόπαλον (Ϝρέπω): *club, cudgel.*

ῥοχθέω, ῥοχθεῖ, ipf. ῥόχθει: *roar,* of the waves, μ 60 and ε 402.

ῥύατο: see ῥύομαι.

ῥυδόν (σρέω): adv., *in floods,* 'enormously,' ο 426†.

ῥύη: see ῥέω.

ῥῡμός (ἐρύω): *pole* of a chariot, Z 40, K 505. (Cf. cut No. 42 for the method of attaching the pole; cf. also Nos. 45, 92.)

107

ῥύομαι (ἐρύω), inf. ῥύεσθαι and ῥῦσθαι, ipf. ῥύετο, 3 pl. ῥῦατ(ο), iter. ῥύσκευ, aor. ῥυσάμην, (ἐρ)ρύσατο, imp. ῥῦσαι: *rescue, save; ὑπέκ, ὑπό τινος,* 'out of,' 'from,' M 107, P 645; in general, 'protect,' 'cover,' 'hide,' ζ 129, P 224, M 8; *detain,* ψ 244.

ῥυπάω, ῥυπόω, part. ῥυπόωντα: *be dirty, soiled.*

ῥύπος, pl. ῥύπα: *dirt,* ζ 93†.

ῥῦσαι, ῥύσατο, ῥῦσθαι: see ῥύομαι.

ῥύσιον (ἐρύω): pl., *booty* dragged away, of cattle, Λ 674†.

ῥυσίπτολις: see ἐρυσίπτολις.

ῥύσκευ: see ῥύομαι.

ῥῡσός (ἐρύω): *wrinkled,* I 503†.

ῥυστάζω (ἐρύω), ipf. iter. ῥυστάζεσκεν: *drag about, maltreat,* π 109.

ῥυστακτύς, ύος (ῥυστάζω): *dragging, maltreatment,* σ 224†.

ῥῡτήρ, ῆρος (ἐρύω): (1) *one who draws, drawer* of a bow, φ 173, σ 262. —(2) *guard,* ρ 187 and 223.—(3) *reins drawn tight, taut reins,* which in Π 475 are described as having been drawn to one side and entangled by the fall of the παρήορος.

Ῥύτιον: a town in Crete, B 648†.

ῥῡτός (ἐρύω): *dragged, hauled,* of stones too large to carry, ζ 267 and ξ 10.

ῥωγαλέος: *torn, ragged.*

ῥώξ, ῥωγός (ῥήγνῡμι): pl., *clefts, loop-holes* or windows in the rear wall of the μέγαρον, to light the stairway behind them, χ 143. (See cut No. 83.)

ῥώομαι (cf. r u o), ipf. (ἐρ)ρώοντο, aor. ἐρρώσαντο: *move quickly; γούνατα, κνῆμαι,* ψ 3, Σ 411; of dancing, marching in armor, horses' manes fluttering, Ω 616, ω 69, Ψ 367.

ῥώπήιον (ῥώψ): pl., *undergrowth.*

ῥωχμός (ῥώξ): *place gullied out, hollow,* Ψ 420†.

ῥώψ, ῥωπός: pl., *twigs, brushwood.*

Σ.

σ᾽= (1) σέ.—(2) rarely σοί, Α 170, Φ 122, cf. δῶκε δέ μ᾽, κ 19.—(3) σά, α 356.

Σαγγάριος: *Sangarius,* a river flowing through Bithynia and Phrygia, and emptying into the Euxine, Γ 187, Π 719.

σαίνω, ipf. σαῖνον, aor. ἔσηνε: *wag* the tail, *fawn upon,* w. dat. of the tail wagged, ρ 302.

σακέσ - παλος (πάλλω): *shield-swinging,* E 126†.

σάκος, εος: the great *shield.* (See cuts Nos. 9, 16, 17.)

Σαλαμίς: *Salamis,* the island near Athens, home of Telamonian Ajax, B 557, H 199.

Σαλμωνεύς: son of Aeolus and father of Tyro, λ 236†.

σάλπιγξ, γγος: *trumpet,* Σ 219†.

σαλπίζω: only aor., σάλπιγξεν, fig., *resounded, quaked,* Φ 388†.

Σάμη: *Same,* an island near Ithaca, perhaps Cephallenia or a part of Cephallenia, ι 24, π 249.

Σάμος: (1) = Σάμη, B 634.—(2) Θρηικίη, *Samothrace,* an island off the coast of Thrace, N 12.

σανίς, ίδος : *board, plank;* pl., esp. the wings of folding - doors, *doors; scaffolding, stage,* φ 51.

σάος : only comp., σαώτερος, *more safe(ly)*, A 32†.

σαο - φροσύνη : *sound sense, discretion;* 'bring into ways of reason,' ψ 13.

σαό - φρων (Att. σώφρων): *sound-minded, discreet,* δ 158 and Φ 462.

σαόω (σάος), σώω, σώζω, subj. σόῃς, σόῃ (σόῳς, σόῳ), 3 pl. σόωσι (σάωσι, σοῶσι), imp. σάω, part. σώζων, σώοντες, ipf. σάω (σάον), iter. σώεσκον, fut. σαώσω, inf. σαωσέμεν(αι), aor. (ἐ)σάωσα, mid. fut. σαώσεαι, pass. aor. 3 pl. ἐσάωθεν, imp. σαωθήτω, inf. σαωθῆναι : *save, preserve, deliver,* mid., *oneself,* ε 490, Π 363 ; freq. implying motion, ἐκ πολέμου, τηλόθεν, ἐς προχοὰς, ἐπὶ νῆα, γ 231, P 692, φ 309.

σαπήῃ: see σήπω.

σαρδάνιον : neut. adj. as adv., *sardonically,* of a bitter, sarcastic smile, υ 302†.

σάρξ, σαρκός : *flesh,* τ 450; elsewhere pl.

Σαρπηδών : *Sarpēdon,* son of Zeus, leader of the Lycians, an ally of the Trojans, slain by Patroclus, B 876, E 633, 658, M 392, Π 464, 480 ff., Ψ 800.

Σατνιόεις : a forest stream in Mysia, Z 34, Ξ 445, Φ 87.

Σάτνιος : son of Enops, wounded by Ajax, Ξ 443†.

σαυρωτήρ, ῆρος : a *spike* at the butt - end of a spear, by means of which it could be stuck in the ground, K 153†. (See cut No. 4.)

σάφα (σαφής): *clearly, plainly, for certain.*

σάω, σαῶσαι: see σαόω.

σαώτερος : see σάος.

σβέννῦμι, aor. 1 ἔσβεσεν, σβέσαν, inf. σβέσσαι, aor. 2 ἔσβη : aor. 1, trans., *quench, extinguish,* Ψ 237 ; then *quell, calm, allay,* I 678, Π 621. — Aor. 2, intrans., of fire, *go out,* I 471 ; of wind, *go down, cease,* γ 182.

-σε = -δε, a suffix denoting motion toward, *to,* κεῖσε, πόσε, κυκλόσε, ὑψόσε, etc.

σεβάζομαι (σέβας), aor. σεβάσσατο : *stand in awe of, fear, scruple,* Z 167 and 417.

σέβας : *awe, reverence, dread;* then 'astonishment,' 'wonder,' γ 123, δ 75.

σέβομαι, σέβεσθε : *feel awe, scruple,* be *ashamed,* Δ 242†.

σέθεν : see σύ.

σεῖ(ο), σεῦ: see σύ.

σειρή (root σερ, εἴρω 2): *cord.*

Σειρήν, pl. Σειρῆνες, du. Σειρήνουιν : pl., the *Sirens,* two in number, singing maidens, by their enchanting song luring mariners to destruction, μ 39 ff., 158, 167, 198, ψ 326. (The conception of the Sirens as bird-footed and three in number, as seen in the cut, is post-Homeric.)

108

σείω, ipf. σεῖον, aor. σεῖσε, part. σείσᾱσα, pass. pres. part. σειόμενος, ipf. σείετο, ἐσσείοντο, mid. aor. σείσατο: *shake, brandish;* σανίδας, of no gentle knocking, I 583; ζυγόν, of horses as they run, γ 486; pass. often, of spears, a forest, Ξ 285; mid., 'moved herself,' Θ 199.

Σέλαγος: the father of Amphīus, from Paesus, E 612†.

σέλας, αος: *brightness, light, gleam, radiance,* of fire, lightning, the eyes in anger, P 739, Θ 76, T 17.

σελήνη (cf. σέλας): *moon.*

Σεληπιάδης: *son of Selepius,* Evēnus, B 693†.

σέλῑνον: *parsley,* B 776 and ε 72.

Σελλήεις: (1) a river in Elis near Ephyra, B 659, O 531. — (2) a river in the Troad near Arisbe, B 839, M 97.

Σελλοί: the *Selli,* priests of Zeus at Dodōna, Π 234†.

Σεμέλη : *Semele,* daughter of Cadmus and mother of Dionȳsus by Zeus, Ξ 323 and 325.

σέο: see σύ.

σεῦα: see σεύω.

σεύω, aor. ἔσσευα, σεῦα, mid. ipf. ἐσσεύοντο, aor. 1 σεύατο, ἐσσεύαντο, subj. σεύωνται, aor. 2 ἔσσυο, ἔσσυτο, σύτο, pass. perf. ἔσσυμαι, part., w. pres. signif. and irreg. accent, ἐσσύμενος: I. act. and mid. aor. 1, set a going rapidly, chase, drive, start; of impulsion by the hand of a god, 'swung' him, Υ 325; so of chasing persons down-hill, Ζ 133; driving away animals, ξ 35, Γ 26; making a stone fly, a head roll, Ξ 413, Λ 147; starting or drawing blood, Ε 208. — II. pass. and mid., sometimes even aor. 1, set oneself a going rapidly, rush, hasten, speed; w. inf., σεύατο διώκειν, 'made haste' to pursue, Ρ 463, Ψ 198; met., θῡμός μοι ἔσσυται, Κ 484; esp. the part. ἐσσύμενος, striving, eager, desirous, w. gen., δ 733, w. inf. δ 416.

σηκάζω (σηκός), pass. aor. 3 pl. σή-κασθεν: pen up, Θ 131†.

σηκο-κόρος (κορέω): cleaner of pens or folds, ρ 224†.

σηκός: pen, fold.

σῆμα, ατος: sign, token, mark, by means of which anything is identified, ψ 188; of the mark on a lot, Η 189; a spot or star on a horse, Ψ 455; mark to show the length of a throw, θ 195; a sign from heaven, prodigy, φ 413, Ν 244, Χ 30; a sepulchre, Β 814, Η 86; characters as a sort of pictorial writing, Ζ 168.

σημαίνω (σῆμα), ipf. σήμαινε, fut. σημανέω, aor. 1 σήμηνε, mid. aor. 1 ἐσημήνατο: give the sign, hence, command, dictate, Α 289; w. gen., Ξ 85; ἐπί τινι, χ 427; trans., mark, point out, τέρματα, Ψ 358; mid., mark for oneself, something of one's own, Η 175.

σημάντωρ, ορος (σημαίνω): one who gives the sign, commander, leader, then driver, herder, of horses, cattle, Θ 127, Ο 325.

σήμερον (Att. τήμερον, τῇ ἡμέρᾳ): to-day.

σήπω, perf. σέσηπε, pass. aor. subj. σαπήῃ: pass., and perf., rot, decay. (Il.)

Σήσαμος: a town in Paphlagonia, Β 853†.

Σηστός: Sestus, a Thracian city on the Hellespont, opposite Abȳdus, Β 836†.

σθεναρός (σθένος): strong, Ι 505†.

Σθενέλαος: son of Ithaemenes, slain by Patroclus, Π 586†.

Σθένελος: Sthenelus. — (1) son of Capaneus, and one of the Epigoni ('Descendants') who took Thebes, companion of Diomed, Β 564, Δ 367 ff., Ψ 511, Ι 48.—(2) son of Perseus and Andromeda, father of Eurystheus, Τ 116, 123.

σθένος, εος: strength; in periphrasis like βίη, ἱς, σθένος ᾿Ιδομενῆος, i. e. the strong Idomeneus himself, Ν 248, Σ 486, Ψ 827; strength of the spirit, valor, Β 451, Ξ 151; and in general, 'power,' 'might,' 'forces' (army), Σ 274.

σίαλος: fat hog, with and without σῦς.

σῑγαλόεις, εσσα, εν: shining, glistening, of garments, rugs, reins, room and furniture, Ε 226, ζ 81, ε 86, π 449, σ 206.

σῑγάω: only imp. σίγᾱ, hush!

σῑγή: silence, only dat. as adv., still, silently.

σιδήρεος, σιδήρειος: of iron; ὀρυμαγδός, 'of iron weapons,' Ρ 424; fig., οὐρανός, κραδίη, θῡμός, 'hard,' 'unwearied,' etc., Χ 357, Ω 205, μ 280.

σίδηρος: iron; epithets, πολιός, αἴθων, ἰόεις, tempered to blue steel; symbol of firmness, inexorableness, τ 494; πολύκμητος, of iron tools or weapons.

Σιδονίηθεν: from Sidonia, Ζ 291†.

Σιδόνιος: Sidonian; as subst., δ 84, 618. — **Σιδονίη**, Sidonia, the district containing the city Sidon, ν 285.

Σιδών, ῶνος: Sidon, the principal city of the Phoenicians, ο 425.

Σιδών, όνος: pl., Σιδόνες, the Sidonians, Ψ 743.

σίζω (cf. 'sizzle'), ipf. σίζ(ε): hiss, ι 394†.

Σικανίη: Sicania, earlier name of Sicily, ω 307†.

Σικελός: Sicilian, ω 211, 366, 389; pl., the Sicilians, υ 383.

Σικυών: Sicyon, a city on the south shore of the gulf of Corinth, in the realm of Agamemnon, Β 572, Ψ 299.

Σιμόεις: Simois.—(1) a small river

rising in Mt. Ida, and flowing through the Trojan plain into the Scamander, E 774, 777, M 22, Δ 475, Z 4, Υ 52. (See plate V., at end of volume).—(2) the same personified, the god of the river, Φ 307.

Σιμοείσιος : son of the Trojan Anthemion, slain by Ajax, Δ 474 ff.

σίνομαι, ipf. iter. *σίνέσκοντο* : *rob, plunder; τινί τι, μ* 114; 'harm' in a spurious verse, Ω 45.

σίντης : *ravening.* (Il.)

Σίντιες ('Plunderers'): the *Sintians*, ancient inhabitants of Lemnos, Α 594, θ 294.

Σίπυλος : *Sipylus*, a branch of the mountain range of Tmolus, near Magnesia, on the borders of Lydia, Ω 615†.

Σίσυφος (redup. from *σοφός*): *Sisyphus*, son of Aeolus, father of Glaucus, and founder of Ephyra (Corinth), renowned for craft and wiles, Z 153 ff. He was punished in Hades by rolling the 'resulting' stone up-hill, λ 593.

σῑτέω, mid. ipf. iter. *σῑτέσκοντο* : *feed*, mid., *eat*, ω 209†.

σῖτος : *grain, wheat, wheaten bread, ι* 9, *α* 139; then in general, *food*, Ω 602, Τ 306.

σῖτο-φάγος : *grain-eating, breadeating, ι* 191†.

σιφλόω, aor. opt. *σιφλώσειεν* : *deform, ruin*, Ξ 142†.

σιωπάω, inf. *σιωπᾶν*, aor. opt. *σιωπήσειαν*, inf. *σιωπῆσαι*: *keep silence*, ρ 513 and Ψ 568.

σιωπή : *silence*, only dat. as adv., *silently, secretly*, Ξ 310. See *ἀκήν*.

σκάζω, part. du. *σκάζοντε*, mid. inf. *σκάζεσθαι*: *limp.* (Il.)

Σκαιαί: *πύλαι*, and without *πύλαι*, Γ 263 ; the *Scaean* Gate of Troy, the only gate of the city which Homer mentions by name. It appears to have faced the Greek camp, affording a view over the Trojan plain, Γ 145, 149, 263, Z 237, 307, 393, I 354, Λ 170, Π 712, Σ 453, X 6, 360.

σκαιός (cf. scaevus): *left* (hand), Α 501 ; *western*, γ 295.

σκαίρω : *skip, κ* 412 ; *ποσί*, 'with tripping feet,' Σ 572.

Σκαμάνδριος : (1) *of the Scamander; πεδίον, λειμών*, Β 465, 467.—(2) *Scamandrius*, the real name of Hector's son Astyanax, Z 402.—(3) a Tro-

jan, the son of Strophius, slain by Menelāus, Ε 49.

Σκάμανδρος : *Scamander*, a river rising in Mt. Ida, called by the gods (ancient name) Xanthus, Ξ 434, Υ 74, X 147 ff.

Σκάνδεια: name of a harbor in the island of Cythēra, Κ 268†.

Σκάρφη: a place in Locris, near Thermopylae, Β 532†.

σκαφίς, *ίδος* (*σκάπτω*): *bowl*, pl., *ι* 223†.

σκεδάννῡμι, aor. (*ἐ*)*σκέδασε*, imp. *σκέδασον*: *scatter, disperse; αἷμα, shed*, Η 330.

σκέδασις, *ιος* : *scattering; σκέδασιν θεῖναι = σκεδάσαι, α* 116 and *υ* 225.

σκέλλω, aor. 1 opt. *σκήλειε* : *parch*, Ψ 191†.

σκέλος, *εος* : *πρυμνόν*, upper part of the *thigh*, Π 314†.

σκέπαρνον : *adze, ε* 237 and *ι* 391.

σκέπας : *shelter ; ἀνέμοιο*, 'against the wind,' ζ 210. (Od.)

σκεπάω, *σκεπόωσι*: *shelter against, keep off, ν* 99†.

σκέπτομαι, imp. *σκέπτεο*, aor. *ἐσκέψατο*, part. *σκεψάμενος* : *take a view, look about; ἐς, μετά τι, αἴ κεν*, at or after something, to see whether, etc., Ρ 652 ; trans., *look out for*, Π 361.

σκηπάνιον = *σκῆπτρον*, Ν 59 and Ω 247.

σκηπτ - οῦχος (*σκῆπτρον, ἔχω*): *sceptre - holding, sceptred*, epithet of kings; as subst., Ξ 93.

σκῆπτρον : *staff* of a wanderer or mendicant, *sceptre* of kings, priests, heralds, judges. (See the cut, No. 109, representing Agamemnon.) When a speaker arose to address the assembly, a sceptre was put into his hands by a herald. Fig., as symbol of royal power and dignity, Β 46 ; see also *β* 37, *λ* 91.

σκήπτω: only mid. pres. part. *σκηπτόμενος, supporting himself, leaning on his staff;* ironically of one transfixed with a spear, Ξ 457.

σκηρίπτω, mid. inf. *-εσθαι*, part. *-όμενος: lean upon*, 'push against,' λ 595.

σκιάζω (*σκιή*), aor. subj. *σκιάσῃ*: *overshadow*, Φ 232†.

σκιάω (*σκιή*): only pass. ipf. *σκιόωντο, were darkened.* (Od.)

109

σκίδναμαι (= σκεδάννυμαι), imp. σκίδνασθε, inf. -ασθαι, inf. σκίδνατο, ἐσκίδναντο : intrans., *disperse, scatter, be diffused,* of persons, dust, foam of the sea, a streamlet, Π 375, Λ 308, η 130.

σκιερός : *shady,* Λ 480 and ν 278.

σκιή : *shadow, shade ;* also of the nether shades, ghosts of the departed, κ 495, λ 207.

σκιόεις, εσσα, εν : *affording shade, shady;* μέγαρα, *shadowy halls,* an epithet appropriate to a large apartment illuminated by flickering fire-lights.

σκιρτάω (cf. σκαίρω), opt. 3 pl. σκιρτῷεν : *skip, gambol, bound along,* Υ 226 and 228.

σκολιός : *crooked ;* met., 'perverse,' 'unrighteous' (opp. ἰθύντατα), Π 387†.

σκόλοψ, οπος : *stake for impaling, palisades,* Ο 344.

σκόπελος : *cliff.*

σκοπιάζω (σκοπιή), inf. -έμεν : *keep a look-out, watch, spy out,* Κ 40.

σκοπιή (σκοπός): *look-out place* on a rock or mountain ; *watch,* ἔχειν, θ 302.

σκοπός (σκέπτομαι) : *watchman, watch, look-out, scout, spy ;* also of an overseer or person in charge, Ψ 359, χ 396; *mark* to shoot at, *target,* χ 6 ; ἀπὸ σκοποῦ, see ἀπό.

σκότιος : *in the dark, in secret,* Ζ 24†.

σκοτο-μήνιος (σκότος, μήν): *dark* from the absence of *moonlight, moonless,* νύξ, ξ 457†.

σκότος : *darkness, gloom ;* often in relation to death, Δ 461, Ε 47.

σκυδμαίνω, inf. -έμεν = σκύζομαι, Ω 592†.

σκύζομαι, imp. σκύζευ, inf. -εσθαι, part. -όμενος : *be wroth, incensed, indignant,* τινί.

σκύλαξ, ακος : *whelp, puppy.* (Od.)

Σκύλλη : *Scylla,* daughter of Crataeis, a monster inhabiting a sea-cave opposite Charybdis, μ 85, 108, 125, 223, 235, ψ 328.

σκύμνος : *whelp* of a lion, pl., Σ 319†.

Σκῦρος : *Scyros.* — (1) an island northwest of Chios, with a city of the same name, λ 509, Τ 326.—Σκῦρόθεν, *from Scyros,* Τ 332.—(2) a town in Lesser Phrygia, Ι 668.

σκῦτος, εος : *hide, leather,* ξ 34†.

σκῦτο-τόμος : *leather-cutter, leather-worker,* Η 221†.

σκύφος : *rude cup,* for drinking, ξ 112†.

σκώληξ, ηκος : *earth-worm,* Ν 654†.

σκῶλος : *pointed stake,* Ν 564†.

Σκῶλος : a place in Boeotia, Β 497†.

σκώψ, σκωπός : *horned owl,* ε 66†.

σμαραγέω, aor. subj. σμαραγήσῃ : *roar, thunder, re - echo,* of the sea, storm, meadow full of cranes. (Il.)

σμερδαλέος : *fearful, terrible,* to look upon, δράκων, λέων, etc.—Adv., σμερδαλέον, σμερδαλέα, δέδορκεν, Χ 25 ; elsewhere of sounds.

σμερδνός = σμερδαλέος, Ε 472.— Adv., σμερδνόν, βοᾶν, Ο 687, 732.

σμήχω, ipf. ἔσμηχε : *wipe off, cleanse,* ζ 226†.

σμῑκρός = μῑκρός, Ρ 757.

Σμινθεύς, voc. Σμινθεῦ : *Smintheus,* epith. of Apollo, explained by ancient commentators as meaning destroyer of field-mice (σμίνθοι). (The cut, showing a mouse at work, is reproduced from the tetradrachm of Metapontum.)

110

σμύχω, aor. inf. σμῦξαι, pass. pres opt. σμύχοιτο : *destroy* by fire, *consume, burn down,* Ι 653 and Χ 411.

σμῶδιξ, ιγγος: bloody wale, weal, B 267 and Ψ 716.

σόη: see σαόω.

σοῖο: see σός.

σόλος: mass of cast iron used as a quoit, Ψ 826, 839, 844.

Σόλυμοι: the Solymi, a Lycian tribe, Z 184, 204, ε 283.

σόος (σάος): safe, sound, see σῶς.

σορός: funeral-urn, Ψ 91†.

σός, σή, σόν, gen. σοῖο: thy, thine, usually without article, with art., A 185, Z 457; neut. as subst., ἐπὶ σοῖσι, 'thy possessions,' β 369; σὸς πόθος, σὴ ποθή, longing 'for thee,' T 321, λ 202.

Σούνιον: Sunium, the southernmost promontory of Attica, γ 278†.

σοφίη (σοφός): skill, accomplishment, O 412†.

σόως: see σαόω.

Σπάρτη: Sparta, the principal city of Laconia, residence of Menelāus and Helen. Epith., εὐρεῖα, καλλιγύναιξ, λ 460, ν 412, B 582, Δ 52, α 93, β 214, 359.—Σπάρτηθεν, from Sparta, β 327, δ 10.—Σπάρτηνδε, to Sparta, α 285.

σπάρτον (cf. σπεῖρον): pl., ropes, B 135†.

σπάω, aor. ἔσπασα, σπάσε, mid. aor. (ἐ)σπα(σ)σάμην, pass. aor. part. σπα-σθέντος: pull up or out, draw forth or away; mid., for oneself, something of one's own, β 321, κ 166, 439.

σπεῖο: see ἔπω.

σπεῖος: see σπέος.

σπεῖρον (cf. σπάρτον, σπείρω): any wrap, garment, shroud, sail, ε 318, ζ 269.

σπεῖσαι, σπείσατε: see σπένδω.

Σπειώ: a Nereid, Σ 40†.

σπένδω, subj. 2 sing. σπένδῃσθα, ipf. iter. σπένδεσκον, aor. ἔσπεισα, σπείσαν, iter. σπείσασκε, imp. σπεῖσον: pour a drink-offering, οἶνον, ὕδατι, 'with water,' make a libation, Διί, θεοῖς. Unmixed wine was poured upon the ground or on the altar (μ 363) before drinking. δέπαι, 'with (from) the goblet,' Ψ 196, η 137.

σπέος, σπεῖος, gen. σπείους, dat. σπῆι, pl. dat. σπέσσι and σπήεσσι: cave, cavern, grotto; pl., of one with many parts, π 232.

σπέρμα, ατος (σπείρω): seed, germ; fig., πυρός, ε 490†.

Σπερχειός: Spercheius, a river in Thessaly; as river-god the father of Menestheus, Π 174, 176, Ψ 144.

σπέρχω, mid. opt. 3 pl. σπερχοία-τ(ο): speed, drive fast, intrans. and mid. (freq. the part.), ἄελλαι, ἐρετμοῖς, ναῦς, N 334, ν 22, 115.

σπέσθαι: see ἔπω.

σπεύδω, inf. σπευδέμεν, aor. σπεῦσε, imp. σπεύσατε, subj. σπεύσομεν, mid. fut. σπεύσομαι: be quick, hasten; σπεῦσε πονησάμενος τὰ ἃ ἔργα, 'hastily performed,' ι 250; 'struggle for,' περί τινος, P 121; trans., hurry, τὶ, γάμον, τ 137.

σπῆι, σπήεσσι: see σπέος.

σπιδής, ές: broad, Λ 754† (v. l. ἀσπιδέος).

σπιλάς, άδος: pl., reefs. (Od.)

σπινθήρ, ῆρος: spark, pl., Δ 77†.

σπλάγχνον: pl., inwards, the nobler parts of the animal, esp. heart, liver, and lungs. While other parts of the victim were burning on the altar, these were roasted and tasted preliminary to the sacrificial banquet, Λ 464, γ 9.

σπόγγος: sponge, Σ 414, α 111.

σποδιή: ash-heap, ε 488†.

σποδός: ashes, ι 375†.

σπονδή: drink-offering, libation, see σπένδω. Then a treaty, ratified by libations, pl., B 341 and Δ 159.

σπουδή (σπεύδω): earnest effort; ἀπὸ σπουδῆς, 'in earnest,' H 359; ἄτερ σπουδῆς, 'without difficulty,' φ 409; σπουδῇ, eagerly, quickly; also with difficulty, hardly, γ 297.

σταδίη: see στάδιος.

στάδιος (ἵστημι): ὑσμίνη, standing fight, close combat; also ἐν σταδίῃ alone, H 241, N 514, O 283.

στάζω, aor. στάξε, imp. στάξον: drop, instil, T 39, 348, 354.

στάθμη (ἵστημι): chalk line; ἐπὶ στάθμην ἰθύνειν, straighten or make true 'to the line,' phrase used of various mechanical operations, ε 245, φ 121.

σταθμός (ἵστημι): any standing-place or thing that stands, hence stall, pen, or fold for animals, also the shepherd's lodge, B 470, T 377, ρ 20; so post, door-post, Ξ 167, δ 838; weight for the balance, M 434.—σταθμόνδε, to the stall, homeward, ι 451.

στάμεναι: see ἵστημι.

σταμῖνες, dat. σταμίνεσσιν: *braces* in a boat, enabling the ribs to resist the inward pressure of the water, ε 252†. (In plate IV., however, the σταμίνες are taken as the same as ribs.)

στάν: see ἵστημι.

στάξ(ε): see στάζω.

στᾶς: see ἵστημι.

στατός (ἵστημι): *ἵππος, stalled* horse. (Il.)

σταυρός: *stake, pale,* pl., Ω 453 and ξ 11.

σταφυλή: *bunch of grapes.*

σταφύλη: *plummet;* σταφύλῃ ἐπὶ νῶτον ἔῖσαι, matched to a hair in height (plumb-equal), Β 765†.

στάχυς, υος: *ear of grain,* pl., Ψ 598†.

στέαρ, στέᾱτος: *hardened fat, tallow,* φ 178 and 183.

στείβω, ipf. στεῖβον: *tread, stamp, trample* upon, Λ 534; of washing clothes by foot-power, ζ 92.

στεῖλα: see στέλλω.

στειλειή (στέλλω): *hole* in an axhead for the helve, φ 422†.

στειλειόν (στέλλω): *axe-helve, handle,* ε 236†.

στεῖνος, εος (στενός): *close or confined space, narrow entrance, narrows,* Μ 66, Ψ 419.

στείνω (στενός), pass. pres. opt. στείνοιτο, ipf. στείνοντο: pass., *be narrow, too narrow, crowded, dammed, weighed down,* Φ 220, ι 445, σ 386.

στεινωπός (στενός, ὤψ): *narrow;* ὁδός, *narrow pass,* Η 143 ; (sc. πόντος), *strait,* μ 234.

στείομεν: see ἵστημι.

1. στεῖρα (στερεός): *unfruitful, barren.* (Od.)

2. στεῖρα: *fore part of the keel, stem, cut-water,* Α 482, β 428. (See cut No. 31, e.)

στείχω (στίχος, στίχες), subj. στείχῃσι, ipf. ἔστειχε, στεῖχον, aor. 2 ἔστιχον: *march* up or forward, *go, move;* of the sun, *climb,* λ 17.

στέλλω, opt. στέλλοιμι, fut. στελέω, aor. στεῖλα, mid. aor. στείλαντο; *put in order, arrange, make ready, equip, send off, dispatch,* mid., subjectively; στέλλεσθε, 'make yourselves ready,' Ψ 285 ; ἱστία, 'took in their' sails, Α 433.

9

στέμμα, ατος (στέφω): *chaplet* or *fillet* of a priest. Chryses takes the fillet from his head and places it upon his sceptre, because he comes as a suppliant, Α 14. (The cut shows the band in two positions—as extended at full length, and as wrapped around the head. In the second representation the ends should hang down by the sides of the head below the ears, A 28.)

στενάχεσχ': see στενάχω.

στεναχίζω, mid. ipf. στεναχίζετο: *sigh, groan, resound* with groans, κ 454.

στενάχω (στένω), ipf. iter. στενάχε-σκε, mid. ipf. στενάχοντο: *sigh, groan* act. and mid.; act. also trans., *lament,* τινά, Τ 132; fig. of torrents, and of horses, Π 391, 393.

Στέντωρ: *Stentor,* whose voice was as loud as the united cry of 50 men, Ε 785†.

στένω (στενός), ipf. ἔστενε: *sigh, groan,* the bursting of pent-up breath and emotion, cf. στείνω.—Fig. of the sea, Ψ 230.

στερεός, comp. στερεώτερος: *hard, stiff;* λίθος, βοέη, Ρ 493; fig., ἔπεα, κραδίη, Μ 267, ψ 103.—Adv., **στερεῶς,** *firmly, obstinately,* Ψ 42.

στερέω, aor. inf. στερέσαι: *deprive;* τινά τινος, ν 262†.

στέρνον: *breast, chest.*

στεροπή (ἀστεροπή, ἀστράπτω): *lightning;* then the *gleam, sheen* of metals, Τ 363, δ 72, ξ 268.

στεροπ - ηγερέτα: (if from ἐγείρω) *waker of lightning,* (if from ἀγείρω) *gatherer of lightning, lightning-compeller,* Π 298†.

στεῦμαι, στεῦται, ipf. στεῦτο: denotes the expression of a wish by a gesture, *have the appearance, make as if,* foll. by inf., regularly the fut., once aor., 'pretends to have heard,' ρ 525 ; διψάων, 'stood as if thirsty,' λ 584 ; in general, *engage, threaten, promise*, τινί, E 832.

στεφάνη (στέφω): that which surrounds, encircles anything at the top, as if it were a *crown*. Hence (1) a woman's *head-band*, Σ 597. (See cuts Nos. 16, 40, 41.)—(2) *brim* or *visor* of a helmet, *helmet*, Λ 96, K 30, H 12. (See cuts Nos. 12, 79, 80, 81, 86, 116.)—(3) of the *edge* of a cliff, N 138.

στέφανος (στέφω): *crown, ring*, N 736†. See στεφάνη.

στεφανόω (στέφανος), pass. perf. ἐστεφάνωται, plup. -το: *put around as a crown;* the pass. is to be understood literally, but it may be paraphrased 'encircles,' 'encompasses,' etc., κ 195, Λ 36, E 739, O 153 ; τά τ' οὐρανὸς ἐστεφάνωται, 'with which the heaven is crowned,' Σ 485.

στέφω (cf. stipo): properly to *stuff* or *set close around, put on* as a crown, *crown* with (cf. στεφανόω), Σ 205 ; fig., θ 170.

στέωμεν, στῇ, στήῃ: see ἵστημι.

στῆθος, εος, στήθεσφι: *breast;* as source of voice and breath, Δ 430, I 610 ; pl., often fig., as seat of the heart, Ξ 140, I 256, K 95, A 189 ; hence of passions, emotions, reason.

στήλη (στέλλω): *pillar*, N 437 ; esp., *grave - stone, monument* (cf. cut), Π 457, M 259.

112

στήμεναι: see ἵστημι.

στηρίζω (στερεός), aor. (ἐ)στήριξα, mid. aor. inf. στηρίξασθαι, plup. ἐστήρικτο: *set* or *fix firmly*, Λ 28, Δ 443 ; intrans. and mid., *support oneself* or *stand firmly*, Φ 242 ; κακὸν κακῷ, 'was piled upon,' Π 111.

στιβαρός (στείβω), comp. στιβαρώτερος: *close-pressed, trodden firm, firm,*

compact, strong, of limbs, weapons.— Adv. **στιβαρῶς**, M 454.

στίβη (στείβω): *rime, hoar-frost*, ε 467 and ρ 25.

στίλβω (cf. στεροπή): only part., *glistening, glittering ;* ἐλαίῳ, Σ 596 ; fig., κάλλεϊ, etc., Γ 392, ζ 237.

στιλπνός: *sparkling*, Ξ 351†.

στίξ (Att. στίχος), assumed nom., gen. στιχός: *row, rank*, or *file*, of warriors, dancers, Σ 602 ; ἐπὶ στίχας, 'in ranks' ; κατὰ στίχας, 'by ranks,' B 687, Γ 113, 326.

στιχάομαι, ipf. ἐστιχόωντο: *move in ranks, march, advance*, of soldiers, herdsmen, ships, Σ 577, B 516.

Στιχίος: an Athenian leader, slain by Hector, N 195, O 329, 331.

στόμα, ατος: *mouth;* ἀνὰ στόμα ἔχειν, διὰ στόμα ἄγεσθαι, phrases relating to utterance, B 250, Ξ 91 ; fig., of the *mouth* of rivers or harbors, *point* of a lance, O 389 ; ἠιόνος, 'opening,' 'inlet,' Ξ 36.

στόμαχος (στόμα): *throat, gullet.* (Il.)

στοναχέω (στοναχή), aor. inf. στοναχῆσαι: *sigh, lament*, Σ 124†.

στοναχή (στενάχω): *sighing, groaning*, often pl.

στοναχίζω: see στεναχίζω.

στονόεις, εσσα, εν: *full of*, or *causing sighs and groans, mournful, grievous*, ἀοιδή, βέλεα, Ω 721, θ 159.

στόνος (στένω): *sighing, groaning.*

στορέννυμι, στρώννυμι, aor. (ἐ)στόρεσα, pass. perf. ἔστρωμαι, plup. ἔστρωτο: *spread, lay* (sterne re), a bed, couch, carpet ; 'lay,' 'calm,' the waves, γ 158.

Στρατίη: a town in Arcadia, B 606†.

Στρατίος: a son of Nestor, γ 413 and 439.

στρατός (στρώννυμι), gen. στρατόφιν: *army, host*, β 30. In the Iliad στρατός is the encamped army of the Greeks before Troy, the 1186 ships, with streets throughout the camp, K 66. The tents or barracks stood parallel with the ships, and opposite the intervals between them, O 653 ff. At first the camp had no wall, the presence of Achilles rendering such defence needless, but after his withdrawal from warfare, by the advice of

Nestor (H 436–441), a massive wall was built, with gates and towers, M 118–123.

στρατόομαι, ipf. στρατόωντο: *be encamped, take the field,* ʻconduct an expedition.ʼ (Il.)

στρεπτός (στρέφω): *twisted, braided;* fig., γλῶσσα, ʻvoluble,ʼ Υ 248; φρένες, θεοί, *to be turned, placable,* Ο 203, I 497.

στρεύγομαι (στράγγω, cf. s t r i n- g o): *be exhausted* drop by drop, *be wearied out,* inf., Ο 512, μ 341.

στρεφε-δῑνέω (στρέφω, δῑνέω): only pass. aor. 3 pl., στρεφεδίνηθεν δέ οἱ ὄσσε, his eyes *whirled round and round,* everything was in a whirl before his eyes, Π 792†.

στρέφω, aor. στρέψα, iter. στρέψα- σκον, mid. ipf. ἐστρέφετο, fut. inf. στρέ- ψεσθαι, pass. aor. ἐστρέφθην: *turn* around the other way (more than τρέ- πω), *twist;* of a chariot in battle or the race, Ψ 323; intrans, of ploughing, Σ 544, 546; mid. and pass., *turn one- self about* (to and fro), *twist,* Ω 5, M 42; ʻtwisting myselfʼ into his wool, ι 435.

στρέψασκον: see στρέφω.

στρόμβος (στρέφω): *top,* 𝕏 413†.

στρουθός: *sparrow.* (Il.)

στροφάλιγξ, λιγγος (στρέφω): *eddy, whirl,* of dust.

στροφαλίζω : *twirl, ply,* σ 315†.

Στρόφιος : the father of Scaman- drius, E 49†.

στρόφος (στρέφω): *cord, rope.* (Od.)

στρώννῡμι: see στορέννῡμι.

στρωφάω (στρέφω), στρωφῶσι, mid. inf. στρωφᾶσθαι, ipf. στρωφᾶτο: *turn constantly;* ἡλάκατα, ζ 53, ρ 97; mid., intrans., *keep turning, tarry, dwell* (v e r s a r i), κατʼ αὐτούς, fighting among them, N 557.

στυγερός (στυγέω) : *abominable, hateful, hated.* Adv. στυγερῶς.

στυγέω, aor. 2 ἔστυγον, aor. 1 opt. στύξαιμι : *abominate, loathe, hate; κατὰ* (adv.) δʼ ἔστυγον αὐτήν, ʻwere dis- gustedʼ at the sight of her, κ 113; aor. 1 is causative, *make hateful* or *horrible,* λ 502. [608†]

Στύμφηλος : a town in Arcadia, B

Στύξ, Στυγός (ʻRiver of Hateʼ): the *Styx,* a river of the nether world, by which the gods swore their most solemn oaths, B 755, κ 514, Θ 369, 𝕏 271, Ο 37.

Στύρα, pl.: a town in Euboea, B 539†.

στυφελίζω, aor. (ἐ)στυφέλιξα, pass. pres. part. στυφελιζομένους : *smite, knock about, thrust rudely* from, A 581, X 496, ρ 234; in general, *buffet, maltreat,* σ 416; pass., π 108; ʻscat- terʼ the clouds, Λ 305.

σύ, gen. σέο, σεῦ, σεῖο, σέθεν, dat. σοί, τοί, τεΐν, acc. σέ : *thou, thee.* Most of the oblique forms are either enclitic or accented ; σεῖο and σοί are never enclitic, τοί is always enclitic ; in con- nection with αὐτός all forms retain their accent. The pron. is frequently strengthened by γέ or πέρ.

συ-βόσιον (βόσις), pl. συβόσια (συ- βόσεια): *herd* of swine, pl., Λ 769, ξ 101.

συ-βώτης (βόσκω), -εω: *swineherd.* (Od.)

σύγε: see σύ.

συγ-καλέω, aor. part. συγκαλέσᾱς : *call together, summon,* B 55 and K 302.

συγ-κλονέω, ipf. συνεκλόνεον : *con- found,* N 722†.

συγ-κυρέω, aor. opt. συγκύρσειαν : *hit* or *strike together,* Ψ 435†.

συγ-χέω, imp. σύγχει, ipf. σύγχει, aor. 1 συνέχευε, inf. συγχεῦαι, mid. aor. 2 σύγχυτο : *pour together, mix up,* ψάμαθον, O 364 ; mid. intrans, *get en- tangled,* ἡνία, Π 471; met., *confuse, confound, bring to naught,* νόον, ἰούς, κάματον, ὅρκια, I 612, O 366, 473 ; ἄνδρα, ʻbreak down,ʼ θ 139.

σῡκέη, σῡκῆ: *fig-tree.* (Od.)

σῦκον : *fig,* η 121†.

σῡλάω, ipf. (ἐ)σύλᾱ, fut. σῡλήσετε, aor. subj. σῡλήσω : *strip off* the armor from a fallen foe, *despoil,* τινά (τι), Z 71; in general, *take off* or *from,* Δ 105, 116.

σῡλεύω : *despoil, rob, take advantage of,* E 48, Ω 436.

συλ-λέγω, aor. part. συλλέξᾱς, mid. aor. συλλέξατο, fut. συλλέξομαι: *collect, gather up,* mid., for oneself.

συμ-βάλλω, ξυμβάλλω, συμβάλλε- τον, aor. 2 σύμβαλον, du. ξυμβλήτην, inf. -ήμεναι, mid. aor. 2 ξύμβλητο, -ηντο, subj. ξυμβλήται, part. -ήμενος, fut. συμβλή(σ)εαι: I. act., *throw, bring,* or *put together;* of bringing men together in battle, Γ 70; rivers uniting their waters, E 774; also intrans., like mid., Π 565, Φ 578, φ 15.—II. mid., intrans., *meet, encounter*, abs. and with dat., aor. 2 very freq., Ξ 39, 27, 231, ζ 54, κ 105.

Σύμη: an island between Rhodes and Cnidus in Caria.—Adv., **Σύμηθεν**, *from Syme*, B 671.

συμ-μάρπτω, aor. part. συμμάρψᾱς: *seize* or *grasp together*, in order to break off, K 467†.

συμ-μητιάομαι, inf. -άασθαι: *take counsel together*, K 197†.

συμ-μίσγομαι: *be mingled with, flow into*, B 753.

σύμ-πᾱς, ξύμπᾱς, ᾱσα, αν: *all* (*together*).

συμ-πήγνῡμι, aor. συνέπηξε: *of milk, curdle*, E 902†.

συμ-πλαταγέω, aor. συμπλατάγησεν: χερσί, *smite the hands together*, Ψ 102†.

συμ-φερτός: *combined, united*, N 237†.

συμ-φέρω, mid. ipf. συμφερόμεσθα, fut. συνοισόμεθα: mid., *be borne* or *come together, meet in battle*, Θ 400, Λ 736. (Il.)

συμ-φράδμων (φράζω): *counselling together*, pl., *joint counsellors*, B 372†.

συμ-φράζομαι, fut. συμφράσσομαι, aor. συμφράσσατο: *take* or *share counsel with, concert plans with*, I 374, A 537; with oneself, *deliberate*, o 202.

σύν, ξύν, the latter (older) form for metrical convenience, but more freely in compounds: *along with, together*.—I. adv., *together, at once;* σὺν δὲ δύω μάρψᾱς, ι 289 (cf. 311, 344); σὺν δὲ νεφέεσσι (dat. instr.) κάλυψεν | γαῖαν ὁμοῦ καὶ πόντον, ε 293; ἦλθε Δολίος, σὺν δ᾽ υἱεῖς, 'along with him,' ω 387; of mingling, confusing, breaking up, σὺν δ᾽ ἡμῖν δαῖτα ταράξῃ, A 579 (cf. Θ 86); σὺν δ᾽ ὅρκι᾽ ἔχευαν, Δ 269; σὺν δὲ γέροντι νόος χύτο, Ω 358.—II. prep. w. dat., *with, in company with, by the aid of;* σὺν θεῷ, σὺν θεοῖσιν, σὺν Ἀθήνῃ, σὺν σοί, ν 391; of things, *with*, denoting accompaniment and secondarily instrument, the clothing or armor one wears, the ship one sails with, Γ 29, A 179; met., of quality or characteristic, ἄκοιτιν σὺν μεγάλῃ ἀρετῇ ἐκτήσω, ω 193; of consequence, penal-

ty, σὺν δὲ μεγάλῳ ἀπέτῑσαν, Δ 161. σύν sometimes follows its case, o 410.

συν-αγείρω, ξυναγείρω, aor. ξυνάγειρα, mid. pr. part. συναγειρόμενοι, aor. 1 ξυναγείρατο, aor. 2 part. συναγρόμενος: *collect together, assemble;* mid. aor. 1, for oneself, ξ 323; aor. 2, intrans., Λ 687.

συν-άγνῡμι, ξυνάγνῡμι, aor. -έαξα, *break* or *dash to pieces, crunch up*, Λ 114.

συν-άγω, ξυνάγω, fut. -άξουσι: *lead* or *bring together, collect;* fig., ἔριδα, Ἄρηα, *join* battle, 'bring about,' 'stir up,' E 861, Π 764.

συν-αείρω, mid. aor. subj. συναείρεται: mid., *couple together* for oneself, O 680.

συν-αίνυμαι, ipf. συναίνυτο: *take together, gather up*, Φ 502†.

συν-αιρέω, aor. 2 σύνελε, part. συνελών: *take together, lay hold of at once*, υ 95; 'tore away,' Π 740.

συν-αντάω and **συνάντομαι**, part. συναντόμενος, ipf. συνήντετο, συναντέσθην, συναντήτην, aor. subj. συναντήσωνται: *meet, encounter*.

συν-δέω, ξυνδέω, aor. -έδησα: *bind together, bind fast, bind up*.

συνέδραμον: see συντρέχω.

συν-εέργω, aor. συνεέργαθον: *shut in* or *confine together, bind together*, ι 427, μ 424.

συν-είκοσι, ξυνεείκοσι: *twenty* (men) *together*, ξ 98†.

1. **σύν-ειμι, ξύνειμι** (εἰμί), fut. inf. -έσεσθαι: *be with*, 'be linked to,' η 270†.

2. **σύν-ειμι, ξύνειμι** (εἶμι), part. ξυνιόντες, ipf. 3 pl. ξύνισαν, du. συνίτην: *go* or *come together*, esp. in hostile ways, *meet;* περὶ ἔριδος, ἔριδι, 'in a spirit of strife,' Υ 66.

συν-ελαύνω, ξυνελαύνω, inf. ξυνελαυνέμεν, aor. συνέλασσα, subj. ξυνελάσσομεν, inf. ξυνελάσσαι: *drive* or *bring together*, booty, men in battle, Λ 677, σ 39, Υ 134; intrans., ἔριδι, X 129.

σύνελον: see συναιρέω.

συν-εοχμός (root Ϝεχ, ὀχέω): *junction*, Ξ 465†.

συν-ερίθος: *fellow-worker*, ζ 32†.

σύν-εσις, ξύνεσις (ἵημι): *conflux*, κ 515†.

συν-εχής (ἔχω): neut. as adv., **συνεχές, συνεχές**, *continuously*, M 26; w. αἰεί, ι 74.

συν-έχω, ξυνέχω, ipf. *σύνεχον*: *hold together,* intrans., *meet,* Δ 133, Υ 415; an old perf. part. *συνοχωκότε* means *bent together over,* B 218.

συν-ημοσύνη (*ἵημι*): only pl., *compacts,* X 261†.

συν-ήορος (*ἀείρω*): *joined with,* an *accompaniment to,* θ 99†.

συν-θεσίη (*τίθημι*): only pl., *treaty,* B 339; *instructions,* E 319.

συν-θέω, fut. *συνθεύσεται*: *run with, go well,* v 245†.

συν-ίημι, ξυνίημι, imp. *ξυνίει,* ipf. 3 pl. *ξύνιεν,* aor. *ξυνέηκε,* imp. *ξύνες,* mid. aor. *ξύνετο,* subj. *συνώμεθα: let go with.*—I. act., *send* or *bring together,* esp. in hostile ways, A 8, H 210; metaph., *mark, attend to, hear* (cf. c o n i c e r e), w. acc., sometimes gen., of person or of thing, A 273, B 26.— II. mid., *agree, covenant,* N 381; also like act., *mark,* δ 76.

συν-ίστημι: only perf. part. *πολέμοιο συνεσταότος, having arisen,* Ξ 96†.

συνοισόμεθα: see *συμφέρω.*

συν-ορίνω: only mid. part., *φάλαγγες συνορίνόμεναι, stirring* or *beginning to move* (*together*), Δ 332†.

συν-οχή, ξυνοχή (*ἔχω*): pl., *meeting, ὁδοῦ,* of the forward and the home-stretch, Ψ 330†.

συνοχωκότε: see *συνέχω.*

συν-τίθημι, mid. aor. *σύνθετο,* imp. *σύνθεο, σύνθεσθε: put together;* mid., metaph. with and without *θῡμῷ, heed, take heed to, hear* (a n i m o c o m p o-n e r e), abs. and w. acc., A 76, o 27.

σύν-τρεις: *three together, by threes, ι* 429†.

συν-τρέχω, aor. 2 *συνέδραμον: run* or *rush together,* Π 335 and 337.

συνώμεθα: see *συνίημι.*

σῦριγξ, *ιγγος:* any *tube,* hence (1) shepherd's *pipe, Pan's - pipe,* K 13, Σ 526.—(2) *spear-case,* T 387.

Συρίη: a mythical island, far in the West, beyond O rtygia, o 403†.

συρ-ρήγνῡμι: only pass. perf., *συνέρρηκται, is broken,* fig., *κακοῖσιν,* θ 137†.

σῦς, συός, pl. dat. *συσί, σύεσσι,* acc. *σύας, σῦς: swine, pig, hog; κάπριος, wild boar,* and so without *κάπριος,* Idomeneus *συΐ εἴκελος ἀλκήν,* Δ 253.

σύτο: see *σεύω.*

συφειός, συφεός: *sty; συφεόνδε, to the sty.* (Od.)

συ - φορβός (*φέρβω*): *swineherd; παῖς, tending swine.* (Od. and Φ 282.)

σφάζω, aor. *ἔσφαξα, σφάξε,* pass. pres. part. *σφαζόμενοι,* perf. part. *ἐσφαγμένα: cut the throat, slaughter,* always of animals, esp. victims for sacrifice, A 459, γ 449, 454, α 92. The blood was caught in a vessel made for the purpose. (See cut under *ἀμνίον.*)

σφαῖρα: *ball; σφαίρῃ παίζειν,* 'play at ball,' ζ 100. (Od.)

σφαιρηδόν: *like a ball,* N 204†.

σφάλλω (cf. f a l l o), aor. 1 *σφῆλε,* inf. *σφῆλαι: make to totter* or *fall, ρ* 464, Ψ 719.

σφαραγέομαι, ipf. *σφαραγεῦντο: hiss, be full to bursting, ι* 390, 440.

σφάς, σφέ: see *σφεῖς.*

σφεδανόν (cf. *σφοδρός*): neut. adj. as adv., *eagerly, impatiently.* (Il.)

σφεῖς (root *σϝε,* cf. s u i), gen. *σφέων, σφείων, σφῶν* (*αὐτῶν*), dat. *σφίσι*(*ν*), *σφι*(*ίν*), acc. *σφέας, σφάς, σφέ*(*έ*): personal and reflexive pron. of 3d pers., *them*(*selves*). *σφέ* and *σφί* are always enclitic, *σφῶν* and *σφείων* never. *σφί* is probably never reflexive. Rarely of things, *ι* 70, κ 355.

σφέλας, *αος,* pl. *σφέλᾰ: footstool, foot-block, σ* 394 and *ρ* 231.

σφενδόνη: *sling;* serves in case of need as a bandage for a wound, N 600†. (See cut, representing an Assyrian slinger.)

113

σφέτερος (*σφεῖς*): poss. pron. of 3d

pers., *their;* strengthened by αὐτός, α 7; as subst., ἐπὶ σφέτερα, α 274.

σφηκόω (σφήξ), pass. plup. ἐσφή-κωντο: compress in a wasp-like shape, *bind together,* P 52†.

Σφῆλος: son of Bucolus, of Athens, O 338.

σφῆλε: see σφάλλω.

σφήξ, σφηκός (cf. v e s p a): *wasp or hornet,* M 167 and Π 259.

σφί, σφίν: see σφεῖς.

σφοδρῶς (cf. σφεδανόν): *strongly, earnestly, eagerly,* μ 124†.

σφονδύλιος: *vertebra* of the spine, pl., *back-bone,* Υ 483†.

σφός (σφεῖς): *their;* always refer-ring to a pl. subst., β 237, Σ 231.

σφῦρα: *hammer,* γ 434†.

σφυρόν: *ankle.*

σφω(έ), gen. and dat. **σφωίν**: dual of σφεῖς, *they two, both of them,* A 8, 338. Both forms are enclitic, and in-stead of them the pl. forms are freq. employed.

σφῶι, σφώ, gen. and dat. **σφῶιν, σφῷν**: dual of σύ, ye two, you two, you both, A 336, 574, Λ 776, 862. σφῶι and σφῶιν are never enclitic.

σφωίτερος: *of you two, of you both,* A 216†.

σχεδίη: *raft, light boat,* ε 234 ff. (An attempt has been made to repre-sent the construction and parts of Odysseus's σχεδίη under ἀρμονίη: a, the beams forming the ἔδαφος, h. b, σταμίνες. c, γόμφοι. d, ἀρμονίαι. e, ἐπηγκενίδες. f, ἴκρια. g, ἱστός.)

σχεδίην (ἔχω): fem. adj. as adv., *near at hand, in hand to hand fight,* E 830†.

Σχεδίος: (1) a Phocian, the son of Iphitus, slain by Hector, B 517, P 306.

—(2) a Phocian, the son of Perimē-des, slain by Hector, O 515.

σχεδόθεν (ἔχω): *from near at hand, close by, near,* w. dat. or gen., Π 800, τ 447.

σχεδόν (ἔχω): *near, hard by;* w. dat. or gen., ι 23, ζ 125; of relation-ship, κ 441; of time, N 817, β 284, ζ 27.

σχεθέειν: see ἔχω.

σχεῖν, σχέμεν, σχέο: see ἔχω.

Σχερίη: *Scheria,* a fabulous coun-try, the home of the Phaeacians, ε 34, ζ 8–263.

σχέτλιος (ἔχω), σχετλίη, Γ 414: properly, *holding out, enduring,* then in moral sense, *hard, hardened, per-verse, cruel;* σχέτλιός εἰς, Ὀδυσεῦ, μ 279 (cf. what follows); similarly, but without serious reproach, K 164; of things in Od., ἔργα, ὕπνος, ι 295, κ 69.

σχέτο: see ἔχω.

σχίζα: *split wood;* δρυός, oaken *bil-let,* ξ 425.

σχίζω (cf. s c i n d o), aor. ἔσχισεν: *cleave, split,* δ 507.

σχοίατο: see ἔχω.

σχοῖνος: *rush, rushes,* ε 463†.

Σχοῖνος: a town on a river of the same name in Boeotia, B 497†.

σχόμενος: see ἔχω.

σώεσκον, σώζων: see σοάω.

σῶκος (cf. σῶς, σῴζω): *saviour,* epith. of Hermes, Υ 72†.

Σῶκος: a Trojan, the son of Hippa-sus, slain by Odysseus, Λ 427 f., 440 ff.

σῶμα, ατος: *dead body, corpse, car-case.*

σῶς (σάος, σόος): *safe, sound, un-harmed; certain,* N 773, ε 305.

σώω: see σαόω.

T.

τ´ = (1) τέ.—(2) τοί (σοί), α 60, 347. —(3) τοί after μέν (μέντοι).

τᾱγός (τάσσω): *arranger, marshal, leader* (v. l. τ´ ἀγοί), Ψ 160†.

ταθείς, τάθη: see τείνω.

ταλα-εργός (τλῆναι, Ϝέργον): *en-during labor, patient, drudging,* epith. of mules.

Ταλαιμένης: a leader of the Maeo-nians, B 865†.

Ταλαΐονίδης : *son of Talaus*, Mecisteus, B 566, Ψ 678.

τάλαντον (root ταλ, τλῆναι): (1) *scale*, pl. *scales*, *balance*, M 433; esp. fig., of the golden scales in which Zeus balances the fates of men, Θ 69, Π 658, Τ 223.—(2) a definite (unknown) weight, *talent*, χρῡσοῖο, I 122, δ 129.

ταλα-πείριος (τλῆναι, πεῖρα): *enduring trials, much tried*. (Od.)

ταλα-πενθής, ἐς (πένθος): *bearing sorrow, patient in suffering*, ε 222†.

τάλαρος (root ταλ): *basket*, of wicker-work, for fruit, etc., Σ 568; of silver, for wool, δ 125.

τάλας, voc. **τάλαν** (root ταλ): *foolhardy, wretch*, σ 327 and τ 68. Cf. σχέτλιος.

ταλασί-φρων (root ταλ, φρήν): *stouthearted;* epith. esp. of Odysseus.

ταλάσσαι : see τλῆναι.

ταλαύρῑνος (root ταλ, Ϝρῖνός): lit., *enduring the ox-hide shield, tough, doughty, brave;* epith. of Ares, with πολεμιστής.—Neut. as adv., *bravely*, Η 239. (Il.)

ταλά-φρων = ταλασίφρων, Ν 300†.

Ταλθύβιος : *Talthybius*, a herald of Agamemnon, Α 320, Γ 118, Δ 192, Η 276, Τ 196, 250, 267, Ψ 897. (Represented in the foll. cut, from a very ancient Greek relief.)

114

τἆλλα, τἄλλα : see ἄλλος.

τάμε, ταμέειν : see τάμνω.

ταμεσί - χρως, οος (τάμνω, χρώς): *cutting the skin, sharp-cutting*. (Il.)

ταμίη (fem. of ταμιης): *house-keeper, stewardess;* with and without γυνή, α 139, Ζ 390; ἀμφίπολος, π 152.

ταμίης (τάμνω): *steward, dispenser*, Τ 44; fig., πολέμοιο, ἀνέμων, Δ 84, κ 21.

τάμνω, τέμνω, τέμω, aor. τάμε, inf. ταμέειν, mid. aor. inf. ταμέσθαι, pass. perf. part. τετμημένον : *cut*, *cut* up, off, out, etc., mid. subjectively ; of 'felling' or 'lopping' trees, 'hewing' beams, 'marking off' an enclosure, 'furrowing' the earth with the plough, 'cutting off' (intercepting, driving away) cattle, 'cutting' the waves in sailing, I 580, Ν 707, Σ 528, Φ 38, γ 175 ; ὅρκια, 'conclude' a treaty, see ὅρκιον.

τανα-ήκης, ες : *with long edge* or *point*, sword or spear, axe, Ψ 118.

ταναός : *long*, Π 589†.

ταναύ-πους, ποδος : *long-legged*, i. e. slender-legged, ι 464†.

τανηλεγής, gen. έος : doubtful word, epith. of θάνατος, anciently interpreted *prostrating, laying stretched out at length* (of a corpse); acc. to some moderns, from ἄλγος, *long-lamented*.

Τάνταλος : *Tantalus*, son of Zeus, and father of Pelops, a king of Sipylus, who revealed the secrets of the gods, and was punished in Hades, λ 582 ff.

τανυ- (τείνω): stem of an adj., used as a prefix, meaning *stretched out long* or *thin*.

τανύ-γλωσσος : *slender-tongued, long-tongued*, ε 66†.

τανυ-γλώχῑν, ῑνος : *with slender (sharp) point*, Θ 297†.

τανυ-ήκης, ες : *with thin edge* or *point, keen, tapering*, Π 768.

τανύ-πεπλος : *with trailing robes, long-robed*.

τανυ-πτέρυξ, υγος : *with wide-stretching wings*, M 237 and Τ 350.

τανυσί-πτερος : *broad-winged*, ε 65 and χ 468.

τανυστύς, ύος (τανύω): *stretching* or *stringing* of a bow, φ 112†. (Illustrated in cut No. 34.)

τάνυται : see τανύω.

τανύ-φλοιος : *with thin* (smooth, tender) *bark*, Π 767†.

τανύ - φυλλος : with long or slender leaves. (Od.)

τανύω, τάνῡμι (Att. τείνω), aor. (ἐ)τάνυ(σ)σα, mid. pres. τάνυται, ipf. τανύοντο, aor. part. τανυσσάμενος, pass. perf. τετάνυσται, plup. τετάνυστο, aor. 3 pl. τάνυσθεν, part. τανυσθείς: I. act., stretch, strain, extend, as in 'stringing' a bow, a lyre, φ 407, 409 ; 'holding horses to their speed' with the reins, Ψ 324 ; 'drawing' the shuttle to and fro in weaving, Ψ 761 ; and in general of 'arranging' anything long or broad, spears, spits, tables, I 213, ο 283, α 138. Metaph., ἔριδα πολέμοιο, μάχην, πόνον, ἔριδος πεῖραρ, Ξ 389, N 359.—II. pass. and mid., be stretched or extended, be tight ; the cheeks 'became full' again, π 175 ; of mules, horses 'stretching out,' 'laying themselves out' to run, Π 375, 475, ζ 83 ; νῆσος τετάνυσται, 'extends,' ι 116.— Mid., subjectively, Δ 112 ; reflexive, ι 298.

τάπης, ητος : rug, coverlet, laid upon chairs or beds. (See cuts Nos. 69, 105.)

ταπρῶτα : see πρῶτος.

τάρ : see τέ and ἄρα.

ταράσσω (τραχύς), aor 'τάραξα, perf. part. τετρηχυῖα, plup. τετρήχει : stir up, trouble, disturb, throw into confusion ; πόντον, ἵππους, δαῖτα, ε 291, Θ 86, A 579. The perf. is intrans., be in confusion, stormy, B 95, H 346.

ταρβέω, imp. τάρβει, ipf. τάρβει, aor. τάρβησα : be afraid, dread, intrans. and trans.

τάρβος, εος : fear, dread.

ταρβοσύνη = τάρβος, σ 342†.

Τάρνη : a city on Mt. Tmolus, the later Sardis, E 44†.

ταρπήμεναι, ταρπῆναι : see τέρπω.

ταρσός (τερσαίνω): a surface for drying, crate, ι 219 ; flat of the foot, Λ 377, 388.

Τάρταρος : Tartarus, a dark abyss, place of imprisonment of the Titans, as far below Hades as the earth is below the heavens, Θ 13, 481.

ταρφέες (τρέφω): thick, close together, frequent.—Neut. as adv., ταρφέα, often, thickly, M 47†.

Τάρφη : a town in Locris, B 533†.

τάρφος, εος (τρέφω): thicket, only dat. pl., ἐν τάρφεσιν ὕλης, E 555 and O 606

ταρχύω, fut. ταρχύσουσι, aor. subj ταρχύσωσι : solemnly bury. (Il.)

ταύρειος : of a bull, of bull- or ox-hide. (Il.)

ταῦρος : bull, with and without βοῦς.

ταφήιος (τάφος): for burial, φᾶρος, winding-sheet, shroud. (Od.)

Τάφιοι : the Taphians, inhabitants of Taphos, notorious for their piracy, α 105, 181, 419, ξ 452, ο 427, π 426.

Τάφος : Taphos, an island between Leucadia and Acarnania, near Meganisi, α 417.

1. τάφος (θάπτω): burial ; funeral-feast, γ 309.

2. τάφος (root θαπ, ταφών): astonishment. (Od.)

τάφρος (θάπτω): ditch, trench.

ταφών : see θαπ-.

τάχα : quickly, soon.

ταχέως : quickly, speedily, Ψ 365†.

τάχιστα : see ταχύς.

τάχος, εος : speed. (Il.)

ταχύ-πωλος : with swift steeds.

ταχύς, εῖα, ύ, comp. θάσσων, sup. τάχιστος : quick, swift, fleet. — Adv. comp. θᾶσσον, sup. τάχιστα : quicker, most speedily ; ὅ ττι τάχιστα, 'with all speed,' Δ 193, ε 112 ; the comp. is also similarly used for emphasis, η 152, etc.

ταχυτής, ῆτος : swiftness, speed, Ψ 740 and ρ 315.

τέ (cf. que): enclitic conj., and; correl., τέ . . τέ (both . . and), also τέ . . καί, and with ἠδέ. τέ has some uses in Homer of which only traces remain in the later language. Their exact force cannot always be discerned, and the particle itself remains untranslatable. It attaches itself esp. to rel. words (seemingly as if they needed a connective), ὅς τέ, οἷός τε, ὅσος τε, ἔνθα τε, ἵνα τε, ἐπεί τε, ὥς τε, etc. ; thus in Att. (with special meanings), οἷός τε, ὥστε. So τίς τε (τίς), ἄλλα τε, γάρ τε, μέν τε, δέ τε, ἀτάρ τε, οὐδέ τε. In all these cases with or without a corresponding τέ in the connected clause, A 81, T 164. Many Latin words may be compared (for form, not necessarily for sense) with these combinations of τέ, namque, atque, quisque, etc.

Τεγέη : Tegea, a city in Arcadia, B 607†.

τέγεος : *roofed over*, Z 248†.

τέγος, εος : *roof, building*, λ 64, α 333. (Od.)

τεεῖο : see σύ.

τεθαλυῖα, τέθηλα : see θάλλω.

τέθηπα : see θαπ-.

τέθναθι, τεθνάμεναι, τεθνᾶσι, τεθνεώς, τεθνηώς, τεθνειώς : see θνήσκω.

τεθυωμένος : see θυόω.

τεΐν : see σύ.

τείνω (cf. t e n d o), aor. 1 ἔτεινα, τεῖνε, pass. perf. τέταται, plup. τέτατο, τετάσθην, aor. τάθη, pass. ταθείς : *stretch, stretch out, extend, draw tight;* of a bow, Δ 124 ; reins fastened tightly to the chariot rim (see cut No. 10), E 322 ; a sword hung by the baldric, X 307 ; a helmet-strap drawn under the chin, Γ 372. Metaph., λαῖλαπα, pass., νύξ, πτόλεμος, Π 365, P 736, λ 19. ἵπποισι τάθη δρόμος, 'was exerted,' Ψ 375, 758. Cf. τανύω.

τεῖος : see τέως.

Τειρεσίης : *Tiresias*, the blind seer of Thebes. He alone retained his mental faculties in Hades. κ 524, 537, λ 32, 50, 89, 139, 151, 479, μ 267, ψ 251, 323.

τεῖρος, εος (cf. τέρας, ἀστήρ): pl., *constellations*, Σ 485†.

τείρω (cf. t e r o), ipf. ἔτειρε, τεῖρε, pass. ipf. (ἐ)τείρετο : *wear out* or *away*, only met., *weary, exhaust, distress*, of age, hunger, troubles, Δ 315, O 61, α 342 ; freq. the pass., *be worn, hard pressed, afflicted*, Z 387.

τειχεσι - πλήτης : *stormer of walls* or *cities*, E 31 and 455.

τειχίζω (τεῖχος): only mid. aor., ἐτειχίσσαντο, *built for themselves*, H 449†.

τειχιόεις, εσσα, εν : *walled, well walled, well fortified*, B 559 and 646.

τειχίον (dimin. from τεῖχος): *wall* belonging to a building, not a city or town, π 165 and 343.

τεῖχος, εος : *wall* of a city or town, then in general any *fortification, rampart ; τεῖχος ἐλαύνειν, δεῖμαι, ποιήσασθαι*, M 4, H 436.

τείως : see τέως.

τέκε, τεκέειν : see τίκτω.

τεκμαίρομαι (τέκμωρ), aor. τεκμήρατο, -ντο : *set an end, hence decree, appoint, ordain*, Z 349, η 317 ; *portend, predict*, H 70, λ 112, μ 139.

9*

τέκμωρ (Att. τέκμαρ): *goal, end ; Ἰλίου*, 'overthrow,' H 30, I 48 ; then *token, pledge*, A 526.

τέκνον (τίκτω): *child;* freq. in endearing or conciliatory address, X 84, β 363. Of animals, *young*.

τέκον : see τίκτω.

τέκος, εος = τέκνον.

τεκταίνομαι (τέκτων), aor. τεκτήνατο, -αιτο : *build*, E 62 ; met., *contrive, devise*, K 19. (Il.)

Τεκτονίδης : *son of Tecton* ('Builder'), Polynäüs, θ 114†.

τεκτοσύνη : *art of the joiner, carpentry*, pl., ε 250†.

τέκτων, ονος (cf. τίκτω, τεύχω): *maker, builder, joiner, carpenter*.

Τέκτων : the father of Phereclus, E 59†.

τελαμών, ῶνος (root ταλ): any belt or strap to *bear* or *support* something, hence (1) *sword-belt, baldric* (see cuts Nos. 86, 109).—(2) *shield-strap*, λ 610, Ξ 404 (see cut).—(3) *thong* attached

115

to the ankles of a dead body, to drag it away, P 290. (Cf. cut No. 16.)

Τελαμών : *Telamon*, the son of Aeacus, brother of Peleus, king in Salamis, and father of Ajax and Teucer, Θ 283, N 177, P 284, 293, λ 553.

Τελαμωνιάδης : *son of Telamon*, Ajax, N 709.

Τελαμώνιος : *Telamonian*, Ajax the greater, as distinguished from Ajax son of Oïleus, so with υἱός, Λ 591. Also of Teucer, N 170, O 462.

τελέθω (τέλλω): poetic synonym of εἶναι or γίγνεσθαι, νὺξ ἤδη τελέθει, 'it is already night,' H 282 ; ἄρνες ἄφαρ κεραοὶ τελέθουσιν, 'become horned,' 'get horns' straightway, δ 85 ; παν-

τοῖσι τελέθοντες, 'assuming all sorts of shapes,' ρ 486.

τέλειος (τέλος): perfect; said of victims that are without spot or blemish, Α 66; the eagle is τελειότατος πετεηνῶν, because he brings the surest omen from Zeus, Θ 247, Ω 315.

τελείω: see τελέω.

τελεσ-φόρος (= φέρων τέλος): bringing to perfection or maturity, hence ἐνιαυτός, a full year. (Od. and Τ 32.)

τελευτάω, ipf. τελεύτα, fut. τελευτήσω, aor. τελεύτησα, mid. fut. τελευτήσεσθαι, pass. aor. inf. τελευτηθῆναι: complete, bring to pass, fulfil; νοήματα, ἐέλδωρ, Σ 328, φ 200; ὅρκον, in due and solemn form, Ξ 280; pass. and fut. mid., be fulfilled, come to pass, Ο 74, β 171, θ 510.

τελευτή: end, accomplishment, purpose, Ι 625, α 249.

τελέω, τελείω, ipf. τέλεον, ἐτέλειον, fut. τελέω, τελεῖ, aor. (ἐ)τέλε(σ)σα, mid. fut., w. pass. signif., τελεῖται, inf. τελέεσθαι, -εῖσθαι, pass. perf. τετέλεσται, plup. -το, aor. (ἐ)τελέσθη: bring to an end or to completion, end, complete, accomplish, fulfil; freq. the pass., be fulfilled, come to pass, β 176, ε 302; τὸ καὶ τετελεσμένον ἔσται, Α 212; but τετελεσμένος also means 'to be accomplished,' 'practicable,' Ξ 196, ε 90.—Pay, render (τινί τι), tribute, gifts, Ι 156 f., 598, β 34.

τελήεις, εσσα, εν: 'rich in fulfilment,' perfect, hecatombs.

τέλος, εος (cf. τέρμα): end in the sense of completion, sum, consummation, fulfilment; μῦθον, 'sum and substance,' Π 83; perfect 'state' of affairs, ι 5; τέλος θανάτοιο, periphrasis for θάνατος (the idea concretely expressed); concrete and technical, a division of the army, company (Il.)

τέλοσδε = εἰς τέλος. (Il.)

τέλσον = τέρμα.

τέμενος, εος (τέμνω, cf. templum): a piece of land marked off and reserved as the king's estate, λ 185; or as the sacred precinct of a god (grove with temple), θ 363.

Τεμέση: a town celebrated for its copper mines, perhaps in Cyprus, α 184†.

τέμνω, τέμει, τεμεῖ: see τάμνω.

Τένεδος: Tenedos, a small island west of the Troad, Α 38, Λ 625, Ν 33, γ 159.

Τενθρηδών: a leader of the Magnesians from Thessaly, father of Prothoüs, Β 756†.

τένων, οντος (τείνω): du. and pl., muscles.

τέξω, τέξομαι: see τίκτω.

τέο, τεό: see τίς, τὶς.

τεοῖο: see σύ.

τεός = σός.

τέρας, ατος and αος (cf. τείρος, ἀστήρ): prodigy, portent, omen, found in some manifestation of nature, such as thunder, lightning, the rainbow. τέρας Διός, 'sent by Zeus,' Μ 209; ἀνθρώπων, 'for men,' Λ 28; of a monster, the Gorgon, Ε 742.

τέρετρον (τετραίνω): auger, ε 246 and ψ 198.

τέρην, εινα, εν (cf. τείρω): tender, soft, delicate.

τέρμα, ατος (cf. τέλος, terminus): limit, goal; the turning-post in the race, Ψ 307; a mark to show how far a quoit was thrown, θ 193.

τερμιόεις, εσσα, εν (τέρμις = πούς): reaching to the feet; according to others, fringed, tasselled; χιτών, ἀσπίς, τ 242, Π 803.

Τερπιάδης: son of Terpis, Phemius, χ 330†.

τερπι-κέραυνος: delighting in thunder, epith. of Zeus.

τέρπω, ipf. ἔτερπον, τέρπε, mid. fut. τέρψομαι, aor. 1 part. τερψάμενος, aor. 2 red. τεταρπόμην, subj. ταρπώμεθα, red. τεταρπώμεσθα, part. τεταρπόμενος, pass. aor. ἐτέρφθην, ἐτάρφθην, aor. 2 ἐτάρπην, 3 pl. ἔτερφθεν, τάρφθεν, τάρπησαν, subj. τραπείομεν: Ι. act., delight, cheer; τινὰ λόγοις, θῦμὸν φόρμιγγι, ἀείδων, Ο 393, Ι 189, α 107, ρ 385; ἀκαχημένον, Τ 312.—ΙΙ. mid. and pass., enjoy oneself, take pleasure in, rejoice; τινί. Also τινός, enjoy; fig., γόοιο, 'have one's fill' of lamentation, Ψ 10, λ 212. The form τραπείομεν = τερφθῶμεν occurs Γ 441, Ξ 314, θ 292.

τερπωλή (τέρπω): delight, rare sport, σ 37†.

τερσαίνω, aor. τέρσηνε: dry, dry up, Π 529†.

τέρσομαι, ipf. ἐτέρσετο, τέρσοντο

aor. 2 inf. τερσῆναι, -ήμεναι : *be or become dry;* w. gen., δακρυόφιν, ε 152.

τερψί-μβροτος (βροτός): *delighting mortals,* μ 269 and 274.

τεσσαρά-βοιος (βοῦς): *worth four cattle,* Ψ 705†.

τεσσαράκοντα: *forty.*

τέσσαρες: *four.*

τεταγών (cf. t a n g o), defective aor. part.: *laying hold of,* A 591 and O 23.

τέταται: see τείνω.

τετάρπετο, τεταρπώμεσθα, τεταρπόμενος: see τέρπω.

τέταρτος and **τέτρατος**: *fourth.*— Adv. (τὸ)τέταρτον, *for the fourth time,* Π 786, X 208.

τετάσθην: see τείνω.

τετεύξεται, τετεύχεται, τετεύχετον: see τεύχω.

τετευχῆσθαι (τευχέω, τεύχεα), inf. perf. pass.: *to have armed ourselves, be armed,* χ 104†.

τέτηκα: see τήκω.

τετίημαι, τετίησθον, part. τετιημένος, also act. perf. part. **τετιηώς**: *be troubled, sad;* τετιημένος ἦτορ, τετιηότι θῡμῷ, Λ 555.

τέτλαθι, τετλαίην, τετλάμεν, τετλάμεναι, τετληώς: see τλῆναι.

τετμημένος: see τάμνω.

τέτμον, τέτμης: see ἔτετμον.

τετρά-γυος (γύης): *containing 4* γύαι, *four-acre lot;* as subst., a piece of land as large as a man can plough in a day, σ 374.

τετρα-θέλυμνος (θέλυμνον): *of four layers* (of hide), Ο 479 and χ 122.

τετραίνω (cf. τείρω), aor. τέτρηνε : *pierce with holes, perforate, bore.*

τετράκις: *four times,* ε 306†.

τετρά-κυκλος: *four-wheeled;* (ᾱ) ι 242.

τετράορος (ἀείρω): *yoked four abreast,* pl., ν 81†.

τετρα-πλῆ: *four-fold,* A 128†.

τέτραπτο: see τρέπω.

τέτρατος: see τέταρτος.

τετρα-φάληρος: *with four-fold crest,* κυνέη. (Il.) (See cut under αὐλῶπις.)

τετρά-φαλος: *with four-banded crest,* κυνέη. (Il.) (See cut No. 116.)

τετράφατο: see τρέπω.

τετραχθά: *in four parts.*

τέτρηνε: see τετραίνω.

τετρήχει, τετρηχυῖα: see ταράσσω.

116

τετρίγει, τετρῑγυῖα: see τρίζω.

τέτροφεν: see τρέφω.

τέττα, voc.: a form of familiar address, as of a younger friend to an elder, *Father;* Diomed to Sthenelus, Δ 412†.

τέττιξ, ῑγος: *tettix* or *cicada,* an insect whose note was greatly liked by the ancients, Γ 151†.

τετυγμένα, τετυχεῖν, τετυχέσθαι, τέτυξαι, τετύχθαι: see τεύχω.

τετύχηκα: see τυγχάνω.

τεῦ, τεύ: see τίς, τίς.

Τευθρανίδης: *son of Teuthras,* Axylus, Z 13†.

Τεύθρᾱς: (1) the father of Axylus. —(2) a Greek from Magnesia, slain by Hector, E 705.

Τεῦκρος: *Teucer,* son of Telamon and Hesione, half-brother of Ajax, the best archer before Troy, M 350, 371 f., N 170, Z 31, Θ 273, 322, O 484.

Τευταμίδης: *son of Teutamias,* Lethus, B 843†.

τεῦχος, εος: *implement* of any kind, regularly pl., *arms, armor,* also *tackling* of a ship, ο 218.

τεύχω, fut. -ξω, aor. ἔτευξα, τεῦξε, aor. 2 inf. red. τετυκεῖν, perf. part. τετευχώς, mid. fut. inf. τεύξεσθαι, aor. 2 red. τετύκοντο, opt. -οίμεθα, inf. -έσθαι, pass. perf. 2 sing. τέτυξαι, τέτυκται, 3 pl. τετεύχαται, inf. τετύχθαι, imp. τετύχθω, τετύγμην, (ἐ)τέτυξο, -το, 3 pl. (ἐ)τετεύχατο, aor. ἐτύχθη, fut. perf. τετεύξεται: I. act., *make, cause,* of all kinds of handiwork, and metaph., ἄλγεα, κήδεά τινι, A 110, α 244; so *prepare,* δεῖπνον, etc.; with two accusatives, *make, render,* A 4. — Mid., *prepare* or *have prepared* for oneself, A 467, T 208. — II. pass. (fut. mid. w. pass. signif., E 653), *be made, wrought, furnished,* or *ready,* very often the

perf. and plup.; also the perf. act. in
this sense, μ 423; τετυγμένος, 'well
wrought,' Π 225, etc.; metaph., νόος
τετυγμένος, 'sound,' ν 366.—Esp. as
synonym of εἶναι, γενέσθαι, be, become,
take place, happen; οἷον ἐτύχθη, ποθὴ
Δαναοῖσι τέτυκται, θαῦμ᾽ ἐτέτυκτο (for
ἐγένετο, γέγονε, ἔστιν, ἦν), Β 320, Ρ
690, ι 190, and often.

τέφρη: ashes. (Il.)

τεχνάω, τεχνάομαι, aor. inf. τεχνῆ-
σαι (v. l. τεχνήσσαι), fut. τεχνήσομαι,
aor. τεχνήσατο, opt. -αιτο, part. -άμε-
νος: construct with art, contrive, devise.
(Od. and Ψ 415.)

τέχνη (cf. τίκτω, τεκεῖν): art, skill,
device, craft, cunning, δ 455, 529. (Od.
and Γ 61.)

τεχνήεις, εσσα, εν: full of art or
skill, skilful, θ 297. Contracted pl.
nom. fem. τεχνῆσσαι (v. l. τεχνήσσαι,
from τεχνάω), η 110.—Adv., τεχνηέν-
τως, ε 270.

τέῳ, τέων: see τίς.

τέως, τείως: so long, Ω 658; mean-
while, ο 127, σ 190; some time, ο 231;
correl. to ἕως, ὄφρα, Υ 42, Τ 189.

τῆ (cf. τείνω): an old imp. used in
offering something, here (extend your
hand and take)! there! Ξ 219, ε 346.

τῇ, τῆ: demonstr., here; rel., where,
as, Μ 118, δ 565, θ 510.

τῇδε: see ὅδε.

τῆθος, εος: oyster, pl., Π 747†.

Τηθύς: Tethys, daughter of Uranus
and Gaea, wife of Oceanus, and mother
of the river-gods, Ξ 302. Mother of
all the gods according to Ξ 201.

τηκεδών, όνος: melting, wasting
away, decline, λ 201†.

τήκω, ipf. τῆκε, mid. ipf. τήκετο,
perf., w. pres. signif., τέτηκα: act.,
melt; fig., θῡμόν, 'consume' with
grief, τ 264.—Mid. and perf., intrans.,
melt, thaw, τ 207; fig., waste away,
pine away, Γ 176.

τῆλε: adv., far, far away; w. gen.,
far from, ρ 250, Χ 445; also with
ἀπό, ἐκ, γ 313, Β 863.

τηλεδαπός: distant, Φ 454; strange,
foreign, Χ 45.

τηλεθάων (θάλλω), -θόωσα, defective
part.: luxuriant, blooming, of plants,
forest, hair; παῖδες, Χ 423.

τηλε-κλειτός: far-famed, wide-re-
nowned.

τηλε-κλυτός = τηλεκλειτός.

Τηλέμαχος: Telemachus, the son of
Odysseus and Penelope. The name
('Afar-fighting') was given to the
child because he was born as his fa-
ther was about to depart for the war
of Troy. Telemachus is the principal
figure in the first four books of the
Odyssey, and his journey in quest of
tidings of his father to Pylos and
Sparta, under the guidance of Athēna
in the form of Mentor, has made the
name of his 'mentor' proverbial.
After the return of Odysseus, Telem-
achus assists him in taking revenge
upon the suitors. He is mentioned in
the Iliad only in Β 260, Δ 354.

Τήλεμος: son of Eurymus, a seer
among the Cyclopes, ι 509.

Τηλέπυλος: a town of the Laestrȳ-
gons, κ 82, ψ 318.

τηλε-φανής, ές (φαίνομαι): conspic-
uous far and wide, ω 83†.

Τηλεφίδης: son of Telephus, Eury-
pylus, λ 519.

τηλίκος: of such an age, so old or
so young, of the right age.

τηλόθεν: from far away.

τηλόθι: far away; w. gen., far
from, Α 30.

τηλόσε: to a distance, far away.

τηλοτάτω: adv., sup. to τηλοῦ, most
distant, η 322†.

τηλοῦ: afar; w. gen., far from.

τηλύγετος: doubtful word, dearly
beloved. Neither the ancient nor the
modern guesses as to the etymology of
this word are worth recording.

τῆμος: then, thereupon, correl. to
ἦμος.

τῆπερ = ᾗ περ.

Τηρείη: a mountain in Mysia, Β
829†.

Τηΰγετον: Taygetus, a mountain
range in Laconia, extending to Cape
Taenarum, ζ 103†.

τηΰσιος: vain, fruitless, useless, γ
316 and ο 13.

τίεσκον: see τίω.

τίη (τί ἤ): why then? why pray?
τίη δέ; τίη δή; ἀλλὰ τίη; Ο 244, ο
326, Υ 251.

τιθαιβώσσω: lay up honey, ν 106†.

τίθημι, τιθέω, τίθησθα, τίθησι and
τιθεῖ, 3 pl. τιθεῖσι, ipf. (ἐ)τίθει, τίθεσαν,
fut. inf. θησέμεναι, aor. ἔθηκα, θῆκε,

θῆκαν, ἔθεσαν, θέσαν, subj. θείω, θείης (θήῃς), θέωμεν, θείομεν, opt. θείην, θεῖμεν, θεῖεν, imp. θές, inf. θεῖναι, θέμεναι, mid. pres. part. τιθήμενος, fut. θήσομαι, aor. θήκατο, ἔθετο, θέτο, ἔθεσθε, θέσθε, opt. θεῖο, θεῖτο, imp. θέω, θέσθε : I. act., put, place, properly local, w. dat. of place or w. prep.; metaph., put into one's mind, inspire, suggest, μένος τινὶ ἐν θυμῷ, θυμόν τινι, βουλὴν ἐν στήθεσσιν, a 321, Ω 49, P 470, λ 146 ; similarly of 'proposing,' 'offering' prizes at games, 'depositing,' 'setting up' offerings in a temple, 'determining' the limit, end, or outcome of anything, Ψ 263, μ 347, Ψ 333, θ 465 ; make, cause (poetic for ποιεῖν), ὀρυμαγδὸν ἔθηκεν, ι 235 ; κέλευθόν τινι, Μ 399 ; and forming a periphrasis, σκέδασιν θεῖναι (= σκεδάσαι), a 116 ; Ἀχαιοῖς ἄλγε' ἔθηκεν, 'caused,' 'gave rise to' miseries for the Greeks, Α 2 ; so w. double acc., τινὰ ἄλοχον θεῖναι, Τ 298, ν 163.—II. mid., the above meanings subjectively applied, put or place for oneself, something of one's own, κολεῷ ἄορ, ἀμφὶ ὤμοισιν ἔντεα, κ 34, 333 ; met., ἐν φρεσί τι, 'take to heart,' 'consider,' δ 729 ; ἐλέγχεα ταῦτα τίθεσθε, 'hold,' 'deem this a disgrace to yourselves,' φ 333 ; make or prepare for oneself, I 88, Ω 402 ; w. two accusatives, τινὰ θέσθαι γυναῖκα, φ 72, I 629.

τιθήνη (θῆσθαι): nurse. (Il.)

τίθησθα: see τίθημι.

Τιθωνός: Tithōnus, a son of Laomedon, carried off by the goddess Eos, to be her spouse, Υ 237, Λ 1, ε 1.

τίκτω (root τεκ, cf. τέκτων, τέχνη), fut. τέξεις, aor. 2 ἔτεκον, τέκεν, mid. fut. inf. τέξεσθαι, aor. 2 τεκόμην : give birth to, bear, bring forth, also of the father, beget ; the mid., too, is said of either parent, B 741, 742, ω 293.

τίλλω, ipf. τίλλε, mid. ipf. τιλλέσθην, -οντο : pluck out, mid., one's own hair ; w. acc. of the person mourned for in this way, Ω 711.

τιμάω, ipf. ἐτίμα, τίμα, aor. τίμησα, subj. τιμήσομεν, inf. τιμήσον, mid. aor. (ἐ)τιμησάμην, pass. perf. τετιμήμεσθα, inf. -ῆσθαι : prize, deem worthy of honor, honor, mid. subjective.

τιμή (τίω): valuation, price, then (1) satisfaction, penalty, punishment; ἀρνυσθαι, ἀποτίνειν, ἄγειν, Α 159, Γ

286, χ 57.—(2) honor, dignity, prerogative, of gods and kings, I 498, ε 535, B 197, a 117.

τῑμήεις, εσσα, εν, and τῑμῆς, acc. τίμηντα, comp. τῑμηέστερος, sup. τῑμηέστατος : precious, Σ 475, λ 327 ; then honored, σ 161, I 605.

τίμιος : honored, κ 38†.

τινάσσω, ipf. ἐτίνασσον, τίνασσε, aor. ἐτίναξα, mid. ipf. τινάσσετο, aor. τιναξάσθην, pass. aor. 3 pl. τίναχθεν : shake, brandish ; δοῦρε, αἰγίδα, ἀστεροπήν, mid. πτερά, 'shook their' wings, β 151 ; θρόνον, 'overthrow,' χ 88 ; ἐκ (adv.) δ' ἐτίναχθεν ὀδόντες, 'were dashed' out, Π 348 ; 'plucked her garment,' Γ 385.

τίνυμαι, τίνυται, -υσθον, -νται, part. τῑνύμενος = τίνομαι : punish, chastise, τινά, λώβην, ω 326.

τίνω (τίω), fut. τίσω, aor. ἔτῑσα, inf. τῖσαι, mid. fut. τίσομαι, aor. ἐτῑσάμην, τίσατο, opt. 3 pl. τῑσαίατο, inf. τίσασθαι : I. act., pay a debt or a penalty, atone for ; in good sense, ζωάγρια, αἴσιμα πάντα, ἀμοιβὴν βοῶν, ε 407, θ 348, μ 382; in bad sense, τῑμήν τινι, θωήν, β 193; w. acc. of the thing atoned for, Α 42, ω 352 ; rarely acc. of the person atoned for, P 34 ; 'reward,' ξ 166. — II. mid., exact satisfaction, make one pay you for something, τινά τι, τινά τινος, ο 236, Γ 366 ; hence punish.

τίπτε (= τί ποτε), τίπτ', τίφθ': wh3 pray?

Τίρυνς, νθος: Tiryns, an ancient city in Argolis, with Cyclopean walls, residence of Perseus and other kings of Argos, B 559†.

τίς, τί, gen. τέο, τευ, pl. gen. τέων (τέων, ζ 119, ν 200): interrog. pron., who ? what ? ἐς τί, how long ? E 465.— Rarely in indirect questions, Σ 192, ο 423, ρ 368.—Adv. τί, why? how ?

τὶς, τὶ, gen. τεύ, τεό, dat. (οὔ) τινι, τεῷ, τώ, pl. neut. ἄσσα : indef. pron. enclitic, some (any) one, some (any) thing ; many a one, (every) one, τ 265, B 388, 355 ; appended to adjectives, it makes them less precise, ὁπποῖ' ἄσσα εἵματα, 'about what sort of clothing,' τ 218. — Adv. τὶ, somewhat, in a degree, but adds force to a negation, οὔ τι, not at all, by no means; οὐδέ τι, nothing whatever, γ 184.

τίσις, ιος (*τίω*): *recompense*, β 76; then *vengeance, punishment, τινός,* ' for something,' *ἔκ τινος,* 'at the hands of some one.'

τιταίνω (*τανύω, τείνω*), ipf. *ἐτίταινε,* aor. 1 part. *τιτήνᾱς,* mid. ipf. (*ἐ)τιταί-νετο*: *stretch, draw, extend,* mid., reflex-ive and subjective; of drawing the bow, chariot, plough, Θ 266, B 390; stretching out the hands, spreading a table, poising the balance, N 534, Θ 69, κ 354; mid., of exerting one's strength, λ 599; horses, birds, stretch-ing themselves to run or fly, χ 23, β 149; stringing a bow for oneself, φ 259.

Τίτανος: a place (mountain or town) in Thessaly, B 735†.

Τιταρήσιος: a river (later Eurōpus) of Thessaly, rising in Mt. Olympus and a branch of the Peneius, B 751†.

Τιτῆνες: the *Titans,* sons of Ura-nus and Gaea. Under the lead of Cronus they took possession of heav-en, but were cast down by him into Tartarus. Finally Zeus, aided by Gaea, overpowered Cronus and shut him up with the other Titans, E 898, Ξ 279.

τίτος (*τίνω*): *paid for, avenged; τίτα ἔργα,* 'works of vengeance,' Ω 213 (v. l. *ἄντιτα*).

τιτρώσκω: see *τρώω.*

Τιτυός: *Tityus,* a giant, the son of Gaea, punished in Hades, λ 576–580, η 324.

τιτύσκομαι (root *τυκ, τυχεῖν*), ipf. *τιτύσκετο*: (1) lit., try to hit, hence *aim; ἄντα,* 'straight before one,' φ 48; *τινός,* 'at something'; met., of pur-pose, design, *φρεσί,* N 558, θ 556.—(2) try to get, hence *make ready, prepare; πῦρ, ἵππους ὑπ' ὄχεσφι,* 'couple,' 'put to,' Θ 41.

τίφθ': see *τίπτε.*

τίω, inf. *τῖέμεν,* ipf. *τῖον, ἔτιε,* iter. *τίεσκον,* fut. *τίσω,* aor. *ἔτῖσα,* mid. ipf. iter. *τῖέσκετο,* pass. perf. part. *τετῑμέ-νος*: *value, estimate,* then *esteem, prize, honor.*

τλήμων, ονος (*τλῆναι*): *enduring, patient,* E 670; then *bold, impudent,* Φ 430. Cf. *σχέτλιος.*

τλῆναι (root *ταλ*), aor. 2 inf., ind. *ἔτλην, τλῆ, τλήμεν, ἔτλαν,* opt. *τλαίην,* imp. *τλῆθι, τλήτω, τλῆτε,* aor. 1 *ἐτά-λασσα,* subj. *ταλάσσῃς,* fut. *τλήσομαι,*

perf., w. pres. signif., *τέτληκα,* 1 pl. *τέτλαμεν,* imp. *τέτλαθι, -άτω,* opt. *τε-τλαίη,* inf. *τετλάμεν(αι),* part. *τετληώς, -υῖα*: *endure, suffer, bear up under, submit to, τι,* Σ 433; so the part. as adj., *τετληότι θυμῷ,* with *steadfast* soul; and with part., ε 362, v 311; with inf., *bring oneself* to do something (by overcoming any kind of a scruple), *dare, venture, have the heart* or *the hardihood* to do it, P 166.

Τληπόλεμος: (1) a son of Hercules and Astyoche, who as a fugitive found safety in Rhodes, and became king there, B 653, 657, 661, E 628, 631, 632, 648, 656, 660, 668.—(2) a Lycian, son of Damastor, slain by Patroclus, Π 416.

τλητός (*τλῆναι*): *enduring,* Ω 49†.

τμήγω (*τέμνω*): *cut;* only pass., aor. 3 pl. *τμάγεν,* fig., 'they separated,' 'dispersed,' Λ 146, Π 374.

τμήδην (*τέμνω*): adv., *so as to cut* or *graze,* H 262†.

Τμῶλος: *Tmolus,* a mountain in Lydia, near Sardis, B 866, Υ 385.

τόθι: *there, ο* 239†.

τοί: pronoun. See (1) ὁ.—(2) σύ.

τοί: enclitic particle of assevera-tion, *certainly, you may be sure, I as-sure you, let me tell you; τοί* has been called the 'gnomic' particle from the frequency of its occurrence in the statement of general truths or maxims, *κιχάνει τοι βραδὺς ὠκύν,* 'the race is not always to the swift,' θ 329, β 276, B 298, etc. Sometimes it is impossi-ble to decide whether this particle or the ethical dat. (*τοί = σοί*) is meant, and probably the two were originally identical.

τοίγαρ: *so then, accordingly,* always at the beginning of the clause.

τοῖος: *of such a kind, such* (t a l i s), answering to *οἷος,* Σ 105, α 257; to *ὁποῖος,* φ 421; to *ὅς,* β 286; to *ὅπως,* π 208; with inf., *capable, able;* with adjs., *so really, so very, just,* α 209, cf. λ 135, β 286.—Adv., *τοῖον, so, so very.*

τοιόσδε, *-ήδε, -όνδε*: *such,* like *τοῖος,* but properly deictic, i. e. said with ref-erence to something present or near, that can be pointed out, 'such as that there,' Φ 509, ο 330. Sometimes imply-ing 'so good,' 'so fine,' 'so bad,' etc., B 120, Γ 157, υ 206; w. inf., Z 463.

τοιοῦτος, τοιαύτη, τοιοῦτο(ν): *of such a kind, such*, like τοῖος, but a stronger demonstrative; 'so excellent,' Β 372, Π 847; 'so heinous' things, Ψ 494, χ 315.

τοίσδε(σ)σι: see ὅδε.

τοῖχος: *wall* of a house or court; *sides* of a ship, μ 420, Ο 382.

τοκάς, άδος (τίκτω): σύες, *having just littered*, ξ 16†.

τοκεύς, ῆος: pl., *parents; ancestors*, δ 596, η 54.

τόκος: *bringing forth, delivery; off-spring, young*, Ο 141, ο 175.

τολμάω (root ταλ), ipf. τόλμων, ἐτόλμας, fut. τολμήσω, aor. τόλμησα: *endure, bear*, with part., ω 162; with inf., ω 261; *be bold, dare*, Ε 670, Θ 424.

τολμήεις, εσσα, εν: *enduring, steadfast, daring*, ρ 284, Κ 205.

τολυπεύω, fut. -εύσω, aor. τολύπευσα: *wind up as a ball* (τολύπη), hence *contrive, δόλους*, τ 137, cf. ὑφαίνω. Also *achieve, finish*, ω 95, Ω 7.

τομή (τέμνω): end left after cutting, *stump, stock*, Α 235†.

τοξάζομαι (τόξον), opt. 3 pl. τοξαζοίατο, fut. τοξάσσεται, aor. opt. τοξάσσαιτο: *shoot with the bow; τινός*, 'at something,' θ 218.

τοξευτής: *bowman, archer*, pl., Ψ 850†.

τοξεύω = τοξάζομαι, Ψ 855†.

τόξον (root τυκ, τυχεῖν), pl. τόξα: *bow*, freq. the pl. for the sing., as the weapon was made of two horns joined by a centre-piece, see Δ 105–111. The bow was strung by slipping the loop at one end of the string (νευρή) over the curved tip (κορώνη) at the end of the bow, see cut No. 34. For the way of shooting, see cuts Nos. 63, 89, 90, 104; and for the bow-case, Nos. 24, 124. The archer was regarded as an inferior sort of warrior, Λ 385.—For the art, *archery*, Β 718, cf. 827.

τοξοσύνη: *archery*, Ν 314†.

τοξότης: *archer*, Λ 385†.

τοξο-φόρος: *bow-bearing*, Φ 483†.

τόπριν: see πρίν.

τοπρόσθεν: see πρόσθεν.

τοπρῶτον: see πρῶτον.

τορέω (cf. τείρω, τετραίνω), aor. 2 ἔτορε: *bore, pierce*, Λ 236†.

τορνόω, mid. aor. τορνώσαντο, subj.

τορνώσεται: *round off*, mid., *for oneself*.

τό(σ)σος: *so great, so much*, pl., *so many*.—Adv., τό(σ)σον, τόσα, *so much, so very*.

το(σ)σόσδε, -ήδε, -όνδε = τόσος, but properly deictic, referring to something present or near.—Adv., το(σ)-σόνδε.

το(σ)σοῦτος, -αύτη, -οῦτον = τόσος, but a stronger demonstrative.—Adv., το(σ)σοῦτον.

τοσσάκι, τοσσάχ': *so many times, so often;* answering to ὁσσάκι, Φ 268.

τόσσος, τοσσοῦτον: see τόσος, τοσοῦτος.

τότε: *at that time, then;* freq. in apodosis, in phrases, καὶ τότε δή, ῥα, ἔπειτα.

τοτέ: *sometimes;* τοτὲ μὲν . . τοτὲ δέ, 'now . . then,' ω 447 f.; standing alone, *at another time, anon*, Λ 63.

τοῦ: see (1) ὁ.—(2) τίς.—(3) τὶς.

τοὔνεκα = τοῦ ἕνεκα, *therefore*.

τοὔνομα = τὸ ὄνομα.

τόφρα: *so long*, answering to ὄφρα, also to ἕως, ὅτε, πρίν, εὖτε. With δέ, Δ 221. *Up to the time* (when), Α 509. *Meanwhile*, Ν 83, μ 166.

τράγος: *he-goat*, pl., ι 239†.

τράπεζα (τετράπεδγα, 'four-foot,' cf. τρίπος): *table; ξεινίη*, 'hospitable board,' ξ 158. Guests as a rule, though not always, had each his own table, α 111.

τραπεζεύς, ῆος: *belonging to the table; κύνες*, 'table-dogs,' i. e. fed from the table, cf. 'lap-dog.'

τραπείομεν: see τέρπω.

τραπέω (τρέπω): *tread, press*, η 125†.

τραφέμεν, τράφεν: see τρέφω.

τραφερός (τρέφω): *solid, firm;* as subst., ἐπὶ τραφερήν τε καὶ ὑγρήν, cf. 'terra firma,' Ξ 308 and υ 98.

τρεῖς: *three*.

τρέμω (cf. t r e m o): *tremble*.

τρέπω, fut. τρέψω, aor. ἔτρεψα, τρέψα, aor. 2 ἔτραπον, τράπον, mid. aor. 1 part. τρεψάμενος, aor. 2 (ἐ)τραπόμην, pass. perf. τέτραμμαι, imp. τετράφθω, part. τετραμμένος, plup. 3 pl. τετράφαθ', aor. inf. τραφθῆναι: *turn, so as to alter the direction more or less*.—I. act., *turn, direct;* τὶ ἔς τι, πρός, παρά, κατά, ἀνά τι, etc., pass., Ξ 403; of guiding or leading one to a place, δ 294, ι 315; turning missiles aside, horses to flight, E 187, Θ 157, and without ἵππους, Π 657; esp., of turning, 'routing' an enemy, O 261; metaph., νόον, θῡμόν, E 676.—With πάλιν, turn about or around, ὄσσε, 'avert' the eyes, N 3; ἵππους, Θ 432; met., φρένας τινός, Z 61.—II. mid., intrans., turn oneself, with direction specified by preposition or adv., as above; metaph., τραπέσθαι ἐπὶ ἔργα, Γ 422, α 422; of motion to and fro (versari), τραφθῆναι ἀν' Ἑλλάδα, 'wander up and down' through Hellas, o 80; met., change, τρέπεται χρώς, N 279; τράπετο νόος, φρήν, κραδίη τέτραπτο, P 546, K 45, δ 260.

τρέφω, aor. 1 ἔθρεψα, aor. 2 ἔτραφον, ἔτραφ' (τράφ'), du. ἐτραφέτην, inf. τραφέμεν, perf. τέτροφε, mid. aor. 1 opt. θρέψαιο, pass. aor. 2, 3 pl., τράφεν: trans., make big or thick, make to grow by feeding, nourish, bring up, rear, tend; of curdling milk, ι 246; among the trans. forms the aor. 1 mid. (causative) is to be included, τ 368; said of plants, P 53; so fig., ὕλη τρέφει ἄγρια, χθὼν φάρμακα, Λ 741.—Intrans. (pass., with aor. 2 and perf. act.), thicken, congeal, grow big, wax, grow up; περὶ χροῒ τέτροφεν ἅλμη, 'encrusted,' ψ 237; τράφεν ἠδ' ἐγένοντο, were born and bred, A 251.

τρέχω, aor. 1 iter. θρέξασκον, aor. 2 ἔδραμον, δράμε: run; fig., of the auger, ι 386.

τρέω, ρεῖ, inf. τρεῖν, ipf. τρέε, aor. ἔτρε(σ)σα: turn to flee, flee in terror, be afraid, fear. (Il.)

τρήρων, ωνος (τρέω): timid, epith. of the dove.

τρητός (τιτράω): bored, pierced with holes, perforated. Mooring stones had a hole through them to receive the cable, bedsteads were perforated for the bed-cord.

Τρηχίς, ῑνος: Trachis, a town in Thessaly near Thermopylae, B 682†.

Τρῆχος: an Aetolian, slain by Hector, E 706†.

τρηχύς, εῖα, ύ: rough, rugged; λίθος, ἀκτή, ἀταρπός, ξ 1; also of places, esp. Ithaca, ι 27.

τρίαινα (τρεῖς): the trident (three-forked harpoon), weapon of Poseidon.

the symbol of his power, M 27, δ 506.

τρίβω (cf. τείρω), inf. τρῑβέμεναι, aor. ἐτρῑψα, inf. τρῖψαι: rub, hence thresh corn (by treading out with oxen, see cut), Υ 496; μοχλὸν ἐν ὀφθαλμῷ,

117

'plunge' we should say (cf. 'rubbed in'), ι 333; pass. and fig., wear oneself out, Ψ 735.

τρί-γληνος (γλήνη): with three eyeballs, of ear-rings with three drops or pearls, Ξ 183 and σ 297. (See cut, from an ancient Greek coin.)

118

τρι-γλώχῑν, ῑνος (γλωχίν, γλῶσσα): three-barbed, arrow, E 393 and Λ 507.

τρί-ετες (Ϝέτος): three years long. (Od.)

τρίζω (cf. strideo, strix), part. τρίζουσαι, perf. part., w. pres. signif., τετρίγυῖα, τετρίγῶτες, plup. τετρίγει: of birds, twitter, B 314; of bats, ghosts, squeak, gibber, ω 5, 7, 9; of wrestlers' backs, crack, Ψ 714.

τριήκοντα: thirty.

τριηκόσιοι: three hundred.

Τρί(κ)κη: a city in Thessaly, on the Peneius, B 729, Δ 202.

τρί-λιστος (λίσσομαι): thrice-earnestly prayed for, Θ 488†.

τρί-πλαξ, ακος: threefold, Σ 480†.

τρι-πλῆ: threefold, thrice over, A 128†.

τρί-πολος (πολέω): thrice turned, i. e. thrice ploughed.

τρί-πος, οδος: tripod. In Homer usually a three-footed kettle for warming water, Ψ 702. Also used to mix wine in, as an ornament, and as a prize in games, Σ 373, Ψ 264. (The cut is from an ancient relief, representing a Delphic tripod, which was a favorite subject of representation.)

119

τρί-πτυχος (πτύσσω): triple, of three layers, τρυφάλεια, Λ 353†.

τρίς: thrice.

τρισ-καί-δεκα: thirteen.

τρισ-και-δέκατος: thirteenth.

τρι-στοιχί: in three rows, Κ 473†.

τρί-στοιχος: in three rows, μ 91†.

τρισ-χίλιοι: three thousand, Υ 221†.

τρίτατος: third.

Τρῑτογένεια: 'Trito-born,' Tritogenia, epith. of Athēna, also alone as name, Θ 39, Χ 183, Δ 515, γ 378. The significance of the first part of the word is unknown.

τρίτος: third; τὸ τρίτον, in the third place, for the third time, Γ 225.

τρίχα (τρίς): threefold, in three parts; τρίχα νυκτὸς ἔην, 'a third of the night remained,' 'twas in the third watch,' μ 312. (Od.)

τριχάϊκες: doubtful word, epith. of Δωριέες, with waving or flowing plume (θρίξ, ἀΐσσω?), τ 177†.

τρίχες: see θρίξ.

τριχθά: in three parts.

Τροιζήν, ῆνος: Troezen, a town in Argolis, near the shore of the Saronic gulf, Β 561†.

Τροίζηνος: son of Ceas, father of Euphēmus, Β 847†.

Τροίη: (1) the Troad, or the district of which Troy was the principal city, Β 162.—(2) Troy, otherwise called Ilium, Α 129.

Τροίηθε(ν): from Troy.

Τροίηνδε: to Troy.

τρομέω, mid. opt. 3 pl. τρομεοίατο: tremble with fear, quake, φρένες, Ο 627; so the mid., Κ 10; trans., fear, dread, π 446.

τρόμος: trembling, tremor, shudder, ω 49; then fear, terror.

τροπέω (τρέπω): turn about, Σ 224†.

τροπή: pl., ἠελίοιο, turning-places (cf. 'tropics'), where the sun daily turns back his steeds, indicating the extreme west, ο 404†.

τρόπις, ιος: keel. (Od.) (See cut under δρύοχος.)

τροπός: pl., thongs or straps, by means of which oars were loosely attached to the thole-pins (κληῖδες), δ 782 and θ 53. (See cut No. 32, d. A later different arrangement is seen in the following cut, and in No. 38.)

120

τροφέοντο: see τροφόεις.

τρόφις, τρόφι (τρέφω): big, huge; κῦμα, Λ 307†.

τροφόεις, εσσα, εν: big, swollen; κύματα τροφόεντα (v. l. τροφέοντο, 'were swelling'), γ 290†.

τροφός: nurse. (Od.)

τροχάω: only part., ἅμα τροχόωντα, running about after me, ο 451†.

τροχός (τρέχω): *wheel;* potter's wheel, Σ 600; a round cake of wax or tallow, μ 173, φ 178.

τρυγάω, 3 pl. τρυγόωσιν, opt. τρυγόῳεν: *gather* harvest or vintage.

τρύζω (cf. τρυγών, 'turtle-dove'): *coo*, fig., *gossip,* 'din into one's ears,' I 311†.

τρύπανον: *auger, drill,* of the carpenter, turned by a bow and string, ι 385†. (The cut is from an ancient Egyptian representation.)

121

τρῠπάω, opt. 3 sing. τρῠπῷ: *bore,* ι 384†.

τρυφάλεια: *helmet.* (See the cut.)

122

τρύφος, εος (θρύπτω): *fragment,* δ 508†.

τρύχω (τρύω), fut. part. τρύξοντα: *wear out, exhaust, consume, impoverish;* οἶκον, α 248; pass., α 288, κ 177.

Τρωαί, Τρωάς: see Τρῳός.

τρώγω: *gnaw, crop, browse upon,* ζ 90†.

Τρῶες: the *Trojans,* inhabitants of the Troad.

Τρωιάς: see Τρώιος.

Τρωικός: *Trojan;* Τρωικὸν πεδίον, 'the Trojan plain,' between Ilium and the sea.

Τρώιλος: *Troïlus,* son of Priam and Hecuba, Ω 257†.

Τρώιος: (1) *of Tros,* belonging to Tros, the son of Erichthonius, Ε 222, Ψ 378.—(2) *Trojan,* belonging to the Trojans, Ν 262.—Fem., Τρωιάς, άδος, ληίς, γυναῖκες, ν 263, Ι 139; and as subst., without γυναῖκες, Σ 122.

τρώκτης: *deceiver, knave,* ξ 289 and ο 415.

Τρωός: (1) *of Tros,* belonging to Tros, the son of Erichthonius, Ψ 291. —(2) *Trojan,* belonging to the Trojans, Ε 461.—Subst., Τρωαί, Τρωάδες, *Trojan women,* Γ 384, Ζ 442.

τρωπάω (τρέπω), part. τρωπῶσα, mid. ipf. τρωπῶντο, iter. τρωπάσκετο: act., *change* frequently, *vary,* τ 521; mid., intrans., *turn* oneself.

Τρώς: *Tros.*—(1) son of Erichthonius, father of Ilus, Assaracus, and Ganymēdes, Ε 265 ff., Υ 230 ff.—(2) son of Alastor, slain by Achilles, Υ 463.

τρωτός: *vulnerable,* Φ 568†.

τρωχάω (τρέχω), ipf. τρώχων: *run.*

τρώω, τρώει, aor. subj. τρώσῃ, -ητε, mid. fut. inf. τρώσεσθαι: *wound;* fut. mid. w. pass. signif., Μ 66; fig. (like βλάπτω), φ 293.

τυγχάνω, fut. τεύξομαι, aor. 2 ἔτυχον, τύχον, subj. τύχωμι, aor. 1 (ἐ)τύχησα, perf. part. τετυχηκώς: (1) *hit* the mark, w. gen., Π 609, etc.; freq. the part. τυχών, τυχήσᾱς and βάλλω, οὐτάω, νύσσω (where the acc. is to be construed not w. the part. but w. the verb), Δ 106, Ε 582; so fig. w. part. of another verb, *be successful* in doing something, *succeed;* οὐκ ἐτύχησεν ἑλίξᾱς, Ψ 466; abs. (without part.), Θ 430; then, *come upon, chance upon,* hence *get, gain, obtain,* φ 13, Ε 587, ο 158.—(2) *happen* to be there, *be by chance, happen;* often nearly equiv. to εἶναι, Ρ 748, κ 88; often w. part. which in Eng. becomes the principal verb, τύχησε γὰρ ἐρχομένη νηῦς, 'was by chance about to sail,' ξ 334; impers., *fall to one's share,* Λ 684.

Τῡδεΐδης: *son of Tydeus,* Diomēdes, Ε 1, 281, Ξ 380.

Τῡδεύς: *Tydeus,* son of Oeneus, king of Calydon in Aetolia, and father of Diomed, Ε 813, 163, Ζ 96. While a fugitive at Argos he married the

daughter of Adrastus, and joined
Polynīces in the expedition of the
Seven against Thebes, Δ 376 ff.

τυκτός (τεύχω): well *made*, well
wrought ; τυκτὸν κακόν, 'a born
plague,' E 831.

τύμβος : funeral *mound, tomb, grave*.
The mound was raised over the urn
containing the ashes of the deceased.

τυμβο-χοέω (χέω), aor. inf. τυμβο-
χοῆσ(αι): *heap up a funeral mound*,
Φ 323. The elision is exceptional,
hence the v. l. τυμβοχόης, 'of a
mound.'

τυμβοχόη : see the foregoing.

Τυνδάρεος : *Tyndareüs*, of Sparta,
husband of Leda, and father of Cly-
taemnestra, Castor, and Pollux, ω 199,
λ 298 ff.

τύνη = σύ.

τυπή : *blow, stroke*, pl., E 887†.

τύπτω, aor. τύψα, pass. perf. part.
τετυμμένος, aor. 2 ἐτύπην : *strike, hit*,
esp. in hand-to-hand encounter, hence
opp. to βάλλειν, Λ 191, N 288, O 495 ;
met., τὸν ἄχος κατὰ φρένα τύψε βα-

θεῖαν, 'struck deep into his soul,' Τ
125 ; pass., N 782, Ω 421 ; of rowers,
ἅλα τύπτον ἐρετμοῖς, ι 104 ; 'trod in'
his (Ajax's) footsteps, Ψ 754 ; λαί-
λαπι, 'lashing' with the tempest, Λ
306.

τυρός : *cheese*.

Τυρώ : *Tyro*, daughter of Salmō-
neus, and mother of Pelias and Neleus
by Poseidon, β 120, λ 235.

τυτθός : *little, small*, of persons with
reference to age, Z 222, X 480, α 435 ;
of things, τυτθὰ διατμῆξαι, κεάσσαι,
into small pieces, 'small,' μ 174, 388.
—Adv., **τυτθόν**, *little, a little ; φθέγγε-
σθαι*, 'low,' Ω 170 ; temporal, Τ 335.

τυφλός : *blind*, Z 139†.

Τυφωεύς, έος : *Typhōeus*, a monster,
originally symbolical of the volcanic
agencies of nature, B 782 f.

τυχήσᾶς : see τυγχάνω.

Τυχίος : a Boeotian from Hyle, the
maker (τεύχω) of Ajax's shield, H
220†.

τῷ, τῶ : dat. of τό, *then, therefore*.

τώς = ὥς, οὕτως, *thus*.

Υ.

Ὑάδες (ὕω): the *Hyades*, seven stars
in the head of the Bull, whose rising
marks the beginning of the rainy sea-
son, Σ 486†.

ὑακίνθινος : *hyacinthine ; ἄνθος*, ζ
231 and ψ 158.

ὑάκινθος : *hyacinth*, Ξ 348†. An
entirely different flower from our hya-
cinth, perhaps the larkspur.

Ὑάμπολις : a town in Phocis, on
the Cephissus, B 521†.

ὑββάλλειν : see ὑποβάλλω.

ὑβρίζω : *be insolent* or *arrogant ;*
trans., *insult, outrage ;* w. cognate acc.,
λώβην, 'perpetrate wantonly,' υ 170.

ὕβρις, ιος (cf. ὑπέρ): *insolence, arro-
gance*, wanton *violence*. (Od. and A
203, 214.)

ὑβριστής : *overbearing, insolent*,
wantonly *violent* person. (Od. and N
633.)

ὑγιής, ές : *healthful, sound, salutary*,
wholesome, Θ 524†.

ὑγρός : *liquid, wet, moist ; ὕδωρ,
ἔλαιον, γάλα, κέλευθα* 'watery ways,'
i. e. the sea, γ 71 ; *ἄνεμοι ὑγρὸν ἀέν-
τες*, blowing 'rainy,' ε 478. As subst.,
ὑγρή, 'the waters,' opp. τραφερή, Ξ
308.

ὑδατο-τρεφής, ές : *water-fed, grow-
ing by the water*, ρ 208†.

Ὕδη : a town on Mt. Tmolus in
Lydia, perhaps the later Sardis, Υ
385†.

ὑδραίνω, mid. aor. part. ὑδρηναμένη:
mid., *wash oneself, bathe*. (Od.)

ὑδρεύω : *draw water*, mid., for one-
self. (Od.)

ὑδρηλός : *watery, well - watered*,
133†.

ὕδρος : *water-snake*, B 723†.

ὕδωρ, ατος : *water ;* pl., ν 109;

prov., ὕδωρ καὶ γαῖα γένοισθε, as we say 'become dust and ashes,' H 99.

ὑετός (ὕω): shower, M 133†.

υἱός, gen. υἱοῦ, υἷος, υἱέος, dat. υἱῷ, υἷι, υἱέι, acc. υἱόν, υἷα, υἱέα, du. υἷε, pl. υἷες, υἱέες, dat. υἱοῖσι, υἱάσι, acc. υἷας, υἱέας, υἱεῖς: son; freq. υἷες Ἀχαιῶν for Ἀχαιοί. The diphthong is sometimes shortened in υἱός, υἱόν, υἷέ, λ 270, 478, Δ 473.

υἱωνός: grandson.

ὑλαγμός: barking, howling, Φ 575†.

-Ὑλακίδης: son of Hylacus or Hy-lax, a name assumed by Odysseus, ξ 204.

ὑλακόμωρος: loud-barking, ξ 29 and π 4.

ὑλακτέω, ipf. ὑλάκτεον, ὑλάκτει: bark, bay; κραδίη, 'growled with wrath,' υ 13, 16.

ὑλάω, ὑλάομαι: bark, bay, bark at, π 5. (Od.)

ὕλη (cf. s i l v a): wood, forest; also of cut wood, firewood, Ψ 50, ι 234. In general of brush, stuff, raw material, ε 257.

ᵕὝλη: Hyle, a town in Boeotia, E 708, H 221, B 500.

ὑλήεις, εσσα, εν: woody, wooded; also as two endings, α 246, π 123.

Ὕλλος: a branch of the river Her-mus in Lydia, Υ 392†.

ὑλο-τόμος (τέμνω): wood-cutting, axe, Ψ 114; as subst., pl., wood-cutters, woodmen, Ψ 123.

ὑμεῖς, ὑμέων, ὑμείων, dat. ὑμῖν, encl. ὗμῖν, or ὑμῖν, also ὕμμες, dat. ὑμμ(ιν), acc. ὕμμε: ye, you, pl. of σύ.

ὑμέναιος: wedding-song, bridal-song, Σ 493†.

ὑμέτερος: your, yours; w. gen. in apposition, αὐτῶν, ἑκάστου, β 138, Φ 226.

ὔμμε, ὔμμες, ὔμμιν: see ὑμεῖς.

ὕμνος: strain, melody, θ 429†.

ὑμός = ὑμέτερος. Forms: ὑμή, ὑμῆς, ὑμήν, ὑμά, N 815, E 489, ι 284, α 375.

ὑπ-άγω, ipf. ὕπαγον: lead under; ἵππους ζυγόν, i. e. yoke, and without ζυγόν, ζ 63; lead out from under, withdraw, τινὰ ἐκ βελέων, Λ 163.

ὑπαί: see ὑπό.

ὕπαιθα: out from under, sidewise, O 520; τινός, sidewise away, at one's side, Σ 421.

ὑπ-αΐσσω, fut. ὑπαΐξει, aor. part.

ὑπαΐξας: dart or spring up under or out from under, Φ 126, B 310.

ὑπ-ακούω, aor. ὑπάκουσε, inf. ὑπα-κοῦσαι: hearken or give ear to, hence reply, δ 283, κ 83.

ὑπ-αλεύομαι, aor. part. ὑπαλευάμε-νος: avoid, evade, o 275†.

ὑπ-άλυξις: escape, X 270 and ψ 287.

ὑπ-αλύσκω, aor. ὑπάλυξα: avoid, evade, escape from.

ὑπ-αντιάω, aor. part. ὑπαντιάσᾱς: come to meet, i. e. to meet the enemy and defend the man, Z 17†.

ὕπαρ: reality, real appearance as opp. to a dream, τ 547 and υ 90.

ὑπ-άρχω, aor. subj. ὑπάρξῃ: begin, make a beginning, ω 286.

ὑπ-ασπίδος: under the shield; adv., ὑπασπίδια, 'under shelter of the shield.' (Il.)

ὕπατος: highest, supremest, most high or exalted, usually as epith. of Zeus; also ἐν πυρῇ ὑπάτῃ, 'on the top' of the pyre, Ψ 165.

ὑπέᾱσι: see ὕπειμι.

ὑπέδδεισαν: see ὑποδείδω.

ὑπέδεκτο: see ὑποδέχομαι.

ὑπεθερμάνθη: see ὑποθερμαίνω.

ὑπ-είκω, ὑποείκω (ϝείκω), fut. ὑπο-είξω, aor. 1 ὑπόειξα, subj. ὑποείξομεν, mid. fut. ὑπείξομαι and ὑποείξομαι: retire, withdraw from (τινός), yield, make way for (τινί); w. both gen. and dat., τῷ δ' ἕδρης ὑπόειξεν, π 42; w. acc., χειράς τινος, 'before one's hands,' O 227.

ὕπ-ειμι, 3 pl. ὑπέᾱσι, ipf. ὑπῆσαν, be under; πολλῇσι, 'many had sucking foals,' Λ 681.

ὑπείρ, ὑπειρέχω, ὑπείροχος: see ὑπέρ, ὑπερ-.

Ὑπείροχος: a Trojan, slain by Odysseus, Λ 335†.

Ὑπειροχίδης: son of Hypirochus, Itymoneus, Λ 673†.

Ὑπείρων: a Trojan, slain by Dio-med, E 144†.

ὑπ-έκ, ὑπέξ: out from under.

ὑπ-εκ-προ-θέω: run on before, out-run, I 506.

ὑπ-εκ-προ-λύω: only aor., ὑπεκπρο-ἔλῡσαν, loosed from under the yoke (wagon), ζ 88†.

ὑπ-εκ-προ-ρέω: flow forth from the depth below, ζ 87†.

ὑπ-εκ-προ-φεύγω, aor. 2 -φύγοιμι, part. -φυγών : escape by furtive flight.

ὑπ-εκ-σαόω, aor. ὑπεξεσάωσε : save from under, rescue, Ψ 292†.

ὑπ - εκ - φέρω, ipf. ὑπεξέφερον and ὑπέκφερον : bear out from under, carry away ; apparently intrans., ʻbear forward,ʼ γ 496.

ὑπ-εκ-φεύγω, aor. 2 ὑπεξέφυγον and ὑπέκφυγον, opt. -οι, inf. -έειν : escape or come safely forth from, w. acc.

ὑπεμνήμῡκε : see ὑπημύω.

ὑπ-ένερθε(ν) : beneath, below, underneath ; opp. καθύπερθεν, κ 353 ; w. gen., Β 150, γ 172 ; ʻin the nether world,ʼ Γ 278.

ὑπέξ : see ὑπέκ.

ὑπ-εξ-άγω, aor. 2 opt. ὑπεξαγάγοι : bring safely forth, rescue, bring safe home, σ 147†.

ὑπ - εξ - αλέομαι, aor. inf. ὑπεξαλέασθαι : avoid, shun, Ο 180†.

ὑπ-εξ-ανα-δύω : only aor. 2 part. ὑπεξαναδύς, emerging from under the sea, Ν 352†.

ὑπέρ, ὑπείρ (cf. super) : over, prep. w. gen. and acc., accented ὕπερ when it follows its case.—(1) w. gen., local, over, above, beyond, across ; ὑπὲρ οὐδοῦ βῆναι, ρ 575 ; ὑπὲρ κεφαλῆς στῆναί τινι, Β 20 ; τηλοῦ ὑπὲρ πόντου, ν 257. Metaph., for, in defence of, Α 444, Η 449 ; w. verbs of entreaty, by, for the sake of (per), γουνάζεσθαι ὑπὲρ τοκέων, ὑπὲρ ψῡχῆς καὶ γούνων, Ο 660, ο 261 ; then like περί, concerning (de), Ζ 524.—(2) w. acc., local, over, beyond, ἀλαλῆσθαι ὑπεὶρ ἅλα, γ 74 ; ʻalong the surface ʼ of the hand, Ε 339. Metaph., beyond, transcending, against, ὑπὲρ αἶσαν, μοῖραν, θεόν, Ρ 327, α 34.

ὑπερ-ᾱής, ἐς (ἄημι) : blowing excessively or strongly, Λ 297†.

ὑπερ-άλλομαι, aor. ὑπεράλτο, part. ὑπεράλμενον : leap or spring over, w. gen. or acc. (Il.)

ὑπερ - βαίνω, aor. 2 ὑπέρβη, 3 pl. ὑπέρβασαν, subj. ὑπερβήῃ : step over, overstep, transgress.

ὑπερ - βάλλω, ὑπειρβάλλω, aor. 2 ὑπειρέβαλον, ὑπέρβαλε : cast beyond ; σήματα, ʻbeyond the marks,ʼ Ψ 843 ; ἄκρον, ʻover the crest of the hill,ʼ λ 597 ; rarely w. gen., Ψ 847. Fig., excel, τινὰ δουρί, in throwing the spear, Ψ 637.

ὑπέρβασαν : see ὑπερβαίνω.

ὑπερ-βασίη : transgression, violence.

ὑπερβήῃ : see ὑπερβαίνω.

ὑπέρ-βιος (βίη) : violent, lawless, insolent, wanton ; not in bad sense, θῡμός, ʻabrupt,ʼ ο 212.—Adv., ὑπέρβιον, insolently.

ὑπερ - δεής, ἐς, acc. ὑπερδέᾱ (for -δεέα): having very scanty forces, Ρ 330†.

Ὑπέρεια : Hyperīa.—(1) a spring in Pelasgian Argos, Ζ 457, Β 734.— (2) the former abode of the Phaeacians, near the island of the Cyclōpes, before they removed to Scheria, ζ 4.

ὑπ - ερείπω : only aor. 2 ὑπήριπε, sank under him, Ψ 691†.

ὑπ-ερέπτω : eat away ; ʻwas washing awayʼ the sand ʻunderʼ his feet, Φ 271†.

ὑπερέχω, ὑπειρέχω, aor. 2 ὑπερέσχε, ὑπερέσχεθε, subj. ὑπέρσχῃ : trans., hold over or above ; τινός τι, Β 426 ; for protection, χεῖράς τινι or τινός, Δ 249, Ι 420 ; intrans., overtop, Γ 210 ; of the sun and stars, rise, Λ 735, ν 93.

ὑπέρη (ὑπέρ): pl., braces, attached to the yards of a ship, by means of which the sails were shifted, ε 260†. (See cut No. 37.)

ὑπερ-ηνορέων, οντος (ἀνήρ): part. as adjective, overbearing, overweening, haughty ; epith. esp. of the suitors of Penelope. (Od. and Δ 176, Ν 258.)

Ὑπερήνωρ : son of Panthoüs, slain by Menelāus, Ξ 516, Ρ 24.

Ὑπερησίη : a town in Achaea, Β 573, ο 254.

ὑπερηφανέων, οντος : part. as adj., exulting over, arrogant, Λ 694†.

ὕπερθε(ν): from above, above.

ὑπερ - θρώσκω, fut. ὑπερθορέονται, aor. 2 ὑπέρθορον, inf. -έειν : spring over. (Il.)

ὑπέρ - θῡμος : high - spirited, highhearted.

ὑπερ-θύριον (θύρη): lintel of a door, opp. οὐδός, η 90†.

ὑπερ-ίημι, fut. ὑπερήσει : throw beyond (this mark), θ 198†.

ὑπερ - ικταίνομαι : doubtful word, only ipf., πόδες δʼ ὑπερικταίνοντο, stumbled from haste, ψ 3†.

Ὑπερῑονίδης and Ὑπερίων : son of Hyperīon and Hyperīon, epithets of

Helios, with and without Ἠέλιος, μ 133, 176, α 24, Τ 398.

ὑπερ-κατα-βαίνω, aor. 2 3 pl. ὑπερκατέβησαν: *go down over, surmount.* (Il.)

ὑπερ-κύδαντας, acc. pl.: *of high renown,* Δ 66, 71.

ὑπερ-μενέων, οντος (μένος): part. as adj., *haughty,* τ 62†.

ὑπερ-μενής, ές (μένος): *high-spirited, exalted.*

ὑπέρ - μορον: *beyond,* i. e. *against fate,* adj. as adv., usually written separately ὑπὲρ μόρον. — Pl., ὑπέρμορα, with the same adverbial force, Β 155.

ὑπερ - οπλίη: *presumption, arrogance,* pl., Α 205†. The ī is a necessity of the rhythm.

ὑπερ - οπλίζομαι, aor. opt. -σσαιτο: *vanquish by force of arms;* according to others, *presumptuously blame,* ρ 268†.

ὑπέρ - οπλος: *arrogant;* neut. as adv., *arrogantly,* Ο 185 and Ρ 170.

ὑπέρ - οχος, ὑπείροχος: *eminent.* (Il.)

ὑπερ - πέτομαι, aor. ὑπέρπτατο: *fly over, fly past* (the marks), θ 192.

ὑπερράγη: see ὑπορρήγνυμι.

ὑπέρσχῃ: see ὑπερέχω.

ὑπέρτατος (sup. from ὑπέρ): *highest, on the top, aloft,* Μ 381 and Ψ 451.

ὑπερτερίη: *upper part, awning, wagon-cover,* ζ 70†.

ὑπέρτερος (comp. from ὑπέρ): *higher;* then *superior, better, more excellent; outer* (flesh), γ 65.

ὑπερ-φίαλος (root φυ, φύω): strictly *overgrown,* then *mighty,* Ε 881; in bad sense, *overbearing, arrogant, insolent.* —Adv., ὑπερφιάλως, *excessively, insolently,* Ν 293, δ 663.

ὑπ-έρχομαι, aor. 2 ὑπήλυθε, ὑπήλθετε, subj. ὑπέλθῃ: *go under, enter,* w. acc.: fig., Τρῶας τρόμος ὑπήλυθε γυῖα, '*seized,*' Η 215.

ὑπ - ερωέω: only aor., ὑπερώησαν, *started back.* (Il.)

ὑπερ-ῴη: *palate,* Χ 495†.

ὑπερωιόθεν: *from the upper chamber.*

ὑπερ-ῷον, ὑπερῷον: *upper chamber, upper apartments,* often pl. in both forms. The ὑπερῷον was over the women's apartment, and was occupied

by women of the family, **not by** servants, Β 514, ρ 101.

ὑπέστην: see ὑφίστημι.

ὑπ - έχω, aor. ὑπέσχεθε, part. ὑποσχών: *hold under,* Η 188 ('held out' his hand); θήλεας ἵππους, 'putting them to' the horses of Tros, Ε 269.

ὑπ - ημύω: only perf., ὑπεμνήμυκε, *is* utterly (πάντα) *bowed down,* Χ 491†.

ὑπήνεικα: see ὑποφέρω.

ὑπ - ηνήτης (ὑπήνη), under part of the face): *with a beard; πρῶτον,* 'getting his first beard,' κ 279 and Ω 348.

ὑπ-ηοῖος (ἠώς): *toward morning,* adj. for adv.

ὑπ-ίσχομαι (ἔχω), ipf. ὑπίσχεο, aor. 2 ὑπέσχεο, -ετο, subj. ὑπόσχωμαι, imp. ὑπόσχεο, inf. -σχέσθαι, part. -σχόμενος: *take upon oneself, undertake, promise,* τινί τι, and w. inf., regularly the fut. (exc., pres. inf. explanatory of subst., Κ 40); also 'betroth,' 'vow,' Ν 376, δ 6, Ζ 93, Ψ 209.

ὕπνος: *sleep;* epithets, ἡδύς, νήδυμος, λυσιμελής, πανδαμάτωρ, χάλκεος, fig. of death, Λ 241. — Personified, Ὕπνος, *Sleep,* the brother of Death, Ξ 231 ff.

ὑπνόω: only part., ὑπνώοντας, *sleeping, slumbering.*

ὑπό, ὑπαί (cf. s u b): *under.* — I. adv., *underneath, below, beneath,* of motion or rest, ὑπὸ δὲ θρῆνυν ποσὶν ('for the feet') ἥσει, Ξ 240; ὑπὸ δὲ θρῆνυς ποσὶν ἦεν, α 131; χεῦεν ὕπο ῥῶπας, π 47; often to indicate the position of parts of the body (in 'plastic' style as if one were looking at a picture up and down), ὑπὸ γούνατ' ἔλυσεν (the knees 'beneath him'), ὑπὸ δ' ἔτρεμε γυῖα, Κ 390; sometimes causal, *thereunder, thereby,* θ 380, Θ 4; thus to denote accompaniment in music, λίνον δ' ὑπὸ καλὸν ἄειδεν (*to* it, the harp), Σ 570, φ 411. — II. prep. — (1) w. gen., of position or motion; *under,* out or forth *from under;* ὑπ' ἀνθερεῶνος ἑλεῖν, κρήδεμνον ὑπὸ στέρνοιο τανύσσαι, ε 346, and thus often w. verbs of hitting; ῥέει κρήνη ὑπὸ σπείους, 'from beneath,' ι 141; then of agency, influence, *by, through, in consequence of;* δαμῆναι, θνήσκειν ὑπό τινος ('at the hands of'), φεύγειν ὑπό τινος ('before'), Σ 149; ὑπ' ἀνάγκης

('from necessity,' 'perforce'), ὑπὸ δείους ('for'), ὑπὸ φρῖκὸς Βορέω, Ψ 692.
—(2) w. dat., of position, *under*, and w. verbs of motion when the resulting position of rest is chiefly in mind, πίπτειν, τιθέναι τι ὑπό τινι, χ 449, Π 378; instrumental or causal, *under* (not 'by' as w. the gen., but rather denoting *subjection*), ὑπὸ χερσί τινος θανέειν, ὀλέσαι ψυχήν, γήραι ὕπο ἀρημένος, λ 136; of power, mastery, δέδμητο λαὸς ὑπ' αὐτῷ, γ 305, Ω 636; and of accompanying circumstances, ὑπὸ πομπῇ ('under the guidance'), πνοιῇ ὕπο ('with the breeze'), δ 402.
—(3) w. acc., of motion (or extension), *under*, but often where the idea of motion is quite faint, ζώειν ὑπ' αὐγὰς ἠελίοιο, thinking of the *duration* of life, ο 349, E 267; of time, *during*, Π 202, X 102.

ὑπο-βάλλω, inf. ὑββάλλειν: *throw* or *lay underneath; interrupt*, T 80.

ὑπο-βλήδην: *interrupting*, A 292†.

ὑπό-βρυχα: adj. as adv., *under water*, ε 319†.

ὑπο-δάμνημι: only mid., ὑποδάμνασαι, *thou subjectest thyself*, γ 214 and π 95.

ὑποδέγμενος: see ὑποδέχομαι.

ὑπο-δείδω, aor. ὑπόδδεισαν, ὑποδείσατε, part. ὑποδδείσας, perf. ὑποδείδια, plup. ὑπεδείδισαν: *be afraid before, shrink under, fear*, abs., and w. acc.

ὑπο-δεξίη (δέχομαι): *hospitable welcome*, I 73†. The ῑ is a necessity of the rhythm.

ὑπο-δέχομαι, fut. ὑποδέξομαι, aor. 1 ὑπεδέξατο, aor. 2 ὑπέδεξο, -έδεκτο, inf. ὑποδέχθαι, part. ὑποδέγμενος: *receive*, esp. of friendly, hospitable welcome, πρόφρων, οἴκῳ, π 70; also with a thing as subject, κοῖτος, πῆμα, ξ 275; βίᾱς, receive silently, submit to, *endure*, ν 310; *undertake, promise*, H 93, β 387.

ὑπό-δημα, ατος (δέω, 'bind'): pl., *sandals*.

ὑπο-δμώς: *under-servant, underling*, δ 386†.

ὑπόδρα: look *sternly, darkly, grimly*.

ὑπο-δράω, -δρώωσι: *work as servant under, wait upon*, ο 333†.

ὑπο-δρηστήρ, ῆρος (δράω): *under-worker, attendant*, ο 330†.

ὑπο-δύομαι, fut. ὑποδύσεαι, aor. ὑπε-

δύσετο, aor. 2 ὑπέδῡ, part. ὑποδῦσα, -δύντε: *plunge* or *dive under* the water, δ 435, Σ 145; abs., *go under* to carry, take on one's shoulders, Θ 332, P 717; fig., πᾶσιν γόος, grief 'penetrated' all, κ 398; w. gen., *emerge from, escape from*, ζ 127, υ 53.

ὑπόεικε: see ὑπείκω.

ὑπο-ζεύγνῡμι, fut. ὑποζεύξω: *put under the yoke, harness*, ο 81†.

ὑπο-θερμαίνω: only aor. pass., ὑποθερμάνθη, *was warmed*, Π 333 and Υ 476.

Ὑποθῆβαι: a town in Boeotia, B 505†.

ὑπο-θημοσύνη (τίθημι): *suggestion, counsels*, pl., O 412 and π 233.

ὑπο-θωρήσσω: only mid. ipf., ὑπεθωρήσσοντο, *were arming themselves*, Σ 513†.

ὑποκινήσαντος: v. l. for ὕπο κῑνήσαντος.

ὑπο-κλίνω: only pass. aor., ὑπεκλίνθη, *he lay down*, ε 463†.

ὑπο-κλονέω: only mid., ὑποκλονέεσθαι, *to crowd themselves together in flight before* Achilles, Φ 556†.

ὑπο-κλοπέομαι: *conceal oneself under* something, opt., χ 382†.

ὑπο-κρίνομαι, aor. opt. -κρίναιτο, imp. ὑπόκρῑναι, inf. ὑποκρίνασθαι: *answer* (τινί); *interpret, ὄνειρον*, and abs., τ 535, 555, M 228, cf. E 150.

ὑπο-κρύπτω: only pass. aor., ὑπεκρύφθη, *was hidden*, O 626†.

ὑπό-κυκλος: *with wheels beneath, wheeled*, δ 131†.

ὑπο-κύομαι, aor. part. ὑποκῡσαμένη: *become pregnant, conceive*.

ὑπο-λείπω, mid. fut. ὑπολείψομαι: *leave over*, mid., *remain*.

ὑπο-λευκαίνομαι: *grow white below, whiten*, E 502†.

ὑπ-ολίζων, ονος (comp. from ὀλίγος): *somewhat smaller, on a smaller scale*, Σ 519†. Also written as two words.

ὑπο-λύω, aor. ὑπέλῡσα, mid. aor. 1 ὑπελύσαο, aor. 2 ὑπέλυντο: act., *loose from under, undo*, ι 463; fig., γυῖα, μένος, *make to sink* or *fail, paralyze* (slay), O 581, Z 27; aor. 2 mid., as pass., Π 341; mid., aor. 1, *secretly set free*, A 401.

ὑπο-μένω, aor. ὑπέμεινα, inf. ὑπομεῖναι: *remain, wait, sustain, withstand*.

ὑπο-μιμνήσκω, fut. part. ὑπομνήσουσα, aor. ὑπέμνησε: *remind, put in mind of.* (Od.)

ὑπο-μνάομαι, ipf. ὑπεμνάασθε: *woo or court unlawfully,* χ 38†.

ὑπο-νήιος: lying *under Mt. Neium,* γ 81†.

ὑπο-πεπτηῶτες: see ὑποπτήσσω.

ὑπο-περκάζω (περκνός): *begin to grow dark or turn,* of grapes, η 126†.

ὑπο-πλάκιος: situated *under Mt. Placus, Hypoplacian* Thebe, Z 397†.

ὑπο-πτήσσω: only perf. part., ὑπο-πεπτηῶτες, *having crouched down timidly under* and *hidden themselves amid the leaves,* πετάλοις, B 312†.

ὑπ-όρνῡμι: only aor. 2, τοῖον ὑπώρορε Μοῦσα, in so moving strains *did the Muse begin,* ω 62†.

ὑπο-ρρήγνῡμι (ῥήγνῡμι), pass. aor. ὑπερράγη: pass., *burst forth* (under the clouds), αἰθήρ, Π 300 and Θ 558.

ὑπό-ρρηνος (ῥήν): *having a lamb under her,* κ 216†.

ὑπο-σσείω: *whirl around* (laying hold) *below,* ι 385†.

ὑποσταίη: see ὑφίστημι.

ὑπο-σταχύομαι (στάχυς): fig., *wax gradually like ears of corn, increase,* υ 212†.

ὑπο-στεναχίζω: *groan under;* τινί, B 781†.

ὑπο-στορέννῡμι, aor. inf. ὑποστορέσαι: *spread out under;* δέμνιά τινι, ν 139†.

ὑπο-στρέφω, aor. subj. ὑποστρέψωσι, opt. -ειας, mid. fut. inf. -ψεσθαι, pass. aor. part. ὑποστρεφθείς: *turn about, turn* in flight, trans. and intr., E 581, Λ 446; mid. and pass., intr., *turn, return,* σ 23.

ὑποσχεθεῖν: see ὑπέχω.

ὑποσχέσθαι: see ὑπίσχομαι.

ὑπο-σχεσίη = ὑπόσχεσις, pl., N 369†.

ὑπό-σχεσις, ιος (ὑπίσχομαι): *promise.*

ὑπο-ταρβέω: only aor. part., ὑπο-ταρβήσαντες, *shrinking before them,* P 533†.

ὑπο-ταρτάριος: dwelling *below in Tartarus,* the Titans, Ξ 279†.

ὑπο-τίθημι, mid. fut. inf. ὑποθήσομαι, aor. 2 ὑπεθέμην, inf. ὑποθέσθαι: *place under,* mid., fig., *suggest, counsel;* τινί (τι), εὖ, πυκινῶς, δ 163, β 194, Φ 293.

ὑπο-τρέχω: only aor. 2 ὑπέδραμε,

ran under (the menacing arm and weapon), Φ 68 and κ 323.

ὑπο-τρέω, aor. ὑπέτρεσα, inf. ὑπο-τρέσαι: *take to flight, flee before* one, P 587.

ὑπο-τρομέω, ipf. iter. ὑποτρομέεσκον: *tremble before.*

ὑπό-τροπος (τρέπω): *returning, back again.*

ὑπ-ουράνιος (οὐρανός): *under the heaven,* 'far and wide under the whole heaven,' ι 264.

ὑπο-φαίνω, aor. 1 ὑπέφηνε: *bring into view from under;* θρῆνυν τραπέζης, ρ 409†.

ὑπο-φέρω: only aor., ὑπήνεικαν, *bore me away,* E 885†.

ὑπο-φεύγω: *flee before, escape by flight,* X 200†.

ὑπο-φήτης (φημί): *declarer, interpreter* of the divine will, pl., Π 235†.

ὑπο-φθάνω, aor. 2 part. ὑποφθάς, mid. aor. 2 part. ὑποφθάμενος: *be or get beforehand, anticipate.*

ὑπο-χείριος (χείρ): *under the hand,* 'under my hands,' ο 448†.

ὑπο-χέω, aor. 1 ὑπέχευα: *pour, spread,* or *strew underneath.*

ὑπο-χωρέω, ipf. ὑπεχώρει, aor. ὑπε-χώρησαν: *retire before* one, *retreat.* (Il.)

ὑπ-όψιος (ὄψις): *despised;* ἄλλων, 'by the rest,' Γ 42†.

ὕπτιος (ὑπό, cf. supinus): *back, backward, on his back;* opp. πρηνής, Λ 179.

ὑπ-ώπιον (ὤψ): pl., *face, countenance,* M 463†.

ὑπ-ώρεια (ὄρος), fem. adj. as subst.: *foot of a mountain, skirts of a mountain range,* pl., Υ 218†.

ὑπώρορε: see ὑπόρνῡμι.

ὑπ-ωρόφιος (ὀροφή): *under the same roof,* i. e. table-companions, pl., I 640†.

Ὑρίη: *Hyria,* a town in Boeotia on the Eurīpus, B 496†.

Ὑρμίνη: a port in northern Elis, B 616†.

Ὑρτακίδης: *son of Hyrtacus,* Asius, B 837 ff., M 96, 110, 163.

Ὕρτακος: a Trojan, the husband of Arisbe, N 759 and 771.

Ὕρτιος: *son of Gyrtius,* a Mysian, slain by Ajax, Ξ 511†.

ὗς, ὑός (σῦς), acc. ὗν, pl. dat. ὕεσσι: *swine, pig, sow or boar.* ὗς or σῦς according to metrical convenience, but the latter is more common than the former.

ὑσμίνη: *battle, conflict, combat;* κρατερὴ ὑσμίνη, ὑσμίνη δηιότητος, Β 40, Υ 245.—**ὑσμῑνηνδε**, *into the battle.*

ὑστάτιος, adv. **ὑστάτιον** = the following.

ὔστατος: *last, hindmost.* — Adv. **ὔστατον**.

ὔστερος: *after, later;* γένει, i. e. *younger,* Γ 215.—Adv., **ὔστερον, ὔστερα,** *later, afterward, hereafter,* π 319; ἐς ὔστερον, μ 126.

ὑφαίνω, ὑφάω, ὑφόωσιν, ipf. iter. **ὑφαίνεσκον,** aor. 1 ὔφηνα, ἱστόν, 'at the loom.' (The Greek loom stood upright, like the Roman loom represented in the cut, or like the Egyptian

loom in cut No. 59.) Fig., *devise, contrive,* as we say 'spin,' δόλον, μῆτιν, ι 422, δ 678.

ὑφαντός: *woven,* ν 136 and π 231.

ὔφασμα: something *woven, web,* pl., γ 274†.

ὑφάω: see ὑφαίνω.

ἐφ-έλκω: only ipf. ὔφελκε, sought *to drag away* by laying hold *below* at the feet, ποδοῖιν, Ξ 477†.

ὑφ-ηνίοχος: *charioteer* as subject (ὑπό) or subordinate to the warrior in the chariot, Ζ 19†.

ὑφ-ίημι, aor. 2 part. ὑφέντες: *let under* or *down, lower,* Α 434†.

ὑφ-ίστημι, aor. 2 ὑπέστην, 3 pl. ὑπέσταν, imp. ὑποστήτω, part. -στάς:

aor. 2, intrans., *take upon oneself, undertake, promise,* Φ 273, I 445; *place oneself lower, submit,* τινί, I 160.

ὑ-φορβός (ὗς, φέρβω): *swineherd;* with ἀνέρες, ξ 410. (Od.)

ὑφόωσι: see ὑφαίνω.

ὑψ-αγόρης: *high-talking, big talker, boaster.* (Od.)

ὑψ - ερεφής, ἐς (ἐρέφω), **ὑψηρεφής**: *high-roofed.*

ὑψηλός (ὔψος): *high, lofty, high-lying.*

Ὑψήνωρ: (1) a Trojan, the son of Dolopion, slain by Eurypylus, Ε 76.— (2) a Greek, the son of Hippasus, slain by Deiphobus, Ν 411.

ὑψηρεφές: see ὑψερεφής.

ὑψ-ηχής, ἐς (ἦχος): *high-neighing,* with head raised on high, Ε 772 and Ψ 27.

ὔψι: *on high, up, aloft;* ὁρμίζειν, 'on the high sea,' in deep water, Ξ 77.

ὑψι-βρεμέτης (βρέμω): *thundering aloft, high-thundering.*

ὑψί - ζυγος: *on the high rower's bench, high at the helm, high-throned, high-ruling.* (Il.)

ὑψι-κάρηνος . *with lofty head* or *peak,* Μ 132†.

ὑψί-κερως (κέρας): *with lofty antlers,* κ 158†.

ὑψί-κομος (κόμη): *with lofty foliage.*

ὑψι-πετήεις = ὑψιπέτης.

ὑψι-πέτηλος (πέταλον): *with lofty leaves* or *foliage.*

ὑψι-πέτης (πέτομαι): *high-flying.*

Ὑψιπύλη: *Hypsipyle,* wife of Jason, Η 469†.

ὑψί-πυλος (πύλη): *high-gated.*

ὑψόθεν: *from on high, aloft.*

ὑψόθι: *high, on high, aloft.*

ὑψ-όροφος (ὀροφή): *with lofty covering, high-roofed.*

ὑψόσε: *upward, aloft.*

ὑψοῦ: *aloft, on high;* of moving a ship 'far out' in the roadstead, δ 785.

ὔω, ipf. ὖε, pass. part. ὑόμενος: *rain;* subj. Ζεύς, 'sent rain;' pass., 'beaten by rain,' 'drenched with rain,' ζ 131.

Φ.

φάανθεν: see φαίνω.

φαάντατος, sup. (root φαϜ): *most brilliant*, ν 93†.

φάγον: see ἔδω, ἐσθίω.

φάε: see φαίνω.

φάεα: see φάος.

Φαέθουσα: daughter of Helius and Neaera, μ 132†.

φαέθων, οντος (root φαϜ), part. as adj., *beaming, radiant*.

Φαέθων: name of a steed of Eos, ψ 246.

φαεινός (root φαϜ), comp. φαεινότερος: *bright, brilliant, radiant*.

φαείνω, parallel form of φαίνω, the aor. pass. φαάνθη, 3 pl. φάανθεν being referable to either pres.: *shine, give light*.

φαεσί-μβροτος (βροτός): *bringing light to mortals, shining for mortals*, epith. of the sun and of Eos, κ 138, Ω 785.

Φαίαξ: see Φαίηκες.

φαιδιμόεις = φαίδιμος.

φαίδιμος: *shining*; only fig., 'stately,' γυῖα, ὦμος, λ 128; of persons, *illustrious*.

Φαίδιμος: king of the Sidonians, δ 617, ο 117.

Φαίδρη: *Phaedra*, wife of Theseus, λ 321†.

Φαίηκες: the *Phaeacians*, a fabulous people related to the gods, dwelling in Scheria, where they lived a life of ease, averse to war and devoted to sea-faring. The ships in which they escort guests to their homes, however distant, are themselves possessed of intelligence to find the way. The names of nearly all the Phaeacians mentioned are significant of the love of ships, not excepting that of Nausicaa (ναῦς), the most charming of them all, ε 34, ζ 4, θ 244 ff.

φαινέσκετο, **φαινομένηφι(ν)**: see φαίνω.

Φαίνοψ: son of Asius from Abýdus, the father of Xanthus and Thoön, Ρ 583, Ε 152.

φαίνω, **φάω** (root φαϜ), ipf. φάε,

φαῖνε, aor. ἔφηνα, mid. ipf. iter. φαινέσκετο, fut. πεφήσεται, inf. φανεῖσθαι, pass. aor. 2 (ἐ)φάνην, 3 pl. φάνεν, iter. φάνεσκεν, subj. φάνῃ, φανήῃ, inf. φανῆναι, -ήμεναι, aor. 1 (may be referred to φαείνω) φαάνθην, 3 pl. φάανθεν, perf. 3 sing. πέφανται, part. πεφασμένος: I. act., trans., *bring to light, make to appear, show*, τέρας, ὁδόν τινι, Β 324, μ 334; met., *show, reveal, exhibit, express*, νοήματα, ἀοιδήν, ἀεικείας, Σ 295, ν 309; intrans., *shine, give light*, η 102, τ 25.—II. mid. and pass., *come to light, be visible, appear, shine*, Θ 561; w. part. (yet not purely supplementary), δ 361, ω 448; w. inf., λ 336, ξ 355, ο 25.

Φαῖστος: son of Borus, from Tarne in Maeonia, slain by Idomeneus, Ε 43†.

Φαιστός: a city in Crete, near Gortȳna, Β 648, γ 296.

φαλαγγηδόν: *by phalanxes, in companies, in columns*.

φάλαγξ, αγγος: *phalanx, line of battle, column*.

φάλαρ(α): burnished *plates* of metal, rising above the helmet, Π 106†.

φαληριάω: only part., φαληριόωντα, *brightly shining, gleaming*, Ν 799†.

Φάλκης: a Trojan, slain by Antilochus, Ν 791, Ξ 513.

φάλος: (1) the metal *ridge* or *crest* of the helmet, extending from back to front, with a socket to hold the plume (see cut No. 122).—(2) in narrower signification, the rounded *boss*, projecting *forepiece*, in which the φάλος terminated, Ζ 9, Ν 132.

φάν: see φημί.

φάνεν, **φάνεσκε**, **φανήμεναι**: see φαίνω.

124

φάος (φάϜος), **φόως**, čat. φάει, pl. φάεα: *light*; φόωσδε, *to the light*; pl., fig., *eyes*, π 15; also fig. as typical of deliverance, victory, Ζ 6, Σ 102, π 23.

φαρέτρη (φέρω): *quiver*. (Cf. the cut, and Nos. 89, 90, 104.)

Φᾶρις: a town in Laconia, south of Amyclae, B 582†.

φάρμακον: *herb, drug;* as medicinal remedy, or esp. as magic drug, poisonous drug, draught, or potion, κ 392, X 94, a 261, β 329.

φαρμάσσω: apply a *φάρμακον*, of metal, *temper;* part., ι 393†.

φᾶρος, εος: large piece of cloth, a *shroud*, Σ 353; *mantle, cloak,* for both men and women, ε 230.

Φάρος: *Pharus,* a small island at the mouth of the Nile, δ 355†.

φάρυγξ, gen. *φάρυγος: throat.* (Od.)

φάσγανον: *sword.*

φάσθαι: see *φημί.*

φάσκω (φημί), ipf. *ἔφασκον: declare, promise, think,* cf. *φημί.*

φασσο-φόνος (φάσσα, φένω): *dove-slayer,* the *ἴρηξ,* 'pigeon - hawk,' O 238†.

φάτις, ιος (φημί): *report, reputation;* w. obj. gen., 'tidings' (of the slaughter) of the suitors, ψ 362.

φάτνη (πατέομαι): *crib, manger.*

Φαυσιάδης: *son of Phausius,* Apisāon, Λ 578.

Φεαί: see *Φειά.*

φέβομαι, ipf. (ἐ)φέβοντο: *flee, flee from.* (Il.)

Φειά, Φεαί: a town in northern Elis, on the river Jardanus, H 135, ο 297.

Φείδᾱς ('Sparer'): a leader of the Athenians, N 691†.

Φείδιππος: son of Thessalus, B 678†.

φείδομαι, aor. *φείσατο,* aor. 2 red. opt. *πεφιδοίμην,* inf. *πεφιδέσθαι,* fut. *πεφιδήσεται: spare,* w. gen.

φειδώ: *sparing, thrift;* 'one must not fail' in the case of the dead, etc.

φειδωλή: *sparing, grudging use,* X 244†.

Φείδων: *Phidon,* king of the Thesprotians, ξ 316, τ 287.

φεν- and **φα-** (cf. *φόνος*), *φένω,* roots and assumed pres. for the foll. forms, red. aor. 2 *ἔπεφνον, πέφνε,* subj. *πέφνῃ,* inf. *πεφνέμεν,* part. *πεφνόντα,* pass. perf. *πέφαται(αι),* inf. *πεφάσθαι,* fut. *πεφήσεαι, πεφήσεται: kill, slay;* of a natural death, only λ 135; fig., *ἐκ δ' αἰὼν πέφαται,* 'extinguished,' T 27.

Φένεος: a town in Arcadia, B 605†.

Φεραί: *Pherae,* a city in Thessaly,

on Lake Boebēis, the residence of Admētus and Alcestis, and of Eumēlus, B 711, δ 798.

Φέρεκλος: son of Harmonides, builder of the ship in which Paris carried away Helen, slain by Meriones, E 59†.

Φέρης: son of Cretheus and Tyro, father of Admētus, λ 259†.

φέριστος = *φέρτατος,* used esp. in the vocative.

Φέρουσα: a Nereid, Σ 43†.

φέρτατος: one of the superlatives to *ἀγαθός, best, bravest,* etc.

φέρτερος: one of the comparatives to *ἀγαθός, better, braver,* etc.

φέρτε: see *φέρω.*

φέρτρον (φέρω): *litter, bier* for the dead, Σ 236†.

φέρω, subj. *φέργσι,* imp. *φέρτε,* inf. *φερέμεν,* ipf. iter. *φέρεσκον,* fut. *οἴσω,* inf. *οἰσέμεν,* aor. 2 imp. *οἶσε, -έτω, -ετε,* inf. *οἰσέμεν(αι),* aor. 1 *ἤνεικα, ἔνεικα,* opt. *ἐνείκαι,* inf. *ἐνεῖκαι,* part. *ἐνείκᾱς,* also aor. 2 opt. *ἐνείκοι,* inf. *ἐνεικέμεν,* mid. fut. *οἴσομαι,* aor. 1 *ἠνείκαντο*: I. act., *bear, carry, bring, convey,* in the ordinary ways not needing illustration; more special uses, of the earth yielding fruits, of rendering homage or offerings, bearing tidings, of winds sweeping, driving, scattering things, δ 229, O 175, κ 48; fig., 'endure,' σ 135; 'spread wide,' γ 204; *ἦρα φέρειν* (see *ἦρα), κακόν, πῆμά τινι, φέρειν καὶ ἄγειν* (agere ferre), 'plunder,' E 484. The part. *φέρων* is often added to verbs by way of amplification, so the inf. *φέρειν (φέρεσθαι),* cf. 'to keep,' α 127, Ψ 513.—II. pass., *be borne* (ferri), either intentionally, *rush, charge,* O 743, υ 172; or involuntarily, *be swept, hurried along,* A 592.—III. mid., *carry off* for oneself, *bear away,* esp. of prizes, victory, *τὰ πρῶτα, κράτος,* Ψ 275, N 486.

φεύγω, inf. *φευγέμεν(αι),* ipf. iter. *φεύγεσκεν,* fut. *φεύξομαι,* aor. 2 *ἔφυγον, φύγον,* subj. *φύγῃ(σι),* inf. *φυγέειν,* perf. opt. *πεφεύγοι,* part. *πεφυγότες, πεφυζό-τες,* mid. perf. part. *πεφυγμένος: flee, flee from, escape;* esp. flee one's country, go into exile, *ἵκετο φεύγων,* came as fugitive, π 424; often trans., *θά-λασσαν, θάνατον,* Λ 362; fig., with a thing as subj., Θ 137, Δ 350; mid., πεφυγμένος, usually w. acc.; ἀέθλων, 'escaped' from toils, α 18.

φῆ: see φημί.

φή = ὡς, as, just as, like, Β 144, Ξ 499.

Φηγεύς: son of Dares, priest of Hephaestus in Troy, slain by Diomed, Ε 11, 15.

φήγινος: of oak-wood, oaken, Ε 838†.

φηγός (cf. fagus): a sort of oak with edible acorns. An ancient tree of this species was one of the landmarks on the Trojan plain, Η 22, Ι 354. (Il.)

φήμη: ominous or prophetic utterance, voice, omen, υ 100, β 35.

φημί (cf. fari), 2 sing. φῄς not enclitic like the other forms of the pres. ind., φησί, φαμέν, φατέ, φᾱσ(ίν), subj. φῇ(σιν), φήῃ, opt. φαίην, φαῖμεν, part. φάς, ipf. ἔφην, φῆν, ἔφησθα, φήσθα, φῆς, ἔφαμεν, φάμεν, ἔφαν, φάν, fut. φήσει, mid. pres. imp. φάο, φάσθω, inf. φάσθαι, part. φάμενος, ipf. ἐφάμην, φάτο (for πεφασμένος see φαίνω): say, declare, mostly of subjective statement, to express opinion, hence reg. const. w. acc. and inf. The ipf. and the pres. inf. have aoristic signification. No distinction between act. and mid. is to be sought. Often simply think, believe, Β 37, α 391; ὅ γ' ἀνὴρ ὅν φημι, whom 'I mean,' Ε 184; οὔ φημι (nego), ο 213.

Φήμιος: Phemius, son of Terpis, a bard in Ithaca, α 154, 337, ρ 263, χ 331.

φῆμις, ιος: rumor, common talk; δήμου, 'public opinion,' ξ 239, cf. π 75; also to designate the place of discussion, assembly, ο 468.

φῆν: see φημί.

φῆναι: see φαίνω.

φήνη: sea-eagle, osprey, γ 372 and π 217.

φήρ, φηρός (= θήρ), pl. dat. φηρσίν: wild beast, then monster, as the Centaurs, Α 268, Β 743.

Φηραί, Φηρή: a town in Messenia, in Homer's time belonging to the Laconian territory, Ε 543, Ι 151, 293, γ 488, ο 186.

Φηρητιάδης: son (grandson) of Pheres, Eumēlus, Β 763 and Ψ 376.

φῄς, φῆς, φῆσθα, φῆσθα: see φημί.

φθάν: see φθάνω.

φθάνω, fut. φθήσονται, aor. 2 ἔφθην, φθῆ, 3 pl. φθάν, subj. φθῶ, φθῇ(σιν), φθέωμεν, φθέωσιν, opt. φθαίη, mid. aor. 2 part. φθάμενος: be or get before, anticipate, Φ 262; w. part. the verb appears as an adv. in Eng., φθῆ σε τέλος θανάτοιο κιχημένον, death overtook thee 'sooner,' 'first,' Λ 451, χ 91; foll. by πρίν, Π 322.

φθέγγομαι, fut. φθέγξομαι, aor. ἐφθεγξάμην, subj. φθέγξομαι: utter a sound, speak out, cf. φθογγή, φθόγγος. Since the verb merely designates the effect upon the ear, it may be joined with a more specific word, ἐφθέγγοντο καλεῦντες, called aloud, κ 229, Φ 192, 341; φθεγγομένου . . κάρη κονίῃσιν ἐμίχθη, while the voice still sounded, Κ 457, χ 329.

φθείρω, φθείρουσι, pass. φθείρεσθε: destroy, ruin; pass., 'ruin seize ye,' Φ 128.

Φθειρῶν, Φθερῶν: ὄρος, name of a mountain in Caria, Β 868.

φθέωμεν, φθέωσιν: see φθάνω.

φθῆ, φθήῃ, φθήῃσιν: see φθάνω.

Φθίη, dat. Φθίηφι: Phthia.—(1) the chief city of the Myrmidons in Thessaly, on the Spercheius, residence of Peleus and Achilles, Β 683.—(2) the region about the city, with Hellas forming the realm of Achilles, Ι 395, λ 496.—Φθίηνδε, to Phthia.

φθίμενος: see φθίνω.

φθινύθω, ipf. φθίνυθον, iter. φθινύθεσκε: waste away, perish, die; as a sort of imprecation, 'to go to perdition,' Β 346; trans., waste, consume, οἶκον, οἶνον, κῆρ, 'whose grief breaks my heart,' κ 485.

φθίνω, φθίω, fut. φθίσω, aor. 3 pl. φθῖσαν, inf. φθῖσαι, mid. fut. φθίσομαι, aor. 2 ἔφθιτο, subj. φθίεται, φθιόμεσθα, opt. φθίμην, φθῖτ(ο), inf. φθίσθαι, part. φθίμενος, pass. perf. ἔφθιται, plup. ἐφθίμην, 3 pl. ἐφθίαθ', aor. 3 pl. ἔφθιθεν: trans., fut. and aor. act., consume, destroy, kill, Π 461, υ 67, π 428; intrans. and mid., waste or dwindle away, wane, perish, die; μηνῶν φθινόντων (as the months 'waned'), φθίμενος, 'deceased,' λ 558.

Φθῖος: Phthian, inhabitant of Phthia, pl., Ν 686, 693, 699.

φθῖσ-ήνωρ, ορος: man-consuming. (Il.)

φθῑσί-μβροτος (βροτός): consuming mortals, 'life-destroying.'

φθογγή = φθόγγος.

φθόγγος (φθέγγομαι): voice, merely as audible sound; φθόγγῳ ἐπερχόμεναι, 'with talking,' making themselves heard, σ 198.

φθονέω (φθόνος): grudge, deny, refuse, τινί τινος, ζ 68; w. inf., λ 381, τ 348; acc. and inf., α 346, σ 16.

-φι(ν): a vestige of several old case-endings, appended to the stem-vowel of the various declensions, (1st decl.) -ηφι, -ῆφι (but ἐσχαρόφι), (2d decl.) -όφι, (3d decl.) -εσφι (but ναῦφι); of persons only in two words, θεόφι, αὐτόφι. The form produced by the suffix may stand for a gen. (ablative), or a dative (instrumental, locative), with or without prepositions.

φιάλη: wide, flaring bowl, saucer, or urn, Ψ 243.

φῖλαι, φίλατο: see φιλέω.

φιλέω, φιλέει, φιλεῖ, inf. φιλήμεναι, part. φιλεῦντας, ipf. (ἐ)φίλει, iter. φιλέεσκε, fut. inf. φιλησέμεν, aor. (ἐ)φίλησα, mid. fut., w. pass. signif., φιλήσεαι, aor. (ἐ)φίλατο, imp. φῖλαι, pass. aor. 3 pl. φίληθεν: love, hold dear, mid., Υ 304; also entertain, welcome as guest, ε 135.

φιλ-ήρετμος (ἐρετμός): fond of the oar, oar-loving. (Od.)

Φιλητορίδης: son of Philētor, De-mūchus, Υ 457†.

Φιλοίτιος: Philoetius, the faithful herdsman of Odysseus, υ 185, 254, φ 240, 388, χ 268, 286.

φιλο-κέρτομος: fond of jeering or mocking, contemptuous, χ 287†.

φιλο-κτεανώτατος (κτέανον), sup.: most greedy of other men's possessions, Α 122†.

Φιλοκτήτης: Philoctētes, son of Poeas, from Meliboea in Thessaly. A famous archer, he possessed the bow and arrows of Heracles, without which Troy could not be taken. On the way to Troy he was bitten by a serpent in the island of Chryse, near Lemnos, and the Greeks left him behind sick in Lemnos, Β 718, 725, γ 190, θ 219.

φιλο-μμείδης (σμειδιάω): laughter-loving, epith. of Aphrodīte.

Φιλομηλείδης: a king in Lesbos, who challenged all strangers to wrestle with him, δ 343 and ρ 134.

φιλό-ξεινος: loving guests or guest-friends, hospitable. (Od.)

φιλο-παίγμων, ονος (παίζω): fond of play, merry, ψ 134†.

φιλο-πτόλεμος: fond of war, war-loving. (Il.)

φίλος, comp. φιλίων and φίλτερος, sup. φίλτατος, voc. at the beginning of the verse φίλε: own, dear, but it must not be supposed that the first meaning has not begun everywhere in Homer to pass into the stage of the latter, hence neither Eng. word represents its force in many instances, φίλα εἵματα, φίλος αἰών, and of parts of the body, φίλαι χεῖρες, etc. Pl. φίλοι, dear ones, friends, one's own, δ 475. Neut., φίλον, φίλα, pleasing, acceptable; φίλον ἔπλετο θυμῷ, αἰεί τοι τὰ κάκ' ἐστὶ φίλα φρεσὶ μαντεύεσθαι, you like to, Α 107; φίλα φρονεῖν, εἰδέναι τινί, be kindly disposed, Δ 219, γ 277.

φιλότης, ητος: love, friendship; φιλότητα τιθέναι, τάμνειν, μετ' ἀμφοτέροισι βάλλειν, Δ 83, Γ 73, Δ 16; also for a pledge of friendship, hospitable entertainment, ο 537, 55; of sexual love, in various oft-recurring phrases.

φιλοτήσιος: of love, λ 246†.

φιλο-φροσύνη (φρήν): kindliness, friendly temper, Ι 256†.

φιλο-ψευδής: friend of lies, false, Μ 164†.

φίλτατος, φίλτερος: see φίλος.

φίλως: gladly, Δ 347, τ 461.

-φιν: see φι.

φιτρός: trunk, block, log, pl. (Il. and μ 11.)

φλεγέθω, pass. opt. 3 pl. φλεγεθοίατο: parallel form of φλέγω, blaze, glow; trans., burn up, consume, Ρ 738, Ψ 197. (Il.)

φλέγμα, ατος (φλέγω): flame, blaze, Φ 337†.

Φλέγυαι and Φλέγυες: a robber tribe in Thessaly, Ν 302†.

φλέγω: burn, singe, consume; pass., blaze, Φ 365.

φλέψ, φλεβός: vein, the main artery in, Ν 546†.

φλιή: door-post, pl., ρ 221†.

φλόγεος (φλόξ): flaming, gleaming, Ε 745 and Θ 389.

φλοιός: bark, Α 237†.

φλοῖσβος: roar of waves, applied also to the roar of battle. (Il.)

φλόξ, φλογός (φλέγω): *flame, blaze.* (Il. and ω 71.)

φλύω: *foam* or *boil* up, Φ 361†.

φοβέω, aor. (ἐ)φόβησα, mid. pres. part. φοβεύμενος, fut. φοβήσομαι, pass. aor. 3 pl. (ἐ)φόβηθεν, perf. part. πεφοβημένος, plup. 3 pl. πεφοβήατο: act., *put to flight*, τινά, Λ 173; δουρί, Υ 187; mid. and pass., *flee, be put to flight*, ὑπό τινος or ὑπό τινι, Θ 149, Ο 637; τινά, Χ 250.

φόβος: *flight* in consequence of fear, and once *fear*, Λ 544; φόβονδε, *to flight.*—Personified, Φόβος, son and attendant of Ares, Δ 440, Λ 37, Ν 299, Ο 119.

Φοῖβος: *Phoebus*, epithet of Apollo, probably as god of light, with or without Ἀπόλλων.

φοινήεις, εσσα, εν (φόνος): *blood-red*, δράκων, Μ 202 and 220.

Φοίνῑκες: the *Phoenicians*, inhabitants of Phoenicia, their chief city Sidon. They appear in Homer as traders, skilful in navigation, famous alike for artistic skill and for piracy, Ψ 744, ν 272, ξ 288, ο 415, 419, 473.

φοινῑκόεις, εσσα, εν (-όεσσαι, pronounce -ούσσαι): *purple, red.*

φοινῑκο-πάρῃος (παρειά): *purple* or *red-cheeked*, epith. of painted ships (cf. μιλτοπάρῃος), λ 124 and ψ 271.

Φοῖνιξ: *Phoenix.*—(1) the father of Εὐρώπα, Ξ 321.—(2) son of Amyntor, aged friend and adviser of Achilles. He tells the story of his life, I 434 ff.

φοῖνιξ, ῑκος: I. subst., (1) *purple*, the invention of which was ascribed to the Phoenicians.—(2) *date-palm*, ζ 163†.—II. adj., *purple, red.*

φοίνιος (φόνος): *(blood) red*, Σ 97†.

Φοίνισσα: γυνή, *Phoenician woman.*

φοινός = φοίνιος, Π 159†.

φοιτάω, φοιτᾷ, part. φοιτῶντε, ipf. (ἐ)φοίτα, du. φοιτήτην, aor. part. φοιτήσασα: frequentative verb, *go, go* or *hurry* to and fro, *roam* up and down, ἔνθα καὶ ἔνθα, παντόσε, πάντῃ, Β 779, Μ 266; of birds flying the air, β 182.

φολκός: *bow-legged*, Β 217†.

φονεύς, ῆος: *slayer, murderer, homicide.*

φονή: *massacre, murder*, pl., 'rending,' Ο 633.

φόνος (φένω): *bloodshed, murder*, also for *blood*, Ω 610; and poetically

for the instrument of death, the lance, φ 24; φόνος αἵματος, 'reeking blood,' of mangled beasts, Π 162.

φοξός: *sharp-pointed*, of a head low in front, sharp behind, a sugar-loaf head, Β 219†.

Φόρβᾱς: (1) king of Lesbos, father of Διομήδες, I 665.—(2) a wealthy Trojan, father of Ilioneus, Ξ 490.

φορβή (φέρβω, cf. h e r b a): *forage, fodder*, Ε 202 and Λ 562.

φορεύς, ῆος: *carrier*, of grapes in the wine-harvest, *vintager*, Σ 566†.

φορέω (φέρω), φορέει, subj. φορέῃσι, opt. φοροίη, inf. φορέειν, φορῆναι, φορήμεναι, ipf. (ἐ)φόρεον, iter. φορέεσκον, aor. φόρησεν, mid. ipf. φορέοντο: *bear* or *carry* habitually or repeatedly, ὕδωρ, μέθυ, κ 358, ι 10; hence *wear*, Δ 137, etc.; fig., ἀγλαΐᾱς, 'display,' ρ 245.

φορήμεναι, **φορῆναι**: see φορέω.

Φόρκῡνος: λιμήν, harbor or inlet of *Phorcys*, in Ithaca, ν 96†.

Φόρκυς, ῦνος and νος: *Phorcys.*—(1) old man of the sea, father of Θοόσα, α 72, ν 96, 345.—(2) a Phrygian, the son of Phaenops, slain by Ajax, Β 862, Ρ 218, 312, 318.

φόρμιγξ, ιγγος: *phorminx*, a kind of *lute* or *lyre.* The cross-piece (bridge) was called ζυγόν, the pegs κόλλοπες. Played not only by the professional bard, and by Apollo, Ω 63, but exceptionally also by heroes, I 186. In form substantially like the κίθαρις represented in the cut.

125

φορμίζω: *touch* or *play the phorminx* (*lyre, lute*), Σ 605; said also of one playing the κίθαρις, α 155.

φορτίς, ίδος (φόρτος): νηῦς, *ship of burden*, ε 250 and ι 323. (See cut.)

126

φόρτος (φέρω): *freight, cargo*, θ 163 and ξ 296.

φορύνω (φύρω): only pass. ipf. φορύνετο, *was defiled*, χ 21†.

φορύσσω (parallel form of φορύνω), aor. part. φορύξᾱς : *defile*, σ 336†.

φόως, φόωσδε : see *φάος*.

φραδής, ές (φράζω): *prudent, clear, νόος*, Ω 354†.

φράδμων, ονος (φράζω): *observing*, Π 638†.

φράζω, aor. φράσε, aor. 2 red. (ἐ)πέ-φραδον, imp. πέφραδε, opt. πεφράδοι, inf. -δέειν, -δέμεν, mid. pres. imp. φράζεο, φράζευ, inf. φράζεσθαι, fut. φρά(σ)σο-μαι, aor. (ἐ)φρα(σ)σάμην, imp. φράσαι, subj. φράσσεται, pass. aor. ἐφράσθην : *point out, show, indicate ;* w. inf., ἐπέ-φραδε χερσὶν ἑλέσθαι, *showed* the blind bard how to take down the lyre with his hands (i. e. guided his hands), θ 68 ; so ὁδόν, σήματα, μῦθον, 'make known,' α 273 ; mid., point out to one-self, *consider, ponder, bethink oneself*, foll. by clause w. εἰ, ὡς, ὅπως, μή, Δ 411 ; *devise, plan, decree* (of Zeus), βου-λήν, μῆτιν, κακά τινι, β 367 : *perceive, note*, w. acc. ; κ 339 ; inf., λ 624 ; 'look to,' χ 129.

φράσσω (cf. f a r c i o), aor. φράξε, part. φράξαντες, mid. aor. φράξαντο, pass. aor. part. φραχθέντες : *fence* or *hedge around ;* ἐπάλξεις ῥίνοῖσι βοῶν, the wall with shields, M 263 ; σχεδίην ῥίπεσσι, 'caulked' it (in the cracks between the planks), ε 256 ; mid., νῆας ἔρκεῖ, 'their' ships, O 566.

φρεῖαρ, ατος: *well*, pl., Φ 197†.

φρήν, φρενός, pl. φρένες : (1) pl., *midriff, diaphragm*, K 10, Π 481, ι 301. Since the word physically desig-nates the parts enclosing the heart, φρήν, φρένες comes to mean secondari-ly:—(2) *mind, thoughts*, etc. φρεσὶ νοεῖν, κατὰ φρένα εἰδέναι, μετὰ φρεσὶ βάλλεσθαι, ἐνὶ φρεσὶ γνῶναι, etc. φρέ-νες ἐσθλαί, a good *understanding ;* φρέ-νας βλάπτειν τινί, O 724 ; of the will, Διὸς ἐτράπετο φρήν, K 45 ; feelings, φρένα τέρπετο, A 474.

φρήτρη (φρᾱτηρ, cf. f r a t e r), dat. φρήτρηφιν : *clan*. (Il.)

φρίξ, φρῑκός (φρίσσω): *ruffling* of water caused by wind, *ripple*.

φρίσσω, aor. ἔφριξεν, part. φρίξᾱς, perf. πεφρίκᾱσι, part. -υῖαι : grow rough, *bristle*, as the fields with grain, the battle-field with spears, Ψ 599, N 339 ; the wild boar as to his back or crest, λοφιήν, νῶτον, τ 446, N 473 ;

shudder, *shudder at* (cf. ' goose-flesh '), Λ 383, Ω 775.

φρονέω (φρήν), subj. φρονέῃσι : use the mind, *have living thoughts, live*, X 59 ; *have in mind*, hence *consider, think, intend ;* ἄριστοι μάχεσθαί τε φρονέειν τε, intellectual activity opp. to physical prowess, Z 79 ; to express opinion, foll. by inf., Γ 98 ; sentiment, habit of mind, πυκινὰ φρονέειν (intelli-gence), ἶσόν τινι φρονέειν, ἀμφίς, εὖ, κακῶς, be ' well ' or 'ill - disposed,' η 74, σ 168.

Φρόνιος : father of Noëmon, β 386 and δ 630.

φρόνις, ιος (φρήν): *knowledge, coun-sel ;* much 'information,' δ 258.

Φρόντις, ιδος : wife of Panthoüs, mother of Euphorbus and Polydamas, P 40†.

Φρόντις, ιος : son of Onētor, pilot of Menelaüs, γ 282†.

Φρύγες : the *Phrygians*, inhabitants of Phrygia, B 862, Γ 185, K 431.

Φρυγίη : *Phrygia*, a district in Asia Minor, lying partly on the Hellespont, partly on the river Sangarius, Ω 545, Γ 401, Π 719, Σ 291. (Greek art is indebted to the Phrygian costume for the pointed cap, which is an attribute of skilled artisans like Hephaestus, and of shrewd wanderers like Odys-seus. The cut, from a Greek relief, represents a Phrygian archer.)

127

φῦ: see *φύω*.

φύγαδ(ε): *to flight*. (Il.)

φυγή : *flight*, χ 306 and κ 117.

φυγο-πτόλεμος : *battle-fleeing, cow-ardly*, ξ 213†.

φύζα (root φυγ, φυγή) : *panic* (flight).

φυζακινός : *shy, timid*, N 102†.

φυή (φύω): *growth, form, physique ;*

joined with δέμας, μέγεθος, εἶδος, A 115, B 58, ζ 16.

φῦκιόεις, εσσα, εν: *full of sea-weed, weedy,* Ψ 693†.

φῦκος, εος: *sea - weed, sea - grass,* I 7†.

φυκτός (φεύγω): *to be escaped;* neut. pl. impers., οὐκέτι φυκτὰ πέλονται, 'there is no escape more,' Π 128, θ 299.

φυλακή (φυλάσσω): *watch, guard;* φυλακὰς ἔχειν, 'keep guard,' I 1; 'outposts,' K 416.

Φυλάκη: a town in Phthiōtis, on the northern slope of Mt. Othrys, in the domain of Protesilāüs, λ 290, ο 236, B 695, 700, N 696, O 335.

Φῦλακίδης: *son of Phylacus,* Iphiclus, B 705, N 698.

φύλακος = φύλαξ, pl., Ω 566†.

Φύλακος: (1) father of Iphiclus, ο 231.— (2) a Trojan, slain by Leitus, Z 35†.

φυλακτήρ, ῆρος, = φύλαξ, pl. (Il.)

φύλαξ, ακος: *guard, watchman.*

Φύλᾶς: the father of Polymēle, king of Thesprotian Ephyra, Π 181 and 191.

φυλάσσω, inf. φυλασσέμεναι, fut. -ξω, aor. φύλαξεν, pass. and mid. perf. part. πεφυλαγμένος: I. act., *watch, keep watch,* abs., νύκτα, 'all night,' ε 466, χ 195; trans., *watch over, guard,* K 417; pass., K 309; *watch for,* B 251, δ 670; fig., 'treasure up,' 'keep' faith, Π 30, Γ 280.—II. mid., *watch* for oneself, K 188; πεφυλαγμένος εἶναι, 'be on thy guard,' Ψ 343.

Φῦλείδης: *son of Phyleus,* Meges, E 72, O 519, 528, Π 313.

Φῦλεύς: son of Augēas of Elis, banished by his father, because when appointed arbiter in the dispute between Augēas and Heracles he decided in favor of the latter, B 628, K 110, 175, O 530, Ψ 637.

φυλίη: *wild olive-tree,* ε 477†.

φύλλον: *leaf;* φύλλων γενεή, Z 146.

Φῦλομέδουσα: wife of Arithoüs, H 10†.

φῦλον (φύω): *race, people,* in the widest sense, θεῶν, E 441; usually pl., *tribes, host,* etc., γυναικῶν, ἀοιδῶν, γ 282, θ 481; of animals, ἄγρια φῦλα, T 30. In narrow sense, *tribe, class, clan, family,* B 362.

φύλοπις, ιδος, acc. -ιν, -ιδα, λ 314; *combat, din of battle;* usual epith., αἰνή, also ἀργαλέη, κρατέρη, π 268; πολέμοιο, N 635.

Φῦλώ: name of a maid of Helen, δ 125 and 133.

φύξηλις: *cowardly,* P 143†.

φύξιμος: neut., φύξιμον, *chance of escape,* ε 359†.

φύξις (φεύγω): *flight.* (Il.)

φύρω, aor. ἔφυρσα, subj. φύρσω, pass. perf. part. πεφυρμένος: *wet, moisten.*

φῦσα, pl. φῦσαι: *bellows.* (Σ)

φῦσάω, part. φῦσῶντες, ipf. ἐφύσων: *blow,* Σ 470 and Ψ 218.

φῦσιάω: only part., φυσιόωντες, *panting,* Δ 227 and Π 506.

φῦσί-ζοος (φύω, ζωή): *producing life, life-giving,* αἶα. (Il. and λ 301.)

φύσις, ιος (φύω): *natural characteristic, quality, property,* κ 303†.

φῦταλίη (φυτόν): *plantation; vineyard or orchard,* Z 195. (Il.)

φυτεύω, ipf. φύτευεν, aor. ἐφύτευσαν, subj. φυτεύσω, inf. -εῦσαι: *plant;* fig., *devise, plan,* β 165, δ 668, O 134.

φυτόν (φύω): *plant, tree;* collective, 'plants,' ω 227, 242.

φύω, ipf. φύεν, fut. φύσει, aor. 1 ἔφῦσε, aor. 2 ἔφῦν, φῦ, part. φύντες, perf. πέφῦκα, 3 pl. -ασι (not -ᾶσι), πεφύᾱσι, subj. πεφύκῃ, part. πεφυῖα, πεφυῶτας, πεφυκόταs, plup. πεφύκει, mid. φύονται, ipf. φύοντο: I. trans., pres. (exc. once), fut., and aor. 1 act., *make to grow, produce; φύλλα, τρίχας,* A 235, κ 393. — II. intrans., mid., perf., and aor. 2 act., *grow;* phrases, ὀδὰξ ἐν χείλεσι φύντες, 'biting their lips'; ἐν δ' ἄρα οἱ φῦ χειρί, 'grasped,' 'pressed' his hand; the pres. act. is once used intransitively, Z 149.

Φωκεῖς: the *Phocians,* inhabitants of Phocis, B 517, 525, O 516, P 307.

φώκη: *seal.* (Od.)

φωνέω (φωνή), aor. (ἐ)φώνησε, part. φωνήσᾱς: *raise the voice, speak aloud, speak,* see φωνή. Often joined to another verb of saying, either as participle, or as parallel tense, A 201, δ 370.

φωνή: *voice,* properly with reference to its quality, whereby one individual may be distinguished from another. Transferred to animals, συῶν, βοῶν, κ 239, μ 396, τ 521.

φωριαμός : *chest, coffer, box,* pl., Ω 228 and o 104.

φῶς : see φάος.

φώς, φωτός: *man, wight;* like ἀνήρ, but not so much a mark of distinction ; freq. in apposition to a name, Δ 194. ἀλλότριος φώς, 'somebody else.'

X.

χάδε, χαδέειν : see χανδάνω.

χάζομαι, subj. χαζώμε(σ)θ(α), imp. χάζεο, ipf. (ἐ)χάζετ(ο), -οντ(ο), fut. χάσσονται, aor. χάσσατ(ο), inf. -ασθαι, part. -άμενος, aor. red. part. κεκαδών, mid. κεκάδοντο : *give way, fall back, retire* before some one, ἄψ, ὀπίσω, and w. ὑπό, Δ 497 ; φράζεο καὶ χάζεο, 'bethink and shrink," E 440; then with gen., *give over, rest from,* μάχης, δουρός, O 426, Λ 539. Here belongs the causative κεκαδών, *depriving,* Λ 334, φ 153, 170, unless this form should be referred to κήδω.

χαίνω or **χάσκω** (root χα, cf. h i s c o), aor. 2 opt. χάνοι, part. χανών, perf. part. κεχηνότα : *gape, yawn;* 'may the earth engulf me,' Δ 182, etc. ; perf. part., 'with open mouth,' aor., πρὸς κῦμα χανών, 'opening my mouth' to the wave, i. e. swallowing the water, μ 350.

χαίρω (cf. g r a t u s), ipf. χαῖρον, ἔχαιρε, χαῖρε, iter. χαίρεσκεν, fut. inf. χαιρήσειν, aor. ἐχάρη, -ημεν, -ησαν, χάρη, opt. χαρείη, part. χαρέντες, perf. part. κεχαρηότα, also red. fut. inf. κεχαρησέμεν, mid. fut. κεχαρήσεται, aor. 2 κεχάροντο, opt. -οιτο, 3 pl. -οίατο, aor. 1 χήρατο : *be glad, be joyful, rejoice;* (ἐν) θυμῷ, νόῳ, φρεσί and φρένα, also χαίρει μοι ἦτορ, κῆρ, Ψ 647, δ 260 ; w. dat. of the thing rejoiced at, νίκῃ, ὀρνῖθι, φήμῃ, Κ 277, β 35 ; freq. w. part. and dat., τῷ χαῖρον νοστήσαντι, 'at his return,' τ 463; also w. part. agreeing with the subj., Γ 76 ; οὐ χαιρήσεις, 'thou wilt be sorry,' 'rue it,' Υ 363, β 249 ; χαῖρε, *hail* or *farewell,* α 123, ν 59.

χαίτη : *flowing hair;* of horses, *mane,* sing. and pl.

χάλαζα : *hail.* (Il.)

χαλεπαίνω (χαλεπός), ipf. χαλέπαινε, aor. subj. χαλεπήνῃ, inf. -ῆναι : *be hard, severe, rage,* of wind and storm, Ξ 399 ; freq. of persons, *be vexed, angry,* τινί, π 114, Ξ 256, Υ 133.

χαλεπός, comp. χαλεπώτερος : *hard, difficult, dangerous,* ἄεθλος ; λιμήν, 'hard to approach,' λ 622, τ 189 ; personal const. w. inf., χαλεπή τοι ἐγὼ μένος ἀντιφέρεσθαι, Φ 482 ; χαλεποὶ θεοὶ ἐναργεῖς φαίνεσθαι, 'it is dangerous when gods appear, etc.', Υ 131 ; oftener the impers. const. Of things, *harsh, grievous, severe;* γῆρας, μόχθος, ὀνείδη, ἔπεα, Ψ 489 ; of persons, *stern, angry,* τινί, ρ 388.

χαλέπτω (χαλεπός): *be hard upon;* τινά, δ 423†.

χαλεπῶς : *with difficulty.* (Il.)

χαλῑνός : *bit* (of a bridle), Τ 393†.

χαλι-φρονέω (χαλίφρων) : only part. as adj., *thoughtless, indiscreet,* ψ 13†.

χαλι-φροσύνη : *thoughtlessness,* π 310†.

χαλί-φρων, ον (χαλάω): *slack-minded, thoughtless,* δ 371 and τ 530.

χαλκεο-θώρηξ, ηκος : *with breastplate of bronze; bronze-cuirassed,* Δ 448 and Θ 62.

χάλκεος and **χάλκειος** : *of copper* or *bronze, brazen;* fig., ὄψ, ἦτορ, ὕπνος (of death), Λ 241.

χαλκεό-φωνος : *with brazen voice,* epith. of Stentor, E 785†.

χαλκεύς, ῆος : *coppersmith, worker in bronze;* with ἀνήρ, ι 391, Δ 187 ; of a worker in metals, goldsmith, ι 391, γ 432.

χαλκεύω : only ipf., χάλκευον, Ι *wrought,* Σ 400†.

χαλκεών, ῶνος : *forge,* θ 273†.

χαλκήιος : *of a smith; δόμος, smithy.* (Od.)

10

χαλκ - ήρης, ες (ἀραρίσκω) : *fitted with bronze, brazen-shod.*

χαλκίς, ίδος = κύμινδις, Ξ 291†.

Χαλκίς : *Chalcis.*—(1) a town in Euboea on the Eurīpus, B 537.—(2) in Aetolia, at the mouth of the Evēnus, ο 295.

χαλκο-βαρής, ές : *heavy with bronze, of ponderous bronze.* — Fem., χαλκο-βάρεια, Λ 96, χ 259.

χαλκο-βατής, ές (βαίνω) : *with brazen floor or threshold.*

χαλκο - γλώχῑν, ῑνος : *with bronze point,* X 225†.

χαλκο-κνήμῑς, ῑδος : *with greaves of bronze,* H 41†.

χαλκο - κορυστής (κορύσσω) : *in bronze armor, brazen-clad.* (Il.)

χαλκο - πάρηος : *with cheeks (side-pieces) of bronze,* helmet.

χαλκό-πος, -πουν, gen. -ποδος : *with hoofs of bronze, brazen - hoofed,* Θ 41 and N 23.

χαλκός : *copper* or *bronze* (an alloy of copper and tin ; brass, which is made of copper and zinc, was unknown to the ancients), α 184. The word stands often for things made of bronze, knife, axe, weapons and armor in general. Epithets, αἴθοψ, νῶροψ, ἀτειρής, and others appropriate to the things severally designated.

χαλκό-τυπος (τύπτω) : *inflicted with brazen weapons,* T 25†.

χαλκο-χίτων, ωνος : *brazen-clad.*

Χαλκωδοντιάδης : *son of Chalcō-don,* king of the Abantes in Euboea, Elephēnor, B 541†.

Χάλκων : a Myrmidon, the father of Bathycles, Π 595†.

χαμάδις (χαμαί) : *to the ground.*

χαμᾶζε (χαμαί) : *to the ground, down ; to* or *into the earth,* Θ 134, φ 136.

χαμαί (loc. form χαμά, cf. h u m i) : *on the ground, to the ground.*

χαμαι - ευνής (εὐνή) : pl., *making their beds on the ground,* Π 235†.

χαμαι-ευνάς, άδος = the foregoing, σύες, 'grovelling,' κ 243 and ξ 15.

χανδάνω (root χαδ, cf. pre-h e n d o), ipf. ἐχάνδανον, χάνδανε, fut. χείσεται, aor. 2 ἔχαδε, χάδε, inf. -έειν, perf. part. κεχανδότα, plup. κεχάνδει : *hold, contain,* of the capacity of vessels, etc., Ψ 742, ρ 344, ὁ 96 ; fig., of capacity of

shouting, ὅσον κεφαλὴ χάδε φωτός, as loud as a man's ' head holds,' as loud as human voice is capable of shouting, Λ 462 ; fig., also Δ 24, Θ 461.

χανδόν (χαίνω) : lit., ' with open mouth,' *greedily,* φ 294†.

χάνοι : see χαίνω.

χαράδρη (χαράσσω) : *gully, ravine, mountain torrent,* Δ 454 and Π 390.

χαρείη, χάρη : see χαίρω.

χαρίεις, εσσα, εν (χάρις), comp. χαριέστερος, sup. χαριέστατος : *full of grace, graceful, charming, winsome ;* neut. pl. as subst., ' winning gifts,' Θ 167.

χαρίζομαι (χάρις), aor. opt. χαρίσαιτο, inf. -ασθαι, pass. perf. part. κεχαρισμένος, plup. κεχάριστο : *show favor, gratify,* τινί, very often the part., Δ 71, κ 43 ; τινὶ ψευδέσι, 'court favor by lies,' ξ 387 ; w. acc., 'bestow graciously' or 'abundantly,' Λ 134 ; also with partitive gen., esp. παρεόντων, 'giving freely of her store,' α 140 ; perf. and plup. as pass., *be dear* or *pleasing;* κεχαρισμένος ἦλθεν, was welcome, β 54 ; κεχαρισμένα θεῖναι, like χαρίσασθαι, Ω 661.

χάρις, ιτος (χαίρω, cf. g r a t i a) : *quality of pleasing, grace, charm, charms,* pl., ζ 237 ; then *favor, thanks, gratitude ;* φέρειν τινι, 'confer,' E 211 ; ἀρέσθαι, 'earn' ; δοῦναι, ἴδμεναι, 'thank,' ' be grateful,' Ξ 235.—Acc. as adv., χάριν, *for the sake of,* τινός, i. e. to please him, O 744.

Χάρις : the foregoing personified, as wife of Hephaestus, Σ 382.—Pl., Χάριτες, the *Graces,* handmaids of Aphrodītē, E 338, Ξ 267, P 51, ζ 18, σ 194.

χάρμα, ατος (χαίρω) : concr., *a thing of joy,* Ξ 325 ; esp., γίγνεσθαί τινι, be a source of malignant joy,' Γ 51, Z 82.

χάρμη (cf. χαίρω) : *joy of battle, desire for the fray, eagerness for combat.*

χαρ-οπός : *with glaring eyes,* λ 611†.

Χάροπος : king of Syme, father of Nireus, B 672†.

Χάροψ : son of Hippasus, brother of Socus, Λ 426†.

Χάρυβδις : *Charybdis,* the whirl-pool opposite Scylla, μ 104, 113, 235, ψ 327.

χάσκω: see χαίνω.

χατέω (cf. χάσκω): *have need of, desire, beg, demand.*

χατίζω = χατέω.

χειή (χάσκω): *hole,* X 93 and 95.

χεῖλος, εος: *lip;* for phrases, see φύω, γελάω, prov., X 495; in general, *rim, border,* M 52; cf. δ 132, o 116.

χεῖμα, ατος: *winter, cold.* (Od.)

χειμά-ρροος (σρέω), χείμαρρους, χείμαρρος: *flooded* with winter snow, *winter-flowing.*

χειμέριος (χεῖμα): *wintry; ὕδωρ,* 'snow-water,' Ψ 420.

χειμών, ῶνος: *storm, tempest, rain, rainy weather.*

χείρ, χειρός, besides the usual forms also dat. χερί, pl. dat. χείρεσσι and χείρεσι (Υ 468): *hand,* as flat hand or fist, μ 174; including the *arm,* Z 81, Δ 238; often the pl., esp. fig. as typical of strength, violence, etc., joined with μένος, βίη, δύναμις, Z 502, M 135, υ 237; χερσίν τε ποσίν τε καὶ σθένει, Υ 360; χεῖρα ἐπιφέρειν τινί, χεῖρας ἐφιέναι, ἰάλλειν, χερσὶν ἀρήγειν, χεῖρα ὑπερέχειν τινί, in defence, Δ 249; (εἰς) χείρας ἱκέσθαι, 'fall into the power,' K 448.

χειρίς, ῖδος: pl., probably loose or false *sleeves,* bound over the hands instead of gloves, ω 230†.

χειρότερος = χείρων, Υ 436 and O 513.

χείρων, ονος (comp. to χέρης): *inferior, worse.*

Χείρων: *Chiron,* the centaur, skilled in the arts of healing and prophecy, the instructor of Asclepius and Achilles, δικαιότατος Κενταύρων, Λ 832, Δ 219, Π 143, Τ 390.

χείσομαι: see χανδάνω.

χελιδών, ονος: *swallow,* φ 411 and χ 240.

χέραδος, εος: *gravel, pebbles,* Φ 319†.

χέρειον: see χερείων.

χερειότερος = χερείων. (Il.)

χερείων, ον (χέρης): *inferior, worse;* τὰ χερείονα, 'the worse' part, A 576; οὔ τι χέρειον, ''t is not ill,' ρ 176.

χέρης (χείρ, i. e. under one's hand), dat. χέρηι, acc. χέρηα, pl. χέρηες, neut. χέρεια: *low, humble, weak, mean, poor,* the positive to χείρων, χερείων, χειρότερος, χερειότερος. With gen. it has the force of a comp., Δ 400, ξ 176.

χερμάδιον: *stone,* of a size suitable to be thrown by hand.

χερνῆτις: *living by hand labor,* a woman who spins for daily hire, M 433†.

χέρ-νιβον (χείρ, νίπτω): *wash-basin,* Ω 304†.

χερ-νίπτομαι: only aor., χερνίψαντο, *washed their hands,* A 449†.

χέρ-νιψ, ιβος: *water for washing the hands.* (Od.)

Χερσιδάμᾱς: a son of Priam, Λ 423†.

χέρσονδε: *to* or *on the dry land,* Φ 238†.

χέρσος: *dry land, shore.*

χεύαι, χεύαν, χεῦε: see χέω.

χεῦμα, ατος (χέω): *that which is poured, casting,* Ψ 561†.

χέω (χέϜω, root χυ), ipf. χέον, χέε(ν), aor. 1 (Att.) ἔχεεν, ἔχεαν, also ἔχευα, χεῦα, subj. χεύω, χεύομεν, mid. pres. inf. χεῖσθαι, ipf. χεόμην, aor. 1 (ἐ)χεύατο, aor. 2 ἔχυτο, part. χυμένη, pass. perf. 3 pl. κέχυνται, plup. κέχυτο, aor. opt. χυθείη: I. act., *pour, shed,* not of liquids only, but freq. of dry things, leaves strewn, left fall, earth heaped up, etc., χυτὴν ἐπὶ γαῖαν ἔχευαν, so τύμβον, σῆμα, α 291, Ψ 256; still more naturally said of mist, cloud, darkness, P 270, Υ 321; then fig., ὕπνον, κάλλος, φωνήν, η 286, ψ 156, τ 521.—II. pass. and aor. 2 mid., *be poured, shed,* or *strewn, pour, flow,* with the same freedom of application as act., ἀήρ, χιών, κόπρος, ι 330; of persons pouring forth in numbers, pressing around one, Π 267, κ 415; ἀμφ᾽ αὐτῷ χυμένη, i. e. embracing him, T 284; so once aor. 1, H 63.—III. mid., aor. 1, but not aor. 2, *pour* for oneself, or in any way subjectively, κ 518; χεύατο κὰκ κεφαλῆς, on 'his' head, Σ 24; βέλεα χέοντο, 'their' missiles, Θ 159; ἀμφὶ υἱὸν ἐχεύατο πήχεε, 'threw her' arms about him, E 314.

χηλός (χαίνω): *chest, coffer.*

χημεῖς = καὶ ἡμεῖς, B 238.

χήν, χηνός: *goose.*

χηραμός (χαίνω): *hole* or *crevice in* a rock, Φ 495†.

χήρατο: see χαίρω.

χηρεύω (χήρη): *be deprived of, without; ἀνδρῶν,* ι 124†.

χήρη: *bereaved, widowed;* w. gen., Z 408.

χηρόω (χῆρος, χήρη), aor. χήρωσας : *bereave, make desolate.* (Il.)

χηρωστής : pl., surviving *relatives, heirs* of one who dies childless, E 158†.

χῆτος, εος (χατέω) : *lack.*

χθαμαλός (χαμαί), comp. -ώτερος, sup. -ώτατος : *low-lying, low.*

χθιζός (χθές) : *of yesterday, yesterday,* usually as adv., A 424.—Neut. as adv., **χθιζόν**, **χθιζά**. χθιζά τε καὶ πρώιζα, phrase meaning 'but a day or two since,' B 303.

χθών, χθονός : *earth, ground; land, region,* ν 352.

χίλιοι, χίλια : a *thousand.* (Il.)

χίμαιρα : *she-goat,* Z 181†.

Χίμαιρα : the *Chimaera,* a monster sent as a plague upon Lydia, but slain by Bellerophon, described Z 179–182. (The cut is from an Etruscan bronze figure of large size in the museum at Florence.)

128

Χίος : *Chios,* island on the Ionian coast of Asia Minor, γ 170, 172.

χιτών, ῶνος : *tunic.* The χιτών was like a shirt, but without sleeves, woollen, and white. It was worn by both men and women, next the body, and confined by a girdle, ξ 72. (See the cut, representing Achilles—clothed in the χιτών—taking leave of Peleus. Cf. also No. 55). There were also long tunics, see ἑλκεχίτων. Of soldiers, *coat-of-mail, cuirass,* B 416, Λ 100 (cf. cuts Nos. 12, 17, 79, 86). λάινος, 'tunic of stone,' fig., of death by stoning, Γ 57.

χιών, όνος : *snow.*

χλαῖνα : *cloak, mantle,* consisting of a piece of coarse, shaggy woollen cloth, worn double or single, διπλῆ, δίπλαξ, ἁπλοΐς, and freq. of a purple color, X 493, ξ 460, 478, 480, 488, 500, 504, 516, 520, 529. It also served as a blanket in sleeping, υ 4, 95, γ 349, δ 50.

χλούνης : doubtful word, epith. of

129

the wild-boar, according to the ancients, *making its bed in the grass* (ἐν χλόῃ εὐνὴν ἔχων), I 539†.

χλωρηΐς (χλωρός) : *pale green, olive green,* epith. of the nightingale as dwelling in the fresh foliage, τ 518†.

Χλῶρις : *Chloris,* daughter of Amphion, king in Orchomenus, the wife of Neleus, and mother of Nestor, Chromius, Periclymenus, and Pero, λ 281†.

χλωρός (χλόη) : *greenish yellow* or *yellowish green,* as honey; δέος, *pale* fear, H 479, λ 43, O 4 ; then *fresh, verdant,* ι 379, 320.

χνόος (κνάω, κόνις) : *foam; ἁλός,* ζ 226†.

χόανος (χέω) : *melting-pit,* pl., Σ 470†.

χοή (χέω) : *libation, drink-offering,* esp. in sacrifices for the dead, κ 518 and λ 26.

χοῖνιξ, ικος : *measure* (for grain) = a soldier's daily ration, about one quart ; ἅπτεσθαι χοίνικός τινος, 'to eat of one's bread,' τ 28†.

χοίρεος : *of a pig, of swine; κρέα, pork,* ξ 81†.

χοῖρος : young *pig, porker,* ξ 73†.

χολάς, άδος : pl., *bowels, intestines,* Δ 526 and Φ 181.

χόλος (cf. f e l) : *gall,* Π 203 ; then, *wrath,* of animals, *rage,* X 94.

χολόω, fut. inf. χολωσέμεν, aor. ἐχόλωσα, mid. χολοῦμαι, χολώσομαι, κεχολώσομαι, aor. (ἐ)χολωσάμην, pass. perf. κεχόλωται, inf. -ῶσθαι, part. -ωμένος, plup. κεχόλωσο, -ωτο, 3 pl. -ώατο, aor. ἐχολώθην: act., *enrage, anger;* mid. and pass., *be wroth, angry, incensed,* θῡμῷ, ἐνὶ φρεσί, κηρόθι, φρένα, ἦτορ, and τινί, 'at' or 'with' one; w. causal gen., also ἐκ, εἴνεκα, etc., I 523, N 203, P 710.

χολωτός: *angry, wrathful.*

χορδή: *string* of gut, φ 407†.

χοροι-τυπίη (χορός, τύπτω): *choral dance,* pl., Ω 261†.

χορός: *dancing-place,* Σ 590, μ 318; then *dance,* Π 180.

χόρτος (cf. hortus): *enclosure,* Λ 774 and Ω 640.

χραισμέω (χρήσιμος), aor. 2 ἔχραισμε, χραῖσμε, subj. χραίσμῃ(σι), -ωσι, inf. -εῖν, fut. χραισμήσω, inf. -σέμεν, aor. 1 χραίσμησε, inf. -ῆσαι: *be useful* to one in something (τινί τι), H 144; hence *avail, help, ward off* something, abs., and w. acc. (τί), A 566, 589. Always with negative.

χράομαι, part. χρεώμενος, perf. part. κεχρημένος, plup. κέχρητο: *have use or need of;* 'according to his need,' Ψ 834; κεχρημένος, 'desiring,' T 262; as adj., 'needy,' ρ 347; plup., φρεσὶ γὰρ κέχρητ' ἀγαθῇσιν, 'had,' γ 266.

χραύω, aor. subj. χραύσῃ: *scratch, graze,* wound slightly, E 138†.

1. χράω (χράϝω, cf. χραύω), ipf. (or aor. 2) ἔχραε, ἐχράετε: *fall foul of, assail, handle roughly,* τινί, ε 396, κ 64; w. acc., and inf. of purpose, Φ 369, φ 69.

2. χράω, χρείω, part. χρείων, mid. fut. part. χρησόμενος: act., *deliver an oracle,* θ 79; mid., *have an oracle delivered* to oneself, *consult the oracle,* θ 81, λ 165, κ 492.

χρεῖος: see χρέος.

χρείων: see χράω 2.

χρειώ: see χρεώ.

χρείως: v. l. for χρεῖος, see χρέος.

χρεμετίζω: *neigh, whinny,* M 51†.

χρέος, χρεῖος (χράομαι): (1) *want, need,* then *affair, business,* α 409, β 45; Τειρεσίαο κατὰ χρέος, for *want* of T., i. e. to consult him, λ 479.—(2) what one must pay, *debt,* ὀφείλειν τινί, ὀφέλλεταί μοι, Λ 688, 686.

χρεώ, χρειώ, Λ 606, **χρειώ** (χρή): *want, need, necessity;* χρειοῖ ἀναγκαίῃ, Θ 57; ἐστί, γίγνεται (cf. opus est), w. gen. of thing and acc. of person,

also freq. ἵκει, ἱκάνει, ἱκάνεται, ζ 136; χρέω without ἐστί or ἱκάνει, like **χρή**, τίπτε δέ σε χρεώ; α 225.

χρεώμενος: see χράομαι.

χρή (act. of χράομαι): impers., *there is need,* w. acc. of person and gen. of thing, α 124; then, one *must, ought, should,* w. acc. and inf. (either or both), οὐδέ τί σε χρή, 'it behooves thee not,' τ 500, etc.

χρηΐζω (χράομαι): *need,* τινός.

χρῆμα, ατος (χράομαι): *what one has use or need of,* pl., *possessions, property.* (Od.)

χρίμπτω: only pass. aor. part., χριμφθείς, πέλας, *approaching* very near, κ 516†.

χρίω, ipf. χρῖον, aor. ἔχρισα, χρῖσε, mid. fut. χρίσομαι: *smear* with oil, *anoint;* mid., oneself, or something of one's own, ἰοὺς φαρμάκῳ, α 262.

χροιή (cf. χρώς): *skin or surface of* the *body,* Ξ 164†.

χρόμαδος: *grinding* sound, Ψ 688†.

Χρόμιος: *Chromius.*—(1) a son of Priam, E 160.—(2) a son of Neleus, λ 286, Δ 295.—(3) a Lycian, E 677.—(4) a Trojan, Θ 275.—(5) a chief of the Mysians, P 218, 494, 534.

Χρόμις = Χρόμιος (5), B 858.

χρόνιος: *after a long time,* ρ 112†.

χρόνος: *time.*

χροός, χροΐ, χρόα: see χρώς.

χρῡσ-άμπυξ, υκος: *with frontlet of gold.* (Il.)

χρῡσ-άορος (ἄορ): *with sword of gold,* epith. of Apollo, E 509 and O 256.

χρύσεος, χρύσειος: *of gold, golden,* adorned with gold, δ 14 (see cut No. 2). Of color, ἔθειραι, νέφεα, Θ 42, N 523. The word is esp. applied to things worn or used by the gods. χρῡσέῃ, χρῡσέῳ, etc., pronounced with synizesis.

Χρύση: *Chryse,* a port in the Troad, with a temple of Apollo, A 37, 100, 390, 431, 451.

Χρῡσηΐς: *daughter of Chryses,* Χρυσεῗς, A 111, 143, 182, 310, 369, 439. Her proper name was Astynome.

χρῡσ-ηλάκατος (ἠλακάτη): *with golden arrow,* Artemis, δ 122.

χρῡσ-ήνιος (ἡνία): *with golden reins* or *bridle,* Z 205 and Θ 285.

Χρύσης: *Chryses*, priest of Apollo at Chryse, A 11, 370, 442, 450.

Χρῡσόθεμις: *Chrysothemis*, daughter of Agamemnon and Clytaemnestra, I 145 and 287.

χρῡσό-θρονος: *golden-throned*.

χρῡσό-πέδῑλος: *golden-sandalled*.

χρῡσό-πτερος: *with wings of gold*, Θ 398 and Λ 185.

χρῡσό-ρραπις: *with wand of gold*, Hermes.

χρῡσός: *gold;* collectively for utensils of gold, ο 207.

χρῡσο - χόος (χέω): *goldsmith*, γ 425†.

χρώς, χρωτός and **χροός**, dat. **χροΐ**, acc. **χρῶτα** and **χρόα**: properly surface, esp. of the body, *skin, body* with reference to the skin; then *color, complexion,* τρέπεται, 'changes,' of turning pale with fear, N 279, φ 412.

χυμένη, χύντο: see χέω.

χύσις (χέω): *pouring, heap*. (Od.)

χυτλόω, mid. aor. opt. χυτλώσαιτο: mid., *bathe and anoint oneself*, ζ 80†.

χυτός (χέω): *poured, heaped up*.

χωλεύω: *be lame, limp*. (Il.)

χωλός: *lame, halt*.

χώομαι (χέω), imp. χώεο, ipf. χώετο, aor. (ἐ)χώσατο, subj. χώσεται, part. -άμενος: *be agitated, troubled, angered;* κῆρ, (κατὰ) θῡμόν, φρεσίν, and w. dat. of the person, A 80, I 555; causal gen. of thing or person, A 429.

χωρέω (χῶρος), fut. χωρήσουσι, aor. (ἐ)χώρησα: properly, *make space or room; give place, make way, withdraw;* τινί, 'before' one, N 324; τινός, 'from' something, M 406.

χώρη: *space, place;* pl., *regions, countries,* Θ 573.

χωρίς: *separately, apart, by oneself*.

χῶρος: *a space, place;* more concrete than χώρη. *Spot, region,* ξ 2.

Ψ.

ψάμαθος: *sand, sands;* to designate the strand, or the sand-hills of the shore, δ 426; as simile for a countless multitude, B 800.

ψάμμος: *sand,* μ 243†.

ψάρ, ψήρ, pl. gen. ψαρῶν, acc. ψῆρας: *starling,* or *meadow lark,* P 755 and Π 583.

ψαύω (ψάϜω), ipf. ψαῦον, aor. ἔψαυσα: *touch lightly, graze;* τινος, Ψ 519, 806.

ψεδνός (ψάω): *rubbed off, thin, sparse,* B 219†.

ψευδ-άγγελος: *reporting lies, false messenger,* O 159†.

ψευδής, ές: *false;* as subst., *liar,* Δ 235†.

ψεῦδος, εος: *falsehood, lie;* of fiction, τ 203.

ψεύδομαι, imp. ψεύδεο, fut. ψεύσομαι, aor. part. ψευσάμενος: *speak falsely, lie, deceive;* ψεύσομαι ἦ ἔτυμον ἐρέω, 'shall (do) I deceive myself, or?' K 534.

ψευστέω, fut. ψευστήσεις: *be a liar,* 'deceive oneself,' T 107†.

ψεύστης: *liar, deceiver,* pl., Ω 261†.

ψηλαφάω, part. -φόων: *feel about, grope,* ι 416†.

ψῆρας: see ψάρ.

ψηφίς, ῖδος: *pebble,* pl., Φ 260†.

ψιάς, άδος: *drop,* pl., Π 459†.

ψῑλός (ψάω): *worn smooth and bare;* νῆα, 'dismantled,' without sides, μ 421.

ψολόεις, εσσα, εν (ψόλος, 'smoke'): *smouldering, sulphurous,* ψ 330 and ω 539.

Ψυρίη: *Psyria*, a small island between Lesbos and Chios, γ 171†.

ψῡχή (ψύχω): properly, *breath of life, life, soul, spirit;* τὸν ἔλιπε ψῡχή, of one falling in a faint, E 696; *of life itself,* ψῡχῆς ὄλεθρος, X 325; περὶ ψῡχῆς μάχεσθαι, χ 245; *of animals,* ξ 426; ψῡχὰς ὀλέσαντες, N 763. Also *of the disembodied spirits,* souls of the departed in the nether world, ψῡχὴ καὶ εἴδωλον, Ψ 104, cf. ω 14; opp. to the body or the man himself, A 3.

For the supposed condition of the souls in Hades, see λ 153, 232 ff., 476.

ψῦχος, εος (ψύχω): *cold, coolness,* κ 555†.

ψῡχρός: *cold.*

ψύχω, aor. 1 ψύξᾱσα: *blow, breathe,* Υ 440†.

ψωμός (ψάω): *morsel, gobbet,* pl., : 374†.

Ω.

ὤ: *O,* interjection used w. voc.; placed between adj. and subst., δ 206. With synizesis, ρ 375.

ὤ: *Oh!* interjection expressive of feeling, ὤ μοι, ὤ πόποι, etc.

Ὠγυγίη: *Ogygia,* a fabulous island, the residence of Calypso, α 85, ζ 172, η 244, 254, μ 448, ψ 333.

ὧδε (adv. from ὅδε): *so, thus, in this way,* referring either to what follows or to what precedes, Α 181, Η 34; correl. to ὡς, Γ 300, Ζ 477; like αὔτως, ὧδε θέεις ἀκίχητα διώκων, 'just as you do,' i. e. in vain, Ρ 75, Υ 12: *just, as you see,* α 182, β 28 (according to Aristarchus ὧδε never means *hither* in Homer); *to such a degree,* Μ 346.

ὧδεε: see οἰδέω.

ὠδίνω: writhe with pain, *be in pain, travail,* Λ 269.

ὠδίς, ῑνος: pl., *pains of labor, travail,* Λ 271†.

ὠδύσαο, ὠδύσατο: see ὀδύσσομαι.

ὠθέω, ὠθεῖ, ipf. ὤθει, iter. ὤθεσκε, aor. ὦσα, ἔωσε (Π 410), iter. ὤσασκε, mid. aor. ὠσάμην: *thrust, push, shove;* mid., thrust oneself, i. e. 'press forward,' Π 592; *force, drive,* from or for oneself, Ε 691, Θ 295; w. gen., τείχεος, 'from' the wall, Μ 420.

ὠίετο, ὠίσθην: see ὀίω.

ὦκ(α) (adv. from ὠκύς): *quickly.*

Ὠκαλέη: a village in Boeotia near Haliartus, Β 501†.

Ὠκεανός: *Oceanus,* distinguished from the sea (θάλασσα, πόντος, ἅλς) as a mighty *stream* (ποταμός, Σ 607, Υ 7; ῥόος Ὠκεανοῖο, Π 151; cf. Milton's 'ocean stream') encircling the whole Earth, Σ 607. The constellations (excepting the Great Bear, which in Greek latitudes does not dip below the horizon) are conceived as sinking below Oceanus and emerging from it on the other side of the Earth, as they set and rise. Beyond Ocean is the entrance to the nether world, and Elysium is on its hither bank, κ 508, δ 568. (In the cut, which represents a

130

design of the shield of Achilles, the outer rim [5] indicates the stream of Ocean.) — Personified, **Ὠκεανός,** husband of Tethys, father of all streams and fountains, and, indeed, of all the gods, δ 568, κ 139, Ξ 311, 201.

ὤκιστος: see ὠκύς.

ὤκτειρα: see οἰκτείρω.

ὠκύαλος: *swift-sailing.*

Ὤκυαλος: a Phaeacian, θ 111†.

ὠκύ-μορος, sup. -ώτατος: *quickly-dying,* doomed to a speedy death, *swift-fated,* Σ 95, Α 417; ἰοί, *swift-slaying,* χ 75.

ὠκυ-πέτης (πέτομαι): *swift-flying,* Ν 24 and Θ 42.

ὠκύ-πορος: *swift-sailing, fast-going.*

ὠκύ-πος, ποδος: *swift-footed,* horses.

ὠκύ-πτερος (πτερόν): *swift-winged,* Ν 62†.

ὠκύ-ροος: *swift-flowing*, E 598 and H 133.

ὠκύς, ὠκεῖα and ὠκέα, ὠκύ (cf. ocior), sup. ὤκιστος, ὠκύτατος (θ 331): *swift, fleet*, often πόδας ὠκύς, 'swift-footed.' Of things, βέλος, ὀιστός, ὄλεθρος, X 325. Predicatively as adv., μ 374, Ψ 880.—Sup. neut. pl. as adv., ὤκιστα, χ 77, 133.

Ὠλενίη πέτρη: Olenian rock, a peak of Mt. Scollis, on the borders of Elis, B 617, Λ 757.

Ὤλενος: a town in Aetolia, on Mt. Aracynthus, B 639†.

ὠλεσί-καρπος: *losing* their *fruit*, of the willow which drops its fruit before ripening, κ 510†.

(ὦλξ), acc. ὦλκα (Ϝέλκω): *furrow*, N 707 and σ 375.

ὠμ-ηστής (ὠμός, ἔδω): *eating raw flesh*, of animals; hence, *cruel, savage*, of men, Ω 207.

ὠμο-γέρων (ὠμός, cf. cruda senectus): *fresh, vigorous old man*, Ψ 791†.

ὠμο-θετέω, aor. ὠμοθέτησαν, mid. ipf. ὠμοθετεῖτο: *place* (as offering to the gods) *raw pieces* of flesh upon the μηρία wrapped in the caul, *consecrate flesh*, A 461; mid., *have flesh consecrated*, ξ 427.

ὦμος: *shoulder*.

ὠμός: *raw, uncooked*, opp. ὀπταλέος, μ 396; prov., ὠμὸν βεβρώθειν τινά, 'eat alive,' of intense hate, Δ 35; ὠμά, adverbial, devour 'raw,' Ψ 21; fig., 'premature' old age, o 357.

ὠμο-φάγος: *eating raw flesh*. (Il.)

ᾤμωξα: see οἰμώζω.

ὤνατο: see ὄνομαι.

ὠνήμην, ὤνησα: see ὀνίνημι.

ὠνητός (ὠνέομαι): *bought*, 'slave-mother,' ξ 202†.

ὦνος (Ϝῶνος, cf. venum): *purchase-money*; ἐπείγετε ὦνον ὀδαίων, 'hurry forward the delivery of the goods given in exchange for your freight,' i. e. the return freight, o 445.

ὠνοσάμην: see ὄνομαι.

ᾠνοχόει: see οἰνοχοέω.

ᾦξε: see οἴγνυμι.

ὤρεσσιν: see ὄαρ.

ὤρετο: see ὄρνυμι.

ὥρη: *season*, esp. the spring, B 468, ι 51; and in pl., *seasons* of the year, κ 469, β 107; Διὸς ὧραι, ω 394; then

the fitting, right *time* (like καιρός), δόρ-ποιο, ὕπνου, γάμου, o 126; with inf., εὕδειν, λ 373; πρὶν ὥρη ('before 't is time '), ἐν ὥρῃ, εἰς ὥρας, ι 135.—Personified, Ὧραι, the *Hours* (Ὧ ραε), door-keepers of Olympus and goddesses of the seasons, E 749 ff., Θ 393, 433.

Ὠρείθυια: a Nereid, Σ 48†.

ὥριος (ὥρη): ὥρια πάντα, all things *in their season*, ι 131†.

ὥριστος = ὁ ἄριστος.

Ὠρίων: *Orion*, the mighty hunter, beloved of Eos, ε 121. Slain by Artemis, he continues to follow the chase in the nether world, λ 572, 310, Σ 486. He appears even in Homer as a constellation, Σ 488, ε 274.

ὤρορε: see ὄρνῡμι.

Ὦρος: a Greek, slain by Hector, Λ 303†.

ὦρσε, ὦρτο, ὠρώρει: see ὄρνῡμι.

1. ὥς: prep. w. acc., only with personal obj., *to*; ὥς τὸν ὁμοῖον, ρ 218†.

2. ὥς (γως): I. adv., *as, how*; answering to τώς, ὥς (ὣς), οὕτω, τόσσον, ξ 44; 'so surely as,' Θ 541; often ὡς ὅτε, ὡς εἰ, and used with single words as well as with clauses. Exclamatory, *how!* π 364, ω 194. — II. conj., (1) temporal, *as, when*, always of a fact, with ind., Ψ 871. — (2) explanatory (like ὅτι), *that*, γ 346; and causal, *because* (= ὅτι οὕτως), Δ 157, β 233, ρ 243.—(3) final, *that, in order that*.— (4) idiomatically used in the expression of a wish, like utinam, Σ 107, Γ 428.

1. ὥς: by anastrophe for ὡς 2, when it follows its subst. In such cases the preceding short syllable is usually lengthened, ὄρνῑθες γώς (end of verse).

2. ὥς (ὣς after οὐδ' and καί): *thus, so, in this way*; often καὶ ὥς, 'even thus' (οὐδ' ὥς, 'not even thus'), i. e. *nevertheless* (*not*).

ὡσεί (ὡς εἰ): *as if, as though*, never separated by an intervening word, ι 314; w. part., E 374; also without a verb, *as, like*, η 36.

ὥσπερ (ὥς περ): *just as, even as*; often separated by an intervening word, ὥς ἔσεταί περ, A 211.

ὥστε (ὥς τε): *as, just as*, with or without verb. Only twice used to express result as in Attic, *so that*, I 42, ρ 21.

ὠτειλή: *wound*.

ʾῶτος: *Otus*.—(1) a giant, son of Poseidon and Iphimedīa, λ 308, E 385. —(2) of Cyllēne, a chief of the Epeians, O 518.

ὠτώεις, εσσα, εν (οὖς): *with ears or handles*, Ψ 264 and 513.

ωὑτός: = ὁ αὐτός, E 396†.

ὤφελλον, ὤφελες: see ὀφείλω.

ὠχράω: only aor. part., ὠχρήσαντα, *having become pale*, λ 529.

ὠχρος: *paleness, pallor*, Γ 35†.

ὤψ: only acc., εἰς ὦπα, *in the face* ('in the eye'), full in the face, ἰδέσθαι, χ 405; *in face, in person*, ἔοικεν, Γ 158.

ʾΩψ: *Ops*, son of Pisēnor, father of Euryclēa, α 429, β 347, υ 148.

PLATE I.

PLATE II.

PLATE III.

HOUSE OF ODYSSEUS.

(After L. Gerlach.)

A	πρόθυρον.
B	αὐλῆς αἴθουσα, δ 678, π 342.
C	αὐλή, δ 625.
D	αἴθουσα.
E E	πρόδομος, ο 5, υ 1.
F	μέγαρον.
G	Women's apartment; overhead the ὑπερώιον.
a	Treasure-chamber.
b	Chamber of Odysseus and Penelope.
c	Chamber of Eurykleia, β 348.
d	Seats of the king and queen.
e e	Post of Odysseus as beggar.
f f	ξεστοὶ λίθοι.
g	Ζεὺς ἑρκεῖος.
h	ὀρσοθύρη.
i	λαύρη.
k	θόλος.
l	κλῖμαξ.
m	ῥῶγες.
n	στόμα λαύρης,
o	αὐλῆς καλὰ θύρετρα, } χ 137.
p	cf. χ 459 sq.
q	ρ 297.
r	καλαὶ μεσόδμαι, τ 37, υ 354.
s s	Wicket barriers.
t	πρόθυρον, σ 10, 33, 102.
u	Sleeping-apartment of Odysseus, ψ 190.

PLATE IV.

Fig. 2.—Mast-Box.
μεσόδμη, mast-box (drawn on a larger scale), β 424, cf. τ 37.

Fig. 1.—Rigging of Homeric Ship.

A. Mast (ἱστός).
B. Sail (ἱστίον).
C C. Forestays (πρότονοι, β 425).
C'. Backstay (ἐπίτονος, μ 423).
D. Yard (ἐπίκριον, ε 254).

E E. Halliards (κάλοι, ε 260; cf. β 426).
F F. Braces (ὑπέραι, ε 260).
G G. Sheets (πόδες, ε 260).
H. Mast-crutch (ἱστοδόκη, A 434).

PLATE V.

PRESENT ASPECT OF THE TROJAN PLAIN.

⃝ Modern Sites.   ⊞ Ruins of Ancient Sites.
⊙ Artificial Hills (Funeral Mounds).

The prevalent opinion of antiquity located Homer's Troy on the hill *Hissarlik*, about three miles south of the Hellespont. The only important dissent from this view, among the ancients, was on the part of Demetrios of Skepsis, who was followed by Strabo, and who located Ilios at Ἰλιέων κώμη, some three miles east of Hissarlik, in the valley of the Simoeis.

Toward the close of the last century, the French traveller Le Chevalier visited the Troad, and boldly declared that he had identified the site of the ancient city on the height *Ballyk*, behind the village *Bunarbaschi*. Le Chevalier's view was announced with great positiveness, and has been generally received by modern scholars, e. g., Welcker, E. Curtius, Stark, Tozer, and the geographers Spratt, Kiepert, and Field-Marshal Von Moltke. In 1864 the Austrian Consul in Syra, Von Hahn, an eager partisan of Le Chevalier's theory, undertook excavations at *Ballyk*, which were prosecuted for several months, but without success.

The results of Schliemann's recent excavations at *Hissarlik* are familiar to all, and his discoveries go far to establish the fact that upon the hill *Hissarlik* the metropolis of the Trojan Plain, in prehistoric as well as in more recent times, must have stood. Among those who have advocated the claims of this site may be mentioned Gladstone, Grote, Eckenbrecker, Keller, Christ, Steitz, Büchner, and the writer of the article *Ilium* in Smith's Dictionary of Ancient Geography.